Александр
СОЛЖЕНИЦЫН
1918 — 2008

Александр СОЛЖЕНИЦЫН

Архипелаг ГУЛАГ

1918–1956

Опыт художественного исследования

Части V–VII

АЗБУКА

Санкт-Петербург

УДК 821.161.1
ББК 84(2Рос-Рус)6-44
С 60

Под редакцией Н. Д. Солженицыной

В издании сохранена орфография и пунктуация автора.
Его взгляды изложены в работе
«Некоторые грамматические соображения»
(*Солженицын А. И.* Публицистика: В 3 т.
Ярославль, 1997. Т. 3).

Серийное оформление Вадима Пожидаева

Оформление обложки Валерия Гореликова

© Русский Благотворительный Фонд Александра Солженицына, 2017
© Оформление. ООО «Издательская Группа „Азбука-Аттикус"», 2011
Издательство АЗБУКА®

ISBN 978-5-389-02352-9 (ч. V–VII)
ISBN 978-5-389-02354-3 (комплект)

ЧАСТЬ ПЯТАЯ

Каторга

Сделаем из Сибири
каторжной, кандальной —
Сибирь советскую,
социалистическую!

Сталин

Глава 1
ОБРЕЧЁННЫЕ

Революция бывает торопливо-великодушна. Она от многого спешит отказаться. Например, от слова *каторга*. А это — хорошее, тяжёлое слово, это не какой-нибудь недоносок ДОПР, не скользящее ИТЛ. Слово «каторга» опускается с судейского помоста как чуть осекшаяся гильотина и ещё в зале суда перебивает осуждённому хребет, перешибает ему всякую надежду. Слово «каторжане» такое страшное, что другие арестанты, не каторжане, думают между собой: вот уж где, наверное, палачи! (Это трусливое и спасительное свойство человека: представлять себя ещё не самым плохим и не в самом плохом положении. На каторжанах *номера*! — ну, значит, отъявленные! На нас-то с вами не навесят же!.. Подождите, навесят!)

Сталин очень любил старые слова, он помнил, что на них государства могут держаться столетиями. Безо всякой пролетарской надобности он приращивал отрубленные второпях: «офицер», «генерал», «директор», «верховный». И через двадцать шесть лет после того, как Февральская революция отменила каторгу, — Сталин снова её ввёл. Это было в апреле 1943 года, когда Сталин почувствовал, что, кажется, воз его вытянул в гору. Первыми гражданскими плодами сталинградской народной победы оказались: Указ о военизации железных дорог (мальчишек и баб судить трибуналом) и, через день (17 апреля), — Указ о введении каторги и виселицы. (Виселица — тоже хорошее древнее установление, это не какой-нибудь хлопок пистолетом, виселица растягивает смерть и позволяет в деталях показать её сразу большой толпе.) Все последующие победы пригоняли на каторгу и под виселицу обречённые пополнения — сперва с Кубани и Дона, потом с левобережной Украины, из-под Курска, Орла, Смоленска. Вслед за армией шли трибуналы, одних публично вешали тут же, других отсылали в новосозданные каторжные лагпункты.

Самый первый такой был, очевидно, — на 17-й шахте Воркуты (вскоре — и в Норильске, и в Джезказгане). Цель почти не скрывалась: каторжан предстояло умертвить. Это откровенная душегубка, но, в традиции ГУЛАГа, растянутая во времени, — чтоб обречённым мучиться дольше и перед смертью ещё поработать.

Их поселили в «палатках» семь метров на двадцать, обычных на севере. Обшитые досками и обсыпанные опилками, эти палатки становились как бы лёгкими бараками. В такую палатку полагалось 80 человек, если на вагонках, 100 — если на сплошных нарах. Каторжан селили — по двести.

Но это не было уплотнение! — это было только разумное использование жилья. Каторжанам установили двухсменный двенадцатичасовой рабочий день без выходных — поэтому всегда сотня была на работе, а сотня в бараке.

На работе их оцеплял конвой с собаками, их били кому не лень и подбодряли автоматами. По пути в зону могли по прихоти полоснуть их строй автоматной очередью — и никто не спрашивал с солдат за погибших. Изморенную колонну каторжан легко было издали отличить от простой арестантской — так потерянно, с трудом таким они брели.

Полнопротяжно отмерялись их двенадцать рабочих часов. (На ручном долблении бутового камня под полярными норильскими вьюгами они получали за полсуток — один раз 10 минут обогревалки.) И как можно несуразнее использовались двенадцать часов их *отдыха*. За счёт этих двенадцати часов их вели из зоны в зону, строили, обыскивали. В жилой зоне их тотчас вводили в никогда не проветриваемую палатку, без окон, —

и запирали там. В зиму густел там смрадный, влажный, кислый воздух, которого и двух минут не мог выдержать непривыкший человек. Жилая зона была доступна каторжанам ещё менее, чем рабочая. Ни в уборную, ни в столовую, ни в санчасть они не допускались никогда. На всё была или параша, или кормушка. Вот какой проступила сталинская каторга 1943—44 годов: соединением худшего, что есть в лагере, с худшим, что есть в тюрьме.

Царская каторга, по свидетельству Чехова, была гораздо менее изобретательна. Из Александровской (Сахалин) тюрьмы каторжане не только могли круглосуточно выходить во двор и в уборную (парашами там даже не пользовались), но и весь день — в город! Так что подлинный смысл слова «каторга» — чтоб гребцы были к вёслам прикованы — понимал только Сталин.

На 12 часов их «отдыха» ещё приходилась утренняя и вечерняя проверка каторжан — проверка не просто счётом поголовья, как у зэков, но обстоятельная, поимённая перекличка, при которой каждый из ста каторжан дважды в сутки должен был без запинки огласить свой номер, свою постылую фамилию, имя, отчество, год и место рождения, статьи, срок, кем осуждён и конец срока; а остальные девяносто девять должны были дважды в сутки всё это слушать и терзаться. На эти же 12 часов приходились и две раздачи пищи: через кормушку раздавались миски и через кормушку собирались. Никому из каторжан не разрешалось работать на кухне, никому — разносить бачки с пищей. Вся обслуга была — из блатных, и чем наглее, чем безпощаднее они обворовывали проклятых каторжан, — тем лучше жили сами, и тем больше были довольны каторжные хозяева, — здесь, как всегда за счёт Пятьдесят Восьмой, совпадали интересы НКВД и блатарей.

Но так как ведомости не должны были сохранить для истории, что каторжан морили ещё и голодом, — то по ведомостям им полагались жалкие, а тут ещё трижды разворованные добавки «горняцких» и «премблюд». И всё это долгой процедурой совершалось через кормушку — с выкликом фамилий, с обменом мисок на талоны. И когда можно было бы наконец свалиться на нары и заснуть — отпадала опять кормушка, и опять выкликались фамилии, и начиналась выдача тех же талонов на следующий день (простые зэки не возились с талонами, их получал и сдавал на кухню бригадир).

Так от двенадцати часов «досуга» едва-едва оставались четыре покойных часа для сна.

Ещё, конечно, каторжанам не платили никаких денег, они не имели права получать посылок, ни писем (в их гудящей задурманенной голове должна была погаснуть бывшая *воля* и ничего на земле не остаться в неразличимой полярной ночи, кроме труда и этого барака).

От того всего каторжане хорошо подавались и умирали быстро.

Первый воркутинский *алфавит* (28 букв, при каждой литере нумерация от единицы до тысячи) — 28 тысяч первых воркутинских каторжан — все ушли под землю за один год.

Удивимся, что — не за месяц*.

В Норильске на 25-й кобальтовый завод подавали в зону за рудою состав — и каторжане ложились под поезд, чтобы кончить это всё скорей. Две дюжины человек с отчаяния убежали в тундру. Их обнаружили с самолётов, расстреляли, потом убитых сложили у развода.

На воркутинской шахте № 2 был женский каторжный лагпункт. Женщины носили номера на спине и на

---

* При Чехове на всём каторжном Сахалине оказалось каторжан — сколько бы вы думали? — 5 905 человек, хватило бы и шести букв. Почти такой же был наш Экибастуз, а Спасск-то больше куда. Только слово страшное — «Сахалин», а на самом деле — одно лаготделение! Лишь в Степлаге было двенадцать таких. Да таких, как Степлаг, — десять лагерей. Считайте, сколько Сахалинов.

головных косынках. Они работали на всех подземных работах и даже, и даже... — перевыполняли план!..*

Но я уже слышу, как соотечественники и современники гневно кричат мне: остановитесь! О *ком* вы смеете нам говорить? Да! Их содержали на истребление — и правильно! Ведь это — предателей, полицаев, бургомистров! Так им и надо! Уж вы не жалеете ли их?? (Тогда, как известно, критика выходит за рамки литературы и подлежит Органам.) А женщины там — это же *немецкие подстилки*! — кричат мне женские голоса. (Я не преувеличил? — ведь это наши женщины назвали других наших женщин подстилками?)

Легче всего мне бы отвечать так, как это принято теперь, «разоблачая культ». Рассказать о нескольких исключительных посадках на каторгу. (Например, о трёх комсомолках-добровoлках, которые на лёгких бомбардировщиках испугались сбросить бомбы на цель, сбросили их в чистом поле, вернулись благополучно и доложили, что выполнили задание. Но потом одну из них замучила комсомольская совесть — и она рассказала комсоргу своей авиационной части, тоже девушке, та, разумеется, — в Особый Отдел, и трём девушкам вкатали по 20 лет каторги.) Воскликнуть: вот каких честных советских людей подвергал каре сталинский произвол! И дальше уже негодовать не на произвол собственно, а на роковые ошибки по отношению к комсомольцам и коммунистам, теперь счастливым образом исправленные.

Однако недостойно будет не взять вопрос во всю его глубину.

Сперва о женщинах — как известно, теперь раскрепощённых. Не от двойной работы, правда, — но от церковного брака, от гнёта социального презрения и от Кабаних. Но что это? — не худшую ли Кабаниху мы уготовили им, если свободное владение своим те-

---

* На Сахалине для женщин не было вообще каторжных работ *(Чехов)*.

лом и личностью вменяем им в антипатриотизм и в уголовное преступление? Да не вся ли мировая (досталинская) литература воспевала свободу любви от национальных разграничений? от воли генералов и дипломатов? А мы и в этом приняли сталинскую мерку: без Указа Президиума Верховного Совета не сходись. Твоё тело есть прежде всего достояние Отечества.

Прежде всего — кто они были по возрасту, когда сходились с противником не в бою, а в постелях? Уж наверное не старше тридцати лет, а то и двадцати пяти. Значит — от первых детских впечатлений они воспитаны *после* Октября, в советских школах и в советской идеологии! Так мы рассердились на плоды своих рук? Одним девушкам запало, как мы пятнадцать лет не уставали кричать, что нет никакой родины, что отечество есть реакционная выдумка. Другим прискучила пуританская преснятина наших собраний, митингов, демонстраций, кинематографа без поцелуев, танцев без обнимки. Третьи были покорены любезностью, галантностью, теми мелочами внешнего вида мужчины и внешних признаков ухаживания, которым никто не обучал парней наших пятилеток и комсостав фрунзенской армии. Четвёртые же были просто голодны — да, примитивно голодны, то есть им нечего было жевать. А пятые, может быть, не видели другого способа спасти себя или своих родственников, не расстаться с ними.

В городе Стародубе Брянской области, где я был по горячим следам отступившего противника, мне рассказывали, что долгое время стоял там мадьярский гарнизон — для охраны города от партизан. Потом пришёл приказ его перебросить, — и десятки местных женщин, позабыв стыд, пришли на вокзал и, прощаясь с оккупантами, так рыдали, как (добавлял один насмешливый сапожник) «своих мужей не провожали на войну».

Трибунал приехал в Стародуб днями позже. Уж наверно не оставил доносов без внимания. Уж кого-то из стародубских плакальщиц послал на воркутинскую шахту № 2.

Но чья ж тут вина? Чья? Этих женщин? Или — нас, всех нас, соотечественники и современники? Каковы ж были *мы*, что от нас наши женщины потянулись к оккупантам? Не одна ли это из безчисленных плат, которые мы платим, платим и ещё долго будем платить за наш коммунистический путь, поспешно принятый, суматошно пройденный, без оглядки на потери, без загляда вперёд?

Всех этих женщин, может быть, следовало предать нравственному порицанию (но прежде выслушав и их), может быть, следовало колко высмеять, — но посылать за это на каторгу? в полярную душегубку??

Да это Сталин послал! Берия!

Нет, извините! Те, кто послал, и содержал, и добивал, — сейчас в общественных советах пенсионеров и следят за нашей дальнейшей нравственностью. А мы все? Мы услышим «немецкие подстилки» — и понимающе киваем головами. То, что мы и сейчас считаем всех этих женщин виновными, — куда опаснее для нас, чем даже то, что они сидели в своё время.

— Хорошо, но мужчины-то попали за дело?! Это — предатели родины и предатели социальные.

Можно бы и здесь увильнуть. Можно бы напомнить (это будет правда), что главные преступники, конечно, не сидели на месте в ожидании наших трибуналов и виселиц. Они спешили на Запад, как могли, и многие ушли. Карающее же наше следствие добирало до заданных цифр за счёт ягнят (тут доносы соседей помогли очень): у того почему-то на квартире стояли немцы — за что полюбили его? а этот на своих дровнях возил немцам сено — прямое сотрудничество с врагом*.

Так можно бы смельчить, опять свалить на *культ*: были перегибы, теперь они исправлены. Всё нормально.

Но начали, так пойдём.

---

* Для справедливости не забудем: с 1946 года таких иногда пересуживали и 20 лет КТР (каторжных работ) заменяли на 10 лет ИТЛ.

А школьные учителя? Те учителя, которых наша армия в паническом откате бросила с их школами и с их учениками — кого на год, кого на два, кого на три. Оттого что глупы были интенданты, плохи генералы, — что делать теперь учителям? — учить своих детей или не учить? И что делать ребятишкам — не тем, кому уже пятнадцать, кто может зарабатывать или идти в партизаны, — а малым ребятишкам? Им — учиться или баранами пожить года два-три в искупление ошибок верховного главнокомандующего? Не дал батька шапки, так пусть уши мёрзнут, да?..

Такой вопрос почему-то не возникал ни в Дании, ни в Норвегии, ни в Бельгии, ни во Франции. Там не считалось, что, легко отданный под немецкую власть своими неразумными правителями или силою подавляющих обстоятельств, народ должен теперь вообще перестать жить. Там работали и школы, и железные дороги, и местные самоуправления.

Но у кого-то (конечно у них!) мозги повёрнуты на сто восемьдесят градусов. Потому что у нас учителя школ получали подмётные письма от партизан: «не сметь преподавать! за это расплатитесь!» И работа на железных дорогах тоже стала — сотрудничество с врагом. А уж местное самоуправление — предательство неслыханное.

Все знают, что ребёнок, отбившийся от учения, может не вернуться к нему потом. Так если дал маху Гениальный Стратег всех времён и народов, — траве пока расти или иссохнуть? детей пока учить или не учить?

Конечно, за это придётся заплатить. Из школы придётся вынести портреты с усами и, может быть, внести портреты с усиками. Ёлка придётся уже не на Новый год, а на Рождество, и директору придётся на ней (и ещё в какую-нибудь имперскую годовщину вместо октябрьской) произнести речь во славу новой замечательной жизни — а она на самом деле дурна. Но ведь и раньше говорились речи во славу замечательной жизни, а она тоже была дурна.

То есть прежде-то кривить душой и врать детям приходилось гораздо больше — из-за того что было время вранью устояться и просочиться в программы в дотошной разработке методистов и инспекторов. На каждом уроке, кстати ли, некстати, изучая ли строение червей или сложноподчинительные союзы, надо было обязательно лягнуть Бога (даже если сам ты веришь в Него); надо было не упустить воспеть нашу безграничную свободу (даже если ты не выспался, ожидая ночного стука); читая ли вслух Тургенева, ведя ли указкой по Днепру, надо было непременно проклясть минувшую нищету и восславить нынешнее изобилие (когда на глазах у тебя и у детей задолго до войны вымирали целые сёла, а на детскую карточку в городах давали триста граммов).

И всё это не считалось преступлением ни против правды, ни против детской души, ни против Духа Святого.

Теперь же, при временном неустоявшемся режиме оккупантов, врать надо было гораздо меньше, но — в другую сторону, в другую сторону! — вот в чём дело! И потому глас отечества и карандаш подпольного райкома запрещали родной язык, географию, арифметику и естествознание. Двадцать лет каторги за такую работу!

Соотечественники, кивайте головами! Вон ведут их с собаками в барак с парашей. Бросайте в них камнями — они учили ваших детей.

Но соотечественники (особенно пенсионеры МВД и КГБ, этакие лбы, ушедшие на пенсию в сорок пять лет) подступают ко мне с кулаками: я *кого* защищаю? бургомистров? старост? полицаев? переводчиков? всякую сволочь и накипь?

Что же, спустимся, спустимся дальше. Слишком много лесу наваляли мы, глядя на людей как на палочки. Всё равно заставит нас будущее поразмыслить о причинах.

Заиграли, запели «Пусть ярость благородная...» — и как же не зашевелиться волосам? Наш природный — запретный, осмеянный, стреляный и про́клятый — патриотизм вдруг был разрешён, поощрён, даже прославлен *святым*, — и как же было всем нам, русским, не воспрять, не объединиться благодарно-взволнованными сердцами и по щедрости натуры уж так и быть простить своим привычным палачам — перед подходом палачей закордонных? А зато потом, заглушая смутные сомнения и свою поспешную широту, тем дружней и неистовей проклинать *изменников* — таких явно худших, чем мы, злопамятных людей?

Одиннадцать веков стоит Русь, много знала врагов и много вела войн. А — предателей много было на Руси? *Толпы* предателей вышли из неё? Как будто нет. Как будто и враги не обвиняли русский характер в предательстве, в перемётничестве, в неверности. И всё это было при строе, как говорится, враждебном трудовому народу.

Но вот наступила самая справедливая война при самом справедливом строе — и вдруг обнажил наш народ десятки и сотни тысяч *предателей*.

Откуда они? Почему?

Может быть, это снова прорвалась непогасшая Гражданская война? Недобитые беляки? Нет! Уже было упомянуто выше, что многие белоэмигранты (в том числе злопроклятый Деникин) приняли сторону Советской России и против Гитлера. Они имели свободу выбора — и выбрали так*.

Эти же десятки и сотни тысяч — полицаи и каратели, старосты и переводчики — все вышли из граждан советских. И молодых было средь них немало, тоже возросших после Октября.

Что же их заставило?.. Кто это такие?

А это прежде всего те, по чьим семьям и по ком самим прошлись гусеницы Двадцатых и Тридцатых годов. Кто в мутных Потоках нашей канализации потерял родителей, родных, любимых. Или сам тонул и выныривал по лагерям и ссылкам, тонул и выныривал.

---

* Они не хлебнули с нами Тридцатых годов, и издали, из Европы, им легко было восхититься «великим патриотическим подвигом русского народа» и проморгнуть двенадцатилетний внутренний геноцид.

Чья нога довольно назябла и перемялась в очередях к окошку передач. И те, кому в жестокие эти десятилетия перебили, перекромсали доступ к самому дорогому на земле — к самой земле, кстати, обещанной великим Декретом и за которую, между прочим, пришлось кровушку пролить в Гражданскую войну. (Другое дело — дачные майораты офицеров Советской армии да обзаборенные подмосковные поместья: это — нам, это можно.) Да ещё кого-то хватали «за стрижку колосков». Да кого-то лишили права жить там, где хочешь. Или права заниматься своим издавним и излюбленным ремеслом (мы все ремёсла громили с фанатизмом, но об этом уже забыто).

Обо всех таких у нас говорят (а сугубо — агитаторы, а трегубо — напостовцы-октябристы) с презрительной пожимкой губ: «обиженные советской властью», «бывшие репрессированные», «кулацкие сынки», «затаившие чёрную злобу к советской власти».

Один скажет — а другой кивает головой. Как будто что-то понятно стало. Как будто народная власть имеет право обижать своих граждан. Как будто в этом и есть исходный порок, главная язва: обиженные... затаившие...

И не крикнет никто: да позвольте же! да чёрт же вас раздери! да у вас бытие-то, в конце концов, — определяет сознание или не определяет? Или только тогда определяет, когда вам выгодно? а когда невыгодно, так чтоб не определяло?

Ещё так у нас умеют говорить с лёгкой тенью на челе: «да, были допущены некоторые ошибки». И всегда — эта невинно-блудливая безличная форма — *допущены*, только неизвестно кем. Чуть ли не работягами, грузчиками да колхозниками допущены. Никто не имеет смелости сказать: *коммунистическая партия* допустила! безсменные и безответственные советские руководители допустили! А кем же ещё, кроме имеющих власть, они могли быть «допущены»? На одного Сталина валить? — надо же и чувство юмора иметь. Сталин допустил — так вы-то где были, руководящие миллионы?

Впрочем, и ошибки эти в наших глазах разошлись как-то быстро в туманное, неясное, безконтурное пятно и не числятся уже плодом тупости, фанатизма и зломыслия, а только в том все ошибки признаны, что коммунисты сажали коммунистов. А что 15—17 миллионов крестьян разорено, послано на уничтожение, рассеяно по стране без права помнить и называть своих родителей, — так это вроде и не ошибка. А все Потоки канализации, осмотренные в начале этой книги, — так тоже вроде не ошибка. А что нисколько не были готовы к войне с Гитлером, пыжились обманно, отступали позорно, меняя лозунги на ходу, и только Иван да «за Русь Святую» остановили немца на Волге, — так это уже оборачивается не промахом, а едва ли не главной заслугой Сталина.

За два месяца отдали мы противнику чуть ли не треть своего населения — со всеми этими недоуничтоженными семьями, с многотысячными лагерями, разбегавшимися, когда убегал конвой, с тюрьмами Украины и Прибалтики, где ещё дымились выстрелы от расстрелов Пятьдесят Восьмой.

Пока была наша сила — мы всех этих несчастных душили, травили, не принимали на работу, гнали с квартир, заставляли подыхать. Когда проявилась наша слабость — мы тотчас же потребовали от них забыть всё причинённое им зло, забыть родителей и детей, умерших от голода в тундре, забыть расстрелянных, забыть разорение и нашу неблагодарность к ним, забыть допросы и пытки НКВД, забыть голодные лагеря — и тотчас же идти в партизаны, в подполье и защищать Родину не щадя живота. (Но не *мы* должны были перемениться! И никто не обнадёживал их, что, вернувшись, мы будем обращаться с ними как-нибудь иначе, чем опять травить, гнать, сажать в тюрьму и расстреливать.)

При таком положении чему удивляться верней — тому ли, что приходу немцев было радо слишком много людей? Или ещё слишком мало? (А приходилось же немцам иногда и правосудие вершить, например над доносчиками советского времени, — как расстрел дьякона Набережно-Никольской церкви в Киеве, да не единицы случаев таких.)

А верующие? Двадцать лет кряду гнали веру и закрывали церкви. Пришли немцы — и стали церкви открывать. (Наши после немцев закрыть сразу постеснялись.) В Ростове-на-Дону, например, торжество открытия церквей вызвало массовое ликование, большое стечение толп. Однако они должны были проклинать за это немцев, да?

В том же Ростове в первые дни войны арестовали инженера Александра Петровича Малявко-Высоцкого, он умер в следственной камере, жена несколько месяцев тряслась, ожидая и своего ареста, — и только с приходом немцев спокойно легла спать: «Теперь-то по крайней мере высплюсь!» Нет, она должна была молить о возвращении своих палачей.

В мае 1943, при немцах, в Виннице в саду на Подлесной улице (который в начале 1938 горсовет обнёс высоким забором и объявил «запретной зоной Наркомата Обороны») случайно начали раскапывать совсем уже незаметные, поросшие пышной травой могилы — и нашли таких 39 массовых, глубиной 3,5 метра, размерами 3×4 метра. В каждой могиле находили сперва слой верхней одежды погибших, затем трупы, сложенные «валетами». Руки у всех были связаны верёвками, расстреляны были все — из малокалиберных пистолетов в затылок. Их расстреливали, видимо, в тюрьме, а потом ночами свозили хоронить. По сохранившимся у некоторых документам опознавали тех, кто был в 1938 осуждён «на 10 лет без права переписки». Вот одна из сцен раскопки: винницкие жители пришли смотреть или опознавать своих **(фото на с. 20)**. Дальше — больше. В июне стали раскапывать близ православного кладбища — у больницы Пирогова, и открыли ещё 42 могилы. Затем — Парк культуры и отдыха имени Горького, — и под аттракционами, «комнатой смеха», игровыми и танцевальными площадками открыли ещё 14 массовых могил. Всего в 95 могилах — 9 439 трупов. Это — только в Виннице одной, где об-

Расстрелянные в Виннице

наружили случайно. А — в остальных городах сколько утаено? И население, посмотрев на эти трупы, должно было рваться в советские партизаны?

Может быть, справедливо допустить наконец, что если *нам* с вами больно, когда топчут нас и то, что мы любим, — так больно и тем, кого топчем *мы*? Может быть, справедливо наконец допустить, что те, кого мы уничтожаем, имеют право нас ненавидеть? Или — нет, не имеют права? Они должны умирать с благодарностью?

Мы приписываем этим полицаям и бургомистрам какую-то исконную, чуть ли не врождённую злобу — а злобу-то посеяли мы в них сами, это же наши «отходы производства». Как это Крыленко произносил? — «в наших глазах каждое преступление есть продукт данной социальной системы»*. Вашей системы, товарищи! Надо своё Учение помнить!

---

* *Н. В. Крыленко.* За пять лет. 1918—1922 гг.: Обвинительные речи по наиболее крупным процессам, заслушанным в Московском и Верховном Революционных Трибуналах. М.; Пг.: Гос. изд-во, 1923, с. 337.

А ещё не забудем, что среди тех наших соотечественников, кто шёл на нас с мечом и держал против нас речи, были и совершенно безкорыстные и лично не задетые, у которых имущества никакого не отнимали (у них не было ничего) и которые сами в лагерях не сидели, и даже из семьи никто, но которые давно задыхались от всей нашей системы, от презрения к отдельной судьбе; от преследования убеждений; от песенки этой глумливой:

> где так вольно дышит человек;

от поклонов этих богомольных Вождю; от дёрганья этого карандаша — дай скорее на заём подписаться! от аплодисментов, переходящих в овацию. Можем мы допустить, что этим-то людям, нормальным, не хватало нашего смрадного воздуха? (Обвиняли на следствии отца Фёдора Флорю — как смел он при румынах расказывать о сталинских мерзостях. Он ответил: «А что я мог говорить о вас иначе? Что знал — то и говорил. Что было — то и говорил». А по-советскому: лги, душою криви и сам погибай — да только чтобы власти на выгоду! Но это ведь, кажется, уже не материализм, а?)

Случилось так, что в сентябре 1941 года, перед тем как мне уйти в армию, в посёлке Морозовске, на следующий год взятом немцами, мы с женой, молодые начинающие учителя, снимали квартиру в одном дворике с другими квартирантами — бездетной четой Броневицких. Инженер Николай Герасимович Броневицкий, лет шестидесяти, был интеллигент чеховского вида, очень располагающий, тихий, умный. Сейчас я хочу вспомнить его продолговатое лицо, и мне всё чудится на нём пенсне, хотя, может, пенсне никакого и не было. Ещё тише и мягче была его жена — блекленькая, со льняными прилегшими волосиками, на 25 лет моложе мужа, но по поведению совсем уже немолодая. Они были нам милы, вероятно, и мы им, особенно по различию с жадной хозяйской семьёй.

Вечерами мы вчетвером садились на ступеньки крыльца. Стояли тихие тёплые лунные вечера, ещё не разорванные гулом самолётов и взрывами бомб, но для нас тревога немецкого наступления наползала, как невидимые, но душные тучи по молочному небу на беззащитную маленькую луну. Каждый день на станции останавливались новые и новые эшелоны, идущие на Сталинград. Беженцы наполняли базар посёлка слухами, страхами, какими-то шальными сотенными из карманов и уезжали дальше. Они называли сданные города, о которых ещё долго потом молчало Информбюро, боявшееся правды для народа. (О таких городах Броневицкий говорил не «сдали», а «взяли».)

Мы сидели на ступеньках и разговаривали. Мы, молодые, очень были наполнены жизнью и тревогой за жизнь, но сказать о ней, по сути, не могли ничего умней, чем то, что писалось в газетах. Поэтому нам было легко с Броневицкими: всё, что думали, мы говорили и не замечали разноты восприятия.

А они, вероятно, с удивлением рассматривали в нас два экземпляра телячьей молодёжи. Мы только что прожили Тридцатые годы — и как будто не жили в них. Они спрашивали нас, чем запомнились нам 37—38-й? Чем же! — академической библиотекой, экзаменами, весёлыми спортивными походами, танцами, самодеятельностью, ну и любовью конечно, возраст любви. А профессоров наших не *сажали* в то время? Да, верно, двух-трёх посадили, кажется. Их заменили доценты. А студентов — не сажали? Мы вспомнили: да, верно, посадили нескольких старшекурсников. Ну и что же?.. Ничего, мы танцевали. А из ваших близких никого н-н-не... тронули?.. Да нет...

Это страшно, и я хочу вспомнить обязательно точно. Но было именно так. И тем страшней, что я как раз не был из спортивно-танцевальной молодёжи, ни — из маньяков, упёртых в свою науку и формулы. Я интересовался политикой остро — с десятилетнего возраста, я сопляком уже не верил Крыленке и поражался подстроенности знаменитых судебных процессов, — но ничто не наталкивало меня продолжить, связать те крохотные московские процессы (они казались грандиозными) — с качением огромного давящего колеса по стране (число его жертв было как-то незаметно). Я детство провёл в очередях — за хлебом, за молоком, за крупой (мяса мы тогда не ведали), но я не мог связать, что отсутствие хлеба значит разорение деревни и почему оно. Ведь для нас была другая формула: «временные трудности». В нашем большом городе каждую ночь сажали, сажали, сажали — но ночью я не ходил по улицам. А днём семьи арестованных не вывешивали чёрных флагов, и сокурсники мои ничего не говорили об уведенных отцах.

А в газетах так выглядело всё безоблачно-бодро. А молодому так хочется принять, что всё хорошо. Теперь я понимаю, как Броневицким было опасно что-нибудь нам рассказывать. Но немного он нам приоткрыл, старый инженер, попавший под один из самых жестоких ударов ГПУ. Он потерял здоровье в тюрьмах, знал больше, чем одну посадку, и лагерь не один — но со вспыхнувшей страстью рассказал только о раннем Джезказгане — о воде, отравленной медью; об отравленном воздухе; об убийствах; о безплодности жалоб в Москву. Даже самое это слово *Джез-каз-ган* подирало по коже тёркой, как безжалостные те истории. (И что же? Хоть чуть повернул этот Джез-каз-ган наше восприятие мира? Нет конечно. Ведь это не рядом. Ведь это не с нами. Этого никому не передашь. Легче не думать. Легче — забыть.)

Туда, в Джезказган, когда Броневицкий был расконвоирован, к нему приехала ещё девушкой его нынешняя жена. Там, в сени колючей проволоки, они поженились. А к началу войны чудом оказались на свободе, в Морозовске, с подпорченными, конечно, паспортами. Он работал в какой-то жалкой стройконторе, она — бухгалтером.

Потом я ушёл в армию, моя жена уехала из Морозовска. Городок попал под оккупацию. Потом был освобождён. И как-то жена написала мне на фронт: «Представляешь, говорят, что в Морозовске при немцах Броневицкий был бургомистром! Какая гадость!» И я тоже поразился и подумал: «Какая мерзость!»

Но прошли ещё годы. Где-то на тюремных тёмных нарах, перебирая в памяти, я вспомнил Броневицкого. И уже не нашёл в себе мальчишеской лёгкости осудить его. Его не по праву лишали работы, потом давали работу недостойную, его заточали, пытали, били, морили, плевали ему в лицо, — а он? Он должен был верить, что всё это — прогрессивно и что его собственная жизнь, телесная и духовная, и жизни его близких, и защемлённая жизнь всего народа не имеют никакого значения.

За брошенным нам клочком тумана «культа личности» и за слоями времени, в которых мы менялись (а от слоя к слою преломление и отклонение луча), мы теперь видим и себя, и 30-е годы не на том месте и не в том виде, как на самом деле мы и они были. То обожествление Сталина и та вера во всё, без сомнения и без края, совсем не были состоянием общенародным, а только — партии; комсомола; городской учащейся молодёжи; *заменителя* интеллигенции (поставленного вместо уничтоженных и рассеянных); да отчасти — городского мещанства (рабочего класса)*, у кого не выключались репродукторы трансляции от утреннего боя Спасской башни до полуночного Интернационала, для кого голос Левитана стал голосом их совести. («Отчасти» — потому что производственные Указы «двадцать минут опоздания» да закрепление на заводах тоже не вербовали себе защитников.) Однако было и городское меньшинство, и не такое уж маленькое, во всяком случае из нескольких миллионов, кто с отвращением выдёргивал вилку радиотрансляции, как только смел; на каждой странице каждой газеты видел только ложь, разлитую по всей полосе; и день голосования был для этих миллионов днём страдания и унижения. Для этого меньшинства существующая у нас диктатура не была ни пролетарской, ни народной, ни (кто точно помнил первоначальный смысл слова) со-

---

* Именно с 30-х годов рабочий класс стал главным косяком нашего мещанства, весь включился в него. Как, впрочем, и больша́я часть советской интеллигенции.

ветской, а — захватной диктатурой коммунистического меньшинства, весьма скотского характера.

Человечество почти лишено познания безэмоционального, безчувственного. В том, чтó человек разглядел как дурное, он почти не может заставить себя видеть также и хорошее. Не всё сплошь было отвратно в нашей жизни, и не каждое слово в газетах была ложь, — но это загнанное, затравленное и стукачами обложенное меньшинство воспринимало жизнь страны — целиком как отвратность, и газетные полосы — целиком как ложь. Напомним, что тогда не было западных передач на русском языке (да и радиоприёмников ничтожно мало), что единственную информацию житель мог получить только из наших газет и официального радио, а именно их Броневицкие и подобные им опробовали как невылазную назойную ложь или трусливую утайку. И всё, что писалось о загранице, и о безповоротной гибели западного мира в 1930 году, и о предательстве западных социалистов, и о едином порыве всей Испании против Франко (а в 1942 о предательском стремлении Неру к свободе для Индии — ведь это ослабляло союзную английскую империю), — тоже оказалось ложью. Ненавистническая осточертелая агитация по системе «кто не с нами, тот против нас» никогда не отличала позиций Марии Спиридоновой от Николая II, Леона Блюма от Гитлера, английского парламента от германского рейхстага. И почему же фантастические по виду рассказы о книжных кострах на германских площадях и воскрешении какого-то древнего тевтонского зверства (не забудем, что о зверстве тевтонов достаточно прилыгали и русские газеты в Первую Мировую войну) Броневицкий должен был отличить и выделить как правду и в германском нацизме (обруганном почти в тех же — то есть предельных — выражениях, как ранее Пуанкаре, Пилсудский и английские консерваторы) узнать четвероногое, достойное того, которое уже четверть столетия вполне реально и во плоти душило, отравляло и когтило в кровь его самого, и Архипелаг, и русский город, и русскую деревню? И всякий газетный поворот о гитлеровцах — то дружеские встречи наших добрых часовых в гадкой Польше, и вся волна газетной симпатии к этим мужественным воинам против англо-французских банкиров, и дословные речи Гитлера на целую страницу «Правды»; то потом в единое утро (второе утро войны) взрыв заголовков, что вся Европа истошно стонет под их пятой, — только подтверждали вертлявость газетной лжи и никак не могли бы убедить Броневицкого, что есть на земле палачи, сравнимые с нашими палачами, которых он-то знал истинно. И если б теперь, для убеждения, перед ним каждый день клали информационный листок Би-Би-Си, то самое большее, в чём ещё можно было его убедить: что Гитлер — вторая опасность для России, но никак, при Сталине, не первая. Однако Би-Би-Си не клало листка; а Информбюро и в день своего рождения имело столько же кредита, сколько ТАСС; а слухи, доносимые эвакуированными, тоже были не из первых рук (не из Германии, не из-под оккупации, оттуда ещё ни одного живого свидетеля); а из первых рук был только Джезказганский лагерь, да 37-й год, да голод 32-го, да раскулачивание, да разгром церквей. И с приближением немецкой армии Броневицкий (и десятки тысяч других таких же одиночек) испытывали, что подходит их час — тот единственный неповторимый час, на который уже двадцать лет не было надежды и который единожды только и может выпасть человеку при краткости нашей жизни сравнимо с медлительными историческими передвигами, — тот час, когда он (они) может заявить своё несогласие с происшедшим, с проделанным, просвистанным, протоптанным по стране, и каким-то ещё совсем неизвестным, неясным путём послужить гибнущей стране, послужить возрождению какой-то русской общественности. Да, Броневицкий всё запомнил и ничего не простил. И никак не могла ему быть *родною* та власть, которая избила Россию, довела до колхозной нищеты, до нравственного вырождения и вот теперь до оглушающего военного поражения.

И он задыхаясь смотрел на таких телят, как я, как мы, не в силах нас переуверить. Он ждал к о г о - н и б у д ь, кого-нибудь, только на смену сталинской власти! (Известная психологическая переполюсовка: любое другое, лишь бы не тошнотворное своё! Разве можно вообразить на свете кого-нибудь хуже *наших*? Кстати, область была донская, — а там половина населения вот так же ждала немцев.) И так, всю жизнь прожив существом неполитическим, Броневицкий на седьмом десятке решил сделать политический шаг.

Он согласился возглавить морозовскую городскую управу...

А там, я думаю, он быстро увидел, во что он влопался: что для пришедших Россия ещё ничтожней и омерзительней, чем для ушедших. Что только соки русские нужны вурдалаку, а тело замертво пропади. Не русскую общественность предстояло вести новому бургомистру, а подручных немецкой полиции. Однако уж он был насажен на ось, и оставалось ему, хорошо ли, дурно ли, а крутиться. Освободясь от одних палачей, помогать другим. И ту патриотическую идею, которую он мнил противопоставленной идее советской, — вдруг узнал он слитою с советской: непостижимым образом она от хранившего её трезвого меньшинства, как в решето, ушла к оболваненному большинству, — забыто было, как за неё расстреливали и как над ней глумились, и вот уж она была главный ствол чужого древа.

Должно быть, жутко и безысходно стало ему (им). Ущелье сдвинулось, и выход остался: либо в смерть, либо в каторжный приговор.

Конечно, не все там были Броневицкие. Конечно, на этот короткий чумной пир слетелось и вороньё, любящее власть и кровь. Но эти — куда не слетаются! Такие и к НКВД прекрасно подошли. Таков и Мамулов, и дудинский Антонов, и какой-нибудь Пойсуй-шапка — разве можно себе представить палачей мерзее? Да княжествуют десятилетиями и изводят народу во сто крат. А вот мы видели надзирателя Ткача (Часть Третья, глава 20), — так тот и туда и сюда поспел.

Сказав о городе, не упустим теперь и о деревне. Среди сегодняшних либералов распространено упрекать деревню в политической тупости и консерватизме. Но довоенная деревня — вся, подавляюще вся была трезва, несравнимо трезвее города, она нисколько не разделяла обожествления батьки Сталина (да и мировой революции туда же). Она была просто нормальна рассудком и хорошо помнила, как ей землю обещали и как отобрали; как жила она, ела и одевалась до колхозов и как при колхозах: как со двора сводили телёнка, овечку и даже курицу; как посрамляли и поганили церкви. О тот год ещё не гундосило радио по избам, и газеты читал не в каждой деревне один грамотей, и все эти Чжан Цзо-лины, Макдональды или Гитлеры были русской деревне — чужими, равными и ненужными болвашками.

В одном селе Рязанской области 3 июля 1941 собрались мужики близ кузни и слушали по репродуктору речь Сталина. И как только доселе железный и такой неумолимый к русским крестьянским слезам сблажил растерянный и полуплачущий батька: «Братья и сёстры!..» — один мужик ответил чёрной бумажной глотке:

— А-а-а, б...дь, а *вот* не хотел? — и показал репродуктору излюбленный грубый русский жест, когда секут руку по локоть и ею покачивают.

И зароготали мужики.

Если бы по всем сёлам да всех очевидцев опросить, — десять тысяч мы таких бы случаев узнали, ещё и похлеще.

Вот таково было настроение русской деревни в начале войны — и значит, тех запасных, кто пил последние пол-литра на полустанке и в пыли плясал с родными. А к тому же навалилось ещё невиданное на русской памяти поражение, и огромные деревенские пространства до обеих столиц и до Волги и многие мужицкие миллионы мгновенно выпали из-под колхозной власти, и — довольно же лгать и подмазывать историю! — оказалось, что республики хотят только независимости! деревня — только свободы от колхозов! рабочие — свободы от крепостных Указов! И если бы пришельцы не были так безнадёжно тупы и чванны, не сохраняли бы для Великогермании удобную казённую колхозную администрацию, не замыслили бы такую гнусь, как обратить Россию в колонию, — то не воротилась бы национальная идея туда, где вечно душили её, и вряд ли пришлось бы нам праздновать двадцатипятилетие российского коммунизма. (И ещё о партизанах кому-то когда-то придётся рассказать, как совсем не добрым выбором шли туда оккупированные мужики. Как поначалу они вооружались против партизан, чтоб не отдавать им хлеба и скота.)

Кто помнит великий исход населения с Северного Кавказа в январе 1943 — и кто ему даст аналог из мировой истории? Чтобы население, особенно сельское, уходило бы массами с разбитым врагом, с чужеземцами, — только бы не остаться у победивших *своих*, — обозы, обозы, обозы, в лютую январскую стужу с ветрами!

Вот здесь и лежат общественные корни тех добровольческих сотен тысяч, которые даже при гитлеровском уродстве отчаялись и надели мундир врага. Тут приходит нам пора снова объясниться о *власовцах*.

В Первой Части этой книги читатель ещё не был приготовлен принять правду всю (да всею не владею я, напишутся специальные исследования, для меня эта тема побочная). Там, в начале, пока читатель с нами вместе не прошёл всего лагерного пути, ему выставлена была только насторожка, приглашенье *подумать*. Сейчас, после всех этапов, пересылок, лесоповалов и лагерных помоек, быть может читатель станет посогласнее. В Первой Части я говорил о тех власовцах, какие взяли оружие от отчаяния, от пленного голода, от безвыходности. (Впрочем, и там задуматься: ведь немцы начали использовать русских военнопленных только для нестроевой и тыловой помощи своим войскам, и кажется, это был лучший выход для тех, кто только спасался, — зачем же оружие брали и шли лоб на лоб против Красной армии?)

А теперь, отодвигать дальше некуда, надо ж и о тех сказать, кто ещё до 1941 ни о чём другом не мечтал, как только взять оружие и *бить* этих красных комиссаров, чекистов и коллективизаторщиков? Помните, у Ленина: «Угнетённый класс, который не стремится к тому, чтобы научиться владеть оружием, иметь оружие, заслуживал бы лишь того, чтобы с ним обращались, как с рабами»*. Так вот, на гордость нашу, показала советско-германская война, что не такие-то мы рабы, как нас заплевали во всех либерально-исторических исследованиях: не рабами тянулись к сабле снести голову Сталину-батюшке. (Да не рабами и с *этой* стороны распрямлялись в красноармейской шинелке — эту сложную форму краткой свободы невозможно было предсказать социологически.)

Эти люди, пережившие на своей шкуре 24 года коммунистического счастья, уже в 1941 знали то, чего не знал ещё никто в мире: что на всей планете и во всей истории не было режима более злого, кровавого и вместе с тем более лукаво-изворотливого, чем большевицкий, самоназвавшийся «советским». Что ни по числу замученных, ни по вкоренчивости на долготу лет, ни по дальности замысла, ни сквозной унифицированной тоталитарностью не может сравниться с ним никакой другой земной режим, ни даже ученический гитлеровский, к тому времени затмивший Западу все глаза. И вот — пришла пора, оружие давалось этим людям в руки, — и неужели они должны были смирить себя, дать большевизму пережить свой смертельный час, снова укрепиться в жестоком угнетении — и только тогда начинать с ним борьбу (и посегодня не начатую почти нигде в мире)? Нет, естественно было повторить приём самого большевизма: как он сам вгрызся в тело России, ослабленное Первой Мировой войной, так и бить его в подобный же момент во Второй!

Да уже в советско-финской войне 1939 года проявилось наше нежелание воевать. Это настроение пы-

---

* *В. И. Ленин.* Полн. собр. соч.: В 55 т. 5-е изд. М.: Гос. изд-во политич. лит., 1958—1965. Т. 30, с. 153.

тался использовать Б. Г. Бажанов, бывший близкий помощник Сталина: обратить пленных красноармейцев под командой русских эмигрантов-офицеров против советского фронта — не для сражения, но для убеждения. Опыт оборвался внезапной капитуляцией Финляндии.

Когда началась советско-германская война — через 10 лет после душегубской коллективизации, через 8 лет после великого украинского мора (**шесть миллионов мёртвых**, и даже не замечены соседнею Европой), через 4 года после бесовского разгула НКВД, через год после кандальных законов о производстве, и всё это — при 15-миллионных лагерях в стране и при ясной памяти ещё всего пожилого населения о дореволюционной жизни, — естественным движением народа было — вздохнуть и освободиться, естественным чувством — отвращение к своей власти. И не «застиг врасплох», и не «численное превосходство авиации и танков» (кстати, всеми численными превосходствами обладала РККА) так легко замыкало катастрофические котлы — по 300 тысяч (Белосток, Смоленск) и по 650 тысяч вооружённых мужчин (Брянск, Киев), разваливало целые фронты и гнало в такой стремительный и глубокий откат армий, какого не знала Россия за все 1000 лет, да наверно и ни одна страна ни в одной войне, — а мгновенный паралич ничтожной власти, от которой отшатнулись подданные, как от виснущего трупа. (Райкомы, горкомы сдувало в пять минут, и захлебнулся Сталин.) В 1941 году это сотрясение могло пройти доконечно. К декабрю 41-го 60 миллионов советского населения из 150 уже были вне власти Сталина! Не зря колотился сталинский приказ (0019, 16.7.1941): «На всех (!) фронтах имеются многочисленные (!) элементы, которые даже бегут навстречу противнику и при первом соприкосновении с ним бросают оружие». (В Белостокском котле, начало июля 1941, из 340 тысяч пленных было 20 тысяч перебежчиков!) Положение казалось Сталину настолько отчаянным, что в октябре 1941 он телеграфно предлагал Черчиллю высадить на советскую территорию 25—

30 английских дивизий. Какой коммунист глубже падал духом?

Вот настроение того времени: 22 августа 1941 командир 436-го стрелкового полка майор Кононов открыто объявил своему полку, что переходит к немцам, чтобы влиться в Освободительную армию для свержения Сталина, — и пригласил с собою желающих. Он не только не встретил сопротивления, но *весь полк* пошёл за ним! Уже через три недели Кононов создал на *той* стороне добровольческий казачий полк (он сам был донским казаком). Когда он прибыл в лагерь военнопленных под Могилёвом для вербовки желающих, то из 5 000 тамошних пленных — 4 000 тут же выразило желание идти к нему, да он их взять не мог. — В лагере под Тильзитом в том же году *половина* советских военнопленных — 12 тысяч человек — подписали заявление, что пришла пора п р е в р а т и т ь в о й н у в г р а ж д а н с к у ю .

Мы не забыли и всенародное движение Локтя Брянского: создание автономного русского самоуправления ещё до прихода немцев и независимо от них, устойчивая процветающая область из 8 районов, более миллиона жителей. Требования локотян были совершенно отчётливы: русское национальное правительство, русское самоуправление во всех занятых областях, декларация о независимости России в границах 1938 года и создание освободительной армии под русским командованием.

С хлебом-солью встречали немцев и донские станицы. Уж они-то не забыли, как их вырезáли коммунисты: всех мужчин с 16 до 65 лет.

В августе 1941 под Лугой ленинградский студент-медик Мартыновский создал партизанский отряд, главным образом из советских студентов: освобождаться от коммунизма. В сентябре 1941 под Порховом такой же противокоммунистический отряд из ленинградских (василеостровских) студентов и солдат, попавших в окружение, сформировал лейтенант Рутченко, недавний ленинградский аспирант. Но немцы потащили этот отряд обслуживать свои воинские части.

Населению СССР до 1941, естественно, рисовалось: приход иностранной армии — значит, свержение коммунистического режима, никакого другого смысла для нас не могло быть в таком приходе. Ждали политической программы, освобождающей от большевизма.

Разве от нас — через глушь советской пропаганды, через толщу гитлеровской армии — легко было поверить, что западные союзники вошли в эту войну не за свободу вообще, а только за свою западноевропейскую свободу, *только* против национал-социализма, получше использовать советские армии, а на том и кончить? Разве не естественней было нам верить, что наши союзники верны самому принципу свободы — и не покинут нас под тиранией худшей?.. Правда, именно эти союзники, за которых мы умирали и в Первую Мировую войну, уже и тогда покинули нашу армию в разгроме, спеша обернуться к своему благополучию. Но опыт слишком жесток, чтоб усвоиться сердцем.

Справедливо научившись не верить советской пропаганде ни в чём, мы, естественно, не верили, что за басни рассказывались о желании нацистов сделать Россию — колонией, а нас — немецкими рабами, такой глупости нельзя было предположить в головах XX века, невозможно было поверить, не испытав реально на себе. Ещё и в 1942 году русское формирование в Осинторфе привлекало больше добровольцев, чем могла принять развёртываемая часть, на Смоленщине и Белоруссии для самоохраны сельских жителей от партизан, руководимых Москвой, создалась добровольная *стотысячная* «народная милиция» (в испуге запрещённая немцами). Даже и весной 1943 года ещё повсеместное воодушевление встречало Власова в двух его пропагандистских поездках, смоленской и псковской. Ещё и тогда население ждало: когда же будет наше независимое правительство и наша независимая армия? Есть у меня свидетельство из Пожеревицкого района Псковской области, как крестьянское население радушно относилось к тамошней власовской части: та часть не грабила, не дебоширила, имела старую русскую форму, помогала в уборке урожая, воспринималась как русская неколхозная власть. В неё приходили записываться добровольцы из гражданского населения (как записывались и в Локте к Воскобойникову), — надо же задуматься: по какой нужде? ведь не из лагеря военнопленных! — да немцы *запрещали* власовцам принимать пополнения (пусть-де записываются в полицаи). Ещё в марте 1943 в лагере военнопленных под Харьковом читали листовки о власовском движении (тогда мнимом) — и 730 *офицеров* подписали обращение о вступлении в русскую освободительную армию, — это с опытом двух полных лет войны, многие — герои Сталинградской битвы, среди них командиры дивизий, комиссары полков! — притом лагерь был сытый, не голодное отчаяние влекло их на подписи. (Но характерно для немецкой тупости: из 730 подписавших 722 так никогда до конца войны не были освобождены из лагеря и не привлечены к действию.) И в 1943 году — те обозы за отступающей немецкой армией, десятки тысяч беженцев из советских областей вереницами, — только б не остаться под коммунизмом.

Возьму на себя сказать: да ничего бы не стоил наш народ, был бы народом безнадёжных холопов, если б в эту войну упустил хоть издали потрясти винтовкой сталинскому правительству, упустил бы хоть замахнуться да матюгнуться на *Отца родного*. У немцев был генеральский заговор — а у нас? Наши генеральские верхи были (и остались посегодня) ничтожны, растлены партийной идеологией и корыстью и не сохранили в себе национального духа, как это бывает в других странах. И только *низы* солдатско-мужицко-казацкие замахнулись и ударили. Это были сплошь — низы, там исчезающе мало было участие бывшего дворянства из эмиграции, или бывших богатых слоёв, или интеллигенции. И если бы дан был этому движению свободный размах, как он потёк с первых недель войны, — то это стало бы некой новой Пугачёвщиной: по широте и уровню захваченных слоёв, по поддержке населения, по казачьему участию, по духу — рассчитаться с вельможными злодеями, по стихийности напора при слабости руководства. Во всяком случае, движение это было куда более народным, *простонародным*, чем всё интеллигентское «освободительное движение» с конца XIX века и до февраля 1917, с его мнимо народными целями и с его февральско-октябрьскими плодами. Но не суждено было ему развернуться, а погибнуть позорно с клеймом: *измена* священной нашей Родине!

Потеряли мы вкус к социальным объяснениям событий, это у нас — переверташка, когда как выгодно. А дружеский сталинский пакт с Риббентропом и Гитлером? А хорохоренье молотовское и ворошиловское перед войною? И потом — оглушительная бездарность, неготовность, неумение (и трусливое бегство правительства из Москвы), и по полмиллиона войск, оставляемых в котлах, — э т о н е и з м е н а Р о д и н е? Не с бо́льшими последствиями? Почему же *этих* изменников мы так бережём в квартирах на улице Грановского?

О-о, долга́! долга! долга та скамья, на которой расселись бы *все* палачи и *все* предатели нашего народа, если б сажать их от самых... и до самых...

На неудобное у нас не отвечают. Умалчивают. Вместо этого вот что нам вскричат:

— Но *принцип*! Но самый принцип! Но имеет ли право русский человек для достижения своих политических целей, пусть кажущихся ему правильными, опереться на локоть немецкого империализма?!.. Да ещё в момент беспощадной с ним войны?

Вот правда ключевой вопрос: для целей, кажущихся тебе благородными, можно ли воспользоваться поддержкой воюющего с Россией немецкого империализма?

Все единодушно воскликнут сегодня: нет! нет! нет!

Но откуда же тогда — немецкий экстерриториальный вагон от Швейцарии до Швеции и с заездом (как мы теперь узнали) в Берлин? Вся печать от меньшевиков до кадетов тоже кричала: нет! нет! — а большевики разъяснили, что это можно, что даже смешно в этом укорять. Да и не один там был вагон. А летом 1918 сколько вагонов большевики погнали из России — то с продуктами, то с золотом, — и всё Вильгельму в пасть! Превратить войну в гражданскую — это Ленин предложил прежде власовцев.

— Но *цели*! но цели какие были?!

А — какие? А — где они, те цели?..

— Да ведь то был — Вильгельм! кайзер, кайзерчик! То же — не Гитлер! И в России рази ж было правительство? временное...

Впрочем, по военной запальчивости мы и о кайзере когда-то не писали иного, как «лютый» да «кровожадный», о кайзеровских солдатах незапасливо кричали, что они младенцам головы колют о камни. Но пусть — кайзер. Однако и Временное же: ЧК не имело, в затылки не стреляло, в лагеря не сажало, в колхозы не загоняло. Временное — тоже не сталинское.

Пропорционально.

* * *

Не то чтоб у кого-то дрогнуло сердце, что умирают каторжные алфавиты, а просто кончалась война, острастка такая уже не была потребна, новых полицаев образоваться не могло, рабочая сила была нужна, а в каторге вымирали зря. И уже к 1945 году бараки каторжан перестали быть тюремными камерами, двери отперлись на день, параши вынесли в уборную, в санчасть каторжане получили право ходить своими ногами, а в столовую гоняли их рысью — для бодрости. И сняли блатных, объедавших каторжан, и из самих каторжан назначили обслугу. Потом и письма стали им разрешать, дважды в год.

В годы 1946—47 грань между каторгой и лагерем стала достаточным образом стираться: политически неразборчивое инженерное начальство, гонясь за производственным планом, стало (во всяком случае, на Воркуте) хороших специалистов-каторжан переводить на обычные лагпункты, где уж ничего не оставалось каторжанину от каторги, кроме его номера, а чернорабочую скотинку с ИТЛовских лагпунктов для пополнения совать на каторжные.

И так засмыкали бы неразумные хозяйственники великую сталинскую идею воскрешения каторги, — если бы в 1948 году не подоспела у Сталина новая идея вообще разделить туземцев ГУЛАГа, отделить социально-близких блатных и бытовиков от социально-безнадёжной Пятьдесят Восьмой.

Всё это было частью ещё более великого замысла Укрепления Тыла (из названия видно, что Сталин готовился к близкой войне). Созданы были *Особые лагеря** с особым уставом — малость помягче ранней каторги, но жёстче обычных лагерей.

Для отличия придумали таким лагерям давать названия не по местности, а фантастическо-поэтические. Развёрнуты были: Горлаг (Горный лагерь) в Норильске, Берлаг (Береговой лагерь) на Колыме, Минлаг (Минеральный) на Инте, Речлаг на Печоре, Дубравлаг в Потьме, Озёрлаг в Тайшете, Степлаг, Песчанлаг и Луглаг в Казахстане, Камышлаг в Кемеровской области.

По ИТЛовским лагерям поползли мрачные слухи, что Пятьдесят Восьмую будут посылать в Особые лагеря уничтожения. (Ни исполнителям, ни жертвам не вступало, конечно, в голову, что для этого может понадобиться какой-нибудь там особый новый приговор.)

Закипела работа в УРЧах** и оперчекистских отделах. Писались таинственные списки и возились куда-то на согласование. Затем подгонялись долгие красные эшелоны, подходили роты бодрого конвоя краснопогонников с автоматами, собаками и молотками — и враги народа, выкликнутые по списку, неотклонимо и неумолимо вызывались из пригретых бараков на далёкий этап.

Но вызывали Пятьдесят Восьмую не всю. Лишь потом, сообразя по знакомым, арестанты поняли, кого оставляли с бытовиками на островах ИТЛ — оставили чистую 58-10, то есть *простую* антисоветскую агитацию, значит — одиночную, ни к кому не обращённую, ни с кем не связанную, самозабвенную. (И хотя почти

---

* Сравни 1921 год — лагеря Особого Назначения.
** Учётно-Распределительная Часть.

невозможно было представить себе таких агитаторов, но миллионы их были зарегистрированы и оставлены на старых ГУЛАГовских островах.) Если же агитаторы были вдвоём или втроём, если они имели хоть какую-нибудь наклонность к выслушиванию друг друга, к перекличке или к хору, — они имели довесок 58-11 «группового пункта» и как дрожжи антисоветских организаций ехали теперь в Особые лагеря. Само собой, ехали туда изменники Родины (58-1-а и -б), буржуазные националисты и сепаратисты (58-2), агенты мировой буржуазии (58-4), шпионы (58-6), диверсанты (58-7), террористы (58-8), вредители (58-9) и экономические саботажники (58-14). Сюда же удобно помещались те военнопленные немцы (Минлаг) и японцы (Озёрлаг), которых намеревались держать и после 1948 года.

Зато в лагерях ИТЛ оставались недоносители (58-12) и пособники врага (58-3). Наоборот, каторжане, посаженные именно за пособничество врагу, ехали теперь в Особые лагеря вместе со всеми.

Разделение было ещё глубозначительнее, чем мы его описали. По каким-то ещё непонятным признакам оставались в ИТЛ то двадцатипятилетницы-изменницы (Унжлаг), то кое-где цельные лагпункты из одной Пятьдесят Восьмой, включая власовцев и полицаев — не Особлаги, без номеров, но с жестоким режимом (например, Красная Глинка на волжской Самарской луке; лагерь Туим в Ширинском районе Хакасии; Южносахалинский). Лагеря эти оказались суровы, и не легче было в них жить, чем в Особлагах.

А чтобы однажды произведённый Великий Раздел Архипелага не вернулся опять к смешению, установлено было с 1949 года, что каждый новообработанный с воли туземец получает кроме приговора ещё и постановление (облГБ и прокуратуры) в тюремном деле: в каких лагерях этого козлика постоянно содержать.

Так, подобно зерну, умирающему, чтобы дать растение, зерно сталинской каторги проросло в Особлаги.

Красные эшелоны по диагоналям Родины и Архипелага повезли *новый контингент*.

А на Инте догадались и просто перегнали это стадо из одних ворот в другие.

Чехов жаловался, что нет у нас «юридического определения — что такое каторга и для чего она нужна».

Так то ж ещё было в просвещённом XIX веке! А в середине XX пещерного мы и не нуждались понимать и определять. Решил Батька, что будет так, — вот и всё определение.

И мы понимающе киваем головами.

Глава 2
ВЕТЕРОК РЕВОЛЮЦИИ

Никогда б не поверил я в начале своего срока, подавленный его непроглядной длительностью и пришибленный первым знакомством с миром Архипелага, что исподволь душа моя разогнётся; что с годами, сам для себя незаметно подымаясь на невидимую вершину Архипелага, как на гавайскую Мауна-Лоа, я оттуда взгляну совсем спокойно на дали Архипелага, и даже неверное море потянет меня своим переблескиванием.

Середину срока я провёл на золотом островке, где арестантов кормили, поили, содержали в тепле и чисте. В обмен за всё это требовалось немного: двенадцать часов сидеть за письменным столом и угождать начальству.

А я вдруг потерял вкус держаться за эти блага. Я уже нащупывал новый смысл в тюремной жизни. Оглядываясь, я признавал теперь жалкими советы спецнарядчика с Красной Пресни — «не попасть на общие любой ценой». Цена, платимая нами, показалась несоразмерной покупке.

Тюрьма разрешила во мне способность писать, и этой страсти я отдавал теперь всё время, а казённую работу нагло перестал тянуть. Дороже тамошнего сливочного масла и сахара мне стало — распрямиться.

И нас, нескольких, «распрямили» — на этап в Особый лагерь.

Везли нас туда долго — три месяца (на лошадях в XIX веке можно было быстрей). Везли нас так долго, что эта дорога стала как бы периодом жизни, кажется, за эту дорогу я даже характером изменился и взглядами.

Путь наш выдался какой-то бодрый, весёлый, многозначительный. В лица толкался нам свежий крепчающий ветерок — каторги и свободы. Со всех сторон подбывали люди и случаи, убеждавшие, что правда за нами! за нами! за нами! — а не за нашими судьями и тюремщиками.

Знакомые Бутырки встретили нас раздирающим женским криком из окна, наверное, одиночки: «Спасите! Помогите! Убивают! Убивают!» И вопль захлебнулся в надзирательских ладонях.

На бутырском «вокзале» нас перемешали с новичками 1949 года посадки. У них у всех были смешные сроки: не обычные десятки, а *четвертные*. Когда на многочисленных перекличках они должны были отвечать о конце своего срока, то звучало издевательством: «октября тысяча девятьсот семьдесят четвёртого! февраля тысяча девятьсот семьдесят пятого!»

Отсидеть столько — казалось, нельзя. Надо было кусачки добывать — резать проволоку.

Самые эти двадцатипятилетние сроки создавали новое качество в арестантском мире. Власть выпалила по нам всё, что могла. Теперь слово было за арестантами — слово свободное, уже нестеснённое, неугрожаемое, — то самое слово, которого всю жизнь не было у нас и которое так необходимо для прояснения и сплочения.

Уж мы сидели в арестантском вагоне, когда из станционного репродуктора на Казанском вокзале услышали о начале корейской войны. В первый же день до полудня пройдя сквозь прочную линию обороны южнокорейцев на 10 километров, северокорейцы уверяли, что на них напали. Последний придурковатый фронтовик мог разобраться, что напал именно тот, кто продвинулся в первый день.

Эта корейская война тоже возбудила нас. Мятежные, мы просили бури! Ведь без бури, ведь без бури, ведь без бури мы были обречены на медленное умирание!..

За Рязанью красный солнечный восход с такой силой бил через оконные слепыши «вагон-за́ка», что молодой конвоир в коридоре против нашей решётки щурился от солнца. Конвой был как конвой: в купе натолкал нас по полтора десятка, кормил селёдкой, но, правда, приносил и воды и выпустил на оправку вечером и утром, и не о чем нам было бы с ним спорить, если б этот паренёк не бросил неосторожно, да даже и без злости совсем, что мы — враги народа.

И тут поднялось! Из купе нашего и соседнего стали ему лепить:

— Мы — враги народа, а почему в колхозе жрать нечего?

— Ты-то вон сам деревенский, по лицу видно, небось на сверхсрочную останешься, псом цепным, землю пахать не вернёшься?

— Если мы — враги, что ж вы воронки́ перекрашиваете? И возили б открыто!

— Эй, сынок! У меня двое таких, как ты, с войны не вернулись, а я — враг, да?

Ничто подобное уже давно-давно не летало через наши решётки! Кричали мы всё вещи самые простые, слишком зримые, чтоб их опровергнуть.

К растерявшемуся пареньку подошёл сержант-сверхсрочник, но не поволок никого в карцер, не стал записывать фамилий, а пробовал помочь своему солдату отбиться. И в этом тоже нам чудились признаки нового времени — хотя какое уж там «новое» время в 1950 году! — нет, признаки тех новых отношений в тюремном мире, которые создавались новыми сроками и новыми политическими лагерями.

Спор наш стал принимать вид истинного состязания аргументов. Мальчики оглядывали нас и уже не решались называть врагами народа никого из этого купе и никого из соседнего. Они пытались выдвигать против нас что-то из газет, из политграмоты, — но не разумом, а слухом почувствовали, что фразы звучат фальшиво.

— Смотри, ребята! Смотри в окно! — подали им от нас. — Вон вы до чего Россию довели!

А за окнами тянулась такая гнилосоломая, покосившаяся, ободранная, нищая страна (рузаевской дорогой, где иностранцы не ездят), что, если бы Батый увидел её такой загаженной, — он бы её и завоёвывать не стал.

На тихой станции Торбеево по перрону прошёл старик в лаптях. Крестьянка старая остановилась против нашего окна со спущенною рамой и через решётку окна и через внутреннюю решётку долго, неподвижно смотрела на нас, тесно сжатых на верхней полке. Она смотрела тем извечным взглядом, каким на «несчастненьких» всегда смотрел наш народ. По щекам её стекали редкие слёзы. Так стояла корявая и так смотрела, будто сын её лежал промеж нас. «Нельзя смотреть, мамаша», — негрубо сказал ей конвоир. Она даже головой не повела. А рядом с ней стояла девочка лет десяти с белыми ленточками в косичках. Та смотрела очень строго, даже скорбно не по летам, широко-широко открыв и не мигая глазёнками. Так смотрела, что, думаю, засняла нас навек. Поезд мягко тронулся — старуха подняла чёрные персты и истово, неторопливо перекрестила нас.

А на другой станции какая-то девка в горошковом платьи, очень нестеснённая и непугливая, подошла к нашему окну вплотную и бойко стала спрашивать, по какой мы статье и сроки какие. «Отойди», — зарычал на неё конвойный, ходивший по платформе. «А что ты мне сделаешь? Я и сама такая! На́ вот пачку папирос, передай ребятам!» — и достала пачку из сумочки. (Мы-то уж догадались: девка эта *отсидевшая*. Сколько из них, бродящих как вольные, уже прошли обучение в Архипелаге!) «Отойди! Посажу!» — выскочил из вагона помначкар. Она посмотрела с презрением на его сверхсрочный лоб. «Шёл бы ты на ..., му...к!» Подбодрила нас: «... на них кладите, ребята!» И удалилась с достоинством.

Вот так мы и ехали, и не думаю, чтобы конвой чувствовал себя конвоем народным. Мы ехали — и всё больше зажигались и в правоте своей, и что вся Россия с нами, и что подходит время кончать, кончать это заведение.

На Куйбышевской пересылке, где мы *загорали* больше месяца, тоже настигли нас чудеса. Из окон соседней камеры вдруг раздались истеричные, истошные крики блатных (у них и скуление какое-то противно-визгливое): «Помогите! Выручайте! Фашисты бьют! Фашисты!»

Вот где невидаль! — «фашисты» бьют блатных? Раньше всегда было наоборот.

Но скоро камеры пересортировывают и мы узнаём: ещё пока дива нет. Ещё только первая ласточка — Павел Баранюк, грудь как жернов, руки — коряги, всегда готовые и к рукопожатию и к удару, сам чёрный, нос орлиный, скорее похож на грузина, чем на украинца. Он — фронтовой офицер, на зенитном пулемёте выдержал поединок с тремя «мессерами»; представлялся к Герою, отклонён Особым Отделом; посылался в штрафную, вернулся с орденом; сейчас — десятка, по новой поре — «детский срок».

Блатных он успел уже раскусить за то время, что ехал из Новоград-волынской тюрьмы, и уже дрался с ними. А тут в соседней камере сидел на верхних нарах и мирно играл в шахматы. Вся камера была — Пятьдесят Восьмая, но администрация подкинула двоих блатарей. Небрежно куря «Беломор» и идя очистить себе законное место на нарах у окна, Фиксатый пошутил: «Ну, так и знал, опять к бандитам посадили!» Наивный Велиев, ещё не видавший как следует блатарей, захотел его подбодрить: «Да нет, Пятьдесят Восьмая. А ты?» — «А я — растратчик, учёный человек!» Согнав двоих, блатари бросили свои мешки на законные места и пошли вдоль камеры просматривать чужие мешки и придираться. И Пятьдесят Восьмая — нет! — она ещё не была нова, она не сопротивлялась. Шестьдесят мужчин покорно ждали, пока к ним подойдут и ограбят. Есть завораживающее какое-то действие в этой наглости блатных, не допускающих встретить сопротивления. (Да и расчёт, что начальство всегда за них.) Баранюк продолжал как будто переставлять фигуры, но уже ворочал своими грозными глазищами и соображал, как драться. Когда один блатной остановился против него, он свешенной ногой с размаху двинул ему ботинком в морду, соскочил, схватил прочную деревянную крышку параши и второго блатного оглушил этой крышкой по голове. Так и стал поочерёдно бить этой крышкой, пока она разлетелась, — а крестовина там была из бруска-сороковки. Блатные перешли к жалости, но нельзя отказать, что в их воплях был и юмор, смешную сторону они не упускали: «Что ты делаешь? *Крестом* бьёшь!» «Ты ж здоровый, что ты *человека* обижаешь?» Однако, зная им цену, Баранюк продолжал бить, и тогда-то один из блатарей кинулся кричать в окно: «Помогите! Фашисты бьют!»

Блатари этого так не забыли, несколько раз потом угрожали Баранюку: «*От тебя трупом пахнет!* Вместе едем!» Но не нападали больше.

И с *суками* тоже было вскоре столкновение у нашей камеры. Мы были на прогулке, совмещённой с оправкой, надзирательница послала суку выгонять наших из уборной, тот гнал, но его высокомерие (по отношению к «политическим», как же!) возмутило молоденького, нервного, только что осуждённого Володю Гершуни, тот стал суку одёргивать, сука свалил паренька ударом. Прежде бы так и проглотила это Пятьдесят Восьмая, сейчас же Максим-азербайджанец (убивший своего предколхоза) бросил в суку камень, а Баранюк двинул его по челюсти, тот полосанул Баранюка ножом (помощники надзора ходят с ножами, это у нас неудивительно) и бежал под защиту надзора, Баранюк гнался за ним. Тут всех нас быстро загнали в камеру, и пришли тюремные офицеры — выяснить, кто зачинщик, и пугать новыми сроками за бандитизм (о суках родных у эмведешников всегда сердце болит). Баранюк кровью налился и выдвинулся сам: «Я этих сволочей бил и буду бить, пока жив!» Тюремный кум предупредил, что нам, контрреволюционерам, гордиться нечем, а безопасней держать язык за зубами. Тут выскочил Володя Гершуни, почти ещё мальчик, взятый из десятого класса, — не однофамилец, а дальний племянник того Гершуни, начальника боевой группы эсеров. «Мы — не контрреволюционеры! — по-петушиному закричал он куму. — Это уже прошло. Сейчас мы опять ре-во-лю-цио-неры! только против советской власти!»

Ай, до чего ж весело! Вот дожили! И тюремный кум лишь морщится и супится, всё глотает. В карцер никого не берут, офицеры-тюремщики безславно уходят.

Оказывается, можно *так* жить в тюрьме? — драться? огрызаться? громко говорить то, что думаешь? Сколько же мы лет терпели нелепо! Добро того бить, кто плачет. Мы плакали — вот нас и били.

Теперь в этих новых легендарных лагерях, куда нас везут, где носят номера, как у нацистов, но где будут наконец одни политические, очищенные от бытовой слизи, — может быть, там и начнётся такая жизнь? Володя Гершуни, черноглазый, с матово-бледным заострённым лицом, говорит с надеждой: «Вот приедем в лагерь, разберёмся, *с кем идти*». Смешной мальчик. Он серьёзно предполагает, что застанет там сейчас оживлённый многооттеночный партийный разброд, дискуссии, программы, подпольные встречи? «С кем идти»! Как будто нам оставили этот выбор. Как будто за нас не решили составители республиканских развёрсток на арест и составители этапов.

В нашей длинной-предлинной камере — бывшей конюшне, где вместо двух рядов ясель установились две полосы двухэтажных нар, в проходе столбишки из криватых стволов подпирают старенькую крышу, чтоб не рухнула, а окошки по длинной стене тоже типично конюшенные, чтоб только сена не заложить мимо ясель (и ещё эти окошки загорожены намордниками), — в нашей камере человек сто двадцать, и кого только не наберётся. Больше половины — прибалтийцы, люди необразованные, простые мужики: в Прибалтике идёт вторая чистка, сажают и ссылают всех, кто не хочет добровольно идти в колхозы или есть подозрение, что не захочет. Затем немало западных украинцев — ОУНовцев* и тех, кто дал им раз переночевать и кто накормил их раз. Затем из Российской Федеративной — меньше новичков, больше *повторников*. Ну и, конечно, сколько-то иностранцев.

Всех нас везут в одни и те же лагеря (узнаём у нарядчика — в Степной лагерь). Я всматриваюсь в тех, с кем свела судьба, и стараюсь вдуматься в них.

———

Особенно прилегают к моей душе эстонцы и литовцы. Хотя я сижу с ними на равных правах, мне так стыдно перед ними, будто посадил их я. Неиспорченные, работящие, верные слову, недерзкие — за что и они втянуты в перемол под те же проклятые лопасти? Никого не трогали, жили тихо, устроенно и нравственнее нас — и вот виноваты в том, что живут у нас под локтем и отгораживают от нас море.

«Стыдно быть русским!» — воскликнул Герцен, когда мы душили Польшу. Вдвое стыдней быть советским перед этими незабиячливыми беззащитными народами.

К латышам у меня отношение сложнее. Тут — рок какой-то. Ведь они это сами сеяли.

А украинцы? Мы давно не говорим — «украинские националисты», мы говорим только «бандеровцы», и это слово стало у нас настолько ругательным, что никто и не думает разбираться в сути. (Ещё говорим — «бандиты», по тому усвоенному нами правилу, что все в мире, кто убивает за нас, — «партизаны», а все, кто

---

* Организация Украинских Националистов.

убивает нас, — «бандиты», начиная с тамбовских крестьян 1921 года.)

А суть та, что хотя когда-то, в Киевский период, мы составляли единый народ, но с тех пор его разорвало, и веками шли врозь и вкось наши жизни, привычки, языки. Так называемое «воссоединение» было очень трудной, хотя может быть и искренней чьей-то попыткой вернуться к прежнему братству. Но плохо потратили мы три века с тех пор. Не было в России таких деятелей, кто б задумался, как свести дородна́ украинцев и русских, как сгладить рубец между ними. (А если б не было рубца, так не стали бы весной 1917 года образовываться украинские комитеты и Рада потом. Впрочем, в Февральскую революцию они только федерации требовали, никто и не думал отъединяться, этот жестокий раскол лёг от коммунистических лет.)

Большевики до прихода к власти приняли вопрос без затруднений. В «Правде» 7 июня 1917 Ленин писал, что большевики считают Украину «захватом русских царей и капиталистов». Он написал это, когда уже существовала Центральная Рада. А 2 ноября 1917 была принята «Декларация прав народов России», — ведь не в шутку же? ведь не в обман заявили, что имеют право народы России на самоопределение вплоть до отделения? Полугодом позже советское правительство *просило* кайзеровскую Германию посодействовать Советской России в заключении мира и определении точных границ с Украиной, — и 14 июня 1918 Ленин подписал такой мир с гетманом Скоропадским. Тем самым он показал, что вполне примирился с отделением Украины от России — даже если Украина будет при этом монархической!

Но странно. Едва только пали немцы перед Антантой (что не могло иметь влияния на *принципы* нашего отношения к Украине!), за ними пал и гетман, а большевицких силёнок оказалось побольше, чем у Петлюры, — большевики сейчас же перешли признанную ими границу и навязали единокровным братьям свою власть. Правда, ещё 15—20 лет потом усиленно и даже с нажи-

47

мом играли на украинской *мове* и внушали братьям, что они совершенно независимы и могут от нас отделиться когда угодно. Но как только они захотели это сделать в конце войны, их объявили «бандеровцами», стали ловить, пытать, казнить и отправлять в лагеря. (А «бандеровцы», как и «петлюровцы», это всё те же украинцы, которые не хотят чужой власти. Узнав, что Гитлер не несёт им обещанной свободы, они и против Гитлера воевали всю войну, но мы об этом молчим, это так же невыгодно нам, как Варшавское восстание 1944 года.)

Почему нас так раздражает украинский национализм, желание наших братьев говорить, и детей воспитывать, и вывески писать на своей мове? Даже Михаил Булгаков (в «Белой гвардии») поддался здесь неверному чувству. Раз уж мы не слились до конца, раз уж мы разные в чём-то (довольно того, что это ощущают они, меньшие), — очень горько! но раз уж это так? раз упущено время, и больше всего упущено в 30-е и 40-е годы, обострено-то больше всего не при царе, а при коммунистах! — почему нас так раздражает их желание отделиться? Нам жалко одесских пляжей? черкасских фруктов?

Мне больно писать об этом: украинское и русское соединяются у меня и в крови, и в сердце, и в мыслях. Но большой опыт дружественного общения с украинцами в лагерях открыл мне, *как* у них наболело. Нашему поколению не избежать заплатить за ошибки старших.

Топнуть ногой и крикнуть «моё!» — самый простой путь. Неизмеримо трудней произнести: «кто хочет жить — живите!» Как ни удивительно, но не сбылись предсказания Передового Учения, что национализм увядает. В век атома и кибернетики он почему-то расцвёл. И подходит время нам, нравится или не нравится, — платить по всем векселям о самоопределении, о независимости, — самим платить, а не ждать, что будут нас жечь на кострах, в реках топить и обезглавливать. Великая ли мы нация, мы должны доказать не огромностью территории, не числом подопечных народов, — но величием поступков. И глубиною вспашки того, что нам останется за вычетом земель, которые жить с нами не захотят.

С Украиной будет чрезвычайно больно. Но надо знать их общий накал сейчас. Раз не уладилось за века — значит, выпало проявить благоразумие нам. Мы обязаны отдать решение им самим — федералистам или сепаратистам, кто у них кого убедит. Не уступить — безумие и жестокость. И чем мягче, чем терпимее, чем разъяснительнее мы будем сейчас, тем больше надежды восстановить единство в будущем.

Пусть поживут, попробуют. Они быстро ощутят, что не все проблемы решаются отделением*.

* * *

Мы почему-то долго живём в этой длинно-конюшенной камере, и нас всё никак не отправят в наш Степлаг. Да мы и не торопимся: нам весело здесь, а там будет — только хуже.

Без новостей нас не оставляют — каждый день приносят какую-то газетёнку половинного размера, мне достаётся читать её всей камере вслух, и я читаю её *с выражением*, там есть, что выразить.

В эти дни как раз исполняются десятилетия *освобождения* Эстонии, Латвии и Литвы. Кое-кто понимает по-русски, переводит остальным (я делаю паузы), и те воют, просто воют со всех нар, нижних и верхних, услышав, какая в их странах впервые в истории установилась свобода и процветание. За каждым из этих

---

* Из-за того, что в разных областях Украины — разное соотношение тех, кто считает себя украинцем, и кто — русским, и кто — никем не считает,— тут будет много сложностей. Может быть, по каждой области понадобится свой плебисцит и потом льготное и бережное отношение ко всем, желающим переехать. Не вся Украина в её сегодняшних формальных советских границах есть действительно Украина. Какие-то левобережные области безусловно тяготеют к России. А уж Крым приписал к Украине Хрущёв и вовсе с дубу. А Карпатская (Червонная) Русь? Проверим и на ней: требуя справедливости к себе, как справедливы будут украинцы к карпатским русским?

прибалтов (а их во всей пересылке добрая треть) остался разорённый дом, и хорошо, если ещё семья, а то и семья другим этапом едет в ту же Сибирь.

Но больше всего, конечно, волновали пересылку сообщения из Кореи. Сталинский блицкриг там сорвался. Уже скликались добровольцы ООН. Мы воспринимали Корею как Испанию Третьей Мировой войны. (Да наверно, как репетицию Сталин её и задумал.) Эти солдаты ООН особенно нас воодушевляли: что за знамя! — кого оно не объединит? Прообраз будущего всечеловечества!

Так тошно нам было, что мы не могли подняться выше своей тошноты. Мы не могли так мечтать, так согласиться: пусть мы погибнем, лишь были бы целы все те, кто сейчас из благополучия равнодушно смотрит на нашу гибель. Нет, мы жаждали бури!

Удивятся: что за циничное, что за отчаянное состояние умов? И вы могли не думать о военных бедствиях огромной *воли*? — Но воля-то нисколько не думала о нас! — Так вы что ж: могли *хотеть* мировой войны? — А давая всем этим людям в 1950 году сроки до середины 70-х, — что же им *оставили хотеть*, кроме мировой войны?

Мне самому сейчас дико вспоминать эти наши тогдашние губительные ложные надежды. Всеобщее ядерное уничтожение ни для кого не выход. Да и без ядерного: всякая военная обстановка лишь служит оправданием для внутренней тирании, усиляет её. Но искажена будет моя история, если я не скажу правды — что́ чувствовали мы в то лето.

Как поколение Ромена Роллана было в молодости угнетено постоянным ожиданием войны, так наше арестантское поколение угнетено было её отсутствием, — и только это будет полной правдой о духе Особых политических лагерей. Вот как нас загнали. Мировая война могла принести нам либо ускоренную смерть (стрельба с вышек, отрава через хлеб и бациллами, как делали немцы), либо всё же свободу. В обоих случаях — избавление гораздо более близкое, чем конец срока в 1975 году.

На это и был расчёт Пети Пикалова. Петя Пикалов был в нашей камере последний живой человек из Европы. Сразу после войны все камеры забиты были этими русаками, возвращавшимися из Европы. Но кто тогда приехал — давно в лагерях или уже в земле, остальные зареклись, не едут, — а этот откуда? Он добровольно вернулся на родину в ноябре 1949 года, когда уже нормальные люди не возвращались.

Война застигла его под Харьковом учеником ремесленного училища, куда он был мобилизован насильно. Так же насильно немцы повезли их, подростков, в Германию. Там он и пробыл «остовцем» до конца войны, там же сформировалась и его психология: надо стараться жить легко, а не работать, как заставляют с малолетства. На Западе, пользуясь европейской доверчивостью и пограничной нестеснённостью, Пикалов угонял французские автомобили в Италию, итальянские — во Францию и продавал со скидкой. Во Франции его, однако, выследили и арестовали. Тогда он написал в советское посольство, что желает вернуться в дорогое ему отечество. Пикалов рассуждал так: французскую тюрьму придётся отбыть до последнего дня, а могут дать лет десять. В Советском же Союзе за измену родине дадут двадцать пять, — но уже падают первые капли Третьей Мировой войны; Союз, дескать, не простоит и трёх лет, выгоднее сесть в советскую тюрьму. Друзья из посольства явились немедленно и прижали Петю Пикалова к сердцу. Французские власти охотно уступили вора*. Человек тридцать собралось в посольстве таких и близких к таким. Их с комфортом доставили на пароходе в Мурманск, распустили по городу погулять и в течение суток поодиночке всех переловили.

---

* Говорят, французская статистика показала, будто между Первой и Второй Мировыми войнами самая низкая преступность среди национальных групп была у русских эмигрантов. Напротив, после Второй Мировой войны самая высокая, из национальных групп, преступность оказалась — у советских граждан, попавших во Францию.

Теперь в камере Петя заменял нам западные газеты (он подробно читал процесс Кравченко), театр (на щеках и губах он ловко исполнял западную музыку) и кино (рассказывал и передавал в жестах западные фильмы).

До чего на Куйбышевской пересылке было вольно! Камеры порой встречались на общем дворе. С перегоняемыми по двору этапами можно было переговариваться под намордники. Идя в уборную, можно было подойти и к открытым (с решётками, но без намордников) окнам семейного барака, где сидели женщины со многими детьми (это всё из той же Прибалтики и Западной Украины слали в ссылку). А между двумя камерами-конюшнями была скважина, называлась «телефон», там с утра до вечера лежало по охотнику с двух сторон и переговаривались о новостях.

Все эти вольности нас пуще раззадоривали, мы прочней ощущали под ногами землю, а под ногами наших охранников, казалось, она начинала припекать. И, гуляя во дворе, мы запрокидывали головы к белесо-знойному июльскому небу. Мы бы не удивились и нисколько не испугались, если бы клин чужеземных бомбардировщиков выполз бы на небо. Жизнь была нам уже не в жизнь.

Встречно ехавшие с пересылки Карабас привозили слухи, что там уже вывешивают листовки: «Довольно терпеть!» Мы накаляли друг друга таким настроением — и жаркой ночью в Омске, когда нас, распаренное, испотевшее мясо, месили и впихивали в воронок, мы кричали надзирателям из глубины: «Подождите, гады! Будет на вас Трумен! Бросят вам атомную бомбу на голову!» И надзиратели трусливо молчали. Ощутимо и для них рос наш напор и, как мы ощущали, наша правда. И так уж мы изболелись по правде, что не жаль было и самим сгореть под одной бомбой с палачами. Мы были в том предельном состоянии, когда нечего терять.

Если этого не открыть — не будет полноты об Архипелаге 50-х годов.

Омский острог, знавший Достоевского, — не какая-нибудь сколоченная из тёса наспех ГУЛАГовская пересылка. Это — екатерининская грозная тюрьма, особенно её подвалы. Не придумаешь лучших декораций для фильма, чем камера здешнего подвала. Квадратное окошечко — это вершина наклонного колодца, там наверху выходящего на поверхность земли. По трёхметровой глубине этого проёма видно, чтó тут за стены. И потолка-то в камере нет, а глыбой нависают сходящиеся своды. И мокра одна стена: насачивается вода из почвы, подтекает на пол. Утром и вечером здесь темно, ярким днём — полутьма. Крыс нет, но чудится, что ими пахнет. И хотя своды свисают так низко, что до них местами достаёшь рукой, — умудрились тюремщики и сюда встроить двухэтажные нары, нижний настил едва над полом, у щиколотки.

Этот острог должен был бы, кажется, подавить те смутные бунтарские предчувствия, которые росли в нас на распущенной Куйбышевской пересылке. Но нет! Вечером при лампочке ватт на пятнадцать, слабенькой, как свеча, лысый остролицый старик Дроздов, ктитор одесского кафедрального собора, становится у глуби оконного колодца и слабым голосом, но с чувством кончающейся жизни поёт старую революционную песню:

> Как дело измены, как совесть тирана,
>   Осенняя ночка черна.
>   Чернее той ночи встаёт из тумана
>   Видением грозным — тюрьма!

Он поёт только для нас, но тут хоть и громко кричи — не услышат. При пении бегает острый кадык под сухой бронзой его шейной кожи. Он поёт и вздрагивает, он вспоминает и пропускает через себя несколько десятилетий русской жизни — и дрожь его передаётся нам:

> Хоть тихо внутри, но тюрьма — не кладбище,
>   И ты, часовой, не плошай!

В такой тюрьме да такую песню!* Всё — в лад. Всё в лад тому, что ждёт наше арестантское поколение.

Потом мы раскладываемся спать в этой жёлтой полутьме, холоде и сырости. Ну а кто ж бы нам *тиснул роман*?

И раздаётся голос — Ивана Алексеевича Спасского, какой-то сводный голос всех героев Достоевского. Этот голос срывается, задыхается, никогда не покоен, кажется, в любую минуту может перейти в плач, крик боли. Самый примитивненький роман Брешко-Брешковского, вроде «Красной мадонны», звучит как эпос о Роланде в изложении этого голоса, проникнутого верой, страданием и ненавистью. И уж там правда это или чистый вымысел, но в память нашу врезается как эпос — Виктор Воронин, его пеший бросок на полтораста километров к Толедо и снятие осады с крепости Алькáзар.

Да не последний из романов составила бы и жизнь самого Спасского. Юношей он был участником Ледяного похода. Воевал всю Гражданскую войну. Эмигрировал в Италию. Окончил русскую балетную школу за границей, кажется у Карсавиной, а у какой-то из русских графинь учился изящному столярному мастерству (потом в лагере удивил нас, сделавши себе миниатюрный инструмент и вырабатывая начальству такую тонкую лёгкую мебель, с плавными кривыми линиями, что они только рты разевали; правда уж, столик делал месяц). С балетом гастролировал по Европе. Был оператором итальянской кинохроники во время испанской войны. Майором итальянской армии под чуть изменённым именем Джиованни Паски командовал батальоном — и летом 1942 года опять пришёл на тот же Дон. Тут батальон его вскоре попал в окружение, хотя в общем советские ещё отступали. Спасский думал бы биться насмерть, но итальянские мальчики, составлявшие батальон, стали плакать — они хотели жить! Майор Паски поколебался и вывесил белый флаг. Сам-то с собой

---

* Очень не хватало Шостаковичу перед Одиннадцатой симфонией послушать эту песню *здесь*! Либо вовсе б он её не тронул, либо выразил бы её современный, а не умерший смысл.

он кончить мог, но теперь раззадоривало хоть немного посмотреть советских. Он прошёл бы обычный плен и через четыре года был бы в Италии, однако русская душа его не выдержала, он разговорился с офицерами, взявшими его. Роковая ошибка! Если ты, по несчастью, русский, — скрывай это как дурную болезнь, иначе тебе несдобровать! Сперва его держали год на Лубянке. Потом три года — в интернациональном лагере в Харькове (испанцы, итальянцы, японцы, — был и такой). И когда уже он отсидел четыре года, — не засчитав этих четырёх, ему отвесили ещё двадцать пять. Где уж теперь двадцать пять! — в каторжном лагере он был обречён кончить невдолге.

Омская тюрьма, а потом Павлодарская принимали нас потому, что в городах этих — важное упущение! — до сих пор не было специализированных пересылок. В Павлодаре даже — о, позор! — не оказалось и воронка, и нас от вокзала до тюрьмы, много кварталов, гнали колонной, не стесняясь населения, — как это было до революции и в первое десятилетие после неё. В кварталах, проходимых нами, ещё не было ни мостовых, ни водопровода, одноэтажные домики утопали в сером песке. Собственно город начинался с двухэтажной белокаменной тюрьмы.

Но по XX веку тюрьма эта внушала не ужас, а чувство покоя, не страх, а смех. Просторный мирный двор, кое-где поросший жалкой травкой и как-то нестрашно разделённый заборчиком на прогулочные коробки. Окна камер второго этажа перекрещены редкой решёткой, не закрыты намордниками — становись на подоконник и изучай местность. Прямо внизу, под ногами, между стеной тюрьмы и внешней стеной-оградой, изредка, чем-нибудь потревоженный, пробежит, проволакивая цепь свою, огромный пёс и гулко гавкнет раза два. Но он тоже совсем не тюремный, не страшный, не дрессированная против людей овчарка, а жёлто-белый, лохматый, вроде дворняги (есть в Казахстане такая порода собак) и, кажется, уже стар изрядно. Он похож на тех добродушных стариков, лагерных надзирателей, которых переводили сюда из армии и которые, не скрывая, тяготились собачьей охранной службой.

Дальше за стеной сразу видна улица, и ларёк с пивом, и все, кто там ходят, стоят — или принесли в тюрьму передачу, или ждут возврата тары. А ещё дальше — кварталы, кварталы таких одноэтажных домиков, и изгиб Иртыша, и даже заиртышские дали.

Какая-то живая девушка, которой только что вернули с вахты пустую корзину из-под передачи, подняла голову, завидела нас в окне и наши приветственные помахивания, но виду не подала. Пристойным шагом, чинно зашла за пивной ларёк, чтоб её не просматривали с вахты, а там вдруг порывисто вся изменилась, корзину опустила, машет, машет нам обеими вскинутыми руками, улыбается! Потом быстрыми петлями пальца показывает: «пишите, пишите записки!», и — дугой полёта: «бросайте, бросайте мне!», и — в сторону города: «отнесу, передам!». И распахнула обе руки: «что ещё вам? чем помочь? друзья!»

Это было так искренне, так прямодушно, так непохоже на нашу замордованную *волю*, на наших замороченных граждан! — да в чём же дело??? Время такое настало? Или это в Казахстане так? здесь ведь половина — ссыльных...

Милая бесстрашная девушка! Как быстро ты прошла, как верно усвоила притюремную науку! Какое счастье (да не слёзы ли в уголке глаза?), что ещё есть вы, такие!.. Прими наш поклон, безымянная! Ах, весь наш народ был бы такой! — ни черта б его не сажали! заели бы проклятые зубья!

У нас, конечно, были в телогрейках обломки грифеля. И обрывки бумаги. И штукатурки можно было отколупнуть кусок, ниточкой записку привязать и добросить вполне. Но решительно не о чем было нам просить её в Павлодаре! И мы только кланялись ей и помахивали приветственно.

Нас везли в пустыню. Даже непритязательный деревенский Павлодар скоро припомнится нам как сверкающая столица.

Теперь нас принял конвой Степного лагеря (но, к счастью, не Джезказганского лаготделения; всю дорогу мы заклинали судьбу, чтобы не попасть на медные рудники). За нами пригнали грузовики с надстроенными бортами и с решётками в передней части кузова, которыми автоматчики защищены от нас, как от зверей. Нас тесно усадили на пол кузова со скрюченными ногами, лицами назад по ходу, и в таком положении качали и ломали на ухабах восемь часов. Автоматчики сидели на крыше кабины и дула автоматов всю дорогу держали направленными нам в спины.

В кабинах грузовиков ехали лейтенанты, сержанты, а в нашей кабине — жена одного офицера с девчушкою лет шести. На остановках девочка выпрыгивала, бежала по луговым травам, собирала цветы, звонко кричала маме. Её ничуть не смущали ни автоматы, ни собаки, ни безобразные головы арестантов, торчащие над бортами кузовов, наш страшный мир не омрачал ей луга и цветов, даже из любопытства она на нас не посмотрела ни разу... Я вспомнил тогда сына старшины Загорской спецтюрьмы. Его любимая игра была: заставить двух соседских мальчишек взять руки за спину (иногда связывал им руки) и идти по дороге, а он с палкой шёл рядом и конвоировал их.

Как отцы живут, так дети играют...

Мы пересекли Иртыш. Мы долго ехали заливными лугами, потом ровнейшей степью. Дыхание Иртыша, свежесть степного ветра, запах полыни охватывали нас в минуты остановок, когда улегались вихри светло-серой пыли, поднимаемой колёсами. Густо опудренные этой пылью, мы смотрели назад (поворачивать голову было нельзя), молчали (разговаривать было нельзя) — и думали о лагере, куда мы едем, с каким-то сложным нерусским названием. Мы читали его на своих «делах» с верхней полки арестантского вагона вверх ногами — *Экибастуз*, но никто не мог вообразить, где он есть на карте, и только подполковник Олег Иванов помнил, что это угледобыча. Представлялось даже, что это где-то недалеко от границ Китая (и некоторые радовались тому, не успев привыкнуть, что Китай еще гораздо хуже, чем мы). Кавторанг Бурковский (новичок и 25-летник, он ещё диковато на всех смотрел, ведь он коммунист и посажен по ошибке, а вокруг — враги народа; меня он признавал лишь за то, что я — бывший советский офицер и в плену не был) напомнил мне забытое из университетского курса: перед днём осеннего равноденствия протянем по земле полуденную линию, а 23 сентября вычтем высоту кульминации солнца из девяноста — вот и наша географическая широта. Всё-таки утешение, хотя долготы не узнать.

Нас везли и везли. Стемнело. По крупнозвёздному чёрному небу теперь ясно было, что везли нас на юго-юго-запад.

В свете фар задних автомобилей плясали клочки пыльного облака, взбитого всюду над дорогой, но видимого только в фарах. Возникало странное марево: весь мир был чёрен, весь мир качался, и только эти частицы пыли светились, кружились и рисовали недобрые картины будущего.

На какой край света? В какую дыру везли нас, где суждено нам делать нашу революцию?

Подвёрнутые ноги так затекли, будто были уже и не наши. Лишь под полночь приехали мы к лагерю, обнесённому высокой колючкой, освещённому в чёрной степи и близ чёрного спящего посёлка ярким электричеством вахты и вокруг зоны.

Ещё раз перекликнув по делам — «...марта тысяча девятьсот семьдесят пятого!» — на оставшиеся эти четверть столетия нас ввели сквозь двойные высоченные ворота.

Лагерь спал, но ярко светились все окна всех бараков, будто там брызгала жизнь. Ночной свет — значит, режим тюремный. Двери бараков были заперты извне тяжёлыми висячими замками. На прямоугольниках освещённых окон чернели решётки.

Вышедший помпобыт был облеплен лоскутами *номеров.*

Ты читал в газетах, что в лагерях у фашистов на людях бывают номера?

Глава 3
ЦЕПИ, ЦЕПИ...

Но наша горячность, наши забегающие ожидания быстро оказались раздавлены. Ветерок перемен дул только на сквозняках — на пересылках. Сюда же, за высокие заборы Особлагов, он не задувал. И хотя лагеря состояли из одних только политических — никакие мятежные листовки не висели на столбах.

Говорят, в Минлаге кузнецы отказались ковать решётки для барачных окон. Слава им, пока не названным! Это были люди. Их посадили в БУР. Отковали решётки для Минлага — в Котласе. И никто не поддержал кузнецов.

Особлаги начинались с той же бессловесной и даже угодливой покорности, которая была воспитана тремя десятилетиями ИТЛ.

Пригнанным с полярного Севера этапам не пришлось порадоваться казахстанскому солнышку. На станции Новорудное они спрыгивали из красных вагонов — на красноватую же землю. Это была та джезказганская медь, добыванья которой ничьи лёгкие не выдерживали больше четырёх месяцев. Тут же, на первых провинившихся, радостные надзиратели продемонстрировали своё новое оружие: наручники, не применявшиеся в ИТЛ, — блестяще никелированные наручники, массовый выпуск которых был налажен в Советском Союзе к тридцатилетию Октябрьской революции (на каком-то заводе делали их рабочие с седеющими усами, образцовые пролетарии нашей литературы, — ведь не сами же Сталин и Берия делали их?). Эти наручники были тем замечательны, что их можно было забивать на большую тугость: была в них металлическая пластинка с зубчиками, и надетые уже наручники забивали на коленях конвоира так, чтобы больше зубчиков вошло в замок и было бы больней. Тем самым наручники из предохранителя, сковывающего действия, превращались в орудие пытки: они сдавливали кисти с острой постоянной болью и часами так держали, да всё за спиной, на вывернутых руках. Ещё особо был разработан приём зажима наручников по четырём пальцам, это причиняло острую боль в суставах пальцев.

В Берлаге наручниками пользовались истово: за всякую мелочь, за неснятые шапки перед надзирателем. Надевали наручники (руки назад) и ставили около вахты. Руки затекали, мертвели, и взрослые мужчины плакали: «Гражданин начальник, больше не буду! Снимите наручники!» (Там были славные порядки, в Берлаге, — не только в столовую шли по команде, но по команде входили за стол, по команде садились, по команде опускали ложки в баланду, по команде вставали и выходили.)

Легко было кому-то пером черкнуть: «Создать Особлаги. Доложить проект режима к такому-то числу». А ведь каким-то труженикам-тюрьмоведам (и душеведам, и знатокам лагерной жизни) надо было по пунктам продумать: что ещё можно завинтить подосаднее? чем ещё можно нагрузить понадрывнее? в чём ещё можно утяжелить и без того не льготную жизнь туземца-зэка? Переходя из ИТЛ в Особлаги, эти животные должны были сразу почувствовать строгость и тяжесть, — но ведь прежде кому-то надо по пунктам изобрести.

Ну, естественно, усилили меры охраны. Во всех Особлагах были добавочно укреплены зонные полосы, натянуты лишние нитки колючки и ещё спирали Бруно рассыпаны в предзоннике. По пути следования рабочих колонн на всех важных перекрестках и поворотах заранее ставились пулемёты и залегали пулемётчики.

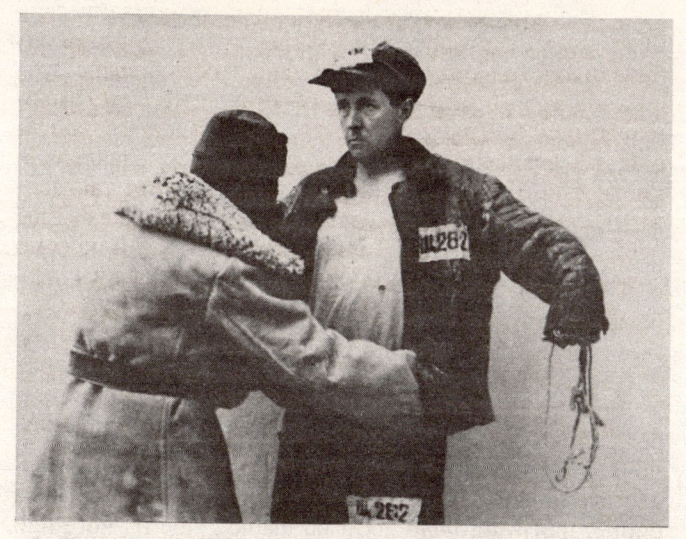

Обыск на проходе

В каждом лагпункте была каменная тюрьма — БУР*. С сажаемых в БУР обязательно снимались телогрейки: мучение холодом было важной особенностью БУРа. Но и каждый барак был тюрьмой, потому что окна все зарешечены, на ночь вносились параши и запирались двери. И ещё в каждой зоне были один-два штрафных барака, имевших усиленную охрану, свою особую маленькую зонку в зоне; они запирались тотчас после прихода арестантов с работы — по образцу ранней каторги. (Вот это и были собственно БУРы, но у нас назывались *режимками*.)

Затем совершенно откровенно заимствовали ценный гитлеровский опыт с номерами: заменить фамилию заключённого, «я» заключённого, личность заключённого — номером, так что один от другого отлича-

---

* Я и дальше буду звать её БУР, как говорили у нас, по привычке ИТЛ, хотя здесь это не совсем верно, — это была именно лагерная тюрьма.

ется уже не всей человеческой особенностью, а только плюс-минус единичкой в однообразном ряду. И эта мера может стать гнетущей, — но если её очень последовательно, до конца провести. Так и пытались. Всякий новопоступающий, «сыграв на рояле» в спецчасти лагеря (то есть оставив отпечатки пальцев, как это делалось в тюрьмах, а в ИТЛ не делалось), надевал на шею верёвочку с дощечкой. На дощечке набирался его номер, вроде Щ-262 (в Озёрлаге было теперь и «Ы», ведь короток алфавит!), и в таком виде его фотографировал фотограф спецчасти. (Эти все фотографии ещё где-нибудь хранятся. Мы ещё их увидим!)

Дощечку снимали с шеи арестанта (ведь не собака же он), а взамен давали четыре (в иных лагерях — три) белых тряпочки размером сантиметров 8 на 15. Эти тряпочки он должен был пришить себе в места, установленные не во всех лагерях одинаково, но обычно — на спине, на груди, надо лбом на шапку, ещё на ноге или на руке **(фото на с. 61)***. В ватной одежде на этих установленных местах заранее производилась порча — в лагерных мастерских отдельные портные отряжались на порчу новых вещей: фабричная ткань вырезалась квадратиком, обнажая исподнюю вату. Это делалось для того, чтобы зэк не мог при побеге отпороть номера́ и выдать себя за вольняшку. В других лагерях ещё проще: номер вытравлялся хлоркой на одежде.

Велено было надзирателям окликать заключённых только по номерам, а фамилий не знать и не помнить. И довольно жутко было бы, если б они выдержали, — да они не выдержали (русский человек — не немец) и уже на первом году стали сбиваться и кого-то звать по фамилиям, а потом всё больше. Для облегчения надзирателям прибивалась на вагонке соответственно каж-

---

* Эта фотография сделана уже в ссылке, но и телогрейка, и номера — живые, лагерные, и приёмы — именно те. Весь Экибастуз я проходил с номером Щ-232, в последние же месяцы приказали мне сменить на Щ-262. Эти номера я и вывез тайно из Экибастуза, храню и сейчас.

дому спальному месту — фанерная бирка и на ней — номер (и фамилия) спящего тут. Так, и не видя номеров на спящем, надзиратель всегда мог его окликнуть, а в отсутствие его знать, на чьей койке нарушение. Надзирателям открывалась и такая полезная деятельность: или тихо отпереть замок и тихо войти в барак перед подъёмом и записать номера вставших прежде времени, или же ворваться в барачную секцию точно по подъёму и записывать тех, кто ещё не встал. В обоих случаях можно было сразу назначать карцеры, но больше полагалось в Особлагах требовать объяснительных записок, — и это при запрете иметь чернила и ручки и при никаком снабжении бумагой. Система объяснительных записок, — тягучая, нудная, противная — была неплохим изобретением, тем более что у лагерного режима хватало для этого оплачиваемых лоботрясов и времени для разбора. Не просто тебя сразу наказывали, а требовали письменно объяснить: почему твоя койка плохо застелена; как ты допустил, что покосилась на гвозде бирка с твоим номером; почему запачкался номер на твоей телогрейке и почему ты своевременно не привёл его в порядок; почему ты оказался с папиросой в секции; почему не снял шапку перед надзирателем*. Глубокомыслие этих вопросов делало письменный ответ на них для грамотных ещё даже мучительней, чем для неграмотных. Но отказ писать записку приводил к устрожению наказания. Записка писалась, чистотою и чёткостью уважительно к Работникам Режима, относилась барачному надзирателю, затем рассматривалась ПомНачРежима или НачРежима, и писалось на ней письменное же определение наказания.

Так же и в бригадных ведомостях полагалось писать номера прежде фамилий — вместо фамилий? но боязно было отказаться от фамилий! как-никак, фамилия — это верный хвост, своей фамилией человек

---

* Дорошевич *удивился* на Сахалине, что арестанты снимают шапку перед начальником тюрьмы. А мы обязаны были снимать при встрече каждого рядового надзирателя.

ущемлён навек, а номер — это дуновение, фу — и нет. Вот если б номера на самом человеке выжигать или выкалывать! — но до этого дойти не успели. А могли бы, шутя могли бы, не много и оставалось.

И тем ещё рассыпался гнёт номеров, что не в одиночках же мы сидели, не одних надзирателей слышали, — а друг друга. Друг друга же арестанты не только никогда по номерам не называли, а даже *не замечали* их (хотя, кажется, как не заметить эти кричащие белые тряпки на чёрном? когда много вместе нас собиралось, на развод, на проверку, обилие номеров пестрило, как логарифмическая таблица, — но только свежему взгляду), — настолько не замечали, что о самых близких друзьях и бригадниках никогда не знали, какой у них номер, свой только и помнили. (Среди придурков встречались пижоны, которые очень следили за аккуратной и даже кокетливой пришивкой своих номеров, с подвёрнутыми краями, мелкими стежками, *покрасивее*. Извечное холуйство! Мы с друзьями, наоборот, старались, чтобы номера выглядели на нас как можно более безобразно.)

Режим Особлагов был рассчитан на полную глухость: на то, что отсюда никто никому не пожалуется, никто никогда не освободится, никто никуда не вырвется. (Ни Освенцим, ни Катынь не научили хозяев нисколько.) Поэтому ранние Особлаги — это Особлаги с палками. Чаще не сами надзиратели носили их (у надзирателей были наручники), а доверенные из зэков — коменданты и бригадиры, но бить могли всласть и с полного одобрения начальства. В Джезказгане перед разводом становились у двери барака нарядчики с дубинками и по-старому кричали: «Выходи *без последнего*!!» (Читатель давно уже понял, почему *последний* если и оказывался, то тут же его как бы уже и не было.)* Поэтому же начальство мало огорчалось, если,

---

* В Спасске в 1949 что-то, однако, хрустнуло. Бригадиров созвали к «штабу» и велели сложить дубинки. Предложено было впредь обходиться без них.

64

скажем, зимний этап из Карабаса в Спасск — 200 человек — замёрз по дороге, уцелевшие забили все палаты и проходы санчасти, гнили заживо с отвратительной вонью, и доктор Колесников ампутировал десятки рук, ног и носов*. Глухость была такая надёжная, что знаменитый начальник режима капитан Воробьёв и его подручные сперва «наказали» заключённую венгерскую балерину карцером, затем наручниками, а в наручниках изнасиловали её.

Режим замыслен был неторопливо проникающий в мелочи. Вот, например, запрещалось иметь чьи-либо фотографии, не только свои (побег!), но и близких. Их отбирали и уничтожали. Староста женского барака в Спасске, пожилая женщина, учительница, поставила на столике портретик Чайковского, надзиратель изъял и дал ей трое суток карцера. «Да ведь это портрет Чайковского!» — «Не знаю кого, но не положено женщинам в лагере иметь мужские портреты». — В Кенгире разрешено было получать крупу в посылках (отчего ж не получать?), но так же неукоснительно запрещено было её варить, и, если зэк пристраивался где-нибудь на двух кирпичах, надзиратель опрокидывал котелок ногой, а виновного заставлял тушить огонь руками. (Правда, потом построили сарайчик для варки, но через два месяца печь разрушили и расположили там офицерских свиней и лошадь опера Беляева.)

Однако, вводя разные режимные новинки, хозяева не забывали и лучшего опыта ИТЛ. В Озёрлаге капитан Мишин, начальник лагпункта, привязывал отказчиков к саням и так волок их на работу.

А в общем, режим получился настолько удовлетворителен, что прежние исходные каторжане содержались теперь в Особлагах на общих равных основа-

---

* Этот доктор Колесников был из числа «экспертов», незадолго до того подписавших лживые выводы Катынской комиссии (то есть что не мы убивали там польских офицеров). За это и посажен он был сюда справедливым Провидением. А за что властью? Чтоб не проболтался. Мавр дальше стал не нужен.

ниях, в общих зонах, и только отличались другими буквами на номерных нашлёпках. (Ну разве что при нехватке бараков, как в Спасске, назначали им для жилья сараи и конюшни.)

Так Особлаги, не названные официально каторгой, стали её правопреемником и наследником, слились с нею.

Но чтобы режим хорошо усваивался арестантами, — надо обосновать его ещё и правильной работой и правильной едой.

Работа для Особлагов выбиралась тяжелейшая из окружающей местности. Как верно заметил Чехов: «В обществе и отчасти в литературе установился взгляд, что настоящая самая тяжкая и самая позорная каторга может быть только в рудниках. Если бы в „Русских женщинах" Некрасова герой... ловил бы для тюрьмы рыбу или рубил лес, — многие читатели остались бы неудовлетворёнными». (Только о лесоповале, Антон Павлович, за что уж так пренебрежительно? Лесоповал — ничего, подходит.) Первые отделения Степлага, с которых он начинался, все были на добыче меди (1-е и 2-е отделения — Рудник, 3-е — Кенгир, 4-е — Джезказган). Бурение было сухое, пыль пустой породы вызывала быстрый силикоз и туберкулёз[*]. Заболевших арестантов отправляли умирать в знаменитый Спасск (под Карагандою) — «всесоюзную инвалидку» Особлагов.

О Спасске можно бы сказать и особо.

В Спасск присылали инвалидов — конченых инвалидов, которых уже отказывались использовать в своих лагерях. Но, удивительно! — переступив целебную зону Спасска, инвалиды разом обращались в полноценных работяг. Для полковника Чечева, начальника всего Степлага, Спасское лагерное отделение было из самых любимых. Прилетев сюда из Караганды на самолёте, дав себе почистить сапоги на вахте, этот недобрый коренастый

---

[*] По закону 1886 года работы, вредно действующие на здоровье, не разрешались *даже* по выбору самих арестантов.

человек шёл по зоне и присматривался, кто ещё у него не работает. Он любил говорить: «Инвалид у меня во всём Спасске один — без двух ног. Но и он на лёгкой работе — посыльным работает». Одноногие все использовались на сидячей работе: бой камня на щебёнку, сортировка щепы. Ни костыли, ни даже однорукость не были препятствием к работе в Спасске. Это Чечев придумал — четырёх одноруких (двух с правой рукою и двух с левой) ставить на носилки. Это у Чечева придумали — вручную крутить станки мехмастерских, когда не было электроэнергии. Это Чечеву нравилось — иметь «своего профессора», и биофизику Чижевскому он разрешил устроить в Спасске «лабораторию» (с голыми столами). Но когда Чижевский из последних бросовых материалов разработал маску против силикоза для джезказганских работяг, — Чечев не пустил её в производство. Работают без масок, и нечего мудрить. Должна же быть оборачиваемость контингента.

В конце 1948 года в Спасске было около 15 тысяч зэков обоего пола. Это была огромная зона, столбы её то поднимались на холмы, то опускались в лощины, и угловые вышки не видели друг друга. Постепенно шла работа саморазгораживания: зэки строили внутренние стены и отделяли зоны женскую, рабочую, чисто инвалидную (так было стеснительнее для внутрилагерных связей и удобнее для хозяев). Шесть тысяч человек ходило работать на дамбу за 12 километров. Так как они были всё-таки инвалиды, то шли туда более двух часов и более двух часов назад. К этому следует *прибавить* 11-часовой рабочий день. (Редко кто выдерживал на той работе два месяца.) Следующая крупная работа была — каменоломни, они находились в самых зонах (на острове — свои ископаемые!), и в женской, и в мужской. В мужской зоне карьер был на горе. Там после отбоя взрывали камень аммоналом, а днём инвалиды молотками разбивали глыбы. В женской зоне аммонала не применяли, а женщины рылись до пластов вручную кирками, а потом дробили камень большими молотками. Молотки у них, конечно, соскакивали с рукояток, или рукоятки ломались, а для насадки надо было отправлять в другую зону. Тем не менее с каждой женщины требовали норму — 0,9 кубометра в день, а так как выполнить её они не могли, то и получали долго штрафной паёк — 400 граммов, пока мужчины не научили их перед сдачей перетаскивать камень из старых штабелей в новые. Напомним, что вся эта работа производилась не только инвалидами и не только без единого механизма, но в суровые степные зимы (до 30—35° мороза с ветром) ещё и в *летней одежде*, потому что *неработающим* (то есть инвалидам) не полагается на зиму выдавать тёплую одежду. Эстонка П-р вспоминает, как она в такой мороз, почти неодетая, орудовала над камнем с огромным молотком. — Польза этой работы для Отечества особенно выясняется, если мы доскажем, что камень женского карьера почему-то оказался негоден для строительства и в некий день некий начальник распорядился, чтобы женщины весь добытый ими за год камень теперь засыпали бы назад в карьер, покрыли землёю и развели бы парк (до парка, конечно, не дошло). — В мужской зоне камень был хорош, доставка же его на место строительства совершалась так: после проверки весь строй (сразу тысяч около восьми, кто ещё в этот день был жив) гнали в гору, а назад допускали только с камнями. В выходной день такая инвалидная прогулка совершалась дважды — утром и вечером.

Затем шли такие работы: укрепление зоны; строительство посёлка для лагерщиков и конвоиров (жилые дома, клуб, баня, школа); работа на полях и огородах.

Урожай с тех огородов тоже шёл на вольных, а зэкам доставалась лишь свекольная ботва: её привозили возами на машинах, сваливали в кучи близ кухни, там она мокла, гнила, и оттуда кухонные рабочие вилами таскали её в котлы. (Это несколько напоминает кормление домашнего скота?) Из этой ботвы варилась постоянная баланда, к ней добавлялся один черпачок кашицы в день. Вот огородная спасская сценка: человек полтораста зэков, сговорясь, ринулись разом на один такой огород, легли и грызут с гряд овощи. Охрана сбежалась, бьёт их палками, а они лежат и грызут.

Хлеба давали неработающим инвалидам 550, работающим — 650.

Ещё не знал Спасск медикаментов (на такую ораву где взять! да и всё равно им подыхать) и постельных принадлежностей. В некоторых бараках вагонки сдвигались и на сдвоенных щитах ложились уже не по двое, а по четверо впритиску.

Да, и ещё же была работа: каждый день 110—120 человек выходило на рытьё могил. Два «студебеккера» возили трупы в обрешётках, откуда руки и ноги выпячивались. Даже в летние благополучные месяцы 1949 умирало по 60—70 человек в день, а зимой по сотне (считали эстонцы, работавшие при морге).

(В других Особлагах не было такой смертности и кормили лучше, но и работы же покрепче, ведь не инвалиды, — это читатель уравновесит уже сам.)

Всё это было в 1949 (тысяча девятьсот сорок девятом) году — на тридцать втором году Октябрьской революции, через четыре года после того, как кончилась война и её суровые необходимости, через три года после того, как закончился Нюрнбергский процесс и всё человечество узнало об ужасах фашистских лагерей и вздохнуло с облегчением: «это не повторится!»...*

Ко всему этому режиму ещё добавить, что с переездом в Особлаг почти прекращалась связь с волей,

---

* Я предвижу волнение читателя и спешу его заверить, все эти Чечев, и Мишин, и Воробьёв, и надзиратель Новгородов живут хорошо. Чечев — в Караганде, генерал в отставке. Никто из них не был судим и не будет. А за что их судить? Ведь они просто выполняли приказ. Нельзя же их сравнивать с нацистами, которые *просто выполняли приказ*. А если они делали что сверх приказа — так ведь от чистоты идеологии, с полной искренностью, просто по неведению, что Берия, «верный соратник великого Сталина», — также и агент международного империализма.

с ожидающей тебя и твоих писем женой, с детьми, для которых ты превращался в миф. (Два письма в год, — но не отправлялись и эти, куда вложил ты лучшее и главное, собранное за месяцы. Кто смеет проверить цензорш, сотрудниц МГБ? Они часто облегчали себе работу — сжигали часть писем, чтобы не проверять. А что твоё письмо не дошло, — всегда можно свалить на почту. В Спасске позвали как-то арестантов отремонтировать печь в цензуре, — те нашли там сотни неотправленных, но ещё и не сожжённых писем, — забыли цензоры поджечь. Вот обстановка Особлага: печники ещё боялись об этом рассказывать друзьям! — гебисты могли с ними быстро расправиться... Эти цензорши МГБ, для своего удобства сжигавшие *душу* узников, — были ли они гуманнее тех эсэсовок, собиравших кожу и волосы убитых?) А уж о свиданиях с родственниками в Особлагах и не заикались — адрес лагеря был зашифрован, и не допускалось приехать никому.

Если ещё добавить, что хемингуэевский вопрос *иметь или не иметь* почти не стоял в Особлагах, он со дня создания их был уверенно разрешён в пользу *не иметь*. Не иметь денег и не получать зарплаты (в ИТЛ ещё можно было заработать какие-то гроши, здесь — ни копейки). Не иметь смены обуви или одежды, ничего для поддевания, утепления или сухости. Бельё (и что́ то было за бельё! — вряд ли хемингуэевские бедняки согласились бы его натянуть) менялось два раза в месяц, одежда и обувь — два раза в год, кристальная ясность. (Не в первые дни лагеря, но позже наладили «вечную» камеру хранения — до дня «освобождения»; считалось важным проступком не сдать туда какой-либо собственной носильной вещи: это была подготовка к побегу, карцер, следствие.) Не иметь никаких продуктов в тумбочке (а утром стоять в очереди в продуктовую каптёрку, чтобы сдать их, вечером — чтобы получить, — тем самым удачно занимались ещё оставшиеся свободными для ума утренние и вечерние получасы). Не иметь ничего рукописного, не иметь чернил, химических и цветных карандашей, не иметь чистой бумаги свыше одной ученической тетради. Не иметь, в конце концов, и книг. (В Спасске отбирали собственные книги при приёме арестанта в лагерь. У нас сперва разрешалось иметь одну-две, но однажды вышел мудрый указ: зарегистрировать все собственные книги в КВЧ, поставить на титульном листе «Степлаг. Лагпункт № ...». Все книги без штампа будут впредь отбираться как незаконные, книги же со штампом будут считаться библиотечными и уже не принадлежат владельцу.)

Если ещё напомнить, что в Особлагах настойчивее и чаще, чем в ИТЛ, производились обыски (ежедневный тщательный выходной и входной **(фото на с. 61)**; планомерные обыски бараков с поднятием полов, выламыванием печных колосников, выламыванием досок у крылечек; затем ещё тюремного типа повальные личные обыски с раздеванием, перещупыванием, отпарыванием подкладок, подмёток). Что со временем стали выпалывать в зоне всю траву дочиста («чтобы не прятали в траве оружия»). Что в выходные дни занимались хозяйственными работами в зоне.

Всё это вспомнив, пожалуй, не удивишься, что ношение номеров было далеко не самым чувствительным или язвительным способом унизить достоинство арестанта. Когда Иван Денисович говорит, что «они не весят, номера», это вовсе не утеря чувства достоинства (как упрекали гордые критики, сами номеров не носившие, да ведь и не голодавшие), — это просто здравый смысл. Досада, причиняемая нам номерами, была не психологическая, не моральная (как рассчитывали хозяева ГУЛАГа) — а практическая досада, что под страхом карцера надо было тратить досуг на пришивку отпоровшегося края, подновлять цифры у художников, а изодравшиеся при работе тряпки — целиком менять, изыскивать где-то новые лоскуты.

Для кого номера были действительно самой дьявольской из здешних затей — это для истовых верующих. Такие были в женском лаготделении близ станции Суслово (Сиблаг), — женщин, сидевших за религию, там вообще была треть. Ведь прямо же всё предсказано Апокалипсисом (13:16):

> ...положено будет начертание на правую руку их или на чело их.

И эти женщины отказывались носить номера — печать сатаны! Не соглашались они и давать свою подпись (сатане же) за казённое обмундирование. Администрация лагеря (начальник Управления генерал Григорьев, начальник ОЛПа майор Богуш) проявила достойную твёрдость: она велела *раздеть этих женщин до сорочек, снять с них обувь* (надзирательницы-комсомолки всё сделали), — чтобы зима помогла принудить безсмысленных фанатичек принять казённое обмундирование и нашить номера. Но и в мороз женщины ходили по зоне босиком и в сорочках, а не соглашались отдать душу сатане!

И перед этим духом (конечно, реакционным, мы-то люди просвещённые, мы бы не стали так возражать против номеров) — администрация сдалась, вернула женщинам их носильные вещи, — и они надели их без номеров! (Елена Ивановна Усова так и проходила все 10 лет в своём, одежда и бельё истлели уже, сползали с плеч, — но не могла бухгалтерия выдать ей ничего казённого без расписки.)

Ещё досаждали нам номера тем, что, крупные, они легко прочитывались издали конвоем. Конвой всегда нас видел только на расстоянии, возможном для автоматной изготовки и выстрела, никого из нас по фамилиям, разумеется, не знал и, одинаково одетых, не различал бы, если б не наши номера. Теперь же конвоиры примечали, кто в колонне разговаривал, или путал пятёрки, или рук не держал назад, или поднял что-нибудь с земли, — и достаточно было рапорта начкара в лагерь, чтобы виновника ждал карцер.

Конвой был ещё одной силой, сжимающей воробышка нашей жизни в жмых. Эти «краснопогонники», регулярные солдаты, эти сынки с автоматами были силой тёмной, нерассуждающей, о нас не знающей, никогда не принимающей объяснений. От нас к ним ничто не могло перелететь, от них к нам — окрики, лай собак, лязг затворов и пули. И всегда были правы они, а не мы.

В Экибастузе на подсыпке железнодорожного полотна, где зоны нет, а есть оцепление, один зэк в дозволенной черте ступил несколько шагов, чтобы взять свой хлеб из брошенной куртки, — а конвоир вскинулся и убил его. И он был, конечно, прав. И получить мог только благодарность. И конечно, не раскаивается по сей день. А мы ничем не выразили возмущения. И разумеется, не писали никуда (да никто б нашей жалобы и не пропустил).

19 января 1951 года наша колонна в пятьсот человек подошла к объекту АРМу (авторемонтные мастерские). С одной стороны была зона, и тут уже не стояли солдаты. Вот-вот должны были впускать нас в ворота. Вдруг заключённый Малой (а на самом деле — рослый широкоплечий парень) ни с того ни с сего отделился от строя и как-то задумчиво пошёл на начальника конвоя. Впечатление было, что он не в себе, что он сам не понимает, что делает. Он не поднял руки, он не сделал ни одного угрожающего жеста, он просто задумчиво пошёл. Начальник конвоя, франтоватый гаденький офицер, — перепугался и стал задом наперёд бежать от Малого, что-то визгливо крича и никак не умея вынуть пистолета. Против Малого быстро выдвинулся сержант-автоматчик и за несколько шагов дал ему очередь в грудь и живот, тоже медленно отходя. И Малой, прежде чем упасть, ещё шага два продолжал своё медленное движение, а из спины его по следу невидимых пуль вырвались видимые клочки ваты из телогрейки. Но хотя Малой упал, а мы, вся остальная колонна, не шевельнулись, начальник конвоя так был перепуган, что выкрикнул солдатам боевую команду, и со всех сторон захлопали автоматы, полосуя чуть выше наших голов, застучал пулемёт, развёрнутый заранее на пози-

ции, и во много голосов, состязаясь в истеричности, нам кричали: «Ложись! Ложись! Ложись!» И пули пошли ниже, ниже, в проволоку зоны. Мы, полтысячи, не бросились на стрелков, не смяли их, а все повалились ничком и так, уткнувшись лицами в снег, в позорном, безпомощном положении, в это крещенское утро дольше четверти часа лежали как овцы, — всех нас они шутя могли бы перестрелять и не несли бы ответа: ведь попытка к бунту!

Такие мы были подавленные жалкие рабы на первом и на втором году Особых лагерей — и о периоде этом довольно сказано в «Иване Денисовиче».

Как же это сложилось? Почему многие тысячи этой скотинки, Пятьдесят Восьмой, — но ведь *политических* же, чёрт возьми? но ведь теперь-то — отделённых, выделенных, собранных вместе, — теперь-то, кажется, политических? — вели себя так ничтожно? так покорно?

Эти лагеря и не могли начаться иначе. И угнетённые, и угнетатели пришли из ИТЛовских лагерей, и десятилетия рабской и господской традиции стояли и за теми и за другими. Образ жизни и образ мыслей переносился вместе с живыми людьми, они притепляли и поддерживали его друг в друге, потому что ехали по несколько сот человек с одного лаготделения. На новое место они привозили с собой всеобщую внушённую уверенность, что в лагерном мире человек человеку — крыса и людоед, и не бывает иначе. Они привозили в себе интерес к одной лишь своей судьбе и полное равнодушие к судьбе общей. Они ехали, готовые к безпощадной борьбе за захват бригадирства, за тёплые придурочьи места на кухне, в хлеборезке, в каптёрках, в бухгалтерии и при КВЧ.

Но когда на новое место едет одиночка, он в своих расчётах устроиться там может полагаться только на свою удачу и на свою безсовестность. Когда же долгим этапом, две-три-четыре недели везут в одном вагоне, моют в одних пересылках, ведут в одном строю уже довольно сталкивавшихся лбами, уже хорошо оценивших друг в друге и бригадирский кулак, и умение подползать к начальству, и умение кусать из-за угла, и умение тянуть «налево», *отворачивая* от работяг, — когда вместе этапируют уже спевшееся *кубло* придурков, — естественно им не предаваться свободолюбивым мечтам, а дружно перенести эстафету рабства, сговориться, как они будут захватывать ключевые посты в новом лагере, оттесняя придурков из других лагерей. А работяги тёмные, вполне смирившиеся со своей корявой тёмной судьбой, сговариваются, как им на новом месте составить бригаду получше да подпасть под сносного бригадира.

И все эти люди безповоротно забыли не только то, что каждый из них — человек, и несёт в себе Божий огонь, и способен на высшую участь, но забыли даже, что спину можно бы и разогнуть, что простая свобода есть такое же право человека, как воздух, что все они — так называемые *политические*, и вот теперь остаются промеж себя.

Правда, толика блатных всё-таки среди них была: отчаявшись удержать своих любимцев от частых побегов (82-я статья УК давала за побег только до двух лет, а у воров бывали ужс десятки и сотни наплюсованных, отчего ж не бежать, коли некому унять?), власти решились клепать им за побег 58-14, то есть экономический саботаж.

Таких блатных ехало в Особые лагеря, в общем, очень мало, в каждом этапе — горстка, но, по их кодексу, вполне достаточно, чтобы вести себя дерзко, нагло, ходить в комендантах с палками (как те два азербайджанца в Спасске, зарубленные потом) и помогать придуркам утверждать на новых островах Архипелага всё то же чёрно-говённое знамя рабских подлых истребительно-трудовых лагерей.

Экибастузский лагерь был создан за год до нашего приезда — в 1949 году, и всё тут так и сложилось по подобию прежнего, как оно было принесено в умах лагерников и начальства. Были комендант, помкоменданта и старшие бараков, кто кулаками, кто доносами изнимавшие своих подданных. Был отдельный барак придурков, где на вагонках и за чаем дружески решались судьбы целых объектов и бригад. Были (благодаря особому устройству финских бараков) отдельные «кабины» в каждом бараке, которые занимались, по чину, одним или двумя привилегированными зэками. И нарядчики били в шею, и бригадиры — по морде, а надзиратели — плётками. И подобрались наглые мордастые повара. И всеми каптёрками завладели свободолюбивые кавказцы. А прорабские должности захватила группка проходимцев, которые считались все инженерами. А стукачи исправно и безнаказанно носили свои доносы в оперчасть. И, год назад начатый с палаток, лагерь имел уже и каменную тюрьму, — однако ещё не достроенную и потому сильно переполненную: очереди в карцер с уже выписанным постановлением приходилось ожидать по месяцу и по два — беззаконие, да и только: очередь в карцер! (Мне был присуждён карцер, так я и не дождался очереди.)

Правда, за этот год уже поблекли блатные (точнее, суки, поскольку не пренебрегали лагерными постами). Уже как-то почувствовалось, что нет им настоящего размаха — нет блатной молодёжи, пополнения, не скачет никто на цырлах. Что-то у них не срабатывало. Комендант Магеран, когда начальник режима представлял его строившемуся лагерю, ещё пытался смотреть с мрачной бодростью; но уже неуверенность владела им, и скоро бесславно сошла его звезда.

На наш этап, как и на всякий новый, был сделан натиск уже в первой приёмной бане. Банщики, парикмахеры и нарядчики были напряжены и дружно налетали на каждого, кто пытался сделать хотя бы робкое возражение против рваного белья, или холодной воды, или порядка прожарки. Они только и ждали таких возражений и налетали сразу несколько, как псы, нарочито, кричали повышенно громко: «Здесь вам не Куйбышевская пересылка!» — и совали к носу откормленные кулаки. (Это психологически очень верно. Голый человек десятикратно беззащитен против одетых. И если новый этап припугнуть в первой бане, он будет уже и в лагерной жизни ущемлён.)

Тот самый школьник Володя Гершуни, который предполагал в лагере, осмотревшись, понять, «с кем идти», был в первый же день поставлен укреплять лагерь — копать яму под столб освещения. Он был слаб, не одолел нормы. Помпобыт Батурин, из сук, тоже притихающий, но ещё не притихший, обозвал его «пиратом» и ударил в лицо. Гершуни бросил лом и вовсе ушёл от ямки. Он пошёл в комендатуру и объявил: «Сажайте, на работу больше не пойду, пока ваши пираты дерутся» (его этот «пират» особенно обидел с непривычки). Посадить его не отказались, он отсидел в два приёма 18 суток карцера (делается это так: сперва выписывается 5 или 10 суток, а потом по окончании срока не освобождают, ждут, чтобы заключённый начал протестовать и ругаться, — и тут-то «законно» *втирают* ему второй карцерный срок). После карцера ему, за буйство, выписали ещё два месяца БУРа, то есть в той же тюрьме сидеть, но получать горячее, пайку по выработке и ходить на известковый завод. Видя, что погрязает всё глубже, Гершуни пытался спастись теперь через санчасть, он ещё не знал цену её начальнице мадам Дубинской. Он предполагал, что предъявит своё плоскостопие и его освободят от далёких хождений на известковый. Но его и в санчасть отказались вести, экибастузский БУР не нуждался в амбулаторном приёме. Чтобы всё-таки туда попасть, Гершуни, наслушавшись, как надо протестовать, по разводу остался на нарах в одних кальсонах. Надзиратели «Полундра» (психованный бывший морячок) и Коненцов стащили его за ноги с нар и так, в кальсонах, поволокли на развод. Они волокли, а он руками хватался за лежащие там камни, подготовленные к кладке, — чтоб удержаться за них. Уж Гершуни согласен был на известковый и только кричал: «Дайте брюки надеть!» — но его волокли. На вахте, задерживая весь четырёхтысячный развод, этот слабый мальчик кричал: «Гестаповцы! Фашисты!» — и отбивался, не давая надеть наручников. Всё же Полундра и Коненцов согнули ему голову до земли, и надели наручники, и теперь толкали идти. Их и начальника режима лейтенанта Мачеховского не смущало, смущало почему-то самого Гершуни: как это он через весь посёлок пойдёт в кальсонах? И он отказался идти. Рядом стоял курносый собаковод-конвоир. Запомнилось Володе, как он тихо ему буркнул: «Ну что бушуешь, становись в колонну. Посидишь у костра, неужто работать будешь?» И крепко держал свою собаку, которая из рук его рвалась, чтобы достичь володиного горла, она же видела, что этот пацан сопротивляется голубым погонам! Володю сняли с развода, повели назад, в БУР. Руки в наручниках за спиной стягивало ему всё больнее, а надзиратель-казах держал за горло и тыкал коленом под вздох. Потом бросили его на пол, кто-то сказал профессионально-деловито: «Та́к его бейте, чтоб у...лся!» И его стали бить сапогами, попадая и по виску, пока он не потерял сознания. Через день вызвали к оперуполномоченному и стали мотать ему дело о намерении террора: ведь когда волокли его, он хватался за камни! Зачем?

На другом разводе так же сопротивлялся идти Твердохлеб, он и голодовку объявил: на сатану работать не будет! Презирая его голодовку и его забастовку, тащили и его силком, только из простого барака, и Твердохлеб мог дотянуться и бить стёкла. Разбиваемые стёкла резко звенели на всю линейку, мрачно аккомпанируя счёту нарядчиков и надзирателей.

Аккомпанируя тягучему однообразному тону наших дней, недель, месяцев, лет.

И никакого просвета не предвиделось. Не задумано было просвета в плане МВД, когда эти лагеря создавались.

Мы, четверть сотни новоприбывших, большей частью западные украинцы, сбились в одну бригаду, и удалось договориться с нарядчиками иметь бригадира из своих — того же Павла Баранюка. Получилась из нас бригада смирная, работящая (западных украинцев, недавно от земли, ещё не коллективизированной, не подгонять надо было, а впору, пожалуй, удерживать). Дней несколько мы считались чернорабочими, но скоро объявились у нас каменщики-мастера, а другие взялись подучиться, и так мы стали бригадой каменщиков. Кладка получалась хорошо. Начальство это заметило и сняло нас с жилого объекта — с постройки домов для вольных, оставило в зоне. Показали бригадиру кучу камней у БУРа — тех самых, за которые цеплялся Гершуни, пообещали, что камни с карьера будут подвозить непрерывно. И объяснили, что тот БУР, который стоит, это только половина БУРа, а нужно теперь пристроить такую же вторую половину, и это сделает наша бригада.

Так, на позор наш, мы стали строить тюрьму для себя.

Стояла долгая сухая осень — за весь сентябрь и за половину октября не выпало ни дождика. Утром бывало тихо, потом поднимался ветер, к полудню крепчал, к вечеру стихал опять. Иногда этот ветер был постоянен — он дул тонко, щемяще и особенно давал чувствовать эту щемящую ровную степь, открывавшуюся нам даже с лесов БУРа, — ни посёлок с первыми заводскими зданиями, ни военный городок конвоя, ни тем более наша ещё проволочная зона не закрывали от нас безпредельности, безконечности, совершенной ровности и безнадёжности этой степи, по которой только первый рядок едва ошкуренных телефонных столбов пошёл на северо-восток к Павлодару. Иногда ветер вдруг брался крутой, за час надувал холоду из Сибири, заставлял натянуть телогрейки и ещё бил и бил в лицо крупным песком и мелкими камушками, которые мёл по степи. Да уж не обойтись, проще повторить стихотворение, которое я сложил в те дни на кладке БУРа.

КАМЕНЩИК

Вот — я каменщик. Как у поэта сложено,
Я из камня дикого кладу тюрьму.
Но вокруг — не город: Зона. Огорожено.
В чистом небе коршун реет настороженно.
Ветер по степи... И нет в степи прохожего,
Чтоб спросить меня: кладу — к о м у?

Стерегут колючкой, псами, пулемётами, —
Мало! Им ещё в тюрьме нужна тюрьма...
Мастерок в руке. Размеренно работаю,
И влечёт работа по себе сама.
Был майор. Стена не так развязана.
Первых посадить нас обещал.
Только ль это! Слово вольно сказано,
На тюремном деле — галочка проказою,
Что-нибудь в доносе на меня показано,
С кем-нибудь фигурной скобкой сообща.
Впереклич дробят и тешут молотки проворные.
За стеной стена растёт, за стенами стена...
Шутим, закурив у ящика растворного.
Ждём на ужин хлеба, *каш* добавка вздорного.
А с лесов, меж камня — камер ямы чёрные,
Чьих-то близких мук немая глубина...
И всего-то нить у них — одна автомобильная,
Да с гуденьем проводов недавние столбы.
Боже мой! Какие мы безсильные!
Боже мой! Какие мы рабы!

Рабы! Не потому даже, что, боясь угроз майора Максименко, клали камни вперехлёст и цементу честно, чтобы нельзя было легко эту стену разрушить будущим узникам. А потому что, действительно, хотя мы не выполняли и ста процентов нормы, — бригаде, клавшей тюрьму, выписывались дополнительные, и мы не швыряли их майору в лицо, а съедали. А товарищ наш Володя Гершуни сидел в уже отстроенном крыле БУРа. А Иван Спасский, без всяких проступков, за какую-то неведомую галочку, уже сидел в режимке. И из нас ещё многим предстояло посидеть в этом самом БУРе, в этих самых камерах, которые мы так аккуратно, надёжно выкладывали. И в самое время работы, когда мы быстро поворачивались с раствором и камнями, вдруг раздались выстрелы в степи. Скоро к вахте лагеря, близ нас, подъехал воронок (самый настоящий, городской, он состоял в штате конвойной части, только на боках не было расписано для сусликов «Пейте советское шампанское!»). Из воронка вытолкнули четверых — избитых, окровавленных; двое спотыкались, одного тянули; только первый, Иван Воробьёв, шёл гордо и зло.

Так провели беглецов под нашими ногами, под нашими подмостями — и завели в готовое крыло БУРа.

А мы — клали камни...

Побег! Что за отчаянная смелость! — не имея гражданской одежды, не имея еды, с пустыми руками — пройти зону под выстрелами — и бежать — в открытую безводную бесконечную голую степь! Это даже не замысел — это вызов, это гордый способ самоубийства. И вот на какое сопротивление только и способны самые сильные и смелые из нас.

А мы... кладём камни.

И обсуждаем. Это — уже второй побег за месяц. Первый тоже не удался, но тот был глуповатый. Василий Брюхин (прозванный «Блюхер»), инженер Мутьянов и ещё один бывший польский офицер выкопали в мехмастерских под комнатой, где работали, яму в один кубометр, с запасом еды засели туда и перекрылись. Они наивно рассчитывали, что вечером, как обычно, с рабочей зоны снимут охрану, они вылезут и пойдут. Но ведь на съёме недосчитались троих, а проволока вокруг вся цела, — и оставили охрану на несколько суток. За это время наверху ходили люди и приводили собаку, — и скрывшиеся подносили ватку с бензином к щели, отбивая собаке нюх. Трое суток они сидели не разговаривая, не шевелясь, с руками и ногами переплетёнными, скорченными, потому что в одном кубометре трое, — наконец не выдержали и вышли.

Приходят в зону бригады и рассказывают, как бежала группа Воробьёва: рвала зону грузовиком.

Ещё неделя. Мы кладём камни. Уже очень ясное вырисовывается второе крыло БУРа — вот будут уютные карцерочки, вот одиночки, вот тамбурочки, уже нагородили мы в малом объёме множество камня, а его всё везут и везут с карьера: камень даровой, руки даровые там и здесь, только цемент государственный.

Проходит неделя, достаточное время четырём тысячам экибастузцев помыслить, что побег — безумие, что он не даёт ничего. И — в такой же солнечный день опять гремят выстрелы в степи — побег!!! Да это эпидемия какая-то: снова мчится конвойный воронок — и привозит двоих (третий убит на месте). Этих двоих — Батанова и совсем какого-то маленького, молодого, — окровавленных, проводят мимо нас, под нашими подмостями, в готовое крыло, чтобы там бить их ещё, и раздетыми бросить на каменный пол, и не давать им ни есть, ни пить. Что испытываешь ты, раб, глядя вот на этих, искромсанных и гордых? Неужели подленькую радость, что это не меня поймали, не меня избили, не меня обрекли?

«Скорей, скорей кончать надо левое крыло!» — кричит нам пузатый майор Максименко.

Мы — кладём. Нам будет вечером дополнительная каша.

Носит раствор кавторанг Бурковский. Всё, что строится, — всё на пользу Родине.

Вечером рассказывают: и Батанов тоже бежал на рывок, на машине. Подстрелили машину.

Но теперь-то поняли вы, рабы, что бежать — это самоубийство, бежать никому не удастся дальше одного километра, что доля ваша — работать и умереть?!

Дней пять не прошло, и никаких выстрелов никто не слышал — но будто небо всё металлическое и в него грохают огромным ломом — такая новость: побег!! опять побег!!! И на этот раз удачный!

Побег в воскресенье 17 сентября сработан так чисто, что проходит благополучно вечерняя проверка — и всё сошлось у вертухаев. Только утром 18-го что-то начинает не получаться у них — и вот отменяется развод и устраивают всеобщую проверку. Несколько общих проверок на линейке, потом проверки по баракам, потом проверки по бригадам, потом перекличка по формулярам, — ведь считать только деньги у кассы умеют псы. Всё время результат у них разный! До сих пор не знают, *сколько* же бежало? кто именно? когда? куда? на чём?

Уже к вечеру и понедельник, а нас не кормят обедом (поваров с кухни тоже пригнали на линейку, считать), — но мы ничуть не в обиде, мы рады-то как! Всякий удачный побег — это великая радость для арестантов. Как бы ни зверел после этого конвой, как бы ни ужесточался режим, но мы все — именинники! Мы ходим гордо. Мы-то умнее вас, господа псы! Мы-то вот убежали! (И, глядя в глаза начальству, мы все затаённо думаем: хоть бы не поймали! хоть бы не поймали!)

К тому ж — и на работу не вывели, и понедельник прошёл для нас как второй выходной. (Хорошо, что ребята *дёрнули* не в субботу: учли, что нельзя нам воскресенья портить!)

Но — кто ж они? кто ж они?

В понедельник вечером разносится: это — Георгий Тэнно с Колькой Жданком.

Мы кладём тюрьму выше. Мы уже сделали наддверные перемычки, мы уже замкнули сверху маленькие оконца, мы уже оставляем гнёзда для стропил.

Три дня с побега. Семь. Десять. Пятнадцать.

Нет известий!

Бежали!!

Глава 4
ПОЧЕМУ ТЕРПЕЛИ?

Среди моих читателей есть такой образованный Историк-Марксист. Долистав в своём мягком креслице до этого места, как мы БУР строили, он снимает очки и похлопывает по странице чем-то плосконьким, вроде линеечки, и покивывает:

— Вот-вот. Этому я поверю. А то ещё ветерок какой-то революции, черти собачьи. Никакой революции у вас быть не могло, потому что для этого нужна историческая закономерность. А вас вот отобрали несколько тысяч так называемых «политических» — и что же? Лишённые человеческого вида, достоинства, семьи, свободы, одежды, еды, — что же вы? Отчего ж вы не восстали?

— Мы — пайку вырабатывали. Вот — тюрьму строили.

— Это — хорошо. Строить вы и должны были. Это — на пользу народу. Это — единственно-верное решение. Но не называйте же себя революционерами, голубчики! Для революции надо быть связанным с единственно-передовым классом...

— Но ведь мы теперь и были все — рабочие?..

— Эт-то никакой роли не играет. Это — объективная придирка. Что такое за-ко-но-мер-ность, вы представляете?

Да как будто представляю. Честное слово, представляю. Я представляю, что если многомиллионные лагеря стоят сорок лет, — так вот это и есть историческая закономерность. Здесь слишком много миллионов и слишком много лет, чтобы это можно было объяснить капризом Сталина, хитростью Берии, доверчивостью и наивностью руководящей партии, непрерывно освещённой светом Передового Учения. Но *этой* закономерностью я уж не буду корить моего оппонента. Он мило улыбнётся мне и скажет, что мы в данном случае не об этом говорим, я в сторону ухожу.

А он видит, что я смешался, плохо представляю себе закономерность, и поясняет:

— Революционеры вот взяли и смели царизм метлой. Очень просто. А попробовал бы царь Николка вот так сажать своих революционеров! А попробовал бы он навесить на них номера! А попробовал бы...

— Верно. Он — не пробовал. Он не пробовал, и только потому уцелели те, кто попробовал после него.

— Да и *не мог* он пробовать! Не мог!

Пожалуй, тоже верно: не только не хотел — не мог.

По принятой кадетской (уж не говорю — социалистической) интерпретации, вся русская история есть череда тираний. Тирания татар. Тирания московских князей. Пять столетий отечественной деспотии восточного образца и укоренившегося искреннего рабства. (Ни —

Земских Соборов, ни — сельского мiра, ни вольного казачества или северного крестьянства.) Иван ли Грозный, Алексей Тишайший, Пётр Крутой или Екатерина Бархатная, или даже Александр Второй — вплоть до Великой Февральской революции все цари знали, дескать, одно: *давить*. Давить своих подданных, как жуков, как гусениц. Строй гнул подданных, бунты и восстания раздавливались неизменно.

Но! но! Давили, да со скидкой! Раздавливались — да не в нашем высокотехническом смысле. Например, солдаты, стоявшие в декабристском каре, — в с е д о е д и н о г о б ы л и п р о щ е н ы через четыре дня. (Сравни: в Берлине 1953, Будапеште 1956, Новочеркасске 1962 расстрелы наших солдат — не восставших, но отказавшихся стрелять в безоружную толпу.) А из мятежных декабристских офицеров казнено только пятеро, — можно вообразить такое в советское время? У нас бы — хоть один в живых остался?

И ни Пушкину, ни Лермонтову за дерзкую литературу не давали сроков, Толстого за открытый подрыв государства не тронули пальцем. «Где бы ты был 14 декабря в Петербурге?» — спросил Пушкина Николай I. Пушкин ответил искренне: «На Сенатской». И был за это... отпущен домой. А между тем мы, испытавшие машинно-судебную систему на своей шкуре, да и наши друзья-прокуроры, прекрасно понимаем, чего стоил ответ Пушкина: статья 58, пункт 2, вооружённое восстание, в самом мягком случае через статью 19 (намерение), — и если не расстрел, то уж никак не меньше десятки. И Пушкины получали в зубы свои сроки, ехали в лагеря и умирали. (А Гумилёву и до лагеря ехать не пришлось, разочлись чекистской пулей.)

Крымская война — изо всех войн счастливейшая для России — принесла не только освобождение крестьян и александровские реформы — одновременно с ними родилось в России мощное общественное мнение.

Ещё по внешности гноилась и даже расширялась сибирская каторга, как будто налаживались пересыльные тюрьмы, гнались этапы, заседали суды. Но что это? — заседали-заседали, а Вера Засулич, тяжело ранившая начальника столичной полиции (!), — оправдана??.. (Та лёгкость, с которой освободили Засулич, докатилась до лёгкости, с какой построили ленинградский Большой Дом — на этом самом месте...) И Вера Засулич не сама покупала револьвер для стрельбы в Трепова, ей купили, потом меняли на бо́льший калибр, дали медвежий, — и суд даже не задал вопроса: а *кто* же купил? где этот человек? Такой соучастник по русским законам не считался преступником. (По советским его бы тотчас закатали *под вышку*.)

Семь раз покушались на самого Александра II (Каракозов[*]; Соловьёв; близ Александровска; под Курском; взрыв Халтурина; мина Тетёрки; Гриневицкий). Александр II ходил (кстати, без охраны) по Петербургу с испуганными глазами, «как у зверя, которого травят» (свидетельство Льва Толстого, он встретил царя на частной лестнице[**]). И что же? — разорил и сослал он пол-Петербурга, как было после Кирова? Что вы, это и в голову не могло прийти. Применил профилактический массовый террор? Сплошной террор, как в 1918 году? Взял заложников? Такого и понятия не было. Посадил *сомнительных*? Да как это можно?!.. Тысячи казнил? Казнили — пять человек. Не осудили за это время и трёхсот. (А если бы *одно* такое покушение было на Сталина, — во сколько миллионов душ оно бы нам обошлось?)

В 1891 году, пишет большевик Ольминский, он был во всех Крестах — *единственный политический*. Переехав в Москву, опять же был единственный и в Таганке. Только в Бутырках перед этапом собралось их несколько человек!.. (И через четверть века Февральская рево-

---

[*] Кстати, у Каракозова был брат. Брат того, кто стрелял в царя! — прикиньте на нашу мерку. Наказан он был так: «повелено ему впредь именоваться Владимировым». И никаких стеснений он не испытывал ни в имуществе, ни в жительстве.

[**] Л. Н. Толстой в воспоминаниях современников: В 2 т. Т. 1. [М.]: ГИХЛ, 1955, с. 180.

люция открыла в одесском тюремном замке — семерых политических, в Могилёве — троих.)

С каждым годом просвещения и свободной литературы невидимое, но страшное царям общественное мнение росло, а цари не удерживали уже ни поводьев, ни гривы, и Николаю II досталось держаться за круп и за хвост.

Он не имел мужества для действия. У него и всех его правящих уже не было и решимости бороться за свою власть. Они уже не давили, а только слегка придавливали и отпускали. Они всё озирались и прислушивались — а что скажет общественное мнение?

Николай II воспретил осведомительную агентуру в войсковых частях, считая её оскорблением армии. (И оттого никто из властей не знал, какая в армии ведётся пропаганда.) А к революционерам потому и подсылали тощих осведомителей и питались только их скудными сведениями, что правительство считало себя связанным законностью и не могло (как в советское время) просто взять и арестовать сплошь всех подозреваемых, не заботясь о конкретных обвинениях.

Вот знаменитый Милюков, тот самый вождь кадетов, ещё и 30 лет советской власти всё гордившийся, как он дал «штормовой сигнал к революции» (1 ноября 1916) — «глупость или измена?». Его проступок 1900 года совсем небольшой: профессор, он в речи на студенческой сходке (профессор — на сходке!) развил мысль (среди слушателей — студент Савинков), что динамика революционного движения, раз власти ей не уступают, неизбежно приведёт к террору. Но это же не подстрекательство, правда? И не *намерения, ведущие...*? Это обычная слабость радикальных либералов к террору (пока он направлен не против них). Итак, Милюков посажен в ДПЗ на Шпалерную. (Ещё взят у него на квартире проект новой конституции.) В тюрьму сразу передано ему много цветов, сладостей, снеди от сочувствующих. И конечно, ему доступны любые книги из Публичной библиотеки. Короткое следствие — и как раз во время него, как раз студент убивает министра просвещения (прошло

2 месяца от той сходки), — но это нисколько не принимается в отягчение судьбы Милюкова. Ждать приговора он будет на свободе, только не в Петербурге. Но где же жить? Да на другом конце станции Удельной, это считается уже не Петербург. Бывал в Петербурге чуть не каждый день — то в Литературном фонде, то в редакции «Русского богатства». В ожидании приговора получил разрешение съездить и... в Англию. Наконец приговор: 6 месяцев в Крестах. (И тут никогда не оставался без нарциссов и книг из Публичной библиотеки.) Но просидел только 3 месяца: по ходатайству Ключевского («нужен для науки») царь освободил его. (И этого царя Милюков назовёт потом «старым деспотом» и облыжно обвинит в измене России.) И вскоре опять отпущен в Европу и в Америку — создавать там общественное мнение против русского правительства.

Один из мрачных духов Февральской революции Гиммер-Суханов был «выслан» из Петербурга весной 1914 — так, что под собственным именем продолжал служить в министерстве земледелия (не говоря о том, что часто ночевал у себя дома).

Как в 1907 году был убит начальник Главного тюремного управления Максимовский? Управление находилось в одном доме с частными жилыми квартирами и почти не охранялось. Вечером в неслужебные часы Максимовский доверчиво принял попросившуюся к нему на приём женщину — она его и убила.

Когда директор Департамента полиции Лопухин выдал революционерам тайну Азефа, — то в Уголовном кодексе даже не нашлось статьи, по какой его судить, режим даже не был защищён от разглашения государственных тайн. (Всё же решились осудить по какой-то сходной статье, — и золотые голоса адвокатов долго потом поносили этот суд как «позор царского режима». По мнению либералов, судить вообще было не за что.)

Власть только раздражала и раззаряла противников, именно своей трусливой половинчатостью.

Герои того времени настолько уже не ожидали от тюремного режима ничего серьёзного, что Богров, не поколебавшийся убить Столыпина, мозг и славу России, воскликнул громко: «мне больно!» — когда ему надели наручники.

Насколько при этом был слаб тюремный режим, можно судить по плану побега киевского анархиста Юстина Жука в 1907 (побег не состоялся лишь из-за доноса, очевидно Богрова): во время перерыва суда (политического!) Жук (террорист) выйдет в дворовую уборную, куда (и даже вблизь) конвой за ним, разумеется (!), не пойдёт. А там его будет ждать узелок с гражданской одеждой и машинка для снятия кандалов (это во дворе суда было возможно!).

Власти преследовали революционеров ровно настолько, чтобы сознакомить их в тюрьмах, закалить, создать ореол вокруг их голов. Мы-то теперь, имея подлинную линейку для измерения масштабов, можем смело утверждать, что царское правительство не преследовало, а бережно лелеяло революционеров, себе на погибель. Нерешительность, слабость царского правительства ясно видны всякому, кто испытал на себе судебную систему, воистину безотказную.

Просмотрим хотя бы хорошо известную всем биографию Ленина. Весной 1887 года его родной брат казнён за покушение на Александра III*. Как и брат Каракозова — брат цареубийцы. И что ж? В том же году осенью Владимир Ульянов поступает в Казанский императорский университет, да ещё — на юридическое отделение. Это — не удивительно?

---

* При этом, кстати, в ходе судебного следствия установлено, что Анна Ульянова получила из Вильны шифрованную телеграмму: «сестра опасно больна», и значило это: «везут оружие». Анна не удивилась, хотя никакой сестры у неё в Вильне не было, а почему-то передала эту телеграмму Александру. Ясно, что она — соучастница, у нас ей была бы обеспечена десятка. Но Анна — даже не привлечена к ответственности! По тому же делу установлено, что другая Анна (Сердюкова), екатеринодарская учительница, прямо знала о готовящемся покушении на царя и молчала. Чтó б ей у нас? Расстрел. А ей дали? два года...

Правда, в том же учебном году Владимира Ульянова исключают из университета. Но исключают — за организацию противоправительственной студенческой сходки. Значит, младший брат цареубийцы подбивает студентов к неповиновению? Чтó бы он получил у нас? Да безусловно расстрел (а остальным по двадцать пять и по десять)! А его — исключают из университета. Какая жестокость! Да ещё и ссылают... на Сахалин.* Нет, в семейное поместье Кокушкино, куда он на лето всё равно едет. Он хочет работать, — ему дают возможность... валить лес в тайге? Нет, заниматься юридической практикой в Самаре, при этом участвовать в нелегальных кружках (и бороться против общественной помощи голодающим 1891 года). После этого — сдать экстерном за Петербургский университет. (А как же с анкетами? Куда же смотрит спецчасть?)

И вот через несколько лет этот самый молодой революционер арестован на том, что создал в столице «Союз борьбы за освобождение» — не меньше! неоднократно держал к рабочим «возмутительные» речи, писал листовки. Его пытали, морили? Нет, ему создали режим, содействующий умственной работе. В петербургской следственной тюрьме, где он просидел год и куда передавали ему десятки нужных книг, он написал бóльшую часть «Развития капитализма в России», а кроме того, пересылал — легально, через прокуратуру! — «Экономические этюды» в марксистский журнал «Новое слово». В тюрьме он получал платный обед по заказанной диете, молоко, минеральную воду из аптеки, три раза в неделю домашние передачи. (Как и Троцкий в Петропавловке мог переносить на бумагу первый проект теории перманентной революции.)

Но потом-то его расстреляли по приговору Тройки? Нет, даже тюрьмы не дали, сослали. В Якутию, на всю жизнь?? Нет, в благодатный Минусинский край,

---

* Кстати, на Сахалине политические — были. Но как получилось, что не побывал там ни один сколько-нибудь заметный большевик (да и меньшевик)?

и на три года. Его везут туда в наручниках, в вагон-заке? О нет! Он едет как вольный, он три дня безпрепятственно ходит ещё по Петербургу, потом и по Москве, ему же надо оставить конспиративные инструкции, установить связи, провести совещание остающихся революционеров. Ему разрешено и в ссылку ехать за собственный счёт, это значит: вместе с вольными пассажирами, — ни одного этапа, ни одной пересыльной тюрьмы по пути в Сибирь (ни на обратной, конечно, дороге) Ленин не изведал никогда. Потом в Красноярске ему ещё надо поработать в библиотеке два месяца, чтобы закончить «Развитие капитализма», и книга эта, написанная ссыльным, появляется в печати безо всякого затруднения со стороны цензуры (ну-ка, возьмите на нашу мерку)! Но на какие же средства он живёт в далёком селе, ведь он не найдёт себе работы? А он попросил казённое содержание, ему платят выше потребностей (хотя и мать его достаточно состоятельна и шлёт ему всё заказанное). Нельзя было создать условий лучших, чем Ленину в его единственной ссылке. При исключительной дешевизне здоровая пища, изобилие мяса (баран на неделю), молока, овощей, неограниченное удовольствие охоты (недоволен своей собакой, ему всерьёз собираются прислать собаку из Петербурга, кусают на охоте комары — заказывает лайковые перчатки), излечился от желудочных и других болезней своей юности, быстро располнел. Никаких обязанностей, службы, повинностей, да даже жена и тёща его не напрягались: за 2 рубля с полтиной в месяц 15-летняя крестьянская девочка выполняла в их семье всю чёрную работу. Ленин не нуждался ни в каком литературном заработке, отказывался от петербургских предложений взять платную литературную работу — печатал и писал только то, что могло ему создать литературное имя.

Он отбыл ссылку (мог бы и «убежать» без затруднения, из осмотрительности не стал). Ему автоматически продлили? сделали вечную? Зачем же, это было бы противозаконно. Ему разрешено жить во Пскове, только ехать в столицу нельзя. Но он едет в Ригу, Смоленск. За ним не следят. Тогда со своим другом (Мартовым) он везёт корзину нелегальной литературы в столицу — и везёт прямо через Царское Село, где особенно сильный контроль (это они с Мартовым перемудрили). В Петербурге его берут. Правда, корзины при нём уже нет, есть непроявленное химическое письмо Плеханову, где весь план создания «Искры», — но такими хлопотами жандармы себя не утруждают; три недели арестованный — в камере, а письмо — в их руках, и остаётся непроявленным.

И как же кончается вся эта самовольная отлучка из Пскова? Двадцатью годами каторги, как у нас? Нет, этими тремя неделями ареста. После чего его и вовсе уже отпускают — поездить по России, подготовить центры распространения «Искры», потом — и за границу, налаживать само издание («полиция не видит препятствий» выдать ему заграничный паспорт)!

Да что там. Он и из эмиграции пришлёт в Россию в энциклопедию («Гранат») статью о Марксе! — и здесь она будет напечатана*. Да и не она одна.

Наконец, он ведёт подрывную работу из австрийского местечка близ самой русской границы, — и не посылают же секретных молодцов — выкрасть его и привезти живьём. А ничего бы не стоило.

Вот так можно проследить слабость и нерешительность царских преследований на любом крупном социал-демократе (а на Сталине бы — особенно, но там вкрадываются дополнительные подозрения). Вот у Каменева при обыске в Москве в 1904 отобрана «компрометирующая переписка». На допросе он отказывается от объяснений. И всё. И высылается... по месту жительства родителей.

Правда, эсеров преследовали значительно круче. Но как — круче? Разве мал был криминал у Гершуни (арес-

---

* Ну, представьте: БСЭ печатает эмигрантскую статью о Бердяеве!

тованного в 1903)? у Савинкова (в 1906)? Они руководили убийствами крупнейших лиц империи. Но — не казнили их. Тем более Марию Спиридонову, в упор ухлопавшую всего лишь статского советника (да ещё поднялся всеевропейский защитный шум), — казнить не решились, послали на каторгу*. А ну бы в 1921 у нас подавителя тамбовского (же!) крестьянского восстания застрелила семнадцатилетняя гимназистка, — сколько бы *тысяч* гимназистов и интеллигентов тут же было бы без суда расстреляно в волне «ответного» красного террора?

За мятеж на базе военного флота (Свеаборг) с гибелью нескольких сот невинных солдат — 8 расстрелянных при восьмистах осуждённых на сроки. (Из них-то несколько освободила Февральская революция из легендарного каторжного Зерентуя — где к моменту революции обнаружилось всего 22 политических каторжанина.)

А как наказывали студентов (за большую демонстрацию в Петербурге в 1901 году), вспоминает Иванов-Разумник: в петербургской тюрьме — как студенческий пикник: хохот, хоровые песни, свободное хождение из камеры в камеру. Иванов-Разумник даже имел наглость проситься у начальника тюрьмы сходить на спектакль гастролирующего Художественного театра — билет пропадал! А потом ему присудили «ссылку» — по его выбору в Симферополь, и он с рюкзаком бродил по всему Крыму.

Ариадна Тыркова о том же времени пишет: «Мы были подследственные, и режим был не строгий». Жан-

---

* Освободила её от каторги Февральская революция. Зато с 1918 года М. Спиридонова арестовывалась Чекою несколько раз. Она шла по многолетнему Большому Пасьянсу социалистов, побывала в самаркандской, ташкентской, уфимской ссылках. Дальше след её теряется в каком-то из политизоляторов, где-то расстреляна (по слухам — в Орле). На Западе опубликована книга о Спиридоновой, там есть фотографии: все эти неистовые революционеры в скромной советской бедности в самаркандской ссылке, — да что ж они теперь не бегут?..

дармские офицеры предлагали им обеды из лучшего ресторана Донона. По свидетельству неутомимо-допытчивого Бурцева, «петербургские тюрьмы были много человечнее европейских».

Леонида Андреева за написание призыва к московским рабочим поднять вооружённое (!) восстание для свержения (!) самодержавия... держали в камере целых 15 суток! (Ему и самому казалось, что — мало, и он добавлял: три недели.) Вот записи из его дневника тех дней*:

«Одиночка! Ничего, не так скверно. Устраиваю постель, придвигаю табурет, лампу, кладу папиросы, грушу... Читаю, ем грушу — совсем как дома... И весело. Именно весело». — «Милостивый государь! А, милостивый государь!» — зовёт его в кормушку надзиратель. Много книг. Записки из соседних камер.

В общем, Андреев признал, что в смысле помещения и питания жизнь в камере была у него лучше, чем та, которую он вёл студентом.

В это время Горький в Трубецком бастионе написал «Дети солнца».

После спада революции 1905—07 годов многие её активисты, какие-нибудь Дьячков-Тарасов и Анна Рак, не дожидались ареста, а просто уезжали за границу — и вот-то героями возвращались после Февраля, вершить новую жизнь. Многие сотни таких.

Большевицкая верхушка издала о себе довольно безстыдную саморекламу под видом 41-го тома энциклопедии «Гранат» — «Деятели СССР и Октябрьской Революции. — Автобиографии и биографии». Какую из них ни читай, поразишься, сравнимо с нашими мерками, насколько безнаказанно сходила им их революционная работа. И в частности, насколько благоприятные были условия их тюремных заключений. Вот Красин: «Сидение в Таганке всегда вспоминал с большим удо-

---

* По книге В. Л. Андреева «Детство» (М.: Советский писатель, 1966).

вольствием. После первых же допросов жандармы оставили его в покое (да почему же? — *А. С.*), и он посвятил весь свой невольный досуг самой упорной работе: изучил немецкий язык и прочёл в оригинале почти все сочинения Шиллера и Гёте, познакомился с Шопенгауэром и Кантом, проштудировал логику Милля, психологию Вундта...» и т. д. Для ссылки Красин избирает Иркутск, то есть столицу Сибири, самый культурный город её.

Радек в Варшавской тюрьме, 1906: «...сел на полгода, провёл [их] великолепно, изучая русский язык, читая Ленина, Плеханова, Маркса... в тюрьме написал первую статью... и был ужасно горд, когда получил [в тюрьме] номер журнала Каутского со своей статьёй».

Или наоборот, Семашко: «Заключение [Москва, 1895] было необычайно тяжёлым»: после трёхмесячного сидения в тюрьме выслан на три года... в свой родной город Елец!

Славу «ужасной русской Бастилии» и создавали на Западе такие размякшие в тюрьме, как Парвус, своими напыщенно-сентиментальными приукрашенными воспоминаниями — в месть царизму.

Всю ту же линию можно проследить и на лицах мелких, на тысячах отдельных биографий.

Вот у меня под рукой энциклопедия, правда некстати — литературная, да ещё старая (1932 год), «с ошибками». Пока этих «ошибок» ещё не вытравили, беру наудачу букву «К».

Карпенко-Карый. Будучи секретарём городской полиции (!) в Елисаветграде, снабжал революционеров паспортами. (Про себя переводим на наш язык: работник паспортного отдела снабжал паспортами подпольную организацию.) За это он... повешен? Нет, сослан на... 5 (пять) лет... на свой собственный хутор! То есть на дачу. Стал писателем.

Кириллов В. Т. Участвовал в революционном движении черноморских моряков. Расстрелян? Вечная каторга? Нет, три года ссылки в Усть-Сысольск. Стал писателем.

Касаткин И. М. Сидя в тюрьме, писал рассказы, а газеты печатали их. (У нас и отсидевшего-то не печатают.)

Карпову Евтихию после двух (!) ссылок доверили руководить императорским Александринским театром и театром Суворина. (У нас бы его, во-первых, в столице не прописали, во-вторых, спецчасть не приняла бы даже суфлёром.)

Кржижановский в самый «разгул столыпинской реакции» вернулся из ссылки и (оставаясь членом подпольного ЦК) беспрепятственно приступил к инженерной деятельности. (У нас бы счастлив был, устроившись слесарем МТС.)

Хотя Крыленко в «Литературную энциклопедию» не попал, но на букву «К» справедливо вспомнить и его. За всё своё революционное кипение он трижды «счастливо избежал ареста»*, а шесть раз арестованный, отсидел *всего* 14 месяцев. В 1907 году (опять-таки год реакции) обвинялся: в агитации в войсках и участии в военной организации — и военно-окружным судом оправдан! В 1915 «за уклонение от военной службы» (а он — офицер, и идёт война!) этот будущий главковерх (и убийца другого главковерха) наказан тем, что... послан во фронтовую (нисколько не штрафную) часть! (Так царское правительство предполагало и победить немцев, и одновременно пригасить революцию...) И вот в тени его неподрезанных прокурорских крыл пятнадцать лет тянулись приговорённые в стольких процессах получать свою пулю в затылок.

И в ту же самую «столыпинскую реакцию» кутаисский губернатор В. А. Старосельский, который прямо снабжал революционеров паспортами и оружием, выдавал им планы полиции и правительственных войск, — отделался как бы не двумя неделями заключения**.

---

* Здесь и дальше — по его автобиографии в «Энциклопедическом Словаре Русского Библиографического Института Гранат». 7-е изд. Т. 41, ч. 1. М., [б/г], с. 237—245.

** «Товарищ губернатор» / Публ. И. Брайнин, Ф. Лимонов // Новый мир, 1966, № 2, с. 217—236.

Переведи на наш язык, у кого воображения хватает!

В эту самую полосу «реакции» *легально* выходит большевицкий философский и общественно-политический журнал «Мысль». А «реакционные» «Вехи» открыто пишут: «застаревшее самовластье», «зло деспотизма и рабства», — ничего, катайте, это у нас можно!

Строгости были тогда невыносимые. Ретушёр ялтинской фотографии В. К. Яновский нарисовал расстрел очаковских матросов и выставил у себя в витрине (ну как, например, сейчас бы на Кузнецком мосту выставить эпизоды новочеркасского подавления). Что же сделал ялтинский градоначальник? Из-за близости Ливадии он поступил особенно жестоко: во-первых, он кричал на Яновского! Во-вторых, он уничтожил... не фотографическую мастерскую Яновского, нет, и не рисунок расстрела, а — копию этого рисунка. (Скажут — ловок Яновский. Отметим — но и градоначальник не велел же бить при себе витрину.) В-третьих, на Яновского было наложено тягчайшее наказание: продолжая жить в Ялте, не появляться на улице... при проезде императорской фамилии.

Бурцев в эмигрантском журнале поносил даже интимную жизнь царя. Воротясь на родину (1914, патриотический подъём) — расстрелян? Неполный год тюрьмы со льготами в получении книг и письменных занятиях.

Абрам же Гоц во время той войны был ссыльным в Иркутске и... вёл газету циммервальдского направления, то есть против войны.

Топору невозбранно давали рубить. А топор своего дорубится.

Когда же Шляпников, лидер «рабочей оппозиции», исконный металлист, был в 1929 сослан в свою первую ссылку (в Астрахань), то «без права общения с рабочими» и даже без права занять рабочую должность, как хотел.

Меньшевик Зурабов, учинивший скандал во 2-й Государственной Думе (поносил русскую армию), не был даже изгнан с заседания. Зато его сын не вылезал из советских лагерей с 1927 года. Вот и масштаб двух времён.

Когда был, как говорится, «репрессирован» Тухачевский, то не только разгромили и посадили всю его семью (уж не упоминаю, что дочь исключили из института), но арестовали двух его братьев с жёнами, четырёх его сестёр с мужьями, а всех племянников и племянниц разогнали по детдомам и сменили им фамилии на Томашевичей, Ростовых и т. д. Жена его расстреляна в казахстанском лагере, мать просила подаяние на астраханских улицах и умерла*. И то же можно повторить о родственниках сотен других именитых казнённых. Вот что значит преследовать.

Главной особенностью преследований (не-преследований) в царское время было, пожалуй, именно: что никак не страдали родственники революционера. Наталья Седова (жена Троцкого) в 1907 безпрепятственно возвращается в Россию, когда Троцкий был — осуждённый преступник. Любой член семьи Ульяновых (которые в разное время тоже почти все арестовывались) в любой момент свободно получает разрешение выезжать за границу. Когда Ленин считался «разыскиваемый преступник» за призывы к вооружённому восстанию, — сестра его Анна легально и регулярно переводила ему деньги в Париж на его счёт в «Лионском кредите». И мать Ленина, и мать Крупской пожизненно получали высокие государственные пенсии за гражданско-генеральское или офицерское положение своих покойных мужей, — и дико было представить, чтоб стали их утеснять.

В таких-то условиях у Толстого и сложилось убеждение, будто не нужна политическая свобода, а нужно одно моральное усовершенствование.

Конечно, не нужна свобода тому, у кого она уже есть. Это и мы согласимся: в конце-то концов дело не в политической свободе, да! Не в пустой свободе цель

---

* Этот пример я привожу из-за родственников, невиновных родственников. Сам Тухачевский входит у нас теперь в новый культ, который я не собираюсь поддерживать. Он пожал то, что посеял, руководя подавлением Кронштадта и Тамбовского крестьянского восстания.

развития человечества. И даже не в удачном политическом устройстве общества, да! Дело, конечно, в нравственных основаниях общества! — но это в конце, а в начале? А — на первом шаге? Ясная Поляна в то время была открытым клубом мысли. А оцепили б её в блокаду, как квартиру Ахматовой, когда спрашивали паспорт у каждого посетителя, а прижали бы так, как всех нас при Сталине, когда трое боялись сойтись под одну крышу, — запросил бы тогда и Толстой политической свободы.

В самое страшное время «столыпинского террора» либеральная «Русь» на первой странице без помех печатала крупно: «Пять казней!.. Двадцать казней в Херсоне!» Толстой рыдал, говорил, что жить невозможно, что *ничего нельзя представить себе ужаснее*[*].

Вот уже упомянутый список «Былого»: 950 казней за 6 месяцев[**].

Берём этот номер «Былого». Обращаем внимание, что издан он был (февраль 1907) в самую полосу восьмимесячной (19 августа 1906 — 19 апреля 1907) столыпинской «военной юстиции» — и составлен по печатным данным русских же телеграфных агентств. Ну как если бы в Москве в 1937 газеты бы печатали списки расстрелянных, и вышел бы сводный бюллетень, — а НКВД вегетариански бы помаргивало.

Во-вторых, этот восьмимесячный период «военной юстиции», ни до ни после того в России не повторившийся, не мог быть продолжен потому, что «безвластная», «покорная» Государственная Дума не утвердила бы такой юстиции (даже на обсуждение Думы Столыпин вынести не решился).

В-третьих, обоснованием этой «военной юстиции» было: что в минувшие полгода произошли «безчислен-

---

[*] Л. Н. Толстой в воспоминаниях современников: В 2 т. Т. 1. [М.]: ГИХЛ, 1955, с. 232, 233.

[**] *Н. И. Фалеев.* Шесть месяцев военно-полевой юстиции // Былое: Журнал, посвящённый истории освободительного движения. Пб., 1907, № 2 (14), с. 80.

ные убийства полицейских чинов по политическим побуждениям», многие нападения на должностных лиц[*], разлив по всей стране политически-уголовных и просто уголовных грабежей, убийств, террора, вплоть до взрыва на Аптекарском острове, где борцы за свободу убили и тяжело ранили за один раз 60 человек. А «если государство не даёт отпора террористическим актам, то теряется смысл государственности». И вот столыпинское правительство в нетерпении и обиде на суд присяжных с его неторопливыми околичностями, с его сильной и неограниченной адвокатурой (это не наш облсуд или окружной трибунал, покорный телефонному звонку) — шагает к обузданию революционеров (и прямо — бандитов, стреляющих в окна пассажирских поездов, убивающих обывателей ради трёшницы-пятёрки) через малословные полевые суды. (Впрочем, ограничения такие: полевой суд может быть открыт *лишь* в месте, состоящем на положении военном или чрезвычайной охраны; собирается *только* по свежим, не позже суток, следам преступления и при *очевидности* преступного деяния.)

Если современники были так оглушены и возмущены — значит, для России это было необычно!

В ситуации 1906—07 годов видно нам, что вину за полосу «столыпинского террора» должны принять революционеры-террористы.

Через сто лет после зарождения русского революционного террора мы уже без колебания можем сказать, что эта террористическая мысль, эти действия были жестокой ошибкой революционеров, были бедой России и ничего не принесли ей, кроме путаницы, горя и запредельных жертв.

Перелистнём на несколько страниц тот же самый номер «Былого». Вот одна из первоначальных прокламаций 1862 года, откуда всё и пошло:

«Чего хотим мы? блага, счастья России; достижение новой жизни, жизни лучшей, *без жертв невозмож-*

---

[*] Тот же очерк «Былого», с. 45, не отрицает этих фактов.

но потому, что у нас нет времени медлить — нам нужна быстрая и скорая реформа!»*

Какой ложный путь! Радетелям, им — медлить было некогда, они поэтому дали разрешение приблизить *жертвами* всеобщее благоденствие! Им — медлить было некогда, и вот мы, их правнуки, через 115 лет, не на той же самой точке (освобождение крестьян), но назад гораздо.

Признаем, что террористы были опережающими партнёрами столыпинских полевых судов.

Несравнимость столыпинского и сталинского времени для нас остаётся та, что при нас расправа была односторонней: рубили голову всего лишь за вздох груди и даже меньше чем вздох**.

«Ничего нет ужаснее», — воскликнул Толстой? А между тем это так легко представить — ужаснее. Ужасней, это когда казни не от поры до поры в каком-то всем известном городе, но *всюду и каждый день*, и не по двадцать, а по двести, в газетах же об этом ничего не пишут ни крупно, ни мелко, а пишут, что «жить стало лучше, жить стало веселей».

Разбили рыло, говорят — так и было.

Нет, не было так! Совсем не так, хотя русское государство уже тогда считалось самым угнетательским в Европе.

Двадцатые и тридцатые годы нашего века углубили человеческое представление о возможных степенях *сжатия*. Тот земной прах, та твердь земная, которая казалась нашим предкам уже предельно сжатой, теперь объяснены физиками как дырявое решето. Дробинка, лежащая посреди пустой стометровки, — вот модель атома. Открыли чудовищную «ядерную упаковку»: согнать эти дробинки-ядра вместе, со всех пустых

---

* Былое, 1907. № 2 (14), с. 82.

** Смело заявляю, что и по карательным безсудным экспедициям (подавление крестьян в 1918—19, Тамбов до 1921, Западная Сибирь до 1922, Кубань и Казахстан — 1930) наше время несравнимо превзошло размах и технику царских караний.

стометровок. Напёрсток такой упаковки весит столько, сколько наш земной паровоз. Но и эта упаковка ещё слишком похожа на пух: из-за протонов нельзя спрессовать ядра как следует. А вот если спрессовать одни нейтроны, то почтовая марка из такой «нейтронной упаковки» будет весить 5 миллионов тонн.

Вот так, совсем даже не опираясь на успехи физики, сжимали и нас!

Устами Сталина раз навсегда призвали страну *отрешиться от благодушия*! А «благодушием» Даль называет «доброту души, любовное свойство её, милосердие, расположение к общему благу». Вот от чего нас призвали отречься большевики, и мы отреклись поспешно, — от расположения к общему благу! Нам довольно стало нашей собственной кормушки.

Русское общественное мнение к началу века составляло воздух свободы. Царизм был разбит не тогда, когда бушевал февральский Петроград, — гораздо раньше. Он уже был безповоротно низвержен тогда, когда в русской литературе установилось, что вывести образ жандарма или городового хотя бы с долей симпатии — есть черносотенное подхалимство. Когда не только пожать им руку, не только быть с ними знакомыми, не только кивнуть им на улице, но даже рукавом коснуться на тротуаре казался уже позор.

А у нас сейчас палачи, ставшие безработными, да и по спецназначению, — руководят... художественной литературой и культурой. Они велят воспевать *их* — как легендарных героев. И это называется у нас почему-то — патриотизмом.

Общественное мнение. Я не знаю, как определяют его социологи, но мне ясно, что оно может составиться только из взаимно влияющих индивидуальных мнений, выражаемых свободно и совершенно независимо от мнения правительственного, или партийного, или от голоса прессы.

И пока не будет в стране независимого общественного мнения — нет никакой гарантии, что всё многомиллионное безпричинное уничтожение не повторится вновь, что оно не начнётся любой ночью, каждой ночью — вот этой самой ночью, первой за сегодняшним днём.

Передовое Учение, как мы видели, не оберегло нас от этого мора.

Но я вижу, что мой оппонент кривится, моргает мне, качает: во-первых, *враги услышат!* во-вторых — зачем так расширительно? Ведь вопрос стоял гораздо у́же: не — почему нас сажали? и не — почему терпели это беззаконие остающиеся на воле? Они, как известно, «ни о чём не догадывались, просто верили партии» (расхожее место после XX съезда), что раз целые народы ссылают в 24 часа, — значит, виноваты народы. Вопрос моего оппонента в другом: почему уже в лагере, где мы могли бы и *догадаться*, почему мы *там* голодали, гнулись, терпели и не боролись? Им, не ходившим под конвоем, имевшим свободу рук и ног, простительно было и не бороться, — не могли ж они жертвовать семьями, положением, зарплатой, гонорарами. Зато теперь они печатают критические рассуждения и упрекают нас, почему *мы*, когда нам нечего было терять, держались за пайку и не боролись?

Впрочем, к этому ответу веду и я. Потому мы терпели в лагерях, что не было общественного мнения на воле.

Ибо какие вообще мыслимы способы сопротивления арестанта — режиму, которому его подвергли? Очевидно, вот они:

1. Протест.
2. Голодовка.
3. Побег.
4. Мятеж.

Так вот, как любил выражаться Покойник, «каждому ясно» (а не ясно — можно втолковать), что первые два способа имеют силу (и тюремщики боятся их) *только* из-за общественного мнения! Без этого смеются они нам в лицо на наши протесты и голодовки.

Это очень эффектно: перед тюремным начальством разорвать на себе рубаху, как Дзержинский, и тем добиться своих требований. Но это только при общественном мнении. А без него — кляп тебе в рот, и ещё за казённую рубаху будешь платить.

Вспомним хотя бы знаменитый случай на Карийской каторге в конце прошлого века. Политическим объявили, что отныне они подлежат телесным наказаниям. Надежду Сигиду (она дала пощёчину коменданту... чтобы вынудить его уйти в отставку!) должны сечь первой. Она принимает яд и умирает, чтоб только не подвергнуться розгам. Вслед за ней отравляются ещё три женщины — и умирают! В мужском бараке вызываются покончить с собой 14 добровольцев, но не всем удаётся*. В результате телесные наказания начисто навсегда отменены! Расчёт политических был: устрашить тюремное начальство. Ведь известие о карийской трагедии дойдёт до России, до всего мира.

Но если мы примерим этот случай к себе, мы прольём только слёзы презрения. Дать пощёчину вольному коменданту? Да ещё когда оскорбили не тебя? И что такого страшного, если немножко всыпят в задницу? Так зато останешься жить. А зачем ещё подруги принимают яд? А зачем ещё 14 мужчин? Ведь жизнь даётся нам один только раз! И важен — результат! Кормят,

---

* Кстати, немаловажные подробности дают Е. Н. Ковальская и Г. Ф. Осмоловский (Карийская трагедия (1889): Воспоминания и материалы. Пб.: Гос. изд-во, 1920. — (Историко-революционная б-ка)). Сигида ударила и оплевала офицера совершенно ни за что, по «нервно-клинической обстановке» у каторжан. После этого жандармский офицер (Масюков) просил политкаторжанина (Осмоловского) *произвести над ним следствие*. Начальник каторги (Бобровский) *умер в раскаянии* перед каторжанами. (Эх, таких бы совестливых тюремщиков — нам!)

поят — зачем расставаться с жизнью? А может, амнистию дадут, может, зачёты введут?

Вот с какой арестантской высоты скатились мы. Вот как мы пали.

Но и как же поднялись наши тюремщики! Нет, это не карийские лопухи! Нет, они бы не просили над собой арестантского следствия! Если б даже мы сейчас воспряли и возвысились — и 4 женщины, и 14 мужиков, — мы все были бы расстреляны прежде, чем достали бы яд. (Да и откуда может быть яд в советской тюрьме?) А кто поспел бы отравиться — только облегчил бы задачу начальства. А остальным как раз бы вкатили розог за недонесение. И уж конечно слух о происшествии не растёкся бы даже за зону.

Вот в чём дело, вот в чём их сила: слух бы не растёкся! А если б и растёкся, то недалеко, глухой, газетами не подтверждённый, стукачами занюхиваемый, — всё равно что и никакого. Общественного возмущения — не возникло бы. А чего ж тогда и бояться? А зачем тогда к нашим протестам прислушиваться? Хотите травиться — травитесь.

Обречённость же наших голодовок достаточно была показана в Части Первой.

А *побеги*? История сохранила нам рассказы о нескольких серьёзных побегах из царских тюрем. Все эти побеги, заметим, руководились и осуществлялись с воли — другими революционерами, однопартийцами бегущих, и ещё по мелочам с помощью многих сочувствующих. Как при самом побеге, так и при дальнейшем схороне и переправе бежавших участвовало много лиц. («Ага! — поймал меня Историк-Марксист. — Потому что население было *за* революционеров, и будущее — за них!» — «А может быть, — возражу я скромно, — ещё и потому, что это была весёлая неподсудная игра? — махнуть платочком из окна, дать беглецу переночевать в вашей спальне, загримировать его? За это ведь не судили. Сбежал из ссылки Пётр Лавров, — так вологодский губернатор (Хоминский) его гражданской жене выдал свидетельство на отъезд — догонять любимого... Даже вон за изготовление паспортов ссылали на собственный хутор. Люди *не боялись* — вы из опыта знаете, что это такое? Кстати, как получилось, что вы не *сидели*?» — «А это, знаете, была *лотерея*...»*)

Впрочем, есть свидетельства и другого рода. Все вынуждены были читать в школе «Мать» Горького, и может быть, кто-нибудь запомнил рассказ о порядках в нижегородской тюрьме: у надзирателей заржавели пистолеты, они забивают ими гвозди в стенку, никаких трудностей нет приставить к тюремной стене лестницу и спокойно уйти на волю. А вот что пишет крупный полицейский чиновник Ратаев: «Ссылка существовала только на бумаге. Тюрьмы не существовало вовсе. При тогдашнем тюремном режиме революционер, попавший в тюрьму, беспрепятственно продолжал свою прежнюю деятельность... Киевский революционный комитет, сидевший в полном составе в киевской тюрьме, руководил в городе забастовкой и выпускал воззвания»**.

---

* Объяснение И. Эренбурга.
** Письмо Л. А. Ратаева Н. П. Зуеву // Былое, 1917, № 2 (24), с. 194, 195. Там дальше и обо всей обстановке в России, на воле: «Секретной агентуры и вольнонаёмного сыска не существовало нигде (кроме столиц. — *А. С.*), наблюдение же в крайнем случае осуществлялось переодетыми жандармскими унтер-офицерами, которые, одеваясь в штатское платье, иногда забывали снимать шпоры... При таких условиях стоило революционеру перенести свою деятельность вне столиц, дабы... (его действия) остались для департамента полиции непроницаемой тайной. Таким образом создавались самые настоящие революционные гнёзда и рассадники пропагандистов и агитаторов...»

Наши читатели легко смекнут, насколько это отличалось от советского времени. Егор Сазонов, переодетый извозчиком, с бомбой под фартуком пролётки, целый день простоял *у подъезда Департамента полиции* (!!), ожидая убить министра Плеве, — и никто на него внимания не обратил, никто не спросил! Каляев, ещё неумелый, напряжённый, *день* простоял у дома Плеве на Фонтанке, уверенный, что его арестуют, — а не тронули!.. О, крыловские времена!.. Так революцию делать нетрудно.

Мне недоступно сейчас собрать данные, как охранялись главнейшие места царской каторги, — но о таких отчаянных побегах, с шансами один против ста тысяч, какие бывали с каторги нашей, я оттуда не наслышан. Очевидно, не было надобности каторжанам рисковать: им не грозила преждевременная смерть от истощения на тяжёлой работе, им не грозило незаслуженное наращение срока; вторую половину срока они должны были отбывать в ссылке и откладывали побег на то время.

Со ссылки же царской не бежал, кажется, только ленивый. Очевидно, редки были отметки в полиции, слаб надзор, никаких оперпостов по дороге; не было и ежедневной почти полицейской привязанности к месту работы; были деньги (или их могли прислать), места ссылки не были очень удалены от больших рек и дорог; опять-таки ничто не грозило тем, кто помогал беглецу, да и самому беглецу не грозил ни застрел при поимке, ни избиение, ни двадцать лет каторжных работ, как у нас. Пойманного обычно водворяли на прежнее место с прежним сроком. Только и всего. Игра безпроигрышная. Отъезд Фастенко за границу (Часть Первая, глава 5) типичен для этих предприятий. Но ещё, может быть, типичнее — побег из Туруханского края анархиста А. П. Улановского. Во время побега ему достаточно было в Киеве зайти в студенческую читальню и спросить «Что такое прогресс» Михайловского — как студенты его накормили, дали ночлег и денег на билет. А за границу он бежал так: просто пошёл по трапу иностранного парохода — ведь там патруль МВД не стоял! — и пригрелся у кочегарки. Но ещё чудней: во время войны 1914 он добровольно вернулся в Россию — и в Туруханскую ссылку! Иностранный шпион? Расстрелять? Говори, гадина, кто тебя завербовал? Нет. Приговор мирового судьи: за трёхлетнее заграничное отсутствие из ссылки — или 3 рубля штрафу, или 1 день ареста! Три рубля были большие деньги, и Улановский предпочёл один день ареста.

Гельфанд-Парвус, автор разрушительного «Финансового манифеста» (декабрь 1905), фактический направитель Петербургского Совета Рабочих Депутатов в 1905... был четвертован? Нет, приговорён к 3 (трём) годам *ссылки* в Туруханский край — и мог убежать уже из Красноярска (арестованных отпустили в город «запастись продуктами», Лев Дейч и не вернулся, но Парвус замешкался). Он проехал до Енисейска, только там подпоил единственного конвоира и ушёл. Пришлось ему лишне возвращаться по Енисею, переодевшись в мужичью одежду, он страдал от мужицкого окружения, грязи и блох. Затем он жил в Петербурге же, затем уехал за границу.

Наши же побеги, начиная с соловецких, в утлой лодочке через море или в трюме с брёвнами, и кончая жертвенными, безумными, безнадёжными рывками из позднесталинских лагерей (им посвящаются дальше несколько глав), — наши побеги были затеями великанов, но великанов обречённых. Столько смелости, столько выдумки, столько воли никогда не тратилось на побеги дореволюционных лет — но те побеги легко удавались, а наши почти никогда.

— Потому что ваши побеги были по своей классовой сущности реакционны.

Неужели реакционен порыв человека перестать быть рабом и животным?..

Потому не удавались, что успех побега на поздних стадиях зависит от того, как настроено население. А наше население боялось помогать или даже *продавало* беглецов — корыстно или идейно.

И вот — общественное мненье!..

Что же касается арестантских мятежей, этак на три, на пять, на восемь тысяч человек, — история наших революций не знала их вовсе.

А мы — знали.

Но по тому же заклятью самые большие усилия и жертвы приводили у нас к самым ничтожным результатам.

Потому что общество не было готово. Потому что без общественного мнения мятеж даже в огромном лагере — не имеет никакого пути развития.

Так что на вопрос: «Почему терпели?» — пора ответить: а мы — не терпели! Вы прочтёте, что мы совсем не терпели.

В Особлагах мы подняли знамя *политических* и стали ими!

Глава 5
ПОЭЗИЯ ПОД ПЛИТОЙ, ПРАВДА ПОД КАМНЕМ

В начале своего лагерного пути я очень хотел уйти с общих работ, но не умел. Приехав в Экибастуз на шестом году заключения, я, напротив, задался сразу очистить ум от разных лагерных предположений, связей и комбинаций, которые не дают ему заняться ничем более глубоким. И я поэтому не влачил временного существования чернорабочего, как поневоле делают образованные люди, всё ожидающие удачи и ухода в придурки, — но здесь, на каторге, решил получить ручную специальность. В бригаде Баранюка нам (с Олегом Ивановым) такая специальность подвернулась — каменщиком. А при повороте судьбы я ещё побывал и литейщиком.

Сперва были робость и колебания: верно ли? выдержу ли? Неприспособленным головным существам, нам ведь и на равной работе трудней, чем однобригадникам. Но именно с того дня, когда я сознательно опустился на дно и ощутил его прочно под ногами, — это общее, твёрдое, кремнистое дно, — начались самые важные годы моей жизни, придавшие окончательные черты характеру. Теперь как бы уже ни изменялась вверх и вниз моя жизнь, я верен взглядам и привычкам, выработанным там.

А очищенная от мути голова мне нужна была для того, что я уже два года как писал поэму. Очень она вознаграждала меня, помогая не замечать, что делали с моим телом. Иногда в понуренной колонне, под крики автоматчиков, я испытывал такой напор строк и образов, будто несло меня над колонной по воздуху, — скорей туда, на *объект*, где-нибудь в уголке записать. В такие минуты я был и свободен и счастлив*.

Но как же *писать* в Особом лагере? Короленко рассказывает, что он писал и в тюрьме, однако — что́ там были за порядки! Писал карандашом (а почему не отобрали, переламывая рубчики одежды?), пронесенным в курчавых волосах (да почему ж не стригли наголо?), писал в шуме (сказать спасибо, что было где присесть и ноги вытянуть). Да ещё настолько было льготно, что рукописи эти он мог сохранить и на волю переслать (вот это больше всего непонятно нашему современнику!).

У нас так не попишешь, даже и в лагерях. (Даже заготовки фамилий для будущего романа были очень опасны: списки организации? Я записывал лишь корневую основу их в виде существительного или превращая в прилагательное.) Память — это единственная *заначка*, где можно держать написанное, где можно проносить его сквозь обыски и этапы. Поначалу я мало верил в возможности памяти и потому решил писать стихами. Это было, конечно, насилие над жанром. Позже я обнаружил, что и проза неплохо утолакивается в тайные глубины того, что мы носим в голове. Освобождённая от тяжести суетливых ненужных знаний, память арестанта поражает ёмкостью

---

* Ведь какой меркой мерить! Пишут вот о Василии Курочкине, что 9 лет его жизни, после закрытия журнала «Искра», были для него «годами подлинной агонии»: он остался *без своего органа печати*! А мы, о своём органе печати и мечтать не смеющие, — до дикости не понимаем: комната у него была, тишина, стол, чернила, бумага, и шмонов не было, и написанного никто не отбирал, — почему, собственно, агония?

и может всё расширяться. Мы мало верим в нашу память!

Но прежде чем что-то запомнить, хочется записать и отделать на бумаге. Карандаш и чистую бумагу в лагере иметь можно, но нельзя иметь *написанного* (если это — не поэма о Сталине)*. И если ты не придуряешься в санчасти и не прихлебатель КВЧ, ты утром и вечером должен пройти обыск на вахте. Я решил писать маленькими кусочками по 12—20 строк, отделав — заучивать и сжигать. Я твёрдо положил не доверять простому разрыву бумаги.

В тюрьмах же всё слагание и шлифовку стиха приходилось делать в уме. Затем я наламывал обломков спичек, на портсигаре выстраивал их в два ряда — десять единиц и десять десятков, и, внутренне произнося стихи, с каждой строкой перемещал одну спичку в сторону. Переместив десять единиц, я перемещал один десяток. (Но даже и эту работу приходилось делать с оглядкой: и такое невинное передвигание, если б оно сопровождалось шепчущими губами или особым выражением лица, навлекло бы подозрение стукачей. Я старался передвигать как бы в полной рассеянности.) Каждую пятидесятую и сотую строку я запоминал особо — как контрольные. Раз в месяц я повторял всё написанное. Если при этом на пятидесятое или сотое место выходила не та строка, я повторял снова и снова, пока не улавливал ускользнувших беглянок.

На Куйбышевской пересылке я увидел, как католики (литовцы) занялись изготовлением самодельных тюремных чёток. Они делали их из размоченного, а потом промешанного хлеба, окрашивали (в чёрный цвет — жжёной резиной, в белый — зубным порошком, в крас-

---

* Случай такого «творчества» описывает Дьяков: Дмитриевский и Четвериков излагают начальству сюжет задуманного романа и получают одобрение. Опер следит, чтоб их не посылали на общие. Потом их тайком выводят из зоны («чтоб бандеровцы не растерзали»), там они продолжают. Тоже — поэзия под плитой. Да где ж этот роман?

111

ный — красным стрептоцидом), нанизывали во влажном виде на ссученные и промыленные нитки и давали досохнуть на окне. Я присоединился к ним и сказал, что тоже хочу молиться по чёткам, но в моей особой вере надо иметь бусинок вкруговую сто штук (уж позже понял я, что довольно — двадцатки, и удобней даже, и сам сделал из пробки), каждая десятая должна быть не шариком, а кубиком, и ещё должны на ощупь отличаться пятидесятая и сотая. Литовцы поразились моей религиозной ревности (у самых богомольных было не более чем по сорок бусинок), но с душевным расположением помогли составить такие чётки, сделав сотое зерно в виде тёмно-красного сердечка. С этим их чудесным подарком я не расставался потом никогда, я отмеривал и перещупывал чётки в широкой зимней рукавице — на разводе, на перегоне, во всех ожиданиях, это можно было делать стоя, и мороз не мешал. И через обыски я проносил их так же в ватной рукавице, где они не прощупывались. Раз несколько находили их надзиратели, но догадывались, что это для молитвы, и отдавали. До конца срока (когда набралось у меня уже 12 тысяч строк), а затем ещё и в ссылке помогало мне это ожерелье писать и помнить.

Но и это ещё не всё так просто. Чем больше становится написанного, тем больше дней в каждом месяце съедают повторения. А особенно эти повторения вредны тем, что написанное примелькивается, перестаёшь замечать в нём сильное и слабое. Первый вариант, и без того утверждённый тобою в спешке, чтобы скорее сжечь текст, — остаётся единственным. Нельзя разрешить себе роскоши на несколько месяцев его отложить, забыть, а затем взглянуть свежими критическими глазами. Поэтому нельзя написать по-настоящему хорошо.

А с клочками несожжёнными медлить было нельзя. Три раза я крупно с ними попадался, и только то меня спасало, что самые опасные слова я никогда не вписывал на бумагу, а заменял прочерками. Один раз я лежал на травке отдельно ото всех, слишком близко к зонному ограждению (чтобы было тише), и писал, маскируя свой клочок в книжице. Старший надзиратель Татарин подкрался совсем тихо сзади и успел заметить, что я не читаю, а пишу.

— А ну! — потребовал он бумажку. Я встал, холодея, и подал бумажку. Там стояло:

> Всё наше нам восполнится,
> Вернётся нам в отдар.
> Пять суток пеших, помнится,
> Из Остероде в Бродницы
> Нас гнал [конвой] к[азахов] и т[атар].

Если бы «конвой» и «татар» были написаны полностью, поволок бы меня Татарин к оперу, и меня бы раскусили. Но прочерки были немы:

> Нас гнал—— к—— и т——.

У каждого свой ход мысли. Я-то боялся за поэму, а он думал, что я срисовываю план ограждения и готовлю побег. Однако и то, что нашлось, он перечитывал, морща лоб. «Нас гнал» уже на что-то ему намекало. Но что особенно заставило его мозг работать, это — «пять суток». Я не подумал даже, в какой ассоциации они могут быть восприняты: *пять суток* — ведь это было стандартное лагерное сочетание, так отдавалось распоряжение о карцере.

— Кому пять суток? О ком это? — хмуро добивался он.

Еле-еле я убедил его (названьями Остероде и Бродницы), что это я вспоминаю чьё-то фронтовое стихотворение, да всех слов вспомнить не могу.

— А зачем тебе вспоминать? Не положено вспоминать! — угрюмо предупредил он. — Ещё раз тут ляжешь — смотри-и!..

Сейчас об этом рассказываешь, — как будто незначительный случай. Но тогда для ничтожного раба, для меня это было огромное событие: я лишался лежать в стороне от шума и, попадись ещё раз тому же Татарину с другим стишком, — на меня вполне могли бы завести следственное дело и усилить слежку.

И бросить писать я уже не мог!..

В другой раз я изменил своему обычаю, написал на работе сразу строк шестьдесят из пьесы («Пир победителей»), и листика этого не смог уберечь при входе в лагерь. Правда, и там были прочёркнуты места многих слов. Надзиратель, простодушный широконосый парень, с удивлением рассматривал добычу:

— Письмо? — спросил он.

(Письмо, которое носилось на объект, пахло только карцером. Но странное оказалось бы «письмо», если бы его передали оперу!)

— Это — к самодеятельности, — обнаглел я. — Пьеску вспоминаю. Вот постановка будет — приходите.

Посмотрел-посмотрел парень на ту бумажку, на меня, сказал:

— Здоровый, а ду-урак!

И порвал мой листик надвое, начетверо, навосьмеро. Я испугался, что он бросит наземь, — ведь обрывки были ещё крупны, здесь, перед вахтой, они могли попасться и более бдительному начальнику, вон и сам начальник режима Мачеховский в нескольких шагах от нас наблюдает за обыском. Но, видно, приказ у них был — не сорить перед вахтой, чтобы самим же не убирать, и порванные клочки надзиратель положил мне же в руку, как в урну. Я прошёл сквозь ворота и поспешил бросить их в печку.

А в третий раз у меня ещё не сожжён был изрядный кусок поэмы, но, работая на постройке БУРа, я не мог удержаться и написал ещё «Каменщика». За зону мы тогда не выходили, и значит, не было над нами ежедневных личных обысков. Уже был «Каменщику» день третий, я в темноте перед самой проверкой вышел повторить его в последний раз, чтобы потом сразу сжечь. Я искал тишины и одиночества, поэтому ближе к окраине зоны, и думать забыл, что это — недалеко от того места, где недавно ушёл под проволоку Тэнно. А надзиратель, видимо, таился в засаде, он сразу взял меня за шиворот и в темноте повёл в БУР. Пользуясь темнотой, я в кармане осторожно скомкал своего «Каменщика» и за спиной наугад бросил его. Задувал ветерок, и надзиратель не услышал комканья и шелеста бумаги.

А что у меня лежит ещё кусок поэмы — я совсем забыл. В БУРе меня обыскали и нашли, на счастье почти не криминальный, фронтовой кусок (из «Прусских ночей»).

Начальник смены, вполне грамотный старший сержант, прочёл.

— Что это?

— Твардовский! — твёрдо ответил я. — Василий Тёркин.

(Так в первый раз пересеклись наши пути с Твардовским!)

— Твардо-овский! — с уважением кивнул сержант. — А тебе зачем?

— Так книг же нет. Вот вспомню, почитаю иногда.

Отобрали у меня оружие — половину бритвенного лезвия, а поэму отдали, и отпустили бы, и я бы ещё сбегал найти «Каменщика». Но за это время проверка уже прошла, и нельзя было ходить по зоне, — надзиратель сам отвёл меня в барак и запер там.

Плохо я спал эту ночь. Снаружи разыгрался ураганный ветер. Куда могло отнести теперь комочек моего «Каменщика»? Несмотря на все прочерки, смысл стихотворения оставался явным. И по тексту ясно было, что автор — в бригаде, кладущей БУР. А уж среди западных украинцев найти меня было нетрудно.

И так всё моё многолетнее писанье — уже сделанное, а пуще задуманное, — всё металось где-то по зоне или по степи безпомощным бумажным комочком. А я — молился. Когда нам плохо — мы ведь не стыдимся Бога. Мы стыдимся Его, когда нам хорошо.

Утром по подъёму, в пять часов, захлёбываясь от ветра, я пошёл на то место. Даже мелкие камешки взметал ветер и бросал в лицо. Впустую было и искать! От того места ветер дул в сторону штабного барака, потом режимки (где тоже часто снуют надзиратели и много переплетённой проволоки), потом за зону — на улицу посёлка. Час до рассвета я бродил нагнувшись, всё зря. И уже исчаялся. А когда рассвело — комочек забелел мне в трёх шагах от того места, где я его бросил! — ветром покатило его вбок и застромило между лежащими досками.

Я до сих пор считаю это чудом.

Так я писал. Зимой — в обогревалке, весной и летом — на лесах, на са́мой каменной кладке: в промежутке между тем, как я исчерпал одни носилки раствора и мне ещё не поднесли других: клал бумажку на кирпичи и огрызком карандаша (таясь от соседей) записывал строчки, набежавшие, пока я вышлёпывал прошлые носилки. Я жил как во сне, в столовой сидел над священной баландой и не всегда чувствовал её вкус, не слышал окружающих — всё лазил по своим строкам и подгонял их, как кирпичи на стене. Меня обыскивали, считали, гнали в колонне по степи, — а я видел сцену моей пьесы, цвет занавесов, расположение мебели, световые пятна софитов, каждый переход актёра.

Ребята рвали колючку автомашиной, подлезали под неё, в буран переходили по сугробу, — а для меня проволоки как не было, я всё время был в своём долгом далёком побеге, но надзор не мог этого обнаружить, пересчитывая головы.

Я понимал, что не единственный я такой, что я прикасаюсь к большой Тайне, эта тайна в таких же одиноких грудных клетках скрыто зреет на разбросанных островах Архипелага, чтобы в какие-то будущие годы, может быть уже после нашей смерти, обнаружиться и слиться в будущую русскую литературу.

В 1956 году в Самиздате, уже тогда существовавшем, я прочёл первый сборничек стихов Варлама Шаламова и задрожал, как от встречи с братом:

> Я знаю сам, что это — не игра,
> Что это — смерть. Но даже жизни ради,
> Как Архимед, не вы́роню пера,
> Не скомкаю развёрнутой тетради.

Он тоже писал в лагере! — ото всех таясь, с тем же одиноким безответным кликом в темноту:

> Ведь только длинный ряд могил —
> Моё воспоминанье,
> Куда и я бы лёг нагим,
> Когда б не обещанье
> Допеть, доплакать до конца
> Во что бы то ни стало,
> Как будто в жизни мертвеца
> Бывало и начало...

Сколько было нас таких на Архипелаге? Я уверен: гораздо больше, чем выплыло за эти перемежные годы. Не всем было дано дожить, так и погибло в памяти. А кто-то записал и спрятал бутылку с бумагой в землю, но никому не назвал места. Кто-то отдал хранить, но в небрежные или, напротив, слишком осторожные руки.

И даже на островке Экибастуза — разве было нам узнать друг друга? приободрить? поддержать? Ведь мы по-волчьи прятались ото всех и, значит, друг от друга тоже. Но даже и при этом мне пришлось узнать в Экибастузе нескольких.

Неожиданно познакомился я, через баптистов, с духовным поэтом — Анатолием Васильевичем Силиным. Он был тогда лет за сорок. Лицо его не казалось ничуть примечательным. Все его состриженные и сбритые волосы прорастали рыженькими, и брови были рыжеваты. Повседневно он был со всеми уступчив, мягок, но сдержан. Лишь когда мы основательно разговорились и по нерабочим воскресеньям стали часами гулять по зоне, и он читал мне свои очень длинные духовные поэмы (он писал их тут же, в лагере, как и я), я в который раз поразился, как обманчиво бывают скрыты в рядовом облике — нерядовые души.

Бывший безпризорник, воспитанник детдома, атеист, он в немецком плену добрался до религиозных книг и захвачен был ими. С тех пор он стал не только верующим человеком, но — философом и богословом! А так как именно «с тех пор» он и сидел непрерывно в тюрьме или в лагере, то весь этот богословский путь ему пришлось пройти в одиночку, ещё раз открывая для себя уже и без него открытое, может быть блуждая, — ведь ни книг, ни советчиков не было у него «с тех пор». Сейчас он работал чернорабочим и землекопом, силился выполнить невыполнимую норму, возвращался с подгибающимися коленями и трясущимися руками — но и днём и вечером в голове его кружились ямбы его поэм, все четырёхстопные с вольным порядком рифмовки, слагаемые от начала до конца в голове. Я думаю, тысяч до двадцати он уже знал к тому времени строк. Он тоже относился к ним служебно: способ запомнить и способ передать другим.

Его мировосприятие очень украшалось и отеплялось его ощущением Дворца Природы. Он восклицал, наклоняясь над редкою травкой, незаконно проросшей в бесплодной нашей зоне:

— Как прекрасна земная трава! Но даже её отдал Творец в подстилку человеку. Значит, насколько же прекраснее должны быть мы!

— А как же: «Не любите мира и того, что в мире»? (Сектанты часто повторяли это.)

Он улыбался извинительно. Он умел этой улыбкой примирять:

— Да даже в плотской земной любви проявляется наше высшее стремление к Единению!

Теодицею, то есть оправдание, почему зло должно быть в мире, он формулировал так:

Дух Совершенства оттого
Несовершенство допускает —
Страданье душ, что без него
Блаженства цену не познают.
. . . .
Суров закон, но только им
Для малых смертных достижим
Великий вечный мир.

Страдания Христа в человеческой плоти он дерзновенно объяснял не только необходимостью искупить людские грехи, но и желанием Бога *перечувствовать* земные страдания. Силин смело утверждал:

— Об этих страданиях Бог *знал* всегда, но никогда раньше не чувствовал их!

Равно и об Антихристе, который

> В душе свободной человека
> Стремленье к свету извратил
> И ограничил светом века,

Силин находил свежие человеческие слова:

> Блаженство, данное ему,
> Великий ангел отвергал,
> Когда, как люди, не страдал.
> Без скорби даже у него
> Любовь не знала совершенства.

Сам мыслящий так свободно, Силин находил в своём широком сердце приют для всех оттенков христианства:

> ...Суть их та,
> Что и в учении Христа
> Своеобразен всякий гений.

По поводу запальчивого недоумения материалистов о том, как мог дух породить материю, Силин только улыбался:

— Они не хотят задуматься над тем — а как могла грубая материя породить Дух? В таком порядке — разве это не чудо? Да это было бы чудо ещё большее!

Мой мозг был переполнен собственными стихами, — и лишь крохи удалось мне сохранить от слышанных поэм Силина — в опасении, что сам он, может быть, не сохранит и ничего. В одной из поэм его излюбленный герой с античным греческим именем (забыл я его) произносил воображаемую речь на ассамблее Организации Объединённых Наций — духовную программу для целого человечества. В четырёх навешанных номерах, истощённый обречённый раб, — этот поэт имел в груди больше сказать живущим, чем целое стадо утвердившихся в журналах, издательствах, на радио (что в Союзе, что на Западе) — и никому, кроме себя, не нужных.

До войны Анатолий Васильевич окончил пединститут по литературному факультету. Сейчас оставалось ему, как и мне, лет около трёх до «освобождения» в ссылку. Его единственной специальностью было — преподавание литературы в школе. Представлялось маловероятным, чтобы допустили нас, бывших арестантов, до школы. Ну а если?

— Не стану же я внушать детям ложь! Я скажу детям правду о Боге, о жизни Духа.

— Но вас уволят после первого же урока!

Силин опустил голову, ответил тихо:

— Пусть.

И видно было, что он не дрогнет. Не станет он кривить душой для того, чтобы держаться за классный журнал, а не за кирку.

С жалостью и восхищением смотрел я на этого рыженького невзрачного человека, не знавшего родителей, не знавшего наставников, которому вся жизнь досталась так же трудно, как лопатой ворочать экибастузский каменистый грунт.

С баптистами Силин ел из одного котелка, делил хлеб и приварок. Конечно, он нуждался в благодарных слушателях, с кем-то вместе должен был читать, толковать Евангелие и таить саму книжечку. Но собственно православных он то ли не искал (подозревая, что они могут отвергнуть его за ереси), то ли не находил: в нашем лагере, кроме западных украинцев, их было мало или не выделялись они последовательностью поведения. Баптисты же как будто уважали Силина, прислушивались к нему, причисляли даже к своей общине, однако им тоже не нравилось в нём всё еретическое, они надеялись постепенно сделать его своим. Силин блек, когда разговаривал со мной в их присутствии, распускался он без них. Трудно было ему обрубить себя по их вере, казалось — слишком су́женной или обеднённой, хотя вера у них — очень твёрдая, чистая, горячая, помогала им переносить каторгу, не колебнувшись и не разрушившись душой. Все они честны, негневливы, трудолюбивы, отзывчивы, преданы Христу.

Именно потому и искореняют их так решительно. В 1948—50 годах только за принадлежность к баптистской общине многие сотни их получали по 25 лет заключения и отправлялись в Особлаги (ведь община — *это организация!*)*.

* * *

В лагере — не как на воле. На воле каждый старается неосторожно подчеркнуть и выразить себя внешне. Легче видно, кто на что претендует. В заключении, наоборот, все обезличены — одинаковой стрижкой, одинаковой небритостью, одинаковыми шапками, одинаковыми бушлатами. Духовное выражение искажено ветрами, загаром, грязью, тяжёлой работой. Чтобы сквозь обезличенную приниженную наружность различить свет души — надо приобрести навык.

Но огоньки духа невольно бредут, пробиваются один к другому. Происходит безотчётное сознакомление и собирание подобных.

Быстрее и лучше всего узнать человека, если узнаёшь хоть осколочек его биографии. Вот работают рядом землекопы. Пошёл густой мягкий снег. Потому ли, что скоро перерыв, — бригада вся ушла в землянку. А один — остался стоять. На краю траншеи он оперся о заступ и стоит совсем неподвижно, как будто ему так удобно, как статуя. И, как статуе, снег засыпает ему голову, плечи, руки. Безразлично ему это? или даже приятно? Он смотрит сквозь эту кишь снежинок — на зону, на белую степь. У него широкая кость, широкие плечи, широкое лицо, обросшее свет-

---

* Преследование их в хрущёвские времена лишь в сроках послабело, но не в сути (см. Часть Седьмую).

лой жёсткой щетиной. Он всегда основательный, медленный, очень спокойный. Стоять он остался — смотреть на мир и думать. Здесь его нет.

Я незнаком с ним, но его друг Редькин рассказывал мне о нём. Этот человек — толстовец. Он вырос в отсталом представлении, что нельзя убивать (даже во имя Передового Учения) и потому нельзя брать в руки оружия. В 1941 его мобилизовали. Он кинул оружие и близ Кушки, куда был прислан, перешёл афганскую границу. Никаких немцев тут не было и не ожидалось, и спокойно бы он прослужил всю войну, ни разу не выстрелив по живому, — но даже за спиной таскать это железо было противно его убеждениям. Он рассчитывал, что афганцы уважат его право не убивать людей и пропустят в веротерпимую Индию. Но афганское правительство оказалось шкурой, как и все правительства. Оно опасалось гнева всесильного соседа и заковало беглеца в колодки. И именно так, в сжимающих ноги колодках, без движения, продержало его три года в тюрьме, ожидая, чья возьмёт. Верх взяли Советы — и афганцы услужливо вернули им дезертира. Отсюда только и пошёл считаться его нынешний срок.

И вот он стоит неподвижно под снегом, как часть этой природы. Разве родило его на свет — государство? Почему же государство присвоило себе решать — как этому человеку жить?

Иметь своим соотечественником Льва Толстого мы не возражаем, это — марка. И почтовую можно выпустить. И иностранцев можно свозить в Ясную Поляну. И мы охотно обсосём, как он был против царизма и как он был предан анафеме (у диктора даже дрогнет голос). Но если кто-нибудь, землячки́, принял Толстого всерьёз, если вырос у нас живой толстовец, — эй, поберегись! — не попадайся под наши гусеницы!

...Иногда на стройке побежишь попросить у заключённого десятника складной метр — замерить надо, сколько выложили. Метром этим он очень дорожит, а тебя в лицо не знает — тут много бригад, но почему-то сразу безоружно протянет тебе свою драгоценность (в лагерном понимании это просто глупость). А когда ты ему этот метр ещё и вернёшь, — он же тебя будет очень благодарить. Как может быть такой чудак в лагере десятником? Акцент у него. Ах, он, оказывается, поляк, зовут его Юрий Венгерский. Ты ещё о нём услышишь.

...Иногда идёшь в колонне, и надо бы чётки в рукавице перебирать или думать над следующими строфами, — но уж очень занятный окажется с тобой в пятёрке сосед — новое лицо, бригаду новую послали на ваш объект. Пожилой интеллигентный симпатичный еврей с выражением умно-насмешливым. Его фамилия Масамед, он кончил университет... какой, какой? Бухарестский, по кафедре биопсихологии. Такие есть у него между прочим специальности — физиономист, графолог. А сверх того он — йог и готов хоть завтра начать с тобой курс хатха-йоги. (Да ведь беда: слишком малые сроки дают нам в этом университете. Задыхаюсь! нет времени всё охватить!)

Потом я ещё присмотрюсь к нему в зоне рабочей и жилой. Соотечественники предлагали ему устроиться в контору, он не пошёл: ему важно показать, что и еврей может отлично работать на общих. И в пятьдесят лет он безстрашно бьёт киркой. Но, правда, как истый йог, владеет своим телом: при десяти градусах Цельсия он раздевается и просит товарищей облить его из брандспойта. Он ест не как все мы — поскорее затолкнуть эту кашу в рот, а — отвернувшись, сосредоточенно, медленно, маленькими глоточками, специальной крохотной ложечкой*.

...Так бывает на переходе не раз, что сведёшь интересное новое знакомство. Но вообще-то, в колонне не всегда развернёшься: кричит конвой, шипят соседи («из-за вас — и нас... !»), на работу мы идём вялые, а с работы слишком торопимся, тут ещё ветер откуда-ни-

---

* А впрочем — скоро умрёт как простой смертный от простого разрыва сердца.

будь в рыло. И вдруг... — ну, уж это случай совсем «нетипичный», как говорят соцреалисты. Незаурядный какой-то случай.

В крайнем ряду идёт маленький человечек с густой чёрной бородой (в последний раз арестован с нею и на фотокарточке снят таким, потому и в лагере ему не сбрили). Шагает он бодро, с сознанием достоинства, и несёт под мышкой перевязанный рулон ватмана. Это — его рацпредложение или изобретение, новинка какая-то, которой он гордится. Он начертил её на производстве, носил кому-то показывать в лагерь, теперь опять несёт на работу. И вдруг злой ветер вырывает рулон из-под его руки и катит от колонны прочь. Естественным движением Арнольд Раппопорт (читатель его уже знает) делает за рулоном первый шаг, второй, третий — но рулон катится дальше, между двумя конвоирами, уже за оцепление! — тут бы Раппопорту и остановиться, ведь «шаг вправо, шаг влево... без предупреждения!», но он — вот он — ватман! — Раппопорт скачет за ним, согнутый, с протянутыми вперёд руками, — злой рок уносит его техническую идею! — Арнольд вытянул руки, пальцы как грабли — варвар! не тронь мои чертежи! Колонна увидела, замялась и сама собою стала. Автоматы вскинуты, затворы щёлкнули!.. Пока всё типично, но вот тут начинается нетипичное: не нашлось дурака! никто не стреляет! варвары поняли, что это — не побег! Даже в замороченные их мозги вошёл понятным этот образ: автор гонится за убегающим творением. Пробежав ещё шагов пятнадцать за черту конвоя, Раппопорт ловит рулон, распрямляется и очень довольный возвращается в строй. Возвращается — с того света...

Хотя Раппопорт отхватил гораздо больше средней лагерной нормы (после детского срока и после десятки была ссылка, а теперь опять десятка), он жив, подвижен, блещет глазами, а глаза его, хоть и всегда весёлые, но созданы для страдания, очень выразительные глаза. Он гордится, что годы тюрьмы ничуть его не состарили, не сломили. Впрочем, как инженер, он всё время работает каким-нибудь производственным придурком и ему можно бодриться. Он оживлённо относится к своей работе, но ещё сверх того вынашивает творения для души.

Это — тот раскидистый характер, который всё бы хотел охватить. Когда-то он подумывал написать вот такую книгу, как у меня сейчас, — всё о лагерях, но так и не собрался. Над другим его творением мы, его друзья, смеёмся: Арнольд уже не первый год терпеливо составляет универсальный технический справочник, который охватит все разветвления современной техники и естествознания (и виды радиоламп, и средний вес слона) и который должен быть... карманным. Наученный этим смехом, ещё один свой любимый труд Раппопорт мне показывает втайне. В клеёнчатой чёрной тетрадке — трактат «О любви», — новый, потому что стендалевский его совершенно не удовлетворяет. Это ещё пока незавершённые и не связанные друг с другом заметки. Но для человека, полжизни проведшего в лагерях, как это целомудренно. Вот немножко оттуда*:

— Обладать нелюбимой — несчастный удел нищих телом и духом. А мужчины хвастают этим как «победой».

— Обладание, не подготовленное органическим развитием чувства, приносит не радость, а стыд, отвращение. Мужчины нашего века, всю энергию отдающие заработкам, службе, власти, утеряли ген высшей любви. Напротив, для безошибочного женского инстинкта обладание — только первая ступень настоящей близости. Только после него женщина признаёт мужчину за родного и начинает говорить ему «ты». Даже случайно отдавшаяся женщина испытывает прилив благодарной нежности.

---

* С тех пор прошло много лет, Раппопорт свой трактат забросил, и я пользуюсь его разрешением.

— Ревность — это оскорблённое самолюбие. Настоящая любовь, лишившись ответа, не ревнует, а умирает, окостеневает.

— Наряду с наукой, искусством и религией, любовь — это тоже способ *познания* мира.

Совмещая в себе такие противоположные интересы, знает Арнольд Львович и разных людей. Он знакомит меня с человеком, мимо которого я прошёл бы не заметив: на первый взгляд просто доходяга обречённый, дистрофик, ключицы над распахнутой лагерной курточкой выпирают, как у мертвеца. При его долговязости худоба особенно поражает. Он смугл и от природы, и ещё опалилась его бритая голова под казахстанским солнцем. Он ещё таскается за зону, ещё держится за носилки, чтобы не упасть. Это — грек, и опять поэт! ещё один! Книга стихов его на новогреческом издана в Афинах. Но поскольку он узник не афинский, а советский (и подданный советский), газеты наши не проливают о нём слез.

Он средних лет, а вот уже у смерти. Я жалко и неумело пытаюсь отвеять от него эти мысли. Он мудро усмехается и не лучшим русским языком объясняет мне, что в смерти страшна не сама смерть вовсе, а только моральная подготовка к ней. Ему уже *было* и страшно, и горько, и жалко, и он уже отплакал, и вот уже вполне пережил свою неизбежную смерть, и вполне готов. И осталось только домереть его телу.

Сколько же среди людей поэтов! — так много, что поверить нельзя. (Меня это иногда даже в тупик ставит.) Этот грек ждёт смерти, а вот эти два молодых ждут только конца срока и будущей литературной известности. Они поэты — открытые, они не таятся. Общее у них то, что они оба какие-то светленькие, чистые. Оба — недоучившиеся студенты. Коля Боровиков — поклонник Писарева (и значит, враг Пушкина), работает фельдшером санчасти. Тверичанин Юрочка Киреев — поклонник Блока и сам пишущий под Блока — ходит за зону и работает в конторе мехмастерских. Его друзья (а какие друзья, — на двадцать лет старше и отцы семейств) смеются над ним, что в ИТЛовском лагере на Севере какая-то всем доступная румынка предлагала ему себя, а он не понял и писал ей сонеты. Когда смотришь на его чистую мордочку — очень веришь этому. Проклятье юношеской девственности, которую теперь надо тащить через лагеря.

...К одним людям присматриваешься ты, другие — к тебе. В большом безтолковом бараке, где живут, снуют и лежат четыреста человек, я после ужина и во время нудных вечерних проверок читаю второй том далевского словаря — единственную книгу, которую довёз до Экибастуза, а здесь вынужден был обезобразить штампом: «Степлаг. КВЧ». Я никогда его не листаю, потому что за хвостик вечера едва прочитываю полстраницы. Так и сижу или бреду по проверке, уткнувшись в одно место книги. Я уже привык, что все новые спрашивают, что это за толстая книга, и удивляются, на чёрта я её читаю. «Самое безопасное чтение, — отшучиваюсь я. — Новой *статьи не схватишь*».

А что не опасно читать в Особлаге? Александр Стотик, экономист в Джезказганском отделении, тайком по вечерам читал адаптированного «Овода». Всё же был на него донос. На обыск пришёл сам начальник отделения и свора офицеров: «Американцев ждёшь?» Заставили его читать по-английски вслух. «Сколько лет сроку осталось?» — «Два года». — «Будет двадцать!» Да ещё и стихи нашли: «Любовью интересуешься?.. Создайте ему такие условия, чтобы у него не только английский, но и русский из головы вылетел!» (Рабы-придурки ещё шипели на Стотика: «И нас подводишь! Ещё и нас разгонят!»)

Но много интересных знакомств происходит и вокруг этой книги. Вот подходит ко мне маленький человек, похожий на петушка — с задорным носом, острым насмешливым взглядом, и говорит, певуче окая:

— Разрешите пОинтересОваться, чтО этО у вас за книга?

Слово за слово, а потом воскресенье за воскресеньем, месяц за месяцем, в этом человеке распахивается передо мной микромир, где густо собрана история моей страны за полстолетия. Сам Василий Григорьевич Власов (тот самый, из Кадыйского процесса, уже 14 лет оттянувший из своей двадцатки) считает себя экономистом и политическим деятелем и понятия не имеет, что он — художник слова, только устного. Расскажет ли он о сенокосе, о купеческой лавке (мальчишкой работал), о красноармейской части, старой усадьбе, палаче из Губдезертира или ненасытной бабе из пригорода — и всё это вылепленное стало передо мной и усвоено так прочно, как будто пережито мной самим. Записать хочется тут же — да не запишешь! Вспомнить бы слово в слово через десять лет, да не вспомнишь!..

Замечаю, что на меня и мою книгу часто поглядывает искоса, но заговаривать не решается худощавый долгоносый вытянутый молодой человек, какой-то не по-лагерному воспитанный, даже робкий. Знакомимся и с ним. Он говорит тихим застенчивым голосом, русские слова подыскивает с трудом и делает уморительные ошибки, тут же искупляемые улыбкой. Выясняется, что он — венгр, зовут его Янош Рожаш. Показываю я ему словарь Даля, и он кивает высохшим от лагерного изнурения лицом: «Да-да, нужно внимание отвлекать на посторонних вещей, не думать об одной еде». Ему только двадцать пять лет, но нет молодого румянца на его щеках; сухая тонкая кожа, провяленная на ветрах, натянута как будто прямо на продолговатые узкие кости черепа. У него болят суставы, огненный ревматизм, полученный на северном лесоповале.

Здесь, в лагере, есть два-три его соотечественника, но они повседневно упёрты в одно: как прожить? как наесться? А Янош съедает безропотно, что ему выписал бригадир, и, полуголодный, не разрешает себе ничего другого искать. Он всматривается, вслушивается, он хочет понять. Что же понять?.. *нас* он хочет понять, нас, русских!

— Моя личная судьба совсем осерел, когда я узнал тут людей. Я вкрайне удивлён. Вот они любили свой народ — и за то им каторга. Но я думаю — это военная неразбериха, да? — (Это он спрашивает в 1951 году! Если до сих пор военная, так уж не от Первой ли Мировой?..)

В 1944, когда *наши* схватили его в Венгрии, ему было 18 лет (и не в армии он был). «Я ещё тогда не успел принести людям ни добро, ни зло, — улыбается он. — От меня ещё не был людям польза, не был вред». Следствие шло у Яноша так: следователь ни слова не понимал по-венгерски, а Янош — по-русски. Иногда приходили очень плохие переводчики, из гуцулов. Янош подписал 16 страниц протоколов, так и не поняв, о чём там. И так же, когда ему незнакомый офицер что-то прочитал с бумажки, он долго ещё не понимал, что это был — приговор ОСО*. И послали его на Север, на лесоповал, где он *дошёл* и попал в больницу.

До сих пор Россия поворачивалась к нему одной только стороной — той, на которую садятся, а теперь повернулась другой. В лагерной больничке Сымского ОЛПа под Соликамском была медсестра Дуся, сорока пяти лет. Она была бытовичка, пропускница, с 5-летним сроком. Свою работу она видела не в том, чтобы для себя урвать да срок отбыть (как это очень у нас и принято, да с розовым взглядом своим Янош не знал), — а в том, чтоб вот этих, умирающих и никому уже не нужных, выхаживать. Но тем, что давала лагерная больница, спасти их было нельзя. И сестра Дуся свою утреннюю пайку 300 граммов меняла на деревне на пол-литра молока и этим молоком выпоила Яноша

---

* Когда же после смерти Сталина Янош был реабилитирован, то, говорят, щекотало его любопытство попросить копию приговора на венгерском, чтоб узнать, *за что ж* он 9 лет сидел? Но побоялся: «Ещё подумают — а зачем это мне? а мне и действительно это уже не очень нужно...» Он понял *наш* дух: а зачем бы, в самом деле, ему теперь знать?..

(а до него — ещё кого-то) к жизни*. За эту тётю Дусю полюбил Янош и страну нашу, и всех нас. И стал усердно учить в лагере язык своих надзирателей и конвоиров — великий могучий русский язык. Он 9 лет просидел в наших лагерях, Россию только и видел, что из тюремных вагонов, на маленьких открытках-репродукциях да в лагере. И — полюбил.

Янош был из тех, кого всё меньше растёт в нашем веке: кто в детстве не знал другой страсти, как только читать. С этой наклонностью он остался и взрослым — и даже в лагере. И в северных лагерях, а теперь в Особом экибастузском, он не пропускал случая доставать и читать новые книги. Ко времени нашего знакомства он уже знал и любил Пушкина, Некрасова, Гоголя, я ему толковал Грибоедова, но больше всех, едва ли не ближе Петёфи и Араня, он полюбил Лермонтова, которого впервые прочёл *в плену*, недавно. (От иностранцев я слышал не раз, что Лермонтов им дороже всех русских поэтов.) Особенно слился Янош со Мцыри — таким же пленным, таким же молодым и таким же обречённым. Он много оттуда взял наизусть, и, годами бредя с руками за спиной в иноземной колонне по чужой земле, он на языке чужбины бормотал для себя:

> И смутно понял я тогда,
> Что мне на родину следа
> Не проложить уж никогда.

Приветливый, ласковый, с беззащитными бледно-голубыми глазами — таков был Янош Рожаш в нашем безсердечном лагере. Он присаживался ко мне на вагонку — легко, на самый край, будто мой мешок с опилками мог ещё быть больше испачкан или при давлении изменить форму, — и говорил задушевно-тихо:

---

* Пусть разъяснят мне: это поведение в какую укладывается идеологию? (Сравните коммунистическую санчасть у Дьякова: «Что, зубки заболели, бендеровская твоя харя?»)

— Кому бы высказать тайных моих мечт?..
И никогда ни на что не жаловался*.

Среди лагерников движешься, как среди расставленных мин, лучами интуиции делаешь с каждого снимок, чтобы не взорваться. И даже при этой всеобщей осторожности — сколько поэтичных людей открылось мне в бритой головной коробке, под чёрной курточкой зэка!

А сколько — удержались, чтобы не открыться?

А скольких, тысячекратно! — я вообще не встретил?

А скольких удушил ты за эти десятилетия, проклятый Левиафан?!?

---

* Всех венгров отпустили домой после смерти Сталина, и Янош избежал судьбы Мцыри, к которой вполне уже был готов.

Прошло двенадцать лет, среди них — и 1956. Янош — бухгалтер в маленьком городочке Надьканижа, где никто не знает русского и не читает русских книг. И что же пишет он мне теперь?

«Уже после всех событий я искренне твержу, что не отдал бы назад прошлое моё. Узнал я сурово то, что другим недоступно... При освобождении я обещал оставшимся товарищам, что русского народа никогда не забуду, и не за выносивших страдания, а за доброе сердце... Зачем в газетах с участием слежу за новостями бывшей моей „родины"?.. Произведение русских классиков — полный полк в моей библиотеке и на русском сорок один томов, а на украинском четыре (Шевченко)... Другие читают от русских, как от англичан, от немцев, а я читаю русских по-другому. Для меня Толстой ближе Томаса Манна, а Лермонтов куда ближе Гёте.

Ты не угадаешь, как я тоскую безгласно о многом. Иногда меня спрашивают: что ты за чудак? Что ты там хорошего видал, почему тебя тянет к русским?.. Как объяснить, что вся молодость моя прошла там, а жизнь это вечное прощание с убегавших дней... Как же отвернуться мальчишком обиженной — ведь девять лет моя судьба совпадала с вашими. Как объяснить, почему вздрогнет сердце, когда услышу по радио русскую народную песню? Пропою сам вполголоса: „Вот мчится тройка удалая..." — и так больно становится, что дальше петь нет сил. А дети просят научить их по-русски. Подождите дети, разве кому собираю я русских книг?..»

* * *

Был в Экибастузе и официальный, хотя и очень опасный, центр культурного общения — КВЧ, где ставили чёрные штампы на книги и подновляли наши номера.

Важной и очень колоритной фигурой нашего КВЧ был художник, а в прошлом архидьякон и чуть ли не личный секретарь патриарха — Владимир Рудчук. Где-то есть в лагерных правилах такой неистреблённый пункт: лиц духовного звания не остригать. Конечно, пункт этот нигде не оглашается, и тех священников, которые о нём не знают, — тех стригут. Но Рудчук свои права знал, и у него остались волнистые русые волосы, несколько длиннее обычных мужских. Он их холил, как и вообще свою наружность. Он был привлекателен, высок, строен, с приятным басом, вполне можно было представить его в торжественной службе в огромном соборе. Ктитор Дроздов, приехавший со мной, сразу же опознал архидьякона: служил он в одесском кафедральном.

Но и выглядел и жил он здесь как человек не нашего зэческого мира. Он принадлежал к тем сомнительным деятелям, кто примешался или кого примешали к православию, едва с него снялась опала; они изрядно помогли опорочить Церковь. И история попадания в тюрьму у Рудчука была какая-то тёмная, зачем-то показывал он свою (почему-то не отнятую) фотокарточку — на улице Нью-Йорка с зарубежным митрополитом Анастасием. В лагере он жил в отдельной «кабинке». Вернувшись с развода, где брезгливо писал номера на наших шапках, телогрейках и штанах, он лениво проводил день, иногда пописывал грубоватые копии с пошленьких картин. У него невозбранно лежал толстый том репродукций Третьяковки, из-за которых я к нему и попал: хотелось посмотреть, может быть последний раз в жизни. Он в лагере получал «Вестник московской патриархии» и иногда с важностью рассуждал о великомучениках или деталях литургии, но всё делано, неискренне. Ещё была у него гитара, и только это искренне у него получалось — сам себе аккомпанируя, он приятно пел:

> Бродяга Байкал переехал... —

ещё покачиванием передавая, как он объят скорбным ореолом каторжника.

Чем лучше человек в лагере живёт, тем тоньше он страдает...

Я был осторожен тогда в двадцать третьей степени, больше к Рудчуку не пошёл, сам о себе ничего ему не рассказывал, и так миновал его острого глаза как безвредный ничтожный червяк. А глаз Рудчука был глаз наблюдающий.

Да вообще, кому из старых арестантов непонятно, что КВЧ всегда пронизано стукачами и меньше всего бы, кажется, пригодно для встреч и общений? Ну, в ИТЛовских общих в КВЧ тянуло потому, что там встречались мужчины с женщинами. А в каторжном зачем в него ходить?

Но оказалось, что и каторжное стукаческое КВЧ может быть использовано для свободы! Тому научили меня Георгий Тэнно, Пётр Кишкин и Женя Никишин.

В КВЧ мы и познакомились с Тэнно, я очень хорошо запомнил эту короткую единственную встречу, потому что запомнился сам Тэнно. Это был стройный, высокий, спортивного склада мужчина. Почему-то ещё не содрали с него тогда морского кителя и брюк (ещё донашивали у нас свою одежду последний месячишко). И хотя вместо погонов капитана второго ранга на нём были там и сям номера СХ-520, ему и сейчас было только шагнуть с суши на корабль, вылитый флотский офицер. При движениях открывались выше кистей его руки, покрытые рыжеватой шёрсткой, и на одной было татуировано вокруг якоря: «Liberty!» — а на другой: «Do or die»*. Ещё никак не мог Тэнно ни закрыть, ни исказить своих глаз, чтобы спря-

---

* Свобода! — Совершить или умереть.

тать гордость и зоркость. И ещё не мог он спрятать улыбки, которая освещала его большие губы. (Я ещё не знал тогда: улыбка эта значила — план побега уже составлен!)

Вот он лагерь — минированное поле! Мы с Тэнно оба были здесь и не здесь: я — на дорогах Восточной Пруссии, он — в своём будущем очередном побеге, мы несли в себе потенциалы тайных замыслов, но ни искорка не должна была проскочить между нашими руками при пожатии, между нашими глазами при поверхностных словах. Так мы сказали незначащее, я уткнулся в газету, а он стал толковать о самодеятельности с Тумаренко, каторжанином, пятнадцатилетником и всё же заведующим КВЧ, довольно сложным, многослойным человеком, которого подозревали в стукачестве, но может быть и зря, по его поведению можно было построить и более замысловатую психологическую версию.

Да смешно сказать! — при каторжном КВЧ ещё был и кружок художественной самодеятельности, вернее, только что создавался. Кружок этот настолько не имел ИТЛовских льгот, такой ноль поблажек, что лишь неисправимые восторженцы могли туда ходить заниматься. И таким оказался Тэнно, хотя по виду можно было о нём лучше думать. Более того, с первого же дня приезда к нам в Экибастуз он сидел в режимке — и вот оттуда напросился в КВЧ! Начальство истолковало это как признак начавшегося исправления и разрешило ему ходить...

А Петя Кишкин совсем не был деятель КВЧ, но самый знаменитый в лагере человек. Весь Экибастузский лагерь знал его. Горд был тот *объект*, на который он ходит, — там не соскучишься. Кишкин был как бы юродивый, но совсем не юродивый; он притворялся дурачком, но говорилось у нас: «Кишкин умнее всех!» Дурачок он был ровно столько, сколько младший Иванушка из сказки. Кишкин был явление наше русское, исконное: сильным и злым говорить громогласно правду, народу показывать, какой он есть, и всё это в дураковатой безопасной форме.

Одно из любимых его амплуа было — надеть какой-то клоунский жилет и собирать грязные миски со столов. Уже это было демонстрацией: самый популярный в лагере человек собирает миски, чтобы не подохнуть с голоду. А второе, для чего это ещё было ему нужно, — собирая миски, пританцовывая, гримасничая, всё время в центре внимания, он тёрся между работягами и сеял мятежные мысли.

То неожиданно дёрнет со стола миску с ещё нетронутой кашей, когда работяга только ест баланду. Работяга вздрогнет, схватится за миску, а Кишкин разойдётся в улыбке (у него было лунообразное лицо, но с жёсткостью):

— Пока у вас каши не тронь, вы ни о чём не схватитесь.

И поплыл с горой мисок, пританцовывая.

Уж сегодня не только в этой бригаде будут ребята передавать очередную шутку Кишкина.

Другой раз он наклонится к столу, и все обернутся к нему от мисок. Вращая глазами, как игрушечный кот, с совершенно дурацким видом Кишкин спросит:

— Ребята! Если отец — дурак, а мать — проститутка, так дети будут сытые или голодные?

И, не дожидаясь ответа, слишком явного, тычет пальцем в стол с рыбьими костями:

— Семь-восемь миллиардов пудов в год разделите на двести миллионов!

И убежал. А мысль-то какая простая! — отчего ж мы не делили до сих пор? Давно уже отрапортовано, что СССР собирает восемь миллиардов пудов зерна в год, значит, печёного хлеба в день даже на младенца — два килограмма. А мы, мужики здоровые, целый день долбим землю, — и где ж они?

Кишкин разнообразит формы. Иногда эту же мысль начинает с другого конца — «с лекции о припёке». Такое время, когда перед лагерной или рабочей вахтой стоит колонна и можно разговаривать, он использует для речей. Один из его постоянных лозунгов: «Развивайте лица!» «Иду я по зоне, ребята, и смотрю: у всех такие неразвитые лица. Только о перловой бабке думают, больше ни о чём».

То неожиданно, без связи и объяснений, крикнет при толпе зэков: «Дарданел! Дичь!» Будто непонятно. Но крикнет один раз, другой — и все вдруг ясно начинают понимать, *кто* этот Дарданел, и уже кажется так забавно и так метко, что и усы сталинские на этом лице проступают: *Дарданел!*

Пытаясь, со своей стороны, высмеять Кишкина, начальник громко спрашивает его близ вахты: «Что это ты, Кишкин, лысый такой? Наверно, всё трухáешь?» Не задерживаясь мига, Кишкин отвечает при всей толпе: «Что ж, Владимир Ильич тоже трухáл, да?»

То ходит Кишкин по столовой и объявляет, что сегодня после сбора мисок будет учить доходяг чарльстону.

Вдруг невидаль — привезли кино! И вечером в той же столовой, без экрана, прямо на белой стене его показывают. Народу набралось — невместимо, сидят и на лавках, и на столах, и между лавками, и друг на друге. Но не успели показать часть — останавливают. Пустой белый сноп света упирается в стену, и мы видим: пришло несколько надзирателей, выбирают себе место поудобнее. Наметили лавку и приказывают всем заключённым, сидящим там, освободить. Те решаются не встать — ведь несколько лет не видели, уж так посмотреть хочется! Голоса надзирателей грозней, кто-то говорит: «А ну, перепиши их номера!» Всё кончено, придётся уступать. И вдруг на весь тёмный зал — кошачье-резкий, насмешливый, всем знакомый голос Кишкина:

— Ну правильно, ребята, надзирателям же негде больше кино посмотреть, уйдём!

Общий взрыв смеха. О смех, о силища! Вся власть — за надзирателями, но они, не переписав номеров, отступают с позором.

— Где Кишкин? — кричат они.

Но и Кишкин больше голоса не подаёт, нет Кишкина!

Надзиратели уходят, кино продолжается.

На другой день Кишкина вызывают к начальнику режима. Ну, дадут суток пять. Нет, вернулся, улыбается.

Написал такую объяснительную записку: «Во время *спора* надзирателей с заключёнными из-за мест в кино я призвал заключённых уступить, как положено, и уйти». За что ж его сажать?

Эту безсмысленную страсть заключённых к зрелищам, когда они способны забыть себя, своё горе, своё унижение — за кусочек киноленты или спектакля, где всё издевательски будет подаваться как благополучное, Кишкин тоже умело высмеивает. Перед таким концертом или кино собирается всегда стадо желающих попасть. Но вот дверь долго не открывают, ждут старшего надзирателя, который будет по спискам запускать лучшие бригады, — ждут и уже полчаса рабски стоят сплошняком, сжав друг другу рёбра. Кишкин позади толпы сбрасывает ботинки, с помощью соседа вскакивает на плечи задних — и босиком ловко быстро бежит по плечам, по плечам, по плечам всей толпы — до самой заветной двери! Стучит в неё, всем коротким своим телом Паташона извиваясь, показывая, как его печёт туда попасть! — и так же быстро по плечам, по плечам бежит назад и соскакивает. Толпа сперва смеётся. Но пронимает её тут же стыд: действительно, стоим как бараны. Тоже добра! Не видели!

И расходятся. Когда приходит надзиратель со списком — впускать почти некого, не ломится никто, хоть ходи и загоняй палкой.

Другой раз в просторной столовой начинается-таки концерт. Уже все сидят. Кишкин вовсе не бойкотирует концерта. Он тут же, в своём зелёном жилете, приносит и уносит стулья, помогает раздвигать занавес. Всякое его появление вызывает аплодисменты и одобрение зала. Внезапно пробежит по авансцене, будто за ним гонятся, и, предупредительно тряся рукой, прокричит: «Дарданел! Дичь!» Хохот. Но вот что-то замешкались: занавес открыт, сцена пуста и никого нет. Кишкин сейчас же вылетает на сцену. Ему смеются, но тут же смолкают: вид у него не только не комический, а обезумевший, глаза выкачены, смотреть на него страшно. Он декламирует, дрожа, озираясь мутно:

> Як гляну — шо мэні сдается? —
> Жандармы бьють — и кровь там льется,
> И трупов сгрудилось богацько,
> И сын убитый — там, дэ батько!

Это он — украинцам, которых в зале половина! Недавно привезенным из кипящих партизанских областей — это им как солью на свежую рану! Они взвыли! Уже к Кишкину на сцену кинулся надзиратель. Но трагическое лицо Кишкина вдруг растворилось в клоунскую улыбку. Уже по-русски, он крикнул:

— Это я когда в четвёртом классе был, мы про Девятое Января стихотворение учили!

И убежал со сцены, ковыляя смешно.

А Женя Никишин был простой приятный компанейский парень с открытым веснушчатым лицом. (Таких ребят много было прежде в деревне, до её разгрома. Сейчас там преобладают выражения недоброжелательные.) У Жени был небольшой голос, он охотно пел для друзей в секции барака и со сцены тоже.

И вот однажды было объявлено:

— «Жёнушка-жена»! Музыка Мокроусова, слова Исаковского. Исполняет Женя Никишин в сопровождении гитары.

От гитары потекла простая печальная мелодия. А Женя перед большим залом запел интимно, высказывая ещё недоочерствлённую, недовыхоложенную нашу теплоту:

> Жёнушка-жена,
> Только ты одна,
> Только ты одна в душе моей!

Только ты одна! Померк длинный бездарный лозунг над сценой о производственном плане. В сизоватой мгле зала пригасли годы лагеря — долгие прожитые, долгие оставшиеся. Только ты одна! Не мнимая вина перед властью, не счёты с нею. И не волчьи наши заботы... Только ты одна!..

> Милая моя,
> Где бы ни был я, —
> Всех ты мне дороже и родней.

Песня была о нескончаемой разлуке. О безвестности. О потерянности. Как это подходило! Но ничего прямо о тюрьме. И всё это можно было отнести и к долгой войне.

И мне, подпольному поэту, отказало чутьё: я не понял тогда, что со сцены звучат стихи ещё одного подпольного поэта (да сколько ж их?!), но более гибкого, чем я, более приспособленного к гласности.

А что ж с него? — ноты требовать в лагере, проверять Исаковского и Мокроусова? Сказал, наверно, что помнит на память.

Я видел: Тумаренко стоял за сценой — и улыбался со сдержанным торжеством.

В сизой мгле сидели и стояли человек тысячи две. Они были неподвижны и неслышны, как бы их не было. Отвердевшие, жестокие, каменные, — схвачены были за сердце. Слёзы, оказывается, ещё пробивались, ещё знали путь.

> Жёнушка-жена!
> Только ты одна!
> Только ты одна в душе моей!..

Глава 6
УБЕЖДЁННЫЙ БЕГЛЕЦ

Когда Георгий Павлович Тэнно рассказывает теперь о прошлых побегах, своих, и товарищей, и о которых только знает понаслышке, то о самых непримиримых и настойчивых — об Иване Воробьёве, Михаиле Хайдарове, Григории Кудле, Хафизе Хафизове — он с похвалой говорит: «Это был *убеждённый беглец*!»

Убеждённый беглец! — это тот, кто ни минуты не сомневается, что человеку жить за решёткой нельзя! — ни даже самым обеспеченным придуркам, ни в бухгалтерии, ни в КВЧ, ни в хлеборезке! Тот, кто, попав в заключение, всё дневное время думает о побеге, и ночью во сне видит побег. Тот, кто *подписался* быть непримиримым, и все свои действия подчиняет только одному — побегу! Кто ни единого дня не сидит в лагере просто так: всякий день он или готовится к побегу, или как раз в побеге, или пойман, избит и в наказание сидит в лагерной тюрьме.

Убеждённый беглец! — это тот, кто знает, на что идёт. Кто видел и трупы застреленных беглецов, для показа разложенные у развода. Кто видел и привезенных живыми — синекожего, кашляющего кровью, которого водят по баракам и заставляют кричать: «Заключённые! Смотрите, чтó со мной! Это же будет и с вами!» Кто знает, что чаще всего труп беглеца слишком тяжёл, чтобы его доставлять в лагерь. А поэтому приносят в вещмешке только голову или (по уставу так верней) — ещё правую руку, отрубленную по локоть, чтобы спецчасть могла проверить отпечаток пальцев и списать человека.

Убеждённый беглец! — это тот, против которого и вмуровывают решётки в окна; против которого и обносят зону десятками нитей колючей проволоки, воздвигают вышки, заборы, заплоты, расставляют секреты, засады, кормят серых собак багровым мясом.

Убеждённый беглец — это ещё и тот, кто отклоняет расслабляющие упрёки лагерных обывателей: из-за беглецов другим будет хуже! режим усилят! по десять раз на проверку! баланда жидкая! Кто отгоняет от себя шёпот других заключённых не только о смирении («и в лагере можно жить, особенно с посылками»), но даже о протестах, о голодовках, ибо это не борьба, а самообман. Изо всех средств борьбы он видит один, он верит одному, он служит одному — побегу!

Он — просто не может иначе! Он так создан. Как птица не вольна отказаться от сезонного перелёта, так убеждённый беглец не может не бежать.

В промежутках между двумя неудавшимися побегами Георгия Тэнно спрашивали мирные лагерники: «И что тебе не сидится? Что ты бегаешь? Что ты можешь найти на воле, особенно на теперешней?» — «Как — что? — удивлялся Тэнно. — Свободу! Сутки побыть в тайге не в кандалах — вот и свобода!»

Таких, как он, как Воробьёв, ГУЛАГ и Органы не знали в своё среднее время — время кроликов. Такие арестанты встречались только в самое первое советское время, а потом уж только после войны.

Вот таков Тэнно. Во всяком новом лагере (а его

Георгий Павлович Тэнно

этапировали частенько) он был вначале подавлен, грустен, — пока не созревал у него план побега. Когда же план появлялся, — Тэнно весь просветлялся и улыбка торжествовала на его губах.

И когда, вспоминает он, начался всеобщий пересмотр дел и реабилитации, он упал духом: он ощутил, что надежда на реабилитацию подрывает его волю к побегу.

* * *

Сложная жизнь его не помещается в эту книгу. Но жилка беглеца у него от рождения. Ребёнком он из брянского интерната бежал «в Америку», то есть на лодке по Десне; из пятигорского детдома зимой — в нижнем белье перелез через железные ворота — и к бабушке. И вот что самобытно: в его жизни переплетаются мореходная линия и цирковая. Он кончил мореходное училище, ходил матросом на ледоколе, боцманом на тральщике, штурманом в торговом флоте. Кончил военный институт иностранных языков, войну провёл в Северном флоте, офицером связи на английских конвойных судах ходил в Исландию и в Англию. Но и он же с детства занимался акробатикой, выступал в цирках при НЭПе и позже в промежутках между плаваниями; был тренером по штанге; выступал с номерами «мнемотехники», «запоминанием» множества чисел и слов, «угадыванием» мыслей на расстоянии. А цирк и портовая жизнь привели его и к небольшому касанию с блатным миром: что-то от их языка, авантюризма, хватки, отчаянности. Сидя потом с блатарями в многочисленных режимках — он ещё и ещё черпает что-то от них. Это тоже всё пригодится для убеждённого беглеца.

Весь опыт человека складывается в человеке — так получаемся мы.

В 1948 году его внезапно демобилизовали. Это был уже сигнал с того света (знает языки, плавал на английском судне, к тому же эстонец, правда петербургский), — но ведь нас питают надежды на лучшее. В рождественский канун того же года в Риге, где Рождество ещё так чувствуется, так празднично, — его арестовали и привели в подвал на улице Амату, рядом с консерваторией. Входя в первую свою камеру, он не удержался и зачем-то объяснил равнодушному молчуну-надзирателю: «Вот на это самое время у нас с женой были билеты на „Графа Монте-Кристо". Он боролся за свободу, не смирюсь и я».

Но рано ещё было бороться. Ведь нами всегда владеют предположения об *ошибке*. Тюрьма? — за что? — не может быть! *Разберутся!* Перед этапом в Москву его ещё даже нарочно успокоили (это делается для безопасности перевозки), начальник контрразведки полковник Морщинин даже приехал проводить на вокзал, пожал руку: «Поезжайте спокойно!» Со спецконвоем их получилось четверо, и они ехали в отдельном купе мягкого вагона. Майор и старший лейтенант, обсудив, как они весело проведут в Москве Новый год (может быть, для таких командировок и придумывается спецконвой?), залегли на верхние полки и как будто спали. На другой нижней лежал старшина. Он шевелился всякий раз, когда арестованный открывал глаза. Лампочка горела верхняя синяя. Под головой у Тэнно лежала первая и последняя торопливая передача жены — локон её волос и плитка шоколада. Он лежал и думал. Вагон приятно стучал. Любым смыслом и любым предсказанием вольны мы наполнить этот стук. Тэнно он наполнял надеждой: «разберутся». И поэтому серьёзно бежать не собирался. Только примеривался, как бы это можно было сделать. (Он потом ещё вспомнит не раз эту ночь и только будет покрякивать с досады. Никогда уже не будет так легко убежать, никогда больше воля не будет так близка!)

Дважды за ночь Тэнно выходил в уборную по пустому ночному коридору, старшина шёл с ним. Пистолет у него висел на длинной подвеси, как всегда у моряков. Вместе с арестованным он втиснулся в саму уборную. Владея приёмами дзюдо и борьбы, ничего не стоило *прихватить* его здесь, отнять пистолет, приказать молчать и спокойно уйти на остановке.

Во второй раз старшина побоялся войти в тесноту, остался за дверью. Но дверь была закрыта, пробыть можно было сколько угодно времени. Можно было разбить стекло, выпрыгнуть на полотно. Ночь! Поезд не шёл быстро — 48-й год, делал частые остановки. Правда, зима, Тэнно без пальто, и с собой только пять рублей, но у него не отобраны ещё часы.

Роскошь спецконвоя закончилась в Москве на вокзале. Дождались, когда из вагона вышли все пассажиры, и в вагон вошёл старшина с голубыми погонами, из воронка: «Где он?»

Тюремный приём, безсонница, боксы, боксы. Наивное требование скорее вызвать к следователю. Надзиратель зевнул: «Ещё успеешь, надоест».

Вот и следователь. «Ну, рассказывай о своей преступной деятельности». — «Я ни в чём не виноват!» — «Только папа Пий ни в чём не виноват».

В камере — вдвоём с наседкой. Так и *подгораживается*: а что было на самом деле? Несколько допросов — и всё понятно: разбираться не будут, на волю не выпустят. И значит — бежать!

Всемирная слава Лефортовской тюрьмы не удручает Тэнно. Может быть, это — как новичок на фронте, который, ничего не испытав, ничего и не боится? План побега подсказывает следователь — Анатолий Левшин.

Он подсказывает его тем, что становится злобен, ненавистлив.

Разные мерки у людей, у народов. Сколько миллионов переносило битьё в этих стенах, даже не называя это пытками. Но для Тэнно сознание, что его могут безнаказанно бить, — невыносимо. Это — надругательство, и лучше тогда не жить. И когда Левшин после словесных угроз в первый раз подступает, замахивается, — Тэнно вскакивает и отвечает с яростной дрожью: «Смотри, мне всё равно не жить! А вот *глаз* один или два я тебе сейчас *вытащу*! Это я смогу!»

И следователь отступает. Такая мена своего хорошего глаза за гиблую жизнь арестанта не подходит ему. Теперь он изматывает Тэнно карцерами, чтоб обезсилить. Потом инсценирует, что женщина, кричащая от боли в соседнем кабинете, — жена Тэнно и, если он не признается, — её будут мучить ещё больше.

Он опять не рассчитал, на кого напал. Как удара кулаком, так и допроса жены Тэнно вынести не мог. Всё ясней становилось арестанту, что этого следователя придётся убить. Это соединилось и с планом побега! — майор Левшин носил тоже морскую форму, тоже был высокого роста, тоже блондин. Для вахтёра следственного корпуса Тэнно вполне мог сойти за Левшина. Правда, у него было лицо полное, лощёное, а Тэнно выхудал. (Арестанту нелегко себя увидеть в зеркало. Даже если с допроса попросишься в уборную, там зеркало завешено чёрной занавеской. Лишь при удаче одно движение, отклонил занавеску — о, как измучен и бледен! Как жалко самого себя!)

Тем временем из камеры убрали безполезного стукача. Тэнно исследует его оставшуюся кровать. Поперечный металлический стержень в месте крепления с ножкой койки — проржавлен, ржавчина выела часть толщины, заклёпка держится плохо. Длина стержня — сантиметров семьдесят. Как его выломать?

Сперва надо... отработать в себе мерный счёт секунд. Потом подсчитать по каждому надзирателю, каков промежуток между двумя его заглядываниями в глазок.

Промежуток — от сорока пяти секунд до шестидесяти пяти.

В один такой промежуток — усилие, и стержень хрустнул с проржавленного конца. Второй — целый, ломать его трудней. Надо встать на него двумя ногами, — но он загремит о пол. Значит, в промежутке успеть: на цементный пол подложить подушку, стать, сломить, подушку на место, и стержень — пока хотя бы в свою кровать. И всё время считать секунды.

Сломано. Сделано!

Но это не выход: войдут, найдут, погибнешь в карцерах. Двадцать суток карцера — потеря сил не только для побега, но даже от следователя не отобьёшься. А вот что: надпороть ногтями матрас. Оттуда вынуть немного ваты. Ватой обернуть концы стержня и вставить его на прежнее место. Считать секунды. Есть, поставлен!

Но и это — не надолго. Раз в 10 дней — баня, а за время бани — обыск в камере. Поломку могут обнаружить. Значит, действовать быстрей. Как вынести стержень на допрос?.. При выпуске из тюремного корпуса не обыскивают. Прохлопывают лишь по возвращению с допроса, и то — бока и грудь, где карманы. Ищут лезвия, боятся самоубийств.

На Тэнно под морским кителем — традиционная тельняшка, она греет тело и дух. «Дальше в море — меньше горя!» Попросил у надзирателя иголку (в определённое время её дают), якобы — пришить пуговицы, сделанные из хлеба. Расстегнул китель, расстегнул брюки, вытащил край тельняшки и на ней внизу изнутри зашил рубец, — получился как карманчик (для нижнего края стержня). Ещё загодя оторвал кусочек тесёмки от кальсон. Теперь, делая вид, что пришивает пуговицу к кителю, пришил эту тесёмку с изнанки тельняшки на груди — это будет петля, направляющая для прута.

Теперь тельняшка оборачивается задом наперёд, и день за днём начинаются тренировки. Прут устанавливается на спину, под тельняшку: продевается через верхнюю петлю и упирается в нижний карманчик. Верхний конец прута оказывается на уровне шеи, под воротником кителя. Тренировка в том, чтобы от заглядывания до заглядывания: забросить руку к затылку — взять прут за конец, туловище отогнуть назад — выпрямиться с наклоном вперёд, как тетива лука, одновременно вытягивая прут, — и резким махом ударить по голове следователя. И снова всё на место! Заглядывание. Арестант перелистывает книгу.

Движение получалось всё быстрей и быстрей, прут уже свистел в воздухе. Если удар и не будет насмерть, — следователь свалится без сознания. Если и жену посадили, — никого вас не жаль!

Ещё заготовляются два ватных валика — всё из того же матраса. Их можно заложить в рот за зубы и создать полноту лица.

Ещё, конечно, надо быть побритым к этому дню, — а обдирают тупыми бритвами раз в неделю. Значит, день не безразличен.

А как сделать румянец на лице? Чуть натереть щёки кровью. *Его* кровью.

Беглец не может смотреть и слушать «просто так», как другие люди. Он должен смотреть и слушать со своей особой бегляцкой целью. И никакой мелочи не пропускать, не дав ей истолкования. Ведут ли его на допрос, на прогулку, в уборную, — его ноги считают шаги, его ноги считают ступеньки (не всё это понадобится, но — считают); его туловище отмечает повороты; глаза его опущенной по команде головы рассматривают пол — из чего он, цел ли, они ворочаются по крайним доступным окружностям — и разглядывают все двери, двойные, одинарные, какие на них ручки, какие на них замки, в какую сторону открываются; голова оценивает назначение каждой двери; уши слушают и сопоставляют: вот этот звук уже доносился ко мне в камеру, а означает он вот что, оказывается.

Знаменитый лефортовский корпус буквою «К» — пролёт на все этажи, металлические галереи, регулировщик с флажками. Переход в следственный корпус. Допрашивают попеременно в разных кабинетах — тем лучше! — изучить расположение всех коридоров и дверей следственного корпуса. Как попадают сюда следователи снаружи? Вот мимо этой двери с квадратным окошечком. Главная проверка их документов, конечно, не здесь, а на внешней вахте, но здесь тоже они как-то отмечаются или наблюдаются. Вот спускается один и кому-то наверх говорит: «Так я поехал в министерство!» Отлично, эта фраза подойдёт беглецу.

Как они дальше идут потом на вахту, — это надо будет догадаться, без колебания пойти правильно. Но наверно ж протоптана в снегу дорожка. Или асфальт должен быть темней и грязней. А как они проходят вахту? Показывают своё удостоверение? Или при входе оставили его у вахтёра, а теперь называют фамилию и забирают? Или всех знают в лицо, и называть фамилию будет ошибка, надо только руку протянуть?

На многое можно ответить, если не вникаешь во вздорные вопросы следователя, а хорошо наблюдаешь за ним. Чтобы починить карандаш, он достаёт бритвенное лезвие из какого-то своего удостоверения в нагрудном кармане. Сразу вопросы:

— это — не пропуск. А пропуск — на вахте?

— книжечка очень похожа на автомобильные права вождения. Так он приезжает на автомобиле? Тогда с ним и ключ? Ставит он машину перед воротами тюрьмы? Надо будет здесь, не выходя из кабинета, прочесть номер на техническом талоне, чтобы не путать там.

Раздевалки у них нет. Морское пальто и шапку он вешает здесь, в кабинете. Тем лучше.

Не забыть, не упустить ни одного важного дела, и всё уложить в 4—5 минут. Когда он уже будет лежать, поверженный, —

1) сбросить свой китель, надеть его, более новый, с погонами;

2) снять с него ботиночные шнурки и зашнуровать свои падающие ботинки, — вот на это много времени уйдёт;

3) его бритвенное лезвие заложить в специально приготовленное место в каблуке (если поймают и бросят в первую камеру, — тут перерезать себе вены);

4) просмотреть все документы, взять нужное;

5) запомнить номер автомашины, найти автомобильный ключ;

6) в его толстый портфель сунуть своё же следственное дело, взять с собой;

7) снять с него часы;

8) покрыть щёки кровяным румянцем;

9) его тело отволочить за письменный стол или за портьеру, чтобы вошедшие подумали, что он ушёл, и не бросились бы в погоню;

10) скатать вату в валики, подложить под щёки;

11) надеть его пальто и шапку;

12) оборвать провода у выключателя. Если кто-нибудь вскоре войдёт — темно, щёлкнет выключателем — наверно, перегорела лампочка, потому следователь и ушёл в другой кабинет. Но даже если ввернут лампочку — не сразу разберутся, в чём дело.

Вот так получилось двенадцать дел, а тринадцатое будет сам побег... Всё это надо делать на ночном допросе. Хуже, если окажется, что книжечка — не автомобильные права. Тогда он приезжает и уезжает следовательским автобусом (их возят специально, ведь среди ночи!), другим следователям будет странно, что Левшин, не дождавшись 4—5 утра, пошёл среди ночи пешком.

Да вот ещё: проходя мимо квадратного окошечка, поднести к лицу платок, будто сморкаешься; и одновременно отвести глаза на часы; и для успокоения постового крикнуть наверх. «Перов! — (это его друг) — Я поехал в министерство! Поговорим завтра!»

Конечно, шансов очень мало, пока видно 3—5 из сотни. Почти безнадёжна, совсем неизвестна внешняя вахта. Но не умирать здесь рабом! но не ослабнуть, чтобы били ногами! Уж бритва-то будет в каблуке!

И на один ночной допрос, сразу после бритья, Тэнно пришёл с железным прутом за спиной. Следователь вёл допрос, бранился, угрожал, а Тэнно смотрел на него и удивлялся: как не чувствует он, что часы его сочтены?

Было одиннадцать часов вечера, Тэнно рассчитывал посидеть часов до двух ночи. В это время следователи иногда уже начинают уходить, устроив себе «короткую ночь».

Тут подловить момент: или чтобы следователь поднёс листы протокола на подпись, как он делает это всегда, и вдруг притвориться, что дурно, рассыпать листы на пол, побудить его наклониться на минутку и... А то безо всякого протокола — встать, покачиваясь, и сказать, что дурно, просить воды. Тот принесёт эмалированную кружку (стакан он держит для себя), отпить и уронить, в это время правую руку поднять к затылку, это будет естественно, будто кружится голова. Следователь обязательно наклонится посмотреть на упавшую кружку и...

Колотилось сердце. Был канун праздника. Или канун казни.

Но вышло всё иначе. Около двенадцати ночи быстро вошёл другой следователь и стал шептать Левшину на ухо. Никогда так не было. Левшин заторопился, надавил кнопку, вызывая надзирателя прийти за арестованным.

И всё кончилось... Тэнно вернулся в камеру, поставил прут на место.

А другой раз следователь вызвал его заросшим (не имело смысла брать и прута).

А там — допрос дневной. И пошёл как-то странно: следователь не рычал, обезкуражил предсказанием, что дадут 5—7 лет, нечего горевать. И как-то злости уже не было рассечь ему голову. Злость не оказалась у Тэнно устойчивой.

Взлёт настроения миновал. Представилось, что шансов слишком мало, так не играют.

Настроение беглеца ещё капризней, может быть, чем у артиста.

И вся долгая подготовка пропала зря...

Но беглец и к этому должен быть готов. Он уже сотню раз взмахнул прутом по воздуху, он сотню следователей уже убил. Он десять раз пережил весь свой побег в мелочах, — в кабинете, мимо квадратного окошечка, до вахты, за вахту! — он измучился от этого побега, а вот, оказывается, он его и не начинал.

Вскоре ему сменили следователя, перевели на Лубянку. Здесь Тэнно не готовил побега (ход следствия показался ему более обнадёживающим, и не было решимости на побег), но он неотступно наблюдал и составлял тренировочный план.

Побег с Лубянки? Да возможно ли это вообще?.. А если вдуматься, он, может быть, легче, чем из Лефортова. Скоро начинаешь разбираться в этих длинных-длинных коридорах, по которым тебя водят на допрос. Иногда в коридоре попадаются стре́лки: «к парадному № 2», «к парадному № 3». (Жалеешь, что так был беспечен на воле, — не обошёл Лубянку заранее снаружи, не посмотрел, где какое парадное.) Здесь именно это и легче, что не территория тюрьмы, а министерство, где множество следователей и других чиновников, которых постовые не могут знать в лицо. И значит, вход и выход только по пропускам, а пропуск у следователя в кармане. А если следователя не знают в лицо, то не так уж важно на него и в точности походить, лишь бы приблизительно. Новый следователь — не в морской форме, а в защитной. Значит, пришлось бы переодеться в его мундир. Не будет прута — была бы решимость. В кабинете следователя много разных предметов, например мраморное пресс-папье. Да его необязательно и убивать, — на десять минут оглушить, и ты уже ушёл!

Но мутные надежды на какую-то милость и разум лишают волю Тэнно ясности. Только в Бутырках разрешается тяжесть: с клочка ОСОвской бумажки ему объявляют 25 лет лагерей. Он подписывает — и чувствует, как ему полегчало, взыграла улыбка, как легко несут его ноги в камеру 25-летников. Этот приговор освобождает его от унижения, от сделки, от покорности, от заискивания, от обещанных нищенских пятисеми лет: двадцать пять, такую вашу мать??? — так нечего от вас ждать, значит — бежим!!

Или — смерть. Но разве смерть хуже, чем четверть столетия рабства? Да одну стрижку наголо после суда — простая стрижка, кому она досаждала? — Тэнно переживает как оскорбление, как плевок в лицо.

Теперь искать союзников. И изучать истории других побегов. Тэнно в этом мире новичок. Неужели же никто никогда не бежал?

Сколько раз мы все проходили за надзирателем эти железные переборки, рассекающие бутырские коридоры, — многие ли из нас заметили то, что Тэнно видит сразу: что в дверях — запоры двойные, надзиратель же отпирает только один, и переборка подаётся. А второй запор, значит, пока бездействует: это три стержня, которые могут высунуться из стены и войти в железную дверь.

В камере кто чего, а Тэнно ищет — рассказов о побегах и участников их. Находится даже такой, кто был в заварушке с этими тремя стержнями — Мануэль Гарсиа. Это случилось несколькими месяцами раньше. Заключённые одной камеры вышли на оправку, схватили надзирателя (против устава, он был один, ведь годами же ничего не случается, они привыкли к покорности), раздели его, связали, оставили в уборной, один арестант надел его форму. Ребята взяли ключи, побежали открывать все камеры коридора (а в этом же коридоре были и смертники, тем это было очень кстати!). Начался вой, восторги, призывы идти освобождать другие коридоры и взять в руки всю тюрьму. Забыли осторожность! Вместо того чтобы тихо приготовиться по камерам к выбегу, а по коридору дать ходить только одетому в надзирателя, — вывалили массой в коридор и шумели. На шум посмотрел в глазок переборки (они там в обе стороны устроены) надзиратель из соседнего коридора — и нажал кнопку тревоги. По этой тревоге с центрального поста перекрываются все вторые замки переборок, и нет к ним ключей в надзирательских связках. Мятежный коридор был отъединён. Вызвали множество охраны; став шпалерами, пропускали всех мятежников по одному и избивали; нашли зачинщиков и их увели. А им уже было по *четвертаку*. Повторили срок? Расстреляли?

Этап в лагерь. Известная арестантам «сторожка» на Казанском вокзале — отступя, конечно, от людных мест. Сюда привозят воронками, здесь загружают вагон-заки, перед тем как цеплять их к поездам. Напряжённые конвоиры с обеих сторон рядками. Рвущиеся к горлу собаки. Команда: «Конвой — к бою!» — и смертный лязг затворов. Тут не шутят. Так, с собаками, ведут и по путям. Побежать? Собака догонит.

Но у беглеца убеждённого, всегда перебрасываемого за побеги из лагеря в лагерь, из тюрьмы в тюрьму, ещё много будет этих вокзалов и конвоирования по путям. Будут водить и без собак. Притвориться хромым, больным, еле волочиться, еле вытягивать за собой *сидор* и бушлат, конвой будет спокойнее. И если много будет составов на путях, — то между ними как можно путлять! Итак: бросить вещи, наклониться и рвануть под вагоны! Но когда ты уже наклонишься, ты увидишь там, за составом, сапоги шагающего запасного конвоира... Всё предусмотрено. И остаётся тебе делать вид, что ты падал от слабости и потому обронил вещи. — Вот если б счастье такое — быстро шёл бы рядом проходной поезд! Перед самым паровозом перебежать — никакой конвоир не побежит! ты рискуешь из-за свободы, а он? — и пока поезд промчится, тебя нет! Но для этого нужно двойное счастье: вовремя поезд и вынести ноги из-под колёс.

С Куйбышевской пересылки везут открытыми грузовиками на вокзал — собирают большой «красный» этап. На пересылке, от местного воришки, «уважающего беглецов», Тэнно получает два местных адреса, куда можно прийти за первой поддержкой. С двумя охотниками бежать он делится этими адресами и договаривается: всем троим стараться сесть в задний ряд и, когда машина снизит скорость на повороте (а бока Тэнно не зря уже ехали сюда с вокзала в тёмном воронке, они отметили этот поворот, хотя глазами он его не узнаёт), — разом прыгать всем троим! — вправо, влево и назад! — мимо конвоиров, даже свалив их! Будут стрелять, но всех троих не застрелят. Да ещё будут ли? — ведь на улицах народ. Погонятся? — нет, нельзя бросить остальных в машине. Значит, будут кричать, стрелять в воздух. Задержать может вот кто: народ, наш советский народ, прохожие. Напугать их, будто нож в руке! (Ножа нет.)

Трое маневрируют на шмоне и выжидают так, чтоб не сесть в машину раньше сумерек, чтобы сесть в последнюю машину. Приходит и последняя, но... не трёхтонка с низкими бортами, как все предыдущие, а «студебеккер» с высокими. Даже Тэнно, севши, — макушкой ниже борта. «Студебеккер» идёт быстро. Поворот! Тэнно оглянулся на соратников — на лицах страх. Нет, они не прыгнут. Нет, это не убеждённые беглецы. (Но стал ли уже убеждённым ты сам?..)

В темноте, с фонарями, под смешанный лай, рёв, ругань и лязганье — посадка в телячьи вагоны. Тут Тэнно изменяет себе — он не успевает оглядеть снаружи своего вагона (а убеждённый беглец должен видеть всё вовремя, ничего не разрешается ему пропустить!).

На остановках тревожно простукивают вагоны молотками. Они простукивают каждую доску. Значит, боятся они — чего? Распиливания доски. Значит — надо пилить!

Нашёлся (у воров) и маленький кусок отточенной ножёвки. Решили резать торцевую доску под нижними нарами. А когда поезд будет замедляться, — вывалиться в пролом, падать на рельсы, пролежать, пока поезд пройдёт. Правда, знатоки говорят, что в конце телячьего арестантского поезда бывает драга — металлический скребок, его зубья идут низко над шпалами, они захватывают тело беглеца, волочат его по шпалам, и беглец умирает так.

Всю ночь, залезая по очереди под нары, держа тряпкой эту пилочку, в несколько сантиметров, режут доску стены. Трудно. Всё же сделан первый прорез. Доска начинает немного ходить. Отклонив её, они уже утром видят за вагоном белые неструганые доски. Откуда белые? Вот что: значит, к их вагону пристроена дополнительная конвойная площадка. Тут, над прорезом, стоит часовой. Доску выпиливать нельзя.

Побеги узников, как и всякая человеческая деятельность, имеют свою историю, имеют свою теорию. Неплохо знать их, прежде чем браться самому.

История — это побеги уже бывшие. Об их технологии оперчекистская часть не издаёт популярных брошюр, она копит опыт для себя. Историю ты можешь узнать от других беглецов, пойманных. Очень дорог их опыт — кровяной, страдательный, едва не стоивший жизни. Но подробно, шаг за шагом, расспрашивать о побегах одного беглеца, и третьего, и пятого — это не невинная шутка, это очень опасно. Это не намного безопаснее, чем спрашивать: кто знает, через кого вступить в подпольную организацию? Ваши долгие рассказы могут слушать и стукачи. А главное — сами рассказчики, когда истязали их после побега и выбор был — смерть или жизнь, — могли дрогнуть, завербоваться, и теперь уж быть приманкой, а не единомышленниками. Одна из главных задач *кумовьёв* — определить заранее, кто симпатизирует побегам, кто интересуется ими, — и, опережая затаённого беглеца, сделать пометку в его формуляре, и уже он в режимной бригаде, и бежать ему много трудней.

Но от тюрьмы к тюрьме, от лагеря к лагерю Тэнно жарко расспрашивает беглецов. Он совершает побеги, его ловят, а в лагерных тюрьмах он и сидит как раз с беглецами, там-то их и расспрашивать. (Не без ошибок. Степан*, героический беглец, продаёт его кенгирскому оперу Беляеву, и тот повторяет Тэнно все его расспросы.)

А теория побегов — она очень простая: как сумеешь. Убежал — значит, знаешь теорию. Пойман — значит, ещё не овладел. А букварные начала такие: бежать можно с объектов и бежать можно из жилой зоны. С объектов легче: их много, и не так устоялась там охрана, и у беглеца бывает там инструмент. Бежать можно одному — это трудней, но никто не продаст. Бежать можно нескольким, это легче, но всё зависит, на подбор вы друг ко другу или нет. Ещё есть положение в теории: надо географию так знать, чтобы карта горела перед глазами. А в лагере карты не увидишь. (Кстати, воры совсем не знают географии, севером считают ту пересылку, где было прошлый раз холодно.) Есть ещё положение: надо знать народ, среди которого ляжет побег. И такое есть методическое указание: ты должен постоянно готовить побег *по плану*, но в любую минуту быть готовым и бежать совсем иначе — *по случаю*.

Вот, например, что такое — по случаю. Как-то в Кенгире всю тюрьму вывели из тюрьмы — делать саман. Внезапно налетел пыльный буран, какой бывает в Казахстане: всё темнеет, солнце скрывается, горстями пыли и мелкого камня больно бьёт в лицо, так что нельзя держать открытыми глаз. Никто не был готов бежать так внезапно, а Николай Крыков подбежал к зоне, бросил на проволоку телогрейку, перелез, весь исцарапавшись, за зону и скрылся. Буря прошла. По телогрейке на проволоке поняли, что — убежал. Послали погоню на лошадях: на поводках у всадников собаки. Но холодная буря начисто смела все следы. Крыков пересидел погоню в куче мусора. Однако на другой день надо ж было идти! И машины, разосланные по степи, поймали его.

Первый лагерь Тэнно был — Новорудное, близ Джезказгана. Вот — то главное место, где обрекают тебя погибнуть. Именно отсюда ты должен и бежать! Вокруг — пустыня, где в солончаках и барханах, где — скреплённая дёрном или верблюжьей колючкой. Местами кочуют по этой степи казахи со стадами, местами нет никого. Рек нет, набрести на колодец почти невозможно. Лучшее время для побегов — апрель и май, кое-где ещё держатся озерки от таяния. Но это отлично знают и охранники. В это время устрожается обыск выходящих на работу и не дают с собой вынести ни лишнего куска, ни лишней тряпицы.

Той осенью, 1949 года, три беглеца — Слободянюк, Базиченко и Кожин — рискнули рвануть на юг: они думали пойти там вдоль реки Сары-Су и на Кзыл-Орду. Но река пересохла вся. Их поймали при смерти от жажды.

На опыте их Тэнно решил, что осенью не побежит. Он аккуратно ходит в КВЧ — ведь он не беглец, не бунтарь, он из тех рассудительных заключённых, которые надеются *исправиться* к концу своего двадцатипятилетнего срока. Он помогает, чем может, он обещает самодеятельность, акробатику, мнемотехнику, а пока, перелистав всё, что в КВЧ есть, находит плохонькую карту Казахстана, не обережённую кумом. Так. Есть старая караванная дорога на Джусалы, триста пятьдесят километров, по ней может попасться и колодец. И на север к Ишиму четыреста, здесь возможны луга. А к озеру Балхаш — пятьсот километров чистой пустыни Бет-Пак-Дала. Но в этом направлении вряд ли погонятся.

Таковы расстояния. Таков выбор...

Что только не протеснится через голову пытливого беглеца! Иногда заезжает в лагерь ассенизационная машина — цистерна с кишкой. Горловина кишки — широка, Тэнно вполне мог бы в неё влезть, внутри цистерны — стоять согнувшись, и после этого пусть бы шофёр набирал жидких нечистот, только не до самого верху. Будешь весь в нечистотах, по пути может захлебнуть, затопить, задушить, — но это не кажется Тэнно таким гадким, как рабски отбывать свой срок. Он проверяет себя: готов ли? Готов. А шофёр? Это пропускник-краткосрочник, бытовик. Тэнно курит с ним, присматривается. Нет, это не тот человек. Он не рискнёт своим пропуском, чтобы помочь другому. У него психология исправительно-трудовых: помогает другому — дурак.

За эту зиму Тэнно составляет и план и подбирает себе четырёх товарищей. Но пока согласно теории идёт терпеливая подготовка по плану, его один раз нечаянно выводят на только что открытый объект — каменный карьер. Карьер — в холмистой местности, из лагеря не виден. Там ещё нет ни вышек, ни зоны: забиты колья, несколько рядков проволоки. В одном месте в проволоке — перерыв, это «ворота». Шесть конвоиров стоят снаружи зонки, ничем не приподнятые над землёй.

А дальше за ними — апрельская степь в ещё свежей зелёной траве, и горят тюльпаны, тюльпаны! Не может сердце беглеца вынести этих тюльпанов и апрельского воздуха! Может быть, это и есть Случай?.. Пока ты не на подозрении, пока ты ещё не в режимке — теперь-то и бежать!

За это время Тэнно уже многих узнал в лагере и сейчас быстро сбивает звено из четверых: Миша Хайдаров (был в советской морской пехоте в Северной Корее, от военного трибунала бежал через 38-ю параллель; не желая портить хороших прочных отношений в Корее, американцы выдали его назад, *четвертная*); Ядзик, шофёр-поляк из армии Андерса (свою биографию выразительно излагает по двум своим непарным сапогам: «сапо́ги — о́дин от Гитле́ра, о́дин — от Стали́на»); и ещё железнодорожник из Куйбышева Сергей.

Тут пришёл грузовик с настоящими столбами для будущей зоны и мотками колючей проволоки — как раз к началу обеденного перерыва. Звено Тэнно, любя каторжный труд, а особенно любя укреплять зону, взялось добровольно разгружать машину и в перерыв. Залезли в кузов. Но так как время всё-таки было обеденное — шевелились еле-еле и соображали. Шофёр отошёл в сторонку. Все заключённые лежали кто где, грелись на солнышке.

Бежим или нет? С собой — ничего: ни ножа, ни снаряжения, ни пищи, ни плана. Впрочем, если на машине, то по мелкой карте Тэнно знает: гнать на Джезды и потом на Улутау. Загорелись ребята: случай! Случай!

Отсюда к «воротам», на часового, получается под уклон. И вскоре же дорога сворачивает за холм. Если ехать быстро — уже не застрелят. И не оставят же часовые своих постов!

Разгрузили — перерыв ещё не кончился. Править — Ядзику. Он соскочил, полазил около машины, трое тем временем лениво легли на дно кузова, скрылись, может не все часовые и видели, куда они делись. Ядзик привёл шофёра: не задержали разгрузкой — так дай закурить. Закурили. Ну, заводи! Сел шофёр в кабину, но мотор, как назло, почему-то не заводится. (Трое в кузове плана Ядзика не знают и думают — сорвалось.) Ядзик взялся ручку крутить. Всё равно не заводится. Ядзик уже устал, предлагает шофёру поменяться. Теперь Ядзик в кабине. И сразу мотор заревел! и машина покатилась уклоном на воротного часового! (Потом Ядзик рассказывал: он для шофёра перекрывал краник подачи бензина, а для себя успел открыть.) Шофёр не спешил сесть, он думал, что Ядзик остановит. Но машина со скоростью прошла «ворота».

Два раза «стой»! Машина идёт. Пальба часовых — сперва в воздух, очень уж похоже на ошибку. Может и в машину, беглецы не знают, они лежат. Поворот. За холмом, ушли от стрельбы! Трое в кузове ещё не поднимают голов. Тряско, быстро. И вдруг — остановка, и Ядзик кричит в отчаянии: не угадал он дороги! — упёрлись в ворота шахты, где своя зона, свои вышки.

Выстрелы. Бежит конвой. Беглецы вываливаются на землю, ничком, и закрывают головы руками. Конвой же бьёт ногами и именно старается в голову, в ухо, в висок и сверху в хребет.

Общечеловеческое спасительное правило — «лежачего не бьют» — не действует на сталинской каторге! У нас лежачего именно бьют. А в стоячего стреляют.

Но на допросе выясняется, что *никакого побега не было*! Да! Ребята дружно говорят, что дремали в машине, машина покатилась, тут — выстрелы, выпрыгивать поздно, могут застрелить. А Ядзик? Неопытен, не мог справиться с машиной. Но не в степь же рулил, а к соседней шахте.

Так обошлось побоями.

Ещё много побегов предстоит Мише Хайдарову. Даже в самое мягкое хрущёвское время, когда беглецы затаятся, ожидая легального освобождения, он со своими безнадёжными (для прощения) дружками попытается бежать со всесоюзного штрафняка Андзёба-307: пособники бросят под вышки самодельные гранаты, чтобы отвлечь внимание, пока беглецы с топорами будут рубить проволоку запретки. Но автоматным огнём их задержат.

А побег *по плану* готовится само собой. Делается компас: пластмассовая баночка, на неё наносятся румбы. Кусок намагниченной спицы сажается на деревянный поплавок. Теперь наливают воды. Вот и компас.

Питьевую воду удобно будет налить в автомобильную камеру и в побеге нести её, как шинельную скатку. Все эти вещи (и продукты, и одежду) постепенно носят на ДОК (Деревообделочный комбинат), с которого собираются бежать, и там прячут в яме близ пилорезки. Один вольный шофёр продаёт им камеру. Наполненная водой, лежит уже и она в яме. Иногда ночью приходит эшелон, для этого оставляют грузчиков на ночь в рабочей зоне. Вот тут-то и надо бежать. Кто-то из вольняшек за принесенную ему из зоны казённую простыню (наши цены!) перерезал уже две нижние нити колючки против пилорезки, и вот-вот подходила ночь разгрузки брёвен! Однако нашёлся заключённый, казах, который выследил их яму-заначку и донёс.

Арест, избиения, допросы. Для Тэнно — слишком много «совпадений», похожих на побеги. Когда их отправляют в кенгирскую тюрьму и Тэнно стоит лицом к стене, руки назад, мимо проходит начальник КВЧ, капитан, останавливается против Тэнно и восклицает:

— Эх ты! Эх, ты-ы! А ещё — самодеятельностью занимался!

Больше всего его поражает, что беглецом оказался разносчик лагерной культуры. Ему в день концерта выдавали лишнюю порцию каши — а он бежал! Что ж ещё человеку надо?..

9 мая 1950 года, в пятилетие Победы, фронтовой моряк Тэнно вошёл в камеру знаменитой кенгирской тюрьмы. В почти тёмной камере с малым окошком наверху — нет воздуха, но множество клопов, все стены покрыты кровью раздавленных. В это лето разражается зной в 40—50 градусов, все лежат голые. Попрохладнее под нарами, но ночью с криком оттуда выскакивают двое: на них сели фаланги.

В кенгирской тюрьме — избранное общество, свезенное из разных лагерей. Во всех камерах — беглецы с опытом, редкий подбор орлов. Наконец попал Тэнно к убеждённым беглецам!

Сидит здесь и Иван Воробьёв, капитан, Герой Советского Союза. Во время войны он был партизаном во Псковской области. Это — решительный человек неугнетаемого нрава. У него уже есть неудачные побеги и ещё будут впереди. На беду, он не может принять тюремной окраски — приблатнённости, помогающей беглецу. Он сохранил фронтовую прямоту, у него — начальник штаба, они чертят план местности и открыто совещаются на нарах. Он не может перестроиться к лагерной скрытости и хитрости, и его всегда продают стукачи.

Бродил в головах план: схватить надзирателя при выдаче вечерней пищи, если будет он один. Его ключами отворить все камеры. Ринуться к выходу из тюрьмы, овладеть им. Затем, открыв тюремную дверь, лавиной броситься к лагерной вахте. Взять вахтёров *на прихват* и вырваться за зону в начале тёмного времени.

Стали выводить их на стройку жилого квартала — возник план уползти по канализационным трубам.

Но планы не дошли до осуществления. Тем же летом всё это избранное общество заковали в наручники и повезли почему-то в Спасск. Там их поместили в отдельно охраняемый барак. На четвёртую же ночь убеждённые беглецы вынули решётку окна, вышли в хоздвор, беззвучно убили там собаку и через крышу должны были переходить в огромную общую зону. Но железная крыша стала мяться под ногами, и в ночной тишине это было как грохот. У надзора поднялась тревога. Однако когда пришли к ним в барак, — все мирно спали, и решётка стояла на месте. Надзирателям просто померещилось.

Не суждено, не суждено пребывать им долго на месте! Убеждённых беглецов, как летучих голландцев, гонит дальше безпокойный их жребий. И если они не убежали, то везут их. Теперь эту всю пробивную компанию перебрасывают в наручниках в экибастузскую тюрьму. Тут присоединяют к ним и своих неудавшихся беглецов — Брюхина и Мутьянова.

Как виновных, как режимных, их выводят на известковый завод. Негашёную известь они разгружают с машин на ветру, и известь гасится у них в глазах, во рту, в дыхательном горле. При разгрузке печей их голые потные тела осыпаются пылью гашеной извести. Ежедневная эта отрава, измысленная им в исправление, только вынуждает их поспешить с побегом.

План напрашивается сам: известь привозят на автомашинах — на автомашине и вырваться. Рвать зону, она ещё проволочная здесь. Брать машину, пополней заправленную бензином. Классный шофёр среди беглецов — Коля Жданок, напарник Тэнно по неудавшемуся побегу от пилорезки. Договорено: он и поведёт машину. Договорено, но Воробьёв слишком решителен, он — слишком действие, чтобы довериться чьей-то чужой руке. И когда машину *прихватывают* (к шофёру в кабину с двух сторон влезают беглецы с ножами, и бледному шофёру остаётся сидеть посредине и невольно участвовать в побеге), — место водителя занимает Воробьёв.

Считаные минуты! Надо всем прыгать в кузов и вырываться. Тэнно просит: «Иван, уступи!» Но не может Иван Воробьёв уступить! Не веря его уменью, Тэнно и Жданок остаются. Беглецов теперь только трое: Воробьёв, Салопаев и Мартиросов. Вдруг откуда ни возьмись подбегает Редькин, этот математик, интеллигент, чудак, он совсем не беглец, он в режимку попал за что-то другое. Но сейчас он был близко, заметил, понял и, в руке с куском почему-то мыла, не хлеба, вскакивает в кузов:

— На свободу? И я с вами!

(Как в автобус вскакивая: «На Разгуляй идёт?»)

Разворачиваясь, малым ходом, машина пошла так, чтобы первые нити проволоки прорвать бампером, постепенно, следующие придутся на мотор, на кабину. В предзоннике она проходит между столбами, но в главной линии зоны приходится валить столбы, потому что они расставлены в шахматном порядке. И машина на первой скорости валит столб!

Конвой на вышках оторопел: за несколько дней перед тем был случай на другом объекте, что пьяный шофёр сломал столб в запретке. Может, пьян и этот?.. Конвоиры думают так пятнадцать секунд. Но за это время повален столб, машина взяла вторую скорость и, не проколов баллонов, вышла по колючке. Теперь — стрелять! А стрелять некуда: предохраняя конвоиров от казахстанских ветров, их вышки забраны досками с наружных сторон. Они стрелять могут только в зону и вдоль. Машина уже невидима им и погнала по степи, поднимая пыль. Вышки безсильно стреляют в воздух.

Дороги все свободны, степь ровна, через пять минут машина Воробьёва была бы на горизонте! — но *абсолютно случайно* тут же едет воронок конвойного дивизиона — на автобазу, для ремонта. Он быстро сажает охрану — и гонится за Воробьёвым. И побег окончен... через двадцать минут. Избитые беглецы и с ними математик Редькин, ощущая всем раскровавленным ртом эту тёплую солоноватую влагу свободы, идут, шатаясь, в лагерную тюрьму.

В ноябре 1951 Иван Воробьёв ещё раз бежит с рабочего объекта на самосвале, 6 человек. Через несколько дней их ловят. Понаслышке в 1953 году Воробьёв был одним из *центровых бунтарей* Норильского восстания, потом заточён в Александровский централ.

Вероятно, жизнь этого замечательного человека, начиная с его предвоенной молодости и партизанства, многое бы объяснила нам в эпохе.

Однако по всему лагерю слух: прорвали — прекрасно! задержали — случайно! И ещё через десяток дней Батанов, бывший курсант-авиационник, с двумя друзьями повторяет манёвр: на другом объекте они прорывают проволочную зону и гонят! Но гонят — не по той дороге, впопыхах ошиблись и попадают под выстрел с вышки известкового завода. Пробит баллон, машина остановилась. Автоматчики окружили: «Выходи!» Надо выходить? или надо ждать, пока вытащат за загривок? Один из трёх, Пасечник, выполнил команду, вышел из машины — и тут же был прошит озлобленными очередями.

За какой-нибудь месяц уже три побега в Экибастузе — а Тэнно не бежит! Он изнывает. Ревнивое подражание истачивает его. Со стороны виднее все ошибки и всегда кажется, что ты сделал бы лучше. Например, если бы за рулём был Жданок, а не Воробьёв, думает Тэнно, — можно было бы уйти и от воронка. Машина Воробьёва только-только ещё была остановлена, а Тэнно со Жданком уже сели обсуждать, как же надо бежать им.

Жданок — чернявый, маленький, очень подвижный, приблатнённый. Ему 26 лет, он белорус, оттуда вывезен в Германию, у немцев работал шофёром. Срок у него — тоже *четвертак*. Когда он загорается, он так энергичен, он исходит весь в работе, в порыве, в драке, в беге. Ему, конечно, не хватает выдержки, но выдержка есть у Тэнно.

Всё подсказывает им: с известкового же завода и бежать. Если не на машине, то машину захватить за зоной. Но прежде чем замыслу этому помешает конвой или опер, — бригадир штрафников Лёшка Цыган (Наврузов), *сука*, щуплый, но наводящий ужас на всех, убивший в своей лагерной жизни десятки людей (легко убивал из-за посылки, даже из-за пачки папирос), отзывает Тэнно и предупреждает:

— Я сам беглец и люблю беглецов. Смотри, моё тело прошито пулями, это побег в тайге. Я знаю, ты тоже хотел бежать с Воробьёвым. Но не беги из рабочей зоны: тут я отвечаю, меня опять посадят.

То есть беглецов любит, но себя — больше. Лёшка Цыган доволен своей ссученной жизнью и не даст её нарушить. Вот «любовь к свободе» у блатного.

А может, правда экибастузские побеги становятся однообразны? Все бегут из рабочих зон, никто из жилой. Отважиться? Жилая зона ещё тоже пока проволочная, ещё тоже пока забора нет.

Как-то на известковом испортили электропроводку на растворомешалке. Вызван вольный электромонтёр. Тэнно помогает ему чинить, Жданок тем временем ворует из кармана кусачки. Монтёр спохватывается: нет кусачек! Заявить охране? Нельзя, самого осудят за халатность. Просит блатных: верните! Блатные говорят, что не брали.

Там же, на известковом, беглецы готовят себе два ножа: зубилами вырубают их из лопат, в кузне заостряют, закаляют, в глиняных формах отливают им ручки из олова. У Тэнно — «турецкий», он не только пригодится в деле, но кривым блестящим видом устрашает, а это ещё важней. Ведь не убивать они собираются, а пугать.

И кусачки, и ножи пронесли в жилую зону под кальсонами у щиколоток, засунули под фундамент барака.

Главный ключ к побегу опять должно быть КВЧ. Пока готовится и переносится оружие, Тэнно своим чередом заявляет, что вместе со Жданком он хочет участвовать в концерте самодеятельности. В Экибастузе ещё ни одного не было, это будет первый, и с нетерпением подгоняется начальством: нужна галочка в списке мероприятий, отвлекающих от крамолы, да и самим забавно посмотреть, как после одиннадцатичасового каторжного труда заключённые будут ломаться на сцене. И вот разрешается Тэнно и Жданку уходить из режимного барака после его запирания, когда вся зона ещё два часа живёт и движется. Они бродят по ещё незнакомой им экибастузской зоне, замечают, как и когда меняется на вышках конвой; где наиболее удобные подползы к зоне. В самом КВЧ Тэнно внимательно читает павлодарскую областную газетку, он старается запоминать названия районов, совхозов, колхозов, фамилии председателей, секретарей и всяческих ударников. Дальше он заявляет, что играться будет скетч и для этого надо им получить свои гражданские костюмы из каптёрки и чей-нибудь портфель. (Портфель в побеге — это необычно! Это придаёт начальственный вид!) Разрешение получено. Морской китель ещё на Тэнно, теперь он берёт и свой исландский костюм, воспоминание о морском конвое. Жданок берёт из чемодана дружка серый бельгийский, настолько элегантный, что даже странно смотреть на него в лагере. У одного латыша хранится в вещах портфель. Берётся и он. И — кепки настоящие вместо лагерных картузиков.

Но так много репетиций требует скетч, что не хватает времени и до общего отбоя. Поэтому одну ночь и ещё как-то другую Тэнно и Жданок вовсе не возвращаются в режимный барак, ночуют в том бараке, где КВЧ, приучают надзирателей режимки. (Ведь надо выиграть в побеге хотя бы одну ночь.)

Когда самый удобный момент побега? Вечерняя проверка. Когда стоит очередь у бараков, все надзиратели заняты впуском, да и зэки смотрят на дверь, как бы спать скорее, никто не следит за остальною частью зоны. День уменьшается, — и подгадать надо такой, чтобы проверка пришлась уже после заката, в посерение, но ещё до расстановки собак вокруг зоны. Надо подловить эти единственные пять-десять минут, потому что выползать при собаках невозможно.

Выбрали воскресенье 17 сентября. Удобно, воскресенье будет нерабочее, набраться к вечеру сил, неторопливо сделать последние приготовления.

Последняя ночь перед побегом! Много ли ты уснёшь? Мысли, мысли... Да буду ли жив я через сутки?.. Может быть и нет. Ну а в лагере? — растянутая смерть доходяги у помойки?.. Нет, не разрешать себе даже свыкаться с мыслью, что ты — невольник.

Вопрос так стоит: к смерти ты готов? Готов. Значит, и к побегу.

Солнечный воскресный день. Ради скетча обоих на весь день выпустили из режимки. Вдруг в КВЧ — письмо Тэнно от матери. Да, именно в этот день. Сколько этих роковых совпадений могут вспомнить арестанты?.. Грустное письмо, но, может быть, закаляющее: жена ещё в тюрьме, ещё до сих пор не доехала до лагеря. А жена брата требует от брата прекратить связь с изменником родины.

С едой очень плохо у беглецов: в режимке сидят они *на подсосе*, собирание хлеба создало бы подозрение. Но у них расчёт на быстрое продвижение, в посёлке захватить машину. Однако от мамы в этот же день и посылка — материнское благословение на побег. Глюкоза в таблетках, макароны, овсяные хлопья — это с собой в портфель. Сигареты — это выменять на махорку. А одну пачку отнести в санчасть фельдшеру.

И Жданок уже вписан в список освобождённых на сегодня. Это вот зачем. Тэнно идёт в КВЧ: заболел мой Жданок, сегодня вечером репетиция не состоится, не придём. А в режимке надзирателю и Лёшке Цыгану: сегодня вечером мы на репетиции, в барак не придём. Итак, не будут ждать ни там, ни здесь.

Ещё достать надо «катюшу» — кресало с фитилём в трубке, это в побеге лучше спичек. Ещё надо в последний раз навестить Хафиза в его бараке. Опытный беглец татарин Хафиз должен был идти в побег вместе с ними. Но потом рассудил, что он стар и на такой побег будет обузой. Сейчас он — единственный в лагере человек, кто знает об их побеге. Он сидит, подвернув ноги, на своей вагонке. Шепчет: «Дай Бог вам счастья. Я буду за вас молиться». Он шепчет ещё по-татарски и водит руками по лицу.

А ещё есть у Тэнно в Экибастузе старый лубянский однокамерник Иван Коверченко. Он не знает о побеге, но хороший товарищ. Он придурок, живёт в отдельной кабине; у него беглецы и собирают все свои вещи *для скетча*. С ним естественно сегодня сварить и крупу, пришедшую в скудной маминой посылке. Заваривается и чифир. Они сидят за маленьким пиршеством, двое гостей — млея от предстоящего, хозяин — просто от хорошего воскресенья, — и вдруг в окно видят, как от вахты несут через зону к моргу плохо отёсанный гроб.

Это — для Пасечника, застреленного на днях.

— Да, — вздыхает Коверченко, — побег безполезен... (Если б он знал!..)

Коверченко по наитию поднимается, берёт в руки их тугой портфель, ходит важно по кабинке и заявляет с суровостью:

— Следствию всё известно! Вы собираетесь в побег! Это он шутит. Это он решил сыграть следователя... Хороша шуточка.

(А может быть, это он тонко намекает: я догадываюсь, братцы. Но — не советую.)

Когда Коверченко уходит, беглецы поддевают костюмы под то, что на них. И номера все свои отпарывают и наживляют еле-еле, чтобы сорвать одним движением. Кепки без номеров — в портфель.

Воскресенье кончается. Золотистое солнце заходит. Рослый медлительный Тэнно и маленький подвижный Жданок набрасывают ещё телогрейки на плечи, берут портфель (уже в лагере привыкли к этому их чудацкому виду) и идут на свою стартовую площадку — между бараками, на траву, недалеко от зоны, прямо против вышки. От двух других вышек их заслоняют бараки. Только вот этот один часовой перед ними. Они расстилают телогрейки, ложатся на них и играют в шахматы, чтобы часовой привык.

Сереет. Сигнал проверки. Зэки стягиваются к баракам. Уже сумерки, и часовой с вышки не должен бы различать, что двое остались лежать на траве. У него подходит смена к концу, он не так уж внимателен. При старом часовом всегда уйти легче.

Проволоку намечено резать не на участке где-то, а прямо у самой вышки, вплотную. Наверняка часовой больше смотрит за зоной вдаль, чем под ноги себе.

Их головы — у самой травы, к тому же — сумерки, они не видят своего лаза, по которому сейчас поползут. Но он хорошо присмотрен заранее: сразу за зоной вырыта яма для столба, в неё можно будет на минуту спрятаться; ещё там дальше — бугорки шлака; и проходит дорога из конвойного городка в посёлок.

План такой: сейчас же в посёлке брать машину. Остановить, сказать шофёру: заработать хочешь? Нам нужно из старого Экибастуза подкинуть сюда два ящика водки. Какой шоферюга не захочет выпить?! Поторговаться: пол-литра тебе? Литр? Ладно, гони, только никому! А потом по дороге, сидя с ним в кабине, прихватить его, вывезти в степь, там оставить связанного. Самим рвануть за ночь до Иртыша, там бросить машину, Иртыш переплыть на лодке — и двинуться на Омск.

Ещё немного стемнело. На вышках зажгли прожекторы, они светят вдоль зоны, беглецы же лежат пока в теневом секторе. Самое время! Скоро будет смена и приведут-поставят на ночь собак.

В бараках уже зажигаются лампочки, видно, как зэки входят с проверки. Хорошо в бараке? Тепло, уютно... А сейчас вот прошьют тебя из автомата, и обидно, что — лёжа, распростёртого.

Как бы под вышкой не кашлянуть, не перхнуть.

Ну, стерегите, псы сторожевые! Ваше дело — держать, наше дело — бежать!

А дальше пусть Тэнно сам рассказывает.

Глава 7
БЕЛЫЙ КОТЁНОК
(Рассказ Георгия Тэнно)

Я — старше Коли, мне идти первому. Нож в ножнах у пояса, кусачки в руках. «Когда перережу предзонник — догоняй!»

Ползу по-пластунски. Хочется вдавиться в землю. Посмотреть на часового или нет? Посмотреть — это увидеть угрозу или даже притянуть взглядом его взгляд. Так тянет посмотреть! Нет, не буду.

Ближе к вышке. Ближе к смерти. Жду очереди в себя. Вот сейчас застрекочет... А может, он отлично видит меня, стоит и издевается, хочет дать мне ещё покопошиться?..

Вот и предзонник. Повернулся, лёг вдоль него. Режу первую нить. Освобождённая от натяга, вдруг клацнула перерезанная проволока. Сейчас очередь?.. Нет. Может, мне одному только и слышно этот звук. Но сильный какой. Режу вторую нить. Режу третью. Перебрасываю ногу, другую. Зацепились брюки за усики перерезанной упавшей нити. Отцепился.

Переползаю метры вспаханной земли. Сзади — шорох. Это — Коля, но зачем так громко? А, это портфель у него чертит по земле.

Вот и колючие откосики основной зоны. Они наперекрест. Перерезал их несколько. Теперь лежит спираль Бруно. Перерезал её дважды, очистил дорогу. Режу нити главной полосы. Мы, наверно, почти не дышим. Не стреляет. Дом вспоминает? Или ему сегодня на танцы?

Переложил тело за внешнюю зону. А там ещё спираль Бруно. В ней запутался. Режу. Не забыть и не запутаться: тут ещё должны быть внешние наклонные полосы. Вот они. Режу.

Теперь ползу к яме. Яма не обманула, здесь она. Опускаюсь я. Опускается Коля. Отдышались. Скорее дальше! — вот-вот смена, вот-вот собаки.

Выдаёмся из ямы, ползём к холмикам шлака. Не решаемся оглядываться и теперь. Коля рвётся скорей! поднимается на четвереньки. Осаживаю.

По-пластунски одолели первый холмик шлака. Кладу кусачки под камень.

Вот и дорога. Близ неё — встаём.

Не стреляют.

Пошли вразвалочку, не торопясь, — теперь настал момент изобразить безконвойных, их барак близко. Срываем номера с груди, с колена — и вдруг из темноты навстречу двое. Идут из гарнизона в посёлок. Это солдаты. А на спинах у нас — ещё номера!! Громко говорю:

— Ваня! А может, сообразим на пол-литра?

Медленно идём, ещё не по самой дороге, а к ней. Медленно идём, чтобы они прошли раньше, но — прямо на солдат, и лиц не прячем. В двух метрах от нас проходят. Чтоб не поворачиваться к ним спинами, мы даже почти останавливаемся. Они идут, толкуют своё — и мы со спин друг у друга срываем номера!

Не замечены?!.. Свободны?! Теперь в посёлок за машиной.

Но — что это?? Над лагерем взвивается ракета! другая! третья!..

Нас обнаружили! Сейчас погоня! Бежать!!

И мы не решаемся больше рассматривать, раздумывать, соображать — весь наш великолепный план уже сломан. Мы бросаемся в степь — просто дальше от лагеря! Мы задыхаемся, падаем на неровностях, вскакиваем — а там взлетают и взлетают ракеты! По прошлым побегам мы представляем: сейчас выпустят погоню на лошадях с собаками на сворках — во все стороны по степи. И всю нашу драгоценную махорку мы сыпем на следы и делаем крупные прыжки.

Случайность! Случайность, как тот встречный воронок! Случайность, которую невозможно предвидеть! На каждом шагу подстерегают нас в жизни случайности благоприятные и враждебные. Но только в побеге, но только на хребте риска мы познаём всю их полную увесистость. Совершенно случайно через три-пять минут после выполза Тэнно и Жданка погасает свет зоны — и только поэтому с вышек швыряют ракетами, которых в тот год ещё много было в Экибастузе. Если бы беглецы ползли на пять минут позже — насторожившиеся конвоиры могли бы заметить их и расстрелять. Если бы беглецы смогли под освещённым ярким небом умерить себя, спокойно рассмотреть зону и увидеть, что погасли фонари и прожекторы зоны, они спокойно отправились бы за автомашиной, и весь их побег сложился бы совсем иначе. — Но в их положении — только что подлезли, и вдруг ракеты над зоной — и усомниться было нельзя, что это — за ними, по их головы. Короткий перебой в осветительной сети — и весь их побег оказался перевёрнут и распластан.

Теперь надо посёлок обойти большим кругом по степи. Это берёт много времени и труда. Коля начинает сомневаться, правильно ли я веду. Обидно.

Но вот и насыпь железной дороги на Павлодар. Обрадовались. С насыпи Экибастуз поражает рассыпанными огнями и кажется таким большим, каким мы никогда его не видели.

Подобрали палочку. Держась за неё, пошли так: один по одному рельсу, другой по другому. Пройдёт поезд, и собаки по рельсам не возьмут следа.

Метров триста так прошли, потом прыжками — и в степь.

И вот когда стало дышать нам легко, совсем по-новому! Захотелось петь, кричать! Мы обнялись. Мы на самом деле свободны! И какое уважение к себе, что мы решились на побег, осуществили его и обманули псарню.

И хотя все испытания воли только начинаются, а ощущение такое, что главное уже совершено.

Небо — чистое. Тёмное и полное звёзд, каким из лагеря оно никогда не видно из-за фонарей. По Полярной мы пошли на север-северо-восток. А потом подадимся правей — и будем у Иртыша. Надо постараться за первую ночь уйти как можно дальше. Этим в квадрат раз расширяется круговая зона, которую погоня должна будет держать под контролем. Вспоминая весёлые бодрые песенки на разных языках, мы быстро идём, километров по восемь в час. Но оттого, что много месяцев мы сидели в тюрьме, наши ноги, оказывается, разучились ходить, и вот устают. (Мы предвидели это, но ведь мы думали ехать на машине.) Мы начинаем ложиться, составив ноги кверху шалашиком. И опять идём. И ещё ложимся.

Странно долго не угасает зарево Экибастуза за спинами. Несколько часов мы идём, а зарево всё стоит на небе.

Но кончается ночь, восток бледнеет. Днём по гладкой открытой степи нам не только идти нельзя, нам даже спрятаться здесь нелегко: ни кустов, ни порядочной высокой травы, а искать нас будут и с самолёта, это известно.

И вот мы ножами выкапываем ямку (земля твёрдая, с камнями, копать трудно) — шириною в полметра, глубиною сантиметров в тридцать, ложимся туда валетом, обкладываемся сухим колючим жёлтым караганником. Теперь бы заснуть, набраться сил! А заснуть невозможно. Это дневное бессильное лежание больше чем полсуток куда тяжелее ночной ходьбы. Всё думается, всё думается... Припекает жаркое сентябрьское солнце, а ведь пить нечего, и ничего не будет. Мы нарушили закон казахстанских побегов: надо бежать весной, а не осенью... Но ведь мы думали — на машине... Мы изныываем от пяти утра — и до восьми вечера. Затекло тело — но нельзя нам менять положение: приподнимемся, разворочаем караганник — может всадник увидеть издали. В двух костюмах каждый мы пропадаем от жары. Терпи.

И только вóт когда темнота — время беглецов.

Поднялись. А стоять трудно, ноги болят. Пошли медленно, стараясь размяться. Мало и сил: за весь день погрызли сухих макарон, глотнули таблеток глюкозы. Пить хочется.

Даже в ночной темноте сегодня надо быть готовым к засаде: ведь, конечно, всюду сообщили по радио, во все стороны выслали автомашины, а в омскую сторону больше всего. Интересно: как и когда нашли наши телогрейки на земле и шахматы? По номерам сразу разберутся, что это — мы, и переклички по картотеке устраивать не надо.

А было так: утром работяги нашли холодные телогрейки, явно ночевавшие. Содрали номера и *тяпнули* их себе: телогрейка — это вещь! Надзиратели так и не видали их. И прорезанные нити колючки увидели только к вечеру понедельника. И по картотеке целый день дознавались — кто бежал. Беглецы ещё и утром могли открыто идти и ехать! Вот что значит — недосмотрелись, почему ракеты.

Когда же в лагере постепенно выяснилась картина побега воскресным вечером, то вспомнили, что свет гас, и восклицали: «Ну, хитрецы! Ну, ловкачи! Как же умудрились свет выключить?» И все долго будут считать, что потухший свет им помог.

Идём не больше четырёх километров в час. Ноги ноют. Часто ложимся отдыхать. Пить, пить! За ночь прошли не больше километров двадцати. И опять надо искать, где спрятаться, и ложиться на дневную муку.

Показались будто строения. Стали к ним подползать осторожно. А это, неожиданно в степи, валуны. Нет ли в их выемках воды? Нет... Под одним валуном щель. То ли шакалы прорыли. Протиснуться в неё было трудно. А вдруг обвалится? — раздавит в лепёшку, да ещё не умрёшь сразу. Уже холодновато. До утра не заснули. И днём не заснули. Взяли ножи, стали точить о камень: они затупились, когда копали яму на прошлой стоянке.

Среди дня — близкий стук колёс. Плохо, мы — около дороги. Совсем рядом с нами проехал казах. Бормотал что-то. Выскочить нагнать его, может, у него вода? Но как брать его, не осмотрев местности: может быть, мы видны людям?

По этой самой дороге как бы не пошла и погоня. Осторожно вылезли, осмотрелись снизу. Метрах в ста какое-то сломанное строение. Переползли туда. Никого. Колодец!! Нет, заброшен мусором. В углу труха от соломы. Полежим здесь? Легли. Сон не идёт. Э-э, блохи кусают! Блохи!! Да какие крупные, да сколько их! Светло-серый бельгийский колин пиджак стал чёрен от блох. Трясёмся, чистимся. Поползли назад, в шакалью щель. Время уходит, силы уходят, а не движемся.

В сумерки поднимаемся. Очень слабы. Мучит жажда. Решаем взять ещё правей, чтоб раньше выйти к Иртышу. Ясная ночь, небо чёрно-звёздное. Из созвездий Пегаса и Персея сочетается мне очертание быка, наклонившего голову и напористо идущего вперёд, подбодряя нас. Идём и мы.

Вдруг — перед нами взлетают ракеты! Уже они впереди! Мы замираем. Мы видим насыпь. Железная дорога. Ракет больше нет, но вдоль рельс засвечивает прожектор, луч покачивается в обе стороны. Это идёт дрезина, просматривая степь. Вот заметят сейчас — и всё... Дурацкая безпомощность: лежать в луче и ждать, что тебя заметят.

Прошла, не заметили. Вскакиваем. Бежать не можем, но побыстрей подаёмся от насыпи в сторону. А небо быстро заволакивает тучами, и мы, с нашим бросанием вправо и влево, потеряли точное направление. Теперь идём почти наугад. И километров делаем мало, и может они — ненужный зигзаг.

Пустая ночь!.. Опять светает. Опять рвём караганник. Яму копать — а моего кривого турецкого ножа нет. Я потерял его, когда лежал или когда резко бросился от насыпи. Беда! Как можно беглецу без ножа? Вырыли ямку колиным.

Одно только хорошо: у меня было предсказание, что я погибну тридцати восьми лет. Моряку трудно не быть суеверным. Но наступившее утро двадцатого сентября — мой день рожденья. Мне исполняется сегодня тридцать девять. Предсказание больше меня не касается. Я буду жить!

И опять лежим мы в ямке — без движения, без воды... Если б могли заснуть! — не спим. Если б дождь пошёл! — растянуло. Плохо. Кончаются т р е т ь и сутки побега — у нас ещё не было ни капли воды, мы глотаем в день по пять таблеток глюкозы. И продвинулись мы мало — может быть, на треть пути до Иртыша. А друзья там в лагере радуются за нас, что у зелёного прокурора мы получили свободу...

Сумерки. Звёзды. Курс норд-ост. Бредём. Вдруг слышим крик вдали: «Ва-ва-ва-ва!» Что это? По рассказу опытного беглеца Кудлы — так казахи отгоняют волков от овец.

Овцу! Овцу бы нам! — и мы спасены. В вольных условиях никогда бы не подумали пить кровь. А здесь — только дай.

Крадёмся. Ползём. Строения. Колодца не видим. В дом заходить — опасно, встреча с людьми — это след. Крадёмся к саманной кошаре. Да, это казашка кричала, отгоняя волков. Переваливаемся в кошару, где стена пониже, нож у меня в зубах. Ползком — охота на овцу. Вот слышу — дышит рядом. Но — шарахаются от нас, шарахаются! Мы опять заползаем с разных сторон. Как бы за ногу схватить? Бегут! (Позже, будет время, объяснят мне, в чём была ошибка. Мы ползём — и овцы принимают нас за зверей. Надо было подходить во весь рост, по-хозяйски, и овцы легко бы дались.)

Казашка чует что-то неладное, подошла, всматривается в темноту. Огня при ней нет, но подняла комья земли, стала бросать ими, попала в Колю. Идёт прямо на меня, вот сейчас наступит! Увидела или почувствовала, заверещала: «Шайтан! Шайтан!» — и от нас, а мы от неё, через стенку, и залегли. Мужские голоса. Спокойные. Наверно, говорят: почудилось бабе.

Поражение. Что ж, бредём дальше.

Силуэт лошади. Красавица! Нужна бы. Подходим. Стоит. Потрепали её по шее, накинули на неё ремень. Жданка я подсадил, а сам не могу вскарабкаться, так ослаб. Руками цепляюсь, животом наваливаюсь, а ноги́ взбросить не могу. Она вертится. Вот вырвалась, понесла Жданка, свалила. Хорошо хоть ремень остался у него в руке, не оставили следа, вали всё на шайтана.

Из сил выбились с этой лошадью. Ещё трудней идти. А тут земля пошла распаханная, борозды. Увязаем, волочим ноги. Но отчасти это и хорошо: где пахота — там люди, где люди — там вода.

Идём, бредём, тащимся. Опять силуэты. Опять залегли и ползём. Стоги сена! Здо́рово, луга? Иртыш близко? (Ещё ой как далеко...) Из сил последних забрались наверх, закопались.

Вот когда заснули мы на целый день! Вместе с бессонной ночью перед побегом это мы потеряли уже пять ночей без сна.

Мы просыпаемся в конце дня, слышим трактор. Осторожно разбираем сено, высовываем головы чуть-чуть. Подъехали два трактора. Избёнка. Уже вечереет.

Идея! — в трактор залита охлаждающая вода! Трактористы лягут спать — и мы её выпьем.

Стемнело. Исполнилось ч е т в е р о суток побега. Ползём к тракторам.

Хорошо хоть собаки нет. Тихо добрались до слива, глотнули, — нет, с керосином вода. Отплёвываемся, не можем пить.

Всё тут у них есть — и вода, и еда. Сейчас постучаться, попросить Христом-Богом: «Братцы! Люди! Помогите! Мы — узники, мы из тюрьмы бежали!» Как это было в девятнадцатом веке — к таёжным тропкам выносили горшки с кашей, одежёнку, медные деньги.

> Хлебом кормили крестьянки меня,
> Парни снабжали махоркой.

Чёрта лысого! Время не то. Продадут. Или от души продадут, или себя спасая. Потому что за *соучастие* можно и им влепить по четвертаку. В прошлом веке не догадывались давать за хлеб и за воду политическую статью.

И мы тащимся дальше. Тащимся всю ночь. Мы ждём Иртыша, мы ловим признаки реки. Но нет их. Мы гоним и гоним себя, не щадя. К утру попадается опять стог. Ещё трудней, чем вчера, мы на него взлезаем. Засыпаем. И то хорошо.

Просыпаемся к вечеру. Сколько же может вынести человек? Вот уже п я т ь суток побега. Недалеко видим юрту, близ неё — навес. Тихо туда крадёмся. Там насыпана магара. Набиваем ею портфель, пытаемся жевать, но нельзя проглотить — так высох рот. Вдруг увидели около юрты огромный самовар, ведра на два. Подползли к нему. Открыли кран — пустой, проклятый. Когда наклонили — сделали глотка по два.

И снова побрели. Брели и падали. Лежишь — дышится легче. Подняться со спины уже не можем. Чтобы подняться, надо сперва перекатиться на живот. Потом встать на четвереньки. Потом, качаясь, на ноги. И уже одышка. Так похудели, что, кажется, живот прирос к позвоночнику. Под утро переходим зараз метров на двести, не больше. И ложимся.

Утром и стог уже не попался. Какая-то нора в холме, выкопанная зверем. Пролежали в ней день, а заснуть не могли; в этот день похолодало, и от земли холодно. Или кровь уже не греет? Пытаемся жевать макароны.

И вдруг я вижу: цепь идёт! Краснопогонники! Нас окружают! Жданок меня дёргает: да тебе кажется, это — табун лошадей.

Да, померещилось. Опять лежим. День — бесконечный. Вдруг пришёл шакал — к себе в нору. Мы положили ему макарон и отползли, чтоб заманить его, припороть и съесть. Но он не взял. Ушёл.

В одну сторону от нас — уклон, и по нему ниже — солончаки от пересохшего озера, а на другом берегу — юрта, дымок тянется.

Шесть суток прошло. Мы — уже на пределе: прибредились вот краснопогонники, язык во рту не ворочается, мочимся редко и с кровью. Нет! Этой ночью пищу и воду добыть любой ценой! Пойдём туда, в юрту. А если откажут — брать силой. Я вспомнил: у старого беглеца Григория Кудлы был такой клич: *махмадэ́ра!* (Это значит: уговоры окончены, бери!) Так с Колей и договорились: скажу «махмадэра!».

В темноте тихо подкрались к юрте. Есть колодец! Но нет ведра. Невдалеке коновязь, осёдланная лошадь стоит. Заглянули в щель двери. Там, при коптилке, казах и казашка, дети. Стучим. Вошли. Говорю: «Салам!» А у самого перед глазами круги, как бы не упасть. Внутри — круглый низкий стол (ещё ниже нашего модерна) для бешбармака. По кругу юрты — лавочки, покрытые кошмой. Большой кованый сундук.

Казах пробурчал что-то в ответ, смотрит исподлобья, не рад. Я для важности (да и силы надо сохранить) сел, положил портфель на стол. «Я — начальник геолого-разведочной партии, а это мой шофёр. Машина в степи осталась, с людьми, километров пять-семь отсюда: протекает радиатор, ушла вода. И сами уж мы третьи сутки не евши, голодные. Пить-есть нам дай, аксакал. И — что посоветуешь делать?»

Но казах щурится, пить-есть не предлагает. Спрашивает: «А как пами́лий начальник?»

Всё у меня было приготовлено, но голова гудит, забыл. Отвечаю: «Иванов. — (Глупо конечно.) — Ну, так продай продуктов, аксакал!» — «Нет. К соседу иди». — «Далеко?» — «Два километра».

Я сижу с осанкой, а Коля тем временем не выдержал, взял со стола лепёшку и пытается жевать, но, видно, трудно у него идёт. И вдруг казах берёт кнут — короткая ручка, а длинная кожаная плеть — и замахивается на Жданка. Я подымаюсь: «Эх вы, люди! Вот ваше гостеприимство!» А казах ручкой кнута тычет Жданка в спину, гонит из юрты. Я командую: «Махмадэра!» Нож достаю и казаху: «В угол! Ложись!» Казах бросился за полог. Я за ним: может, там у него ружьё, сейчас вы-

177

стрелит? А он шлёпнулся на постель, кричит: «Всё бери! Ничего не скажу!» Ах ты, сука! Зачем мне твоё «всё»? Почему ты мне раньше не дал то немного, что я просил.

Коле: «Шмон!» Сам стою с ножом у двери. Казашка визжит, дети заплакали. «Скажи жене — никого не тронем. Нам надо — есть. Мясо — бар?» — «Йок!» — Руками разводит. А Коля шурует по юрте и уже тащит из клетушки вяленого барана. «Что ж ты врал?!» Тащит Коля и таз, а в нём — баурсаки — куски теста, проваренные в жиру. Тут я разобрался: на столе в пиалах стоит кумыс! Выпили с Колей. С каждым глотком просто жизнь возвращается! Что за напиток! Голова закружилась, но от опьянения как-то легко, силы прибавляются. Коля во вкус вошёл. Деньги мне протягивает. Оказалось двадцать восемь рублей. В заначке где-нибудь у него не столько. Барана валим в мешок, в другой сыпем баурсаки, лепёшки, конфеты какие-то, подушечки грязные. Тащит Коля ещё и миску с бараньими выжарками. Нож! — вот он-то нам нужен. Ничего стараемся не забыть: ложки деревянные, соль. Мешок я уношу. Возвращаюсь, беру ведро с водой. Беру одеяло, запасную уздечку, кнут. (Ворчит, не понравилось: ему же нас догонять.)

«Так вот, — говорю казаху, — учись, запоминай: надо к гостям добрее быть! Мы б тебе за ведро воды да за десяток баурсаков в ноги поклонились. Мы хороших людей не обижаем. Последние тебе указания: лежи, не шевелись! Мы тут не одни».

Оставляю Колю снаружи у дверей, сам тащу остальную добычу к лошади. Как будто надо спешить, но я спокойно соображаю. Лошадь повёл к колодцу, напоил. Ей ведь тоже работка: целую ночь идти перегруженной. Сам у колодца напился. И Коля напился. Тут подошли гуси. Коля слабость имеет к птице. Говорит: «Прихватим гусей? скрутим головы?» — «Шуму будет много. Не трать времени». Спустил я стремена, подтянул подпругу. Сзади седла Жданок положил одеяло и на него сел с колодезного сруба. В руки взял ведро с водой. Перекинули через лошадь два связанных мешка. Я — в седло. И по звёздам поехали на восток, чтобы сбить погоню.

Лошадь недовольна, что седоков — двое и чужие, старается извернуться к дому назад, шеей крутит. Ну, совладали. Пошла ходко. В стороне огоньки. Объехали их. Коля мне напевает на ухо:

Хорошо в степи скакать, вольным воздухом дышать,
Только был бы конь хороший у ковбоя!

«Я, — говорит, — у него ещё паспорт видел». — «Чего ж не взял? Паспорт всегда пригодится. Хоть корочку издали показать».

По дороге, не слезая, очень часто пили воду, закусывали. Совсем другой дух! Теперь бы за ночь отскакать подальше!

Вдруг услышали крики птиц. Озеро. Объезжать — далеко, жалко время терять. Коля слез и повёл лошадь топкой перемычкой. Прошли. Но кинулись — нет одеяла. Соскользнуло... *Дали след...*

Это очень плохо. От казаха во все стороны — много путей, но по найденному одеялу, если эту точку добавить к юрте казаха — выявится наш путь. Возвращаться, искать? Времени нет. Да всё равно поймут, что идём на север.

Устроили привал. Лошадь держу за повод. Ели-пили, ели-пили без конца. Воды осталось — на дне ведра, сами удивляемся.

Курс — норд. Рысью лошадь не тянет, но быстрым шагом, километров по восемь-десять в час. Если за шесть ночей мы километров полтораста дёрнули — за эту ночь ещё семьдесят. Если бы зигзагов не делали — уже были б у Иртыша.

Рассвет. А укрытия нет. Поехали ещё. Уже и опасно ехать. Тут увидели глубокую впадину, вроде ямы. Спустились туда с лошадью, ещё попили и поели. Вдруг — затарахтел близко мотоцикл. Это плохо, значит — дорога. Надо укрыться надёжней. Вылезли, осмотрелись. Не так далеко — мёртвый брошенный аул. Направились туда. В трёх стенах разрушенного дома сгрузились. Спутал лошади передние ноги, пустил пастись.

Но сна в этот день не было: казахом и одеялом дали след.

Вечер. С е м ь суток. Лошадь пасётся вдали. Пошли за ней — отпрыгивает, вырывается; схватил Коля за гриву — потащила, упал. Распутала передние ноги — и теперь её уже не взять. Три часа ловили — измучились, загоняли её в развалины, накидывали петлю из ремней, так и не далась. Губы кусали от жалости, а пришлось бросить. Остались нам уздечка да кнут.

Поели, выпили последнюю воду. Взвалили на себя мешки с пищей, пустое ведро. Пошли. Сегодня силы есть.

Следующее утро застало нас так, что пришлось спрятаться в кустах и недалеко от дороги. Место неважное, могут заметить. Протарахтела телега. Не спали ещё и этот день.

С концом в о с ь м ы х суток пошли опять. Шли сколько-то — и вдруг под ногами мягкая земля: здесь было пахано. Идём дальше — фары автомобилей по дорогам. Осторожно!

В облаках — молодая луна. Опять вымерший разрушенный казахский аул*. А дальше — огоньки села, и доносится оттуда к нам:

Распрягайте, хлопцы, коней!..

Мешки положили в развалинах, а с ведром и с портфелем пошли к селу. Ножи в карманах. Вот и первый дом — поросёнок хрюкает. Попался бы ты нам в степи! Навстречу едет парень на велосипеде. «Слушай, браток, у нас тут машина, зерно везём, где б нам воды,

---

* Таких немало по Казахстану от 1930—33 годов. Сперва Будённый прошёл тут со своей конницей (до сих пор во всём Казахстане — ни одного колхоза его имени, ни одного портрета), потом — голод.

радиатор залить?» Парень слез, повёл нас, показал. На околице — чан, наверно, скот из него пьёт. Зачерпнули ведро, несём, не пьём. Разошлись с парнем, тогда сели — и пить, пить. Полведра сразу выпили (сегодня особенно пить хотелось, потому что сыты).

Как будто тянет прохладой. И под ногами — трава настоящая. Должна быть река! Нужно реку искать. Идём, ищем. Трава выше, кусты. Ива! — а она всегда около воды. Камыш! И вода!!.. Наверно, затон Иртыша. Ну, теперь плескаться, мыться! Двухметровый камыш! Утки выпархивают из-под ног. Приволье! Здесь мы не пропадём!

И вот когда, за восемь суток первый раз, желудок обнаружил, что он работает. После восьми суток бездействия — какие же это мучения! Вот такие, наверно, и роды...

А потом опять к заброшенному аулу. Развели там костёр между стен, варили вяленую баранину. Надо бы тратить ночь на движение, но хочется есть и есть, ненасытимо. До того наелись, что двигаться трудно. И, довольные, пошли искать Иртыш. Чего не было восемь суток, то случилось теперь на развилке — спор. Я говорю — направо, Жданок — налево. Я чувствую точно, что направо, а он не хочет слушаться. Вот ещё какая опасность ждёт беглецов — размолвка. В побеге обязательно за кем-нибудь должно быть решающее слово. Иначе беда. Чтоб настоять на своём, я пошёл направо. Прошёл метров сто, шагов сзади не слышно. Душа болит. Ведь расставаться нельзя. Присел у стога, смотрю назад... Идёт Коля! Обнял его. Пошли рядом, как ни в чём не бывало.

Больше кустов, больше прохлады. Подошли к обрыву. Внизу плещет, журчит и влажно дышит на нас Иртыш... Радость переполняет!

Мы находим стог сена, забираемся в него. Ну, псы, где вы нас ищете? Ау! И крепко заснули.

И... — проснулись от выстрела! И — собачий лай рядом!..

Как? И всё? И вот уже — конец свободе?..

Прижались, не дышим. Мимо прошёл человек. С собакой. Охотник... Ещё крепче заснули — на целый день. И так проводили наши д е в я т ы е сутки.

С темнотой пошли вдоль реки. След мы дали трое суток назад. Теперь псарня ищет нас только около Иртыша. Им понятно, что мы тянемся к воде. Идти вдоль берега — вполне можем наскочить на засаду. И неудобно так идти — надо обходить изгибы, затоны, камыши. Нужна лодка!

Огонёк, домик на берегу. Плеск вёсел, потом тишина. Затаились и долго ждём. Огонь там погасили. Тихо спускаемся. Вот и лодка. И пара вёсел. Добро! (А ведь мог хозяин и прихватить их с собой.) «Дальше в море — меньше горя!» Родная стихия. Сперва тихо, без плесков. На середину вышли — налёг на вёсла.

Мы идём вниз по Иртышу, а навстречу нам из-за поворота — освещённый пароход. Сколько огней! Все окна светятся, весь пароход звучит танцевальной музыкой. Счастливые свободные пассажиры, не понимая своего счастья и даже не ощущая своей свободы, ходят по палубе, сидят в ресторане. А как уютно у них в каютах!..

Так мы спускаемся километров больше двадцати. Продукты у нас на исходе. Пока ещё ночь, благоразумно пополнить. Услышали петухов, пристаём к берегу и подымаемся туда тихо. Домик. Собаки нет. Хлев. Корова с телёнком. Куры. Жданок любит птиц, но я говорю: берём телёнка. Отвязываем его. Жданок ведёт к лодке, а я в самом подлинном смысле заметаю следы: иначе *псарне* будет явно, что мы плывём по реке.

До берега телёнок шёл спокойно, а в лодку идти не захотел, упирался. Еле-еле мы его вдвоём ввели, уложили. Жданок сел на него, придавил собою, я погрёб, — оторвёмся, там заколем. Но это была ошибка — везти его живым. Телёнок стал подниматься, сбросил Жданка и уже передними ногами выбрыкнул в воду.

Аврал! Жданок держит телёнка за зад, я держу Жданка, мы все переклонились в одну сторону, и вода заливает через борт. Только не хватает нам утонуть в Иртыше. Всё же втащили телёнка! Но лодка сильно осела в воду, откачивать надо. Но ещё прежде надо забить телёнка! Беру нож и хочу разрезать ему сухожилье на загривке, где-то тут есть место. Но места не нахожу или нож тупой, не берёт. Телёнок дрожит, вырывается, волнуется, — и я волнуюсь. Стараюсь перерезать ему горло — опять не выходит. Мычит, брыкается, вот выпрыгнет из лодки или потопит нас. Ему надо жить! — но и нам надо жить!!

Режу — и не могу зарезать. Он качает, толкает лодку, дурак безсмысленный, и вот потопит нас сейчас! И за то, что он такой дурной и упрямый, меня охватывает к нему красная ненависть, как к самому большому врагу, и я начинаю со злостью, безпорядочно тыкать, колоть его ножом!* Его кровь бьёт, льётся на нас. Телёнок громко мычит, отчаянно выбрыкивает. Жданок зажимает ему морду, лодка качается, а я всё колю его и колю. А ведь раньше я мышонка жалел, букашку! А сейчас не до жалости: или он, или мы!

Наконец замер. Стали скорей отливать воду — черпаком и банками, в четыре руки. И — грести.

Течением потянуло нас в протоку. Впереди — остров. Вот на нём бы и спрятаться, скоро утро. Загнали лодку в камыши хорошенько. Вытащили на берег телёнка и всё наше добро, лодку ещё и сверху забросали камышом. Нелегко было телёнка за ноги на крутой обрыв. А там — трава по пояс и лес. Сказочно! Мы — несколько лет уже в пустыне. Мы забыли, какой бывает лес, трава, река...

Рассветает. И кажется: у телёнка — как бы обиженная морда. Но благодаря ему, братку, мы можем пожить теперь на острове. Точим нож об обломок напильника от «катюши». Никогда не приходилось раньше свежевать, но учусь. По брюху разрезал, подпорол шкуру, вынул внутренности. В глубине леса развели

---

* Не так ли наши угнетатели, нас губя, нас же и ненавидят?

костёр и стали варить телятину с овсяными хлопьями. Целое ведро.

Пир! Главное — спокойно на душе. Оттого спокойно, что — на острове. Остров отделяет нас от злых людей. Среди людей есть и добрые, но что-то они не очень часто встречаются беглецам, а всё — злые.

Солнечный жаркий день. Нам не надо корчиться в шакальей норе. Трава — густая, сочная. Кто каждый день её топчет, не знает ей цену, как это — кинуться в неё грудью, уткнуться лицом.

Бродим по острову. Он густо зарос кустами шиповника, и ягоды уже поспели. Едим их без конца. И опять едим суп. И опять варим телятину. Кашу варим с почками.

Настроение лёгкое. Вспоминаем наш трудный путь и немало находим, над чем посмеяться. И как там скетч наш ждут. Как ругаются, как перед Управлением отчитываются. Представляем в лицах. Хохочем!..

На толстом стволе, срезав кору, выжигаем раскалённой проволокой: «Здесь на пути к свободе в октябре 1950 спасались люди, невинно осуждённые на пожизненную каторгу». Пусть остаётся след. В такой глуши он не поможет погоне, а когда-нибудь люди прочтут.

Мы решаем никуда не спешить. Всё, для чего мы бежали, у нас есть: свобода! (Когда мы доберёмся до Омска или до Москвы, вряд ли она будет полней.) Ещё тёплые солнечные дни, чистый воздух, зелень, досуг. И мяса вдоволь. Только хлеба нет, очень не хватает.

И так мы живём на острове почти неделю: от д е - с я т ы х суток и начинаем ш е с т н а д ц а т ы е. В самой гуще мы строим сухой шалаш. Ночами холодно и в нём, правда, но мы досыпаем днями. Все эти дни нам светит солнышко. Мы много пьём, стараемся по-верблюжьи напиться про запас. Мы безмятежно сидим и через ветки подолгу смотрим на жизнь — там, на берегу. Там ездят машины. Там косят траву — второй покос. К нам никто не заглядывает.

Вдруг днём, когда мы дремлем в траве на последнем солнышке, слышим на острове стук топора. Приподнимаемся и видим: недалеко человек рубит сучья и постепенно движется к нам.

За полмесяца я оброс, страшная рыжая щетина, бриться нечем, типичный беглец. А у Жданка ничего не растёт, он как пацан. Поэтому я притворяюсь спящим, а его посылаю идти, не дожидаясь, просить закурить, сказать, что мы — туристы из Омска, узнать, откуда он. А если что — я наготове.

Коля пошёл, потолковал. Закурили. Оказался — казах, из соседнего колхоза. После видим: пошёл по берегу, сел в лодку и, не взяв нарубленных сучьев, погрёб.

Что это значит? Спешит сообщить о нас? (А может, наоборот, испугался? — донесём на него, и за порубку леса тоже ведь срок. Такая жизнь, что все боятся всех.) «Как ты сказал о нас?» — «Мы — альпинисты». И смех, и грех — всегда Жданок что-нибудь напутает. «Я ж тебе сказал — туристы! Какие ж альпинисты в ровной степи?»

Нет, не оставаться нам тут! Конец блаженству. Перетащили всё в лодку и отвалили. Хоть и день, а надо скорей уходить. Коля лёг на дно лодки, его не видно, со стороны — один человек. Я гребу, держусь середины Иртыша.

Одна проблема — купить хлеба. Вторая — мы выходим в людные места, и непременно мне надо побриться. В Омске рассчитываем продать один из костюмов, сесть на несколько станций дальше и уехать поездом.

Перед вечером подплываем к домику бакенщика, поднимаемся. Там — женщина, одна. Испугалась, заметалась: «Сейчас позову мужа!» И пошла куда-то. Я — за ней, слежу. Вдруг от домика Жданок безпокойно кричит: «Жора!» (Чёрт бы тебя задрал, язык у тебя никудышный. Договорились же, что я — Виктор Александрович.) Возвращаюсь. Два человека, один из них — с охотничьим ружьём. «Кто такие?» — «Туристы, из Омска. Продуктов хотим купить. — И чтоб рассеять подозрения: — Да зайдёмте в дом, что вы так плохо принимаете?» И действительно, они расслабляются: «У нас нет ничего. Может, в совхозе. Два километра ниже».

Идём в лодку и спускаемся ещё двадцать. Вечер лунный. Поднимаемся по обрыву. Домик. Свет не горит. Стучим. Выходит казах. И этот первый человек продаёт нам — полбуханки хлеба, четверть мешка картошки. Покупаем и иголку с ниткой (это, наверно, неосторожно). И бритву спрашиваем, но он не бреется, у него не растёт. Всё-таки первый добрый человек. Мы входим во вкус и спрашиваем, нельзя ли рыбки. Поднялась жена, несёт нам две рыбки и говорит: «Беш деньгá». — Это уж — выше ожидания, отдаёт без денег! Ну, действительно добрые люди! Сую рыб в мешок, тащит рыб своих назад. «Беш деньгá, пять рублей», — объясняет хозяин. Ах вот оно что! Нет, не берём, дорого.

Мы плывём остаток ночи. Следующий, с е м н а д ц а т ы й день побега прячем лодку в кустах, сами спим в сене. И так же — в о с е м н а д ц а т ы е и д е в я т н а д ц а т ы е сутки, стараясь не встречаться с людьми. Всё есть у нас: вода, огонь, мясо, картошка, соль, ведро. На обрывистом правом берегу — лиственные леса, на левом — луга, много сена. Днём разводим в кустах костёр, варим похлёбку, спим.

Но скоро будет Омск, и неизбежен выход в люди, а значит, нужна бритва. Полная безпомощность: без бритвы и без ножниц ничего не придумаешь, как избавиться от волос. Хоть выщипывай по волосочку.

В лунную ночь мы увидели высокий курган над Иртышом. Подумали — сторожевой? ермаковских времён! Взлезли посмотреть. И при луне увидели таинственный мёртвый город из саманных домов. Тоже, наверно, от начала тридцатых... Что горит — жгли, саман — рушили, кого привязывали к хвостам лошадей. Сюда туристы не ездят...

Дождя не было ни разу за все эти две недели. Но стали очень уже холодные ночи. Для скорости грёб больше я, а Жданок сидел на корме и мёрз. И вот

двадцатой ночью он стал просить зажечь костёр и согреться кипятком. Я сажал его за вёсла, но он трясся в ознобе и просил только костра.

В этом костре ему не мог отказать товарищ по побегу — Коля должен был понять и отказаться сам. Но у Жданка это было, что он не мог бороться со своим желанием: как когда-то схватил лепёшку со стола или как соблазняла его домашняя птица.

Он дрожал и просил костра. Но ведь вдоль Иртыша нас должны повсюду настороженно ждать. Это удивительно, что мы до сих пор ни разу не пересеклись с конвоем. Что лунными ночами на середине Иртыша они нас не заметили и не остановили.

Тут мы увидели на высоком берегу огонёк. Коля стал просить вместо костра зайти и погреться. Это было ещё опаснее. Нельзя было соглашаться. Столько перетерпеть, столько пройти — и для чего же? Но отказать я ему не мог, может, заболел. А сам он не отказывался.

При коптилке спали на полу казах и казашка. Вскочили, испугались. Я объясняю: «Заболел вот у меня человек, дайте обогреться. Мы — командировочные, от Заготзерна. Нас на лодке перевезли с той стороны». Говорит казах: «Ложитесь». Лёг Коля на какую-то кошму, прилёг и я для виду. Это — первый наш кров за весь побег, но жжёт меня от него. Я не только уснуть — я лежать не могу. Такое состояние, будто мы сами себя предали, сами залезли в западню.

Старик вышел в одном нижнем (иначе б я за ним пошёл) и долго не идёт. Слышу — за пологом шепчутся по-казахски. Это молодые. Спрашиваю: «Вы — кто? Бакенщики?» — «Нет, мы — животноводческий совхоз имени Абая, первый в республике». Ну и местечко выбрали, хуже быть не может! Где совхоз — там власть и милиция. Да ещё первый в республике! Значит, стараются...

Жму руку Коле: «Я к лодке, догоняй. С портфелем». Вслух говорю: «Продукты-то мы зря на берегу оставили». Выхожу в сени. Толкаю наружную дверь —

заперта. Так, ясно. Возвращаюсь, по тревоге дёрнул Колю и опять к двери. Дверь обивали плотники плохие, внизу доска одна короче, туда просовываю руку и долго тянусь... — вот оно, колышком снаружи подпёрто. Столкнул его.

Выхожу. Скорей к берегу. Лодка на месте. В полной луне стою и жду. Но Коли не видно. Ах ты горе! Значит, нет воли у него встать. Согревается лишнюю минуту. Или схватили. Надо идти выручать.

Поднимаюсь опять на обрыв. Ко мне от дома идут четверо, среди них — Жданок. Плотно идут (или держат его?). Кричит: «Жора! (Опять «Жора»!) Иди сюда! Документы требуют!» А портфеля, как я ему велел, в руках нет.

Подхожу. Новый с казахским акцентом спрашивает: «Ваши документы!» Держусь как можно спокойнее: «А вы кто такой?» — «Я — комендант». — «Ну что ж, — говорю поощрительно, — пойдёмте. Документы всегда проверить можно. Там, в доме, и свету больше». Пошли в дом.

Я поднимаю медленно портфель с пола, подхожу к коптилке, примеряюсь, как лучше отбиться и выскочить, а сам заговариваю: «Документы всегда, пожалуйста. Документы проверять — надо, у кого следует. Бдительность не мешает. У нас в Заготзерне тоже случай был...» Уже за замок держусь — портфель расстегнуть. Сгрудились вокруг меня. Ка-ак двину коменданта плечом влево, он — на старика, оба упали. Молодому — справа прямой в челюсть. Визг, крики! Я — «Махмадэра!» — и с портфелем прыгаю в одну дверь, в другую. Тут Коля из сеней мне кричит: «Жора! Держат!» Он уцепился за косяк двери, а его тянут внутрь. Рванул его за руку, не могу вытянуть. Тогда упёрся ногой в косяк — и так рванул, что Коля через меня перелетел, а сам я упал. На меня тут же двое навалились. Не понимаю, как я из-под них выскочил. Портфель наш драгоценный там остался. Побежал прямо к обрыву, и прыжками! Сзади по-русски: «Топором его! Топором!» Наверно, пугают, иначе бы — по-казахски.

Чувствую, что уже дотягиваются до меня руками. Спотыкаюсь, вот упаду! Коля уже у лодки. Кричу: «Сталкивай! Прыгай сам!» Он сталкивает, а я вбегаю по колени в воду, уже потом прыгаю в лодку. Казахи в воду не решаются, бегают по берегу: «гыр-гыр-гыр!» Кричу им: «Что? Взяли, гады?»

Хорошо, что не было у них ружья. Я погнал лодку по течению. Они горланят, бегут по берегу, но дорогу им преградил заливец. Я снял свои две пары брюк — флотские и костюмные, отжимаю, зуб на зуб не попадает. «Ну что, Коля, обогрелись?» Молчит...

Ясно, что с Иртышом теперь надо прощаться. На рассвете надо на берег и тянуть до Омска на попутных машинах. Да уж недалеко.

В портфеле осталась «катюша» и соль. А где бритву добыть, уж не говорю обсушиться? Вот у берега — лодка, домик. Видно, бакенщик. Сходим на берег, стучим. Света не зажигают. Густой мужской голос: «Кто?» — «Пустите погреться! Чуть не утонули, лодка опрокинулась». Долго возятся, потом открывают дверь. В сенях в полусвете стоит сбок двери дюжий старик, русский, обеими руками поднял на нас топор. На первого опустит, не остановить! «Да не бойтесь, — уговариваю. — Мы из Омска. В командировке были, в совхозе Абая. Хотели на лодке до нижнего района доплыть, да выше вас там перекат и сети стоят, мы сплоховали, перевернулись». Ещё смотрит подозрительно, не опуская топора. Где я его видел, на какой картине? Какой-то былинный старик — грива седая, голова седая. Наконец отозвался: «Это что ж, значит, в Железянку?» Вот добро, узнали и где находимся. «Ну да, в Железянку. Да главное — портфель утонул, а там денег 150 рублей. Мясо купили в совхозе, теперь уж и не до мяса. Может, купите у нас?» Жданок пошёл за мясом. Старик допустил меня в горницу, там керосиновая лампа, на стене — охотничье ружьё. «Теперь документы у вас проверим». Стараюсь говорить бодрей: «Документы у нас всегда при себе, хорошо, что в верхнем кармане, не замокли. Я — Столяров Виктор Александрович, уполномоченный областного управления животноводства». Теперь нужно скорей инициативу перехватить. «А вы кто?» — «Бакенщик». — «А имя-отчество?» Тут Коля пришёл, и старик больше о документах не заговаривал. Сказал, что на мясо у него денег нет, а чайком попоить может.

Просидели у него с часок. Он согрел нам чаю на щепках, дал хлеба и даже отрезал сала. Говорили об иртышском фарватере, за сколько лодку купили, где продавать. Он больше сам говорил. Смотрел сочувствующим умным старым взглядом, и казалось мне, что он всё понимает, настоящий человек. Хотелось мне даже ему открыться. Но нам бы это не помогло: бритвы у него явно не было, он обрастал, как всё в лесу растёт. А ему безопасней было не знать, иначе — «знал — не сказал».

Мы ему оставили нашей телятины, он нам дал спичек, пошёл провожать и растолковал, где какой стороны держаться. Мы отвалили и быстро погребли, чтоб как можно дальше уйти за последнюю ночь. Хватали нас на правом берегу, так мы теперь больше жались к левому. Луна — над нашим берегом, но небо чистое — и видим, как вдоль правого, обрывистого и лесного, тоже по течению спускается лодка, только мы быстрей.

Не опер ли группа?.. Идём параллельным курсом. Я решился действовать нагло, нажал на вёсла, сблизился. «Земляк! Куда путь держишь?» — «В Омск». — «А откуда?» — «Из Павлодара». — «Что так далеко?» — «Совсем, на жительство».

Для опера его окающий голос слишком простоват, отвечает охотно, видно, даже рад встрече. Жена у него спит в лодке, а он за вёслами ночь коротает. Вглядываюсь — не лодка, а арба, скарбу полно, завалено всё узлами.

Быстро соображаю. В последнюю ночь, в последние часы на реке — и такая встреча! Если переезжает с концами, значит, у них тут и продукты, и деньги, и паспорта, и одежда, и даже бритва. И никто их нигде не хватится. Он один, нас двое, жена не в счёт. Я пройду по его паспорту, Коля переоденется, сойдёт за бабу:

маленький, лицо голое, фигуру вылепим. У них, конечно, найдётся и чемодан — для нашего дорожного вида. И любой шофёр сегодня же утром подбросит нас до Омска.

Когда не грабили на русских реках? Судьба лихая, какой выход? После того как мы дали след на реке, — единственный шанс и последний. Жаль работягу лишать добра — но кто нас жалел? Или кто пожалеет?

Всё это — мгновенно, и у меня и у Жданка в голове. И я только тихо спрашиваю: «Угм-м?» И он тихо: «Махмадэра».

Я всё больше сближаюсь и теперь уже тесню их лодку к крутому берегу, к тёмному лесу, спешу не допустить до поворота реки — там, может быть, лес кончится. Меняю голос на начальственный и командую:

— Внимание! Мы — опергруппа министерства внутренних дел. Причаливайте к берегу. Проверка документов!

Гребец бросил вёсла: то ли растерялся, то ли даже обрадовался — не разбойники, опергруппа.

— Пожалуйста, — окает, — можете здесь, на воде проверить.

— Сказано к берегу — значит, к берегу! И быстро.

Подошли. Стали почти борт к борту. Мы выпрыгнули, он с трудом лезет через тюки, видим — хромает. Жена проснулась: «Ещё далеко?» Подаёт парень паспорт. «А военный билет?» — «Я инвалид, по ранению, с учёта снят. Вот тут справочка...» Вижу — на носу их лодки сверкнуло металлом — топор. Даю Коле знак — изъять. Коля рванулся слишком резко и схватил топор. Баба завыла, почувствовала. Я строго: «Это что за крик? Прекратить. Мы беглецов ищем. Преступников. А топор тоже оружие». Немного успокоилась.

Даю команду Коле:

— Лейтенант! Сходите на пост. Там должен быть капитан Воробьёв.

(И звание и фамилия сами пришли на ум, а вот почему: дружок наш — капитан Воробьёв, беглец, остался сидеть в экибастузском БУРе.)

Коля понял: посмотреть наверху, нет ли кого, можно ли действовать. И побежал наверх. Я пока допрашиваю и присматриваюсь. Задержанный угодливо присвечивает мне своими спичками. Я прочитываю паспорта и справки. Подходит и возраст — инвалиду нет сорока. Работал бакенщиком. Теперь продали дом, корову. (Все деньги, конечно, с собой.) Едут счастья искать. Мало им было дня, поехали ночью.

Случай исключительный, случай редкий, именно потому, что их нигде не хватятся. Но что мы хотим? Нужны нам их жизни? Нет, я не убивал людей и не хочу. Следователя или опера, когда они истязают меня, — да, но не может подняться рука на простых работяг. Взять их деньги? Только очень немного. Ну, как немного? На два билета до Москвы. И на питание. Да ещё кое-что из барахла. Это их не разорит. А если не взять их документов и лодки не взять — и договориться, чтоб не заявляли? Трудно поверить? Да и как же нам без документов?

А если возьмём у них документы — им ничего не останется, как заявить. А чтоб они не заявили — надо их тут связать. Так связать, чтоб у нас было суток двое-трое в запасе.

Но тогда попросту значит... ?

Вернулся Коля, дал знак, что наверху порядок. Он ждёт от меня «махмадэра»! Что делать?

Рабский каторжный Экибастуз встаёт перед глазами. И туда — возвращаться?.. Неужели же не имеем права... ?

И вдруг — вдруг что-то очень лёгкое коснулось моих ног. Я посмотрел: что-то маленькое, белое. Наклонился, вижу: это белый котёнок. Он выпрыгнул из лодки, хвостик у него задран стебельком, он мурлычет и трётся о мои ноги.

Он не знает моих мыслей.

И от этого котячьего прикосновения я почувствовал, что воля моя надломилась. Натянутая двадцать суток от самого подлаза под проволоку — как будто лопнула. Я почувствовал: чтó бы Коля мне сейчас ни сказал, я не могу не только жизнь у них отнять, но даже их трудовых кровных денег.

Сохраняя суровость:

— Ну, ждите здесь, сейчас разберёмся!

Мы поднимаемся вверх на обрыв, у меня в руках их документы. Я говорю Коле, что́ думаю.

Он молчит. Не согласен, но молчит.

Вот так устроено: *они* могут отнять свободу у каждого, и у них нет колебаний совести. Если же нашу природную свободу мы хотим забрать назад, — за это требуют от нас нашу жизнь и жизни всех, кого мы встретим по пути.

Они всё смеют, а мы — нет. И вот почему *они* сильнее нас. Не договорясь, идём вниз. У лодки хромой. «Где жена?» — «Испугалась, в лес убежала».

— Получите ваши документы. Можете следовать дальше.

Благодарит. Кричит в лес:

— Ма-арья! Иди обратно! Люди — добрые. Едем.

Мы отталкиваемся. Я быстро гребу. Хромой работяга спохватывается и вслед мне кричит:

— Товарищ начальник! А вот вчера мы двоих видели — точно бандиты. Знали б, задержали их, подлецов!

— Ну что, пожалел? — спрашивает Коля.

Молчу.

* * *

С этой ночи — с захода ли погреться или с белого котёнка — сломился весь наш побег. Что-то мы потеряли — уверенность? хваткость? способность соображать? дружность решений? Тут, перед самым Омском, мы стали делать ошибки и клонить врозь. А таким беглецам уже не бежать далеко.

К утру бросили лодку. День проспали в стогу, но тревожно. Стемнело. Хочется есть. Надо бы мясо варить, так ведро потеряли при отступлении. Я решил жарить. Нашлось тракторное седло — вот это будет сковородка. А картошку — печь.

Рядом стоял высокий сенный шалаш — от косарей. В том затмении, которое сегодня меня постигло, я почему-то решил, что хорошо развести костёр внутри шалаша: ниоткуда не будет видно. Коля не хочет никакого ужина: «Пойдём дальше!» Размолвка, не ладится.

Я развёл-таки огонь в шалаше, но подложил лишнего. И вспыхнул весь шалаш, я еле успел выползти. А огонь перескочил на стог, вспыхнул стог — тот самый, в котором мы день провели. Вдруг стало мне жалко этого сена — душистого, доброго к нам. Я стал разбрасывать его, кататься по земле, стараясь потушить, чтоб огонь дальше не шёл. Коля сидит в стороне, надулся, не помогает.

Какой же я дал след! Какое зарево! — на много километров. А ещё это — *диверсия*. За побег нам дадут тот же четвертак, какой мы уже имеем. А за «диверсию» с колхозным сеном — могут и *вышку* при желании.

А главное — от каждой ошибки нарастает возможность новых ошибок, теряешь уверенность, оценку обстановки.

Шалаш сгорел, но картошка испеклась. Зола вместо соли. Поели.

Ночью шли. Обходили большое село. Нашли лопату. Подобрали на всякий случай. Взяли ближе к Иртышу. И упёрлись в затон. Опять обходить? Обидно. Поискали — нашли лодку без вёсел. Ничего, лопата вместо весла. Переплыли затон. Там я привязал лопату ремнём за спиной, чтоб ручка вверх торчала, как дуло от ружья. В темноте — будто охотники.

Вскоре встретились с кем-то. В сторону. Он: «Петро!» — «Обознался, не Петро!»

Шли всю ночь. Спали опять в стогу. Проснулись от пароходного гудка. Высунулись: не так далеко пристань. На машинах везут туда арбузы. Близко Омск, близко Омск. Пора бриться и денег доставать.

Коля меня точит: «Теперь пропадём. Зачем было и в побег идти, если их жалеть? Наша судьба решалась, а ты пожалел. Теперь пропадём».

Он прав. Сейчас это кажется таким безсмысленным: нет бритвы, нет денег, а было у нас и то и другое в руках — мы не взяли. Надо было столько лет рваться в побег, столько хитрости проявлять, лезть под проволокой и ждать заряда в спину, шесть дней не пить воды, две недели пересекать пустыню — и не взять того, что было в руках! Как войти в Омск небритому? На что поедем из Омска дальше?..

Лежим день в стогу сена. Спать не можем, конечно. Часов в пять вечера Жданок говорит: «Пойдём сейчас, осмотримся при свете». Я: «Ни за что!» Он: «Да скоро уже как месяц пройдёт! Ты — перестраховщик! Вот вылезу, пойду один». Угрожаю: «Смотри, и на тебя нож!» Но конечно, я ж его не пырну.

Стих, лежит. Вдруг вывалился из стога и пошёл. Что делать? Так и расстаться? Спрыгнул и я, пошёл за ним. Идём прямо при свете, по дороге вдоль Иртыша. Сели за стог, обсуждаем: если кто теперь встретится, его уже нельзя отпускать до темноты, чтоб не заложил. Коля неосторожно выбежал — пуста ли дорога? — и тут его заметил парень. Пришлось его звать: «Подходи, дружок, закурим с горя!» — «Какое ж у вас горе?» — «Да вот поехали с шурином в отпуск на лодке, я сам из Омска, а он с павлодарского судоремонтного, слесарь, — так ночью лодка снялась и ушла, осталось вот, что на берегу было. А ты кто?» — «Я бакенщик». — «Нигде нашей лодки не видел? Может в камышах?» — «Нет». — «А где твой пост?» — «Да вон», — показывает на домик. — «Ну зайдём к тебе, мы мяса сварим. Да побреемся».

Идём. Так, оказывается, тот домик — ещё другого бакенщика, соседа, а нашего метров триста дальше. Опять не один. Только вошли в дом — и сосед едет к нам на велосипеде с охотничьим ружьём. Косится на мою щетину, расспрашивает о жизни в Омске. Меня, каторжанина, расспрашивать о жизни на воле! Что-то плету наугад, в основном — что с жильём плохо, с продуктами плохо, с промтоварами плохо, в этом, пожалуй, не ошибёшься. Он кривится, возражает, оказывается — партийный. Коля варит суп, надо нам наесться впрок, может до Омска уже не придётся.

Томительное время до темноты. Ни того ни другого нельзя отпускать. А если третий придёт? Но вот оба собираются ехать ставить огни. Предлагаем свою помощь. Партийный отказывается: «Я всего два огня поставлю и в село мне надо, к семье хворост повезу. Да я ещё сюда заеду». Даю Коле знак — глаз не спускать с партийного, чуть что — в кусты. Показываю место встречи. Сам еду с нашим. С лодки оглядываю расположение местности, расспрашиваю, докуда сколько километров. Возвращаемся с соседом одновременно. Это успокаивает: заложить нас тот ещё не успел. Вскоре он действительно подъехал к нам на своём возу с хворостом. Но дальше не едет, сел колин суп пробовать. Не уходит. Ну что делать? Прихватывать двоих? Одного в погреб, другого к койке?.. У обоих документы, у того велосипед с ружьём? Вот жизнь беглеца — тебе мало простого гостеприимства, ты должен ещё отнимать силой...

Вдруг — скрип уключин. Смотрю в окно — в лодке трое, это уже пятеро на двоих. Мой хозяин выходит, тут же возвращается за бидонами. Говорит: «Старшина керосин привёз. Странно, что сам приехал, сегодня ж воскресенье».

Воскресенье! Мы забыли считать на дни недели, для нас они различались не тем. В воскресенье вечером мы и бежали. Значит, ровно три недели побега! Что там в лагере?.. Псарня уже отчаялась нас схватить. За три недели, если бы мы рванули на машине, мы б уже давно могли устроиться где-нибудь в Карелии, в Белоруссии, паспорт иметь, работать. А при удаче — и ещё западней... И как же обидно сдаваться теперь, после трёх недель!

«Ну что, Коля, нарубались, — теперь и оправиться надо с чувством?» Выходим в кусты и оттуда следим: наш хозяин берёт керосин у пришедшей лодки, туда же подошёл и партийный сосед. О чём-то говорят, но нам не слышно.

Уехали. Колю скорей отправляю домой, чтоб не дать бакенщикам наедине о нас говорить. Сам тихо иду к лодке хозяина. Чтоб не греметь цепью — тужусь и вытаскиваю самый кол. Рассчитываю время: если старшина бакенщиков поехал о нас докладывать, ему семь километров до села, значит, минут сорок. Если в селе красногонники, им собраться сюда и на машине — ещё минут пятнадцать.

Иду в дом. Сосед всё не уходит, разговорами занимает. Очень странно. Значит, брать придётся их двоих сразу. «Ну что, Коля, пойдём перед сном помоемся?» (договориться надо). Только вышли — и в тишине слышим топот сапог. Нагибаемся и на светловатом небе (луна ещё не взошла) видим, как мимо кустов цепью бегут люди, окружают домик.

Шепчу Коле: «К лодке!» Бегу к реке, с обрыва скатываюсь, падаю и вот уже у лодки. Счёт жизни — на секунды, — а Коли нет! Ну куда, куда делся? И бросить его не могу.

Наконец вдоль берега прямо на меня бежит в темноте. «Коля, ты?» Пламя! Выстрел в упор! Я каскадным прыжком (руки вперёд) прыгаю в лодку. С обрыва — автоматные очереди. Кричат: «Кончили одного». Наклоняются: «Ранен?» Стону. Вытаскивают, ведут. Хромаю (если покалечен — меньше будут бить). В темноте незаметно выбрасываю в траву два ножа.

Наверху красногонники спрашивают фамилию. «Столяров». (Может, ещё как-нибудь выкручусь. Так не хочется называть свою фамилию, ведь это — конец воли.) Бьют по лицу: «Фамилия!» — «Столяров». Затаскивают в избу, раздевают до пояса, руки стягивают проводом назад, он врезается. Упирают штыки в живот. Из-под одного сбегает струйка крови. Милиционер, старший лейтенант Саботажников, который меня взял, тычет наганом в лицо, вижу взведенный курок. «Фамилия!» Ну, безполезно сопротивляться. Называю. «Где второй?» Трясёт наганом, штыки врезаются глубже: «Где второй?» Радуюсь за Колю и твержу: «Были вместе, убит наверно».

Пришёл опер с голубой окантовочкой, казах. Толкнул меня связанного на кровать и полулежачего стал равномерно бить по лицу — правой рукой, левой, правой, левой, как плывёт. От каждого удара голова ударяется в стену. «Где оружие?» — «Какое оружие?» — «У вас было ружьё, ночью вас видели». Это — тот ночной охотник, тоже продал... «Да лопата была, а не ружьё!» Не верит, бьёт. Вдруг легко стало — это я потерял сознание. Когда вернулось: «Ну смотри, если кого из наших ранят — тебя на месте прикончим!»

(Они как чувствовали — у Коли действительно оказалось ружьё! Выяснилось потом: когда я сказал Коле: «К лодке!» — он побежал в другую сторону, в кусты. Объяснял, что не понял... Да нет, он весь день порывался отделиться, вот и отделился. И велосипед он запомнил. По выстрелам он бросился подальше от реки и пополз назад, откуда мы сюда пришли. Уже как следует стемнело, и, пока вся свора толпилась вокруг меня, он встал во весь рост и побежал. Бежал и плакал — думал, что меня убили. Так добежал он до того второго домика, соседа. Выбил ногой окно, стал искать ружьё. Нашёл его ощупью на стене, и сумку с патронами. Зарядил. Мысль, говорит, была такая: «Отомстить? Пойти по ним пострелять за Жору?» Но раздумал. Нашёл велосипед, нашёл топор. Изнутри разрубил дверь, наложил в сумку соли (самое важное показалось или соображать некогда) — и поехал сперва просёлком, потом через село, прямо мимо солдат. Им и невдомёк.)

А меня связанного положили в телегу, двое солдат сели на меня сверху и повезли так в совхоз, километра за два. Тут телефон, по которому лесник (он был в лодке со старшиной бакенщиков) вызвал по телефону краснопогонников, — потому так быстро и прибыли они, что по телефону, я-то не рассчитал.

С этим лесником здесь произошла сценка, о которой рассказывать как будто неприятно, а для пойманного характерная: мне нужно было оправиться по-лёгкому, а ведь кто-то должен помогать мне при этом, очень интимно помогать, потому что мои руки скручены назад. Чтоб автоматчикам не унижаться, — леснику и велели выйти со мной. В темноте отошли немного от автоматчиков, и он, ассистируя, попросил у меня прощения за предательство. «Должность у меня такая. Я не мог иначе».

Я не ответил. Кто это рассудит? Предавали нас и с должностями и без должностей. Все предавали нас по пути, кроме того седогривого древнего старика.

В избе при большой дороге я сижу до пояса раздетый, связанный. Очень хочу пить, не дают. Краснопогонники смотрят зверьми, каждый улучает прикладом толкнуть. Но здесь уже не убьют так просто: убить могут, когда их мало, когда свидетелей нет. (Можно понять, как они злы. Сколько дней они без отдыха ходили цепями по воде в камышах и ели консервы одни, без горячего.)

В избе вся семья. Малые ребятишки смотрят на меня с любопытством, но подойти боятся, даже дрожат. Милицейский лейтенант сидит, пьёт с хозяином водку, довольный удачей и предстоящей наградой. — «Ты знаешь, кто это? — хвастает он хозяину — Это полковник, известный американский шпион, крупный бандит. Он бежал в американское посольство. Они людей по дороге убивали и ели».

Он, может быть, верит и сам. Такие слухи МВД распространило о нас, чтобы легче ловить, чтобы все доносили. Им мало преимущества власти, оружия, скорости движения — им ещё в помощь нужна клевета.

(А в это время по дороге мимо нашей избы как ни в чём не бывало едет Коля на велосипеде с ружьём через плечо. Он видит ярко освещённую избу, на крыльце — солдат курящих, шумных, против окна — меня голого. И крутит педали на Омск. А там, где меня взяли, вокруг кустов всю ночь ещё будут лежать солдаты и утром прочёсывать кусты. Ещё никто не знает, что у соседнего бакенщика пропали велосипед и ружьё, он, наверно, тоже закатился выпивать и бахвалиться.)

Насладившись своей удачей, небывалой по местным масштабам, милицейский лейтенант даёт указание доставить меня в село. Опять меня бросают в телегу, везут в КПЗ — где их нет! при каждом сельсовете. Два автоматчика дежурят в коридоре, два под окном! —

американский шпионский полковник! Руки развязали, но велят на полу лежать посередине, ни к одной стенке не подбираться. Так, голым туловищем на полу, провожу октябрьскую ночь.

Утром приходит капитан, сверлит меня глазами. Бросает мне китель (остальное моё уже пропили). Негромко и оглядываясь на дверь задаёт странный вопрос:

— Ты откуда меня знаешь?

— Я вас не знаю.

— Но откуда ты знал, что поисками руководит капитан Воробьёв? Ты знаешь, подлец, в какое положение ты меня поставил?

Он — Воробьёв! И — капитан! Там, ночью, когда мы выдавали себя за опергруппу, я назвал капитана Воробьёва, пощажённый мной работяга всё тщательно донёс. И теперь у капитана неприятности. Если начальник погони связан с беглецом, чему ж удивляться, что три недели поймать не могут!..

Ещё приходит свора офицеров, кричат на меня, спрашивают и о Воробьёве. Говорю, что — случайность.

Опять связали руки проволокой, вынули шнурки из ботинок и днём повели по селу. В оцеплении — человек двадцать автоматчиков. Высыпало всё село, бабы головами качают, ребятишки следом бегут, кричат:

— Бандит! Расстреливать повели!

Мне режет руки проволокой, на каждом шагу спадают ботинки, но я поднял голову и гордо открыто смотрю на народ, пусть видят, что я честный человек.

Это вели меня — для демонстрации, на память этим бабам и детворе (ещё двадцать лет там будут легенды рассказывать). В конце села меня толкают в простой голый кузов грузовика с защепистыми старыми досками. Пять автоматчиков садятся у кабины, чтоб не спускать с меня глаз.

И вот все километры, которыми мы так радовались, все километры, отдалявшие нас от лагеря, мне предстоит теперь отмотать назад. А дорогой автомобильной кружной их набралось полтысячи. На руки мне надевают наручники, они затянуты до предела. Руки — сзади, и лица мне защищать нечем. Я лежу не как человек, а как чурка. Да так они нас и называют.

И дорога испортилась — дождь, дождь, машину бросает на ухабах. От каждого толчка меня головой, лицом елозит по дну кузова, царапает, вгоняет занозы. А руки не то чтоб на помощь лицу, но их самих особенно режет при толчках, будто отпиливает наручниками кисти. Я пытаюсь на коленях подползти к борту и сесть, опершись на него спиной. Напрасно! — держаться нечем, и при первом же сильном толчке меня швыряет по кузову, и я ползу как попало. Так иногда подбросит и ударит досками, будто внутренности отскакивают. На спине невозможно: отрывает кисти. Я валюсь на бок — плохо. Я перекатываюсь на живот — плохо. Я стараюсь изогнуть шею и так поднять голову, охранить её от ударов. Но шея устаёт, голова опадает и бьётся лицом о доски.

И пять конвоиров безучастно смотрят на мои мучения.

Эта поездка войдёт в их душевное воспитание.

Лейтенант Яковлев, едущий в кабине, на остановках заглядывает в кузов и скалится: «Ну, не убежал?» Я прошу дать мне оправиться, он гогочет: «Ну и оправляйся в штаны, мы не мешаем!» Я прошу снять наручники, он смеётся: «Не попался ты тому парню, под которым зону подлез. Уже б тебя в живых не было».

Накануне я радовался, что меня избили, но как-то ещё «не по заслугам». Но зачем портить кулаки, если всё сделает кузов грузовика? Небольшого неизодранного места не осталось на всём моём теле. Пилит руки. Голова раскалывается от боли. Лицо разбито, иззанозено всё о доски, кожа содрана*.

Мы едем полный день и почти всю ночь.

Когда я перестал бороться с кузовом и совсем уже бесчувственно бился головой о доски, один конвоир не

---

* К тому ж у Тэнно — гемофилия. На все риски побегов он шёл, а одна царапина могла стоить ему жизни.

выдержал — подложил мне мешок под голову, незаметно ослабил наручники и, наклонясь, шёпотом сказал: «Ничего, скоро приедем, потерпи». (Откуда это сказалось в парне? Кем он был воспитан? Наверняка можно сказать, что не Максимом Горьким и не политруком своей роты.)

Экибастуз. Оцепление. «Выходи!» Не могу встать. (Да если бы встал, так тут бы меня ещё *пропустили* на радостях.) Открыли борт, своलокли на землю. Собрались и надзиратели — посмотреть, понасмехаться. «Ух ты, *агрессор*!» — крикнул кто-то.

Протащили через вахту и в тюрьму. Сунули не в одиночку, а сразу в камеру, — чтобы любители добывать свободу посмотрели на меня.

В камере меня бережно подняли на руки и положили на верхние нары. Только поесть у них до утренней пайки ничего не было.

А Коля в ту ночь ехал дальше на Омск. От каждой машины, завидев фары, отбегал с велосипедом в степь и там ложился. Потом в каком-то одиноком дворе забрался в курятник и насытил свою беглецкую мечту — трём курам свернул головы, сложил их в мешок. А как остальные раскудахтались — поспешил дальше.

Та неуверенность, которая зашатала нас после наших больших ошибок, теперь, после моей поимки, ещё больше овладела Колей. Неустойчивый, чувствительный, он бежал уже дальше в отчаянии, плохо соображая, что надо делать. Он не мог осознать самого простого: что пропажа ружья и велосипеда конечно уже обнаружена, и они уже не маскируют его, а с утра надо бросить их как слишком явные; и что в Омск ему надо подойти не с этой стороны и не по шоссе, а далеко обогнув город, пустырями и задами. Ружьё и велосипед надо бы быстро продать, вот и деньги. Он же просидел полдня в кустах близ Иртыша, но опять не выдержал до ночи и поехал тропинками вдоль реки. Очень может быть, что по местному радио уже объявили его приметы, в Сибири с этим не так стесняются, как в Европейской части.

Подъехал к какому-то домику, вошёл. Там была старуха и лет тридцати дочь. И ещё там было радио. По удивительному совпадению голос пел:

> Бежал бродяга с Сахалина
> Звериной узкою тропой...

Коля смяк, закапали слёзы. «Что у тебя за горе?» — спросили женщины. От их участия Коля совсем откровенно заплакал. Они приступили утешать. Он объяснил: «Одинок. Всеми брошен». — «Так женись, — то ли шутя, то ли серьёзно сказала старуха. — Моя тоже холостая». Коля ещё смягчился, стал поглядывать на невесту. Та обернула по-деловому: «Деньги на водку есть?» Выгреб Коля последние рублики, не собралось. «Ну, добавлю». Ушла. «Да, — вспомнил Коля, — я ж куропаток настрелял. Вари, тёща, обед праздничный». Бабка взяла: «Так это ж куры!» — «Ну, значит, в темноте не разобрал, когда стрелял». — «А отчего шеи свёрнутые?»...

Попросил Коля закурить, — старуха за махорку просит с жениха денег. Снял Коля кепку, старуха переполошилась: «Да ты не арестант ли, стриженая голова? Уходи, пока цел. А то придёт дочка — сдадим тебя!»

И вертится у Коли всё время: почему мы на Иртыше пожалели вольных, а у вольных к нам жалости нет? Снял со стены куртку-москвичку (на дворе похолодало, а он в одном костюме), надел — как раз по плечам. Бабка кричит: «Сдам в милицию!» А Коле в окно видно, дочка идёт, и кто-то с ней на велосипеде. Уже заложила!

Значит — «махмадэра!». Схватил ружьё и бабке: «В угол! ложись!» Стал к стене, пропустил тех двоих в дверь и командует: «Ложись!» И мужчине: «А ты подари-ка мне сапоги на свадьбу! Снимай по одному!» Под наставленным ружьём тот снял сапоги, Коля их надел, сбросив лагерные опорки, и пригрозил, что, если кто выйдет за ним, — подстрелит.

И поехал на велосипеде. Но мужчина погнался за ним на своём. Коля спрыгнул, ружьё к плечу: «Стой! Брось велосипед! Отойди!» Отогнал, подошёл, спицы ему поломал, шину пропорол ножом, а сам поехал.

Вскоре выехал на шоссе. Впереди Омск. Так прямо и поехал. Вот и остановка автобуса. На огородах бабы картошку роют. Сзади привязался мотоцикл, в нём трое работяг в телогрейках. Ехал-ехал, вдруг на Колю налетел и сшиб его коляской. Выскочили из мотоцикла, навалились на Жданка и по голове его пистолетом.

Бабы с огорода завопили: «За что вы его? Что он вам сделал?!»

Действительно — *что он им сделал?..*

Но недоступно объяснять народу, кто кому что сделал и будет ещё делать. Под телогрейками у всех трёх оказалась военная форма (опергруппа сутки за сутками дежурила при въезде в город). И отвечено было бабам: «Это — убийца». Проще всего. И бабы, веря Закону, пошли копать свою картошку.

А опергруппа первым долгом спросила у нищего беглеца, есть ли у него деньги. Коля честно сказал, что — нет. Стали искать, и в одном из карманов его обновки-москвички нашли 50 рублей. Их отобрав, подъехали к столовой, проели и пропили. Впрочем, накормили и Колю.

———

Так мы *зачалились* в тюрьму надолго, суд был только в июле следующего года. Девять месяцев мы *припухали* в лагерной тюрьме, время от времени нас тягали на следствие. Его вели начальник режима Мачеховский и оперуполномоченный лейтенант Вайнштейн. Следствие добивалось: кто помогал нам из заключённых? кто из вольных «по уговору с нами» выключил свет в момент побега? (Уж мы им не объясняли, что план был другой, а потушка света нам только помешала.) Где была у нас явка в Омске? Через какую границу мы собирались бежать дальше? (Они допустить не могли, чтобы люди хотели остаться на родине.) «Мы бежали в Москву, в ЦК, рассказать о преступных арестах, вот и всё!» Не верят.

Ничего «интересного» не добившись, клеили нам обычный беглецкий букет: 58-14 (контрреволюционный саботаж); 59-3 (бандитизм); указ «четыре шестых», статья «один-два» (кража, совершённая воровской шайкой); тот же указ, статья «два-два» (разбой, соединённый с насилием, опасным для жизни); статья 182 (изготовление и ношение холодного оружия).

Но вся эта устрашающая цепь статей не грозила нам кандалами тяжелей, чем мы уже имели. Судебная кара, давно захлестнувшая за всякий разумный предел, обещала нам по этим статьям те же двадцать пять лет, которые могли дать баптисту за его молитву и которые мы имели безо всякого побега. Так что просто теперь на перекличках мы должны будем говорить «конец срока» не 1973, а 1975. Как будто в 1951 году мы могли ощутить эту разницу!

Только один был грозный поворот в следствии — когда пообещали судить нас как экономических *подрывников*. Это невинное слово было опаснее избитых «саботажник», «бандит», «разбойник», «вор». Этим словом допускали смертную казнь, введенную за год перед тем.

Подрывники же мы были потому, что *подорвали* экономику народного государства. Как разъяснили нам следователи, потрачено было на поимку 102 тысячи рублей; несколько дней стояли иные рабочие объекты (заключённых не выводили, потому что их конвой был снят на погоню); 23 автомашины с солдатами днём и ночью ездили по степям и за три недели истратили годовой лимит бензина; опергруппы были высланы во все ближайшие города и посёлки; был объявлен всесоюзный розыск и по стране разослано 400 моих фотографий и 400 колиных.

Мы перечёт этот весь выслушали с гордостью...

Итак, сроку нам дали по двадцать пять.

Когда читатель возьмёт эту книгу в руки, — ещё, наверно, те наши сроки не кончатся...

Пока читатель эту книгу в руки возьмёт, а Георгий Павлович Тэнно — атлет и даже теоретик атлетизма — умер 22 октября 1967 года от внезапно налетевшего рака. Его постельной жизни едва хватило, чтобы прочесть эти главы и уже немеющими пальцами выправить их. Не так представлял он и обещал друзьям свою смерть! Как когда-то при плане побега, так зажигался он от мысли умереть в бою. Он говорил, что, умирая, непременно *уведёт* за собой десяток убийц, и первого среди них — *Вячика Карзубого* (Молотова), и ещё непременно — Хвата (следователя по делу Вавилова). Это — не убить, это — казнить, раз государственный закон охраняет убийц. «После первых твоих выстрелов жизнь твоя уже окуплена, — говорит Тэнно, — и ты радостно даёшь *сверх плана*». Но настигла болезнь внезапно, не дав поискать оружия и мгновенно отобрав силы. (Да и — мог ли он убить? Не так ли бы, как с белым котёнком?) Уже больной, разносил Тэнно мои письма Съезду писателей по разным ящикам Москвы. Он пожелал похорониться в Эстонии. Пастор тоже был старый узник — и гитлеровских, и сталинских лагерей.

А Молотов остался безопасно перелистывать старые газеты и писать свои мемуары палача. А Хват — спокойно тратить пенсию в 41-м доме по улице Горького.

А ещё после побега Тэнно — на год разогнали (за злополучный скетч) художественную самодеятельность КВЧ.

Потому что культура — это хорошо. Но должна служить культура угнетению, а не свободе.

Глава 8
ПОБЕГИ С МОРАЛЬЮ И ПОБЕГИ С ИНЖЕНЕРИЕЙ

На побеги из ИТЛ, если они не были куда-нибудь в Вену или через Берингов пролив, вершители ГУЛАГа и инструкции ГУЛАГа смотрели, видимо, примирённо. Они понимали их как явление стихийное, как безхозяйственность, неизбежную в слишком обширном хозяйстве, — подобно падежу скота, утоплению древесины, кирпичному половняку вместо целого.

Не так было в Особлагах. Выполняя особую волю Отца Народов, лагеря эти оснастили многократно усиленной охраной и усиленным же вооружением на уровне современной мотопехоты (те самые контингенты, которые не должны разоружаться при самом всеобщем разоружении). Здесь уже не содержали *социально-близких*, от побега которых нет большого убытка. Здесь уже не осталось отговорок, что стрелков мало или вооружение устарело. При самом основании Особлагов было заложено в их инструкциях, что побегов из этих лагерей вообще быть не может, ибо всякий побег здешнего арестанта — всё равно что переход госграницы крупным шпионом, это политическое пятно на администрации лагеря и на командовании конвойными войсками.

Но именно с этого момента Пятьдесят Восьмая стала получать сплошь уже не десятки, а *четвертные*, то есть потолок Уголовного кодекса. Так безсмысленное равномерное ужесточение в самом себе несло и свою слабость: как убийцы ничем не удерживались от новых убийств (всякий раз их десятка лишь чуть обновлялась), так теперь и политические не удерживались больше Уголовным кодексом от побега.

И людей-то погнали в эти лагеря не тех — рассуждавших, как в свете Единственно-Верной Теории оправдать произвол лагерного начальства, а крепких здоровых ребят, проползавших всю войну, у которых пальцы ещё не разогнулись как следует после гранат. Георгий Тэнно, Иван Воробьёв, Василий Брюхин, их товарищи и многие подобные им в других лагерях оказались и безоружные достойны мотопехотной техники нового регулярного конвоя.

И хотя побегов в Особлагерях было по числу меньше, чем в ИТЛ (да Особлаги стояли и меньше лет), но эти побеги были жёстче, тяжче, необратимей, безнадёжней — и потому славней.

Рассказы о них помогают нам разобраться, — уж так ли народ наш был терпелив эти годы, уж так ли покорен.

Вот несколько.

Один был на год раньше побега Тэнно и послужил ему образцом. В сентябре 1949 из 1-го отделения Степлага (Рудник, Джезказган) бежали два каторжанина — Григорий Кудла, кряжистый, степенный, рассудительный старик, украинец (но когда подпекало, нрав был запорожский, боялись его и блатные), и Иван Душечкин, тихий белорус, лет тридцати пяти. На шахте, где они работали, они нашли в старой выработке заделанный шурф, кончавшийся наверху решёткой. Эту решётку они в свои ночные смены расшатывали, а тем временем сносили в шурф сухари, ножи, грелку, украденную из санчасти. В ночь побега, спустясь в шахту, они порознь заявили бригадиру, что нездоровится, не могут работать и полежат. Ночью под землёй надзирателей нет, бригадир — вся власть, но гнуть он должен помягче, потому что и его могут найти с проломленной головой. Беглецы налили воду в грелку, взяли свои запасы и ушли в шурф. Выломали решётку и поползли. Выход оказался близко от вышек, но за зоной. Ушли незамеченными.

Из Джезказгана они взяли по пустыне на северо-запад. Днём лежали, шли по ночам. Вода нигде не попалась им, и через неделю Душечкин уже не хотел вставать, Кудла поднял его надеждой, что впереди холмы, за ними может быть вода. Дотащились, но там во впадинах оказалась грязь, а не вода. И Душечкин сказал: «Я всё равно не пойду. Ты — *запори* меня, а кровь мою выпей».

Моралисты! Какое решение правильно? У Кудлы тоже круги перед глазами. Ведь Душечкин умрёт, — зачем погибать и Кудле?.. А если вскоре он найдёт воду, — *как* он потом всю жизнь будет вспоминать Душечкина?.. Кудла решил: ещё пойду вперёд, если до утра вернусь без воды, — освобожу его от мук, не погибать двоим. Кудла поплёлся к сопке, увидел расщелину и, как в самых невероятных романах, — воду в ней! Кудла скатился и вприпадку пил, пил! (Только уж утром рассмотрел в ней головастиков и водоросли.)

С полной грелкой он вернулся к Душечкину: «Я тебе воду принёс, воду!» Душечкин не верил, пил — и не верил (за эти часы ему уже виделось, что он пил её...). Дотащились до той расселины и остались там пить.

После питья подступил голод. Но в следующую ночь они перевалили через какой-то хребет и спустились в обетованную долину: река, трава, кусты, лошади, жизнь. С темнотой Кудла подкрался к лошадям и одну из них убил. Они пили её кровь прямо из ран. (Сторонники *мира*! Вы в тот год шумно заседали в Вене или Стокгольме, а коктейли пили через соломинки. Вам не приходило в голову, что соотечественники стихослагателя Тихонова и журналиста Эренбурга высасывают трупы лошадей? Они не объяснили вам, что по-советски так понимается *мир*?)

Мясо лошади они пекли на кострах, ели долго и шли. Амангельды на Тургае обошли вокруг, но на большой дороге казахи с попутного грузовика требовали у них документы, угрожали сдать в милицию.

Дальше они часто встречали ручейки и озёра. Ещё Кудла поймал и зарезал барана. Уже *месяц* они были в побеге! Кончался октябрь, становилось холодно. В первом леске они нашли землянку и зажили в ней: не решались уходить из богатого края. В этой остановке их, в том, что родные места не звали их, не обещали жизни более спокойной, — была обречённость, ненаправленность их побега.

Ночами они делали набеги на соседнее село, то стащили там котёл, то, сломав замок на чулане, — муку, соль, топор, посуду. (Беглец, как и партизан, среди общей мирной жизни неизбежно скоро становится вором...) А ещё раз они увели из села корову и забили её в лесу. Но тут выпал снег, и, чтобы не оставлять следов, они должны были сидеть в землянке невылазно. Едва только Кудла вышел за хворостом, его увидел лесник и сразу стал стрелять. «Это вы — воры? Вы корову украли?» Около землянки нашлись и следы крови. Их повели в село, посадили под замок. Народ кричал: убить их тут же без жалости! Но следователь из района приехал с карточкой всесоюзного розыска и объявил селянам: «Молодцы! Вы не воров поймали, а крупных политических бандитов!»

И — всё обернулось. Никто больше не кричал. Хозяин коровы — оказалось, что это чечен, — принёс арестованным хлеба, баранины и ещё даже денег, собранных чеченами. «Эх, — говорил он, — да ты бы пришёл, сказал, *кто ты*, — я б тебе сам всё дал!..» (В этом можно не сомневаться, это по-чеченски.) И Кудла заплакал. После ожесточения стольких лет сердце не выдерживает сочувствия.

Арестованных отвезли в Кустанай, там в железнодорожном КПЗ не только отобрали (для себя) всю чеченскую передачу, но *вообще не кормили*! (И Корнейчук не рассказал вам об этом на Конгрессе Мира?) Перед отправкой на кустанайском перроне их поставили на колени, руки были закованы назад в наручниках. Так и держали, на виду у всех.

Если б это было на перроне Москвы, Ленинграда, Киева, любого благополучного города, — мимо этого коленопреклонённого скованного седого старика, как будто с картины Репина, все бы шли не замечая и не оборачиваясь, — и сотрудники литературных издательств, и передовые кинорежиссёры, и лекторы гуманизма, и армейские офицеры, уж не говорю о профсоюзных и партийных работниках. И все рядовые, ничем не выдающиеся, никаких постов не занимающие граждане тоже старались бы пройти не замечая, чтобы конвой не спросил и не записал их фамилий, — потому что у тебя ведь московская прописка, в Москве магазины хорошие, рисковать нельзя... (И ещё можно понять 1949 год — но разве в 1956 было бы иначе? Или разве наши молодые и развитые остановились бы вступиться перед конвоем за седого старика в наручниках и на коленях?)

Но кустанайцам мало что было терять, все там были или заклятые, или подпорченные, или ссыльные. Они стали стягиваться около арестованных, бросать им махорку, папиросы, хлеб. Кисти Кудлы были закованы за спиной, и он нагнулся откусить хлеба с земли, — но конвоир *ногой выбил хлеб из его рта*. Кудла перекатился, снова подполз откусить — конвоир отбил хлеб дальше! (Вы, передовые кинорежиссёры, может быть, вы запомните кадр с этим стариком?) Народ стал подступать и шуметь: «Отпустите их! Отпустите!» Пришёл наряд милиции. Наряд был сильней, чем народ, и разогнал его.

Подошёл поезд, беглецов погрузили для кенгирской тюрьмы.

———

Казахстанские побеги однообразны, как сама та степь. Но в этом однообразии, может быть, легче понимается главное?

Тоже с шахты, тоже из Джезказгана, но в 1951 году, старым шурфом трое вышли на поверхность ночью и три ночи шли. Уже достаточно проняла их жажда, и, увидев несколько казахских юрт, двое предложили зайти напиться к казахам, а третий, Степан*, отказался и наблюдал с холма. Он видел, как товарищи его в юрту вошли, а оттуда уже бежали, преследуемые многими казахами, и взяты тут же. Степан, щуплый, невысокий, ушёл лощинами и продолжал побег в одиночестве, ничего с собой не имея, кроме ножа. Он старался идти на северо-запад, но всегда отклонялся, минуя людей, предпочитая зверей. Он вырезал себе палку, охотился на сусликов и тушканчиков: метал в них издали, когда они на задних лапках свистят у норок, — и так убивал. Кровь их старался высасывать, а самих жарил на костре из сухого караганника.

Но костёр его и выдал. Раз увидел Степан, что к нему скачет всадник в большом рыжем малахае, он едва успел прикрыть свой шашлык караганником, чтобы казах не понял, какого разбора тут еда. Казах подъехал, спросил, кто такой и откуда. Степан объяснил, что работал на марганцевом руднике в Джездах (там работали и вольные), а идёт в совхоз, где жена его, километров полтораста отсюда. Казах спросил, как называется тот совхоз. Степан выбрал самое вероятное: «имени Сталина».

Сын степей! И скакал бы ты своей дорогой! Чем помешал тебе этот бедняга? Нет! Казах грозно сказал: «Твой *на турма́* сидел! Идём со мной!» Степан выругался и пошёл своей дорогой. Казах ехал рядом, приказывал идти за ним. Потом отскакивал, махал, звал своих. Но степь была пустынна. Сын степей! Ну и покинул бы ты его — ты видишь, с голой палкой он идёт по степи на сотни вёрст, без еды, ведь он и так погибнет. Или тебе нужен килограмм чаю?

За эту неделю, живя наравне со зверьми, Степан уже привык к шорохам и свистам пустыни. И вдруг он учуял в воздухе новый свист и не сообразил, а нутром животного ощутил опасность — отпрыгнул в сторону. Это спасло его! — оказалось, казах забросил аркан, но Степан увернулся из кольца.

Охота на двуногого! Человек или килограмм чая! Казах с ругательством выбрал назад аркан, Степан пошёл дальше, соображая и стараясь теперь не упускать казаха из виду. Тот подъехал ближе, приготовил аркан и снова метнул. И только метнул — Степан рванулся к нему и ударом палки по голове сбил с лошади. (Сил-то у него было чуть, но тут шло на смерть.) «Получай калым, бабай!» — не давая взнику, стал его бить Степан со всей злостью, как животное рвёт клыками другое. Но, увидя кровь, остановился. Взял у казаха и аркан, и кнут и взобрался на лошадь. А на лошади была ещё котомка с продуктами.

Побег его длился ещё долго — ещё недели две, но строго везде избегал Степан главных врагов — людей, соотечественников. Уже он расстался и с лошадью и переплывал какую-то реку (а плавать он не умел — и делал плот из тростника, чего тоже, конечно, не умел), и охотился, и от какого-то крупного зверя, вроде медведя, уходил в темноте. И однажды так был измучен жаждой, голодом, усталостью, желанием горячего, что решился зайти в одинокую юрту и попросить чего-нибудь. Перед юртой был дворик с саманным забором, и слишком поздно, уже подходя к забору, Степан увидел там двух осёдланных лошадей и выходящего ему навстречу молодого казаха в гимнастёрке, с орденами, в галифе. Бежать было упущено, Степан понял, что погиб. А казах этот выходил до ветру. Он был сильно пьян и обрадовался Степану, как бы не замечая его изодранного, уже не человеческого вида. «Заходи, заходи, гость будешь!» В юрте сидел старик-отец и ещё такой же молодой казах с орденами — их было два брата, бывших фронтовика, сейчас каких-то крупных людей в Алма-Ате, приехавших почтить отца (из колхоза они взяли две лошади и на них прискакали в юрту). Эти ребята отпробовали войну и потому были людьми, а ещё они были очень пьяны, и пьяное благодушие распирало их (то самое благодушие, которое брался искоренить, да так до конца и не искоренил Великий Сталин). И для них радость была, что к пиру прибавился ещё один человек, хоть и простой рабочий с рудника, идущий в Орск, где жена вот-вот должна рожать. Они не спрашивали у него документов, а поили, кормили и уложили спать. Вот и такое бывает... (Всегда ли пьянство враг человека? А когда открывает в нём лучшее?)

Степан проснулся прежде хозяев; опасаясь всё же ловушки, вышел. Нет, обе лошади стояли как стояли, и на одной из них он мог бы сейчас ускакать. Но и он не мог обидеть хороших людей — и ушёл пешком.

Ещё несколько дней он шёл, уже стали встречаться автомашины. От них он всякий раз успевал убежать в сторону. И вот дошёл до железной дороги и, пройдя вдоль неё, той же ночью подошёл к станции Орск. Оставалось — сесть на поезд! Он победил! Он совершил чудо — с самодельным ножом и палкой пересек обширную пустыню в одиночку — и вот был у цели.

Но при свете фонарей он увидел, что по станционным путям расхаживают солдаты. Тогда он пошёл пешком вдоль железной дороги по просёлочной. Он не стал прятаться и утром: ведь он был уже в России, на родине! Навстречу пылила машина, и первый раз Степан не побежал от неё. Из этой первой родной машины выпрыгнул родной милиционер: «Кто такой? Покажи документы». Степан объяснил — тракторист, ищет работу. Тут случился и председатель колхоза: «Оставь его, мне трактористы вó нужны! У кого в деревне документы!»

День ездили, торговались, выпивали и закусывали, но перед сумерками Степан не выдержал и побежал к лесу, до которого было метров двести. Милиционер же справорился — выстрел! второй! Пришлось остановиться. Связали.

Вероятно, след его был потерян и считали погибшим, а солдаты в Орске поджидали совсем не его, потому что милиционер был к тому, чтоб отпустить, а в районном МВД перед ним поначалу очень рассыпались — давали чай с бутербродами, курить «Казбек», допрашивал его сам начальник (чёрт их знает, этих шпионов, завтра в Москву повезут, ещё пожалуется) и только на «вы». «Где же ваш радиопередатчик? Вы какой разведкой сюда заброшены?» — «*Разведкой?*» — удивлялся Степан. — Я в геологоразведке не работал, я больше на шахтах».

Но побег этот кончился хуже, чем бутербродами, и хуже даже, чем поимкой тела. По возвращении в лагерь его били долго и беспощадно. И, всем измученный и надломленный, Степан упал ниже прежнего своего состояния: он дал *подписку* кенгирскому оперу Беляеву помогать выявлять беглецов. Он стал как утка-манóк. Весь этот побег он в кенгирской тюрьме подробно рассказывал одному, другому сокамернику, ожидая отзыва. И если отзыв был, проявлялся порыв повторить, — Степан докладывал куму.

———

Те черты жестокости, которые проступают в каждом трудном побеге, густо набухли в безтолковом и кровавом побеге — тоже из Джезказгана, тоже летом 1951 года.

Шесть беглецов, начиная ночной побег из шахты, убили седьмого, которого они считали стукачом. Затем через шурф они поднялись в степь. Эти шестеро заключённых были люди очень разной масти, так что сразу же не захотели вместе и идти. Это было бы правильно, если бы был умный план.

Но один из них пошёл сразу в посёлок вольных, тут же, около лагеря, и постучался в окно своей знакомки. Он не прятаться думал у неё, не пережидать под полом или на чердаке (это было бы очень умно), а провести с ней короткое сладкое время (мы сразу узнаём контуры блатного). Он прогужевался у неё ночь и день, а на следующий вечер надел костюм её бывшего мужа и пошёл вместе с ней в клуб, в кино. Лагерные надзиратели, бывшие там, опознали его и тут же *покрутили*.

Двое других, грузины, легкомысленно и самоуверенно пошли на станцию и поездом поехали в Караганду. Но от Джезказгана, кроме пастушьих троп и троп беглецов, нет никаких других путей ко внешнему миру, как именно на Караганду и именно поездом. И вдоль дороги этой — лагеря, а на каждой станции — оперпосты. Так, не доехав до Караганды, оба тоже были покручены.

Трое остальных пошли на юго-запад — самой трудной дорогой. Здесь нет людей, но нет и воды. Пожилой украинец Прокопенко, бывший фронтовик, имевший карту, убедил их избрать этот путь и сказал, что воду он им найдёт. Товарищи его были — приблатнённый крымский татарин и плюгавый ссученный вор. Они прошли без воды и еды четверо суток. Не вынося дальше, татарин и вор сказали Прокопенко: «Решили мы тебя кончать». Он не понял: «Как это, братцы? Хотите разойтись?» — «Нет, *кончать* тебя. Всем не дойти». Прокопенко стал их умолять. Он распорол кепку, вынул оттуда фотографию жены с детьми, надеясь их растрогать. «Братцы! Братцы! Вместе же за свободой пошли! Я вас выведу! Скоро должен быть колодец! Обязательно будет вода! Потерпите! Пощадите!»

Но они закололи его, надеясь напиться кровью. Перерезали ему вены, — а кровь не пошла, свернулась тут же!..

Тоже кадр. Двое в степи над третьим. Кровь не пошла...

Поглядывая друг на друга волками, потому что теперь кто-то должен был лечь из них, они пошли дальше — туда, куда показывал им «батя», и *через два часа* нашли там колодец!..

А на другой день их заметили с самолёта и взяли.

На допросе они это показали, стало известно в лагере — и там решено было *запороть* их обоих за Прокопенко. Но их держали в отдельной камере и судить увезли в другое место.

Хоть верь, что зависит от звёзд, под какими начался побег. Какой бывает тщательный далёкий расчёт — но вот в роковую минуту погасает свет на зоне, и срывается взять грузовик. А другой побег начат порывом, но обстоятельства складываются как подогнанные.

Летом 1948 года всё в том же Джезказганском 1-м отделении (тогда это ещё не был Особлаг) как-то утром отряжен был самосвал — нагрузиться на дальнем песчаном карьере и песок этот отвезти растворному узлу. Песчаный карьер не был объект — то есть он не охранялся, и пришлось в самосвале везти и грузчиков — троих большесрочников с десяткой и четвертными. Конвой был — ефрейтор и два солдата, шофёр — безконвойный бытовик. Случай! Но Случай надо и уметь поймать так же мгновенно, как он приходит. Они должны были решиться — и договориться, — и всё на глазах и на слуху конвоиров, стоявших рядом, когда они грузили песок. Биографии у всех троих были одинаковы, как тогда у миллионов: сперва фронт, потом немецкие лагеря, побеги из них, ловля, штрафные концлагеря, освобождение в конце войны и в благодарность за всё — тюрьма от своих. И почему ж теперь не бежать по своей стране, если не боялись по Германии? Нагрузили. Ефрейтор сел в кабину. Два солдата-автоматчика сели в переднюю часть кузова, спинами к кабине и автоматы уставя на зэков, сидевших на песке в задней части кузова. Едва выехали с карьера, зэки по знаку одновременно бросили в глаза конвоирам песок и бросились сами на них. Автоматы отняли и через окно кабины прикладом оглушили ефрейтора. Машина стала, шофёр был еле жив от страха. Ему сказали: «Не бойся, не тронем, ты же не пёс! Разгружайся!» Заработал мотор — и песок, драгоценный, дороже золотого, тот, который принёс им свободу, — ссыпался на землю.

И здесь, как почти во всех побегах, — пусть история этого не забудет! — рабы оказались великодушнее охраны: они не убили их, не избили, они велели им только раздеться, разуться и босиком в нижнем белье отпустили. «А ты, шофёр, с кем?» — «Да с вами, с кем же», — решился и шофёр.

Чтоб запутать босых охранников (цена милосердия!), они поехали сперва на запад (степь ровна, езжай куда хочешь), там один переоделся в ефрейтора, двое в солдат, и погнали на север. Все с оружием, шофёр с пропуском, подозрения нет! Всё же, пересекая телефонные линии, — рвали их, чтобы нарушить связь. (Подтягивали книзу, поближе, верёвкой с камнем на конце, захлёстом, — а потом крюком рвали.) На это уходило время, но выигрыш больше. Гнали полным ходом полный день, пока счётчик накрутил километров триста, а бензин упал к нолю. Стали присматриваться ко встречным машинам. «Победа». Остановили её. «Простите, товарищ, но служба такая, разрешите проверить ваши документы». Оказалось — тузы! районное партийное начальство, едет не то проверять, не то вдохновлять свои колхозы, не то просто так, на бешбармак. «А ну выходи! Раздевайся!» Тузы умоляют не расстреливать. Отвели их в степь в белье, связали, взяли документы, деньги, костюмы, покатили на «Победе». (А солдаты, раздетые утром, лишь к вечеру дошли до ближайшей шахты, оттуда им с вышки: «Не подходи!» — «Да мы свои!» — «Какое свои, в одном исподнем!»)

У «Победы» бак оказался не полон. Проехали километров двести — всё, и канистра вся. Уже темнело. Увидели пасшихся лошадей и удачно схватили их без уздечек, сели охлябью, погнали. Но — шофёр упал с лошади и повредил ногу. Предлагали ему сесть на лошадь вторым. Он отказался: «Не бойтесь, ребята, вас не *заложу*!» Дали ему денег, шофёрские права с «Победы» и поскакали. Видел их этот шофёр последний, а с тех пор — никто! И в лагерь свой их никогда не привозили. Так и четвертные, и червонец без сдачи оставили ребята в сейфе спецчасти. Зелёный прокурор любит смелых!

И шофёр действительно их не заложил. Он устроился в колхозе около Петропавловска и спокойно жил четыре года. Но загубила его любовь к искусству. Он хорошо играл на баяне, выступал у себя в клубе, потом поехал на районный смотр самодеятельности, потом на областной. Сам он и забывать уже стал прежнюю жизнь, — но из публики его признал кто-то из джезказганского надзора, — и тут же за кулисами он был взят, — и теперь приварили ему 25 лет по 58-й статье. Вернули в Джезказган.

***

Особую группу побегов составляют те, где начинается не с рывка и отчаяния, а с технического расчёта и золотых рук.

В Кенгире был задуман знаменитый побег в железнодорожном вагоне. На один из объектов постоянно подавали под разгрузку товарняк с цементом, с асбестом. В зоне его разгружали, и он уходил пустым. И пятеро зэков готовили побег такой: сделали ложную внутреннюю торцевую стенку товарного пульмановского вагона, да ещё складную на шарнирах, как ширму, — так что, когда тащили её к вагону, она виделась не более как широкая сходня, удобная под тачки. План был: пока разгружается вагон, хозяева ему — зэки; втащить заготовки в вагон, там развернуть; защёлками скрепить в твёрдую стенку; всем пятерым стать спинами к стене и верёвочными тягами поднять и поставить стенку. Весь вагон в асбестовой пыли — и она в том же. Разницы глубины в пульмане не увидишь на глазок. Но есть сложность в расчёте времени, надо освободить весь товарняк к отъезду, пока з/к ещё на объекте, и заранее нельзя сесть, надо убедиться, что сейчас увезут. Вот тогда в последнюю минуту бросились с ножами и продуктами, — и вдруг один из беглецов попал ногой в стрелку и сломал ногу. Это задержало их — и они не успели до конвойной проверки состава кончить свой монтаж. Так они были открыты. По этому побегу был процесс*.

Ту же идею, но в одиночном побеге применил лётчик-курсант Батанов. На экибастузском ДОКе (Деревообделочном комбинате) изготовлялись дверные коробки и отвозились на строительные объекты. Но на ДОКе работа шла круглосуточно, и конвой с вышек не уходил никогда. А на стройучастках конвой был только днём. С помощью друзей Батанов был зашит досками в раме, погружен на машину и разгружен на стройучастке. На ДОКе запутали счёт между сменами, и в тот вечер его не хватились, — а на стройучастке он освободился из коробки, вылез и пошёл. Однако той же ночью был схвачен по дороге к Павлодару. (Этот его побег был годом позже того побега на машине, когда им пробили баллон.)

В Экибастузе от побегов, состоявшихся и сорвавшихся при начале; и от других событий, которыми уже припекала земля зоны; и по оперативным глубокомысленным отметкам; и от отказчиков, и от других всяких непокорных — пухла и пухла Бригада Усиленного Режима. Её не вмещали уже два каменных крыла тюрьмы и не вмещала режимка (барак № 2 близ штабного). Завели ещё одну режимку (барак № 8), особо для бандеровцев.

---

* Мой сопалатник в ташкентском раковом корпусе, конвоир-узбек, рассказывал мне об этом побеге, напротив, как об удачно совершённом, изнехотя восхищаясь.

От каждого нового побега и от каждого бунтарского события режим во всех трёх режимках всё устрожался. (К истории блатного мира заметим: *суки* в экибастузском БУРе брюзжали: «Сволочи! Пора кончать с побегами. Из-за ваших побегов режимом задушат... За такие дела в бытовом лагере морду бьют». То есть говорили то, что требовалось начальству.)

Летом 1951 года режимка-барак-8 задумала бежать целиком. Она была от зоны метрах в тридцати и решила вести подкоп. Но всё это было слишком на языках, обсуждалось *хлопцами* почти открыто среди своих, — они считали, что бандеровец не может быть стукачом, а стукачи были. И прокопали они всего несколько погонных метров, как были проданы.

Вожди режимки-барака-2 были очень раздосадованы всей этой шумливой затеей — не потому, что боялись репрессий, как суки, а потому, что сами были в таких же тридцати метрах от зоны и сами ещё раньше барака-8 задумали и начали подкоп высокого класса. Теперь они боялись, что если одинаковая мысль пришла обеим режимкам, то это может понять и проверить *псарня*. Но больше напуганные побегами на автомашинах, хозяева Экибастуза положили свою главную цель в том, чтобы все объекты и жилую зону обрыть канавами глубиною в метр — и туда бы завалилась на выходе любая автомашина. Как в Средние века, стены́ стало мало, ещё нужен был ров. Канавокопатель чисто и исправно выкапывал теперь один такой ров за другим, вокруг всех зон.

Режимка-барак-2 была малой зоной, обтянутой колючей проволокой внутри большой экибастузской зоны. Её калитка была постоянно на замке. Кроме времени, проводимого на известковом заводе, режимке разрешалось ходить по своему маленькому дворику возле барака только двадцать минут. Всё остальное время режимные были заперты в своём бараке, общую зону проходили только на развод и обратно. В общую столовую они никогда не допускались, повара приносили им в бачках.

Рассматривая свой известковый завод как возможность побыть на солнышке и подышать, режимка никогда не рвалась лопатить вредоносную известь. А когда в конце августа 1951 года там случилось и убийство (блатной Аспанов ломом убил Аникина — беглеца, перешедшего проволоку по намётанному сугробу в пургу, но через сутки пойманного, за то и в режимке; о нём же — Часть Третья, глава 14), трест вообще отказался от таких «рабочих», — и весь сентябрь режимку никуда не выводили, она жила, по сути, на чисто тюремном режиме.

Там было много «убеждённых беглецов», и летом стала сколачиваться, орешек к орешку, надёжная группа на побег из двенадцати человек (Магомет Гаджиев, вождь экибастузских мусульман; Василий Кустарников; Василий Брюхин; Валентин Рыжков; Мутьянов; офицер-поляк, любитель подкопов; и другие). Все там были равны, но Степан Коновалов, кубанский казак, был всё же главным. Они замкнулись клятвой: кто проговорится хоть душе — тому хана́, должен кончить с собой или заколют другие.

К этому времени экибастузская зона уже обнеслась четырёхметровым сплошным забором-заплотом. Вдоль него шёл четырёхметровый вспаханный предзонник, да за забором отмежёвана была пятнадцатиметровая полоса запретки, кончавшаяся метровой траншеей. Всю эту полосу обороны решено было проходить подкопом, но таким надёжным, чтобы он ни за что не был обнаружен раньше.

Первое же обследование показало, что ни́зок фундамент, подпольное пространство всего барака так невелико, что некуда будет складывать выкопанную землю. Кажется — непреодолимо. Значит, не бежать?.. И кто-то предложил: зато чердак просторный, поднимать грунт на чердак! Это казалось немыслимым. Многие десятки кубометров земли через просматриваемое, проверяемое жилое пространство барака незаметно поднять на чердак, поднимать каждый день, каждый час — и ещё не просыпать щепотки, не оставить же следа!

Но когда придумали, как это сделать, — ликовали, и побег был решён окончательно. Решение пришло вместе с выбором секции, то есть комнаты. Этот финский барак был рассчитан на вольных, смонтирован в лагерной зоне по ошибке, другого такого во всём лагере не было: тут были маленькие комнаты, в которых не семь вагонок втискивалось, как везде, а три, то есть на двенадцать человек. Такую секцию, где уже жило несколько из их дюжины, они и облюбовали. Разными приёмами, добровольно меняясь и вытесняя смехом и шутками тех, кто мешал («ты — храпишь, а ты — ... много»), перетолкнули чужих в другие секции, а своих стянули.

Чем больше отделяли режимку от зоны, чем больше режимных наказывали и давили, — тем больше становилось их нравственное значение в лагере. Заказ режимки был для лагеря — первый закон, и теперь, что нужно было техническое — заказывали, где-то на объектах делалось, с риском проносилось через лагерный шмон, а со вторым риском передавалось в режимку — в баланде, при хлебе или при лекарствах.

Раньше всего были заказаны и получены — ножи, точильные камни. Потом — гвозди, шурупы, замазка, цемент, побелка, электрошнур, ролики. Ножами аккуратно перепилили шпунты трёх половых досок, сняли один плинтус, прижимающий их, вынули гвозди у торцов этих досок близ стены и гвозди, пришивающие их к лаге на середине комнаты. Освободившиеся три доски сшили в один щит снизу поперечной планкой, а главный гвоздь в эту планку вбит был сверху вниз. Его широкая шляпка обмазывалась замазкой цвета пола и припудривалась пылью. Щит входил в пол очень плотно, ухватить его было нечем, и ни разу его не поддевали через щели топором. Поднимался щит так: снимался плинтус, накидывалась проволока на малый зазор вокруг широкой гвоздевой шляпки — и за неё тянули. При каждой смене землекопов заново снимали и ставили плинтус. Каждый день «мыли пол» — мочили доски водой, чтоб они разбухали и не имели просветов, щелей. Эта *задача входа* была одной из главных задач. Вообще подкопная секция всегда содержалась особенно чисто, в образцовом порядке. Никто не лежал в ботинках на вагонке, никто не курил, предметы не были разбросаны, в тумбочке не было крошек. Всякий проверяющий меньше всего задерживался здесь. «Культурно!» И шёл дальше.

Вторая была *задача подъёмника*, с земли на чердак. В подкопной секции, как и в каждой, была печь. Между нею и стеной оставалось тесное пространство, куда еле втискивался человек. Догадка была в том, что это пространство надо заделать — передать его из жилого пространства в подкопное. В одной из пустых секций разобрали дочиста, без остатков, одну вагонку. Этими досками забрали проём, тут же следом обили их дранкой, заштукатурили и под цвет печки побелили. Могла ли служба режима помнить, в какой из двадцати комнатёнок барака печь сливается со стеной, а в какой немного отступает? Да и прохлопала исчезновение одной вагонки. Только мокрую штукатурку в первые дни-два мог бы надзор заметить, но для этого надо было обойти печь и переклониться за вагонку — а ведь секция-то образцовая! Но если бы и попались, это ещё не был бы провал подкопа — это была только работа для украшения секции: постоянно пылящийся проём безобразил её.

Лишь когда штукатурка и побелка высохли, — прорезаны были ножами пол и потолок закрытого теперь проёма, там поставлена была стремянка, сколоченная всё из той же раскуроченной вагонки, — и так низкий подпол соединился с хоромами чердака. Это была *шахта*, закрытая от взглядов надзора, — и первая шахта за много лет, в которой этим молодым сильным мужчинам хотелось работать до жара!

Возможна ли в лагере работа, которая сливается с мечтой, которая затягивает всю твою душу, отнимает сон? Да, только эта одна — работа на побег!

Следующая задача была — копать. Копать ножами и их точить, это ясно, но здесь много ещё других задач. Тут и маркшейдерский расчёт (инженер Мутьянов) — углубиться до безопасности, но не более чем надо; вести линию кратчайшим путём; определить наилучшее сечение тоннеля; всегда знать, где находишься, и верно назначить место выхода. Тут и организация смен: копать как можно больше часов в сутки, но не слишком часто сменяясь, и всегда безукоризненно, полным составом встречая утреннюю и вечернюю проверки. Тут и рабочая одежда, и умывание — нельзя же вымазанному в глине подниматься наверх! Тут и освещение — как же вести тоннель 60 метров в темноте? Потянули проводку в подпол и в тоннель (ещё сумей её подключить незаметно!). Тут и сигнализация: как вызвать землекопов из далёкого глухого тоннеля, если в барак внезапно идут? Или как они сами могут безопасно дать знать, что им немедленно надо выйти?

Но в строгости режима была и его слабость. Надзиратели не могли подкрасться и попасть в барак незаметно, — они должны были всегда одной и той же дорогой идти между колючих оплетений к калитке, отпирать замок на ней, потом идти к бараку и отпирать замок на нём, громыхать болтом, — всё это легко было наблюдать из окна, правда не из подкопной секции, а из пустующей «кабинки» у входа, — и только приходилось держать там наблюдателя. Сигналы в забой давались светом: два раза мигнёт — внимание, готовься к выходу; замигает часто — *атас!* тревога! выскакивай живо!

Спускаясь в подпол, раздевались догола, всё снятое клали под подушки, под матрас. После люка пролезали узкую щель, за которой и не предположить было расширенной камеры, где постоянно горела лампочка и лежали рабочие куртки и брюки. Четверо же других, грязных и голых (смена), вылезали наверх и тщательно мылись (глина шариками затвердевала на волосах тела, её нужно было размачивать или срывать вместе с волосами).

Все эти работы уже велись, когда раскрыт был безпечный подкоп режимки-барака-8. Легко понять не просто досаду, но оскорбление творцов за свой замысел. Однако обошлось благополучно.

В начале сентября, после почти годичного сидения в тюрьме, были переведены (возвращены) в эту же режимку Тэнно и Жданок. Едва отдышавшись тут, Тэнно стал проявлять безпокойство — надо же было готовить побег! Но никто в режимке, самые убеждённые и отчаянные беглецы не отзывались на его укоры, что проходит лучшее время побегов, что нельзя же без дела сидеть! (У подкопников было три смены по четыре человека, и никто тринадцатый им не был нужен.) Тогда Тэнно прямо предложил им подкоп! — но они отвечали, что уже думали, но фундамент слишком низкий. (Это, конечно, было безсердечно: смотреть в пытливое лицо проверенного беглеца и вяло качать головами, всё равно что умной тренированной собаке запрещать вынюхивать дичь.) Однако Тэнно слишком хорошо знал этих ребят, чтобы поверить в их повальное равнодушие. *Все* они не могли так дружно испортиться!

И он со Жданком установил за ними ревнивое и знающее суть наблюдение — такое, на которое надзиратели не были способны. Он заметил, что часто ходят ребята курить всё в одну и ту же «кабинку» у входа и всегда по одному, нет чтобы компанией (наблюдатель). Что днём дверь их секции бывает на крючке, постучишь — открывают не сразу, и всегда несколько человек крепко спят, будто ночи им мало. То Васька Брюхин выходит из парашной мокрый. «Что с тобой?» — «Да помыться решил».

Роют, явно роют! Но где? Почему молчат?.. Тэнно шёл к одному, другому и *прикупал* их: «Неосторожно, ребята, роете, неосторожно! Хорошо — замечаю я, а если бы стукач?»

Наконец они устроили *толковище* и решили принять Тэнно с достойной четвёркой. Ему они предложили обследовать комнату и найти следы. Тэнно облазил и обнюхал каждую половицу и стенки — и не нашёл! — к своему восхищению и восхищению всех ребят. Дрожа от радости, полез он под пол работать *на себя*!

Подпольная смена распределялась так: один лёжа долбил землю в забое; другой, скорчась за ним, набивал отрытую землю в специально сшитые небольшие парусиновые мешки; третий ползком же таскал мешки (лямками через плечи) по тоннелю назад, затем подпольем к шахте и по одному цеплял эти мешки за крюк, спущенный с чердака. Четвёртый был на чердаке. Он сбрасывал порожняк, поднимал мешки наверх, разносил их, тихо ступая, по всему чердаку и рассыпал невысоким слоем, в конце же смены этот грунт забрасывал шлаком, которого на чердаке было очень много. Потом внутри смены менялись, но не всегда, потому что не каждый мог хорошо и быстро выполнять самые тяжёлые, просто изнурительные работы: копку и оттаску.

Оттаскивали сперва по два, потом по четыре мешка сразу, для этого *закосили* у поваров деревянный поднос и тянули его лямкой, а на подносе мешки. Лямка шла по шее сзади, а потом пропускалась под мышками. Стиралась шея, ломило плечи, сбивались колени, после одного рейса человек был в мыле, после целой смены можно было *врезать дубаря*.

Копать приходилось в очень неудобном положении. Была лопата с короткой ручкой, которую точили каждый день. Ею надо было прорезать вертикальные щели на глубину штыка, потом полулёжа, опираясь спиной на вырытую землю, отваливать куски земли и бросать их через себя. Грунт был то камень, то упругая глина. Самые большие камни приходилось миновать, изгибая тоннель. За восемь-десять часов смены проходили не больше двух метров в длину, а то и меньше метра.

Самое тяжёлое было — нехватка воздуха в тоннеле: кружилась голова, теряли сознание, тошнило. Пришлось решать ещё и *задачу вентиляции*. Вентиляционные отверстия можно было просверлить только вверх — в самую опасную, постоянно просматриваемую полосу — близ зоны. Но без них дышать было не под силу. Заказали «пропеллерную» стальную пластинку, к ней поперёк приделали палку, получилось вроде коловорота — и так вывели первое узкое отверстие на белый свет. Появилась тяга, дышать стало легче. (Когда подкоп шёл уже за забором, вне лагеря, сделали второе.)

Постоянно делились опытом — как лучше какую работу делать. Подсчитывали, сколько прошли.

Лаз или тоннель нырял под ленточный фундамент, затем уклонялся от прямой только из-за камней или неточного забора. Он имел ширину полуметровую, высоту девяносто сантиметров и полукруглый свод. Его потолок, по расчётам, был от земной поверхности метр тридцать — метр сорок. Боковины тоннеля укреплялись досками, вдоль него, по мере продвижения, наращивался шнур и вешались новые и новые электрические лампочки.

Смотреть вдоль — это было метро, лагерное метро!.. Уже прошёл тоннель на десятки метров, уже копали за зоной. Над головой бывал ясно слышен топот проходящего развода караула, слышен лай и повизгивание собак.

И вдруг... и вдруг однажды после утренней проверки, когда дневная смена ещё не опустилась и (по строгому закону беглецов) ничего порочащего не было снаружи, — увидели свору надзирателей, идущих к бараку во главе с маленьким резким лейтенантом Мачеховским, начальником режима. Сердца беглецов опустились: заметили? Продали? Или проверяют наугад?

Раздалась команда:

— Собирай личные вещи! Вы́ходи из барака все до одного!

Команда выполнена. Все заключённые выгнаны и на прогулочном дворике сидят на своих *сидорах*. Изнутри барака слышен плоский грохот — сбрасывают доски вагонок. Мачеховский кричит: «Тащи сюда инструмент!» И надзиратели волокут внутрь ломики и топоры. Слышен натужный скрип отдираемых досок.

Вот и судьба беглецов! — столько ума, труда, надежд, оживления — и всё не только зря, но опять карцеры, побои, допросы, новые сроки...

Однако! — ни Мачеховский, никто из надзирателей не выбегают ожесточённо-радостно, потрясая руками. Идут вспотевшие, отряхиваясь от грязи и пыли, отдуваясь, недовольные, что ишачили впустую. «Па́дходи по одному!» — разочарованная команда. Начинается шмон личных вещей. Заключённые возвращаются в барак. Что за погром! — в нескольких местах (там, где доски были плохо прибиты или явные щели) вскрыт пол. В секциях всё разбросано, и даже вагонки перевёрнуты со зла. Только в *культурной* секции не нарушено ничего!

Непосвящённых в побег разбирает:

— И что им не сидится, собакам?! Что они ищут?

Беглецы же теперь понимают, как это мудро, что у них под полом нет насыпанных куч грунта: их сейчас могли бы заметить в проломы. А на чердак и не лазили — с чердака ведь можно только лететь на крыльях. Впрочем, и на чердаке всё забросано аккуратно шлаком.

Не допёрла псарня, не допёрла! Ах, радость! Если трудиться упорно, следить за собой строго, — не может не быть плодов. Теперь-то докопаем! Осталось шесть-восемь метров до обводной траншеи. (Последние метры надо рыть особенно точно, чтоб выйти на дно траншеи — не ниже, не выше.)

А что будет дальше? Коновалов, Мутьянов, Гаджиев и Тэнно к этому времени уже разработали план, принятый всеми шестнадцатью. Побег вечером, около десяти часов, когда проведут по всему лагерю вечернюю проверку, надзор разойдётся по домам или уйдёт в штабной барак, а караул на вышках сменится, разводы караулов пройдут.

В подземный ход одному за другим спуститься всем. Последний наблюдает из «кабинки» за зоной; потом с предпоследним они вынимаемую часть плинтуса прибивают наглухо к доскам люка, так что когда они за собой опустят люк, — станет на место и плинтус. С широкою шляпкою гвоздь втягивается до отказа вниз и ещё приготовляются сыспо́ду пола задвижки, которыми люк будет намертво закреплён, даже если его рвать кверху.

И ещё: перед побегом снять решётку с одного из коридорных окон. Обнаружив на утренней проверке недостачу шестнадцати человек, надзиратели не сразу решат, что это подкоп и побег, а кинутся искать по зоне, подумают: режимники пошли сводить счёты со стукачами. Будут искать ещё в другом лагпункте — не полезли ли через стену туда. Чистая работа! — подкопа не найти, под окном — нет следов, шестнадцать человек — ангелами взяты на небо!

Выползать в обводную траншею, затем по дну траншеи отползать по одному дальше от вышки (выход тоннеля слишком близок к ней); по одному же выходить на дорогу; между четвёрками делать перерывы, чтобы не вызывать подозрений и иметь время осмотреться. (Самый последний опять применяет предосторожность: он закрывает ход лаза *снаружи* заранее заготовленной деревянной горловиной, измазанной глиной, приминает её к лазу своим телом, забрасывает землёй, — чтоб и из траншеи нельзя было утром обнаружить следов подкопа!)

По посёлку идти группами с громкими беззаботными шутками. При попытке задержать — дружный отпор, вплоть до ножей.

Общий сборный пункт — около железнодорожного переезда, который проходят многие машины. Переезд взгорблен над дорогой, все ложатся вблизи на землю, и их не видно. Переезд этот плох (ходили через него на работу, видели), доски уложены кое-как, грузовики с углем и порожние тут переваливаются медленно. Двое должны поднять руки, остановить машину сразу за переездом, подойти к кабине с двух сторон. Просить подвезти. Ночью шофёр, скорее всего, один. Тут же вынуть ножи, взять шофёра *на прихват*, посадить его в середину, Валька Рыжков садится за руль, все прыгают в кузов и — ходу к Павлодару! Сто тридцать — сто сорок километров наверняка можно отскочить за несколько часов. Не доезжая парома, свернуть вверх по течению (когда везли сюда, глаза охватили кое-что), там в кустах шофёра связать, положить, машину бросить, через Иртыш переплыть на лодке, разбиться на группы и — кто куда! Как раз идут заготовки зерна, на всех дорогах полно машин.

Должны были кончить работы 6 октября. За два дня, 4 октября, взяли на этап двух участников: Тэнно и Володьку Кривошеина, вора. Они хотели делать *мостырку*, чтобы остаться любой ценой, но опер обещал повезти в наручниках, хоть при смерти. Решили, что лишнее упорство вызовет подозрение. Жертвуя для друзей, подчинились.

Так Тэнно не воспользовался своей настойчивостью влиться в подкоп. Не он стал тринадцатым — но введенный им, покровительствуемый, слишком расхлябанный дёрганый Жданок. Степан Коновалов и его друзья в худую для себя минуту уступили и открылись Тэнно.

Копать кончили, вышли правильно, Мутьянов не ошибся. Но пошёл снег, отложили, пока подсохнет.

9 октября вечером сделали всё совершенно точно, как было задумано. Благополучно вышла первая четвёрка — Коновалов, Рыжков, Мутьянов и тот поляк, его постоянный соучастник по инженерным побегам.

А потом выполз в траншею злополучный маленький Коля Жданок. Не по его вине, конечно, послышались невдалеке сверху шаги. Но ему бы выдержать, улежать, перетаиться, а когда пройдут — ползти дальше. А он от излишней шустрости высунул голову. Ему захотелось *посмотреть* — а кто это идёт?

Быстрая вошка всегда первая на гребешок попадает. Но *эта* глупая вошка погубила редкую по слаженности и по силе замысла группу беглецов — четырнадцать жизней долгих, сложных, пересекшихся на этом побеге. В каждой из жизней побег этот имел важное, особенное значение, осмысляющее прошлое и будущее, от каждого зависели ещё где-то люди, женщины, дети, и ещё нерождённые дети, — а вошка подняла голову — и всё полетело в тартарары.

А шёл, оказывается, помначкар, увидел вошку — крикнул, выстрелил. И охранники — не достойные этого замысла, и не разгадавшие его, — стали великими героями. И мой читатель, Историк-Марксист, похлопывая линеечкой по книге, цедит мне снисходительно:

— Да-а-а... Отчего ж вы не бежали?.. Отчего ж вы не восстали?..

И все беглецы, уже выползшие в лаз, отогнувшие решётку, уже прибившие плинтус к люку, — поползли теперь назад — назад — назад!

Кто дочерпался и знает дно этого досадливого отчаяния? этого презрения к своим усилиям?

Они вернулись, выключили свет в тоннеле, вправили коридорную решётку в гнёзда.

Очень скоро вся режимка была переполнена офицерами лагеря, офицерами дивизиона, конвоирами, надзирателями. Началась проверка по формулярам и перегон всех — в каменную тюрьму.

А подкопа из секции — не нашли! (Сколько бы же они искали, если бы всё удалось, как задумано?!) Около того места, где *просы́пался* Жданок, нашли дыру, полузаваленную. Но и придя тоннелем под барак, нельзя было понять, откуда же спускались люди и куда они дели землю.

Только вот в «культурной» секции не хватило четырёх человек, и восьмерых оставшихся теперь нещадно *пропускали* — легчайший способ для тупоумных добиться истины.

А зачем теперь было скрывать?..

В этот тоннель устраивались потом экскурсии всего гарнизона и надзора. Майор Максименко, пузатый начальник Экибастузского лагеря, потом хвастался в Управлении перед другими начальниками лаготделений:

— Вот у меня был подкоп — да! Метро! Но мы... наша бдительность...

А всего-то вошка...

Поднятая тревога не дала и ушедшей четвёрке дойти до железнодорожного переезда. План рухнул. Они перелезли через забор пустой рабочей зоны с другой стороны дороги, перешли зону, ещё раз перелезли — и двинули в степь. Они не решились остаться в посёлке ловить машину, потому что посёлок уже был переполнен патрулями.

Как год назад Тэнно, они сразу потеряли скорость и вероятие уйти.

Они пошли на юго-восток, к Семипалатинску. Ни продуктов не было у них на пеший путь, ни сил — ведь последние дни они выбивались, кончая подкоп.

На пятый день побега они зашли в юрту и попросили у казахов поесть. Как уже можно догадаться, те отказали и в просящих поесть стреляли из охотничьего ружья. (И в традиции ли это степного народа пастухов? А если не в традиции — то традиция откуда?..)

Степан Коновалов пошёл с ножом на ружьё, ранил казаха, отнял ружьё и продукты. Пошли дальше. Но казахи выслеживали их на конях, обнаружили уже близ Иртыша, вызвали опергруппу.

Дальше они были окружены, избиты в кровь и мясо, дальше уже всё, всё известно...

Если мне могут теперь указать побеги русских революционеров XIX или XX века с такими трудностями, с таким отсутствием поддержки извне, с таким враждебным отношением среды, с такой беззаконной карой пойманных — пусть назовут!

И после этого пусть говорят, что мы — не боролись.

Глава 9
СЫНКИ С АВТОМАТАМИ

Охраняли в долгих шинелях с чёрными обшлагами. Охраняли красноармейцы. Охраняли самоохранники. Охраняли запасники-старики. Наконец пришли молодые ядрёные мальчики, рождённые в первую пятилетку, не видавшие войны, взяли новенькие автоматы — и пошли нас охранять.

Каждый день два раза по часу мы бредём, соединённые молчаливой смертной связью: любой из них волен убить любого из нас. Каждое утро мы — по дороге, они — по задороге, вяло бредём, куда не нужно ни им, ни нам. Каждый вечер бодро спешим: мы — в свой загон, они — в свой. И так как дома настоящего у нас нет, — загоны эти служат нам домами.

Мы идём и совсем не смотрим на их полушубки, на их автоматы, — зачем они нам? Они идут и всё время смотрят на чёрные наши ряды. Им по уставу надо всё время смотреть на нас, им так приказано, в этом их служба. Они должны пресечь выстрелом наше каждое движение и шаг.

Какими кажемся мы им, в наших чёрных бушлатах, в наших серых шапках сталинского меха, в наших уродливых, третьего срока, четырежды подшитых валенках, — и все обляпанные латками номеров, как не могут же поступить с подлинными людьми?

Удивляться ли, что вид наш вызывает гадливость? — ведь он так и рассчитан, наш вид. Вольные жители посёлка, особенно школьники и учительницы, со страхом косятся с тротуарных тропинок на наши колонны, ведомые по широкой улице. Передают: они очень боятся, что мы, исчадия фашизма, вдруг бросимся врассыпную, сомнём конвой — и ринемся грабить, насиловать, жечь, убивать. Ведь, наверно, такие только желания доступны столь звероподобным существам. И вот от этих зверей охраняет жителей посёлка — конвой. Благородный конвой. В клубе, построенном нами, вполне может чувствовать себя рыцарем сержант конвоя, предлагая учительнице потанцевать.

Эти сынки всё время смотрят на нас — и из оцепления, и с вышек, но ничего им не дано знать о нас, а только право дано: стрелять без предупреждения.

О, если бы по вечерам они приходили к нам, в наши бараки, садились бы на наши вагонки и слушали: за что вот этот сел старик, за что вот этот папаша.

Опустели бы эти вышки, и не стреляли бы эти автоматы.

Но вся хитрость и сила системы в том, что смертная наша связь основана на неведении. Их сочувствие к нам карается как измена родине, их желание с нами поговорить — как нарушение священной присяги. И зачем говорить с нами, когда придёт политрук в час, назначенный по графику, и проведёт с ними беседу — о политическом и моральном лице охраняемых врагов народа. Он подробно и с повторениями разъяснит, насколько эти чучела вредны и тяготят государство. (Тем заманчивее проверить их как живую мишень.) Он принесёт под мышкой какие-то папки и скажет, что в спецчасти лагеря ему дали на один вечер *дела*. Он прочтёт оттуда машинописные бумажки о злодеяниях, за которые мало всех печей Освенцима, — и припишет их тому электрику, который чинил свет на столбе, или тому столяру, у которого рядовые товарищи такие-то неосторожно хотели заказать тумбочку.

Политрук не собьётся, не оговорится. Он никогда не расскажет мальчикам, что люди тут сидят и просто за веру в Бога, и просто за жажду правды, и просто за любовь к справедливости. И ещё — ни за что вообще.

Вся сила системы в том, что нельзя человеку просто говорить с человеком, а только через офицера и политрука.

Вся сила этих мальчиков — в их незнании.

Вся сила лагерей — в этих мальчиках. Краснопогонниках. Убийцах с вышек и ловцах беглецов.

Вот одна такая политбеседа по воспоминаниям тогдашнего конвоира (Ныроблаг): «Лейтенант Самутин — узкоплечий, долговязый, голова приплюснутая с висков. Напоминает змею. Белый, почти безбровый. Знаем, что прежде он самолично расстреливал. Сейчас на политзанятиях читает монотонно: „Враги народа, которых вы охраняете, — это те же фашисты, нечисть. Мы осуществляем силу и карающий меч Родины и должны быть твёрдыми. Никаких сантиментов, никакой жалости"».

И вот так-то формируются мальчики, которые упавшего беглеца стараются бить ногой непременно в голову. Те, кто у седого старика в наручниках выбивают ногою хлеб изо рта. Те, кто равнодушно смотрят, как бьётся закованный беглец о занозистые доски кузова, — ему лицо кровянит, ему голову разбивает, они смотрят равнодушно. Ведь они — карающий меч Родины.

Уже после смерти Сталина, уже вечно-ссыльный, я лежал в обычной «вольной» ташкентской клинике. Вдруг слышу: молодой узбек, больной, рассказывает соседям о своей службе в *армии*. Их часть охраняла палачей и зверей. Узбек признался, что конвоиры тоже были не вполне сыты и их зло брало, что заключённые, как шахтёры, получают пайку (это за 120%, конечно), немного лишь меньшую их честной солдатской. И ещё их злило, что им, конвоирам, приходится на вышках мёрзнуть зимой (правда, в тулупах до пят), а враги народа, войдя в рабочую зону, будто на весь день рассыпаются по обогревалкам (он и с вышки мог бы видеть, что это не так) и там целый день спят (он серьёзно представлял, что государство благодетельствует своих врагов).

Интересный вышел случай! — посмотреть на Особлаг глазами конвоира. Я стал спрашивать, что ж это были за гады и разговаривал ли с ними мой узбек лично. И вот тут он мне рассказал, что всё это узнал от политруков, что даже *дела* им зачитывали на политбеседах. И эта неразборчивая его злоба, что заключённые целый день спят, тоже, конечно, утвердилась в нём не без того, чтобы офицеры кивали согласительно.

О вы, соблазнившие малых сих!.. Лучше бы вам и не родиться!..

Рассказал узбек и о том, что рядовой солдат МВД получает 230 рублей в месяц (в 12 раз больше, чем армейский! откуда такая щедрость? может быть, служба его в 12 раз трудней?), а в Заполярьи даже и 400 рублей — это на срочной службе и на всём готовом.

И ещё рассказывал случаи разные. Например, товарищ его шёл в оцеплении, и померещилось ему, что из колонны кто-то *хочет* выбежать. Он нажал спуск и одной очередью убил *пятерых* заключённых. Так как потом все конвоиры показали, что колонна шла спокойно, то солдат понёс строгое наказание: за пять смертей дали ему пятнадцать суток ареста (на тёплой гауптвахте, конечно).

А уж этих-то случаев кто не знает, кто не расскажет из туземцев Архипелага!.. Сколько мы знали их в ИТЛ: на работах, где зоны нет, а есть невидимая черта оцепления, — раздаётся выстрел, и заключённый падает мёртв: он переступил черту, говорят. Может быть, вовсе не переступил, — ведь линия невидимая, а никто второй не подойдёт сейчас её проверить, чтобы не лечь рядом. И комиссия тоже не придёт проверять, где лежат ноги убитого. А может быть, он и переступил, — ведь это конвоир может следить за невидимой чертой, а заключённый работает. Тот-то зэк и получает эту пулю, кто увлечённей и честней работает. На станции Новочунка (Озёрлаг) на сенокосе — видит в двух-трёх шагах ещё сенцо, а сердце хозяйское, дай подгребу в копёнку, — пуля! И солдату — месяц отпуска.

А ещё бывает, что именно этот охранник именно на этого заключённого зол (не выполнил тот заказа, просьбы), — и тогда выстрел есть месть. Иногда с коварством: конвоир же и велит заключённому что-то взять и принести из-за черты. И когда тот доверчиво идёт, — стреляет. Можно папиросу ему туда бросить — на, закури! Заключённый пойдёт и за папиросой, он такой, презренное существо.

Зачем стреляют? — это не всегда поймёшь. Вот в Кенгире, в устроенной зоне, днём, где никаким побегом не пахнет, девушка Лида, западная украинка, управилась между работой постирать чулки и повесила их сушить на откосах предзонника. Приложился с вышки — и убил её наповал. (Смутно рассказывали, что потом и сам хотел с собой кончить.)

Зачем! Человек с ружьём! Безконтрольная власть одного человека — убить или не убить другого.

А тут ещё — выгодно! Начальство всегда на твоей стороне. За убийство никогда не накажут. Напротив, похвалят, наградят, и чем раньше ты его угрохал, ещё на половине первого шага, — тем выше твоя бдительность, тем выше награда! Месячный оклад. Месячный отпуск. (Да станьте же в положение Командования: если дивизион не имеет на счету случаев проявленной бдительности, — то что это за дивизион? что у него за командиры? или такие зэки смирные, что надо сократить охрану? Однажды созданная охранная система *требует смертей*.)

И между стрелками охраны возникает даже дух соревнования: ты убил и на премию купил сливочного масла. Так и я убью и тоже куплю сливочного масла. Надо к себе домой съездить, девку свою полапать? — подстрели одно это серое существо и езжай на месяц.

Все эти случаи хорошо мы знали в ИТЛ. Но в Особлагах появились вот такие новинки: стрелять прямо в строй, как товарищ этого узбека. Как в Озёрлаге на вахте 8 сентября 1952 года. Или с вышек по зоне.

Значит — так их готовили. Это — работа политруков.

В мае 1953 года в Кенгире эти сынки с автоматами дали внезапную и ничем не вызванную очередь по колонне, уже пришедшей к лагерю и ожидающей входного обыска. Было 16 раненых — но если бы просто раненых! Стреляли разрывными пулями, давно запрещёнными всеми конвенциями капиталистов и социалистов. Пули выходили из тел воро́нками — разворачивали внутренности, челюсти, дробили конечности.

Почему именно разрывными пулями вооружён конвой Особлагов? *Кто* это утвердил? Мы никогда этого не узнаем...

Однако как обиделся мир охраны, прочтя в моей повести, что заключённые зовут их «попками», и вот теперь это повторено для всего света. Нет, заключённые должны были их любить и звать ангелами-хранителями!

А один из этих сынков, правда из лучших, не обиделся, но хочет отстоять истину, — Владилен Задорный, 1933 года, служивший в ВСО (Военизированной стрелковой охране) МВД в Ныроблаге от своих восемнадцати до своих двадцати лет. Он написал мне несколько писем:

> «Мальчишки не сами же шли туда — их призывал военкомат. Военкомат передавал их МВД. Мальчишек учили стрелять и стоять на посту. Мальчишки мёрзли и плакали по ночам, — на кой им чёрт нужны были Ныроблаги со всем их содержимым! Ребят не нужно винить — они были солдатами, они несли службу Родине, и хотя в этой нелепой и страшной службе не всё было понятно (а *что́* — *было* понятно?.. Или всё или ничего. — *А. С.*), — но они приняли присягу, их служба не была лёгкой».

Искренне, задумаешься. Огородили этих мальцов кольями — присяга! служба Родине! вы — солдаты!

Но и — слаба ж была в них, значит, общечеловеческая закладка, да никакой просто, — если не устояла она против присяги и политбесед. Не изо всех поколений и не всех народов можно вылепить таких мальчиков.

Не главный ли это вопрос XX века: допустимо ли исполнять приказы, передоверив совесть свою — другим? Можно ли не иметь своих представлений о дурном и хорошем и черпать их из печатных инструкций и устных указаний начальников? Присяга! Эти торжественные заклинания, произносимые с дрожью в голосе и по смыслу направленные для защиты народа от злодеев, — ведь вот как легко направить их на службу злодеям и против народа!

Вспомним, что́ собирался Василий Власов сказать своему палачу ещё в 1937: ты один! — *ты один* виноват, что убивают людей! На тебе одном моя смерть, и с этим живи! Не было бы палачей — не было бы казней.

Не было бы конвойных войск — не было бы и лагерей.

Конечно, ни современники, ни история не упустят иерархии виновности. Конечно, всем ясно, что их офицеры виноваты больше; их оперуполномоченные — ещё больше; писавшие инструкции и приказы — ещё больше; а дававшие указания их писать — больше всех*.

Но стреляли, но охраняли, но автоматы держали наперевес всё-таки не *те*, а — мальчики! Но лежащих били сапогами по голове — всё-таки мальчики!..

Ещё пишет Владилен:

> «Нам внедряли в головы, нас заставляли зубрить УСО-43 сс — устав стрелковой охраны 43 года совершенно секретный**, жестокий и грозный устав. Да присяга. Да наблюдение оперов и замполитов. Наушничество, доносы. На самих стрелков заводимые *дела*... Разделённые частоколом и колючей проволокой, люди в бушлатах и люди в шинелях были равно заключёнными — одни на двадцать пять лет, другие на три года».

Это — выражено сильно, что стрелки́ тоже как бы *посажены*, только не военным трибуналом, а военным комиссариатом. Но *ра́вно*-то, равно-то нет! — потому что люди в шинелях отлично секли автоматами по людям в бушлатах, и даже по толпам, как мы увидим скоро.

Разъясняет ещё Владилен:

> «Ребята были разные. Были ограниченные служаки, слепо ненавидевшие зэ-ка́. Кстати, очень ревностными были новобранцы из национальных мень-

---

* Это не значит, что их будут судить. Важно проверить, довольны ли они пенсиями и дачами.

** Кстати, вполне ли мы замечаем это зловещее присвистывание «эс-эс» в нашей жизни — то в одном сокращении, то в другом, начиная с Ка-Пэ-эС-эС и, значит, ка-пэ-*эсэсовцев*? Вот, оказывается, ещё и устав был «эс-эс» (как и всё *слишком секретное* тоже «эс-эс»), — понимали, значит, его подлость составители, — понимали и составляли — да в какое время: едва отбили немцев от Сталинграда! Ещё один плод народной победы.

шинств — башкиры, буряты, якуты. Потом были равнодушные — этих больше всего. Несли службу тихо и безропотно. Больше всего любили отрывной календарь и час, когда привозят почту. И наконец, были хорошие хлопцы, сочувствующие зэка как людям, попавшим в беду. И большинство нас понимало, что служба наша в народе непопулярна. Когда ездили в отпуск — формы не носили".

А лучше всего свою мысль Владилен защитит собственной историей. Хотя уж таких-то, как он, и вовсе были единицы.

Его пропустили в конвойные войска по недосмотру ленивой спецчасти. Его отчим, старый профсоюзный работник Войнино, был арестован в 1937, мать за это исключена из партии. Отец же, комбриг ВЧК, член партии с 17-го года, поспешил отречься и от бывшей жены, и заодно от сына (он сохранил так партбилет, но ромб НКВД всё-таки потерял)*. Мать смывала свою запятнанность донорской кровью во время войны. (Ничего, кровь её брали и партийные, и безпартийные.) Мальчик «синие фуражки ненавидел с детства, а тут самому надели на голову... Слишком ярко врезалась в младенческую память страшная ночь, когда люди в отцовской форме безцеремонно рылись в моей детской кровати».

«Я не был хорошим конвойным: вступал в беседы с зэками, исполнял их поручения. Оставлял винтовку у костра, ходил купить им в ларьке или бросить письма. Думаю, что на ОЛПах Промежуточная, Мысакорт, Парма ещё вспоминали стрелка Володю. Бригадир зэ-ка как-то сказал мне: „Смотри на людей, слушай их горе, тогда поймёшь..." А я и так в каждом из политических видел деда, дядю, тётю... Командиров своих я просто ненави-

---

* Хотя мы ко всему давно привыкли, но иногда и удивишься: арестован второй муж покинутой жены — и поэтому надо отречься от четырёхлетнего сына? И это — для комбрига ВЧК?

дел. Роптал, возмущался, говорил стрелкам — „вот настоящие враги народа!" За это, за прямое неподчинение („саботаж"), за связь с зэ-ка меня отдали под следствие... Долговязый Самутин... хлестал меня по щекам, бил пресс-папье по пальцам — за то, что я не подписывал признания о письмах зэ-ка. Быть бы этой глисте в жмуриках, у меня второй разряд по боксу, я крестился двухпудовой гирей, — но два надзирателя повисли на руках... Однако следствию было не до меня: такое шатание-топтание пошло в 53-м году по МВД. Срока мне не дали, дали волчий билет — статья 47-Г: „уволен из органов МВД за крайнюю недисциплинированность и грубые нарушения устава МВД". И с гауптвахты дивизиона — избитого, измороженного, выбросили ехать домой... Освободившийся бригадир Арсен ухаживал за мной в дороге».

А вообразим, что захотел бы проявить снисходительность к заключённым *офицер* конвоя. Ведь он мог бы сделать это только при солдатах и через солдат. А значит, при общей озлобленности, ему было бы и невозможно это, да и «неловко». Да и кто-нибудь на него бы тотчас донёс.
Система!

Глава 10
КОГДА В ЗОНЕ ПЫЛАЕТ ЗЕМЛЯ

Нет, не тому приходится удивляться, что мятежей и восстаний не было в лагерях, а тому, что они всё-таки б ы л и.

Как всё нежелательное в нашей истории, то есть три четверти истинно происходившего, и мятежи эти так аккуратно вырезаны, швом обшиты и зализаны, участники их уничтожены, дальние свидетели перепуганы, донесения подавителей сожжены или скрыты за двадцатью стенками сейфов, — что восстания эти уже сейчас обратились в миф, когда прошло от одних пятнадцать лет, от других только десять. (Удивляться ли, что говорят: ни Христа не было, ни Будды, ни Магомета. Там — тысячелетия...)

Когда это не будет уже никого из живущих волновать, историки допущены будут к остаткам бумаг, археологи копнут где-то лопатой, что-то сожгут в лаборатории, — и прояснятся даты, места, контуры этих восстаний и фамилии главарей.

Тут будут и самые ранние вспышки, вроде ретюнинской — в январе 1942 года на командировке Ош-Курье близ Усть-Усы. Говорят, Ретюнин был вольнонаёмный, чуть ли не начальник этой командировки. Он кликнул клич Пятьдесят Восьмой и социально-вредным (7-35), собрал пару сотен добровольцев, они разоружили конвой из бытовиков-самоохранников и с лошадьми ушли в леса, партизанить. Их перебили постепенно. Ещё весной 1945 сажали по «ретюнинскому делу» совсем и непричастных.

Может быть, в то время узнаем мы — нет, уже не мы — о легендарном восстании 1948 года на 501-й стройке — на строительстве железной дороги Сивая Маска — Салехард. Легендарно оно потому, что все в лагерях о нём шепчут и никто толком не знает. Легендарно потому, что вспыхнуло не в Особых лагерях, где к этому сложилось настроение и почва, — а в ИТЛовских, где люди разъединены стукачами, раздавлены блатными, где оплёвано даже право их быть политическими и где даже в голову не могло поместиться, что возможен мятеж заключённых.

По слухам, всё сделали бывшие (недавние!) военные. Это иначе и быть не могло. Без них Пятьдесят Восьмая была обескровленное обезверенное стадо. Но эти ребята (почти никто не старше тридцати), офицеры и солдаты нашей боевой армии; и они же, но в виде бывших военнопленных; и ещё из тех военнопленных — побывавшие у Власова, или Краснова, или в национальных отрядах; там воевавшие друг против друга, а здесь соединённые общим гнётом; эта молодёжь, прошедшая все фронты Мировой войны, отлично владеющая современным стрелковым боем, маскировкой и снятием дозоров, — эта молодёжь, где не была разбросана по одному, сохранила ещё к 1948 году всю инерцию войны и веру в себя, в её груди не вмещалось: почему такие ребята, целые батальоны, должны покорно умирать? Даже побег был для них жалкой полумерой, почти дезертирством одиночек, вместо того чтобы совместно принять бой.

Всё задумано было и началось в какой-то бригаде. Говорят, что во главе был бывший полковник Воронин (или Воронов), одноглазый. Ещё называют старшего лейтенанта бронетанковых войск Сакуренко. Бригада убила своих конвоиров (конвоиры в то время, как раз наоборот, не были настоящими солдатами, а — запасники, резервисты). Затем пошли освободили другую бригаду, третью. Напали на посёлок охраны и на свой лагерь извне — сняли часовых с вышек и раскрыли зону. (Тут сразу произошёл обязательный раскол: ворота были раскрыты, но большею частью зэки не шли в них. Тут были краткосрочники, которым не было расчёта бунтовать. Здесь были и десятилетники, и даже пятнадцатилетники по указам «семь восьмых» и «четыре шестых», но им не было расчёта получать 58-ю статью. Тут была и Пятьдесят Восьмая, но такая, что предпочитала верноподданно умереть на коленях, только бы не стоя. А те, кто вываливали через ворота, совсем не обязательно шли помогать восставшим: охотно бежали за зону и блатные, чтобы грабить вольные посёлки.)

Вооружившись теперь за счёт охраны (похороненной потом на кладбище в Кочмесе), повстанцы пошли и взяли соседний лагпункт. Соединёнными силами решили идти на город Воркуту! — до него оставалось 60 километров. Но не тут-то было! Парашютисты высадились десантом и отгородили от них Воркуту. А расстреливали и разгоняли восставших штурмовики на бреющем полёте.

Потом судили, ещё расстреливали, давали сроки по 25 и по 10. (Заодно «освежали» сроки и многим тем, кто не ходил на операцию, а оставался в зоне.)

Военная безнадёжность их восстания очевидна. Но кто скажет, что *надёжнее* было медленно доходить и умирать?

Вскоре затем создались Особлаги, бо́льшую часть Пятьдесят Восьмой отгребли. И что же?

В 1949 году в Берлаге, в лаготделении Нижний Атурях, началось примерно так же: разоружили конвоиров; взяли 6—8 автоматов; напали извне на лагерь, сбили охрану, перерезали телефоны; открыли лагерь. Теперь-то уж в лагере были только люди с номерами, заклеймённые, обречённые, не имеющие надежды.

И что же?

Зэки в ворота не пошли...

Те, кто всё начал и терять им было уже нечего, превратили мятеж в побег: направились группкой в сторону Мылги. На Эльгене-Тоскане им преградили дорогу войска и танкетки (операцией командовал генерал Семёнов).

Все они были убиты*.

Спрашивает загадка: что быстрей всего на свете? И отвечает: мысль!

Так и не так. Она и медленна бывает, мысль, ох как медленна! Затруднённо и поздно человек, люди, общество осознают то, что произошло с ними. Истинное положение своё.

―――

Сгоняя Пятьдесят Восьмую в Особые лагеря, Сталин почти забавлялся своей силой. И без того они содержались у него как нельзя надёжней, а он сам себя вздумал перехитрить — ещё лучше сделать. Он думал — так будет страшней. А вышло наоборот.

Вся система подавления, разработанная при нём, была основана на *разъединении* недовольных; на том,

―――

* Я не настаиваю, что изложил эти восстания точно. Я буду благодарен всякому, кто меня исправит.

чтоб они не взглянули друг другу в глаза, не сосчитались — сколько их; на том, чтобы внушить всем, и самим недовольным, что никаких недовольных нет, что есть только отдельные злобствующие обречённые одиночки с пустотой в душе.

Но в Особых лагерях недовольные встретились многотысячными массами. И сосчитались. И разобрались, что в душе у них отнюдь не пустота, а высшие представления о жизни, чем у тюремщиков; чем у их предателей; чем у теоретиков, объясняющих, почему им надо гнить в лагере.

Сперва такая новизна Особлага почти никому не была заметна. Внешне тянулось так, будто это продолжение ИТЛ. Только быстро скисли блатные, столпы лагерного режима и начальства. Но как будто жестокость надзирателей и увеличенная площадь БУРа восполняли эту потерю.

Однако вот что: скисли блатные — в лагере не стало воровства. В тумбочке оказалось можно оставить пайку. На ночь ботинки можно не класть под голову, можно бросить их на пол — и утром они будут там. Можно кисет с табаком оставить на ночь в тумбочке, не тереть его ночь в кармане под боком.

Кажется, это мелочи? Нет, огромно! Не стало воровства — и люди без подозрения и с симпатией посмотрели на своих соседей. Слушайте, ребята, а может, мы и правда того... *политические*?..

А если политические — так можно немного повольней и говорить, между двумя вагонками и у бригадного костра. Ну, оглянуться, конечно, кто тут рядом. Да, в конце концов, чёрт с ним, пусть наматывают, четвертная уже есть, куда ещё мотать?

Начинает отмирать и вся прежняя лагерная психология: «умри ты сегодня, а я завтра»; всё равно никогда справедливости не добьёшься; так было, так будет... А почему — не добьёшься?.. А почему — «будет»?..

Начинаются в бригаде тихие разговоры не о пайке совсем, не о каше, а о таких делах, что и на воле не услышишь, — и всё вольней! и всё вольней! и всё вольней! — и бригадир вдруг теряет ощущение всезначимости своего кулака. У одних бригадиров кулак совсем перестаёт подниматься, у других — реже, легче. Бригадир и сам, не возвышаясь, присаживается послушать, потолковать. И бригадники начинают смотреть на него как на товарища: тоже ведь наш.

Бригадиры приходят в ППЧ, в бухгалтерию, и по десяткам мелких вопросов — кому срезать, не срезать пайку, кого куда отчислить, — придурки тоже воспринимают от них этот новый воздух, это облачко серьёзности, ответственности, нового какого-то смысла.

И придуркам, пока ещё далеко не всем, это передаётся. Они ехали сюда с таким жадным желанием захватить посты и вот захватили их, и отчего бы им не жить так же хорошо, как в ИТЛ: запираться в кабинке, жарить картошку с салом, жить между собой, отделясь от работяг? Нет! Оказывается, не это главное. Как, а что же главное?.. Становится неприличным хвастать кровопийством, как было в ИТЛ, хвастать тем, что живёшь за счёт других. И придурки находят себе друзей среди работяг и, расстелив на земле свои новенькие телогрейки рядом с их чумазыми, охотно пролёживают с ними воскресенья в беседах.

И главное деление людей оказывается не такое грубое, как было в ИТЛ: придурки — работяги, бытовики — Пятьдесят Восьмая, а сложней и интересней гораздо: землячества, религиозные группы, люди бывалые, люди учёные.

Начальство ещё нескоро-нескоро что-то поймёт и заметит. А нарядчики уже не носят дрынов и даже не рычат, как раньше. Они *дружески* обращаются к бригадирам: на развод, мол, пора, Комов. (Не то чтоб душу нарядчиков проняло, а — что-то безпокоящее в воздухе новое.)

Но всё это — медленно. Месяцы, месяцы и месяцы уходят на эти перемены. Эти перемены медленнее сезонных. Они затрагивают не всех бригадиров, не всех придурков — лишь тех, у кого под спудом и пеплом сохранились остатки совести и братства. А кому нравится остаться сволочью, — вполне успешно остаётся ею. Настоящего сдвига сознания — сдвига трясением, сдвига героического — ещё нет. И по-прежнему лагерь пребывает лагерем, и мы угнетены и безпомощны, и разве то остаётся нам, что лезть вон туда под проволоку и бежать в степь, а нас бы поливали автоматами и травили собаками.

Смелая мысль, отчаянная мысль, мысль-ступень: а как сделать, *чтоб не мы от них бежали, а они бы побежали от нас?*

Довольно только задать этот вопрос, скольким-то людям додуматься и задать, скольким-то выслушать — и окончилась в лагере эпоха побегов. И началась — эпоха мятежей.

Но начать её — как? С чего её начинать? Мы же скованы, мы же оплетены щупальцами, мы лишены свободы движения, — с чего начинать?

Далеко не просто в жизни — самое простое. Кажется, и в ИТЛ додумывались некоторые, что стукачей надо убивать. Даже и там подстраивали иногда: скатится со штабеля бревно и в полую воду собьёт стукача. Так нетрудно бы и здесь догадаться — с каких именно щупалец надо начинать рубить. Как будто все это понимали. И никто не понимал.

Вдруг — самоубийство. В режимке-бараке-2 нашли повесившегося одного. (Все стадии процесса я начинаю излагать по Экибастузу. Но вот что: в других Особлагах все стадии были те же!) Большого горя начальству нет, сняли с петли, отвезли на свалку.

А по бригаде слушок: это ведь — стукач был. Не сам он повесился. Его — повесили.

Назидание.

Много в лагере подлецов, но всех сытее, грубее, наглее — заведующий столовой Тимофей С... (не скрываю фамилию, а не помню). Его гвардия — мордатые сытые повара, ещё прикармливает он челядь палачейдневальных. Он сам и эта челядь бьют зэков кулаками и палками. И между прочим как-то, совсем несправедливо, ударил он маленького чернявого «пацана». Да он и замечать не привык, кого он бьёт. А пацан этот, по-особлаговски, по-нынешнему, — уже не просто пацан, а — мусульманин. А мусульман в лагере довольно. Это не блатные какие-нибудь. Перед закатом можно видеть, как в западной части зоны (в ИТЛ бы смеялись, у нас — нет) они молятся, вскидывая руки или лбом прижимаясь к земле. У них есть старшие, в новом воздухе какой-то есть и совет. И вот их решение: мстить!

Рано утром в воскресенье пострадавший и с ним взрослый ингуш проскальзывают в барак придурков, когда те все ещё нежатся в постелях, входят в комнату, где С..., и в два ножа быстро режут шестипудового.

Но как это всё ещё незрело! — они не пытаются скрыть своих лиц и не пытаются убежать. Прямо от трупа, с окровавленными ножами, спокойные от исполненного долга, они идут в надзирательскую и сдаются. Их будут судить.

Это всё — поиски на ощупь. Это всё ещё, может быть, могло случиться и в ИТЛ. Но гражданская мысль работает дальше: не это ли и есть главное звено, через которое надо рвать цепь?

«Убей стукача!» — вот оно, звено. Нож в грудь стукача! Делать ножи и резать стукачей — вот оно!

Сейчас, когда я пишу эту главу, ряды гуманных книг нависают надо мной с настенных полок и тускло посверкивающими неновыми корешками укоризненно мерцают, как звёзды сквозь облака: ничего в мире нельзя добиваться насилием. Взявши меч, нож, винтовку, — мы быстро сравняемся с нашими палачами и насильниками. И не будет конца...

Не будет конца... Здесь, за столом, в тепле и в чисте, я с этим вполне согласен.

Но надо получить двадцать пять лет ни за что, надеть на себя четыре номера, руки держать всегда назад, утром и вечером обыскиваться, изнемогать в работе, быть таскаемым в БУР по доносам, безвозвратно затаптываться в землю, — чтобы оттуда, из ямы этой, все речи великих гуманистов показались бы болтовнёю сытых вольняшек.

Не будет конца!.. — да *начало* ли будет? Просвет ли будет в нашей жизни или нет?

Заключил же подгнётный народ: благостью лихость не изоймёшь.

Стукачи — тоже люди?.. Надзиратели ходят по баракам и объявляют для нашего устрашения приказ по всему Песчаному лагерю: на каком-то из женских лагпунктов две девушки (по годам рождения видно, как молоды) вели антисоветские разговоры. Трибунал в составе...

Этих девушек, шептавшихся на вагонке, уже имевших по десять лет хомута, — какая *заложила* стерва, тоже ведь захомутанная?! Какие же стукачи — люди?!

Сомнений не было. А удары первые были всё же нелегки.

Не знаю, где как (резать стали *во всех* Особлагах, даже в инвалидном Спасске!), а у нас это началось с приезда дубовского этапа — в основном западных украинцев, ОУНовцев. Для всего этого движения они повсеместно сделали очень много, да они и стронули воз. Дубовский этап привёз к нам бациллу мятежа.

Молодые, сильные ребята, взятые прямо с партизанской тропы, они в Дубовке огляделись, ужаснулись этой спячке и рабству — и потянулись к ножу.

В Дубовке это быстро кончилось мятежом, пожаром и расформированием. Но лагерные хозяева, самоуверенные, ослеплённые (тридцать лет они не встречали никакого сопротивления, отвыкли от него), — не позаботились даже держать привезенных мятежников отдельно от нас. Их распустили по лагерю, по бригадам. Это был приём ИТЛ: там распыление глушило протест. Но в нашей, уже очищающейся, среде распыление только помогло быстрее охватить всю толщу огнём.

Новички выходили с бригадами на работу, но не притрагивались к ней или для вида только, а лежали на солнышке (лето как раз) и тихо беседовали. Со стороны в такой момент они очень походили на блатных *в законе*, тем более что были такие же молодые, упитанные, широкоплечие.

Да *закон* и прояснялся, но новый удивительный закон: «умри в эту ночь, у кого нечистая совесть!»

Теперь убийства зачередили чаще, чем побеги в их лучшую пору. Они совершались уверенно и анонимно: никто не шёл сдаваться с окровавленным ножом; и себя и нож приберегали для другого дела. В излюбленное время — в пять часов утра, когда бараки отпирались одинокими надзирателями, шедшими отпирать дальше, а заключённые ещё почти все спали, — мстители в масках тихо входили в намеченную секцию, подходили к намеченной вагонке и неотклонимо убивали уже проснувшегося и дико вопящего или даже непроснувшегося предателя. Проверив, что он мёртв, уходили деловито.

Они были в масках, и номеров их не было видно — спороты или покрыты. Но если соседи убитого и признали их по фигурам, — они не только не спешили заявить об этом сами, но даже на допросах, но даже перед угрозами кумовьёв теперь не сдавались, а твердили: нет, нет, не знаю, не видел. И это не была уже просто древняя истина, усвоенная всеми угнетёнными: «незнайка на печи сидит, а знайку на верёвочке ведут», — это было спасение самого себя! Потому что назвавший был бы убит в следующие пять часов утра и благоволение оперуполномоченного ему ничуть бы не помогло.

И вот убийства (хотя их не произошло пока и десятка) стали нормой, стали обычным явлением. Заключённые шли умываться, получали утренние пайки, спрашивали: сегодня кого-нибудь убили? В этом жутком спорте ушам заключённых слышался подземный гонг справедливости.

Это делалось совершенно подпольно. Кто-то (признанный за авторитет) где-то кому-то только называл: вот *этого*! Не его была забота, кто будет убивать, какого числа, где возьмут ножи. А *боевики*, чья это была забота, не знали судьи́, чей приговор им надо было выполнить.

И надо признать — при документальной неподтверждённости стукачей, — что неконституированный, незаконный и невидимый этот суд судил куда метче, насколько с меньшими ошибками, чем все знакомые нам трибуналы, тройки, военные коллегии и ОСО.

Рубиловка, как называли её у нас, пошла так безотказно, что захватила уже и день, стала почти публичной. Одного маленького конопатого «старшего барака», бывшего крупного ростовского энкаведешника, известную гниду, убили в воскресенье днём в «парашной» комнате. Нравы так ожесточились, что туда повалили толпой — смотреть труп в крови.

Затем в погоне за предателем, продавшим подкоп под зону из режимки-барака-8 (спохватившееся начальство согнало туда главных дубовцев, но рубиловка уже отлично шла и без них), мстители побежали с ножами средь бела дня по зоне, а стукач от них — в штабной барак, за ним и они, он — в кабинет начальника лаготделения жирного майора Максименко, — и они туда же. В это время лагерный парикмахер брил майора в его кресле. Майор был по лагерному уставу безоружен, так как в зону не полагается им носить оружия. Увидев убийц с ножами, перепуганный майор вскочил из-под бритвы и взмолился, так поняв, что будут сейчас его резать. С облегчением он заметил, что режут у него на глазах стукача. (На майора никто и не покушался. Установка начавшегося движения была: резать только стукачей, а надзирателей и начальников не трогать.) Всё же майор выскочил в окно, недобритый, в белой накидке, и побежал к вахте, отчаянно крича: «Вышка, стреляй! Вышка, стреляй!» Но вышка не стреляла...

Был случай, когда стукача не дорезали, он вырвался и израненный убежал в больницу. Там его оперировали, перевязали. Но если уж перепугался ножей майор, — разве могла спасти стукача больница? Через два-три дня его дорезали на больничной койке...

На пять тысяч человек убито было с дюжину, — но с каждым ударом ножа отваливались и отваливались щупальцы, облепившие, оплетшие нас. Удивительный повеял воздух! Внешне мы как будто по-прежнему были арестанты и в лагерной зоне, на самом деле мы стали свободны — свободны, потому что впервые за всю нашу жизнь, сколько мы её помнили, мы стали открыто, вслух говорить всё, что думаем! Кто этого перехода не испытал — тот и представить не может!

А стукачи — не стучали...

До тех пор оперчасть кого угодно могла оставить днём в зоне, часами беседовать с ним — получать ли доносы? давать ли новые задания? выпытывать ли имена незаурядных заключённых, ещё ничего не сделавших, но сделать могущих? но подозреваемых как центры будущего сопротивления?

И вечером приходила бригада и задавала бригаднику вопрос: «Что это тебя вызывали?» И всегда, говоря ли правду или нагло маскируясь под неё, бригадник отвечал: «Да фотографии показывали...»

Действительно, в послевоенные годы многим заключённым показывали для опознания фотографии лиц, которых он мог бы встретить во время войны. Но не могли, было незачем показывать всем. А ссылались на них все — и свои, и предатели. Подозрение поселялось между нами и заставляло замкнуться каждого.

Теперь же воздух очищался от подозрений! Теперь если оперчекисты и велели кому-нибудь отстать от развода, — он *не оставался*! Невероятно! Небывало за все годы существования ЧК-ГПУ-МВД! — вызванный к ним не плёлся с перебиванием сердца, не семенил с угодливой мордочкой, — но гордо (ведь на него смотрели бригадники) отказывался идти! Невидимые весы качались в воздухе над разводом. На одной их чашке громоздились все знакомые призраки: следовательские кабинеты, кулаки, палки, бессонные стойки, стоячие боксы, холодные мокрые карцеры, крысы, клопы, трибуналы, вторые и третьи сроки. Но всё это было — не мгновенно, это была перемалывающая кости мельница, не могущая зажрать сразу всех и пропустить в один день. И после неё люди всё-таки оставались быть — все, кто здесь, ведь прошли же её.

А на другой чашке весов лежал всего один лишь нож — но этот нож был предназначен для тебя, уступивший! Он назначался только тебе в грудь, и не когда-нибудь, а завтра на рассвете, и все силы ЧКГБ не могли тебя от него спасти. Он не был и длинен, но как раз такой, чтоб хорошо войти тебе под рёбра. У него и ручки-то не было настоящей, — какая-нибудь изоляционная лента, обмотанная по тупой стороне ножёвки, — но как раз хорошее трение, чтоб не выскользнул нож из руки.

И эта живительная угроза перевешивала! Она давала всем слабым силы оторвать от себя пиявок и пройти мимо, вслед бригаде. (Она давала им и хорошее оправдание потом: мы бы остались, гражданин начальник! но мы боялись ножа... вам-то он не грозит, вы и представить себе не можете...)

Мало того. Не только перестали ходить на вызовы оперуполномоченных и других лагерных хозяев — но остерегались теперь какой-нибудь конверт, какой-нибудь исписанный листик опустить в почтовый ящик, висящий в зоне, или в ящики для жалоб в высокие инстанции. Перед тем как бросить письмо или заявление, просили кого-нибудь: «На, прочти, проверь, что не донос. Пойдём вместе и бросим».

И теперь-то — ослепло и оглохло начальство! По видимости и пузатый майор, и его заместитель капитан Прокофьев, тоже пузатый, и все надзиратели — свободно ходили по зоне, где им ничто не угрожало, двигались между нами, смотрели на нас — а не видели ничего! Потому что ничего не может без доносчика увидеть и услышать человек, одетый в форму: перед его подходом замолчат, отвернутся, спрячут, уйдут... Где-то рядом томились от желания продать товарищей верные осведомители — но ни один из них не подавал даже тайного знака.

Отказал работать тот самый осведомительный аппарат, на котором только и зиждилась десятилетиями слава всемогущих всезнающих Органов.

Как будто те же бригады ходили на те же объекты (впрочем, теперь мы сговаривались и конвою сопротивляться, не давать поправлять пятёрки, пересчитывать нас на марше, — и удавалось! не стало среди нас стукачей — и автоматчики тоже послабели). Работали, чтобы закрыть благополучно наряды. Возвращались и разрешали надзирателям обыскивать себя, как и прежде (а ножи — никогда не находились!). Но на самом деле уже не бригады, искусственно сбитые администрацией, а совсем другие людские объединения связывали людей, и раньше всего — нации. Зародились и укрепились недоступные стукачам национальные центры: украинский, объединённый мусульманский, эстонский, литовский. Никто их не выбирал, но так справедливо по старшинству, по мудрости, по страданиям они сложились, что авторитет их для своей нации не оспаривался. Появился и объединяющий консультативный орган — так сказать, «Совет национальностей».

Тут время оговориться. Не всё было так чисто и гладко, как выглядит, когда прорисовываешь главное течение. Были соперничающие группы — «умеренных» и «крайних». Вкрались, конечно, и личные расположения и неприязни, и игра самолюбий у рвущихся в «вожди». Молодые бычки-«боевики» далеки были от широкого политического сознания, некоторые склонны были за свою «работу» требовать повышенного питания, для этого они могли и прямо угрозить повару больничной кухни, то есть потребовать, чтоб их подкормили за счёт пайка больных, а при отказе повара — и убить его безо всякого нравственного судьи: ведь навык уже есть, маски и ножи в руках. Одним словом, тут же в здоровом ядре начинала виться и червоточина — неизменная, не новая, всеисторическая принадлежность всех революционных движений!

А один раз просто была ошибка: хитрый стукач уговорил добродушного работягу поменяться койками — и работягу зарезали поутру.

Но несмотря на эти отклонения, общее направление было очень чётко выдержано, не запутаешься. Общественный эффект получился тот, который требовался.

Бригады оставались те же и столько же, но вот что странно: в лагере *не стало хватать бригадиров*! — невиданное для ГУЛАГа явление. Сперва их утечка была естественна: один лёг в больницу, другой ушёл на хоздвор, тому срок подошёл освобождаться. Но всегда в резерве у нарядчиков была жадная толпа искателей: за кусок сала, за свитер получить бригадирское место. Теперь же не только не было искателей, но были такие бригадиры, которые каждый день переминались в ППЧ, прося снимать их поскорей.

Такое начиналось время, что старые бригадирские методы — вгонять работягу в деревянный бушлат — отпали безнадёжно, а новые изобрести было дано не всем. И скоро до того уже стало с бригадирами плохо, что нарядчик приходил в бригадную секцию покурить, поболтать и просто просил: «Ребята, ну нельзя ж без бригадира, безобразие! Ну выберите вы себе кого-нибудь, мы сразу его проведём».

Это тогда особенно началось, когда бригадиры стали бежать в БУР — прятаться в каменную тюрьму! Не только они, но и — прорабы-кровопийцы, вроде Адаскина; стукачи, накануне раскрытия или, как чувствовали, очередные в списке, вдруг дрогнули — и *побежали*! Ещё вчера они храбрились среди людей, ещё вчера они вели себя и говорили так, как если б одобряли происходящее (а теперь попробуй поговори среди зэков иначе!), ещё прошлую ночь они ночевали в общем бараке (уж там спали или напряжённо лежали, готовые отбиваться, и клялись себе, что это последняя такая ночь), — а сегодня исчезли! И даётся дневальному распоряжение: вещи такого-то отнести в БУР.

Это была новая и жутковато-весёлая пора в жизни Особлага! Так-таки не мы побежали! — *они побежали*, очищая от себя нас! Небывалое, невозможное на земле время: человек с нечистой совестью не может спокойно лечь спать! Возмездие приходит не на том свете, не перед судом истории, а ощутимое живое возмездие заносит над тобой нож на рассвете. Это можно придумать только в сказке: земля зоны под ногами честных мягка и тепла, под ногами предателей — колется и пылает! Этого можно пожелать зазонному пространству — нашей *воле*, никогда такого времени не видавшей, да, может быть, и не увидящей.

Мрачный каменный БУР, уже давно расширенный, достроенный, с малыми окошками, с намордниками, сырой, холодный и тёмный, обнесенный крепким заплотом из досок-сороковок внахлёст, — БУР, так любовно приготовленный лагерными хозяевами для отказчиков, для беглецов, для упрямцев, для протестантов, для смелых людей, — вдруг стал принимать на пенсионный отдых стукачей, кровопийц и держиморд!

Нельзя отказать в остроумии тому, кто первый догадался прибежать к чекистам и за свою верную долгую службу попросить укрытия от народного гнева в каменном мешке. Чтобы сами просились в тюрьму покрепче, чтобы не из тюрьмы бежали, а в тюрьму, чтоб добровольно соглашались не дышать больше чистым воздухом, не видеть больше солнечного света, — кажется, и история нам не оставила такого.

Начальники и оперы пожалели первых, пригрели: свои всё-таки. Отвели для них лучшую камеру БУРа (лагерные остряки назвали её *камерой хранения*), дали туда матрасы, крепче велели топить, назначили им часовую прогулку.

Но за первыми остряками потянулись и другие, менее остроумные, но так же жадно хотящие жить. (Некоторые хотели и в бегстве сохранить лицо: кто знает, может ещё придётся вернуться и жить среди зэков? Архидьякон Рудчук бежал в БУР с инсценировкой: после отбоя пришли в барак надзиратели, разыграли сцену жестокого шмона с вытряхиванием матраса, «арестовали» Рудчука и увели. Впрочем, скоро лагерь с достоверностью узнал, что и гордый архидьякон, любитель кисти и гитары, сидит в той же тесной «камере хранения»). Вот уж их перевалило за десять, за пятнадцать, за двадцать! («Бригада Мачеховского» стали её ещё звать — по фамилии начальника режима.) Уже надо заводить вторую камеру, сокращая продуктивные площади БУРа.

Однако стукачи нужны и полезны, лишь пока они толкутся в массе и пока они не раскрыты. А раскрытый стукач не стоит ничего, он уже не может больше служить в этом лагере. И приходится содержать его на даровом питании в БУРе, и он не работает на производстве, себя не оправдывает. Нет, даже благотворительности МВД должны же быть пределы!

И поток молящих о спасении — прекратили. Кто опоздал — должен был остаться в овечьей шкуре и ждать ножа.

Доносчик — как перевозчик: нужен на час, а там не знай нас.

Забота начальства была о контрмерах, о том, как остановить грозное лагерное движение и сломить его. Первое, к чему они привыкли и за что схватились, было — писать приказы.

Держателям наших тел и душ больше всего не хотелось признать, что движение наше — политическое. В грозных приказах (надзиратели ходили по баракам и читали их) всё начинавшееся объявлялось *бандитизмом*. Так было проще, понятней, роднее, что ли. Давно ли бандитов присылали к нам под маркой «политических»? И вот теперь политические — впервые политические! — стали «бандитами». Неуверенно объявлялось, что бандиты эти будут обнаружены (пока что ещё ни один) и (ещё неувереннее) расстреляны. Ещё в приказах взывалось к арестантской массе — *осуждать* бандитов и *бороться* с ними!..

Заключённые выслушивали и расходились посмеиваясь. В том, что офицеры режима побоялись назвать политическое — политическим (хотя в приписывании «политики» тридцать лет уже состояло всякое следствие), мы ощутили их слабость.

Это и была слабость! Назвать движение бандитизмом была их уловка: с лагерной администрации таким образом снималась ответственность — как допустила она в лагере политическое движение? Эта выгода и эта необходимость распространялись и выше: на областные и лагерные управления МВД, на ГУЛАГ, на само министерство. Система, постоянно боящаяся информации, любит обманывать сама себя. Если бы убивали надзорсостав и офицеров режима, тогда трудно было бы им уклониться от статьи 58-8, террора, но тогда они получили бы и лёгкую возможность давать расстрел. Сейчас же у них появилась заманчивая возможность подкрасить происходящее в Особлагерях под *сучью войну*, сотрясавшую в это самое время ИТЛ и руководством же ГУЛАГа затеянную.

«Сучья война» достойна была бы отдельной главы в этой книге, но для этого пришлось бы поискать ещё много материала. Отошлём читателя к исследованию Варлама Шаламова «Очерки преступного мира», хотя и там неполно.

Вкратце. «Сучья война» разгорелась примерно с 1949 года (не считая отдельных постоянных случаев резни между ворами и суками). В 1951, 1952 годах она бушевала. Воровской мир раздробился на многочисленные масти: кроме собственно воров и сук ещё — безпредельники («безпредельные воры»); «махновцы»; упоровцы; пивоваровцы; «красная шапочка»; «фули нам!», «ломом подпоясанные», — и это ещё не всё.

К тому времени руководство ГУЛАГа, уже разочаровавшись в безошибочных теориях о перевоспитании блатных, решило, видимо, освободиться от этого груза, играя на разделении, поддерживая то одну, то другую из группировок и её ножами сокрушая другие. Резня происходила открыто, массово.

Затем блатные убийцы приспособились: или убивать не своими руками, или, убив самим, заставить другого взять на себя вину. Так молодые бытовики или бывшие солдаты и офицеры под угрозой убийства их самих брали на себя чужое убийство, получали 25 лет по бандитской 59-3 и до сих пор сидят. А воры-вожди группировок вышли чистенькие по «ворошиловской» амнистии 1953 года (но не будем отчаиваться: с тех пор не раз уже и снова сели).

Когда в наших газетах возобновилась сентиментальная мода на рассказы о «перековке», прорвалась на газетные столбцы и информация — конечно, самая лживая и мутная — о резне в лагерях, причём нарочно были спутаны (от взгляда истории) и «сучья война», и «рубиловка» Особлагов, и резня вообще неизвестно какая. Лагерная тема интересует весь народ, статьи такие прочитываются с жадностью, но понять из них ничего нельзя (для того и пишется). Вот журналист Галич напечатал в июле 1959 года в «Известиях» какую-то подозрительную «документальную» повесть о некоем Косых, который будто бы из лагеря растрогал Верховный Совет письмом в 80 страниц на пишущей машинке (1. Откуда машинка? оперуполномоченного? 2. Да кто ж бы это стал читать 80 страниц, там после одной уже душатся зевотой). Этот Косых имел 25 лет, второй срок по лагерному делу. По какому делу, за что, — в этом пункте Галич — отличительный признак нашего журналиста — сразу потерял ясность и внятность речи. Нельзя понять, совершил ли Косых «сучье» убийство или политическое убийство стукача. Но то и характерно, что в историческом огляде всё теперь свалено в одну кучу и названо бандитизмом. Вот как научно объясняется это центральной газетой: «Приспешники Берии (вали на серого, серый всё вывезет) орудовали тогда (а *до*? а *сейчас*?) в лагерях. Суровость закона подменялась беззаконными действиями лиц (как? вопреки единой инструкции? да кто б это осмелился?), которые должны были проводить его в жизнь. *Они всячески разжигали вражду* (курсив мой. Вот это — правда. — *А. С.*) между разными группами зэ-ка зэ-ка. (Пользование стукачами тоже подходит под эту формулировку...) Дикая, безжалостно, искусственно подогреваемая вражда».

Остановить лагерные убийства 25-летними сроками, какие у убийц были и без того, оказалось, конечно, невозможно. И вот в 1961 году издан был указ о расстреле за лагерное убийство — в том числе и за убийство стукача, разумеется. Этого хрущёвского указа не хватало сталинским Особлагам.

Так они обеляли себя. Но и права расстреливать лагерных убийц — лишались, а значит — лишались эффективных контрмер. И не могли противодействовать растущему движению.

Приказы не помогли. Не стала арестантская масса вместо своих хозяев *осуждать и бороться*. И следующая мера была: перевести на штрафной режим весь лагерь! Это значило: всё буднее свободное время, кроме того, что мы были на работе, и все воскресенья насквозь мы должны были теперь сидеть под замком, как в тюрьме, пользоваться парашей и даже пищу получать в бараках. Баланду и кашу в больших бочках стали разносить по баракам, а столовая пустовала.

Тяжёлый это был режим, но не простоял он долго. На производстве мы стали работать совсем лениво, и завопил угольный трест. А главное, четверная нагрузка пришлась на надзирателей, которым непрерывно из конца в конец лагеря доставалось теперь гонять с ключами — то запускать и выпускать дневальных с парашами, то вести кормление, то конвоировать группы в санчасть, из санчасти.

Цель начальства была: чтобы мы тяготились, возмутились против убийств и выдали убийц. Но мы все настроились пострадать, потянуть, — того стоило! Ещё цель их была: чтоб не оставался барак открытым, чтобы не могли прийти убийцы из другого барака, а в одном бараке найти будто легче. Но вот опять произошло убийство — и опять никого не нашли, так же все «не видели» и «не знали». И на производстве кому-то голову проломили — от этого уже никак не убережёшься запертыми бараками.

Штрафной режим отменили. Вместо этого затеяли строить «великую китайскую стену». Это была стена в два самана толщиной и метра четыре высотой, которую повели посреди зоны, поперёк её, подготовляя разделить лагерь на две части, но пока оставив пролом. (Затея — общая для всех Особлагов. Такое разгораживание больших зон на малые происходило во многих других лагерях.) Так как работу эту трест оплачивать не мог — для посёлка она была безсмысленна, то вся тяжесть — и изготовление саманов, и перекладка их при сушке, и подноска к стене, и сама кладка — легла на нас же, на наши воскресенья и на вечернее (летнее, светлое) время после нашего прихода с работы. Очень досадна нам была та стена, понятно, что начальство готовит какую-то подлость, а строить — приходилось. Освободились-то мы ещё очень мало — головы да рты, но по плечи мы увязали по-прежнему в болоте рабства.

Все эти меры — угрожающие приказы, штрафной режим, стена — были грубые, вполне в духе тюремного мышления. Но что это? Неждано-негаданно вызывают одну, другую, третью бригаду в комнату фотографа и фотографируют, да вежливо, не с номером-ошейником на груди, не с определённым поворотом головы, а садись, как тебе удобнее, смотри, как тебе нравится. И из «неосторожной» фразы начальника КВЧ узнают работяги, что «снимают на документы».

На какие документы? Какие могут быть у заключённого документы?.. Волнение ползёт среди легковерных: а может, пропуска готовят для расконвойки? А может...? А может...

А вот надзиратель вернулся из отпуска и громко рассказывает другому (но при заключённых), что по пути видел целые эшелоны освобождающихся — с лозунгами, с зелёными ветками, домой едут.

Господи, как сердце бьётся! Да ведь давно пора! Да ведь с этого и надо было после войны начинать! Неужели началось?

Говорят, кто-то письмо получил из дому: соседи его уже освободились, уже дома!

Вдруг одну из фотографированных бригад вызывают на комиссию. Заходи по одному. За красной скатертью под портретом Сталина сидят наши лагерные, но не только: ещё каких-то два незнакомых, один казах, один русский, никогда в нашем лагере не бывали. Держатся деловито, но с веселинкой, заполняют анкету: фамилия, имя, отчество, год рождения, место рождения, а дальше вместо привычных статьи, срока, конца срока — семейное положение подробно, жена, родители, если дети, то какого возраста, где все живут, вместе или отдельно. И всё это записывается!.. (То один, то другой из комиссии напомнит писцу: и это запиши, и это.)

Странные, больные и приятные вопросы! Самому зачерствелому становится от них тепло и даже хочется плакать. Годы и годы он слышит только отрывистые гавкающие: статья? срок? кем осуждён? — и вдруг сидят совсем незлые, серьёзные, человечные офицеры и неторопливо, с сочувствием, да, с сочувствием, спрашивают его о том, что так далеко хранимо, коснуться его боязно самому, иногда соседу на нарах расскажешь слова два, а то и не будешь... И эти офицеры (ты забыл или сейчас прощаешь, что вот этот старший лейтенант в прошлый раз под октябрьскую у тебя же отнял и порвал фотографию семьи...), — эти офицеры, услышав, что жена твоя вышла за другого, а отец уже очень плох, не надеется сынка увидеть, — только причмокивают печально, друг на друга смотрят, головами качают.

Да неплохие они, они тоже люди, просто служба собачья... И, всё записав, последний вопрос задают каждому такой:

— Ну а где бы ты хотел *жить*?.. Там вот, где родители, или где ты раньше жил?..

— Как? — вылупляет зэк глаза — Я... в седьмом бараке...

— Да это мы знаем! — смеются офицеры. — Мы спрашиваем: где бы ты *хотел* жить. Если тебя вот, допустим, отпускать, — так документы на какую местность выписывать?

И закруживается весь мир перед глазами арестанта, осколки солнца, радужные лучики... Он головой понимает, что это — сон, сказка, что этого быть не может, что срок — двадцать пять или десять, что ничего не изменилось, он весь вымазан глиной и завтра туда пойдёт, — но несколько офицеров, два майора, сидят, не торопясь, и сочувственно настаивают:

— Так куда же, куда? Называй.

И с колотящимся сердцем, в волнах тепла и благодарности, как покрасневший мальчик называет имя девушки, он выдаёт тайну груди своей, — где бы хотел он мирно дожить остаток дней, если бы не был заклятым каторжанином с четырьмя номерами.

И они — записывают! И просят вызвать следующего. А первый полоумным выскакивает в коридор к ребятам и говорит, чтó было.

По одному заходят бригадники и отвечают на вопросы дружественных офицеров. И это из полусотни один, кто усмехнётся:

— Всё тут в Сибири хорошо, да климат жаркий. Нельзя ли за Полярный круг?

Или:

— Запишите так: в лагере родился, в лагере умру, лучше места не знаю.

Поговорили они так с двумя-тремя бригадами (а в лагере их двести). Поволновался лагерь дней несколько, было о чём поспорить, — хотя уже и половина нас вряд ли поверила — прошли, прошли те времена вер! Но больше комиссия не заседала. Фотографировать-то им было недорого — щёлкали на пустые кассеты. А вот сидеть целой компанией и так задушевно выспрашивать негодяев — не хватило терпения. Ну а не хватило, так ничего из безстыдной затеи не вышло.

(Но признаем всё же — какой успех! В 1949 году создаются — конечно, навечно — лагеря со свирепым режимом. И уже в 1951 хозяева вынуждены играть задушевный этот спектакль. Какое ещё признание успеха? Почему в ИТЛ никогда им так играть не приходилось?)

И опять блистали ножи.

И решили хозяева — *брать*. Без стукачей они не знали точно, кого им надо, но всё же некоторые подозрения и соображения были (да может, тайком кто-то наладил донесения).

Вот пришли два надзирателя в барак, после работы, буднично, и сказали: «Собирайся, пошли».

А зэк оглянулся на ребят и сказал:

— Не пойду.

И в самом деле! — в этом обычном простом *взятии*, или аресте, которому мы никогда не сопротивляемся, который мы привыкли принимать как ход судьбы, в нём ведь и такая есть возможность: не пойду! Освобождённые головы наши теперь это понимали!

— Как не пойдёшь? — приступили надзиратели.

— Так и не пойду! — твёрдо отвечал зэк. — Мне и здесь неплохо.

— А куда он должен идти?.. А почему он должен идти? Мы его не отдадим!.. Не отдадим!.. Уходите! — закричали со всех сторон.

Надзиратели повертелись-повертелись и ушли.

В другом бараке попробовали — то же.

И поняли волки, что мы уже не прежние овцы. Что хватать им теперь надо обманом, или на вахте, или одного целым нарядом. А из толпы — не возьмёшь.

И мы, освобождённые от скверны, избавленные от присмотра и подслушивания, обернулись и увидели во все глаза, что: тысячи нас! что мы — *политические*! что мы уже можем *сопротивляться*!

Как верно же было избрано то звено, за которое надо тянуть цепь, чтоб её развалить, — стукачи! наушники и предатели! Наш же брат и мешал нам жить. Как на древних жертвенниках, их кровь пролилась, чтоб освободить нас от тяготеющего проклятия.

Революция нарастала. Её ветерок, как будто упавший, теперь рванул нам ураганом в лёгкие!

Глава 11
ЦЕПИ РВЁМ НА ОЩУПЬ

Теперь, когда между нами и нашими охранниками уже не канава прошла, а провалилась и стала рвом, — мы стояли на двух откосах и примерялись: что же дальше?

Это образ, разумеется, что мы «стояли». Мы — ходили ежедневно на работу с обновлёнными нашими бригадирами (или негласно выбранными, уговоренными послужить общему делу, или теми же прежними, но неузнаваемо отзывчивыми, дружелюбными, заботливыми), мы на развод не опаздывали, друг друга не подводили, отказчиков не было, и приносили с производства неплохие наряды — и кажется, хозяева лагеря могли быть нами вполне довольны. И мы могли быть ими довольны: они совсем разучились кричать, угрожать, не тянули больше в карцер по мелочам и не видели, что мы шапки снимать перед ними перестали. Майор Максименко по утрам-то развод просыпал, а вот вечером любил встретить колонны у вахты и, пока топтались тут, — пошутить что-нибудь. Он смотрел на нас с сытым радушием, как хохол-хуторянин где-нибудь в Таврии мог осматривать приходящие из степи свои безчисленные стада. Нам даже кино стали показывать по иным воскресеньям. И только по-прежнему донимали постройкой «великой китайской стены».

И всё-таки напряжённо думали мы и они: что же дальше? Не могло так оставаться: недостаточно это было с нас и недостаточно с них. Кто-то должен был нанести удар.

Но — чего мы могли добиваться? *Говорили* мы теперь вслух, без оглядки, всё, что хотели, всё, что накипело (испытать свободу слова даже только в этой зоне, даже так не рано в жизни — было сладко!). Но могли ли мы надеяться распространить эту свободу за зону или пойти туда с ней? Нет конечно. Какие же другие политические требования мы могли выставить? Их и придумать было нельзя. Не говоря, что безцельно и безнадёжно, — придумать было нельзя! Мы не могли требовать в своём лагере — ни чтобы вообще изменилась страна, ни чтоб она отказалась от лагерей: нас бомбами с самолётов бы закидали.

Естественно было бы нам потребовать, чтобы пересмотрели наши дела, чтобы сбросили нам несправедливые, ни за что данные сроки. Но и это выглядело безнадёжно. В том общем густевшем над страною смраде террора большинство наших дел и наших приговоров казались судьям вполне справедливыми — да кажется, уже и нас они в этом убедили! И потом, пересмотр дел — невещественен как-то, не осязаем толпой, на пересмотре нас легче всего было бы обмануть: обещать, тянуть, приезжать переследовать, это можно длить годами. И если бы даже кого-нибудь вдруг объявили освободившимся и увезли, — откуда могли бы мы узнать, что не на расстрел, что не в другую тюрьму, что не за новым сроком?

Да спектакль Комиссии разве уже не показал, как это можно всё изобразить? Нас и без пересмотра собираются домой распускать...

На чём сходились все, и сомнений тут быть не могло, — устранить самое унизительное: чтобы на ночь не запирали в бараках и убрали параши; чтобы сняли с нас номера; чтобы труд наш не был вовсе безплатен; чтобы разрешили писать 12 писем в год. (Но всё это, всё это, и даже 24 письма в год уже было у нас в ИТЛ — а разве там можно было жить?)

А добиваться ли нам 8-часового рабочего дня — даже не было у нас единогласия... Так мы отвыкли от свободы, что уже вроде и не тянулись к ней...

Обдумывались и пути: как выступить? что сделать? Ясно было, что голыми руками мы ничего не сможем против современной армии и потому путь наш — не вооружённое восстание, а забастовка. Во время неё можно, например, самим с себя сорвать и номера.

Но всё ещё кровь текла в нас — рабская, рабья. Всеобщее снятие с самих себя собачьих номеров казалось таким смелым, таким дерзким, безповоротным шагом, как, скажем, выйти бы с пулемётами на улицу. А слово «забастовка» так страшно звучало в наших ушах, что мы искали себе опору в голодовке: если начать забастовку вместе с голодовкой, то от этого как бы повышались наши моральные права бастовать. На голодовку мы вроде имеем всё-таки какое-то право — а на забастовку? Поколение за поколением у нас выросло с тем, что вопиюще опасное и, конечно, контрреволюционное слово «забастовка» стоит у нас в одном ряду с «Антанта», «Деникин», «кулацкий саботаж», «Гитлер».

Так, идя добровольно на совсем ненужную голодовку, мы заранее шли на добровольный подрыв своих физических сил в борьбе. (К счастью, после нас ни один, кажется, лагерь не повторил этой экибастузской ошибки.)

Мы продумывали и детали такой возможной забастовки голодовки. Применённый к нам недавно общелагерный штрафной режим научил нас, что в ответ, конечно, нас запрут в бараках. Как же мы будем сноситься между собой? как обмениваться решениями о дальнейшем ходе забастовки? Кому-то надо было продумать и согласовать между бараками сигналы и из какого окна в какое окно они будут видны и поданы.

Обо всём этом говорилось то там, то сям, в одной группке и в другой, представлялось это неизбежным и желательным — и вместе с тем, по непривычке, каким-то невозможным. Нельзя себе было вообразить тот день, когда вдруг мы соберёмся, сговоримся, решимся и...

Но охранники наши, открыто организованные в военную лестницу, более привыкшие действовать и менее рискующие потерять в действиях, чем от бездействия, — охранники нанесли удары раньше нас.

А там покатилось оно само.

Тихенько и уютно встретили мы на привычных наших вагонках, в привычных бригадах, бараках, секциях и углах — новый 1952 год. А в воскресенье 6 января, в православный сочельник, когда западные украинцы готовились славно попраздновать, кутью варить, до звезды поститься и потом петь колядки, — утром после проверки нас заперли и больше не открывали.

Никто не ждал! Подготовлено было тайно, лукаво! В окна мы увидели, что из соседнего барака какую-то сотню зэков со всеми вещами гонят на вахту.

Этап?..

Вот и к нам. Надзиратели. Офицеры с карточками. И по карточкам выкликают... Выходи со всеми вещами... и с матрасами, как есть, набитыми!

Вот оно что! Пересортировка! Поставлена охрана в проломе «китайской стены». Завтра она будет заделана. А нас выводят за вахту и сотнями гонят — с мешками и матрасами, как погорельцев каких-то, вокруг лагеря и через другую вахту — в другую зону. А из той зоны гонят навстречу.

Все умы перебирают: кого взяли? кого оставили? как понять смысл перетасовки? И довольно быстро замысел хозяев проясняется: в одной половине (2-й лагпункт) остались только *щирые* украинцы, тысячи две человек. В половине, куда нас пригнали, где будет 1-й лагпункт, — тысячи три всех остальных наций — русские, эстонцы, литовцы, латыши, татары, кавказцы, грузины, армяне, евреи, поляки, молдаване, немцы и разный случайный народ понемногу, подхваченный с полей Европы и Азии. Одним словом — «единая и неделимая». (Любопытно. Мысль МВД, которая должна была бы освещаться учением социалистическим и вненациональным, идёт по той же, по старой тропинке: разделять нации.)

Разломаны старые бригады, выкликаются новые, они пойдут на новые объекты, они жить будут в новых бараках — чехарда! Тут разбора не на одно воскресенье, а на целую неделю. Порваны многие связи, перемешаны люди, и забастовка, так уж, кажется, назревшая, теперь сорвана... Ловко!

В лагпункте украинцев осталась вся больница, столовая и клуб. А у нас вместо этого — БУР. Украинцев, бандеровцев, самых опасных бунтарей отделить от БУРа подальше. А — зачем так?

Скоро мы узнаём, зачем так. По лагерю идёт достоверный слух (от работяг, носящих в БУР баланду), что стукачи в своей «камере хранения» обнаглели: к ним подсаживают подозреваемых (взяли двух-трёх там-здесь), и стукачи пытают их в своей камере, душат, бьют, заставляют раскалываться, называть фамилии: *кто режет??* Вот когда замысел прояснился весь: пытают! Пытает не сама псарня (вероятно, нет санкции, можно нажить неприятность), а поручили стукачам: ищите сами своих убийц! Рвения им не впрыскивать. И так хлеб свой оправдают, дармоеды. А бандеровцев для того и удалили от БУРа, чтоб не полезли на БУР. На нас больше надежды: мы покорные люди и разноплеменные, не сговоримся. А бунтари — там. А между лагпунктами стена в четыре метра высотой.

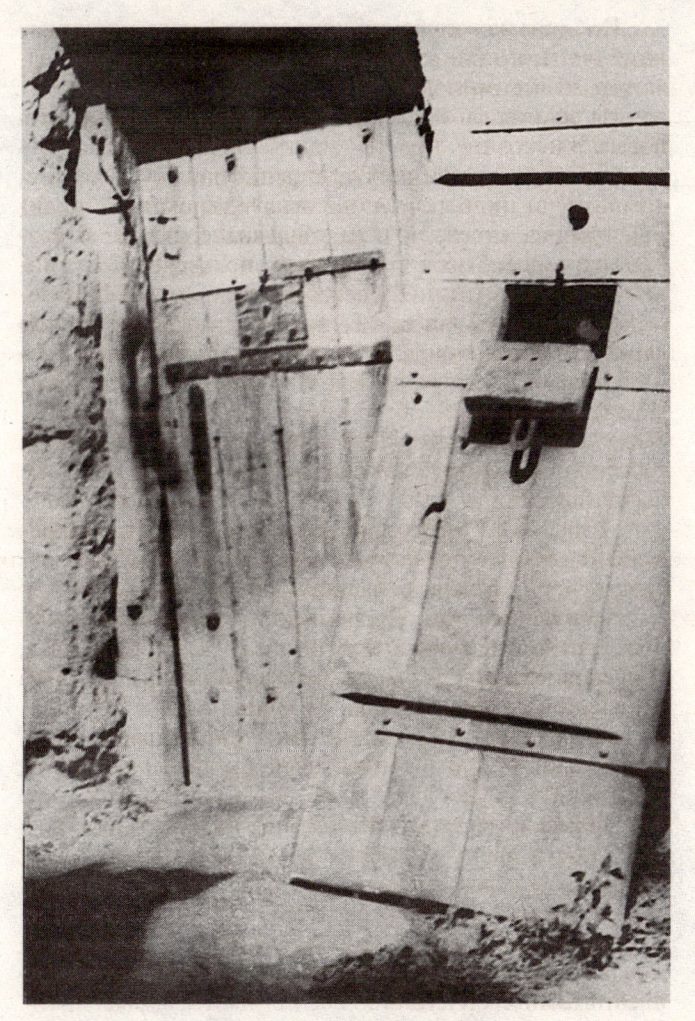

Дверь экибастузского БУРа

Но сколько глубоких историков, сколько умных книг — а этого таинственного возгорания людских душ, а этого таинственного зарождения общественных взрывов не научились предсказывать, да даже и объяснять вослед.

Иногда паклю горящую под поленницу суют, суют, суют — не берёт. А искорка одинокая из трубы пролетит на высоте — и вся деревня дотла.

Ни к чему наши три тысячи не готовились, ни к чему готовы не были, а вечером пришли с работы — и вдруг в бараке рядом с БУРом стали разнимать свои вагонки, хватать продольные брусья и крестовины и в полутьме (местечко там полутёмное с одной стороны у БУРа) бежать и долбать этими крестовинами и брусьями крепкий заплот вокруг лагерной тюрьмы. И ни топора, ни лома ни у кого не было, потому что в зоне их не бывает.

Удары были — как хорошая бригада плотников работает, доски первые подались, тогда стали их отгибать — и скрежет двенадцатисантиметровых гвоздей раздался на всю зону. Вроде не ко времени было плотникам работать, но всё-таки звуки были рабочие, и не сразу придали им значение на вышках и надзиратели, и работяги других бараков. Вечерняя жизнь шла своим чередом: одни бригады шли на ужин, другие тянулись с ужина, кто в санчасть, кто в каптёрку, кто за посылкой.

Но всё ж надзиратели забеспокоились, ткнулись к БУРу, к той подтемнённой стенке, где кипело, — обожглись и — назад, к штабному бараку. Кто-то с палкой бросился и за надзирателем. Тут уж для полной музыки кто-то начал камнями или палкой бить стёкла в штабном бараке. Звонко, весело, угрожающе лопались штабные стёкла!

А вся-то затея была ребят — не восстание поднимать, и даже не брать БУР, это нелегко (**фото на с. 269** — вот дверь экибастузского БУРа, высаженная и сфотографированная многими годами позже), а затея была: через окошко залить бензином камеру стукачей и бросить туда огонь — мол, знай наших, не очень-то! Дюжина человек и ворвалась в проломанную дыру БУРовского забора. Стали метаться — которая камера, правильно ли угадали окно, да сбивать намордник, подсаживаться, ведро передавать, — но с вышек застрочили по зоне пулемёты, и поджечь так и не подожгли.

Это убежавшие из лагеря надзиратели и начальник режима Мачеховский (за ним тоже с ножом погнались, он по сарайной крыше хоздвора бежал к угловой вышке и кричал: «Вышка, не стреляй! Свои!» — и полез через предзонник)* дали знать в дивизион. А дивизион (где доведаться нам теперь о фамилиях командиров?!) распорядился по телефону угловым вышкам открыть пулемётный огонь — по трём тысячам безоружных людей, ничего не знающих о случившемся. (Наша бригада была, например, в столовой, и всю эту стрельбу, совершенно недоумевая, мы услышали там.)

По усмешке судьбы, это произошло по новому стилю 22, а по старому — 9 января, день, который ещё до того года отмечался в календаре торжественно-траурным как *кровавое воскресенье*. А у нас вышел — кровавый вторник, и куда просторней для палачей, чем в Петербурге: не площадь, а степь, и свидетелей нет, ни журналистов, ни иностранцев.

В темноте наугад стали садить из пулемётов по зоне. Стреляли, правда, недолго, большая часть пуль, может, прошла и поверху, но достаточно пришлось их и вниз — а на человека много ли нужно? Пули пробивали лёгкие стены бараков и ранили, как это всегда бывает, не тех, кто штурмовал тюрьму, а совсем непричастных, — но раны свои им надо было теперь скрывать, в санчасть не идти, чтоб заживало как на собаках: по ранам их могли признать за участников мятежа, — ведь кого-то ж надо выдернуть из одноликой массы! В 9-м бараке убит был на своей койке мирный старик,

---

* Его всё-таки зарубили, но уже не мы, а блатные, сменившие нас в Экибастузе в 1954 году. Резок он был, но и смел, этого не отнимешь.

кончавший десятилетний срок: через месяц он должен был освобождаться; его взрослые сыновья служили в той самой армии, которая с вышек лупила по нам.

Штурмующие покинули тюремный дворик и разбежались по своим баракам (ещё надо было вагонки снова составить, чтобы не дать на себя следа). И другие многие тоже так поняли стрельбу, что надо сидеть в бараках. А третьи, наоборот, наружу высыпали, возбуждённые, и тыкались по зоне, ища понять — что это, отчего.

Надзирателей к тому времени уже ни одного в зоне не осталось. Страшновато зиял разбитыми стёклами опустевший от офицеров штабной барак. Вышки молчали. По зоне бродили любознательные и ищущие истины.

И тут распахнулись во всю ширину ворота нашего лагпункта — и автоматчики конвоя вошли взводом, держа перед собой автоматы и наугад сеча из них очередями. Так они расширились веером во все стороны, а сзади них шли разъярённые надзиратели — с железными трубами, с дубинками, с чем попало.

Они наступали волнами ко всем баракам, прочёсывая зону. Потом автоматчики смолкали, останавливались, а надзиратели выбегали вперёд, ловили притаившихся, раненых или ещё целых, и немилосердно били их.

Это выяснилось всё позже, а вначале мы только слышали густую стрельбу в зоне, но в полутьме не видели и не понимали ничего.

У входа в наш барак образовалась губительная толкучка: зэки стремились поскорей втолкнуться, и от этого никто не мог войти (не то чтоб досочки барачных стен спасали от выстрелов, а — внутри человек уже переставал быть мятежником). Там у крыльца был и я. Хорошо помню своё состояние: тошнотное безразличие к судьбе, мгновенное безразличие к спасению-неспасению. Будьте вы прокляты, чтó вы к нам привязались? Почему мы до смерти виноваты перед вами, что родились на этой несчастной земле и должны вечно сидеть в ваших тюрьмах? Вся тошнота этой каторги заняла грудь спокойствием и отвращением. Даже постоянная моя боязнь за носимые во мне поэму и пьесу, нигде ещё не записанные, не присутствовала во мне. И на виду той смерти, что уже заворачивала к нам в шинелях по зоне, нисколько я не теснился в дверь. Вот это и было — главное каторжное настроение, до которого нас довели.

Дверь освободилась, мы прошли последние. И тут же, усиленные помещением, грохнули выстрелы. Три пули пустили нам в дверь вдогонку, и они рядышком легли в косяк. А четвёртая взбросилась и оставила в дверном стекле круглую маленькую дырочку в нимбе мельчайших трещин.

В бараки за нами преследователи не врывались. Они заперли нас. Они ловили и били тех, кто не успел забежать в барак. Раненых и избитых было десятка два, одни притаились и скрыли раны, другие достались пока санчасти, а дальше судьба их была — тюрьма и следствие за участие в мятеже.

Но всё это узналось потом. Ночью бараки были заперты, на следующее утро, 23 января, не дали встретиться разным баракам в столовой и разобраться. И некоторые обманутые бараки, в которых никто явно не пострадал, ничего не зная об убитых, вышли на работу. В том числе и наш.

Мы вышли, но никого не выводили из лагерных ворот после нас: пуста была линейка, никакого развода. Обманули нас!

Гадко было на работе в этот день в наших мехмастерских. От станка к станку ходили ребята, сидели и обсуждали — как, что вчера произошло; и до каких же пор мы будем вот так всё ишачить и терпеть. А разве можно *не терпеть*? — возражали давние лагерники, согнувшиеся навек. — А разве кого-нибудь когда-нибудь не сломили? (Это была философия набора 37-го года.)

Когда мы пришли с работы в темноте, зона лагпункта опять была пуста. Но гонцы сбегали под окна других бараков. Оказалось: 9-й, в котором было двое убитых и трое раненых, и соседние с ним на работу уже сегодня не выходили. Хозяева толковали им про нас и надеялись, что завтра они тоже выйдут. Но ясно теперь сложилось — с утра не выходить и нам.

Об этом было брошено и несколько записок через стену к украинцам, чтобы поддержали.

Забастовка-голодовка, не подготовленная, не конченная даже замыслом как следует, теперь началась надоумком, без центра, без сигнализации.

В других потом лагерях, где овладевали продскладом, а на работу не шли, получалось, конечно, умней. У нас — хоть и неумно, но внушительно: три тысячи человек сразу оттолкнули и хлеб, и работу.

Утром ни одна бригада не послала человека в хлеборезку. Ни одна бригада не пошла в столовую к уже готовой баланде и каше. Надзиратели ничего не понимали: второй, третий, четвёртый раз они бойко заходили в бараки звать нас, потом грозно — нас выгонять, потом мягко — нас приглашать: только пока в столовую за хлебом, а о разводе и речи не было.

Но никто не шёл. Все лежали одетые, обутые и молчали. Лишь нам, бригадирам (я в этот горячий год стал бригадиром), доставалось что-то отвечать, потому что говорили надзиратели всё нам. Мы тоже лежали и бормотали от изголовий:

— Ничего не выйдет, начальник...

И это тихое единое неповиновение власти — никому никогда ничего не прощавшей власти, упорное неподчинение, растянутое во времени, казалось страшнее, чем бегать и орать под пулями.

Наконец уговаривание прекратилось и бараки заперли.

В наступившие дни из бараков выходили только дневальные: выносили параши, вносили питьевую воду и уголь. Лишь тем, кто лежал при санчасти, разрешено было обществом не голодать. И только врачам и санитарам — работать. Кухня сварила раз — вылила, ещё сварила — ещё вылила, и перестала варить. Придурки в первый день, кажется, показались начальству, объяснили, что никак им нельзя, — и ушли.

И больше нельзя было хозяевам увидеть нас и заглянуть в наши души. Лёг ров между надсмотрщиками — и рабами.

Этих трёх суток нашей жизни никому из участников не забыть никогда. Мы не видели своих товарищей в других бараках и не видели непогребённых трупов, лежавших там. Но стальной связью мы все были соединены через опустевшую лагерную зону.

Голодовку объявили не сытые люди с запасами подкожного жира, а жилистые, истощённые, много лет каждодневно гонимые голодом, с трудом достигшие некоторого равновесия в своём теле, от лишения одной стограммовки уже испытывающие расстройство. И доходяги голодали равно со всеми, хотя три дня голода необратимо могли опрокинуть их в смерть. Еда, от которой мы отказались, которую считали всегда нищенской, теперь во взбудораженном голодном сне представлялась озёрами насыщения.

Голодовку объявили люди, десятилетиями воспитанные на волчьем законе: «умри ты сегодня, а я завтра!» И вот они переродились, вылезли из вонючего своего болота и согласились лучше умереть все сегодня, чем ещё и завтра так жить.

В комнатах бараков установилось какое-то торжественно-любовное отношение друг к другу. Всякий остаток еды, который был у кого-нибудь, особенно у посылочников, сносился теперь в общее место, на разостланную тряпочку, и потом по общему решению секции одна пища делилась, другая откладывалась на завтра. (В каптёрке личных продуктов у посылочников могло быть ещё изрядно еды, но, во-первых, в каптёрку, через зону, не было ходу, а во-вторых, и не всякий был бы рад принести сюда свои остатки: ведь он рассчитывал подправиться после голодовки. Вот почему голодовка была испытанием неравным, как и всякая тюрьма вообще, и настоящую доблесть выказали те, у кого не было ничего в запасе и никаких надежд подправиться потом.) И если была крупа, то её варили в топке печи и раздавали ложками. Чтоб огонь был ярее, — отламывали доски от вагонок. Жалеть ли казённое ложе, если собственная жизнь может не протянуться на завтра!

Что будут делать хозяева — никто не мог предсказать. Ожидали, что хоть и снова начнётся с вышек автоматная стрельба по баракам. Меньше всего мы ждали уступок. Никогда за всю жизнь мы ничего не отвоёвывали у них — и горечью безнадёжности веяло от нашей забастовки.

Но в безнадёжности этой было что-то удовлетворяющее. Вот мы сделали безполезный, отчаянный шаг, он не кончится добром — и хорошо. Голодало наше брюхо, щемили сердца — но напитывалась какая-то другая, высшая потребность. В голодные долгие эти дни, вечера, ночи три тысячи человек размышляли про себя о своих трёх тысячах сроках, о своих трёх тысячах семьях или безсемейности, о том, что с каждым было, что будет, и хотя в таком обилии грудных клеток по-разному должно было клониться чувство, было и прямое сожаление у кого-то, и отчаяние, — а всё-таки бо́льшая часть склонялась: так и надо! назло! плохо — и хорошо, что плохо!

Это тоже закон неизученный — закон общего взлёта массового чувства, вопреки всякому разуму. Этот взлёт я ясно ощущал на себе. Мне оставалось сроку всего один год. Казалось, я должен был бы тосковать, томиться, что вмазался в эту заваруху, из которой трудно будет выскочить без нового срока. А между тем я ни о чём не жалел. Кобелю вас под хвост, давайте хоть и второй срок!..

На другой день мы увидели в окна, как группа офицеров направляется от барака к бараку. Наряд надзирателей отпер дверь, прошёл по коридорам и, заглядывая в комнаты, вызывал (по-новому, мягко, не как прежде на быдло): «Бригадиры! На выход!»

У нас началось обсуждение. Решали не бригадиры, а бригады. Ходили из секции в секцию, советовались. У нас было двоякое положение: стукачи были искоренены из нашей среды, но иные ещё подозревались, даже наверняка были, — как скользкий, смело держащийся Михаил Генералов, бригадир авторемонтников. Да и просто знание жизни подсказывало, что многие сегодняшние забастовщики, голодающие во имя свободы, завтра будут *раскалываться* во имя покойного рабства. Поэтому те, кто направляли забастовку (такие были, конечно), не выявлялись, не выступали из подполья. Они не брали власти открыто, бригадиры же от своей открыто отреклись. Оттого казалось, что мы бастуем как бы по течению, никем не руководимые.

Наконец незримо где-то выработалось решение. Мы, бригадиры, человек шесть-семь, вышли в сени к терпеливо ожидавшему нас начальству (это были сени того самого барака-2, недавней режимки, откуда шёл подкоп метро, и самый их лаз начинался в нескольких метрах от нынешней нашей встречи). Мы прислонились к стенам, опустили глаза и замерли как каменные. Мы опустили глаза потому, что смотреть на хозяев взглядом подхалимным не хотел уже никто, а мятежным — было бы неразумно. Мы стояли, как заядлые хулиганы, вызванные на педсовет, — в расхлябанных позах, руки в карманах, головы набок и в сторону — невоспитуемые, непробиваемые, безнадёжные.

Зато из обоих коридоров к сеням подпёрла толпа зэков и, прячась за передних, задние кричали всё, что хотели: наши требования и наши ответы.

Офицеры же с голубыми каймами погонов (среди знакомых — и новые, доселе не виданные нами) формально видели одних бригадиров и говорили им. Они обращались сдержанно. Они уже не стращали нас, но и не сходили ещё к равному тону. Они говорили, что в наших якобы интересах — прекратить забастовку и голодовку. В этом случае будет нам выдана не только сегодняшняя пайка, но и — небывалое в ГУЛАГе! — вчерашнего дня. (Как привыкли они, что голодных всегда можно купить!) Ничего не говорилось ни о наказаниях, ни о наших требованиях, как будто их не существовало.

Надзиратели стояли по бокам, держа правые руки в карманах.

Из коридора кричали:
— Судить виновников расстрела!
— Снять замки с бараков!
— Снять номера!

В других бараках требовали ещё: пересмотра ОСОвских дел открытыми судами.

А мы стояли, как хулиганы перед директором, — скоро ли он отвяжется.

Хозяева ушли, и барак был снова заперт.

Хотя голод уже притомил многих, головы были неясные, тяжёлые, — но в бараке ни голоса не раздалось, что надо было уступить. Никто не сожалел вслух.

Гадали — как высоко дойдёт известие о нашем мятеже. В Министерстве внутренних дел, конечно, уже знали или сегодня узнают, — но *Ус*? Ведь этот мясник не остановится расстрелять и всех нас, пять тысяч.

К вечеру слышали мы гудение самолёта где-то поблизости, хотя стояла нелётная облачная погода. Догадывались, что прилетел кто-нибудь ещё повыше.

Бывалый зэк, сын ГУЛАГа, Николай Хлебунов, близкий к нашим бригадам, а сейчас, после девятнадцати отсиженных лет устроенный где-то на кухне, ходил в этот день по зоне и успел и не побоялся принести и бросить нам в окно мешочек с полпудом пшена. Его разделили между семью бригадами и потом варили ночью, чтобы не наскочил надзор.

Хлебунов передал тяжёлую весть: за «китайской стеной» 2-й лагпункт, украинский, не поддержал нас. И вчера, и сегодня украинцы выходили на работу как ни в чём не бывало. Сомнений не было, что они получили наши записки, и слышат двухдневную нашу тишину, и с башенного крана строительства видят двухдневное наше безлюдье после ночной стрельбы, не встречают в поле наших колонн. И тем не менее — они нас не поддержали... (Как мы узнали потом, молодые парни, их вожаки, ещё не искушённые в настоящей политике, рассудили, что у Украины — судьба своя, от москалей отдельная. Так ретиво начав, они теперь отступались от нас.) Нас было, значит, не пять тысяч, а только три.

И вторую ночь, третье утро и третий день голод рвал нам желудок когтями.

Но когда чекисты, ещё более многочисленные, на третье утро снова вызвали бригадиров в сени и мы опять пошли и стали, неохотливые, непроницаемые, воротя морды, — решение общее было: не уступать! Уже у нас появилась инерция борьбы.

И хозяева только придали нам силы. Новоприехавший чин сказал так:

— Управление Песчаного лагеря *просит заключённых принять пищу*. Управление примет все жалобы. Оно разберёт и устранит причины *конфликта* между администрацией и заключёнными.

Не изменили нам уши? Нас *просят принять пищу*? — а о работе даже ни слова. Мы штурмовали тюрьму, били стёкла и фонари, с ножами гонялись за надзирателями, и это, оказывается, не бунт совсем — а *конфликт между*! — между равными сторонами — администрацией и заключёнными!

Достаточно было только на два дня и две ночи нам объединиться — и как же наши душевладельцы изменили тон! Никогда за всю жизнь, не только арестантами, но вольными, но членами профсоюза, не слышали мы от хозяев таких елейных речей!

Однако мы молча стали расходиться — ведь решить-то никто не мог *здесь*. И пообещать решить — тоже никто не мог. Бригадиры ушли, не подняв голов, не обернувшись, хотя начальник ОЛПа по фамилиям окликал нас.

То был наш ответ.

И барак заперся.

Снаружи он казался хозяевам таким же немым и неуступчивым. Но внутри по секциям началось буйное обсуждение. Слишком был велик соблазн! Мягкость тона тронула неприхотливых зэков больше всяких угроз. Появились голоса — уступить. Чего большего мы могли достигнуть, в самом деле?..

Мы устали! Мы хотели есть! Тот таинственный закон, который спаял наши чувства и нёс их вверх, теперь затрепетал крыльями и стал оседать.

Но открылись такие рты, которые были стиснуты десятилетиями, которые молчали всю жизнь — и промолчали бы её до смерти. Их слушали, конечно, и недобитые стукачи. Эти призывы позвончавшего, на несколько минут обретённого голоса (в нашей комнате — Дмитрий Панин) должны были окупиться потом новым сроком, петлёй на задрожавшее от свободы горло. Нужды нет, струны горла в первый раз делали то, для чего созданы.

Уступить сейчас? — значит сдаться на честное слово. Честное слово чьё? — тюремщиков, лагерной псарни. Сколько тюрьмы стоят и сколько стоят лагеря, — когда ж они выполнили хоть одно своё слово?!

Поднялась давно осаждённая муть страданий, обид, издевательств. В первый раз мы стали на верную дорогу — и уже уступить? В первый раз мы почувствовали себя людьми — и скорее сдаться? Весёлый злой вихорок обдувал нас и познабливал: продолжать! продолжать! Ещё не так они с нами заговорят! Уступят! (Но когда и в чём можно будет им поверить? Это оставалось неясным всё равно. Вот судьба угнетённых: нам неизбежно — поверить и уступить...)

И кажется, опять ударили крылья орла — орла нашего слитого двухсотенного чувства! Он поплыл!

А мы легли, сберегая силы, стараясь двигаться меньше и не говорить о пустяках. Довольно дела нам осталось — думать.

Давно кончились в бараке последние крошки. Уже никто ничего не варил, не делил. В общем молчании и неподвижности слышались только голоса молодых наблюдателей, прильнувших к окнам: они рассказывали нам обо всех передвижениях по зоне. Мы любовались этой двадцатилетней молодёжью, её голодным светлым подъёмом, её решимостью умереть на пороге ещё не начинавшейся жизни — но не сдаться! Мы завидовали, что в наши головы истина пришла с опозданием, а позвонки спинные уже костенеют на пригорбленной дужке.

Я думаю, что могу уже теперь назвать Янека Барановского, Володю Трофимова.

И вдруг перед самым вечером третьего дня, когда на очищающемся западе показалось закатное солнце, — наблюдатели крикнули с горячей досадой:

— Девятый барак!.. Девятый сдался!.. Девятый идёт в столовую!

Мы вскочили все. Из комнат другой стороны прибежали к нам. Через решётки, с нижних и верхних нар вагонок, на четвереньках и через плечи друг друга, мы смотрели, замерев, на это печальное шествие.

Двести пятьдесят жалких фигурок — чёрных и без того, ещё более чёрных против заходящего солнца — тянулись наискосок по зоне длинной покорной, униженной вереницей. Они шли, мелькая через солнце, растянутой неверной бесконечной цепочкой, как будто задние жалели, что передние пошли, — и не хотели за ними. Некоторых, самых ослабевших, вели под руку или за руку, и при их неуверенной походке это выглядело так, что многие поводыри ведут многих слепцов. А ещё у многих в руках были котелки или кружки — и эта жалкая лагерная посуда, несомая в расчёте на ужин, слишком обильный, чтобы проглотить его сжавшимся желудком, эта выставленная перед собой посуда, как у нищих за подаянием, — была особенно обидной, особенно рабской и особенно трогательной.

Я почувствовал, что плачу. Покосился, стирая слёзы, и у товарищей увидел их же.

Слово 9-го барака было решающим. Это у них уже четвёртые сутки, с вечера вторника, лежали убитые.

Они шли в столовую, и тем самым получалось, что за пайку и кашу они решили простить убийц.

Девятый барак был голодный барак. Там были сплошь разнорабочие бригады, редко кто получал посылки. Там было много доходяг. Может быть, они сдались, чтоб не было ещё новых трупов?..

Мы расходились от окон молча.

И тут я понял, что́ значит польская гордость — и в чём же были их самозабвенные восстания. Тот самый инженер поляк Юрий Венгерский был теперь в нашей бригаде. Он досиживал свой последний десятый год. Даже когда он был прорабом, — никто не слышал от него повышенного тона. Всегда он был тих, вежлив, мягок.

А сейчас — исказилось его лицо. С гневом, с презрением, с мукой он откинул голову от этого шествия за милостыней, выпрямился и злым звонким голосом крикнул:

— Бригадир! Не будите меня на ужин! Я не пойду!

Взобрался на верх вагонки, отвернулся к стене и — не встал! Он не получал посылок, он был одинок, всегда несыт — и не встал. Видение дымящейся каши не могло заслонить для него — безтелесной Свободы!

Если бы все мы были так горды и тверды — какой бы тиран удержался?

Следующий день, 27 января, был воскресенье. А нас не гнали на работу — навёрстывать (хотя у начальников, конечно, зудело о плане), а только кормили, отдавали хлеб за прошлое и давали бродить по зоне. Все ходили из барака в барак, рассказывали, у кого как прошли эти дни, и было у всех праздничное настроение, будто мы выиграли, а не проиграли. («Пир победителей», — пошутил Панин, уже знавший мою пьесу.) Да ласковые хозяева ещё раз обещали, что все *законные* просьбы (однако: кто знал и определял, что́ законно?..) будут удовлетворены.

А между тем роковая мелочь: некий Володька Пономарёв, *сука*, все дни забастовки бывший с нами, слышавший многие речи и видевший многие глаза, — *бежал на вахту*. Это значит — он бежал предать и за зоной миновать ножа.

В этом побеге Пономарёва для меня отлилась вся суть блатного мира. Их мнимое благородство есть внутрикастовая обязательность друг относительно друга. Но, попав в круговорот революции, они непременно сподличают. Они не могут понять никаких принципов, только силу.

Можно было догадаться, что готовят аресты зачинщиков. Но объявляли, что, напротив, — приехали комиссии из Караганды, из Алма-Аты, из Москвы и будут разбираться. В застылый седой мороз поставили стол посреди лагеря на линейке, сели чины какие-то в белых полушубках и валенках и предложили подходить с жалобами. Многие шли, говорили. Записывалось.

А во вторник после отбоя собрали бригадиров — «для предъявления жалоб». На самом деле это совещание было ещё одной подлостью, формой следствия: знали, как накипело у арестантов, и давали высказаться, чтобы потом арестовывать верней.

Это был мой последний бригадирский день: у меня быстро росла запущенная опухоль, операцию которой я давно откладывал на такое время, когда, по-лагерному, это будет «удобно». В январе, и особенно в роковые дни голодовки, опухоль за меня решила, что сейчас — удобно, и росла почти по часам. Едва раскрыли бараки, я показался врачам, и меня назначили на операцию. Теперь я потащился на это последнее совещание.

Его собрали в предбаннике — просторной комнате. Вдоль парикмахерских мест поставили длинный стол президиума, за него сели один полковник МВД, несколько подполковников, остальные помельче, а наше лагерное начальство и совсем терялось во втором ряду, за их спинами. Там же, за спинами, сидели записывающие — они всё собрание вели поспешные записи, а из первого ряда им ещё повторяли фамилии выступающих.

Выделялся один подполковник из Спецотдела или из Органов — очень быстрый, умный, хваткий злодей с высокой узкой головой, и этой хваткостью мысли и узостью лица как бы совсем не принадлежавший к тупой чиновной своре.

Бригадиры выступали нехотя, их почти вытягивали из густых рядов — подняться. Едва начинали они что-то говорить своё, их сбивали, приглашали объяснить: за что режут *людей*? и какие были цели у забастовки?

И если злополучный бригадир пытался как-то ответить на эти вопросы — за что режут и какие требования, на него тут же набрасывались сворой: а откуда вам это известно? значит, вы связаны с бандитами? тогда назовите их!!

Так благородно и на вполне равных началах выясняли они «законность» наших требований...

Прерывать выступавших особенно старался высокоголовый злодей-подполковник, очень хорошо у него был подвешен язык, и имел он перед нами преимущество безнаказанности. Острыми перебивами он снимал все выступления, и уже начал складываться такой тон, что во всём обвиняли нас, а мы оправдывались.

Во мне подступало, толкало переломить это. Я взял слово, назвал фамилию (её как эхо повторили для записывающего). Я поднимался со скамьи, зная, что из собравшихся тут вряд ли кто быстрее меня вытолкнет через зубы грамматически законченную фразу. Одного только я вовсе не представлял — о чём я могу им говорить? Всё то, что написано вот на этих страницах, что было нами пережито и передумано все годы каторги и все дни голодовки, — сказать им было всё равно что орангутангам. Они числились ещё русскими и ещё как-то умели понимать русские фразы попроще, вроде «разрешите войти!», «разрешите обратиться!». Но когда сидели они вот так, за длинным столом, рядом, выявляя нам свои однообразно-безмыслые белые упитанные благополучные физиономии, — так ясно было, что все они давно уже переродились в отдельный биологический тип, и последняя словесная связь между нами порывается безнадёжно, и остаётся — пулевая.

Только долгоголовый ещё не ушёл в орангутанги, он отлично слышал и понимал. На первых же словах он попробовал меня сбить. Началось при всеобщем внимании состязание молниеносных реплик:

— А где вы работаете?

(Спрашивается, не всё ли равно, где я работаю?)

— На мехмастерских! — швыряю я через плечо и ещё быстрей гоню основную фразу.

— Там, где делают *ножи*? — бьёт он меня спрямака.

— Нет, — рублю я с косого удара, — там, где ремонтируются *шагающие экскаваторы*! — (Сам не знаю, откуда так быстро и ясно приходит мысль.)

И гоню дальше, дальше, чтобы приучить их прежде всего молчать и слушать.

Но полкан притаился за столом и вдруг как прыжком кусает снизу вверх:

— Вас делегировали сюда *бандиты*?

— Нет, пригласили *вы*! — торжествующе секу я его сплеча и продолжаю, продолжаю речь.

Ещё раза два он выпрыгивает и полностью смолкает, отражённый. Я победил.

Победил — но для чего? Один год! Один год остался мне и давит. И язык мой не вывернется сказать им то, что они заслужили. Я мог бы сказать сейчас безсмертную речь — но быть расстрелянным завтра. И я сказал бы её всё равно — но если бы меня транслировали по всему миру! Нет, слишком мала аудитория.

И я не говорю им, что лагеря наши — фашистского образца, а в чём-то и поизощрённей. Я ограничиваюсь тем, что перед их выставленными носами провожу керосином. Я узнал, что здесь сидит начальник конвойных войск, — и вот я оплакиваю недостойное поведение конвоиров, утерявших облик *советских воинов*, помогающих растаскивать производство, к тому же грубиянов, к тому же убийц. Затем я рисую надзорсостав лагеря как шайку стяжателей, понуждающих зэков разворовывать для них строительство (та́к это и есть, только начинается это с офицеров, сидящих здесь). И какое развоспитывающее действие это производит на заключённых, желающих исправиться.

Мне самому не нравится моя речь, вся выгода её только в выигрыше темпа.

В завоёванной тишине поднимается бригадир Т. и медленно, почти косноязычно, от сильного волнения или отроду так, он говорит:

— Я соглашался раньше... когда другие заключённые говорили... что живём мы — как собаки...

Полкан из президиума насторожился. Т. мнёт шапку в руке, стриженый каторжник, некрасивый, с лицом ожесточённым, искривлённым, так трудно найти ему правильные слова...

— ...Но теперь я вижу, что был не прав.

Полкан проясняется.

— Живём мы — гораздо хуже собак! — с силой и быстротой заворачивает Т., и все сидящие бригадиры напрягаются. — У собаки один номер на ошейнике, а у нас четыре. Собаку кормят мясом, а нас рыбьими костями. Собаку в карцер не сажают! Собаку с вышки не стреляют! Собакам не лепят по *двадцать пять*!

Теперь его можно хоть и перебивать — он главное высказал.

Встаёт Черногоров, представляется как бывший Герой Советского Союза, встаёт ещё бригадир, говорят смело, горячо. В президиуме настойчиво и подчёркнуто повторяют их фамилии.

Может быть, это всё на погибель нашу, ребята... А может быть, только от этих ударов головой и развалится проклятая стена.

Совещание кончается вничью.

Несколько дней тихо. Комиссии больше не видно, и всё так мирно идёт на лагпункте, как будто ничего и не было.

Конвой отводит меня в больницу на украинский лагпункт. Я — первый, кого туда ведут после голодовки, первый вестник. Хирург Янченко, который должен меня оперировать, зовёт меня на осмотр, но не об опухоли его вопросы и мои ответы. Он невнимателен к моей опухоли, и я рад, что такой надёжный будет у меня врач. Он расспрашивает, расспрашивает. Лицо его темно от общего нашего страдания.

О, как одно и то же, но в разных жизнях воспринимается нами в разном масштабе! Вот эта самая опухоль, по-видимому раковая, — какой бы удар она была на воле, сколько переживаний, слёзы близких. А здесь, когда головы так легко отлетают от туловищ, эта же самая опухоль — только повод полежать, я о ней и думаю мало.

Я лежу в больнице среди раненых, калеченных в ту кровавую ночь. Есть избитые надзирателями до кровавого месива — им *не на чем* лежать, всё ободрано. Особенно зверски бил один рослый надзиратель — железной трубою (память, память! — фамилии сейчас не вспомню). Кто-то уже умер от ран.

А новости обгоняют одна другую: на «российском» лагпункте началась расправа. Арестовали сорок человек. Опасаясь нового мятежа, сделали это так: до последнего дня всё было по-прежнему добродушно, надо было думать, что хозяева разбираются, кто там из них виноват. Только в намеченный день, когда бригады уже проходили ворота, они замечали, что их принимает удвоенный и утроенный конвой. Задумано было взять жертвы так, чтобы ни друг другу мы не помогли, ни стены бараков или строительства — нам. Выведя из лагеря, разведя колонны по степи, но никого ещё не доведя до цели, начальники конвоя подавали команду: «Стой! Оружие — к бою! Патроны — дослать! Заключённые — садись! Считаю до трёх, открываю огонь — садись! Все — садись!»

И снова, как в прошлогоднее крещение, рабы, беспомощные и обманутые, скованы на снегу. И тогда офицер разворачивал бумагу и читал фамилии и номера тех, кому надо было встать и выйти за оцепление из безсильного стада. И уже отдельным конвоем эту группку в несколько мятежников уводили назад, или подкатывал за ними воронок. А стадо, освобождённое от ферментов брожения, поднимали и гнали работать.

Так воспитатели наши объяснили нам, можно ли им когда-нибудь в чём-нибудь верить.

Выдёргивали в тюрьму и среди опустевшей на день зоны лагпункта. И через ту четырёхметровую стену, через которую забастовка перевалиться не смогла, аресты перепорхнули легко и стали клевать в украинском лагпункте. Как раз накануне назначенной мне операции арестовали и хирурга Янченко, тоже увели в тюрьму.

Аресты или взятия на этап — это трудно было различить — продолжались теперь уже без первичных предосторожностей. Отправляли куда-то маленькие этапы человек по двадцать, по тридцать. И вдруг 19 февраля стали собирать огромный этап человек в семьсот. Этап особого режима: этапируемых на выходе из лагеря заковывали в наручники. Возмездие судьбы! Украинцы, оберегавшие себя от помощи москалям, шли на этот этап гуще, чем мы.

Правда, перед самым их отъездом они салютовали нашей разбитой забастовке. Новый Деревообделочный комбинат, сам весь тоже зачем-то из дерева (в Казахстане, где леса нет, а камня много!), — по невыясненным причинам (знаю точно, был поджог) загорелся сразу из нескольких мест — и в два часа сгорело три миллиона рублей. Тем, кого везли расстреливать, это было как похороны викинга — древний скандинавский обычай вместе с героем сжигать и его ладью.

Я лежу в послеоперационной. В палате я один: такая заваруха, что никого не кладут, замерла больница. Следом за моей комнатой, торцевой в бараке, — избушка морга, и в ней уже который день лежит убитый доктор Корнфельд, хоронить которого некому и некогда. (Утром и вечером надзиратель, доходя до конца проверки, останавливается перед моей палатой и, чтобы упростить счёт, обнимающим движением руки обводит морг и мою палату: «и *здесь два*». И записывает в дощечку.)

В том большом этапе был и я. И начальница санчасти Дубинская согласилась на моё этапирование с незажившими швами. Я — чувствовал и ждал, как придут — откажусь: расстреливайте на месте! Всё ж не взяли.

Павел Баранюк, тоже вызванный на этап, прорывается сквозь все кордоны и приходит обняться со мной на прощание. Не наш один лагерь, но вся вселенная кажется нам сотрясаемою, швыряемою бурей. Нас бросает, и нам не внять, что за зоной — всё, как прежде, застойно и тихо. Мы чувствуем себя на больших волнах и что-то утопляемое под ногами, и, если когда-нибудь увидимся, — это будет совсем другая страна. А на всякий случай — прощай, друг! Прощайте, друзья!

* * *

Потянулся томительный тупой год — последний мой год в Экибастузе и последний сталинский год на Архипелаге. Лишь немногих, подержав в тюрьме и не найдя улик, вернули в зону. А многих-многих, кого мы за эти годы узнали и полюбили, увезли: кого — на новое следствие и суд; кого в изоляцию по нестираемой галочке на деле (хотя бы арестант давно стал ангелом); кого в джезказганские рудники; и даже был такой этап «психически неполноценных» — запекли туда Кишкина-шутника и устроили врачи молодого Володю Гершуни.

Взамен уехавших выползали из «камеры хранения» по одному стукачи: сперва боязливо, оглядываясь, потом наглей и наглей. Вернулся в зону «сука продажная» Володька Пономарёв и вместо простого токаря стал заведующим посылочной. Раздачу драгоценных крох, собранных обездоленными семьями, старый чекист Максименко поручил отъявленному вору.

Оперуполномоченные опять вызывали к себе в кабинеты сколько хотели и кого хотели. Душная была весна. У кого рога или уши слишком выдавались, спешили нагнуться и спрятать их. Я не вернулся больше на должность бригадира (уже и бригадиров опять хватало), а стал подсобником в литейке. Работать приходилось в тот год много, и вот почему. Как единственную уступку после разгрома всех наших просьб и надежд Управление лагеря дало нам *хозрасчёт*, то есть такую систему, при которой труд, совершённый нами, не просто канывал в ненасытное хайло ГУЛАГа, но оценивался, и 45% его считалось нашим заработком (остальное шло государству). Из этого «заработка» 70% забирал лагерь на содержание конвоя, собак, колючки, БУРа, оперуполномоченных, офицеров режимных, цензорных и воспитательных — всего, без чего мы не могли бы жить, — зато оставшиеся 30—10% всё же записывали на лицевой счёт заключённого, и хоть не все эти деньги, но часть их (если ты ни в чём не провинился, не опоздал, не был груб, не разочаровал начальства) можно было по ежемесячным заявлениям переводить в новую лагерную валюту — *боны*, и эти боны тратить. И так была построена система, что чем больше ты лил пота и отдавал крови, тем ближе ты подходил к 30%, а если ты горбил недостаточно, то весь труд твой уходил на лагерь, а тебе доставался шиш.

И большинство — о, это *большинство* нашей истории, особенно когда его подготавливают изъятиями! — большинство было заглатывающе радо такой *уступке* хозяев и теперь укладывало своё здоровье на работе, лишь бы купить в ларьке сгущённого молока, маргарина, поганых конфет или в «коммерческой» столовой взять себе второй ужин. А так как расчёт труда вёлся по бригадам, то и всякий, кто не хотел укладывать своё здоровье за маргарин, — должен был класть его, чтобы товарищи заработали.

Гораздо чаще прежнего стали возить в зону и кинофильмы. Как всегда в лагерях, в деревнях, в глухих посёлках, презирая зрителей, не объявляли названия загодя — свинье ведь тоже не объявляется заранее, что будет вылито в её корыто. Всё равно заключённые — да не те ли самые, которые зимой так героически держали голодовку?! — теперь толпились, захватывали места за час до того, как ещё занавесят окна, нимало не беспокоясь, стоит ли этого фильм.

Хлеба и зрелищ. Так старо, что и повторять неудобно...

Нельзя было упрекнуть людей, что после стольких лет голода они хотят насытиться. Но пока мы насыщались здесь, — тех товарищей наших, кто изобрёл бороться, или кто в январские дни кричал в бараках «не сдадимся!», или даже вовсе ни в чём не замешанных, — где-то сейчас судили, одних расстреливали, других увозили на новый срок в закрытые изоляторы, третьих изводили новым и новым следствием, вталкивали для внушения в камеры, испестрённые крестами приговорённых к смерти, и какой-нибудь змей-майор, заходя в их камеру, улыбался обещающе: «А, Панин! Помню-

помню. Вы проходите по нашему делу, проходите! Мы вас оформим!»

Прекрасное слово — *оформить*! Оформить можно на тот свет, и оформить можно на сутки карцера, и выдачу поношенных штанов тоже можно — оформить. Но дверь захлопнулась, змей ушёл, улыбаясь загадочно, а ты гадай, ты месяц не спи, ты месяц бейся головой о камни — как именно собираются тебя оформить?..

Об этом только рассказывать легко.

Вдруг собрали в Экибастузе этапик ещё человек на двадцать. Странный какой-то этап. Собирали их неспешно, без строгостей, без изоляции — почти так, как собирают на освобождение. Но никому из них не подошёл ещё конец срока. И не было среди них ни одного заклятого зэка, которого хозяева изводят карцерами и режимками, нет, это были всё *хорошие* заключённые, на хорошем у начальства счету: всё тот же скользкий самоуверенный бригадир авторемонта Михаил Михайлович Генералов, и бригадир станочников хитро-простоватый Белоусов, и инженер-технолог Гультяев, и очень положительный, степенный, с фигурой государственного деятеля московский конструктор Леонид Райков; и милейший «свой в доску» токарь Женька Милюков с блинно-смазливым лицом; и ещё один токарь грузин Кокки Кочерава, большой правдолюб, очень горячий к справедливости перед толпою.

Куда ж их? По составу ясно, что не на штрафной. «Да вас в хорошее место! Да вас расконвоируют!» — говорили им. Но ни у одного ни на минуту не проблеснула радость. Они уныло качали головами, нехотя собирали вещи, почти готовые оставить их здесь, что ли. У них был побитый, паршивый вид. Неужели так полюбили они безпокойный Экибастуз? Они и прощались какими-то неживыми губами, неправдоподобными интонациями.

Увезли.

Но не дали времени их забыть. Через три недели слух: их опять привезли! Назад? Да. Всех? Да... Только они сидят в штабном бараке и по своим баракам расходиться не хотят.

Лишь этой чёрточки не хватало, чтобы завершить экибастузскую трёхтысячную забастовку, — забастовки предателей!.. То-то так не хотелось им ехать! В кабинетах следователей, *закладывая* наших друзей и подписывая иудины протоколы, они надеялись, что келейной тишиной всё и кончится. Ведь это десятилетиями у нас: политический донос считается документом неоспоримым и лицо сексота не открывается никогда. Но что-то было в нашей забастовке — необходимость ли оправдаться перед своими высшими? — что заставило хозяев устроить где-то в Караганде большой юридический процесс. И вот *этих* взяли в один день — и, посмотрев друг другу в безпокойные глаза, они узнали о себе и о других, что едут свидетелями на суд. Да ничто б им суд, а знали они гулаговское послевоенное установление: заключённый, вызванный по временным надобностям, должен быть возвращён в прежний лагерь. Да им обещали, что в виде исключения оставят их в Караганде. Да какой-то наряд и был выписан, но не так, неправильно, — и Караганда отказалась.

И вот они три недели ездили. Их гоняли из вагон-заков в пересылки, из пересылок в вагон-заки, им кричали: «садись на землю!», их обыскивали, отнимали вещи, гоняли в баню, кормили селёдкой и не давали воды, — всё, как изматывают обычных, не благонастроенных зэков. Потом под конвоем их водили на суд, они ещё раз посмотрели в лица тем, на кого донесли, там они забили гвозди в их гробы, навесили замки на их одиночные камеры, домотали им километры лет до новых *катушек* — и опять черезо все пересылки привезены и, разоблачённые, выброшены в прежний лагерь.

Они больше не нужны. Доносчик — как перевозчик...

И кажется, — разве лагерь не замирён? Разве не увезена отсюда почти тысяча человек? Разве мешает им теперь кто-нибудь ходить в кабинет *кума*?.. А они —

нейдут из штаба. Они забастовали — и не хотят в зону! Один Кочерава решается нагло сыграть прежнего правдолюбца, он идёт в бригаду и говорит:

— Нэ знаем, зачем возили! Возили-возили, назад привезли...

Но на одну только ночь и на один только рассвет хватает его дерзости. На следующий день он убегает в комнату штаба, к своим.

Э-э, значит, не впустую прошло то, что прошло, и не зря легли и сели наши товарищи. Воздух лагеря уже не может быть возвращён в прежнее гнетущее состояние. Подлость реставрирована, но очень непрочно. О политике в бараках разговаривают свободно. И ни один нарядчик и ни один бригадир не осмелится пнуть ногой или замахнуться на зэка. Ведь теперь все узнали, как легко делаются ножи и как легко вонзаются *под рёбрину*.

Наш островок сотрясся — и отпал от Архипелага...

Но это чувствовали в Экибастузе, едва ли — в Караганде. А в Москве наверняка не чувствовали. Начался развал системы Особлагов — в одном, другом, третьем месте, — Отец же и Учитель об этом понятия не имел, ему, конечно, не доложили (да не умел он ни от чего отказываться, и от каторги бы не отказался, пока под ним стул бы не загорелся). Напротив, для новой ли войны, он намечал в 1953 году большую новую волну арестов, а для того в 1952 расширял систему Особлагов. И так постановлено было Экибастузский лагерь из лаготделения то Степлага, то Песчанлага обратить в головное отделение нового крупного прииртышского Особого лагеря (пока условно названного Дальлагом). И вот сверх уже имевшихся многочисленных рабовладельцев приехало в Экибастуз целое новое Управление дармоедов, которых мы тоже должны были всех окупить своим трудом.

Обещали не заставить себя ждать и новые заключённые.

* * *

А зараза свободы тем временем передавалась — куда ж было деть её с Архипелага? Как когда-то дубовские привезли её нам, так теперь наши повезли её дальше. В ту весну во всех уборных казахстанских пересылок было написано, выскреблено, выдолблено: «Привет борцам Экибастуза!»

И первое изъятие «центровых мятежников», человек около сорока, и из большого февральского этапа 250 самых «отъявленных» были довезены до Кенгира (посёлок Кенгир, а станция Джезказган) — 3-го лаготделения Степлага, где было и Управление Степлага, и сам брюхатый полковник Чечев. Остальных штрафных экибастузцев разделили между 1-м и 2-м отделениями Степлага (Рудник).

Для устрашения восьми тысяч кенгирских зэков объявлено было, что привезены *бандиты*. От самой станции до нового здания кенгирской тюрьмы их повели в наручниках. Так закованною легендой вошло наше движение в рабский ещё Кенгир, чтоб разбудить и его. Как в Экибастузе год назад, здесь ещё господствовали кулак и донос.

До апреля продержав четверть тысячи наших в тюрьме, начальник Кенгирского лаготделения подполковник Фёдоров решил, что достаточно они устрашены, и распорядился выводить на работу. По централизованному снабжению было у них 125 пар новеньких никелированных наручников последнего коммунистического образца — а сковывая двоих по одной руке, как раз на 250 человек (этим, наверное, и определилась принятая Кенгиром порция).

Одна рука свободна — это можно жить! В колонне было уже немало ребят с опытом лагерных тюрем, тут и тёртые беглецы (тут и Тэнно, присоединённый к этапу), знакомые со всеми особенностями наручников, и они разъяснили соседям по колонне, что при одной свободной руке ни черта не стоит эти наручники снять — иголкой и даже без иголки.

Когда подошли к рабочей зоне, надзиратели стали снимать наручники сразу в разных местах колонны, чтоб не умедля начать рабочий день. Тут-то и стали умельцы проворно снимать наручники с себя и с других и прятать под полу: «А у нас уже другой надзиратель снял!» Надзору и в голову не пришло посчитать наручники, прежде чем запустить колонну, а при входе на рабочий объект её не обыскивают никогда.

Так в первое же утро наши ребята унесли 23 пары наручников из 125 пар! Здесь, в рабочей зоне, их стали разбивать камнями и молотками, но скоро догадались острей: стали заворачивать их в промасленную бумагу, чтоб сохранились лучше, и вмуровывали в стены и фундаменты домов, которые клали в тот день (20-й жилой квартал, против Дворца Культуры Кенгира), сопровождая их идеологически несдержанными записками: «Потомки! Эти дома строили советские рабы. Вот такие наручники они носили».

Надзор клял, ругал *бандитов*, а на обратную дорогу всё же поднёс ржавых, старых. Но как ни стерёгся он — у входа в жилую зону ребята стащили ещё шесть. В два следующих выхода на работу — ещё по несколько. А каждая пара их стоила 93 рубля.

И — отказались кенгирские хозяева водить ребят в наручниках.

В борьбе обретёшь ты право своё!

К маю стали экибастузцев постепенно переводить из тюрьмы в общую зону.

Теперь надо было обучать кенгирцев уму-разуму. Для начала учинили такой показ: придурка, *по праву* сунувшегося в ларёк без очереди, придушили не до смерти. Довольно было для слуха: что-то новое будет! не такие приехали, как мы. (Нельзя сказать, чтоб до того в джезказганском лагерном гнезде совсем не трогали стукачей, но это не стало направлением. В 1951 в тюрьме Рудника как-то вырвали ключи у надзирателя, открыли нужную камеру и зарезали там Казлаускаса.)

Теперь создались и в Кенгире подпольные Центры — украинский и «всероссийский». Приготовлены были ножи, маски для *рубиловки* — и вся сказка началась сначала.

«Повесился» на решётке в камере Войнилович. Убиты были бригадир Белокопыт и благонамеренный стукач Лифшиц, член реввоенсовета в Гражданскую войну на фронте против Дутова. (Лифшиц был благополучным библиотекарем КВЧ на лаготделении Рудник, но слава его шла впереди, и в Кенгире он был зарезан в первый же день по прибытии.) Венгр-комендант зарублен был около бани топорами. И, открывая дорожку в «камеру хранения», побежал туда первым Сауер, бывший министр советской Эстонии.

Но и лагерные хозяева уже знали, что делать. Стены между четырьмя лагпунктами здесь были давно. А теперь придумали окружить своей стеной каждый барак — и восемь тысяч человек в свободное время начали над этим работать. И разгородили каждый барак на четыре несообщающиеся секции. И все маленькие зонки и каждая секция брались под замки. (Всё-таки в идеале надо было бы разделить весь мир на одиночки!)

Старшина, начальник кенгирской тюрьмы, был профессиональный боксёр. Он упражнялся на заключённых, как на грушах. Ещё у него в тюрьме изобрели бить молотом через фанеру, чтобы не оставлять следов. (*Практические работники* МВД, они знали, что без побоев и убийств перевоспитание невозможно; и любой практический прокурор был с ними согласен. Но ведь мог наехать и теоретик! — вот из-за этого маловероятного приезда теоретика приходилось подкладывать фанеру.) Один западный украинец, измученный пытками и боясь выдать друзей, повесился. Другие вели себя хуже. И прогорели оба Центра.

К тому же среди «боевиков» нашлись жадные проходимцы, желавшие не успеха движению, а добра себе. Они требовали, чтобы им дополнительно носили с кухни и ещё выделяли «от посылок». Это тоже помогло очернить и пресечь движение.

Среди тех, кто идёт путём насилия, вероятно, это неизбежно. Думаю, что налётчики Камо, сдавая банковские деньги в партийную кассу, не оставляли свои карманы пустыми. И чтобы руководивший ими Коба остался без денег на вино? Когда в военный коммунизм по всей Советской России запрещено было употребление вина, держал же он себе в Кремле винный погреб, мало стесняясь.

Как будто пресекли. Но присмирели от первой репетиции и стукачи. Всё же кенгирская обстановка очистилась.

Семя было брошено. Однако произрасти ему предстояло не сразу и — иначе.

* * *

Хоть и толкуют нам, что личность, мол, истории не куёт, особенно если она сопротивляется передовому развитию, но вот четверть столетия такая личность крутила нам овечьи хвосты, как хотела, и мы даже повизгивать не смели. Теперь говорят: никто ничего не понимал — ни хвост не понимал, ни авангард не понимал, а самая старая гвардия только понимала, но избрала отравиться в углу, застрелиться в дому, на пенсии тихо дожить, только бы не крикнуть нам с трибуны.

И тот освободительный жребий достался самим нам, малюткам. Вот в Экибастузе, пять тысяч плечей подведя под эти своды и поднапрягшись, — трещинку мы всё-таки вызвали. Пусть маленькую, пусть издали незаметную, пусть сами больше надорвались, — а с трещинок разваливаются пещеры.

Были волнения и кроме нас, кроме Особлагов, но всё кровавое прошлое так заглажено, замазано, замыто швабрами, что даже скудный перечень лагерных волнений мне сейчас невозможно установить. Вот узнал случайно, что в 1951, в сахалинском ИТЛовском лагере Вахрушево, была пятидневная голодовка пятисот человек с большим возбуждением и арестными изъятиями — после того как трое беглецов были исколоты штыками у вахты. Известно сильное волнение в Озёрлаге после убийства в строю у вахты 8 сентября 1952 года.

Видно, в начале 50-х годов подошла к кризису сталинская лагерная система, и особенно в Особлагах. Ещё при жизни Всемогущего стали туземцы рвать свои цепи.

Не предсказать, как бы это пошло при нём самом. Да вдруг — не по законам экономики или общества — остановилась медленная старая грязная кровь в жилах низкорослой рябой *личности*.

И хотя, по Передовой Теории, ничто и нисколько от этого не должно было измениться, и не боялись этого те голубые фуражки, хоть и плакали 5 марта за вахтами, и не смели надеяться те чёрные телогрейки, хоть и тренькали на балалайках, доведавшись (их за зону в тот день не выпустили), что траурные марши передают и вывесили флаги с каймой, — а что-то неведомое в подземельи стало сотрясаться, сдвигаться.

Правда, концемартовская амнистия 1953 года, прозванная в лагерях «ворошиловской», своим духом вполне верна покойнику: холить воров и душить политических. Ища популярности у шпаны, она их, как крыс, распустила на всю страну, предлагая жителям пострадать, решётки ставить себе на вольные окна, а милиции — заново вылавливать всех, прежде выловленных. Пятьдесят же Восьмую она освободила в привычной пропорции: на 2-м лагпункте Кенгира из трёх тысяч человек освободилось... трое.

Такая амнистия могла убедить каторгу только в одном: смерть Сталина ничего не меняет. Пощады им как не было, так и не будет. И если они хотят жить на земле, то надо бороться!

И в 1953 году лагерные волнения продолжались в разных местах — заварушки помельче, вроде 12-го лагпункта Карлага; и крупное восстание в Горлаге (Норильск), о котором сейчас была бы отдельная глава, если бы хоть какой-нибудь был у нас материал. Но никакого.

Однако не впустую прошла смерть тирана. Неведомо отчего что-то скрытое где-то сдвигалось, сдвигалось — и вдруг с жестяным грохотом, как пустое ведро, покатила кубарем ещё одна *личность* — с самой верхушки лестницы да в самое навозное болото.

И все теперь — и авангард, и хвост, и даже гиблые туземцы Архипелага поняли: наступила новая пора.

Здесь, на Архипелаге, падение Берии было особенно громовым: ведь он был высший Патрон и Наместник Архипелага! Офицеры МВД были озадачены, смущены, растеряны. Когда уже объявили по радио и нельзя было заткнуть этого ужаса назад в репродуктор, а надо было посягнуть снять портреты этого милого ласкового Покровителя со стен Управления Степлага, полковник Чечев сказал дрожащими губами: «Всё кончено». (Но он ошибся. Он думал — на следующий день будут судить их всех*.) В офицерах и надзирателях проявилась неуверенность, даже растерянность, остро замечаемая арестантами. Начальник режима 3-го кенгирского лагпункта, от которого зэки взгляда доброго никогда не видели, вдруг пришёл на работу к режимной бригаде, сел и стал угощать режимников папиросами. (Ему надо было рассмотреть, что за искры пробегают в этой мутной стихии и какой опасности от них ждать.) — «Ну что? — насмешливо спросили его. — Ваш главный-то начальник — враг народа?» — «Да, получилось», — сокрушился режимный офицер. — «Да ведь правая рука Сталина! — скалились режимники. — Выходит — и Сталин проглядел?» — «Да-а-а... — дружески калякал офицер. — Ну что ж, ребята, может освобождать будут, подождите...»

Берия пал, а пятно берианцев он оставил в наследство своим верным Органам. Если до сих пор ни один заключённый, ни один вольный не смел без риска смерти даже помыслом усомниться в кристальности любого офицера МВД, то теперь достаточно было налепить гаду «берианца» — и он уже был беззащитен!

В Речлаге (Воркута) в июне 1953 совпало: большое возбуждение от смещения Берии и приход из Караганды и Тайшета эшелонов мятежников (большей частью западных украинцев). К этому времени ещё была Вор-

---

* Как приметил Ключевский, *на следующий день* после освобождения дворян (Указ о Вольностях 18 февраля 1762) освободили и крестьян (19 февраля 1861) — да только через 99 лет!

кута рабски забита, и приехавшие зэки изумили местных своей непримиримостью и смелостью.

И весь тот путь, который долгими месяцами проходили мы, здесь был пройден в месяц. 22 июля забастовали цемзавод, строительство ТЭЦ-2, шахты 7-я, 29-я и 6-я. Объекты видели друг друга — как прекращаются работы, останавливаются колёса шахтных копров. Уже не повторяли экибастузской ошибки — не голодали. Надзор сразу весь сбежал из зон, однако — *отдай пайку, начальничек!* — каждый день подвозили к зонам продукты и вталкивали в ворота. (Я думаю, из-за падения Берии они стали такие исполнительные, а то бы вымаривали.) В бастующих зонах создались забастовочные комитеты, установился «революционный порядок», столовая сразу перестала воровать, и на том же пайке пища заметно улучшилась. На 7-й шахте вывесили красный флаг, на 29-й, в сторону близкой железной дороги... портреты членов Политбюро. А чтó было им вывешивать?.. А чтó требовать?.. Требовали снять номера, решётки и замки — но сами не снимали, сами не срывали. Требовали свободной переписки с домом, свиданий, пересмотра дел.

Уговаривали бастующих только первый день. Потом неделю никто не приходил, но на вышках установили пулемёты и оцепили бастующие зоны сторожевым охранением. Надо думать, сновали чины в Москву и из Москвы назад, нелегко было в новой обстановке понять, чтó правильно. Через неделю зоны стали обходить генерал Масленников, начальник Речлага генерал Деревянко, генеральный прокурор Руденко в сопровождении множества офицеров (до сорока). К этой блестящей свите всех собирали на лагерный плац. Заключённые сидели на земле, генералы стояли и ругали их за саботаж, за «безобразия». Тут же оговаривались, что «некоторые требования имеют основания» («номера можете снять», о решётках «дана команда»). Но — немедленно приступить к работе: «стране нужен уголь!» На 7-й шахте кто-то крикнул сзади: «А нам нужна — свобода, пошёл ты на ... !» — и стали заключённые подниматься с земли и расходиться, оставив генералитет*.

Тут же срывали номера, начали выламывать и решётки. Однако уже возник раскол, и дух упал: может, хватит? большего не добьёмся. Ночной развод уже частично вышел, утренний полностью. Завертелись колёса копров, и, глядя друг на друга, объекты возобновляли работу.

А 29-я шахта — за горой, и она не видела остальных. Ей объявили, что все уже приступили к работе, — 29-я не поверила и не пошла. Конечно, не составляло труда взять от неё делегатов, свозить на другие шахты. Но это было бы унизительное цацканье с заключёнными, да и жаждали генералы пролить кровь: без крови не победа, без крови не будет этим скотам науки.

1 августа 11 грузовиков с солдатами проехали к 29-й шахте. Заключённых вызвали на плац, к воротам. С другой стороны ворот сгустились солдаты. «Выходите на работу — или примем жестокие меры!»

Без пояснений — какие. Смотрите на автоматы. Молчание. Движение людских молекул в толпе. Зачем же погибать? Особенно — краткосрочникам... У кого остался год-два, те толкаются вперёд. Но решительнее их пробиваются другие — и в первом ряду, схватясь руками, сплетают оцепление против штрейкбрехеров. Толпа в нерешительности. Офицер пытается разорвать цепь, его ударяют железным прутом. Генерал Деревянко отходит в сторону и даёт команду «огонь!». По толпе.

Три залпа, между ними — пулемётные очереди. Убито 66 человек. (Кто ж убитые? — передние: самые бесстрашные, да прежде всех дрогнувшие. Это — закон широкого применения, он и в пословицах.) Остальные бегут. Охрана с палками и прутьями бросается вслед, бьёт зэков и выгоняет из зоны.

---

* По другим рассказам, где-то так и вывесили: «Нам — свободу, Родине — угля!» Ведь «нам свободу!» — это уже крамола, скорей добавляют извинительно «родине — угля».

Три дня (1—3 августа) — аресты по всем бастовавшим лагпунктам. Но что с ними делать? Притупели Органы от потери кормильца, не разворачиваются на следствие. Опять в эшелоны, опять везти куда-то, развозить заразу дальше. Архипелаг становится тесен.

Для оставшихся — штрафной режим.

На крышах бараков 29-й шахты появилось много латок из драни — это залатаны дыры от солдатских пуль, направленных выше толпы. Безымянные солдаты, не хотевшие стать убийцами.

Но довольно и тех, что били в мишень.

Близ терриконика 29-й шахты кто-то в хрущёвские времена поставил у братской могилы крест — с высоким стволом, как телеграфный столб. Потом его валили. И кто-то ставил вновь.

Не знаю, стоит ли сейчас. Наверно, нет.

Глава 12
СОРОК ДНЕЙ КЕНГИРА

Но в падении Берии была для Особлагов и другая сторона: оно обнадёжило и тем сбило, смутило, ослабило каторгу. Зазеленели надежды на скорые перемены — и отпала у каторжан охота гоняться за стукачами, садиться за них в тюрьму, бастовать, бунтовать. Злость прошла. Всё и без того, кажется, шло к лучшему, надо было только подождать.

И ещё такая сторона: погоны с голубой окаёмкой (но без авиационной птички), до сей поры самые почётные, самые несомненные во всех Вооружённых Силах, — вдруг понесли на себе как бы печать порока, и не только в глазах заключённых или их родственников (шут бы с ними) — но не в глазах ли и правительства?

В том роковом 1953 году с офицеров МВД сняли вторую зарплату («за звёздочки»), то есть они стали получать только один оклад со стажными и полярными надбавками, ну и премиальные конечно. Это был большой удар по карману, но ещё больший по будущему: значит, мы становимся *не нужны*?

Именно из-за того, что пал Берия, охранное министерство должно было срочно и въявь доказать свою преданность и нужность. Но как?

Те мятежи, которые до сих пор казались охранникам угрозой, теперь замерцали спасением: побольше бы волнений, безпорядков, чтоб надо было *принимать меры*. И не будет сокращения ни штатов, ни зарплат.

Меньше чем за год несколько раз кенгирский конвой стрелял по невинным. Шёл случай за случаем; и не могло это быть непреднамеренным*.

Застрелили ту девушку Лиду с растворомешалки, которая повесила чулки сушить на предзоннике.

Подстрелили старого китайца — в Кенгире не помнили его имени, по-русски китаец почти не говорил, все знали его переваливающуюся фигуру — с трубкой в зубах и лицо старого лешего. Конвоир подозвал его к вышке, бросил пачку махорки у самого предзонника, а когда китаец потянулся взять — выстрелил, ранил.

Такой же случай, но конвоир с вышки бросил патроны, велел заключённому собрать и застрелил его.

Затем известный случай стрельбы разрывными пулями по колонне, пришедшей с Обогатительной фабрики, когда вынесли 16 раненых. (А ещё десятка два скрыли свои лёгкие ранения от регистрации и возможного наказания.)

Тут зэки не смолчали — повторилась история Экибастуза: 3-й лагпункт Кенгира три дня не выходил на работу (но еду принимал), требуя судить виновных.

Приехала комиссия и уговорила, что виновных будут судить (как будто зэков позовут на суд и они проверят!..). Вышли на работу.

Но в феврале 1954 года на Деревообделочном застрелили ещё одного — *евангелиста*, как запомнил весь

---

* Очевидно, такое же ускорение событиям придало лагерное руководство и в других местах, например в Норильске.

Кенгир (кажется: Александр Сысоев). Этот человек отсидел из своей десятки 9 лет и 9 месяцев. Работа его была — обмазывать сварочные электроды, он делал это в будке, стоящей близ предзонника. Он вышел оправиться близ будки — и при этом был застрелен с вышки. С вахты поспешно прибежали конвоиры и стали подтаскивать убитого к предзоннику, как если б он его нарушил. Зэки не выдержали, схватили кирки, лопаты и отогнали убийц от убитого. (Всё это время близ зоны Деревообделочного стояла осёдланная лошадь оперуполномоченного Беляева-«Бородавки», названного так за бородавку на левой щеке. Капитан Беляев был энергичный садист, и вполне в его духе было подстроить всё это убийство.)

Всё в зоне заволновалось. Заключённые сказали, что убитого понесут на лагпункт на плечах. Офицеры лагеря не разрешили. «За что убили?» — кричали им. Объяснение у хозяев уже было готово: виноват убитый сам — он первый стал бросать камнями в вышку. (Успели ли они прочесть хоть личную карточку убитого? — что ему три месяца осталось и что он евангелист?..)

Возвращение в зону было мрачно и напоминало, что идёт не о шутках. Там и сям в снегу лежали пулемётчики, готовые к стрельбе (уже кенгирцам известно было, что — слишком готовые...). Пулемётчики дежурили и на крышах конвойного городка.

Это было опять всё на том же 3-м лагпункте, который знал уже 16 раненых за один раз. И хотя нынче был всего только один убитый, но наросло чувство незащищённости, обречённости, безвыходности: вот и год уже почти прошёл после смерти Сталина, а псы его не изменились. И не изменилось вообще ничто.

Вечером после ужина сделано было так. В секции вдруг выключался свет, и от входной двери кто-то невидимый говорил: «Братцы! До каких пор будем строить, а взамен получать пули? Завтра на работу не выходим!» И так секция за секцией, барак за бараком.

Брошена была записка через стену и во 2-й лагпункт. Опыт уже был, и обдумано раньше не раз, сумели объявить и там. На 2-м лагпункте, многонациональном, перевешивали десятилетники, и у многих сроки шли к концу — однако они присоединились.

Утром мужские лагпункты — 3-й и 2-й — на работу не вышли.

Такая повадка — бастовать, а от казённой пайки и хлёбова не отказываться — всё больше начинала пониматься арестантами, но всё меньше — их хозяевами. Придумали: надзор и конвой вошли без оружия в забастовавшие лагпункты, в бараки и, вдвоём берясь за одного зэка, — выталкивали, выпирали его из барака. (Система слишком гуманная, так пристало нянчиться с ворами, а не с врагами народа. Но после расстрела Берии никто из генералов и полковников не отваживался первый отдать приказ стрелять по зоне из пулемётов.) Этот труд, однако, себя не оправдал: заключённые шли в уборную, слонялись по зоне, только не на развод.

Два дня так они выстояли.

Простая мысль — наказать того конвоира, который убил евангелиста, совсем не казалась хозяевам ни простой, ни правильной. Вместо этого в ночь со второго дня забастовки на третий ходил по баракам, уверенный в своей безопасности и всех будя безцеремонно, полковник из Караганды с большой свитой: «Долго думаете *волынку* тянуть?»* И наугад, никого не зная тут, тыкал пальцем: «Ты! — выходи!.. Ты! — выходи!.. Ты! — выходи!» И этих случайных людей этот доблестный волевой распорядитель отправлял в тюрьму, полагая в том самый разумный ответ на «волынку». Вилл Розенберг, латыш, видя эту безсмысленную расправу, сказал полковнику: «И я пойду!» — «Иди!» — охотно согласился полковник. Он даже и *не понял*, на-

---

* Слово «волынка» очень прижилось в официальном языке берлинских волнений в июне 1953 года. Если простые люди где-нибудь в Бельгии добиваются прыжка зарплаты, это называется «справедливый гнев народа», если простые люди у нас добиваются чёрного хлеба — это «волынка».

верно, что это был — протест и против чего тут можно было протестовать.

В ту же ночь было объявлено, что демократия с питанием кончена и невышедшие на работу будут получать штрафной паёк. 2-й лагпункт утром вышел на работу. 3-й не вышел ещё и в третье утро. Теперь к ним применили ту же тактику выталкивания, но уже увеличенными силами: мобилизованы были все офицеры, какие только служили в Кенгире или съехались туда на помощь и с комиссиями. Офицеры во множестве входили в намеченный барак, ослепляя арестантов мельканием папах и блеском погонов, пробирались, нагнувшись, между вагонками и, не гнушаясь, садились своими чистыми брюками на грязные арестантские подушки из стружек: «Ну, подвинься, подвинься, ты же видишь, я подполковник!» И дальше так, подбоченясь и пересаживаясь, выталкивали обладателя матраса в проход, а там его за рукава подхватывали надзиратели, толкали дальше к разводу, а тех, кто и тут ещё слишком упирался, — в тюрьму. (Ограниченный объём двух кенгирских тюрем очень стеснял командование — туда помещалось лишь около полутысячи человек.)

Так забастовка была пересилена, не щадя офицерской чести и привилегий. Эта жертва вынуждалась двойственным временем. Непонятно было, что же надо? и опасно было ошибиться! Перестаравшись и расстреляв толпу, можно было оказаться подручным Берии. Но недостаравшись и не вытолкнув энергично на работу, можно было оказаться его же подручным*. К тому же личным и массовым своим участием в подавлении забастов-

---

* Полковник Чечев, например, не вынес этой головоломки. После февральских событий в Кенгире он ушёл в отпуск, затем след его мы теряем — и обнаруживаем уже персональным пенсионером в Караганде. — Не знаем, как скоро ушёл из Озёрлага его начальник полковник Евстигнеев. «Замечательный руководитель... скромный товарищ», он стал заместителем начальника Братской ГЭС. (У Евтушенко его прошлое не отражено.)

ки офицеры МВД как никогда доказали и нужность своих погонов для защиты святого порядка, и несокрушаемость штатов, и индивидуальную отвагу.

Применены были и все проверенные ранее способы. В марте-апреле несколько этапов отправили в другие лагеря. (Поползла зараза дальше!) Человек семьдесят (среди них и Тэнно) были отправлены в закрытые тюрьмы с классической формулировкой: «все меры исправления исчерпаны, разлагающе влияет на заключённых, содержанию в лагере не подлежит». Списки отправленных в закрытые тюрьмы были для устрашения вывешены в лагере. А для того чтобы хозрасчёт, как некий лагерный НЭП, лучше бы заменял заключённым свободу и справедливость, — в ларьки, до того времени скудные, навезли широкий набор продуктов. И даже — о, невозможность! — выдали заключённым аванс, чтобы эти продукты брать. (ГУЛАГ верил туземцу в долг! — это небывало.)

Так второй раз нараставшее здесь, в Кенгире, не дойдя до назреву, рассасывалось.

Но тут хозяева двинули лишку. Они потянулись за своей главной дубинкой против Пятьдесят Восьмой — за блатными. (Ну в самом деле: зачем же пачкать руки и погоны, когда есть *социально-близкие*?)

Перед первомайскими праздниками в 3-й мятежный лагпункт, уже сами отказываясь от принципов Особлагов, уже сами признавая, что невозможно политических содержать безпримесно и дать им себя *понять*, — хозяева привезли и разместили 650 воров, частично и бытовиков (в том числе много малолеток). «Прибывает *здоровый контингент*! — злорадно предупреждали они Пятьдесят Восьмую. — Теперь вы не шелохнётесь». А к привезённым ворам воззвали: «Вы у нас наведёте порядок!»

И хорошо понятно было хозяевам, с чего нужно *порядок* начинать: чтоб воровали, чтоб жили за счёт других, и так бы поселилась всеобщая разрозненность. И улыбались начальники дружески, как они умеют улыбаться только ворам, когда те, услышав, что есть рядом и женский лагпункт, уже канючили в развязной своей манере: «Покажи нам баб, начальничек!»

Но вот он, непредсказуемый ход человеческих чувств и общественных движений. Впрыснув в 3-й кенгирский лагпункт лошадиную дозу этого испытанного трупного яда, хозяева получили не замирённый лагерь, а самый крупный мятеж в истории Архипелага ГУЛАГа!

* * *

Как ни огорожены, как ни разбросаны по видимости островки Архипелага, они через пересылки живут одним воздухом, и общие протекают в них соки. И потому резня стукачей, голодовки, забастовки, волнения в Особлагах не остались для воров неизвестными. И вот говорят, что к 54-му году на пересылках стало заметно, что *воры зауважали каторжан*.

И если это так — что же мешало нам добиться воровского «уважения» — раньше? Все двадцатые, все тридцатые, все сороковые годы мы, Укропы Помидоровичи и Фан Фанычи, так озабоченные своей собственной общемировой ценностью, и содержимым своего *сидора*, и своими ещё не отнятыми ботинками или брюками, — мы держали себя перед ворами как персонажи юмористические: когда они грабили наших соседей, таких же общемировых интеллектуалов, мы отводили стыдливо глаза и жались в своём уголке; а когда подчеловеки эти переходили расправляться с нами, мы также, разумеется, не ждали помощи от соседей, мы услужливо отдавали этим образинам всё, лишь бы нам не откусили голову. Да, наши умы были заняты не тем, и сердца приготовлены не к этому! Мы никак не ждали ещё этого жестокого низкого врага. Мы терзались извивами русской истории, а к смерти готовы были только публичной, вкрасне, на виду у целого мира и только спасая сразу всё человечество. А может быть, на мудрость нашу довольно было самой простой простоты. Может быть, с первого шага по первой пересыльной камере мы должны были быть готовы все, кто тут есть, получить ножи между рёбрами и слечь в сыром углу, на парашной слизи, в презренной потасовке с этими крысо-людьми, которым на загрызание бросили нас Голубые. И тогда-то, быть может, мы понесли бы гораздо меньше потерь и воспрянули бы раньше, выше и даже с ворами этими об руку разнесли бы в щепки сталинские лагеря? В самом деле, за что было ворам нас *уважать*?..

Так вот, приехавшие в Кенгир воры уже слышали немного, уже ожидали, что дух боевой на каторге есть. И прежде чем они осмотрелись и прежде чем слизались с начальством, — пришли к *паханам* выдержанные широкоплечие хлопцы, сели *поговорить о жизни* и сказали им так: «Мы — представители. Какая в Особых лагерях идёт рубиловка — вы слышали, а не слышали — расскажем. Ножи теперь делать мы умеем не хуже ваших. Вас — шестьсот человек, нас — две тысячи шестьсот. Вы — думайте и выбирайте. Если будете нас давить — мы вас перережем».

Вот этот-то шаг и был мудр и нужен был давно! — повернуться против блатных всем остриём! увидеть в них — главных врагов!

Конечно, Голубым только и было надо, чтобы такая свалка началась. Но прикинули воры, что против осмелевшей Пятьдесят Восьмой один к четырём идти им не стоит. Покровители — всё-таки за зоной, да и хрена ли в этих покровителях? Разве воры их когда-нибудь уважали? А союз, который предлагали хлопцы, — был весёлой небывалой авантюрой, да ещё, кажется, открывал и дорожку — через забор в женскую зону.

И ответили воры: «Нет, мы умнее стали. Мы будем с *мужиками* вместе!»

Эта конференция не записана в историю, и имена участников её не сохранились в протоколах. А жаль. Ребята были умные.

Ещё в первых же карантинных бараках *здоровый контингент* отметил своё новоселье тем, что из тумбочек и вагонок развёл костры на цементном полу, выпуская дым в окна. Несогласие же своё с запиранием бараков они выразили, забивая щепками скважины замков.

Две недели воры вели себя как на курорте: выходили на работу, загорали, не работали. О штрафном пайке начальство, конечно, и не помышляло, но при всех светлых ожиданиях и зарплату выписывать ворам было не из каких сумм. Однако появились у воров боны, они приходили в ларёк и покупали. Обнадёжилось начальство, что здоровый элемент начинает-таки воровать. Но, плохо осведомлённое, оно ошиблось: среди политических прошёл сбор на выручку воров (это тоже было, наверно, частью конвенции, иначе ворам неинтересно), оттуда у них были и боны. Случай слишком небывалый, чтобы хозяева могли о нём догадаться!

Вероятно, новизна и необычность игры очень занимала блатных, особенно малолеток: вдруг относиться к «фашистам» вежливо, не входить без разрешения в их секции, не садиться без приглашения на вагонки.

Париж прошлого века называл своих блатных (а у него, видимо, их хватало), сведённых в гвардию, — *мобили*. Очень верно схвачено. Это племя такое мобильное, что оно разрывает оболочку повседневной косной жизни, оно никак не может в ней заключаться в покое. Установлено было не воровать, неэтично было *вкалывать* на казённой работе — но что-то же надо было делать! Воровской молодняк развлекался тем, что срывал с надзирателей фуражки, во время вечерней проверки джигитовал по крышам бараков и через высокую стену из 3-го лагпункта во 2-й, сбивал счёт, свистел, улюлюкал, ночами пугал вышки. Они бы дальше и на женский лагпункт полезли, но по пути был охраняемый хоздвор.

Когда режимные офицеры, или воспитатели, или оперуполномоченные заходили на дружеское собеседование в барак блатных, воришки-малолетки оскорбляли их лучшие чувства тем, что в разговоре вытаскивали из их карманов записные книжки, кошельки или с верхних нар вдруг оборачивали куму фуражку козырьком на затылок — небывалое для ГУЛАГа обращение! — но и обстановка сложилась невиданная. Воры и раньше всегда считали своих гулаговских отцов — дураками, они тем больше презирали их всегда, чем те индюшачее верили в успехи *перековки*, они до хохота презирали их, выходя на трибуну или перед микрофон рассказать о начале новой жизни с тачкою в руках. Но до сих пор не надо было с ними ссориться. А сейчас конвенция с политическими направляла освободившиеся силы блатных как раз против хозяев.

Так, имея низкий административный рассудок и лишённые высокого человеческого разума, гулаговские власти сами подготовили кенгирский взрыв: сперва бессмысленными застрелами, потом — вливом воровского горючего в этот накалённый воздух.

События шли неотвратимо. Нельзя было политическим не предложить ворам войны или союза. Нельзя было ворам отказываться от союза. А установленному союзу нельзя было коснеть — он бы распался и открылась бы внутренняя война.

Надо было *начинать*, что-нибудь, но начинать! А так как начинателей, если они из Пятьдесят Восьмой, подвешивают потом в верёвочных петлях, а если они воры — только журят на политбеседах, то воры и предложили: мы — начнём, а вы — поддéржите!

Заметим, что всё Кенгирское лагерное отделение представляло собой единый прямоугольник с общей внешней зоной, внутри которой, поперёк длины, нарезаны были внутренние зоны: сперва 1-го лагпункта (женского), потом хоздвора (о его индустриальной мощи мы говорили), потом 2-го лагпункта, потом 3-го, а потом — тюремного, где стояли две тюрьмы — старая и новая — и куда сажали не только лагерников, но и вольных жителей посёлка.

Естественной первой целью было — взять хозяйственный двор, где располагались также и все продовольственные склады лагеря. Операцию начали днём в нерабочее воскресенье 16 мая 1954 года. Сперва все мобили влезли на крыши своих бараков и усеяли стену между 3-м и 2-м лагпунктами. Потом по команде паханов, оставшихся на высотах, они с палками в руках спрыгивали во 2-й лагпункт, там выстроились в колонну и так строем пошли по линейке. А линейка вела по оси 2-го лагпункта — к железным воротам хоздвора, в которые и упиралась.

Все эти ничуть не скрываемые действия заняли какое-то время, за которое надзор успел сорганизоваться и получить инструкции. И вот преинтересно! — надзиратели стали бегать по баракам Пятьдесят Восьмой и к ним, тридцать пять лет давимым как мразь, взывать: «Ребята! Смотрите! Воры идут ломать женскую зону! Они идут насиловать ваших жён и дочерей! Выходите на помощь! Отобьём их!» Но уговор был уговор, и кто рванулся, о нём не зная, того остановили. Хотя очень было вероятно, что при виде котлет коты не выдержат условий конвенции, — надзор не нашёл себе помощников из Пятьдесят Восьмой.

Уж как там защищал бы надзор от своих любимцев женскую зону — неизвестно, но прежде предстояло ему защитить склады хоздвора. И ворота хоздвора распахнулись, и навстречу наступающим вышел взвод безоружных солдат, а сзади ими руководил Бородавка-Беляев, который то ли от усердия оказался в воскресенье в зоне, то ли потому что дежурил. Солдаты стали отталкивать мобилей, нарушили их строй. Не применяя дрынов, воры стали отступать к своему 3-му лагпункту и карабкаться снова на стену, а со стены их резерв бросал в солдат камнями и саманами, прикрывая отступление.

Разумеется, никаких арестов среди воров не последовало. Всё ещё видя в этом лишь резвую шалость, начальство дало лагерному воскресенью спокойно течь к отбою. Без приключений был роздан обед, а вечером с темнотою близ столовой 2-го лагпункта стали, как в летнем кинотеатре, показывать фильм «Римский-Корсаков».

Но отважный композитор не успел ещё уволиться из консерватории, протестуя против гонений на свободу, как зазвенели от камней фонари на зоне: мобили били по ним из рогаток, гася освещение зоны. Уже их полно тут сновало в темноте по 2-му лагпункту, и заливчатые их разбойничьи свисты резали воздух. Бревном они рассадили ворота хоздвора, хлынули туда, а оттуда рельсом сделали пролом и в женскую зону. (Были с ними и молодые из Пятьдесят Восьмой.)

При свете боевых ракет, запускаемых с вышек, всё тот же опер капитан Беляев ворвался в хоздвор извне, через его вахту, со взводом автоматчиков и — впервые в истории ГУЛАГа! — открыл огонь по *социально-близким*! Были убитые и несколько десятков раненых. А ещё — бежали сзади красногонники со штыками и докалывали раненых. А ещё сзади, по разделению карательного труда, принятому уже в Экибастузе, и в Норильске, и на Воркуте, бежали надзиратели с железными ломами и этими ломами до смерти добивали раненых. (В ту ночь в больнице 2-го лагпункта засветилась операционная и заключённый хирург испанец Фустер оперировал.)

Хоздвор теперь был прочно занят карателями, пулемётчики там расставились. А 2-й лагпункт (мобили сыграли свою увертюру, теперь вступили политические) соорудил против хоздвора баррикаду. 2-й и 3-й лагпункты соединились проломом, и больше не было в них надзирателей, не было власти МВД.

Но что случилось с теми, кто успел прорваться на женский лагпункт и теперь отрезан был там? События перемахнули через то развязное презрение, с которым блатные оценивают *баб*. Когда в хоздворе загремели выстрелы, то проломившиеся к женщинам оказались уже не жадные добытчики, а — товарищи по судьбе. Женщины спрятали их. На поимку вошли безоружные солдаты, потом — и вооружённые. Женщины мешали им искать и отбивались. Солдаты били женщин кулаками и прикладами, таскали и в тюрьму (в жензоне была предусмотрительно своя тюрьма), а в иных мужчин стреляли.

Испытывая недостаток карательного состава, командование ввело в женскую зону «чернопогонников» —

солдат строительного батальона, стоявшего в Кенгире. Однако солдаты стройбата не стали выполнять несолдатского дела! — и пришлось их увести.

А между тем именно здесь, в женской зоне, было главное политическое оправдание, которым перед своими высшими могли защититься каратели. Они вовсе не были простаками. Прочли ли они где-нибудь такое или придумали, но в понедельник впустили в женскую зону фотографов и двух-трёх своих верзил, переодетых в заключённых. Подставные морды стали терзать женщин, а фотографы фотографировать. Вот от какого произвола защищая слабых женщин, капитан Беляев вынужден был открыть огонь!

В утренние часы понедельника напряжённость сгустилась над баррикадой и проломленными воротами хоздвора. В хоздворе лежали неубранные трупы. Пулемётчики лежали за пулемётами, направленными на те же всё ворота. В освобождённых мужских зонах ломали вагонки на оружие, делали щиты из досок, из матрасов. Через баррикаду кричали палачам, а те отвечали. Что-то должно было сдвинуться, положение было неустойчиво слишком. Зэки на баррикаде готовы были и сами идти в атаку. Несколько исхудалых сняли рубахи, поднялись на баррикаде и, показывая пулемётчикам свои костлявые груди и рёбра, кричали: «Ну, стреляйте, что же! Бейте по отцам! Добивайте!»

И вдруг на хоздвор к офицеру прибежал с запиской боец. Офицер распорядился взять трупы, и вместе с ними краснопогонники покинули хоздвор.

Минут пять на баррикаде было молчание и недоверие. Потом первые зэки осторожно заглянули в хоздвор. Он был пуст, только валялись там и здесь лагерные чёрные картузики убитых с нашитыми лоскутиками номеров.

(Позже узнали, что очистить хоздвор приказал министр внутренних дел Казахстана, он только что прилетел из Алма-Аты. Унесенные трупы отвезли в степь и закопали, чтоб устранить экспертизу, если её потом потребуют.)

Покатилось «Ура-а-а!.. Ура-а-а...» — и хлынули в хоздвор и дальше в женскую зону. Пролом расширили. Там освободили женскую тюрьму — и всё соединилось! Всё было свободно внутри главной зоны! — только 4-й тюремный лагпункт оставался тюрьмой.

На всех вышках стало по *четыре* краснопогонника! — было кому в уши вбирать оскорбления. Против вышек собирались и кричали им (а женщины, конечно, больше всех): «Вы — хуже фашистов!.. Кровопийцы!.. Убийцы!..»

Обнаружился, конечно, в лагере священник, и не один, и в морге уже служили панихидную службу по убитым и умершим от ран.

Что за ощущения могут быть те, которые рвут грудь восьми тысячам человек, всё время, и давеча, и только что бывших разобщёнными рабами — и вот соединившихся и освободившихся, не по-настоящему хотя бы, но даже в прямоугольнике этих стен, под взглядами этих счетверённых конвоиров?! Экибастузское голодное лежание в запертых бараках — и то ощущалось прикосновением к свободе. А тут — революция! Столько подавленное — и вот прорвавшееся братство людей! И мы любим блатных! И блатные любят нас! (Да куда денешься, кровью скрепили. Да ведь они от своего *закона* отошли!) И ещё больше, конечно, мы любим женщин, которые вот опять рядом с нами, как полагается в человечестве, и сёстры наши по судьбе.

В столовой прокламации: «Вооружайся, чем можешь, и нападай на войска первый!» На кусках газет (другой бумаги нет) чёрными или цветными буквами самые горячие уже вывели в спешке свои лозунги: «Хлопцы, бейте чекистов!», «Смерть стукачам, чекистским холуям!». В одном-другом-третьем месте лагеря, только успевай, — митинги, ораторы! И каждый предлагает своё! Думай — тебе *думать* разрешено, — за кого ты? Какие выставить требования? Чего мы хотим? Под суд Беляева! — это понятно. Под суд убийц! — это понятно. А дальше?.. Не запирать бараков, снять номера! — а дальше?..

А дальше — самое страшное: для чего *это* начато и чего мы хотим? Мы хотим, конечно, свободы, одной свободы! — но кто ж нам её даст? Те суды, которые нас осудили, — в Москве. И пока мы недовольны Степлагом или Карагандой, с нами ещё разговаривают. Но если мы скажем, что недовольны Москвой... нас всех в этой степи закопают.

А тогда — чего мы хотим? Проламывать стены? Разбегаться в пустыню?..

Часы свободы! Пуды цепей свалились с рук и плеч. Нет, всё равно не жаль! — этот день стоил того!

А в конце понедельника в бушующий лагерь приходит делегация от начальства. Делегация вполне благожелательна, они не смотрят зверьми, они без автоматов, да ведь и то сказать — они же не подручные кровавого Берии. Мы узнаём, что из Москвы прилетели генералы — гулаговский Бочков и прокурорский Вавилов. (Они служили и при Берии, но зачем бередить старое?) Они считают, что наши требования *вполне справедливы*. (Мы сами ахаем: справедливы? Так мы не бунтовщики! Нет-нет, вполне справедливы.) «Виновные в расстреле будут привлечены к ответственности». — «А за что женщин избили?» — «Женщин избили? — поражается делегация. — Быть этого не может». Аня Михайлевич приводит им вереницу избитых женщин. Комиссия растрогана: «Разберёмся, разберёмся». — «Звери!» — кричит генералу Люба Бершадская. Ещё кричат: «Не запирать бараков!» — «Не будем запирать». — «Снять номера!» — «Обязательно снимем», — уверяет генерал, которого мы в глаза никогда не видели (и не увидим). — «Проломы между зонами — пусть остаются! — наглеем мы. — Мы должны общаться!» — «Хорошо, общайтесь, — согласен генерал. — Пусть проломы остаются». Так, братцы, чего нам ещё надо? Мы же победили!! Один день побушевали, порадовались, покипели — и победили! И хотя среди нас качают головами и говорят — обман, обман! — мы верим. Мы верим нашему, в общем, неплохому начальству. Мы верим потому, что так нам легче всего выйти из положения...

А что остаётся угнетённым, если не верить? Быть обманутыми — и снова верить. И снова быть обманутыми — и снова верить.

И во вторник 18 мая все кенгирские лагпункты вышли на работу, примирясь со своими мертвецами.

И ещё в это утро всё могло кончиться тихо. Но высокие генералы, собравшиеся в Кенгире, считали бы такой исход своим поражением. Не могли же они серьёзно признать правоту заключённых! Не могли же они серьёзно наказывать военнослужащих МВД! Их низкий рассудок извлёк один только урок: недостаточно были укреплены межзонные стены. Там надо сделать *огневые* зоны!

И в этот день усердное начальство впрягло в работу тех, кто отвык работать годами и десятилетиями: офицеры и надзиратели надевали фартуки: кто знал, как взяться, — брал в руки мастерок; солдаты, свободные от вышек, катили тачки, несли носилки; инвалиды, оставшиеся в зонах, подтаскивали и поднимали саманы. И к вечеру заложены были проломы, восстановлены разбитые фонари, вдоль внутренних стен проложены запретные полосы и на концах поставлены часовые с командой: открывать огонь!

А когда вечером колонны заключённых, отдавших труд дневной государству, входили снова в лагерь, их спешно гнали на ужин, не давая опомниться, чтобы поскорей запереть. По генеральской диспозиции, нужно было выиграть этот первый вечер — вечер слишком явного обмана после вчерашних обещаний, — а там как-нибудь привыкнется и втянется в колею.

Но раздались перед сумерками те же заливчатые разбойничьи свисты, что и в воскресенье, — перекликались ими третья и вторая зоны, как на большом хулиганском гуляньи (эти свисты были ещё один удачный вклад блатных в общее дело). И надзиратели дрогнули, не кончили своих обязанностей и убежали из зон. Один только офицер сплоховал (старший лейтенант интендантской службы Медвежонок), задержался по своим делам и взят был до утра в плен.

Лагерь остался за зэками, но они были разделены. По подступившимся к внутренним стенам — вышки открывали пулемётный огонь. Нескольких уложили, нескольких ранили. Фонари опять все перебили из рогаток, но вышки светили ракетами. Вот тут 3-му лагпункту пригодился хозофицер: с одним оторванным погоном его привязали к концу стола, выдвинули к стене (с их стороны предзонника не сделали), и он вопил из темноты своим: «Не стреляйте, здесь я, Медвежонок! Здесь я, не стреляйте!» — а с вышек его матюгали: а ты врагам не попадайся. В конце концов зэки пожалели его и отпустили, с расстройством.

Длинными столами били по колючке, по свежим столбикам предзонника, но под огнём нельзя было ни проломить стену, ни лезть через неё, — значит, надо было подкопаться. Как всегда, в зоне не было лопат, кроме пожарных. Пошли в ход поварские ножи, миски.

В эту ночь, с 18 на 19 мая, безоружные люди под пулемётным огнём прошли подкопами и проломами все стены и снова соединили все лагпункты и хоздвор. Теперь вышки перестали стрелять. А на хоздворе инструмента было вдоволь. Вся дневная работа каменщиков с погонами пошла насмарку. Под кровом ночи ломали предзонники, расширяли проходы в стенах, чтобы не стали они западнёй (в другие дни их сделали шириной метров в двадцать).

В эту же ночь пробили стену и в 4-й лагпункт, тюремный. Надзорсостав, охранявший тюрьмы, бежал кто к вахте, кто к вышкам, им спускали лестницы. Узники громили следственные кабинеты. Тут были освобождены из тюрьмы и те, кому предстояло завтра стать во главе восстания: бывший полковник Красной армии Капитон Кузнецов (выпускник Фрунзенской академии, уже немолодой; после войны он командовал полком в Германии и кто-то у него сбежал в Западную — за это и получил он срок; а в лагерной тюрьме он сидел «за очернение лагерной действительности» в письмах, отосланных через вольняшек); бывший старший лейтенант Красной армии Глеб Слученков (он побывал в плену, как некоторые говорят — и власовцем).

В «новой» тюрьме сидели жители посёлка Кенгира, бытовики. Сперва они поняли так, что в стране — всеобщая революция, и с ликованием приняли неожиданную свободу. Но, быстро узнав, что революция — слишком местного значения, бытовики лояльно вернулись в свой каменный мешок и безо всякой охраны честно жили там весь срок восстания — лишь за едою ходили в столовую мятежных зэков.

Мятежных зэков! — которые уже трижды старались оттолкнуть от себя и этот мятеж, и эту свободу. Как обращаться с такими дарами, они не знали и больше боялись их, чем жаждали. Но с неуклонностью морского прибоя их бросало и бросало в этот мятеж.

Что оставалось им? Верить обещаниям? Снова обманут, это хорошо показали рабовладельцы вчера, да и раньше. Стать на колени? Но они все годы стояли так и не выслужили милости. Проситься сегодня же быть наказанными? — но наказание сегодня, как и через месяц свободной жизни, будет одинаково жестоко от тех, чьи суды работают машинно: если *четвертаки*, так уж всем вкруговую, без пропуска.

Бежит же беглец, чтоб испытать хоть один день свободной жизни. Так и эти восемь тысяч человек не столько подняли мятеж, сколько *бежали в свободу*, хоть и не надолго! Восемь тысяч человек вдруг из рабов стали свободными, и предоставилось им — жить! Привычно ожесточённые лица смягчились до добрых улыбок*. Женщины увидели мужчин, и мужчины взяли их за руки. Те, кто переписывались изощрёнными тайными путями и никогда не видели друг друга, — теперь познакомились. Те литовки, чьи браки заключали ксёндзы через стену, теперь увидели своих законных по церкви мужей — их брак спустился от Господа на землю! Ве-

---
* Это отметил недоброжелатель Макеев.

рующим впервые за их жизнь никто не мешал собираться и молиться. Рассеянные по всем зонам одинокие иностранцы теперь находили друг друга и говорили на своём языке об этой странной азиатской революции. Всё продовольствие лагеря оказалось в руках заключённых. Никто не гнал на развод и на одиннадцатичасовой рабочий день.

Над безсонным взбудораженным лагерем, сорвавшим с себя собачьи номера, рассвело утро 19 мая. На проволоках свисали столбики с побитыми фонарями. По траншейным проходам и без них зэки свободно двигались из зоны в зону. Многие надевали свою вольную одежду, взятую из каптёрки. Кое-кто из хлопцев нахлобучил папахи и кубанки. (Скоро будут и расшитые рубашки, на азиатах — цветные халаты и тюрбаны, серо-чёрный лагерь расцветёт.)

Ходили по баракам дневальные и звали в большую столовую на выборы Комиссии — комиссии для переговоров с начальством и для самоуправления (так скромно, так боязливо она себя назвала).

Её избирали, может быть, на несколько всего часов, но суждено было ей стать сорокадневным правительством Кенгирского лагеря.

* * *

Если б это всё свершилось на два года раньше, то из одного только страха, чтоб не узнал *Сам*, степлаговские хозяева не стали бы медлить, а с вышек перестреляли бы всю эту загнанную в стены толпу. И надо ли было бы при этом уложить все восемь тысяч или четыре — ничто бы в них не дрогнуло, потому что были они несодрогаемые.

Но сложность обстановки 1954 года заставляла их мяться. Тот же Вавилов и тот же Бочков ощущали в Москве некоторые новые веяния. Здесь уже постреляно было немало и сейчас изыскивалось, как придать сделанному законный вид. И так создалась заминка, а значит — время для мятежников начать свою независимую новую жизнь.

В первые же часы предстояло определиться политической линии мятежа, а значит, бытию его или небытию. Повлечься ли должен был он за теми простосердечными листовками поверх газетных механических столбцов: «Хлопцы, бейте чекистов»?

Едва выйдя из тюрьмы — и тут же силою обстоятельств, военной ли хваткой, советами ли друзей или внутренним позывом направляясь к руководству, Капитон Иванович Кузнецов сразу, видимо, принял сторону и понимание немногочисленных и затёртых в Кенгире ортодоксов: «Пресечь эту стряпню (листовки), пресечь антисоветский и контрреволюционный дух тех, кто хочет *воспользоваться* нашими событиями!» (Эти выражения я цитирую по записям другого члена Комиссии А. Ф. Макеева об узком разговоре в вещкаптёрке Петра Акоева. Ортодоксы кивали Кузнецову: «Да за эти листовки нам всем начнут мотать новые сроки».)

В первые же часы, ещё ночные, обходя все бараки и до хрипоты держа там речи, а с утра потом на собрании в столовой и ещё позже не раз, полковник Кузнецов, встречая настроения крайние и озлобленность жизней настолько растоптанных, что им, кажется, уже нечего было терять, повторял и повторял не уставая:

— Антисоветчина — была бы наша смерть. Если мы выставим сейчас антисоветские лозунги — нас подавят немедленно. Они только и ждут предлога для подавления. При таких листовках они будут иметь полное оправдание расстрелов. Спасение наше — в лояльности. Мы должны разговаривать с московскими представителями, *как подобает советским гражданам!*

И уже громче потом: «Мы не допустим такого поведения отдельных провокаторов!» (Да впрочем, пока он те речи держал, а на вагонках громко целовались. Не очень-то в речи его и вникали.)

Это подобно тому, как если бы поезд вёз вас не в ту сторону, куда вы хотите, и вы решили бы соскочить с него, — вам пришлось бы соскакивать по ходу, а не против. В этом инерция истории. Далеко не все хотели бы так, но разумность такой линии была сразу понята и победила. Очень быстро по лагерю были развешаны крупные лозунги, хорошо читаемые с вышек и от вахт:

«Да здравствует Советская Конституция!»
«Да здравствует Президиум ЦК!»
«Да здравствует советская власть!»
«Требуем приезда члена ЦК и пересмотра наших дел!»
«Долой убийц-бериевцев!»
«Жёны офицеров Степлага! Вам не стыдно быть жёнами убийц?»

Хотя большинству кенгирцев было отлично ясно, что все миллионные расправы, далёкие и близкие, произошли под болотным солнцем *этой* конституции и утверждены *этим* составом Политбюро, им ничего не оставалось, как писать — да здравствует эта конституция и это Политбюро. И теперь, перечитывая лозунги, мятежные арестанты нащупали законную твёрдость под ногами и стали успокаиваться: движение их — не безнадёжно.

А над столовой, где только что прошли выборы, поднялся видный всему посёлку флаг. Он висел потом долго: белое поле, чёрная кайма, в середине красный санитарный крест. По международному морскому коду флаг этот значил:

«Терпим бедствие. На борту — женщины и дети».

В Комиссию было избрано человек двенадцать во главе с Кузнецовым. Комиссия сразу специализировалась и создала отделы:

— агитации и пропаганды (руководил им литовец Кнопмус, штрафник из Норильска после тамошнего восстания);
— быта и хозяйства;

— питания;
— внутренней безопасности (Глеб Слученков);
— военный и
— технический, пожалуй самый удивительный в этом лагерном правительстве.

Бывшему майору Макееву были поручены контакты с начальством. В составе Комиссии был и один из воровских паханов, он тоже чем-то ведал. Были и женщины (очевидно: Шахновская, экономист, партийная, уже седая; Супрун, пожилая учительница из Прикарпатья; Люба Бершадская).

Вошли ли в эту Комиссию главные подлинные вдохновители восстания? Очевидно, нет. *Центры*, а особенно украинский (во всём лагере русских было не больше четверти), очевидно, остались сами по себе. Михаил Келлер, украинский партизан, с 1941 воевавший то против немцев, то против советских, а в Кенгире публично зарубивший стукача, являлся на заседания молчаливым наблюдателем от *того* штаба.

Комиссия открыто работала в канцелярии женского лагпункта, но Военный отдел вынес свой командный пункт (полевой штаб) в баню 2-го лагпункта. Отделы принялись за работу. Первые дни были особенно оживлёнными: надо было всё придумать и наладить.

Прежде всего надо было укрепиться. (Макеев, ожидавший неизбежного войскового подавления, был против создания какой-либо обороны. На ней настояли Слученков и Кнопмус.) Много самана образовалось от широких расчищенных проломов во внутренних стенах. Из этого самана сделали баррикады против всех вахт, то есть выходов вовне (и входов извне), которые остались во власти охранников и любой из которых в любую минуту мог открыться для пропуска карателей. В достатке нашлись на хоздворе бухты колючей проволоки. Из неё наматывали и разбрасывали на угрожаемых направлениях спирали Бруно. Не упустили кое-где выставить и дощечки: «Осторожно! Минировано!»

А это была одна из первых затей Технического отдела. Вокруг работы отдела была создана большая таинственность. В захваченном хоздворе Техотдел завёл секретные помещения, на входе в которые нарисованы были череп, скрещенные кости и написано: «Напряжение 100 000 вольт». Туда допускались лишь несколько работающих там человек. Так даже заключённые не стали знать, чем занимается Техотдел. Очень скоро распространён был слух, что изготовляет он *секретное оружие* по химической части. Так как и зэкам и хозяевам было хорошо известно, какие умники-инженеры здесь сидят, то легко распространилось суеверное убеждение, что они *всё могут*, и даже изобрести такое оружие, какого ещё не придумали в Москве. А уж сделать какие-то мины несчастные, используя реактивы, бывшие на хоздворе, — отчего же нет? И так дощечки «минировано» воспринимались серьёзно.

И ещё придумано было оружие: ящики с толчёным стеклом у входа в каждый барак (засыпать глаза автоматчикам).

Все бригады сохранились как были, но стали называться взводами, бараки — отрядами, и назначены были командиры отрядов, подчинённые Военному отделу. Начальником всех караулов стал Михаил Келлер. По точному графику все угрожаемые места занимали пикеты, особенно усиленные в ночное время. Учитывая ту особенность мужской психологии, что при женщине мужчина не побежит и вообще проявит себя храбрее, пикеты составляли смешанные. А женщин в Кенгире оказалось много не только горластых, но и смелых, особенно среди украинских девушек, которых и было в женском лагпункте большинство.

Не дожидаясь теперь доброй воли барина, сами начинали снимать оконные решётки с бараков. Первые два дня, пока хозяева не догадались отключить лагерную электросеть, ещё работали станки в хоздворе, из прутьев этих решёток сделали множество *пик*, заостряя и обтачивая их концы. Вообще, кузня и станочники эти первые дни непрерывно делали оружие:

ножи, алебарды-секиры и сабли, особенно излюбленные блатными (к эфесам цепляли бубенчики из цветной кожи). У иных появлялись в руках кистени.

Вскинув пики над плечами, пикеты шли занимать свои ночные посты. И женские взводы, направляемые на ночь в мужскую зону в отведенные для них секции, чтобы по тревоге высыпать навстречу наступающим (было такое наивное предположение, что палачи постесняются давить женщин), шли, ощетиненные кончиками пик.

Это всё было бы невозможно, рассыпалось бы от глумления или от похоти, если бы не было овеяно суровым и чистым воздухом мятежа. Пики и сабли были для нашего века игрушечные, но не игрушечной была для этих людей тюрьма в прошлом и тюрьма в будущем. Пики были игрушечные, но хоть их послала судьба! — эту первую возможность защищать свою волю. В пуританском воздухе ранней революции, когда присутствие женщины на баррикаде тоже становится оружием, — мужчины и женщины держались достойно тому и достойно несли свои пики остриями в небо.

Если кто в эти дни и вёл расчёты низменного сладострастия, то — хозяева в голубых погонах там, за зоной. Их расчёт был, что, предоставленные на неделю сами себе, заключённые захлебнутся в разврате. Они так и изображали это жителям посёлка, что заключённые взбунтовались для разврата. (Конечно, чего другого могло недоставать арестантам в их обеспеченной судьбе?)*

Главный же расчёт начальства был, что блатные начнут насиловать женщин, политические вступятся — и пойдёт резня. Но и здесь ошиблись психологи МВД! — и это стоит нашего удивления тоже. Все свидетельст-

---

* После мятежа хозяева не постеснялись провести повальный медицинский осмотр всех женщин. И, обнаружив многих с девственностью, изумлялись: как? чего ж ты смотрела? столько дней вместе!..

Они судили о событиях на своём уровне.

вуют, что воры вели себя *как люди*, но не в их традиционном значении этого слова, а в нашем. Встречно — и политические, и сами женщины относились к ним подчёркнуто дружелюбно, с доверием. А что скрытей того — не относится к нам. Может быть, ворам всё время помнились и кровавые их жертвы в первое воскресенье.

Если кенгирскому мятежу можно приписать в чём-то силу, то сила была — в единстве.

Не посягали воры и на продовольственный склад, что, для знающих, удивительно не менее. Хотя на складе было продуктов на многие месяцы, Комиссия, посовещавшись, решила оставить все прежние нормы на хлеб и другие продукты. Верноподданная боязнь переесть казённый харч и потом отвечать за растрату! Как будто за столько голодных лет государство не задолжало арестантам! Наоборот — почти смешной изворот: всё лагерное начальство, оставшееся за зоной, должно было получать снабжение с хоздвора, а как же! — и по их *просьбе* Комиссия допустила на хоздвор старшего лейтенанта Болтушкина (невредного, бывшего фронтовика), и он регулярно отгружал продукты начальству, например сухие фрукты, из расчёта норм для вольных — и зэки отпускали.

Лагерная бухгалтерия выписывала продукты в прежней норме, кухня получала, варила, но в новом революционном воздухе не воровала сама, и не являлся посланец от блатных с указанием *носить для людей*. И не наливалось лишнего черпака придуркам. И вдруг оказалось, что из той же нормы — еды стало заметно больше!

И если блатные продавали вещи (то есть награбленные прежде в другом месте), то не являлись тут же, по своему обыкновению, отбирать их назад. «Теперь не такое время», — говорили они...

Даже ларьки от местного ОРСа продолжали торговать в зонах. Вольной инкассаторше штаб обещал безопасность. Она без надзирателей допускалась в зону и здесь в сопровождении двух девушек обходила все ларьки и собирала у продавцов их выручку — боны. (Но боны, конечно, скоро кончились, да и новых товаров хозяева в зону не пропускали.)

В руках у хозяев оставалось ещё три вида снабжения зоны: электричество, вода, медикаменты. Воздухом распоряжались, как известно, не они. Медикаментов не дали в зону за сорок дней ни порошка, *ни капли йода*. Электричество отрезали дня через два-три. Водопровод — оставили.

Технический отдел начал борьбу за свет. Сперва придумали крючки на тонкой проволоке забрасывать с силой на внешнюю линию, идущую за лагерной стеной, — и так несколько дней воровали ток, пока щупальцы не были обнаружены и отрезаны. За это время Техотдел успел испробовать ветряк и отказаться от него и стал на хоздворе (в укрытом месте от прозора с вышек и от низко летающих самолётов У-2) монтировать гидроэлектростанцию, работающую от... водопроводного крана. Мотор, бывший на хоздворе, обратили в генератор и так стали питать телефонную лагерную сеть, освещение штаба и... радиопередатчик! А в бараках светили лучины... Уникальная эта гидростанция работала до последнего дня мятежа.

В самом начале мятежа генералы приходили в зону как хозяева (ну, не слишком-то свободно по самой зоне, остерегались). Правда, нашёлся и Кузнецов: на первые переговоры он велел вынести из морга убитых и громко скомандовал: «Головные уборы — снять!» Обнажили головы зэки — и генералам тоже пришлось снять военные картузы перед своими жертвами. Но инициатива осталась за гулаговским генералом Бочковым. Одобрив избрание Комиссии («нельзя ж со всеми сразу разговаривать»), он потребовал, чтоб депутаты на переговорах сперва рассказали о своём следственном деле (и Кузнецов стал длинно и, может быть, охотно излагать своё); чтобы зэки при выступлениях непременно вставали. Когда кто-то сказал: «Заключённые требуют...» — Бочков с чувствительностью возразил: «Заключённые могут только *просить*, а не требовать!» И установилась эта форма — «заключённые просят».

На просьбы заключённых Бочков ответил лекцией о строительстве социализма, небывалом подъёме народного хозяйства, об успехах китайской революции. Самодовольное косое ввинчивание шурупа в мозг, отчего мы всегда слабеем и немеем... Он пришёл в зону, чтобы разъяснить, почему применение оружия охраной было правильным (скоро они заявят, что вообще никакой стрельбы по зоне не было, это ложь бандитов, и избиений тоже не было). Он просто изумился, что смеют просить его нарушить «инструкцию о раздельном содержании зэ-ка зэ-ка». (Они так говорят о своих инструкциях, будто это довечные и домировые законы.)

Вскоре прилетели на «дугласах» ещё новые и более важные генералы: Долгих (будто бы в то время — начальник ГУЛАГа) и Егоров (замминистра МВД СССР). Было назначено собрание в столовой, куда собралось до двух тысяч заключённых. И Кузнецов скомандовал: «Внимание! Встать! Смирно!» — и с почётом пригласил генералов в президиум, а сам по субординации стоял сбоку. (Иначе вёл себя Слученков. Когда из генералов кто-то обронил о *врагах* здесь, Слученков звонко им ответил: «А кто и з в а с не оказался враг? Ягода — враг, Ежов — враг, Абакумов — враг, Берия — враг. Откуда мы знаем, что Круглов лучше?»)

Макеев, судя по его записям, составил проект соглашения, по которому начальство обещало бы никого не этапировать и не репрессировать, начать расследование, а зэки за то соглашались немедленно приступить к работе. Однако когда он и его единомышленники стали ходить по баракам и предлагали принять проект, зэки честили их «лысыми комсомольцами», «уполномоченными по заготовкам» и «чекистскими холуями». Особенно враждебно встретили их на женском лагпункте, и особенно неприемлемо было для зэков согласиться теперь на разделение мужских и женской зон. (Рассерженный Макеев отвечал своим возражателям: «А ты подержался за сисю у Параси и думаешь, что кончилась советская власть? Советская власть на своём настоит, всё равно!»)

Дни текли. Не спуская с зоны глаз — солдатских с вышек, надзирательских оттуда же (надзиратели, как знающие зэков в лицо, должны были опознавать и запоминать, кто что делает) и даже глаз лётчиков (может быть, с фотосъёмкой), — генералы с огорчением должны были заключить, что в зоне нет резни, нет погрома, нет насилий, лагерь сам собой не разваливается и повода нет вести войска на выручку.

Лагерь — стоял, и переговоры меняли характер. Золотопогонники в разных сочетаниях продолжали ходить в зону для убеждения и бесед. Их всех пропускали, но приходилось им для этого брать в руки белые флаги, а после вахты хоздвора, главного теперь входа в лагерь, перед баррикадой, сносить обыск, когда какая-нибудь украинская дивчина в телогрейке охлопывала генеральские карманы, нет ли, мол, там пистолета или гранат. Зато штаб мятежников *гарантировал* им личную безопасность!..

Генералов проводили там, где можно (конечно, не по *секретной* зоне хоздвора), и давали им разговаривать с зэками и собирали для них большие собрания по лагпунктам. Блеща погонами, хозяева и тут рассаживались в президиумах — как раньше, как ни в чём не бывало.

Арестанты выпускали ораторов. Но как трудно было говорить! — не только потому, что каждый писал себе этой речью будущий приговор, но и потому, что слишком разошлись знания и представления об истине у серых и у Голубых, и почти ничем уже нельзя было пронять и просветить эти дородные благополучные туши, эти лоснящиеся дынные головы. Кажется, очень их рассердил старый ленинградский рабочий, коммунист и участник революции. Он спрашивал их, что это будет за коммунизм, если офицеры пасутся на хоздворе, из ворованного с Обогатительной фабрики свинца заставляют делать себе дробь для браконьерства; если огороды им копают заключённые; если для начальника лагпункта, когда он моется в бане, расстилают ковры и играет оркестр.

Чтоб меньше было такого безтолкового крику, эти собеседования принимали и вид прямых переговоров по высокому дипломатическому образцу: в июне как-то поставили в женской зоне долгий столовский стол и по одну сторону на скамье расселись золотопогонники, а позади них стали допущенные для охраны автоматчики. По другую сторону стола сели члены Комиссии, и тоже была охрана — очень серьёзно стояла она с саблями, пиками и рогатками. А дальше подталпливались зэки — слушать толковище, и подкрикивали. (И стол не был без угощений! — из теплиц хоздвора принесли свежие огурцы, с кухни — квас. Золотопогонники грызли огурцы не стесняясь...)

И ещё было как-то полускрытое совещание лагерной Комиссии с пятью генералами МВД в домике у вахты 3-го лагпункта.

Требования-просьбы восставших были сформулированы ещё в первые два дня и теперь повторялись многократно:
— наказать убийцу евангелиста;
— наказать всех виновных в убийствах с воскресенья на понедельник в хоздворе;
— наказать тех, кто избивал женщин;
— вернуть в лагерь тех товарищей, которые за забастовку незаконно посланы в закрытые тюрьмы;
— не надевать больше номеров, не ставить на бараки решёток, не запирать бараков;
— не восстанавливать внутренних стен между лагпунктами;
— восьмичасовой рабочий день, как у вольных;
— увеличение оплаты за труд (уж не шла речь о равенстве с вольными);
— свободная переписка с родственниками и иногда свидания;
— пересмотр дел.

И хотя ни одно требование тут не сотрясало устоев и не противоречило Конституции (а многие были только — просьба о возврате в старое положение), — но невозможно было хозяевам принять ни мельчайшего из них, потому что эти подстриженные жирные затылки, эти лысины и фуражки давно отучились признавать свою ошибку или вину. И отвратна, и неузнаваема была для них истина, если проявлялась она не в секретных инструкциях высших инстанций, а из уст чёрного народа.

Но всё-таки затянувшееся это сидение восьми тысяч в осаде клало пятно на репутацию генералов, могло испортить их служебное положение, и поэтому они обещали. Они обещали, что требования эти почти все можно выполнить, только вот (для правдоподобия) трудно будет оставить открытой женскую зону, это не положено (как будто в ИТЛ двадцать лет было иначе), но можно будет обдумать, какие-нибудь устроить дни встреч. А вот начать в зоне работу следственной комиссии (по обстоятельствам расстрелов) генералы внезапно согласились. (Но Слученков разгадал и настоял, чтоб этого не было: под видом показаний будут стукачи *дуть* на всё, что происходит в зоне.) Пересмотр дел? Что ж, и дела, конечно, будут пересматривать, только *надо подождать*. Но что совершенно безотложно — надо выходить на работу! на работу! на работу!

А уж это зэки знали: разделить на колонны, оружием положить на землю, арестовать зачинщиков.

«Нет, — отвечали они через стол и с трибуны. — Нет! — кричали из толпы. — Управление Степлага вело себя провокационно! Мы не верим руководству Степлага! Мы не верим МВД!»

— *Даже* МВД не верите? — поражался заместитель министра, вытирая лоб от крамолы. — Да кто внушил вам такую ненависть к МВД?

Загадка.

— Члена Президиума ЦК! Члена Президиума ЦК! Тогда поверим! — кричали зэки.

— Смотрите! — угрожали генералы — Будет хуже!

Но тут вставал Кузнецов. Он говорил складно, легко и держался гордо.

— Если войдёте в зону с оружием, — предупреждал он, — не забывайте, что здесь половина людей — бравших Берлин. Овладеют и вашим оружием!

Капитон Кузнецов! Будущий историк кенгирского мятежа разъяснит нам этого человека. Как понимал и переживал он свою посадку? В каком состоянии представлял своё судебное дело? давно ли просил о пересмотре, если в самые дни мятежа ему пришло из Москвы *освобождение* (кажется, с реабилитацией)? Только ли профессионально-военной была его гордость, что в таком *порядке* он содержит мятежный лагерь? Встал ли он во главе движения потому, что оно его захватило? (Я это отклоняю.) Или, зная командные свои способности, — для того, чтобы умерить его, ввести в берега (и взаимные расправы предотвратить, сдерживая Слученкова) и укрощённой волною положить под сапоги начальству? (Так думаю.) Во встречах, переговорах и через второстепенных лиц он имел возможность передать карателям то, что хотел, и услышать от них. Например, в июне был случай, когда отправляли за зону для переговоров ловкача Маркосяна с поручением от Комиссии. Воспользовался ли такими случаями Кузнецов? Допускаю, что и нет. Его позиция могла быть самостоятельной, гордой.

Два телохранителя — два огромных украинских хлопца — всё время сопровождали Кузнецова, с ножами на боку.

Для защиты? Для расплаты?

(Макеев утверждает, что в дни восстания была у Кузнецова и временная жена — тоже бандеровка.)

Глебу Слученкову было лет тридцать. Это значит, в немецкий плен он попал лет девятнадцати. Сейчас, как и Кузнецов, он ходил в прежней своей военной форме, сохранённой в каптёрке, выявляя и подчёркивая военную косточку. Он чуть прихрамывал, но это искупалось большой подвижностью.

На переговорах он вёл себя чётко, резко. Придумало начальство вызывать из зоны «бывших малолеток» (посаженных до 18 лет, — сейчас уже было кому и 20—21 год) — для освобождения. Это, пожалуй, не был и обман, около того времени их действительно повсюду освобождали или сбрасывали сроки. Слученков ответил: «А вы спросили бывших малолеток — *хотят* ли они переходить из одной зоны в другую и оставить в беде товарищей?» (И перед Комиссией настаивал: «Малолетки — наша гвардия, мы их не можем отдать!» В том и для генералов был частный смысл освобождения этих юношей в мятежные дни Кенгира; уж там не знаем, не рассовали бы их по карцерам за зоной?) Законопослушный Макеев начал всё же сбор бывших малолеток на «суд освобождения» и свидетельствует: из *четырёхсот девяти*, подлежавших освобождению, удалось ему собрать на выход лишь *тринадцать* человек. Учитывая расположение Макеева к начальству и враждебность к восстанию, этому свидетельству можно изумиться: 400 молодых людей в самом расцветном возрасте, и даже в массе своей не политических, *отказались не только от свободы! — но от спасения!* — остались в гиблом мятеже...

А на угрозу военного подавления Слученков отвечал генералам так: «Присылайте! Присылайте в зону побольше автоматчиков! Мы им глаза толчёным стеклом засыпем, отберём автоматы! Ваш кенгирский гарнизон разнесём! Ваших кривоногих офицеров до Караганды догоним, на ваших спинах войдём в Караганду! А там — наш брат!»*

Можно верить и другим свидетельствам о нём. «Кто побежит — будем бить в грудь!» — и в воздухе финкой взмахнул. Объявлял в бараке: «Кто не выйдет на оборону — тот получит ножа!» Неизбежная логика всякой военной власти и военного положения...

Новорождённое лагерное правительство, как и извечно всякое, не умело существовать без службы безопасности, и Слученков эту службу возглавил (занял

---

* Может быть, эти угрозы и повлияли на начальство, когда выбиралось орудие подавления.

в женском лагпункте кабинет опера). Так как победы над внешними силами быть не могло, то понимал Слученков, что его пост означал для него неминуемую казнь. В ходе мятежа он рассказывал в лагере, что получил от хозяев тайное предложение — спровоцировать в лагере национальную резню (очень на неё золотопогонники рассчитывали, и удивительно, что она не случилась! добрый прообраз к нашему будущему) — и тем дать благовидный предлог для вступления войск в лагерь. За это хозяева обещали Слученкову жизнь. Он отверг предложение. (А кому и что предлагали ещё? Те не рассказывали.) Больше того, когда по лагерю пущен был слух, что ожидается еврейский погром, Слученков предупредил, что переносчиков будет публично *сечь*. Слух угас.

Ждало Слученкова неизбежное столкновение с благонамеренными. Оно и произошло. Надо сказать, что все эти годы во всех каторжных лагерях ортодоксы, даже не сговариваясь, единодушно осуждали резню стукачей и всякую борьбу арестантов за свои права. Не приписывая это непременно низменным соображениям (немало ортодоксов были связаны службой у кума), вполне объясним это их теоретическими взглядами. Они признавали любые формы подавления и уничтожения, также и массовые, но сверху — как проявление диктатуры пролетариата. Такие же действия, к тому ж порывом, разрозненные, но снизу, — были для них бандитизм, да к тому ж ещё в «бандеровской» форме (среди благонамеренных никогда не бывало ни одного, допускавшего право Украины на отделение, потому что это был бы уже буржуазный национализм). Отказ каторжан от рабской работы, возмущение решётками и расстрелами огорчило, удручило и напугало покорных лагерных коммунистов.

Так и в Кенгире всё гнездо благонамеренных (Генкин, Апфельцвейг, Талалаевский, очевидно Акоев, больше фамилий у нас нет; потом ещё один симулянт, который годами лежал в больнице, притворяясь, что у него «циркулирует нога», — такой интеллигентный способ борьбы они допускали; а в самой Комиссии явно — Макеев, очевидно и Бершадская) — все они с самого начала упрекали, что «не надо было начинать»; и когда проходы заделали — не надо было подкапываться; что всё затеяла бандеровская накипь, а теперь надо поскорее уступить. (Да ведь и те убитые шестнадцать были — не с их лагпункта, а уж евангелиста и вовсе смешно жалеть.) В записках Макеева выбрюзжано всё их сектантское раздражение. Всё кругом — дурно, все — дурны, и опасности со всех сторон: от начальства — новый срок, от бандеровцев — нож в спину. «Хотят всех железяками запугать и заставить гибнуть». Кенгирский мятеж Макеев зло называет «кровавой игрой», «фальшивым козырем», «художественной самодеятельностью» бандеровцев, а то чаще — «свадьбой». Расчёты и цели главарей мятежа он видит в распутстве, уклонении от работы и оттяжке расплаты. (А сама ожидаемая расплата подразумевается у него как справедливая.)

Это очень верно отражает отношение благонамеренных ко всему лагерному движению свободы 50-х годов. Но Макеев был весьма осторожен, ходил даже в руководителях мятежа, — а Талалаевский эти упрёки рассыпал вслух — и слученковская служба безопасности за агитацию, враждебную восставшим, посадила его в камеру кенгирской тюрьмы.

Да, именно так. Восставшие и освободившие тюрьму арестанты теперь заводили свою. Извечная усмешка. Правда, всего посажено было по разным поводам (сношение с хозяевами) человека четыре, и ни один из них не был расстрелян (а наоборот, получил лучшее алиби перед Руководством).

Вообще же тюрьму, особенно мрачную старую, построенную в 30-е годы, широко показывали: её одиночки без окон, с маленьким люком наверху; топчаны без ножек, то есть попросту деревянные щиты внизу, на цементном полу, где ещё холодней и сырей, чем во всей холодной камере; рядом с топчаном, то есть уже на полу, как для собаки, грубая глиняная миска.

Туда отдел агитации устраивал экскурсии для своих — кому не привелось посидеть и, может быть, не придётся. Туда водили и приходящих генералов (они не были очень поражены). Просили прислать сюда и экскурсию из вольных жителей посёлка — ведь на объектах они всё равно сейчас без заключённых не работают. И даже такую экскурсию генералы прислали — разумеется, не из простых работяг, а персонал подобранный, который не нашёл, чем возмутиться.

Встречно и начальство предложило свозить экскурсию из заключённых на Рудник (1-е и 2-е лаготделения Степлага), где, по лагерным слухам, тоже вспыхнул мятеж (кстати, слова этого *мятеж*, или ещё хуже *восстание*, избегали по своим соображениям и рабы и рабовладельцы, заменяя стыдливо-смягчающим словом *сабантуй*). Выборные поехали и убедились, что там-таки действительно всё по-старому, выходят на работу.

Много надежд связывалось с распространением таких забастовок! Теперь вернувшиеся выборные привезли с собой уныние.

(А свозили-то их вовремя. Рудник, конечно, был взбудоражен, от вольных слышали были и небылицы о кенгирском мятеже. В том же июне так сошлось, что многим сразу отказали в жалобах на пересмотр. И какой-то пацан полусумасшедший был ранен на *запретке*. И на Руднике тоже началась забастовка, сбили ворота между лагпунктами, вывалили на линейку. На вышках появились пулемёты. Вывесил кто-то плакат с антисоветскими лозунгами и кличем «Свобода или смерть!». Но его сняли, заменили плакатом с *законными* требованиями и обязательством полностью возместить убытки от простоя, как только требования будут удовлетворены. Приехали грузовики вывозить муку со склада — не дали. Что-то около недели забастовка продлилась, но нет у нас никаких точных сведений о ней, это всё — из третьих уст и, вероятно, — преувеличено.)

Вообще, были недели, когда вся война перешла в войну агитационную. Внешнее радио не умолкало: через несколько громкоговорителей, обставивших лагерь, оно чередило обращения к заключённым с информацией, дезинформацией и одной-двумя заезженными, надоевшими, все нервы источившими пластинками.

> Ходит по полю девчёнка,
> Та, в чьи косы я влюблён.

(Впрочем, чтобы заслужить даже эту невысокую честь — проигрывание пластинок, надо было восстать. Коленопреклонённым даже этой дряни не играли.) Эти же пластинки работали в духе века и как глушилка — для глушения передач, идущих из лагеря и рассчитанных на конвойные войска.

По внешнему радио то чернили всё движение, уверяя, что начато оно с единственной целью насиловать женщин и грабить (в самом лагере зэки смеялись, но ведь громкоговорители доставалось слышать и вольным жителям посёлка; да ни до какого другого объяснения рабовладельцы не могли и подняться — недостижимой высотой для них было бы признать, что эта чернь способна искать справедливости). То старались рассказать какую-нибудь гадость о членах Комиссии (даже об одном пахане: будто, этапируясь на Колыму на барже, он открыл в трюме отверстие и потопил баржу и триста зэ-ка. Упор был на то, что именно бедных зэ-ка, да чуть ли всё не Пятьдесят Восьмую, он потопил, а не конвой; и непонятно, как при этом спасся сам). То терзали Кузнецова, что ему пришло освобождение, но теперь отменено. И опять шли призывы: работать! работать! почему Родина должна вас содержать? не выходя на работу, вы приносите огромный вред государству! (Это должно было пронзить сердца, обречённые на вечную каторгу.) Простаивают целые эшелоны с углем, некому разгружать! (Пусть постоят! — смеялись зэки, — скорей уступите! Но даже и им не приходила мысль, чтоб золотопогонники сами разгрузили, раз уж так сердце болит.)

Однако не остался в долгу и Технический отдел. В хоздворе нашлись две кинопередвижки. Их усилители и были использованы для громкоговорения, конечно более слабого по мощности. А питались усилители от засекреченной гидростанции. (Существование у восставших электрического тока и радио очень удивляло и тревожило хозяев. Они опасались, как бы мятежники не наладили радиопередатчик да не стали бы о своём восстании передавать за границу. Такие слухи в лагере тоже кто-то пускал.)

Появились в лагере свои дикторы (известна Слава Яримовская). Передавались последние известия, радиогазета (кроме того, была и ежедневная стенная, с карикатурами). «Крокодиловы слёзы» называлась передача, где высмеивалось, как охранники болеют о судьбе женщин, прежде сами их избив. Были передачи и для конвоя. Кроме того, ночами подходили под вышки и кричали солдатам в рупоры.

Но не хватало мощности вести передачи для тех единственных сочувствующих, кто мог найтись тут в Кенгире, — для вольных жителей посёлка, часто тоже ссыльных. А именно их, уже не по радио, а там где-то, недоступно для зэков, власти посёлка заморочивали слухами, что в лагере верховодят кровожадные бандиты и сладострастные проститутки (такой вариант имел успех у жительниц*); что здесь истязают невинных и живьём сжигают в топках (и непонятно только, почему Руководство не вмешивается!..).

Как было крикнуть им через стены, на километр, и на два, и на три: «Братья! Мы хотим только справедливости! Нас убивали невинно, нас держали хуже собак! Вот наши требования...»?

Мысль Технического отдела, не имея возможности современную науку обогнать, попятилась, напро-

---

* Когда уже всё было кончено и повели женскую колонну по посёлку на работу, собрались замужние русские бабы вдоль дороги и кричали им: «Проститутки! Шлюхи! Захотелось ...?», и ещё более выразительно. На другой день повторилось то же, но зэчки вышли из зоны с камнями и теперь засыпали оскорбительниц в ответ. Конвой смеялся.

тив, к науке прошлых веков. Из папиросной бумаги (на хоздворе чего только не было, мы писали о нём[*], много лет он заменял джезказганским офицерам и столичное ателье, и все виды мастерских ширпотреба) склеен был по примеру братьев Монгольфье огромный воздушный шар. К нему была привязана пачка листовок, а под него подвязана жаровня с тлеющими углями, дающая ток тёплого воздуха во внутренний купол шара, снизу открытый. К огромному удовольствию собравшейся арестантской толпы (арестанты уж если радуются, то как дети), это чудное воздухоплавательное устройство поднялось и полетело. Но увы! — ветер был быстрей, чем оно набирало высоту, и при перелёте через забор жаровня зацепилась за проволоку, лишённый горячего тока шар опал и сгорел вместе с листовками.

После этой неудачи стали надувать шары дымом. Эти шары при попутном ветре неплохо летели, показывая посёлку крупные надписи:

«Спасите женщин и стариков от избиения!»

«Мы требуем приезда члена Президиума ЦК!»

Охрана стала расстреливать эти шары.

Тут пришли в Техотдел зэки-чечены и предложили делать змеев (они на змеев мастера). Этих змеев стали удачно клеить и далеко выбрасывать над посёлком. На корпусе змея было ударное приспособление. Когда змей занимал удобную позицию, оно рассыпало привязанную тут же пачку листовок. Запускающие сидели на крыше барака и смотрели, что будет дальше. Если листовки падали близко от лагеря, то собирать их бежали пешие надзиратели, если далеко, то мчались мотоциклисты и конники. Во всех случаях старались не дать свободным гражданам прочесть независимую правду. (Листовки кончались просьбою к каждому нашедшему кенгирцу — доставить её в ЦК.)

По змеям тоже стреляли, но они не были так уязвимы к пробоинам, как шары. Нашёл скоро против-

---

[*] Часть Третья, глава 22.

ник, что ему дешевле, чем гонять толпу надзирателей, запускать контрзмеев, ловить и перепутывать.

Война воздушных змеев во второй половине XX века! — и всё против слова правды...

(Может быть, читателю будет удобно для привязки кенгирских событий по времени вспомнить, что происходило в дни кенгирского мятежа на воле? Женевская конференция заседала об Индокитае. Была вручена сталинская премия мира Пьеру Коту. Другой передовой француз, писатель Сартр приехал в Москву, для того чтобы приобщиться к нашей передовой жизни. Громко и пышно праздновалось 300-летие воссоединения Украины и России*. 31 мая был важный парад на Красной площади. УССР и РСФСР награждены орденами Ленина. 6 июня открыт в Москве памятник Юрию Долгорукому. С 8 июня шёл съезд профсоюзов (но о Кенгире там ничего не говорили). 10-го выпущен заём. 20-го был День воздушного флота и красивый парад в Тушине. Ещё эти месяцы 1954 года отмечены были сильным наступлением на литературном, как говорится, *фронте*: Сурков, Кочетов и Ермилов выступали с очень твёрдыми одёргивающими статьями. Кочетов спросил даже: *какие это времена?* И никто не ответил ему: *времена лагерных восстаний!* Много *неправильных* пьес и книг ругали в это время. А в Гватемале достойный отпор получили империалистические Соединённые Штаты.)

В посёлке были ссыльные чечены, но вряд ли *тех* змеев клеили они. Чеченов не упрекнёшь, чтоб они когда-нибудь служили угнетению. Смысл кенгирского мятежа они поняли прекрасно и однажды подвезли к зоне автомашину печёного хлеба. Разумеется, войска отогнали их.

(Тоже вот и чечены. Тяжелы они для окружающих жителей, говорю по Казахстану, грубы, дерзки, русских откровенно не любят. Но стоило кенгирцам проявить

---

* Кенгирские украинцы объявили тот день траурным.

независимость, мужество — и расположение чеченов тотчас было завоёвано! Когда кажется нам, что нас мало уважают, — надо проверить, так ли мы живём.)

Тем временем готовил Техотдел и пресловутое «секретное» оружие. Это вот что такое было: алюминиевые угольники для коровопоилок, оставшиеся от прежнего производства, заполнялись спичечной серой с примесью карбида кальция (все ящики со спичками укрыли за дверью «100 000 вольт»). Когда сера поджигалась и угольники бросались, они с шипением разрывались на части.

Но не злополучным этим остроумцам и не полевому штабу в баньке предстояло выбрать час, место и форму удара. Как-то, по прошествии недель двух от начала, в одну из тёмных, ничем не освещённых ночей раздались глухие удары в лагерную стену во многих местах. Однако в этот раз не беглецы и не бунтари долбили её — разрушали стену сами войска конвоя! В лагере был переполох, метались с пиками и саблями, не могли понять, что делается, ожидали атаки. Но войска в атаку не пошли.

К утру оказалось, что в разных местах зоны, кроме существующих и забаррикадированных ворот, внешний противник проделал с десяток проломов. (По ту сторону проломов, чтоб зэки теперь не хлынули в них, расположились посты с пулемётами*. Это, конечно, была подготовка к наступлению через проломы, и в лагерном муравейнике закипела оборонная работа. Штаб восставших решил: разбирать внутренние стены, разбирать саманные пристройки и ставить свою вторую обводную стену, особенно укреплённую саманными навалами против проломов — для защиты от пулемётов.

Так всё переменилось! — конвой разрушал зону, а лагерники её восстанавливали, и воры с чистой совестью делали то же, не нарушая своего закона.

---

* Говорят, опыт проломов был норильский: там тоже сделали их, чтобы через них выманивать дрогнувших, через них натравливать урок и через них же ввести войска под предлогом наведения порядка.

Теперь пришлось установить дополнительные посты охранения против проломов; назначить каждому взводу тот пролом, куда он строго должен бежать ночью по сигналу тревоги и занимать оборону. Удары в вагонный буфер и те же заливчатые свисты были условлены как сигналы тревоги.

Зэки не в шутку готовились выходить с пиками против пулемётов. Кто и не был готов — подичась, привыкал.

Лихо до дна, а там дорога одна.

И раз была дневная атака. В один из проломов против балкона Управления Степлага, на котором толпились чины, крытые погонами строевыми широкими и прокурорскими узкими, с кинокамерами и фотоаппаратами в руках, — в пролом были двинуты автоматчики. Они не спешили. Они лишь настолько двинулись в пролом, чтобы подан был сигнал тревоги и прибежали бы к пролому назначенные взводы, и, потрясая пиками и держа в руках камни и саманы, заняли бы баррикаду, — и тогда с балкона (исключая автоматчиков из поля съёмки) зажужжали кинокамеры и защёлкали аппараты. И режимные офицеры, прокуроры и политработники, и кто там ещё был, все члены партии, конечно, — смеялись дикому зрелищу этих воодушевлённых первобытных с пиками. Сытые, безстыжие, высокопоставленные, они глумились с балкона над своими голодными обманутыми согражданами, и им было очень смешно*.

А ещё к проломам подкрадывались надзиратели и вполне как на диких животных или на снежного человека пытались набросить верёвочные петли с крючьями и затащить к себе языка.

Но больше они рассчитывали теперь на перебежчиков, на дрогнувших. Гремело радио: опомнитесь! переходите за зону в проломы! в этих местах — не стреляем! перешедших — не будем судить за бунт!

---

* Эти фотографии ведь где-то сейчас подклеены в карательных отчётах. И может быть, недостанет у кого-то расторопности уничтожить их перед лицом будущего...

По лагерному радио отозвалась Комиссия так: кто хочет спасаться — валите хоть через главную вахту, не задерживаем никого.

Так и сделал... член самой Комиссии бывший майор Макеев, подойдя к главной вахте как бы по делам. (*Как бы* — не потому, что его бы задержали или было чем выстрелить в спину, — а почти невозможно быть предателем на глазах улюлюкающих товарищей!* Три недели он притворялся — и только теперь мог дать выход своей жажде поражения и своей злости на восставших за то, что они хотят той свободы, которой он, Макеев, не хочет. Теперь, отрабатывая грехи перед хозяевами, он по радио призывал к сдаче и поносил всех, кто предлагал держаться дальше. Вот фразы из его собственного письменного изложения той радиоречи: «Кто-то решил, что свободы можно добиться с помощью сабель и пик... Хотят подставить под пули тех, кто не берёт железок... Нам обещают пересмотр дел. Генералы терпеливо ведут с нами переговоры, а Слученков рассматривает это как их слабость. Комиссия — ширма для бандитского разгула... Ведите переговоры, достойные политических заключённых, а не (!!) готовьтесь к безсмысленной обороне».

Долго зияли проломы — дольше, чем стена была во время мятежа сплошная. И за все эти недели убежало за зону человек лишь около дюжины.

Почему? Неужели верили в победу? Нет. Неужели не угнетены были предстоящим наказанием? Угнетены. Неужели людям не хотелось спастись для своих семей? Хотелось! И терзались, и эту возможность обдумывали втайне, может быть, тысячи. А бывших малолеток вызывали и на самом законном основании. Но поднята была на этом клочке земли общественная температура так, что если не переплавлены, то оплавлены были по-новому души, и слишком низкие законы, по которым «жизнь да-

---

* Ещё и спустя десяток лет это так стыдно, что в своих мемуарах, вероятно и затеянных для оправдания, он пишет, будто случайно выглянул за вахту, а там — на него накинулись и руки связали...

ётся однажды», и бытие определяет сознание, и шкура гнёт человека в трусость, — не действовали в это короткое время на этом ограниченном месте. Законы бытия и разума диктовали людям сдаться вместе или бежать порознь, а они не сдавались и не бежали! Они поднялись на ту духовную ступень, откуда говорится палачам:

— Да пропадите вы пропадом! Травите! Грызите!

И операция, так хорошо задуманная, что заключённые разбегутся через проломы как крысы и останутся самые упорные, которых и раздавить, — операция эта провалилась потому, что изобрели её шкуры.

И в стенной газете восставших рядом с рисунком — женщина показывает ребёнку под стеклянным колпаком наручники: «вот в таких держали твоего отца» — появилась карикатура: «Последний перебежчик» (чёрный кот, убегающий в пролом).

Но карикатуры всегда смеются, людям же в зоне было мало до смеха. Шла вторая, третья, четвёртая, пятая неделя... То, что по законам ГУЛАГа не могло длиться ни часа, то существовало и длилось неправдоподобно долго, даже мучительно долго — половину мая и потом почти весь июнь. Сперва люди были хмельны от победы, свободы, встреч и затей, — потом верили слухам, что поднялся Рудник, — может, за ним поднимутся Чурбай-Нура, Спасск, весь Степлаг! там, смотришь, Караганда! там весь Архипелаг извергнется и рассыплется на четыреста дорог — но Рудник, заложив руки за спину и голову опустив, всё так же ходил на одиннадцать часов заражаться силикозом, и не было ему дела ни до Кенгира, ни даже до себя.

Никто не поддержал остров Кенгир. Уже невозможно было и рвануть в пустыню: прибывали войска, они жили в степи, в палатках. Весь лагерь был обведён снаружи ещё двойным обводом колючей проволоки. Одна была только розовая точка: приедет барин (ждали Маленкова) и рассудит. Приедет, добрый, и ахнет, и всплеснёт руками: да как они жили тут? да как вы их тут держали? судить убийц! расстрелять Чечева и Беляева! разжаловать остальных... Но слишком точкою была, и слишком розовой.

Не ждать было милости. Доживать было последние свободные денёчки и сдаваться на расправу Степлагу МВД.

И всегда есть души, не выдерживающие напряжения. И кто-то внутри уже был подавлен и только томился, что натуральное подавление так долго откладывается. А кто-то тихо смекал, что он ни в чём не замешан и если осторожненько дальше — то и не будет. А кто-то был молодожён (и даже по настоящему венчальному обряду, ведь западная украинка тоже иначе замуж не выйдет, а заботами ГУЛАГа были тут священники всех религий). Для этих молодожёнов горечь и сладость сочетались в такой переслойке, которой не знают люди в их медленной жизни. Каждый день они намечали себе как последний, и то, что расплата не шла, — каждое утро было для них даром неба.

А верующие — молились и, переложив на Бога исход кенгирского смятения, как всегда, были самые успокоенные люди. В большой столовой по графику шли богослужения всех религий. Иеговисты дали волю своим правилам и отказались брать в руки оружие, делать укрепления, стоять в караулах. Они подолгу сидели, сдвинув головы, и молчали. (Заставили их мыть посуду.) Ходил по лагерю какой-то пророк, искренний или поддельный, ставил кресты на вагонках и предсказывал конец света. В руку ему наступило сильное похолодание, какое в Казахстане надувает иногда даже в летние дни. Собранные им старушки, не одетые в тёплое, сидели на холодной земле, дрожали и вытягивали к небу руки. Да и к кому ж ещё...

А кто-то знал, что замешан уже необратимо и только те дни осталось жить, что до входа войск. А пока нужно думать и делать, как продержаться дольше. И эти люди не были самыми несчастными. (Самыми несчастными были те, кто не был замешан и молил о конце.)

Но когда эти все люди собирались на собрания, чтобы решить, сдаваться им или держаться, — они опять попадали в ту общественную температуру, где личные мнения их расплавлялись, переставали существовать даже для них самих. Или боялись насмешки больше, чем будущей смерти.

— Товарищи! — уверенно говорил статный Кузнецов, будто знал он много тайн и все тайны были *за* арестантов. — У нас есть *средства огневой защиты*, и пятьдесят процентов от наших потерь будут и у противника!

И так ещё он говорил:

— Даже гибель наша не будет безплодной!

(В этом он был совершенно прав. И на него тоже действовала та общая температура.)

И когда голосовали — держаться ли? — большинство голосовало *за*.

Тогда Слученков многозначительно угрожал:

— Смотрите же! С теми, кто остаётся в наших рядах и захочет сдаться, мы разделаемся за пять минут до сдачи!

Однажды внешнее радио объявило «приказ по ГУЛАГу»: за отказ от работы, за саботаж, за... за... за... Кенгирское лаготделение Степлага расформировать и всех отправить в Магадан. (ГУЛАГу явно не хватало места на планете. А те, кто и без того посланы в Магадан, — за что те?) Последний срок выхода на работу...

Но прошёл и этот последний срок, и всё оставалось так же.

Всё оставалось так же, и вся фантастичность, вся сновиденность этой невозможной, небывалой, повиснувшей в пустоте жизни восьми тысяч человек только ещё более разила от аккуратной жизни лагеря: пища три раза в день; баня в срок; прачечная; смена белья; парикмахерская; швейная и сапожная мастерские. Даже примирительные суды для спорящих. И даже... освобождение на волю!

Да. Внешнее радио иногда вызывало освобождающихся: это были или иностранцы одной и той же нации, чья страна заслужила собрать своих вместе, или кому подошёл (или якобы подошёл?..) конец срока. Может быть, таким образом Управление и брало «языков» — без надзирательской верёвки с крючками? Комиссия проверить не могла и отпускала всех.

Почему тянулось это время? Чего могли ждать хозяева? Конца продуктов? Но они знали, что протянется долго. Считались с мнением посёлка? Им не приходилось. Разрабатывали план подавления? Можно было быстрей. (Правда, потом-то узнали, что за это время из-под Куйбышева выписали полк «особого назначения», то бишь карательный. Ведь это не всякий и умеет.) Согласовывали подавление *наверху*? И как высоко? Нам не узнать, какого числа и какая инстанция приняла это постановление.

Несколько раз вдруг раскрывались внешние ворота хоздвора — для того ли, чтобы проверить готовность защитников? Дежурный пикет объявлял тревогу, и взводы высыпали навстречу. Но в зону не шёл никто.

Вся разведка защитников лагеря была — дозорные на крышах бараков. И только то, что доступно было увидеть с крыш через забор, было основанием для предвидения.

В середине июня в посёлке появилось много тракторов. Они работали или что-нибудь перетягивали около зоны. Они стали работать даже по ночам. Эта ночная работа тракторов была непонятна. На всякий случай стали рыть против проломов ещё ямы (впрочем, У-2 все их сфотографировал или зарисовал).

Этот недобрый какой-то рёв добавил мраку.

И вдруг — посрамлены были скептики! посрамлены были отчаявшиеся! посрамлены были все, говорившие, что не будет пощады и не о чем просить. Только ортодоксы могли торжествовать. 22 июня внешнее радио объявило: требования лагерников приняты! В Кенгир едет член Президиума ЦК!

Розовая точка обратилась в розовое солнце, в розовое небо! Значит, можно добиться! Значит, е с т ь справедливость в нашей стране! Что-то уступят нам, в чём-то уступим мы. В конце концов, и в номерах можно походить, и решётки на окнах нам не мешают, мы ж в окна не лазим. Обманывают опять? Так ведь не требуют же, чтобы мы *до* этого вышли на работу!

Как прикосновение палочки снимает заряд с электроскопа и облегчённо опадают его встревоженные листочки, так объявление внешнего радио сняло тягучее напряжение последней недели.

И даже противные трактора, поработав с вечера 24 июня, замолкли.

Тихо спалось в сороковую ночь мятежа. Наверно, завтра *он* и приедет, может, уже приехал...* Эти короткие июньские ночи, когда не успеваешь выспаться, когда на рассвете спится так крепко. Как тринадцать лет назад.

На раннем рассвете 25 июня в пятницу в небе развернулись ракеты на парашютах, ракеты взвились и с вышек — и наблюдатели на крышах бараков не пикнули, снятые пулями снайперов. Ударили пушечные выстрелы! Самолёты полетели над лагерем бреюще, нагоняя ужас. Прославленные танки Т-34, занявшие исходные позиции под маскировочный рёв тракторов, со всех сторон теперь двинулись в проломы. (Один из них всё-таки попал в яму.) За собой одни танки тащили цепи колючей проволоки на козлах, чтобы сразу же разделять зону. За другими бежали штурмовики с автоматами в касках. (И автоматчики, и танкисты получили водку перед тем. Какие б ни были *спецвойска*, а всё же давить безоружных спящих легче в пьяном виде.) С наступающими цепями шли радисты с рациями. Генералы поднялись на вышки стрелков и оттуда при дневном свете ракет (а одну вышку зэки подожгли своими угольниками, она горела) подавали команды: «Берите такой-то барак!.. Кузнецов находится там-то!..» Они не прятались, как обычно, на наблюдательном пункте, потому что пули им не грозили**.

---

* А может быть, и правда приехал? Может быть, *он*-то и распорядился?..
** Они только спрятались от истории. Кто были эти расторопные полководцы? Почему не салютовала страна их славной кенгирской победе? С трудом мы разыскиваем теперь имена не главных там, но и не последних: начальник оперчекистского отдела Степлага полковник Рязанов; начальник политотдела Степлага Олюшкин... Помогите! Продолжите!

Издалека, со строительных конструкций, на подавление смотрели вольные.

Проснулся лагерь — весь в безумии. Одни оставались в бараках на местах, ложились на пол, думая так уцелеть и не видя смысла в сопротивлении. Другие поднимали их идти сопротивляться. Третьи выбегали вон, под стрельбу, на бой или просто ища быстрой смерти.

Бился 3-й лагпункт — тот, который и начал (он был из двадцатипятилетников, с большим перевесом бандеровцев). Они... швыряли камнями в автоматчиков и надзирателей, наверно, и серными угольниками в танки... О толчёном стекле никто и не вспомнил. Какой-то барак два раза с «ура» ходил в контратаку...

Танки давили всех попадавшихся по дороге (киевлянку Аллу Пресман гусеницей переехали по животу). Танки наезжали на крылечки бараков, давили там (эстонок Ингрид Киви и Махлапу)*. Танки притирались к стенам бараков и давили тех, кто виснул там, спасаясь от гусениц. Семён Рак со своей девушкой в обнимку бросились под танк и кончили тем. Танки вминались под дощатые стены бараков и даже били внутрь бараков холостыми пушечными выстрелами. Вспоминает Фаина Эпштейн: как во сне, отвалился угол барака, и наискосок по нему, по живым телам, прошёл танк; женщины вскакивали, метались; за танком шёл грузовик, и полуодетых женщин туда бросали.

Пушечные выстрелы были холостые, но автоматы и штыки винтовок — боевые. Женщины прикрывали собой мужчин, чтобы сохранить их, — кололи и женщин! Опер Беляев в это утро своей рукой застрелил десятка два человек. После боя видели, как он вкладывал убитым в руки ножи, а фотограф делал снимки убитых *бандитов*. Раненная в лёгкое, скончалась член

---

* В одном из танков сидела пьяная Нагибина, лагерный врач. Не для оказания помощи, а — посмотреть, интересно.

Комиссии Супрун, уже бабушка. Некоторые прятались в уборные, их решетили очередями там*.

Кузнецова арестовали в бане, в его КП, поставили на колени.Слученкова со скрученными руками поднимали на воздух и бросали обземь (приём блатных).

Потом стрельба утихла. Кричали: «Выходи из бараков, стрелять не будем!» И действительно, только били прикладами.

По мере захвата очередной группы пленных её вели в степь через проломы, через внешнюю цепь конвойных кенгирских солдат, обыскивали и клали в степи ничком, с протянутыми над головой руками. Между такими распято лежащими ходили лётчики МВД и надзиратели и отбирали, опознавали, кого они хорошо раньше видели с воздуха или с вышек.

(За этой заботой никому не был досуг развернуть «Правду» того дня. А она была тематическая — день нашей Родины: успехи металлургов, шире механизированные уборочные работы. Историку легко будет обозреть нашу Родину, какой она была *в тот день*.)

Любознательные офицеры могли осмотреть теперь тайны хоздвора: откуда брался ток и какое было «секретное оружие».

Победители-генералы спустились с вышек и пошли позавтракать. Никого из них не зная, я берусь утверждать, что аппетит их в то июньское утро был безупречен и они выпили. Шумок от выпитого нисколько не нарушал идеологической стройности в их голове. А что было в груди — то навинчено было снаружи.

Убитых и раненых было: по рассказам — около шестисот, по материалам производственно-плановой части Кенгирского отделения, как мои друзья познакомились с ними через несколько месяцев, — более *семисот***. Ра-

---

* Эй, «Трибунал Военных Преступлений» Жана Поля Сартра! Эй, философы! Матерьял-то какой! Отчего не заседаете?

** 9 января 1905 года было убитых около 100 человек. В 1912 году, в знаменитых расстрелах на Ленских приисках, потрясших всю Россию, было убитых 270 человек, раненых — 250.

нёными забили лагерную больницу и стали возить в городскую. (Вольным объяснили, что войска стреляли только холостыми патронами, а убивали друг друга заключённые сами.)

Рыть могилы заманчиво было заставить оставшихся в живых, но для большего неразглашения это сделали войска: человек триста закопали в углу зоны, остальных где-то в степи.

Весь день 25 июня заключённые лежали ничком в степи под солнцем (все эти дни — нещадно знойные), а в лагере был сплошной обыск, взламывание и перетрях. Потом в поле привезли воды и хлеба. У офицеров были заготовлены списки. Вызывали по фамилиям, ставили галочку, что — жив, давали пайку и тут же разделяли людей по спискам.

Члены Комиссии и другие подозреваемые были посажены в лагерную тюрьму, переставшую служить экскурсионным целям. Больше тысячи человек — отобраны для отправки кто в закрытые тюрьмы, кто на Колыму. (Как всегда, списки эти были составлены полуслепо: и попали туда многие ни в чём не замешанные.)

Да внесёт картина усмирения — спокойствие в души тех, кого коробили последние главы. Чур нас, чур! — собираться в «камеры хранения» никому не придётся, и возмездия карателям не будет никогда.

26 июня весь день заставили убирать баррикады и заделывать проёмы.

27 июня вывели на работу. Вот когда дождались железнодорожные эшелоны рабочих рук.

Танки, давившие Кенгир, поехали самоходом на Рудник и там поелозили перед глазами зэков. Для умозаключения...

Суд над верховодами был осенью 1955 года, разумеется закрытый, и даже о нём-то мы толком ничего не знаем... Говорят, что Кузнецов держался уверенно, доказывал, что он безупречно себя вёл и нельзя было придумать лучше. Приговоры нам не известны. Вероятно, Слученкова, Михаила Келлера и Кнопмуса расстреляли. То есть расстреляли бы обязательно, но, может быть, 1955 год смягчил?

А в Кенгире налаживали честную трудовую жизнь. Не преминули создать из недавних мятежников *ударные* бригады. Расцвёл хозрасчёт. Работали ларьки, показывалась кинофильмовая дрянь. Надзиратели и офицеры снова потянулись в хоздвор — делать что-нибудь для дома: спиннинг, шкатулку, починить замок на дамской сумочке. Мятежные сапожники и портные (литовцы и западные украинцы) шили им лёгкие обхватные сапоги и обшивали их жён. И так же велели зэкам на обогатиловке сдирать с кабеля свинцовый слой и носить в лагерь для перелива на дробь — охотиться товарищам офицерам на сайгаков.

Тут общее смятение Архипелага докатилось до Кенгира: не ставили снова решёток на окна и бараков не запирали. Ввели условно-досрочное «двух-третное» освобождение и даже невиданную «актировку» Пятьдесят Восьмой — отпускали полумёртвых на волю.

На могилах бывает особенно густая зелёная травка.

А в 1956 году и самую ту зону ликвидировали — и тогда тамошние жители из неуехавших ссыльных разведали всё-таки, где похоронили *тех*, — и приносили степные тюльпаны.

Мятеж не может кончиться удачей.
Когда он победит — его зовут иначе...*
                                            Бёрнс

Всякий раз, когда вы проходите в Москве мимо памятника Долгорукому, вспоминайте: его открыли в дни кенгирского мятежа — и так он получился как бы памятник Кенгиру.

---

* В переводе С. Я. Маршака:
    Мятеж не может кончиться удачей.
    В противном случае — его зовут иначе.
(*С. Маршак*. Соч.: В 4 т. М.: Худож. лит., 1959. Т. 3: Избранные переводы, с. 593.) — *Примеч. ред.*

ЧАСТЬ ШЕСТАЯ

Ссылка

И кости по родине плачут.
Русская пословица

Глава 1
ССЫЛКА ПЕРВЫХ ЛЕТ СВОБОДЫ

Наверно, придумало человечество ссылку раньше, чем тюрьму. Изгнание из племени ведь уже было ссылкой. Соображено было рано, как трудно человеку существовать, оторванному от привычного окружения и места. Всё не то, всё не так и не ладится, всё временное, ненастоящее, даже если зелено вокруг, а не вечная мерзлота.

И в Российской империи со ссылкой тоже не запозднились: она законно утверждена при Алексее Михайловиче Соборным Уложением 1648 года. Но и ранее того, в конце XVI века, ссылали безо всякого Собора: опальных каргопольцев; затем угличан, свидетелей убийства царевича Димитрия. Просторы разрешали — Сибирь уже была наша. Так набралось к 1645 году полторы тысячи ссыльных. А Пётр ссылал многими сотнями. Мы уже говорили, что Елизавета заменяла смертную казнь вечной ссылкой в Сибирь. Но тут сделали подмену, и под ссылкою стали понимать не только вольное поселение, а и — каторгу, принудительные работы, это уже не ссылка. Александровский устав о ссыльных 1822 года эту подмену закрепил. Поэтому, очевидно, в цифрах ссылки XIX века надо считать включённой и каторгу. В начале XIX века ссылалось, что ни год, от 2 до 6 тысяч человек. С 1820 года стали ссылать ещё и бродяг (по-нашему, тунеядцев), и так уже вытягивали в иной год до 10 тысяч. В 1863 излюбили и приспособили к ссылке отчуждённый от материка пустынный остров Сахалин, возможности ещё расширились. Всего за XIX век было сослано полмиллиона, в конце века числилось ссыльных единовременно 300 тысяч*.

Ссылка так развита была в России именно потому, что мало было отсидочных тюрем, не в практике.

К концу века ссыльное установление многообразилось. Появлялись и более лёгкие виды: «высылка за две губернии», даже «высылка за границу» (это не считалось такой безжалостной карой, как после Октября)**. Внедрялась и административная ссылка, удобно дополняющая ссылку судебную. Однако: ссыльные сроки выражались ясными точными цифрами, и даже пожизненная ссылка не была подлинно пожизненной. Чехов пишет в «Сахалине», что после 10 отбытых лет ссылки (а если «вёл себя совершенно одобрительно» — критерий неопределённый, но применяли его, по свидетельству Чехова, широко, то и после шести) наказанный переводился в крестьянское состояние и мог возвратиться куда угодно, кроме своего родного места.

Подразумеваемой, всем тогда естественной, а нам теперь удивительной особенностью ссылки последнего царского столетия была её индивидуальность: по суду ли, административно ли, но ссылку определяли отдельно каждому, никогда — по групповой принадлежности.

От десятилетия к десятилетию менялись условия ссылки, степень тяжести её, — и разные поколения ссыльных оставили нам разные свидетельства. Тяже-

---

* Все эти данные взяты из известной книги «Россия. Полное географическое описание нашего отечества» П. П. Семёнова-Тян-Шанского (Т. 16. Западная Сибирь. СПб., 1907, с. 170, 171). Не только сам знаменитый географ, но и его братья были настойчивыми самоотверженными либеральными деятелями, они много способствовали прояснению идеи свободы в нашей стране. В революцию вся семья их разгромлена, один брат расстрелян в их уютном имении на реке Ранове, само оно сожжено, вырублен большой сад, аллеи лип и тополей.
** *П. Ф. Якубович.* В мире отверженных: Записки бывшего каторжника: В 2 т. М.; Л.: Худож. лит., 1964.

лы были этапы в пересыльных партиях, однако и от П. Ф. Якубовича и от Льва Толстого мы узнаём, что политических этапировали весьма сносно. Ф. Кон добавляет, что при политических этапная конвойная команда *даже* и с уголовниками хорошо обращалась, отчего уголовники очень ценили политических. Многие десятилетия сибирское население встречало ссыльных враждебно: им выделялись худшие участки земли, им доставалась худшая и плохо оплачиваемая работа, за них крестьяне не выдавали дочерей. Непристроенные, худо одетые, клеймёные и голодные, они собирались в шайки, грабили — и тем пуще ожесточали жителей. Однако это всё не относилось к политическим, чья струя заметна стала с 70-х годов. Тот же Ф. Кон пишет, что якуты встречали политических приязненно, с надеждой, как своих врачей, учителей и законосоветчиков в защите от власти. У политических в ссылке были, во всяком случае, такие условия, что выдвинулось из них много учёных (чья наука только и пошла со ссылки) — краеведов, этнографов, языковедов*, естественников, а также публицистов и беллетристов. Чехов на Сахалине не видел политических и не описал их нам**. Но, например, Ф. Кон, сосланный в Иркутск, стал работать в редакции прогрессивной газеты «Восточное обозрение», где сотрудничали народники, народовольцы и марксисты (Красин). Это был не рядовой сибирский город, а столица генерал-губернаторства, куда по Уставу о ссыльных не надлежало вовсе допускать политических, — они же служили там в банках, в коммерческих предприятиях, преподавали, пе-

---

* В. Г. Тан-Богораз, В. И. Иохельсон, Л. Я. Штернберг.
** По юридической своей простоте, а верней, в духе своего времени, Чехов не запасся для Сахалина никакой командировкой, никакой служебной бумагой. Тем не менее он был допущен к придуманной им переписи ссыльно-каторжных и даже к тюремным документам! (Примерьте это к нам. Поезжайте проверить гнездо лагерей без направления от НКВД!) Только с политическими встретиться ему не дали.

ретирались на журфиксах с местной интеллигенцией. А в омском «Степном крае» ссыльные протаскивали такие статьи, которых цензура нигде в России не пропустила бы. Даже златоустовскую стачку ссыльный Омск снабжал своей газетой. Ещё стал через ссыльных радикальным городом и Красноярск. А в Минусинске вокруг мартьяновского музея собралась столь уважаемая и не знающая административных помех группа ссыльных деятелей, что не только безпрепятственно создавала всероссийскую сеть перехоронок-приютов для беглецов (впрочем, о лёгкости тогдашних побегов мы уже писали), но даже направляла деятельность официального минусинского «виттевского» комитета*. И если о сахалинском режиме для уголовных Чехов восклицает, что он сведен «самым пошлым образом к крепостному праву», — этого не скажешь о русской ссылке для политических с давнего времени и до последнего. К началу XX века административная ссылка для политических стала в России уже не наказанием, а формальным, пустым, «обветшалым приёмом, доказавшим свою негодность» (Гучков). Столыпин с 1906 принимал меры к полному упразднению её.

А что такое была ссылка Радищева? В посёлке Усть-Илимский Острог он купил двухэтажный деревянный дом (кстати — за 10 рублей) и жил со своими младшими детьми и свояченицей, заменившей жену. Работать никто и не думал его заставлять, он вёл жизнь по своему усмотрению и имел свободу передвижения по всему Илимскому округу. Что́ была ссылка Пушкина в Михайловское, — теперь уже многие представляют, побывав там экскурсантами. Подобной тому была ссылка и многих других писателей и деятелей: Тургенева — в Спасское-Лутовиново, Аксакова — в Варварино (по его выбору). С декабристом Трубецким ещё в камере нерчинской тюрьмы жила жена (родился сын), когда

---

* *Феликс Кон.* За пятьдесят лет // Собр. соч.: В 3 т. Т. 2. На поселении. М.: Изд-во Всесоюзн. об-ва политкаторжан и ссыльно-поселенцев, 1933.

ж через несколько лет он был переведён в иркутскую ссылку, там у них был огромный особняк, свой выезд, лакеи, французские гувернёры для детей (юридическая тогдашняя мысль ещё не созрела до понятий «враг народа» и «конфискация всего имущества»). А сосланный в Новгород Герцен по своему губернскому положению принимал рапорты полицмейстера.

Такая мягкость ссылки простиралась не только на именитых и знаменитых людей. Её испытали и в XX веке многие революционеры и фрондёры, особенно — большевики: их не опасались. Сталин, уже имея за спиной 4 побега, был на 5-й раз сослан... в саму Вологду. Вадим Подбельский за резкие антиправительственные статьи был сослан... из Тамбова в Саратов. Какая жестокость! Уж разумеется, никто не гнал его там на изневольную работу*.

Но даже и такая ссылка, по нашим теперь представлениям льготная, ссылка без угрозы голодной смерти, воспринималась ссылаемым подчас тяжело. Многие революционеры вспоминают, как болезнен пришёлся им перевод из тюрьмы с её обеспеченным хлебом, теплом, кровом и досугом для университетов и партийных перебранок — в ссылку, где приходится одному среди чужих измысливаться о хлебе и крове. А когда изыскивать их не надо, то, объясняют они (Ф. Кон), ещё хуже: «ужасы безделья... Самое страшное то, что люди обречены на бездействие», — и вот некоторые уходят в науки, кто — в наживу, в коммерцию, а кто — спивается от отчаяния.

Но — отчего безделье? Ведь местные жители не жалуются на него, они едва управляются спину разогнуть к вечеру. Так точней сказать — от перемены почвы, от сбива привычного образа жизни, от обрыва корней, от потери живых связей.

---

* Этот революционер, чьим именем перезваны Почтовые улицы многих русских городов, настолько, видимо, не имел навыков труда, что на первом же субботнике получил мозоль и от мозоли... умер.

Всего два года ссылки понадобилось журналисту Николаю Надеждину, чтобы потерять вкус свободолюбия и переделаться в честного слугу престола. Буйный, разгульный Меншиков, сосланный в 1727 году в Берёзов, построил там церковь, толковал с местными жителями о суете мира, отпустил бороду, ходил в простом халате и в два года умер. Казалось бы — чем изнурительна, чем уж так невыносима была Радищеву его вольготная ссылка? — но когда потом в России стала угрожать ему повторная ссылка, он из страха перед нею покончил с собой. А Пушкин из села Михайловского, из этого рая земного, где б, кажется, довёл только Бог жить и жить, в октябре 1824 года писал Жуковскому. «Спаси меня (т. е. от ссылки. — *А. С.*) хоть крепостью, хоть Соловецким монастырём!» И это не фраза была, потому что и губернатору писал он, прося о замене ссылки на крепость.

Нам, узнавшим, что такое Соловки, это в диво теперь: в каком порыве, в каком отчаянии и неведении мог поэт швырять Михайловское и просить Соловецкие острова?..

Вот это и есть та мрачная сила ссылки — чистого перемещения и водворения со связанными ногами, о которой догадались ещё древние властители, которую изведал ещё Овидий.

Пустота. Потерянность. Жизнь, нисколько не похожая на жизнь...

* * *

В перечне орудий угнетения, которые должна была навсегда размести светлая революция, на каком-нибудь четвёртом месте числилась, конечно, и ссылка.

Но едва лишь первые шаги ступила революция своими кривеющими ножками, ещё не возмужав, она поняла: нельзя без ссылки! Может быть, год какой не было в России ссылки, ну до трёх. И тут же вскоре начались, как это теперь называется, депортации — вывоз нежелательных. Вот подлинные слова народного героя, потом и маршала, о 1921 годе в Тамбовской губер-

нии: «Было решено организовать ш и р о к у ю в ы с ы л -
к у бандитских (читай — «партизанских». — *А. С.*) семей. Были организованы о б ш и р н ы е к о н ц л а г е р я,
куда предварительно эти семьи заключались» (разрядка
моя. — *А. С.*)*.

Только удобство расстреливать на месте, вместо того
чтобы куда-то везти, и в дороге охранять и кормить,
потом расселять и опять охранять, — только это одно
удобство задержало введение регулярной ссылки до конца военного коммунизма. Но уже 16 октября 1922 при
НКВД была создана постоянная Комиссия по Высылке
«социально-опасных лиц, деятелей антисоветских партий», то есть всех, кроме большевицкой, и расхожий
срок был — 3 года**. Таким образом, уже в самые ранние 20-е годы институция ссылки действовала привычно
и размеренно.

Правда, уголовная ссылка не возобновилась: ведь
были уже изобретены исправтрудлагеря, они и погло-
тили. Но зато политическая ссылка стала удобнее, чем
когда-либо: в отсутствие оппозиционных газет высылка
становилась безгласной, а для тех, кто рядом, кто близко знал ссылаемых, после расстрелов военного коммунизма трёхлетняя незлобная непоспешная ссылка казалась лирической воспитательной мерой.

Однако из этой вкрадчивой санитарной высылки
не возвращались в родные места, если же успевали
вернуться, то вскоре их брали вновь. Затянутые начинали свои круги по Архипелагу, и последняя облома́н-
ная дуга спускалась непременно в яму.

По благодушию людскому не скоро прояснился замысел власти: просто ещё не окрепла власть, чтобы

---

* *М. Тухачевский*. Борьба с контрреволюционными восстаниями // Война и революция. М., 1926. Кн. 8, с. 10.

** Собрание узаконений и распоряжений Рабочего и Крес-
тьянского правительства, издаваемое Народным Комиссариатом
Юстиции. 1922: Отд. 1. № 65. Ст. 844: О дополнении к поста-
новлениям о Государственном Политическом Управлении и ад-
министративной высылке.

всех неугодных сразу искоренить. И вот обречённых вырывали пока не из жизни, а из памяти людской.

Тем легче восстанавливалась ссылка, что не залегли ещё, не запали дороги прежних этапов, и сами места сибирские, архангельские и вологодские не изменились ничуть, не удивлялись нисколько. (Впрочем, государственная мысль на том не замрёт, чей-то палец ещё полазит по карте шестой части суши, и обширный Казахстан, едва примкнув к Союзу Республик, хорошо приляжет к ссылке своими просторами, да и в самой Сибири сколько мест откроется поглуше.)

Но осталась в ссыльной традиции и кое-какая помеха, именно: иждивенческое настроение ссыльных, что государство обязано их кормить. Царское правительство н е с м е л о заставлять ссыльных увеличивать национальный продукт. И профессиональные революционеры считали для себя унизительным работать. В Якутии имел право ссыльно-поселенец на 15 десятин земли (в 65 раз больше, чем колхозник теперь). Не то чтоб революционеры бросались эту землю обрабатывать, но очень держались за землю якуты и платили революционерам «отступного», арендную плату, расплачивались продуктами, лошадьми. Так, приехав с голыми руками, революционер сразу оказывался кредитором якутов (Ф. Кон). И ещё, кроме того, платило царское государство своему политическому врагу в ссылке: 12 рублей в месяц кормёжных и 22 рубля в год одёжных. Лепешинский пишет*, что и Ленин в шушенской ссылке получал (не отказывался) 12 рублей в месяц, а сам Лепешинский — 16 рублей, ибо был не просто ссыльный, но ссыльный чиновник. Ф. Кон уверяет нас теперь, что этих денег было крайне мало. Однако известно, что сибирские цены были в 2—3 раза ниже российских, и потому казённое содержание ссыльного было даже избыточным. Например, В. И. Ленину

---

* *П. Н. Лепешинский.* На повороте (От конца 80-х годов к 1905 г.): Попутные впечатления участника революционной борьбы. Пб.: Гос. изд-во, 1922.

оно дало возможность все три года безбедно заниматься теорией революции, не безпокоясь об источнике существования. Мартов же пишет, что он за 5 рублей в месяц получал от хозяина квартиру с полным столом, а остальные деньги тратил на книги и откладывал на побег. Анархист А. П. Улановский говорит, что только в ссылке (в Туруханском крае, где он был вместе со Сталиным) у него впервые в жизни появились свободные деньги, он высылал их вольной девице, с которой познакомился где-то по дороге, и впервые мог купить и попробовать, что такое какао. У них там оленье мясо и стерлядь были нипочём, хороший крепкий дом стоил 12 рублей (месячное содержание!). Никто из политических не знал недостачи, денежное содержание получали *все* административно-ссыльные. И одеты были все хорошо (они и приезжали такими).

Правда, пожизненные ссыльно-поселенцы, по-нашему сказать «бытовики», денежного содержания не получали, но безвозмездно шли им от казны шубы, вся одежда и обувь. На Сахалине же, установил Чехов, все поселенцы два-три года, а женщины и весь срок, получали безплатное казённое содержание натурою, в том числе мяса на день 40 золотников (значит 200 г), а хлеба печёного — 3 фунта (то есть «кило двести», как стахановцы наших воркутинских шахт за 150% нормы. Правда, считает Чехов, что хлеб этот — недопечен и из дурной муки, — ну да ведь и в лагерях же не лучше!). Ежегодно выдавалось им по полушубку, армяку и по несколько пар обуви. Ещё такой был приём: платила ссыльным царская казна умышленно высокие цены за их изделия, чтобы поддержать их продукцию. (Чехов пришёл к убеждению, что не Сахалин, колония, выгоден для России, но Россия кормит эту колонию.)

Ну разумеется, на таких нездоровых условиях не могла основаться наша советская политическая ссылка. В 1928 2-й Всероссийский съезд административных работников признал существующую систему высылки неудовлетворительной и ходатайствовал об «организации ссылки в форме колоний в отдалённых изолированных местностях, а также о введении *системы неопределённых приговоров*» (то есть безсрочных)[*]. С 1929 стали разрабатывать ссылку *в сочетании с принудительными работами*[**].

«Кто не работает — тот не ест» — вот принцип социализма. И только на этом социалистическом принципе могла строиться советская ссылка. Но именно социалисты привыкли в ссылке получать питание безплатно! Не сразу посмев сломить эту традицию, стала и советская казна платить своим политическим ссыльным — только, конечно, не всем, уж конечно не *каэрам*, а — *политам*, среди них тоже делая ступенчатые различия: например, в Чимкенте в 1927 году эсерам и эсдекам по 6 рублей в месяц, а троцкистам — по 30 (всё-таки — свои, большевики). Только рубли эти были уже не царские, за самую маленькую комнатушку надо было платить в месяц 10 рублей, а на 20 копеек в день пропитаться очень скудно. Дальше — твёрже. К 1933 году «политам» платили пособие 6 р. 25 к. в месяц. А в том году, сам помню отлично, килограмм ржаного сырого «коммерческого» хлеба (сверх карточного) стоил 3 рубля. Итак, не оставалось социалистам учить языки и писать теоретические труды, оставалось социалистам *горбить*. С того же, кто шёл на работу, ГПУ тотчас снимало и последнее ничтожное пособие.

Однако и при желании работать — сам тот заработок получить ссыльным было нелегко. Ведь конец 20-х годов известен у нас большой безработицей, получение работы было привилегией людей с незапятнанной анкетой и членов профсоюза, а ссыльные не могли конкурировать, выставляя своё образование или опыт. Над ссыльными ещё тяготела и комендатура, без согласия которой ни одно учреждение и не посмело бы ссыльного принять. (Да даже и *бывший* ссыльный

---

[*] ЦГАОР, ф. 4042, оп. 38, д. 8, л. 34, 35.
[**] ЦГАОР, ф. 393, оп. 84, д. 4, л. 97.

имел слабую надежду на хорошую работу: мешало тавро в паспорте.)

В 1934 году, в Казани, вспоминает П. С-ва, группа отчаявшихся образованных ссыльных нанялась мостить мостовые. В комендатуре их корили: зачем эта демонстрация? Но не помогли найти другую работу, и Григорий Б. отмерил оперу: «А вы какого-нибудь *процессика* не готовите? А то б мы нанялись платными свидетелями».

Приходилось крошечки со стола да сметать в рот.

Вот как упала русская политическая ссылка! Не оставалось времени спорить и протесты писать против «Credo». И горя такого не знали: как им справиться с безсмысленным бездельем... Забота стала — как с голоду не помереть. И не опуститься стать стукачом.

В первые советские годы в стране, освобождённой наконец от векового рабства, гордость и независимость политической ссылки опала, как проколотый шар надувной. Оказалось, что мнимой была та сила, которой побаивалась прежняя власть в политических ссыльных. Что создавало и поддерживало эту силу лишь *общественное мнение* страны. Но едва общественное мнение заменено было *мнением организованным* — и низверглись ссыльные с их протестами и правами под произвол тупых зачуханных гепеушников и безсердечных тайных инструкций (к первым таким инструкциям успел приложить руку и ум министр внутренних дел Дзержинский). Хриплый выкрик один, хоть словечко о себе туда, на волю, крикнуть стало теперь невозможно. Если сосланный рабочий посылал письмо на прежний свой завод, то рабочий, огласивший его там (Ленинград, Василий Кириллович Егоршин), тут же ссылался сам. Не только денежное пособие, средства к жизни, но и всякие вообще права потеряли ссыльные: их дальнейшее задержание, арест, этапирование были ещё доступнее для ГПУ, чем пока эти люди считались вольными, — теперь уже не стесняемы ничем, как бы над гуттаперчевыми куклами, а не людьми[*]. Ничего не стоило и так их сотрясти, как было в Чимкенте: объявили внезапно о ликвидации здешней ссылки в о д н и с у т к и. За сутки надо было: сдать служебные дела, разорить своё жилище, освободиться от утвари, собраться — и ехать указанным маршрутом. Не намного мягче арестантского этапа! Не намного увереннее ссыльное завтра...

Но не только безмолвность общества и давление ГПУ — а чтó были сами эти ссыльные? эти мнимые члены партий без партий? Мы не имеем в виду кадетов — всех кадетов внутри страны уже извели, — но что значило к 1927 или к 1930 году считаться эсером или меньшевиком? Нигде в стране никакой группы действующих лиц, соответственных этому названию, не было. В начале 20-х годов всем социалистам предлагали отрекаться от своих партийных убеждений, и во множестве они соглашались и отваливались, лишь небольшое меньшинство заявляло верность этим убеждениям. (Хотя для нас, в историческом огляде, эти убеждения уже мало понятны, поскольку все социалистические партии практически лишь помогли утвердиться большевикам.) Давно, с самой революции, за десять громокипящих лет, не пересматривались программы этих партий, и даже если б эти партии внезапно воскресли, — неизвестно было, как им понимать события и что предлагать. Вся печать давно поминала их только в прошлом времени — и уцелевшие члены партий жили в семьях, работали по специальности и думать забывали о своих партиях. Но — нестираемы скрижальные списки ГПУ. И по внезапному ночному сигналу этих рассеянных кроликов выдёргивали и через тюрьмы этапировали — например в Бухару.

---

[*] Те западные социалисты, как Даниэль Мейер, которые только в 1967 ощутили «постыдным быть социалистами *вместе* с СССР», могли бы, пожалуй, прийти к этому убеждению лет и на 40—45 пораньше. Ведь советские коммунисты уже тогда под корень уничтожали советских социалистов, но: за чужой щекою зуб не болит.

Так приехал И. В. Столяров в 1930 и встретил там собранных со всех концов страны стареющих эсеров и эсдеков. Вырванным из своей обычной жизни, только и оставалось им теперь, что начать спорить, да оценивать политический момент, да предлагать решения, да гадать, как пошло бы историческое развитие, если бы... если бы...

Так сколачивали из них — но уже не партии, а — мишень для потопления.

Более многочисленные были в ссылке грузинские эсдеки и армянские дашнаки, в больших количествах сосланные в дальние места после захвата их республик коммунистами. Вспоминают, что живой и боевой партией в 20-е годы были сионисты-социалисты с их энергичной юношеской организацией «Гашемер» и легальной организацией «Гехалуц», создававшей земледельческие еврейские коммуны в Крыму. В 1926 посадили всё их ЦК, а в 1927 мальчишек и девчёнок до 15—16 лет взяли из Крыма в ссылку. Давали им Туркуль и другие строгие места. Это была действительно партия — спаянная, настойчивая, уверенная в правоте. Но добивались они не общей цели, а своей частной: жить как нация, жить своею Палестиной. Разумеется, коммунистическая партия, добровольно отвергшая отечество, не могла и в других потерпеть узкого национализма!*

Уже в самих местах ссылки социалисты находили друг друга, и возникали, оживлялись фракции их, воз-

---

* Казалось бы, такой природный и благородный порыв сионистов — воссоздать землю своих предков, утвердить веру своих предков и стянуться туда из двухтысячелетнего рассеяния, должен был бы вызвать дружную поддержку и помощь хотя бы европейских народов. Правда, Крым вместо Палестины никак не был той чистой сионистской идеей, и не насмешкою ли Сталина было предложение этому средиземноморскому народу избрать себе второю Палестиною притаёжный Биробиджан? Великий мастер вытаивать подолгу свои мысли — он этим ласковым приглашением, может быть, делал первую примерку той ссылки, которую им наметит на 1953 год?

никали кассы взаимопомощи (но все строго фракционные — только свои своим). Из мест, где было легко с работой, например из Чимкента, посылали помощь своим «северным» безработным однопартийцам и тем, кто сидел в изоляторах. Оживлялась идея борьбы за «статус политических» (всё советское время социалисты так и не поняли, как это неприлично — отстаивать права не всему народу зэков, а только себе и своим). Ещё было у них местами соединённое приготовление пищи, уход за детьми и естественные при этом сборища, взаимопосещения. Ещё дружно праздновали они в ссылке 1 мая (демонстративно не отмечая 7 ноября).

Ссыльные очень были ослаблены недружественными отношениями между партиями, которые сложились в советские годы и особенно обострились со средины 20-х годов, когда в ссылке появились многочисленные троцкисты, никого, кроме себя, не признающие за политических.

Ещё и в ссылке оставалась у *политов* возможность отрекаться и через то освобождаться — но уже здесь, на глазах фракций, такие случаи были редки. Да к 1936 году многие эсдеки и эсеры всё равно были от ссылки освобождены (не значит, что имена их забыты), — тем жёстче заморгает коршуний глаз оперсектора над оставшимися. А в 1937 всех их пересадили в тюрьмы.

Ну да не одни же социалисты содержались в ссылке 20-х и 30-х годов — и главным образом (что ни год, то верней) совсем не социалисты. Лились и просто безпартийные интеллигенты — те духовно независимые люди, которые мешали новому режиму установиться. И — *бывшие*, недоуничтоженные в Гражданскую войну. И даже — мальчики «за фокстрот»*. И спириты. И оккультисты. И духовенство — сперва ещё с правом служения в ссылке. И просто верующие, просто

---

* 1926 год, Сибирь. Свидетельство Д. П. Витковского.

христиане, или *крестьяне*, как переиначили русские много веков назад. И крестьяне как таковые.

И все они попадали под око того же оперсектора, все разъединялись и костенели. С годами они всё более станут чуждаться друг друга, чтоб НКВД не заподозрило у них «организации» и не стало бы *брать по новой*. (А именно эта участь и ждёт их многих.) Так в черте государственной ссылки они углубятся во вторую добровольную ссылку — в одиночество. (А Сталину именно это и надо.)

Ослаблены были ссыльные и отчуждённостью от них местного населения: местных преследовали за какую-либо близость к ссыльным, провинившихся самих ссылали в другие места, а молодёжь исключали из комсомола.

Обезсиленные равнодушием страны, советские ссыльные потеряли и волю к побегам. У ссыльных царского времени побеги были весёлым спортом: пять побегов Сталина, шесть побегов Ногина, — грозила им за то не пуля, не каторга, а простое водворение на место после развлекательного путешествия. Но коснеющее, но тяжелеющее ГПУ со средины 20-х годов наложило на ссыльных партийную круговую поруку: все сопартийцы отвечают за своего бежавшего. И уже так не хватало воздуха, и уже так был прижимист гнёт, что социалисты, недавно гордые и неукротимые, приняли эту поруку! Они теперь сами, своим партийным решением *запрещали себе бежать*!

Да и к у д а бежать? К к о м у бежать?..

Тёртые ловкачи теоретических обоснований быстро пристроили: бежать — не время, нужно ждать. И вообще *бороться не время*, тоже нужно ждать. В начале 30-х годов Н. Я. Мандельштам отмечает у чердынских ссыльных социалистов полный отказ от сопротивления. Даже — ощущение неизбежной гибели. И единственную практическую надежду: когда будут новый срок добавлять, то хоть бы без нового ареста, дали бы *расписаться* тут же, на месте — и тогда хоть не разорится скромно налаженный быт. И единственную моральную задачу: сохранить перед гибелью человеческое достоинство.

Нам, после каторжных лагерей, где мы из раздавленных единиц внезапно стали соединяться, — грустно поминать этот процесс всеобщего расчленения. Но в наши десятилетия идёт общественная жизнь к расширению и полноте (вдох), а тогда она шла к угнетению и сжатию (выдох).

Так негоже нашей эпохе судить эпоху ту.

А ещё у ссылки были многие градации, что тоже разъединяло и ослабляло ссыльных. Были разные сроки обмена удостоверений личности (некоторым — ежемесячно, и это с изнурительными процедурами). Дорожа не попасть в категорию худшую, должен был каждый блюсти правила.

До начала 30-х годов сохранялась и самая смягчённая форма: не ссылка, а *минус*. В этом случае репрессированному не указывали точного места жительства, а давали выбрать город *за минусом* скольких-то. Но, однажды выбрав, к месту этому он прикреплялся на тот же трёхлетний срок. Минусник не ходил на отметки в ГПУ, но и выезжать не имел права. В годы безработицы биржа труда не давала минусникам работы; если ж он умудрялся получить её, — на администрацию давили: уволить.

Минус был булавкой: им прикалывалось вредное насекомое и так ждало покорно, пока придёт ему черёд арестоваться по-настоящему.

А ещё же была вера в этот передовой строй, который не может, не будет нуждаться в ссылке! Вера в амнистию, особенно к блистательной 10-й годовщине Октября!..

И амнистия пришла, амнистия — ударила. Четверть срока (из трёх лет — 9 месяцев) стали сбрасывать ссыльным, и то не всем. Но так как раскладывался Большой Пасьянс и за тремя годами ссылки дальше шли три года политизолятора и потом снова три года ссылки —

это ускорение на 9 месяцев нисколько не украшало жизни.

А там приходила пора и следующего суда. Анархист Дмитрий Венедиктов к концу трёхлетней тобольской ссылки (1937) был взят по категоричному точному обвинению: «распространение слухов о займах (какие же могут быть *слухи* о займах, наступающих кажегод с неизбежностью майского расцвета?..) и недовольство советской властью» (ведь ссыльный должен быть доволен своей участью). И что ж дали за такие гнусные преступления? *Расстрел* в 72 часа, и не подлежит обжалованию! (Его оставшаяся дочь Галина уже мелькнула на страницах этой книги.)

Такова была ссылка первых лет завоёванной свободы, и таков путь полного освобождения от неё.

Ссылка была — предварительным овечьим загоном всех назначенных к ножу. Ссыльные первых советских десятилетий были не жители, а ожидатели — вызова **туда**. (Были умные люди — из *бывших*, да и простых крестьян, ещё в 20-е годы понявшие всё предлежание. И, окончив первую трёхлетнюю ссылку, они на всякий случай там же, например в Архангельске, оставались. Иногда это помогало больше не попасть под гребешок.)

Вот как для нас обернулась мирная шушенская ссылка, да и туруханская с какао.

Вот чем была у нас догружена овидиева тоска.

Глава 2
МУЖИЧЬЯ ЧУМА

Тут пойдёт о малом, в этой главе. О пятнадцати миллионах душ. О пятнадцати миллионах жизней.

Конечно, не образованных. Не умевших играть на скрипке. Не узнавших, кто такой Мейерхольд или как интересно заниматься атомной физикой.

Во всей Первой Мировой войне мы потеряли убитыми и пропавшими без вести меньше двух миллионов. Во всей Второй — двадцать миллионов (это — по Хрущёву, а по Сталину — только семь. Недоглядел Иосиф капиталу?). Так сколько же од! Сколько обелисков, вечных огней! романов и поэм! — да четверть века вся советская литература этой кровушкой только и напоена.

А о той молчаливой предательской Чуме, сглодавшей нам 15 миллионов мужиков, — и это по *самому малому* расчёту и только кончая 1932 годом!* — да не подряд, а избранных, а становой хребет русского народа, — о той Чуме нет книг. А о 6 миллионах выморенных вослед искусственным большевицким голодом — о том молчит и родина наша, и сопредельная Европа. На изобильной Полтавщине в деревнях, на дорогах и на полях лежали неубранные трупы. В рощицы у станций нельзя было вступить — дурно от разлагающихся трупов, среди них и младенцев. «Безбелковый отёк» записывали тем, кто добирался умереть на пороге больницы. На Кубани было едва ли не жутче. И в Белоруссии во многих местах собирали мертвецов приезжие команды, своим — уже некому было хоронить.

И трубы не будят нас встрепенуться. И на перекрёстках просёлочных дорог, где визжали обозы обречённых, не брошено даже камешков трёх. И лучшие наши гуманисты, так отзывчивые к сегодняшним несправедливостям, в те годы только кивали одобрительно: всё правильно! так им и надо!

И так это глухо было сделано, и так начисто соскребено, и так всякий шёпот задавлен, что я вот теперь по лагерю отказываю доброхотам: «не надо, брат-

---

* Эта цифра преуменьшена, если судить по речи Сталина на 1-м съезде колхозников-ударников (Сочинения. Т. 13. М., 1951, с. 246). Он назвал: на каждые 100 дворов — 4—5 кулацких, 8—10 зажиточных. Объединяя, получим процент дворов на уничтожение от 12 до 15. А в 1929 крестьянских дворов было около 26 миллионов, а крестьянская семья того времени в среднем больше 5 человек, а зажиточная — и больше 6.

цы, уж вороха́ у меня этих рассказов, не убираются», а по ссылке мужичьей нисколько не несут. А кто бы и где бы рассказал нам?..

Да знаю я, что здесь не глава нужна и не книга отдельного человека. А я и главу одну собрать обстоятельно не умею.

И всё ж начинаю. Я ставлю её как знак, как мету, как эти камешки первые, — чтоб только место обозначить, где будет когда-нибудь же восстановлен новый Храм Христа Спасителя.

С чего это всё началось? С догмы ли, что крестьянство есть «мелкая буржуазия»? (А кто у них — не мелкая буржуазия? По их замечательно чёткой схеме, кроме фабричных рабочих, да и то исключая квалифицированных, и кроме тузов-предпринимателей, все остальные, весь собственно народ, и крестьяне, и служащие, и артисты, и лётчики, и профессора, и студенты, и врачи — как раз и есть «мелкая буржуазия».) Или с разбойного верховного расчёта: одних ограбить, а других запугать?

Из последних писем Короленко Горькому в 1921 году, перед тем как первый умер, а второй эмигрировал, мы узнаём, что этот бандитский наскок на крестьянство уже *тогда* начался и осуществлялся почти в той форме, что и в 1930 году. (С годами всё больше открывается об этом материалов.)

Но ещё не по силе была дерзость — и отсягнули, отступили.

Однако замысел в голове оставался, и все 20-е годы открыто козыряли, кололи, попрекали: кулак! кулак! кулак! Приуготовлялось в сознании горожан, что жить с «кулаком» на одной земле нельзя.

Истребительная крестьянская Чума подготовлялась, сколько можно судить, ещё с ноября 1928 года, когда по докладу северо-кавказского секретаря крайкома Андреева ЦК ВКП(б) *запретил принимать в колхозы* состоятельных мужиков («кулаков»), — вот они уже и отделялись для уничтожения. Это решение было подтверждено в июле 1929 — и уже готовы были душегубные списки, и начались конфискации и выселение. А в начале 1930 года совершаемое (уже отрепетированное и налаженное) возглашено публично — в постановлении ЦК ВКП(б) от 5 января об ускорении коллективизации (партия имеет «полное основание перейти в своей практической работе от политики ограничения эксплоататорских тенденций кулачества к политике ликвидации кулачества как класса»).

Не задержались вослед ЦК и послушно-согласные ЦИК и СНК — 1 февраля 1930 развернули волю партии законодательно. Предоставлялось крайоблисполкомам «применять все необходимые меры в борьбе с кулачеством вплоть до (а иначе и не было) полной конфискации имущества кулаков и выселения их из пределов отдельных районов и краёв».

Лишь на последнем слове застыдился Мясник. *Из каких пределов* — назвал. Но не назвал — *в какие*. Кто веками хлопает, могли так понять, что — за тридцать вёрст, по соседству...

А *подкулачника* в Передовой Теории, кажись, и не было. Но по захвату косилки ясно стало, что без него не обойтись. Цену этого слова мы разобрали уже. Коль объявлен «сбор тары» и пошли пионеры по избам собирать от мужиков мешки в пользу нищего государства, а ты не сдал, пожалел свой кровненький (их ведь в магазине не купишь) — вот и подкулачник. Вот и на ссылку.

И прекрасно пошли гулять эти клички по Руси Советской, чьи ноздри ещё не остыли от кровавых воспарений Гражданской войны! Пущены были слова, и хотя ничего не объясняли — были понятны, очень упрощали, не надо было задумываться нисколько. Восстановлен был дикий (да, по-моему, и нерусский; где в русской истории такой?) закон Гражданской войны: десять за одного! сто за одного! За одного в оборону убитого *активиста* (и чаще всего — бездельника, болтуна;

все кряду вспоминают: ведали раскулачиванием воры да пьяницы) искореняли сотни самых трудолюбивых, распорядливых, смышлёных крестьян, тех, кто и несли в себе остойчивость русской нации.

Как? как! — кричат нам. А *мироеды?* Прижимщики соседей? На́ тебе ссуду, а ты мне шкурой вернёшь?

Верно, в малой доле попали туда и мироеды (да все ли?). Только спросим и мы: мироеды — по крови ли? от сути ли своей доконной? Или по свойству всякого богатства (и всякой власти) портить человека? О, если б так проста была «очистка» человечества или сословия! Но когда железным частым гребнем так о ч и с т и л и крестьянство от безсердечных мироедов, пятнадцати миллионов на это не пожалели, — откуда же в сегодняшней колхозной деревне эти злые, пузатые, краснорожие, возглавляющие её (и райком)? Эти безжалостные притеснители одиноких старух и всех беззащитных? Как же *их* хищный корень пропустили при «раскулачивании»? Батюшки, да не из *активистов* ли они?..

Тот, кто вырос на грабеже банков, не мог рассудить о крестьянстве ни как брат, ни как хозяин. Он только свистнуть мог Соловьём-разбойником — и поволокли в тайгу и тундру миллионы трудяг, хлеборобов с мозолистыми руками, именно тех, кто власть советскую устанавливал, чтоб только получить землю, а получив — быстро укреплялся на ней («земля принадлежит тем, кто на ней трудится»).

Уж о каких мироедах звонить языком в деревянные щёки, если кубанские станицы, например Урупинскую, выселили *всю под метлу,* от старика до младенца (и заселили демобилизованными)? Вот где ясен «классовый принцип», да? (Напомним, что именно Кубань почти не поддерживала белых в Гражданскую войну и первая разваливала деникинский тыл, искала соглашения с красными. И вдруг — «кубанский саботаж»?) А знаменитое на Архипелаге село Долинка, центр архипелажного сельского хозяйства, — откуда взялось? В 1929 году в с е его жители (немцы) были «раскулачены» и высланы. Кто там кого эксплуатировал — непонятно.

Ещё хорошо понятен принцип «раскулачивания» на детской доле. Вот Шурка Дмитриев из деревни Маслено (Селищенские казармы у Волхова). В 1925 году, по смерти своего отца Фёдора, он остался тринадцати лет, единственный сын, остальные девчёнки. Кому ж возглавить отцовское хозяйство? Он взялся. И девчёнки и мать подчинились ему. Теперь как занятой и взрослый раскланивался он со взрослыми на улице. Он сумел достойно продолжить труд отца, и были у него к 1929 году закрома полны зерна. Вот и кулак! Всю семью и угнали!..

Адамова-Слиозберг трогательно рассказывает о встрече с девочкой Мотей, посаженной в 1936 году в тюрьму за самовольный уход — *пешком две тысячи километров!* спортивные медали за это надо давать — из уральской ссылки в родное село Светловидово под Тарусой. Малолетней школьницей она была сослана с родителями в 1929 году, навсегда лишена учёбы. Учительница ласково звала её «Мотя-Эдисончик»: девочка не только отлично училась, но имела изобретательский склад ума, она какую-то турбинку ладила от ручья и другие изобретения для школы. Через семь лет потянуло её хоть глянуть на брёвна той недостижимой школы — и получила за то «Эдисончик» тюрьму и лагерь.

Дайте-ка детскую судьбу такую из XIX века!

Под раскулачивание непременно подходил всякий мельник — а кто такие были мельники и кузнецы, как не лучшие техники русской деревни? Вот мельник Прокоп Иванович Лактюнькин из рязанских (пителинских) Пеньков. Едва он был «раскулачен», как без него через меру зажали жернова — и спалили мельницу. После войны, прощённый, воротился он в родное село и не мог успокоиться, что нет мельницы. Лактюнькин испросил разрешение, сам отлил жернова и на том же (обязательно на том же!) месте поставил мельницу — отнюдь не для своей выгоды, а для колхоза, ещё же верней — для полноты и украшения местности.

А вот и деревенский кузнец, сейчас посмотрим, какой кулак. Даже, как любят отделы кадров, начнём с отца. Отец его, Гордей Васильевич, 25 лет служил в Варшавской крепости и выслужил, как говорится, только то серебро, что пуговка оловца: солдат-двадцатипятилетник лишался земельного надела. Женясь при крепости на солдатской дочке, приехал он после службы на родину жены в деревню Барсуки Красненского уезда. Тут подпоила его деревня, и половиной накопленных им денег заплатил он за всю деревню недоимки податей. А на другую половину взял в аренду мельницу у помещика, но быстро на этой аренде потерял и остальные деньги. И долгую старость пробыл пастухом да сторожем. И было у него 6 дочерей, всех выдал за бедняков, и единственный сын Трифон (а фамилия их — Твардовские). Мальчик отдан был услуживать в галантерейный магазин, но оттуда сбежал в Барсуки и нанялся к кузнецам Молчановым — год безплатным батраком, четыре года учеником, через четыре года стал мастером и в деревне Загорье поставил избу, женился. Детей родилось у них семеро (средь них — поэт Александр), вряд ли разбогатеешь от кузни. Помогал отцу старший сын Константин. От света и до света они ковали и варили — и вырабатывали пять отличных насталенных топоров, но кузнецы из Рославля с прессами и наёмными рабочими сбивали им цену. Кузница их так и была до 1929 года деревянная, конь — один, иногда корова с тёлкой, иногда — ни коровы, ни тёлки, да 8 яблонь, вот такие мироеды. Крестьянский Поземельный банк продавал в рассрочку заложенные имения. Взял Трифон Твардовский 11 десятин пустоши, всю заросшую кустами, и вот ту пустошь корчевали своим горбом до самого года Чумы — 5 десятин освоили, а остальные так и покинули в кустах. Наметили их раскулачить — во всей деревне 15 дворов, а кого-то же надо! — приписали небывалый доход от кузницы, непосильно обложили, не уплачено в срок — так собирайся в отъезд, кулачьё проклятое!

Да у кого был дом кирпичный в ряду бревенчатых или двухэтажный в ряду одноэтажных — вот тот и кулак, собирайся, сволочь, в шестьдесят минут! Не должно быть в русской деревне домов кирпичных, не должно двухэтажных! Назад, в пещеру! Топись по-чёрному! Это наш великий преобразующий замысел, такого ещё в истории не было.

Но главный секрет — ещё не в том. Иногда кто и лучше жил, — если быстро вступал в колхоз, оставался дома. А упорный бедняк, кто заявленья не подавал, — высылался.

Очень важно, это самое важное! Ни в каком не «раскулачивании» было дело, а в насильственном вгоне в колхоз. Никак иначе, как напугав до смерти, нельзя было отобрать у крестьян землю, обещанную революцией, — и на эту же землю их же посадить крепостными.

И вот по деревне, уже много раз очищенной от зерна, снова шли грозные вооружённые *активисты*, штыками искалывали землю во дворах, молотками выстукивали стены в избах — иногда разваливали стену — и оттуда сыпалась пшеница. Уже для напуга больше вспарывали ножами и подушки. Хозяйская малая девочка подпырнула отбираемый мешок и отсочила себе пшенички, — «воровка!» — закричала на неё активистка и сапогом выбила, рассыпала пшеницу из девочкиного подола. И не дала собирать по зёрнышку.

Это была вторая гражданская война — теперь против крестьян. Это был Великий Перелом, да, только не говорят — ч е г о п е р е л о м?

Русского хребта.

* * *

Нет, согрешили мы на литературу соцреализма — описано у них раскулачивание, описано — и очень гладко, и с большой симпатией, как охота на лязгающих волков.

Только не описано, как в длинном порядке деревни — и все заколочены окна. Как идёшь по деревне — и на крылечке видишь мёртвую женщину с мёртвым ребёнком на коленях. Или сидящего под забором старика, он просит у тебя хлеба — а когда ты идёшь назад, он уже завалился мёртвый.

И такой картины у них не прочтём: председатель сельсовета с понятóй учительницей входит в избу, где лежат на полатях старик и старуха (старик тот прежде чайную держал, ну как не мироед? — никто ведь не хочет с дороги горячего чаю), и трясёт наганом: «Слезай, тамбовский волк!» Старуха завыла, и председатель для пущей острастки выпалил в потолок (это очень гулко в избе получается). В дороге те старики оба умерли.

Уж тем более не прочтём о таком приёме раскулачивания: всех казаков (донская станица) скликали «на собрание» — а там окружили с пулемётами, всех забрали и угнали. А уж баб потом выселять ничего не стоило.

Нам опишут и даже в кино покажут целые амбары или ямы зерна, укрытые мироедами. Нам только не покажут то малое нажитое, то родное и своекожное — скотинку, двор да кухонную утварь, которую всю покинуть велено плачущей бабе. (Кто из семьи уцелеет, и извернётся схлопотать, и Москва «восстановит» семью как середняцкую, — уж не найдут они, вернувшись, своего среднего хозяйства: всё растащено активистами и бабами их.)

Нам только тех узелков малых не покажут, с которыми допускают семью на казённую телегу. Мы не узнаем, что в доме Твардовских в лихую минуту не оказалось ни сала, ни даже печёного хлеба, — и спас их сосед, Кузьма многодетный, тоже не богач, — принёс на дорогу.

Кто успевал — от той Чумы бежал в город. Иногда и с лошадью — но некому было в такую пору лошадь продать: как чума стала и та крестьянская лошадь, верный признак кулака. И на конном базаре хозяин привязывал её к коновязи, трепал по храпу последний раз — и уходил, пока не заметили.

Принято считать, что Чума та была в 1929—30. Но трупный дух её долго ещё носился над деревней. Когда на Кубани в 1932 намолоченный хлеб весь до зерна тут же из-под молотилки увозили государству, а колхозников кормили, лишь пока уборка и молотьба, отмолотились — и горячая кормёжка кончилась, и ни зёрнышка на трудодень, — как было одёргивать воющих баб? *А кто ещё тут недокулачен?* А кого — сослать? (В каком состоянии оставалась раннеколхозная деревня, освобождённая от кулаков, можно судить по свидетельству Скрипниковой: в 1930 при ней некоторые крестьянки *из Соловков* посылали посылки с чёрными сухарями в родную деревню!)

Вот история Тимофея Павловича Овчинникова, 1886 года рождения, из деревни Кишкино Михневской волости (невдали от Горок Ленинских, близ того же шоссе). Воевал германскую, воевал Гражданскую. Отвоевался, вернулся на декретную землю, женился. Умный, грамотный, бывалый, золотые руки. Разумел и по ветеринарному делу самоучкою, был доброхот на всю округу. Неустанно трудясь, построил хороший дом, разбил сад, вырастил доброго коня из малого жеребёнка. Но смутил его НЭП, угораздило Тимофея Павловича ещё и в это поверить, как поверил в землю, — завёл на паях с другим мужиком маленькую кустарную мастерскую по выделке дешёвых колбас. (Теперь-то, сорок лет без колбасы деревню продержав, почесать бы в затылке: и что было в той колбасной плохого?) Трудились в колбасной сами, никого не нанимая, да и колбасы-то продавали через кооперацию. И поработали всего два года, с 1925 по 1927, тут стали душить их налогами, исходя из мнимых крупных заработков (выдумывали их фининспекторы по службе, но ещё надували в уши финотделу деревенские завистники-лентяи, сами ни к чему не способные, только стать активистами). И пайщики закрыли колбасную. В 1929 Тимофей вступил в колхоз одним из первых, свёл туда свою добрую лошадь, и корову, и отдал весь инвентарь. Во всю мочь работая на колхозном поле, ещё выращивал двух племенных бычков для колхоза. Колхоз разваливался, и многие шли и бежали из него — но у Тимофея было уже пятеро детей, не стронешься. По злой памяти финотдела он всё считался зажиточным (ещё и за ветеринарную помощь народу), уже и на колхозника несли и несли на него непомерные налоги. Платить было нечем, потянули из дому тряпки; трёх последних овечек 11-летний сын справился разик тихо угнать от описи, другой раз забрали и их. Когда ещё раз описывать имущество пришли, ничего уже не было у бедной семьи, и безстыдные финотдельщики описали фикусы в кадках. Тимофей не выдержал — и у них на глазах эти фикусы изрубил топором. Это что ж он, значит, сделал: 1) уничтожил имущество, принадлежащее уже государству, а не ему; 2) агитировал топором против советской власти; 3) дискредитировал колхозный строй.

А как раз колхозный строй в деревне Кишкино трещал, никто уже работать не хотел, не верил, ушла половина, и кого-то надо было примерно наказать. Заядлый нэпман Тимофей Овчинников, пробравшийся в колхоз для его развала, теперь и был раскулачен по решению председателя сельсовета Шоколова. Шёл 1932 год, массовая ссылка кончилась, и жену с шестью детьми (один грудной) не сослали, лишь выбросили на улицу, отняв дом. На свои уже деньги они через год добирались к отцу в Архангельск. Все в роду Овчинниковых жили до 80 лет, а Тимофей от такой жизни загнулся в 53*.

Даже и в 1935 году, на Пасху, ходит по ободранной деревне пьяное колхозное начальство — и с *единолични*-

---

* Не относится к нашей теме, но к пониманью эпохи. Со временем и в Архангельске устроился Тимофей работать в *закрытую* колбасную — тоже из двух мастеров, но с заведующим над ними. Собственная его была закрыта как вредная для трудящихся, эта была закрытой, чтоб не знали о ней трудящиеся. Они выделывали дорогие сорта колбас для личного снабжения правителей этого северного края. Не раз и Тимофея посылали относить изделия в одноэтажный за высоким забором особняк начальника ГПУ Северного края Рудольфа Аустрина (угол улиц Либкнехта и Чумбарова-Лучинского) и его заместителя товарища Шийрона.

ков требует денег на водку. А не дашь — «раскулачим! сошлём!» И сошлют! Ты же — единоличник. В том-то и Великий Перелом.

А саму д о р о г у, сам путь этот крестный, крестьянский, — уж этот соцреалисты и вовсе не описывают. Погрузили, отправили — и сказке конец, и три звёздочки после эпизода.

А грузили их: хорошо, если по тёплому времени в телеги, а то — на сани, в лютый мороз и с грудными детьми, и с малыми, и с отроками. Через село Коченево (Новосибирской области) в феврале 1931, когда морозы перемежались буранами, — шли, и шли, и шли окружённые конвоем бесконечные эти обозы, из снежной степи появляясь и в снежную степь уходя. И в избы войти обогреться — дозволялось им только с разрешения конвоя, на короткие минуты, чтоб не держать обоза. (Эти конвойные войск ГПУ — ведь живы же! ведь пенсионеры! ведь помнят поди! А может — и не помнят...) Все тянулись они в нарымские болота — и в ненасытимых этих болотах остались все. Но ещё раньше, в жестоком пути, околевали дети.

В том и был замысел, чтобы семя мужицкое погибло вместе со взрослыми. С тех пор как Ирода не стало — это только Передовое Учение могло нам разъяснить: как уничтожать до младенцев. Гитлер уже был ученик, но ему повезло: прославили его душегубцы, а вот до наших нет никому интереса.

Знали мужики, что́ их ждёт. И если счастье выпадало, слали их эшелонами через обжитые места, то своих детей малых, но уже умеющих карабкаться, они на остановках спускали через окошечки: живите по людям! побирайтесь! — только б с нами не умирать.

(В Архангельске в голодные 1932—33 годы нищим детям спецпереселенцев не давали бесплатных школьных завтраков и ордеров на одежду, как другим нуждающимся.)

В том эшелоне с Дона, где баб везли отдельно от казаков, взятых на «собрании», одна баба в пути родила. А давали им стакан воды в день и не всякий день по 300 граммов хлеба. Фельдшера? — не спрашивай. Не стало у матери молока, и умер в пути ребёнок. Где ж хоронить? Два конвоира сели в их вагон на один пролёт, на ходу открыли дверь — и выбросили трупик. (Этот эшелон пригнали на великую магнитогорскую стройку. И мужей туда же привезли, копайте землянки! Начиная с Магнитогорска, наши барды уже позаботились, *отразили*.)

Семью Твардовских везли на подводах только до Ельни, и, к счастью, уже был апрель. Там грузили их в товарные вагоны, и вагоны запирали на замок, а вёдер для оправки или дырок в полу — не было. И, рискуя наказанием или даже сроком за попытку побега, Константин Трифонович на ходу поезда, когда шумней, кухонным ножом прорезал дырку в полу. Кормёжка была такая: раз в три дня на узловых станциях приносили в вёдрах суп. Правда, везли их (до станции Ляля, Северный Урал) всего дней десять. А там — ещё зима, встречали эшелон на сотнях саней и по речному льду — в лес. Стоял барак для сплавщиков на 20 человек, привезли больше полтысячи, к вечеру. Ходил по снегу комендант пермяк Сорокин, комсомолец, и показывал колышки вбивать: вот тут будет улица, вот тут дома. Так основан был посёлок Парча.

В эту жестокость трудно верится: чтобы зимним вечером в тайге сказали: вот здесь! Да разве л ю д и так могут? А ведь везут — днём, вот и привозят к вечеру. Сотни-сотни тысяч именно так завозили и покидали, со стариками, женщинами и детьми. А на Кольском полуострове (Апатиты) всю полярную тёмную зиму жили в простых палатках под снегом. Впрочем, настолько ли уж милосердней, если приволжских немцев эшелонами привозят летом (1931 года — 31-го, не 41-го, не ошибитесь!) в безводные места карагандинской степи — и там велят копать и строиться, а воду выдают рационом? Да и там же наступит зима тоже. (К весне 1932 дети и старики вымерли — дизентерия, дистрофия.) В самой Караганде, как и в Магнитогорске, строили долгие низкие землянки-общежития, похожие на склады для овощей. На Беломорканале селили приехавших в опустевших лагерных бараках. А на Волгоканал — да за Химки сразу, их привозили ещё *до* лагеря, тотчас после конца гидрографической разведки, сбрасывали на землю и велели землю кайлить и тачки катать (в газетах писали: «на канал привезены машины»). Хлеба не было; свои землянки рыть — в свободное время. (Там теперь катера и пароходы прогулочные возят москвичей. Кости — на дне, кости — в земле, кости — в бетоне.)

При подходе Чумы, в 1929, в Архангельске закрыли все церкви: их и вообще-то назначено было закрывать, а тут подкатила всамделишная нужда размещать «раскулаченных». Большие потоки ссылаемых мужиков текли через Архангельск, и на время стал весь город как одна большая пересылка. В церквах настроили многоэтажных нар, только топить было нечем. На станции разгружались и разгружались телячьи эшелоны, и под лай собак шли угрюмые лапотники на свои церковные нары. (Мальчику Вите Шиповальникову запомнилось, как один мужик шёл под упряжной дугой на шее: впопыхах высылки не сообразил, что́ ему всего нужнее. А кто-то нёс граммофон с трубою. Кинооператоры, вам работа!..) В церкви Введения восьмиэтажные нары, не скреплённые со стенами, рухнули ночью, и много было подавлено семей. На крики стянулись к церкви войска.

Так они жили чумной зимою. Не мылись. Гноились тела. Развился сыпняк. Мёрли. Но архангелогородцам был строгий приказ: *спецпереселенцам* (так назывались сосланные мужики) не помогать!! Бродили умирающие хлеборобы по городу, но нельзя было ни единого в дом принять, накормить или за ворота вынести чаю: за то хватала местных жителей милиция и отбирала паспорта. Идёт-бредёт голодный по улице, споткнулся, упал — и мёртв. Но и таких нельзя было подбирать (ещё ходили агенты и следили, кто выказал добросердечие). В это самое время пригородных огородников и животноводов тоже высылали *целыми деревнями* под гребло (опять: кто ж там кого эксплуатировал?), и жители Архангельска сами тряслись, чтоб не сослали и их. Даже остановиться, наклониться над трупом боялись. (Один лежал близко от ГПУ, не подбирали.)

Хоронили их в порядке *организованном*, коммунальная служба. Без гробов конечно, в общих ямах, рядом со старинным городским кладбищем по Вологодской улице — уже в открытом поле. И памятных знаков не ставили.

И всё это было для хлебоделов — только пересылка. Ещё был большой их лагерь за селом Талаги, и некоторых брали на лесопогрузочные работы. Но исхитрился кто-то написать на бревне письмо за границу (вот так и обучай крестьян грамоте!) — и сняли их с той работы. Их путь лежал дальше — на Онегу, на Пинегу и вверх по Двине.

Мы шутили в лагере: «дальше солнца не сошлют». Однако тех мужиков слали дальше, где ещё долго не будет того крова, под которым засветить лучину.

От всех предыдущих и всех последующих советских ссылок мужицкая отличалась тем, что их ссылали ни в какой населённый пункт, ни в какое обжитое место, — а к зверям, в дичь, в первобытное состояние. Нет, хуже: и в первобытном состоянии наши предки выбирали посёлки хотя бы близ воды. Сколько живёт человечество — ещё никто не строился иначе. Но для *спецпосёлков* чекисты выбирали места (а сами мужики не имели права выбирать) на каменистых косогорах (над рекой Пинегой на высоте 100 метров, где нельзя докопаться до воды и ничего не вырастет на земле.) В трёх-четырёх километрах бывала удобная пойма — но нет, по инструкциям не положено близ неё селить! Оказывались сенокосы в десятках километров от посёлка, и сено привозили на лодках... Иногда прямо *запрещали сеять хлеб*. (Направление хозяйства тоже определяли чекисты.) Нам, горожанам, ещё одно непонятно — что значит исконная жизнь со скотиной, без скотины не бывает жизни у крестьянина, — и вот на много лет обречены они не слышать ни ржанья, ни мычанья, ни блеяния; ни седлать, ни доить, ни кормить.

На реке же Чулым в Сибири спецпосёлок кубанских казаков обтянули колючей проволокой и поставили вышки, как в лагере. (Мы уже писали: это во многих местах так переводили ссыльные посёлки в лагери.)

Кажется, всё было сделано, чтобы ненавистные эти трудяги вымирали поскорей, освободили бы нашу страну и от себя, и от хлеба. И действительно, много таких спецпосёлков вымерло полностью. И теперь на их местах какие-нибудь случайные перехожие люди постепенно дожигают бараки, а ногами отшвыривают черепа.

Никакой Чингиз-хан не уничтожил столько мужика, сколько славные наши Органы, ведомые Партией.

Вот — Васюганская трагедия. В 1930 году 10 тысяч семей (значит, 50—65 тысяч человек, по тогдашним семьям) прошли через Томск, и дальше погнали их зимою пеших: сперва вниз по Томи, потом по Оби, потом вверх по Васюгану — всё ещё зимником. (Жителей попутных сёл выгоняли потом подбирать трупы взрослых и детей.) В верховьях Васюгана и Тары их покинули на релках (твёрдых возвышенностях средь болот). *Им не оставили ни продуктов, ни орудий труда.* Развезло, и дорог ко внешнему миру не стало, только две гати: одна — на Тобольск, одна — к Оби. На обеих гатях стали пулемётные заставы и не выпускали никого из душегубки. Начался мор. Выходили в отчаянии к заставам, молили — тут их расстреливали. Опозднясь, по вскрытии рек, из томского Интегралсоюза (промыслово-потребительской кооперации) послали им баржи с мукой и солью, но и те не смогли подняться по Васюгану. (Вёл этот груз уполномоченный Интегралсоюза Станиславов, от него и известно.)

Вымерли — все.

Говорят, было всё-таки расследование по этому делу и даже будто одного человека расстреляли. Сам я не очень этому верю. Но если и так — приемлемая пропорция! знакомая пропорция Гражданской войны: за одного нашего — тысячу ваших! За 60 тысяч ваших — одного нашего.

А без этого не построишь Нового Общества.

* * *

И всё-таки — сосланные жили! По их условиям поверить в это нельзя, а — жили.

В посёлке Парча день начинали палками десятники, коми-зыряне. Всю жизнь эти мужики начинали день сами, теперь их палками гнали на лесозаготовку и лесосплав. Месяцами не давая обсушиваться, уменьшая мучную норму, с них требовали выработку, а потом, вечерами, можно было и строиться. Вся одежда износилась на них, и мешки надевали как юбки и перешивали на штаны.

Да если б сплошь они помирали, так не было бы многих сегодняшних городов, хоть и той Игарки. Игарку-то с 1929 года строил и построил — кто? Неужто СевПолярЛесТрест? А не раскулаченные ли мужики? При пятидесяти градусах жили в палатках — но уже в 1930 дали первый лесной экспорт.

В своих спецпосёлках жили раскулаченные, как зэки в режимных лагпунктах. Хоть и не было круговой зоны, но обычно пребывал в посёлке один стрелок, и был он хозяин всех запретов и разрешений и право имел единолично безоговорочно застреливать всякого непокорного.

А порода крепкая была, кому-то удавалось из тех посёлков бежать. Галина Осиповна Рябоконь из-под Купянска — вывела из такого посёлка в Вологодской области кучку мужиков (шла впереди, песни пела, якобы ягоды собирали). Приехала в Харьков к двоюродной сестре, прислуге. Хозяева той посоветовали крупному начальству: хотите хорошую няньку? Те оформили ей документы, взяли, очень были довольны, и она жила припеваючи. Но в 1937 арестовали и ту семью, а Галина не удержалась и в хромовых сапожках и в шерстяном платке поехала в свою деревню пофорсить. Её, конечно, арестовали, сослали во второй раз. Но она сбежала и второй раз!

Гражданский разряд, в который входили спецпосёлки, их кровная близость к Архипелагу легко проясняется законом сообщающихся сосудов: когда на Воркуте ощущался недостаток рабочей силы, то перебрасывали (не пересуживали! не переименовывали!) спецпереселенцев из их посёлков — в лагерные зоны. И преспокойненько жили они в зонах, ходили работать в зоны же, ели лагерную баланду, только *платили* за неё (и за охрану, и за барак) из своей зарплаты. И никто ничему не удивлялся.

И из посёлка в посёлок, разрываемые с семьёю, пересылались спецмужики, как зэки с лагпункта на лагпункт.

В странных иногда шатаниях нашего законодательства, 3 июля 1931 года ЦИК СССР издал постановление, разрешавшее восстанавливать раскулаченных в правах через 5 лет, «если они занимались (это в режимном посёлке!) общественно-полезным трудом и проявили лояльность по отношению к советской власти» (ну, помогали стрелку, коменданту или оперу). Однако написано это было вздорно, под минутным веянием. Да и кончались те 5 лет как раз в годы, когда стал Архипелаг каменеть.

Шли всё годы такие, что нельзя было ослабить режима: то после убийства Кирова; то 37-й — 38-й; то с 39-го началась война в Европе; то с 41-го у нас. Так надёжней было другое: с 37-го стали многих всё тех же злосчастных «кулаков» и сыновей их дёргать из спецпосёлков, клепать им 58-ю и совать в лагеря.

Правда, во время войны, когда уж не хватало на фронте буйной русской силушки, прибегли и к *кулакам*: должна ж была их русская совесть выше стоять, чем кулацкая! Там и здесь предлагали им из режимных спецпосёлков и из лагерей идти на фронт, защищать святое отечество.

И — шли...

Однако — не всегда. Николаю Хлебунову, сыну «кулацкому», чью биографию в ранней части я использовал для Тюрина в «Иване Денисовиче», а в поздней выложить тогда не решился, — было в лагере предложено то, в чём отказывали троцкистам и коммунистам, как они ни рвались: идти защищать отечество. Хлебунов нисколько не колебался, он сразу вылепил лагерному УРЧу: «Ваше отечество — вы и защищайте, говноеды! *А у пролетариата нет отечества!!*»

Как будто точно было по Марксу, и действительно, всякий лагерник ещё бедней, ниже и безправней пролетария, — а вот *лагколлегия* ничего этого не усвоила и приговорила Хлебунова к расстрелу. Недели две посидел он *под вышкой* и о помиловании не подавал, так был на них зол. Но сами принесли ему замену на вторую десятку.

Иногда случалось, что отвозили раскулаченных в тундру или тайгу, выпускали — и забывали там: ведь отвозили их на смерть, зачем учитывать? Не оставляли им и стрелка — по глухости и дальности. И от мудрого руководства наконец отпущенное — без коня и без плуга, без рыбной снасти, без ружья, это трудолюбивое упорное племя, с немногими, может быть, топорами и лопатами, начинало безнадёжную борьбу за жизнь в условиях чуть полегче, чем в Каменный век. И наперекор экономическим законам социализма посёлки эти вдруг не только выживали, но крепли и богатели!

В таком посёлке, где-то на Оби, и не рядом, значит, с судоходством, а на боковом оттоке, вырос Буров, мальчиком туда попав. Он рассказывает, что как-то уже перед войной шёл мимо катер, заметил их и пристал. А в катере оказалось районное начальство. Допросило — откуда, кто такие, с какого времени. Изумилось начальство их богатству и добродействию, какого не знали в своём колхозном краю. Уехали. А через несколько дней приехали уполномоченные со стрелками НКВД и опять, как в год Чумы, велели им в час всё нажитое покинуть, весь тёплый посёлок — и наголе́, с узелками, отправили дальше в тундру.

Не довольно ли этого рассказа одного, чтобы понять и суть «кулаков», и суть «раскулачивания»?

Что́ ж можно было сделать с этим народом, если б дать ему вольно жить, свободно развиваться!!

Староверы! — вечно гонимые, вечные ссыльные, — вот кто на три столетия раньше разгадал заклятую суть Начальства! В 1950 году летел самолёт над просторами Подкаменной Тунгуски. А после войны лётная школа сильно усовершилась, и доглядел старательный лётчик, чего 20 лет до него не видели: обиталище какое-то неизвестное в тайге. Засёк. Доложил. Глухо было, далеко, но для МВД невозможного нет, и через полгода добрались туда. Оказалось, это — ярцевские старообрядцы. Когда началась великая желанная Чума, то бишь коллективизация, они от этого добра ушли глубоко в тайгу, всей деревней. И жили, не высовываясь, лишь старосту одного отпускали в Ярцево за солью, рыболовной и охотничьей металлической снастью да железками к инструменту, остальное делали сами всё, а вместо денег, должно быть, снаряжался староста шкурками. Управясь с делами, он, как следимый преступник, изникал с базара оглядчиво. И так выиграли ярцевские староверы двадцать лет жизни! — двадцать лет свободной человеческой жизни между зверей вместо двадцати лет колхозного уныния. Все они были в домотканой одежде, в самодельных броднях и выделялись могутностью.

Так вот этих гнусных дезертиров с колхозного фронта всех теперь арестовали и влепили им статью... ну как бы вы думали, какую?.. Связь с мировой буржуазией? Вредительство? Нет, 58-10, антисоветскую *агитацию* (!?!?) и 58-11, организацию. (Многие из них попали потом в джезказганскую группу Степлага, откуда и известно.)

А в 1946 году ещё других староверов, из какого-то забытого глухого монастыря выбитых штурмом нашими доблестными войсками (уже с миномётами, уже с опытом Отечественной войны), сплавляли на плотах по Енисею. Неукротимые пленники — те же при Сталине великом, что и при Петре великом! — прыгали с плотов в енисейскую воду, и автоматчики наши достреливали их там.

Воины Советской армии! — неустанно крепите боевую подготовку!

Нет, не перемёрла обречённая порода! И в ссылке опять-таки рождались у них дети — и так же наследственно прикреплялись к тому же спецпосёлку. («Сын за отца не отвечает», помните?) Выходила сторонняя девушка замуж за спецпереселенца — и включалась в то же крепостное сословие, лишалась гражданских прав. Женился ли мужчина на *такой* — и становился ссыльным сам. Приезжала ли дочь к отцу — вписывали и её в спецпереселенцы, исправляли ошибку, что не попала раньше. Этими всеми добавками пополнялась убыль пересаженных в лагеря.

Очень на виду были спецпереселенцы в Караганде и вокруг. Много их там было. Как предки их к уральским и алтайским заводам, так они — к шахтам карагандинским были прикреплены *навечно*. Мог не стесняться шахтовладелец, сколько их заставлять работать и сколько им платить. Говорят, сильно завидовали они заключённым сельскохозяйственных лагпунктов.

До 50-х годов, а где и до смерти Сталина, не было у спецпереселенцев паспортов. Лишь с войны стали применять к игарским полярный коэффициент зарплаты.

Но вот — пережившие двадцатилетие чумной ссылки, освобождённые из-под комендатуры, получившие гордые наши паспорта, — кто ж они и что ж они внутренне и внешне? Ба! — да кондиционные наши граждане! Да точно такие же, как параллельно воспитаны рабочими посёлками, профсоюзными собраниями и службой в Советской армии. Они так же вколачивают свою недочерпанную лихость в костяшки домино (не старообрядцы, конечно). Так же согласно кивают каждому промельку на телевизоре. В нужную минуту так же гневно клеймят Южно-Африканскую Республику или собирают свои гроши на пользу Кубе.

Так потупимся же перед Великим Мясником, склоним головы и ссутулим плечи перед его интеллектуальной загадкой: значит, прав оказался он, сердцевед, заводя этот страшный кровавый замес и проворачивая его год от году?

Прав — морально: на него нет обид! При нём, говорит народ, было «лучше, чем при Хруще»: ведь в шуточный день 1 апреля, что ни год, дешевели папиросы на копейку и галантерея на гривенник. До смерти звенели ему похвалы да гимны, и ещё сегодня не позволено нам его обличать: не только цензор любой остановит ваше перо, но любой магазинный стоялец и вагонный сиделец поспешит задержать хулу на ваших губах.

Ведь мы уважаем Больших Злодеев. Мы поклоняемся Большим Убийцам.

И тем более прав — государственно: этой кровью спаял он послушные колхозы. Нужды нет, что через четверть века оскудеет деревня до последнего праха и духовно выродится народ. Зато будут ракеты летать в космос, и раболепствовать будет перед нашей державой передовой просвещённый Запад.

Глава 3
ССЫЛКА ГУСТЕЕТ

С такой лютостью, в такие дикие места и так откровенно на вымирание, как ссылали мужиков, — ни до, ни после никого больше не ссылали. Однако по другой мере и своим порядком наша ссылка густела год от году: ссылали больше, селили гуще и становились круче ссыльные порядки.

Можно предложить такую грубую периодизацию. В 20-е годы ссылка была как бы предварительным перевалочным состоянием перед лагерем: мало у кого кончалось ссылкою, почти всех перегребали потом в лагерь.

С конца 30-х годов, оттого ли, что ссылка очень омноголюдела, — она приобрела вполне самостоятельное значение вполне удовлетворительного вида ограничения и изоляции. И в годы военные и послевоенные всё больше укреплялся её объём и положение наряду с лагерями: она не требовала затрат на постройку бараков и зон, на охрану, но ёмко охватывала большие контингенты, особенно женско-детские. (На всех крупных пересылках отведены были постоянные камеры для ссылаемых женщин с детьми, и они никогда не пустовали*.) Ссылка обезпечивала в короткий срок надёжную и безвозвратную очистку любого важного района метрополии. И так ссылка укрепилась, что с 1948 года приобрела ещё новое государственное значение с в а л к и — того резервуара, куда сваливаются отходы Архипелага, чтобы никогда уже не выбраться в метрополию. С весны 1948 спущена была в лагеря такая инструкция: Пятьдесят Восьмую по окончании срока за малыми исключениями *освобождать в ссылку*. То есть не распускать её легкомысленно по стране, ей не принадлежащей, а каждую особь под конвоем доставлять от лагерной вахты до ссыльной комендатуры, от закола до закола. А так как ссылка охватывала строго оговоренные районы, то все они вместе составили какую-то ещё отдельную (хоть и впереслойку) страну между СССР и Архипелагом — не чистилище, а скорее грязнилище, из которого можно переходить на Архипелаг, но не в метрополию.

1944—45 годы принесли ссылке особенно густое пополнение с оккупированно-освобождённых территорий, 1947—49 — из западных республик. И всеми потоками вместе, даже без ссылки мужицкой, была

---

* Их мужчины, если и ссылались, с ними не ехали: была инструкция рассылать членов осуждаемых семей в разные места. Так, если кишинёвского адвоката И. Х. Горника за сионизм сослали в Красноярский край, то семью его — в Салехард.

много раз, и много раз, и много раз превзойдена та цифра в полмиллиона ссыльных, какую сложила за весь XIX век царская Россия, тюрьма народов.

За какие же преступления гражданин нашей страны в 30—40-е годы подлежал ссылке или высылке? (Из какого-то административного наслаждения это различие все годы если не соблюдалось, то упоминалось. Гонимому за веру М. И. Бродовскому, удивлявшемуся, как это его сослали без суда, подполковник Иванов разъяснил благородно: «Потому не было суда, что это *не ссылка, а высылка*. Мы не считаем вас судимым, вот даже не лишаем вас избирательных прав». То есть самого важного элемента гражданской свободы!..)

Наиболее частые преступления указать легко:

1) принадлежность к преступной национальности (об этом — следующая глава);

2) уже отбытый тобою лагерный срок;

3) проживание в преступной среде (крамольный Ленинград; район партизанского движения вроде Западной Украины или Прибалтики).

А затем — многие из тех *потоков*, перечисленных в самом начале книги, отструивались кроме лагерей и на ссылку, постоянно выбрасывали какую-то часть и в ссылку. Кого же? В общем виде, чаще всего — семьи тех, кто осуждался к лагерю. Но далеко не всегда тянули семьи, и далеко не только семьи лились в ссылку. Как объяснение потоков жидкости требует больших гидродинамических знаний, либо уж отчаяться и только наблюдать безсмысленно ревущую крутящую стихию, так и здесь: нам недоступно изучить и описать все те дифференциальные толчки, которые в разные годы разных людей вдруг направляли не в лагерь, а в ссылку. Мы только наблюдаем, как пёстро смешивались тут переселенцы из Маньчжурии, какие-то иностранноподданные одиночки (которым и в ссылке не разрешал советский закон сочетаться браком ни с кем из окружающих ссыльных, а всё же советских); какие-то кавказцы и среднеазиаты, которым за плен не дали по 10 лет лагерей, а всего по 6 лет высылки; и даже такие бывшие пленные, сибиряки, которые возвращаемы были в свой родной район и жили там как вольные, без отметок в комендатуре, однако же не имели права выехать из района.

Нам не проследить разных типов и случаев ссылки, потому что лишь случайными рассказами или письмами направляются наши знания. Не напиши письма А. М. Ар-в, и не было бы читателю вот такого рассказа. В 1943 году в вятское село пришло известие, что их колхозника Кожурина, рядового пехоты, не то послали в штрафную, не то сразу расстреляли. И тотчас к жене его с шестью детьми (старшей — 10 лет, младшему — 6 месяцев, а ещё с нею жили две сестры, две старых девы под пятьдесят лет) явились *исполнители* (вы это слово уже понимаете, читатель, это смягчение для слова *палач*). И, не дав семье ничего продать (изба, корова, овцы, сено, дрова — всё покинуто на растаск), бросили их девятерых с вещичками малыми в сани — и крепким морозом повезли за 60 километров в город Вятку-Киров. Как они не помёрзли в дороге — только знает Бог. Полтора месяца их держали на Кировской пересылке и потом сослали на гончарный заводик под Ухту. Там сёстры-девы пошли по помойкам, сошли с ума обе, и обе умерли. Мать же с детьми осталась в живых лишь помощью (безыдейной, непатриотической, пожалуй, даже антисоветской помощью) окружающих местных. Подросшие сыновья все потом служили в армии и, как говорится, были «отличниками боевой и политической подготовки». В 1960 мать вернулась в родное село — и ни брёвнышка, ни печного кирпича не нашла на месте своей избы.

Такой сюжетик — разве плохо вплетается в ожерелье Великой Отечественной Победы? Не берут, *не типичен*.

А в какое ожерелье вплести, а к какому разряду ссылки отнести *ссылку калек Отечественной войны*?

Почти ничего не знаем мы о ней (да и мало кто знает). А освежите в памяти: сколько этих калек, и не старых ещё, шевелилось на наших базарах около чайных и в электричках в конце войны? И как-то быстро и незаметно они проредились. Это тоже был поток, тоже кампания. Их сослали на некий северный остров — *за то* сослали, что во славу отечества они дали обезобразить себя на войне, и *для того* сослали, чтобы представить здоровой нацию, так победно себя проявившую во всех видах атлетики и играх с мячом. Там, на неведомом острове, этих неудачливых героев войны содержат, естественно, без права переписки с большой землёй (редкие письма прорываются, оттуда известно) и, естественно же, на пайке скудном, ибо трудом своим они не могут оправдать изобильного.

Кажется, и сейчас они там доживают.

———

Великое грязнилище, страна ссылки, между СССР и Архипелагом, включила в себя и большие города, и малые, и посёлки, и вовсе глушь. Старались ссыльные проситься в города, верно считалось, что там нашему брату всё-таки легче, особенно с работой. И как-то больше похоже на обычную жизнь людей.

Едва ли не главной столицей ссыльной стороны, во всяком случае из её жемчужин, была Караганда. Я повидал её перед концом всеобщей ссылки, в 1955 году (ссыльного, меня на короткое время отпускала туда комендатура: я там жениться собирался, на ссыльной же). У въезда в этот голодный тогда город, близ клопяного барака-вокзала, куда не подходили близко трамваи (чтоб не провалиться в накопанные под землёю штреки), стоял при трамвайном круге вполне символический кирпичный дом, стена которого была подпёрта деревянными искосинами, дабы не рухнула. В центре Нового города насечено было камнем по каменной стене: «*Уголь — это хлеб*» (для промышленности). И правда, чёрный печёный хлеб каждый день продавался здесь в магазинах —

и в этом была льготность городской ссылки. И работа чёрная и не только чёрная всегда была здесь. А в остальном продуктовые магазины были очень пустоваты. А базарные прилавки — неприступны, с умонепостижимыми ценами. Если не три четверти города, то две трети жило тогда без паспортов и отмечалось в комендатурах; на улице меня то и дело окликали и узнавали бывшие зэки, особенно экибастузские. И что ж была тут за ссыльная жизнь? На работе униженное положение и приниженная зарплата, ибо не всякий после катастрофы ареста-тюрьмы-лагеря найдёт чем доказать образование, а стажа тем более нет. Или так просто вот, как неграм, не платят вровень с белыми, и всё, можешь не наниматься. И очень худо с квартирами, жили ссыльные в неотгороженных коридорных углах, в тёмных чуланах, в сарайчиках — и за всё это лихо платили, всё это было от частника. Уже немолодые женщины, изжёванные лагерем, с металлическими зубами, мечтали иметь хоть одну крепдешиновую «выходную» блузку, одни «выходные» туфли.

А ещё в Караганде велики расстояния, многим долго ехать от квартиры до работы. Трамвай от центра до рабочей окраины скрежетал битый час. В трамвае напротив меня сидела замученная молодая женщина в грязной юбке, в рваных босоножках. Она держала ребёнка в очень грязных пелёнках, всё время засыпала, ребёнок из ослабленных рук сползал по коленям на край и почти падал, тут ей кричали: «Упустишь!» Она успевала его подхватить, но через несколько минут засыпала опять. Она работала на водокачке в ночной смене, а день проездила по городу, искала обуви — и не нашла нигде.

Вот такая была карагандинская ссылка.

Насколько знаю, гораздо легче было в городе Джамбуле: благодатная южная полоса Казахстана, очень дешевы продукты. Но чем мельче город, тем труднее с работой.

Вот — городок Енисейск. В 1948 везли туда Г. С. Митровича с Красноярской пересылки, и бодро отвечал им конвойный лейтенант: «Работа? Бу-удет». —

«А жильё?» — «Бу-удет». Но, сдав их комендатуре, конвой ушёл себе налегке. А приехавшим пришлось спать — под перевёрнутыми лодками на берегу, под базарными навесами. Хлеба купить они не могли: продавался хлеб только по домовым спискам, а новоприбывшие нигде не прописаны, чтобы где-то жить — надо деньги за квартиру платить. Митрович, уже инвалид, просил работу по специальности, он зоотехник. Смекнул комендант-эмведешник и позвонил в райзо: «Слушай, дашь бутылку — дам тебе зоотехника».

Это была та ссылка, где угроза: «за саботаж дадим 58-14, посадим в лагерь назад!» — не пугала никого. О том же Енисейске есть свидетельство 1952 года. В день отметки отчаявшиеся ссыльные стали требовать от коменданта именно арестовать их и отправить обратно в лагерь. Взрослые мужчины, они не могли добыть себе тут хлеба! Комендант разогнал их: «МВД вам не биржа труда!»*

А вот ещё глуше — Тасеево Красноярского края, 250 километров от Канска. Туда ссылались немцы, чечены, ингуши и бывшие зэки. Это место — не новое, не придуманное, поблизости там — деревня Хандалы́, где когда-то перековывали кандалы. Но новое там — целый город из землянок, с полом тоже земляным. В 1949 году привезли туда группу *повторников*, к вечеру, сгрузили в школу. Поздно ночью собралась комиссия, принимать рабочую силу: начальник райМВД, от леспромхоза, председатели колхозов. И потянулись перед комиссией — больные, старые, измотанные лагерной десяткой, и всё больше женщины, — вот кого мудрое государство изъяло из опасных городов и кинуло в суровый район осваивать тайгу. От такой «рабочей силы» все стали отказываться, МВД заставило их брать. Самых же забракованных доходяг насовали

---

* Ведь ему необязательно, а арестантам невозможно знать законы страны Советов, ну хотя бы Уголовный кодекс, его пункт 35-й: «ссыльные должны быть наделены землёй или им должна быть предоставлена оплачиваемая работа».

сользаводу, представитель которого опоздал, не присутствовал. Сользавод — на реке Усолке в селе Троицком (тоже место давнессыльное, ещё при Алексее Михайловиче загоняли сюда старообрядцев). В середине XX века техника там была такая: гоняли лошадей по кругу и этим накачивали соль на противни, а потом выпаривали её (дрова с лесоповала, на это и кинули старух). Крупный известный кораблестроитель угодил в эту партию, его поставили ближе к специальности: упаковывать соль в ящики.

Попал в Тасеево 60-летний коломенский рабочий Князев. Работать он уже не мог, нищенствовал. Иногда подбирали его люди ночевать, иногда спал он на улице. В инвалидном доме для него места не было, в больнице его долго не задерживали. Как-то зимой он забрался на крыльцо райкома партии, партии рабочих, и там замёрз.

При переезде из лагеря в таёжную ссылку (а переезд такой: мороз 20°, в открытых кузовах автомашин, худо одетые, как освободились, в кирзовых ботинках последнего срока, конвоиры же в полушубках и валенках) зэки даже не могли очнуться: в чем состояло их *освобождение*? В лагере были топленые бараки — а здесь землянка лесорубов, с прошлой зимы не топленная. Там рычали бензопилы — зарычат и здесь. И только этой пилой и там и здесь можно было заработать пайку сырого хлеба.

Поэтому новоссыльные ошибались, и, когда (1953 год) приезжал (Кузеево, Сухобузимского района, Енисей) заместитель директора леспромхоза Лейбович, красивый, чистый, они смотрели на его кожаное пальто, на откормленное белое лицо и, кланяясь, говорили по ошибке:

— Здравствуйте, гражданин начальник!

А тот укоризненно качал головой:

— Нет-нет, какой же может быть «гражданин»! Я для вас теперь *товарищ*, вы уже не заключённые.

Собирали ссыльных в той единственной землянке, и мрачно освещённый керосиновой коптилкой-мигалкой замдир внушал им, как гвозди вколачивал в гроб:

— Не думайте, что это — жизнь временная. Вам действительно придётся жить здесь в е ч н о. А поэтому поскорей принимайтесь за работу! Есть семья — зовите, нет — женитесь тут друг на друге не откладывая. Стройтесь. Рожайте детей. На дом и на корову получите ссуду. За работу, за работу, товарищи! Страна ждёт нашего леса!

И уезжал *товарищ* в легковой.

И это тоже было льготно, что разрешали жениться. В убогих колымских посёлках, например под Ягодным, вспоминает Ретц, и женщины были, не выпущенные на материк, а МВД запрещало жениться: ведь семейным придётся давать жильё.

Но и это было послабление, что не разрешали жениться. А в Северном Казахстане в 1950—52 годах иные комендатуры, напротив, чтобы ссыльного связать, ставили новоприбывшему условие: в две недели женись или сошлём в глубинку, в пустыню.

Любопытно, что во многих ссыльных местах запросто, не в шутку, пользовались лагерным термином «общие работы». Потому что таковы и были они, как в лагере: те неизбежные надрывные работы, губящие жизнь и не дающие пропитания. И если как *вольным* полагалось теперь ссыльным работать меньше часов, то двумя часами пути туда (в шахту или в лес) да двумя назад подтягивался рабочий день к лагерной норме.

Старый рабочий Березовский, в 20-е годы профсоюзный вождь, с 1938 оттянувший 10 лет ссылки, а в 1949 получивший 10 лет лагерей, при мне умилённо целовал лагерную пайку и говорил радостно, что в лагере он не пропадёт, здесь ему хлеб полагается. В ссылке же и с деньгами в лавку придёшь, видишь буханку на полке, но нахально в лицо тебе говорят: хлеба нет! — и тут же взвешивают хлеб местному. То же и с топливом.

Недалеко от того выражался и старый питерский рабочий Цивилько (всё люди не нежные). Он говорил (1951), что после ссылки чувствует себя в Особом каторжном лагере человеком: отработал 12 часов — и иди в зону. А в ссылке любое вольное ничтожество могло поручить ему (он работал бухгалтером) безплатную сверхурочную работу — и вечером, и в выходной, и любую работу сделать лично для того вольного, — и ссыльный не смеет отказаться, чтоб не выгнали его завтра со службы.

Несладка была жизнь ссыльного, ставшего и ссыльным «придурком». Перевезенный в Кок-Терек Джамбульской области Митрович (тут его жизнь так началась: отвели ему с товарищем ослиный сарай — без окон и полный навоза; отгребли они навоз от стенки, постлали полынь, легли) получил должность зоотехника райсельхозотдела. Он пытался *честно служить* — и сразу же стал противен вольному партийному начальству. Из колхозного стада мелкое районное начальство забирало себе коров-первотёлок, заменяя их тёлками, — и требовали от Митровича записывать двухлеток как четырёхлеток. Начав пристальный учёт, обнаружил Митрович целые стада, пасомые и обслуживаемые колхозами, но не принадлежащие им. Оказывается, эти стада *лично* принадлежали первому секретарю райкома, председателю райисполкома, начальнику финотдела и начальнику милиции. (Так ловко вошёл Казахстан в социализм.) «Ты их не записывай!» — велели ему. А он записал. С диковинной в зэке-ссыльном жаждой советской законности он ещё осмелился протестовать, что председатель исполкома забрал себе из колхоза серую смушку, — и был уволен (и это — только начало их войны).

Но и районный центр — ещё совсем не худое место для ссылки. Настоящие тяготы ссылки начинались там, где нет даже вида свободного посёлка, даже края цивилизации.

Тот же А. Цивилько рассказывает о колхозе «Жана Турмыс» («Новая жизнь») в Западно-Казахстанской области, где он был с 1937 года. Ещё до приезда ссыльных политотдел МТС насторожил и воспитал местных: везут троцкистов, контрреволюционеров. Напуганные жители *даже соли не одалживали* новоприбывшим, боясь обвинения в связи с врагами народа! В войну ссыльные не имели хлебных карточек. В колхозной кузнице выработал рассказчик за 8 месяцев — пуд проса... Полученное зерно сами растирали жерновами из распиленного казахского памятника-терменя. И шли в НКВД: или сажайте в тюрьму, или дайте перевестись в районный центр! (Спросят: а как же местные? Да вот *так*... Привыкли... Ну и овечка какая-нибудь, коза, корова, юрта, посуда — всё помогает.)

В колхозе ссыльным повсюду так — ни казённого обмундирования, ни лагерной пайки. Это самое страшное место для ссылки — колхоз. Это как бы учебная проверка: где ж тяжелей — в лагере или в колхозе?

Вот *продают* новичков, средь них С. А. Липшица, на Красноярской пересылке. *Покупатели* требуют плотников, пересылка отвечает: возьмите ещё юриста и инженера-электрика (Липшиц), тогда и плотника дадим. Ещё дают в нагрузку пожилых больных женщин. Потом при мягком 25-градусном морозе открытыми грузовиками их везут в глубинную-глубинную деревню, всего о трёх десятках дворов. Что же делать юристу и что электрику (тока никакого)? Получать пока аванс: мешок картошки, лук и муку (и это хороший аванс!). А деньги будут в следующем году, если заработаете. Работа пока такая — добывать коноплю, заваленную снегом. Для начала нет даже мешка под матрас, соломой набить. Первый же порыв: отпустите из колхоза! Нет, нельзя: за каждую голову заплатил колхоз Тюремному Управлению по 120 рублей (1952 год).

О, как бы снова вернуться в лагерь!..

Но прошибётся читатель, если решит, что ссыльным намного лучше в совхозе, чем в колхозе. Вот совхоз в Сухобузимском районе, село Миндерла. Стоят бараки, правда, — без зоны, как бы лагерь безконвойных. Хотя и совхоз, но денег здесь не знают, их нет в обращении. Только пишутся цифирки: 9 рублей (сталинских) в день человеку. И ещё пишется: сколько съедено тем человеком каши, сколько вычитается за телогрейку, за жильё. Всё вычитается, вычитается, и вот диво: выходит к расчёту, что ничего ссыльный не заработал, а ещё совхозу должен. В этом совхозе, вспоминает А. Стотик, двое от безвыходности повесились.

(Сам этот Стотик, фантазёр, нисколько не усвоил свой злосчастный опыт изучения английского языка в Степлаге*. Оглядевшись в такой ссылке, он придумал осуществить конституционное право гражданина СССР на... образование! И подал заявление с просьбой отпустить его в Красноярск у ч и т ь с я! На этом наглом заявлении, которого, может быть, не знавала вся страна ссылки, директор совхоза (бывший секретарь райкома) вывел резолюцию не просто отрицательную, но декларативную: «Никто и никогда не разрешит Стотику учиться». — Однако подвернулся случай: Красноярская пересылка набирала по районам плотников из ссыльных. Стотик, никакой не плотник, вызвался, поехал, в Красноярске жил в общежитии среди пьяниц и воров и там стал готовиться к конкурсным экзаменам в Медицинский институт. Он прошёл их с высоким баллом. До мандатной комиссии никто в его документах не разобрался. На мандатной: «Был на фронте... Потом вернулся...» — и пересохло горло. «А дальше?» — «А потом... меня... посадили...» — выговорил Стотик, — и огрознела комиссия. «Но я отбыл срок! Я вышел! У меня высокий балл!» — настаивал Стотик. Тщетно. А был уже — год падения Берии!)

И чем глубже — тем хуже, чем глуше — тем бесправнее. А. Ф. Макеев в упомянутых записках о Кенгире приводит рассказ «тургайского раба» Александра Владимировича Полякова о его ссылке между двумя лагерями в Тургайскую пустыню, на далёкий отгон. Вся власть была там — председатель колхоза, казах, и даже от отеческой комендатуры никто никогда не заглядывал. Жилище Полякова стало — в одном сарайчике с овцами, на соломенной подстилке; обязанности — быть рабом четырёх жен председателя, управ-

---

* Часть Пятая, глава 5.

ляться с каждой по хозяйству и до выноса ночных горшков за каждой. И что ж было Полякову делать? Выехать с отгона, чтобы пожаловаться? Не только не на чем, но это бы значило — *побег* и 20 лет каторги. Никого же русского на том отгоне не было. И прошло несколько месяцев, прежде чем приехал русский фин-инспектор. Он изумился рассказу Полякова и взялся передать его письменную жалобу в район. За ту жалобу как за гнусную клевету на советскую власть Поляков получил новый лагерный срок и в 50-е годы счастливо отбывал его в Кенгире. Ему казалось, что он почти освободился...

И мы ещё не уверены, был ли «тургайский раб» самым обездоленным изо всех ссыльных.

Сказать, что ссылка имеет перед лагерем преимущество устойчивости жизни, как бы домашности (худо ли, хорошо ли, вот живёшь здесь — и будешь жить, и никаких этапов), — тоже без оговорок нельзя. Этап не этап, но необъяснимая неумолимая комендантская переброска, внезапное закрытие пункта ссылки или целого района всегда может разразиться; вспоминают такие случаи в разные годы в разных местах. Особенно в военное время — бдительность! — всем сосланным в Тайпакский район собраться за 12 часов! — и айда в Джембетинский! И весь жалкий быт и жалкий скарбик, а такой нужный, и кров протекающий, а уже и подчинённый, — всё бросай! всё кидай! шагом марш, босота лихая! Не помрёшь — наживёшь!..

Вообще, при кажущейся распущенности жизни (не ходят строем, а все в разные стороны, не строятся на развод, не снимают шапок, не запираются на ночь наружными замками), ссылка имеет свой режим. Где мягче, где суровее, но ощутителен он был везде до 1953 года, когда начались всеобщие смягчения.

Например, во многих местах ссыльные не имели права подавать в советские учреждения никаких жалоб по гражданским вопросам — иначе как через комендатуру, и только та решала, стоит ли этой жалобе давать ход или пригасить на месте.

По любому вызову комендантского офицера ссыльный должен был покинуть любую работу, любое занятие — и явиться. Знающие советскую жизнь поймут, мог ли ссыльный не выполнить какой-нибудь личной (корыстной) просьбы комендантского офицера.

Комендантские офицеры в своём положении и правах вряд ли уж так уступали лагерным. Напротив, у них было меньше беспокойств: ни зоны, ни караулов, ни ловли беглецов, ни вывода на работу, ни кормления и одевания этой толпы. Достаточно было дважды в месяц проводить отметки и иногда на провинившихся заводить бумаги в согласии с Законом. Это были властительные, ленивые, разъевшиеся (младший лейтенант комендатуры получал 2000 рублей в месяц), а потому в большинстве своём злые существа.

Побегов в их подлинном смысле мало известно из советской ссылки: невелик был тот выигрыш в гражданской свободе, который достался бы удачливому беглецу: ведь почти на тех же правах жили тут вокруг него, в ссылке, местные вольные. Это не царские были времена, когда побег из ссылки легко переходил в эмиграцию. А кара за побег была ощутительна. Судило за побег ОСО. До 1937 оно давало свою максимальную цифру — 5 лет лагерей, после 37-го — 10. А после войны, публично нигде не напечатанный, всем стал известен и неуклонно применялся новый закон: за побег из места ссылки — *двадцать лет каторги!* Несоразмерно жестоко.

Комендатура на местах вводила собственные истолкования, что считать и что не считать побегом, где именно та запретная черта, которую ссыльный не смеет переступить, и может ли он отлучиться по дрова или по грибы. Например, в Хакасии, в рудничном посёлке Орджоникидзевский, было такое установление: отлучка наверх (в горы) — всего лишь нарушение режима и 5 лет лагерей; отлучка вниз (к железной дороге) — побег и 20 лет каторги. И до того внедрилась там непростительная эта мягкость, что когда группа ссыльных армян, доведённая до отчаяния самоуправством рудничного начальства, пошла на него жаловаться в райцентр, — а разрешения комендатуры на такую отлучку, естественно, не имела, — то получили они все за этот *побег* лишь по 6 лет.

Вот такие отлучки по недоразумению чаще всего и квалифицировались как побеги. Да простодушные решения старых людей, не могущих взять в толк и усвоить нашу людоедскую систему.

Одна гречанка, уже дре́вней 80 лет, была в конце войны сослана из Симферополя на Урал. Когда война кончилась и в Симферополь вернулся сын, она, естественно, поехала к нему и тайно жила у него. В 1949, уже 87 лет от роду, она была схвачена, осуждена на 20 лет каторжных работ (87 + 20 = ?) и этапирована в Озёрлаг. — Другую старую тоже гречанку знали в Джамбульской области. Когда с Кубани ссылали греков, её взяли вместе с двумя взрослыми дочерьми, третья же дочь, замужем за русским, осталась на Кубани. Пожила-пожила старуха в ссылке и решила к той дочери поехать умирать. «Побег», каторга, 20 лет! — В Кок-Тереке был у нас физиолог Алексей Иванович Богословский. К нему применили «аденауэровскую» амнистию 1955 года, но не полностью: оставили за ним ссылку, а её быть не должно. Стал он слать жалобы и заявления, но всё это — долго, а тем временем в Перми слепла у него мать, которая не видела его уже 14 лет, от войны и плена, и мечтала последними глазами увидеть. И, рискуя каторгой, Богословский решился за неделю съездить к ней и назад. Он придумал себе командировку на животноводческие отгоны в пустыню, сам же сел на поезд в Новосибирск. В районе не заметили его отлучки, но в Новосибирске бдительный таксист донёс на него оперативникам, те подошли проверить документы, их не было, пришлось открыться. Вернули его в нашу же кок-терекскую глинобитную тюрьму, начали следствие, — вдруг пришло разъяснение, что он не подлежит ссылке. Едва выпущенный, он уехал к матери. Но опоздал.

Мы сильно обеднили бы картину советской ссылки, если бы не напомнили, что в каждом ссыльном районе бдил неусыпный оперчекотдел, тягал ссыльных на *собеседования*, вёл вербовку, собирал доносы и использовал их для намота новых сроков. Ведь приходила же когда-то пора ссыльной человеческой единице сменить однообразную ссыльную неподвижность на добрую лагерную скученность. *Вторая протяжка* — новое следствие и новый срок — была естественным окончанием ссылки для многих.

Надо было Петру Виксне в 1922 дезертировать из реакционной буржуазной латвийской армии, бежать в свободный Советский Союз, тут в 1934 за переписку с оставшейся латышской роднёй (родня в Латвии не пострадала нисколько) быть сосланным в Казахстан, не упасть духом, неутомимым ссыльным машинистом депо Аягуза выйти в стахановцы, чтобы 3 декабря 1937 повесили в депо плакат: «Берите пример с т. Виксне!», а 4 декабря товарища Виксне посадили на вторую протяжку, вернуться с которой ему уже не было суждено.

Вторые посадки в ссылке, как и в лагерях, шли постоянно, чтоб доказать наверх неусыпность оперчекистов. Как и везде, применялись *усиленные методы*, помогающие арестанту быстрей понять свой рок и верней ему подчиниться (Цивилько в Уральске в 1937 году — 32 суток карцера и выбили 6 зубов). Но наступали и особые периоды, как в 1948 году, когда по всей ссылке закидывался густой бредень и вылавливали для лагеря или всех дочиста, как на Воркуте («Воркута становится производственным центром, товарищ Сталин дал указание очистить её»), или всех мужчин, как в иных местах.

Но и для тех, кто на вторую протяжку не попадал, туманен был этот «конец ссылки». Так, на Колыме, где и «освобождение» из лагеря всё состояло лишь в переходе от лагерной вахты до спецкомендатуры, — конца ссылки, собственно, не бывало, потому что не было выезда с Колымы. А кому и удалось оттуда вырваться «на материк» в краткие периоды разрешения, ещё не раз, наверно, похулили свою судьбу: все они получили на материке вторые лагерные сроки.

Тень оперчекотдела постоянно затмевала и без того не беззаботное небо ссылки. Под оком оперативника, на стукаческом простуке, постоянно в надрывной работе, в выколачивании хлеба для детишек — ссыльные жили трусливо и замкнуто, очень разъединённо. Не было тюремно-лагерных долгих бесед, не было исповедей о пережитом.

Поэтому трудно собирать рассказы о ссыльной жизни.

И фотографий почти не оставила наша ссылка: если были фотографы, то снимали только на документы — для *кадров* и спецчастей. Группе ссыльных — да вместе сфотографироваться, это — что? это как? Это — сразу донос в ГБ: вот, мол, наша подпольная антисоветская организация. По снимку всех и *возьмут*.

А то однажды скромно снялись (и даже появилось в западном издании*): сжатые, в советском отрепьи, поблекшие, приунылые, а когда-то неукротимые, — знаменитые Мария Спиридонова, Измайлович, Майоров, Каховская, — да где же их прежняя неукротимость? Да почему ж они не мчатся конспиративно в столицу? не стреляют в угнетателей народа? не бросают бомб?..

Не оставила наша ссылка фотографий — тех, знаете, групповых и довольно весёлых: третий слева Ульянов, справа второй Кржижановский. Все сыты, все одеты чисто, не знают труда и нужды, если бородка, то холена, если шапка — то доброго меха.

Очень тогда были, дети, мрачные времена...

Глава 4
ССЫЛКА НАРОДОВ

Историки могут нас поправить, но средняя наша человеческая память не удержала ни от XIX, ни от XVIII, ни от XVII века массовой насильственной пересылки народа. Были колониальные покорения — на

---

* *I. Steinberg.* Spiridonova, Revolutionary Terrorist. London: Methuen & Co. Ltd., 1935.

океанских островах, в Африке, в Азии, в Туркестане, победители приобретали власть над коренным населением, но как-то не приходило в неразвитые головы колонизаторов разлучить это население с его исконной землёю, с его прадедовскими домами. Может быть, только вывоз негров для американских плантаций даёт нам некоторое подобие и предшествие, но там не было зрелой государственной системы: там лишь были отдельные христиане-работорговцы, в чьей груди взревела огнём внезапно обнажившаяся выгода, и они ринулись каждый для себя вылавливать, обманывать и покупать негров по одиночке и по десяткам.

Нужно было наступить надежде цивилизованного человечества — XX веку, и нужно было на основе Единственно-Верного Учения высочайше развиться Национальному вопросу, чтобы высший в этом вопросе специалист взял патент на поголовное искоренение народов путём их высылки в сорок восемь, в двадцать четыре и даже в полтора часа.

Конечно, это не так сразу прояснилось и ему Самому. Один раз он неосторожно высказался даже: «Не бывало и не может быть случая, чтобы кто-либо мог стать в СССР объектом преследования из-за его национального происхождения»*. В 20-е годы все эти национальные языки поощрялись, Крыму так и долдонили, что он — татарский, татарский, и даже был арабский алфавит, и надписи все по-татарски.

А оказалось — ошибка...

Даже пропрессовав великую мужицкую ссылку, не сразу мог понять Великий Рулевой, как это удобно перенесётся на нации. Но всё же опыт державного брата Гитлера по выкорчёвыванию евреев и цыган уже был поздний, уже после начала Второй Мировой войны, а Сталин-батюшка задумался над этой проблемою раньше.

---

* *И. В. Сталин.* Сочинения: [В 13 т.] М., 1949—1955. Т. 13, с. 258.

Кроме только Мужичьей Чумы и до самой высылки народов наша советская ссылка, хотя и ворочала кое-какими сотнями тысяч, но не шла в сравнение с лагерями, не была столь славна и обильна, чтобы пробороздился в ней ход Истории. Были *ссыльно-поселенцы* (по суду), были *административно-ссыльные* (без суда), но и те и другие — всё счётные единицы, со своими фамилиями, годами рождения, статьями обвинения, фотокарточками анфас и в профиль, и только мудротерпеливые, нисколько не брезгливые Органы умели из песчинок свить верёвку, из этих разваленных семей — монолиты ссыльных районов.

Но насколько же возвысилось и ускорилось дело ссылания, когда погнали на высылку *спецпереселенцев*! Два первых термина были от царя, этот — советский кровный. Разве не с этой приставочки *спец* начинаются наши излюбленные сокровеннейшие слова (спецотдел, спецзадание, спецсвязь, спецпаёк, спецсанаторий)? В год Великого Перелома обозначили спецпереселенцами «раскулаченных» — и это куда верней, гибче получилось, без повода обжаловать, потому что «раскулачивали» не одних кулаков, а уж «спецпереселенец» — не выкусишь.

И вот указал Великий Отец применять это слово к ссылаемым нациям.

Не сразу далось и Ему открытие. Первый опыт был весьма осторожен: в 1937 году сколько-то десятков тысяч подозрительных этих корейцев — какое доверие этим черномазым косоглазым перед Халхин-Голом, перед лицом японского империализма? — были тихо и быстро, от трясущихся стариков до блеющих младенцев, с долею нищенского скарба переброшены с Дальнего Востока в Казахстан. Так быстро, что первую зиму прожили они в саманных домах без окон (где же стёкол набраться!). И так тихо, что никто, кроме смежных казахов, о том переселении не узнал, и ни один сущий язык в стране о том не пролепетал, и ни один заграничный корреспондент не пикнул. (Вот для чего вся печать должна быть в руках пролетариата.)

Понравилось. Запомнилось. И в 1940 году тот же способ применили в окрестностях колыбельного града Ленинграда. Но не ночью и не под перевешенными штыками брали ссылаемых, а называлось это — «торжественные проводы» в Карело-Финскую (только что завоёванную) республику. В зените дня, под трепетанье красных флагов и под медь оркестров, отправляли осваивать новые родные земли приленинградских финнов и эстонцев. Отвезя же их несколько поглуше (о судьбе партии в 600 человек рассказывает В. А. Мейке), отобрали у всех паспорта, оцепили конвоем и повезли дальше телячьим красным эшелоном, потом баржей. С пристани назначения в глубине Карелии стали их рассылать «на укрепление колхозов». И торжественно провоженные и вполне свободные граждане — подчинились. И только 26 бунтарей, среди них рассказчик, ехать отказались, больше того — не сдали паспортов! *Будут жертвы!* — предупредил их приехавший представитель советской власти — Совнаркома Карело-Финской ССР. «Из пулемётов будете стрелять?» — крикнули ему. Вот неразумцы, зачем же из пулемётов? Ведь сидели они в оцеплении, кучкой, и тут единственного ствола было бы достаточно (и никто б об этих *двадцати шести* финнах поэм не сложил). Но странная мягкотелость, нерасторопность или нераспорядительность помешала этой благоразумной мере. Пытались их разделить, вызывали к оперу по одному — все 26 вместе ходили по вызову. И упорная безсмысленная их отвага взяла верх! — паспорта им оставили и оцепление сняли. Так они удержались пасть до колхозников или до ссыльных. Но случай — исключительный, а масса-то паспорта сдала.

Всё это были пробы. Лишь в июле 1941 года пришла пора испытать метод в развороте: надо было автономную и, конечно, изменническую республику Немцев Поволжья (с её столицами Энгельс и Марксштадт) выскрести и вышвырнуть в несколько суток куда-нибудь подальше на восток. Здесь первый раз был применён в чистоте динамичный метод ссылки целых народов, и насколько же легче, и насколько же плодотворней оказалось пользоваться единым ключом — пунктом о национальности — вместо всех этих следственных дел и именных постановлений на каждого. И кого прихватывали из немцев в других частях России (а подбирали их всех), то не надо было местному НКВД высшего образования, чтоб разобраться: враг или не враг? Раз фамилия немецкая — значит, хватай.

Система была опробована, отлажена и отныне будет с неумолимостью цапать всякую указанную назначенную обречённую предательскую нацию, и каждый раз всё проворнее: чеченов, ингушей, карачаевцев; балкар; калмыков; курдов; крымских татар; наконец, кавказских греков. Система тем особенно динамичная, что объявляется народу решение Отца Народов не в форме болтливого судебного процесса, а в форме боевой операции современной мотопехоты: вооружённые дивизии входят ночью в расположение обречённого народа и занимают ключевые позиции. Преступная нация просыпается и видит кольцо пулемётов и автоматов вокруг каждого селения. И даётся 12 часов (но это слишком много, простаивают колёса мотопехоты, и в Крыму уже — только 2 и даже полтора часа), чтобы каждый взял то, что способен унести в руках. И тут же сажается каждый, как арестант, ноги поджав, в кузов грузовика (старухи, матери с грудными — садись, команда была!) — и грузовики под охраной идут на станцию железной дороги. А там телячьи эшелоны до места. А там, может быть, ещё (по реке Унже крымские татары, как раз для них эти северные болота) сами, как бурлаки, потянут бечевою плоты против течения на 150—200 километров в дикий лес (выше Кологрива), а на плотах будут лежать недвижные седобородые старики.

Наверно, с воздуха, с высоких гор это выглядело величественно: зажужжал моторами единовременно весь Крымский (только что освобождённый, апрель 1944) полуостров, и сотни змей-автоколонн поползли, поползли по его прямым и крученым дорогам. Как раз доцветали деревья. Татарки тащили из теплиц на огороды рассаду сладкого лука. Начиналась посадка табака. (И на том кончилась. И на много лет потом исчез табак из Крыма.) Автоколонны не подходили к самым селениям, они были на узлах дорог, аулы же оцеплялись спецотрядами. Было велено давать на сборы полтора часа, но инструктора сокращали и до 40 минут — чтобы справиться побрей, не опоздать к пункту сбора, и чтобы в самом ауле богаче было разбросано для остающейся от спецотряда зондеркоманды. Заядлые аулы, вроде Озенбаша близ Бюик-озера, приходилось начисто сжигать. Автоколонны везли татар на станции, а уж там, в эшелонах, ждали ещё и сутками, стонали, пели жалостные песни прощания*.

Стройная однообразность! — вот преимущество ссылать сразу нациями. Никаких частных случаев! Никаких исключений, личных протестов! Все едут покорно, потому что: и ты, и он, и я. Едут не только все возрасты и оба пола: едут и те, кто во чреве, — и они уже сосланы тем же Указом. Едут и те, кто ещё не зачат: ибо суждено им быть зачатыми под дланью того же Указа, и от самого дня рождения, вопреки устаревшей надоевшей статье 35-й УК («ссылка не может применяться к лицам моложе 16 лет»), едва только высунув голову на свет, — они уже будут спецпереселенцы, уже будут сосланы навечно. А совершеннолетие их, 16-летний возраст, только тем будет ознаменован, что они начнут ходить отмечаться в комендатуру.

И то, что осталось за спиною, — распахнутые, ещё не остывшие дома, и разворошенное имущество, весь быт, налаженный в десять и в двадцать поколений, — тоже единообразно достаётся оперативникам карающих органов, а что — государству, а что — соседям из более счастливых наций, и никто не напишет жалобы о корове, о мебели, о посуде.

---

* В 60-х годах XIX века помещики и администрация Таврической губернии ходатайствовали о полном выселении крымских татар в Турцию; Александр II отказал. В 1943 о том же ходатайствовал гаулейтер Крыма; Гитлер отказал.

И тем последним ещё довышено и дотянуто единообразие, что не щадит секретный Указ ни даже членов коммунистической партии из рядов этих негодных наций. Значит, и партбилетов проверять не надо, ещё одно облегчение. А коммунистов в новой ссылке обязать тянуть в два плеча — и всем кругом будет хорошо*.

Трещину в единообразии давали только смешанные браки (недаром наше социалистическое государство всегда против них). При ссылке немцев и потом греков таких супругов не высылали. Но очень это вносило большую путаницу и оставляло в местах, как будто очищенных, очаги заразы. (Как те старые гречанки, которые возвращались к детям умирать.)

Куда же ссылали нации? Охотно и много — в Казахстан, и тут вместе с обычными ссыльными они составили добрую половину республики, так что с успехом её можно было теперь называть Каз*э*кстан. Но не обделены были и Средняя Азия, и Сибирь (множество калмыков вымерло на Енисее), Северный Урал и Север Европейской части.

Считать или не считать ссылкою народов высылку прибалтийцев? Формальным условиям она не удовлетворяет: ссылали не всех подчистую, народы как будто остались на месте (слишком близко к Европе, а то ведь как хотелось!). Как будто остались, но прорежены по первому разряду.

Их чистить начали рано: ещё в 1940 году, сразу, как только вошли туда наши войска, и ещё прежде,

---

* Конечно, всех изворотов не предусмотреть и Мудрому Кормчему. В 1929 изгоняли из Крыма татарских князей и высоких особ. Это делали мягче, чем с русскими дворянами: их не арестовывали, они сами уезжали в Среднюю Азию. Здесь среди родственного мусульманского населения они постепенно прижились, благоустроились. И вот через 15 лет туда же привезли под гребёнку всех трудящихся татар! Старые знакомые встретились. Только трудящиеся были изменниками и ссыльными, а бывшие князья занимали прочные посты в советском аппарате, многие — в партии.

чем обрадованные народы единодушно проголосовали за вступление в Советский Союз. Изъятие началось с офицеров. Надо представить себе, чем было для этих молодых государств их первое (и последнее) поколение собственных офицеров: это была сама серьёзность, ответственность и энергия нации. Ещё гимназистами в снегах под Нарвой они учились, как неокрепшей своей грудью отстоять неокрепшую родину. Теперь этот сгущённый опыт и энергию срезали одним взмахом косы, это было важнейшим приготовлением к плебисциту. Да это испытанный был рецепт: разве не то же делалось когда-то и в коренном Союзе? Тихо и поспешно уничтожить тех, кто может возглавить сопротивление, ещё тех, кто может возбуждать мыслями, речами, книгами, — и как будто народ весь на месте, а уже и нет народа. Мёртвый зуб снаружи первое время вполне похож на живой.

Но в 1940 году для Прибалтики это не ссылка была, это были лагеря, а для кого-то — расстрелы в каменных тюремных дворах. И в 1941, отступая, хватали, сколько могли, людей состоятельных, значительных, заметных, увозили, угоняли их с собой как дорогие трофеи, а потом сбрасывали, как навоз, на коченелую землю Архипелага (брали непременно ночами, 100 кг багажа на всю семью, и глав семей уже при посадке отделяли для тюрьмы и уничтожения). Всю войну затем (по ленинградскому радио) угрожали Прибалтике безпощадностью и местью. В 1944, вернувшись, угрозы исполнили, *сажали* обильно и густо. Но и это ещё не была массовая народная ссылка.

Главная ссылка прибалтийцев разразилась в 1948 году (непокорные литовцы), в 1949 (все три нации) и в 1951 (ещё раз литовцы). В эти же совпадающие годы скребли и Западную Украину, и последняя высылка произошла там тоже в 1951 году.

Кого-то готовился Генералиссимус ссылать в 1953 году? Евреев ли? Кроме них кого? Этого замысла мы никогда не узнаем. Я подозреваю, например, что была у Сталина неутолённая жажда сослать всю Финляндию куда-нибудь в прикитайские пустыни, — но не удалось это ему ни в 1940, ни в 1947 (попытка переворота Лейно). Приискал бы он местечко за Уралом хоть и сербам, хоть и пелопоннесским грекам.

Если бы этот Четвёртый Столп Передового Учения продержался б ещё лет десять, — не узнали бы мы этнической карты Евразии, произошло бы великое Противопереселение народов.

Сколько сослано было наций, столько и эпосов напишут когда-нибудь — о разлуке с родной землёй и о сибирском уничтожении. Им самим только и прочувствовать всё прожитое, а не нам пересказывать, не нам дорогу перебегать.

Но чтобы признал читатель, что та же это страна ссылки, уже наведанная ему, то же грязнилище при том же Архипелаге, — проследим немного за высылкою прибалтов.

Высылка прибалтов происходила не только не насилием над верховной народной волей, но исключительно в выполнение её. В каждой из трёх республик состоялось свободное постановление своего Совета Министров (в Эстонии — 25 ноября 1948 года) о высылке определённых разрядов своих соотечественников в чужую дальнюю Сибирь — и притом н а в е ч н о, чтоб на родную землю они никогда более не вернулись. (Здесь отчётливо видна и независимость прибалтийских правительств, и та крайность раздражения, до которого их довели негодные никчемные соотечественники.) Разряды эти были вот какие: а) семьи уже осуждённых (мало было, что отцы доходят в лагерях, надо было всё семя их вытравить); б) зажиточные крестьяне (это очень ускоряло уже назревшую в Прибалтике коллективизацию) и все члены их семей (рижских студентов брали в ту же ночь, когда и их родителей с хутора); в) люди заметные и важные сами по себе, но как-то проскочившие гребешки 1940, 41-го и 44-го годов; г) просто враждебно настроенные, не успевшие бежать в Скандинавию или лично неприятные местным активистам семьи.

Постановление это, чтобы не нанести ущерба достоинству нашей общей большой Родины и не доставить радости западным *врагам*, не было опубликовано в газетах, не было оглашено в республиках, да и самим ссылаемым не объявлялось при высылке, а лишь по прибытии на место, в сибирских комендатурах.

Организация высылки настолько поднялась за минувшие годы от времён корейских и даже крымско-татарских, ценный опыт настолько был обобщён и усвоен, что счёт не шёл уже ни на сутки, ни на часы, а всего на минуты. Установлено и проверено было, что вполне достаточно двадцати-тридцати минут от первого ночного стука в дверь до переступа последнего хозяйкиного каблука через родной порог — в ночную тьму и на грузовик. За эти минуты разбуженная семья успевала одеться, усвоить, что она ссылается навечно, подписать бумажку об отказе от всяких имущественных претензий, собрать своих старух и детей, собрать узелки и по команде выйти. (Никакого безпорядка с оставшимся имуществом не было. После ухода конвоя приходили представители финотдела и составляли конфискационный список, по которому имущество потом продавалось в пользу государства через комиссионные магазины. Мы не имеем основания их упрекнуть, что при этом они совали что-то себе за пазуху или грузили «по левой». Это не очень было и нужно, достаточно было ещё одну квитанцию выписать из комиссионного, и любой представитель народной власти мог везти приобретённую за безценок вещь к себе домой вполне законно.)

Что можно было за эти 20—30 минут сообразить? Как определить и выбрать самое нужное? Лейтенант, ссылавший одну семью (бабушку 75 лет, мать 50-ти, дочь 18-ти и сына 20-ти), посоветовал: «Швейную машину обязательно возьмите!» Пойди догадайся!

Этой швейной машиной только и кормилась потом семья[*].

Впрочем, эта быстрота высылки иногда шла на пользу и обречённым. Вихрь! — пронёсся и нет его. От самого лучшего веника остаются же промётины. Кто из семьи умел продержаться суток трое, в ту ночь дома не ночевал, — приходил теперь в финотдел, просил распечатать квартиру, и что ж? — распечатывали. Чёрт с тобой, живи до следующего Указа.

В тех малых телячьих товарных вагонах, в которых полагается перевозить 8 лошадей или 32 солдата или 40 заключённых, ссылаемых таллинцев везли по 50 и больше. По спеху вагонов не оборудовали, и не сразу разрешили прорубить дыру. Параша — старое ведро, тотчас была переполнена, изливалась и заплескивала вещи. Двуногих млекопитающих, с первой минуты их заставили забыть, что женщины и мужчины — разное суть. Полтора дня они были заперты без воды и без еды, умер ребёнок. (А ведь всё это мы уже читали недавно, правда? Две главы назад, 20 лет назад, — а всё то же...) Долго стояли на станции Юлемисте, а снаружи бегали и стучали в вагоны, спрашивали имена, тщетно пытались передать кому-то продукты и вещи. Но тех отгоняли. А запертые голодали. А неодетых ждала Сибирь.

В пути стали выдавать им хлеб, на некоторых станциях — супы. Путь у всех эшелонов был дальний: в Новосибирскую, Иркутскую область, в Красноярский край. В один Барабинск прибыло 52 вагона эстонцев. Четырнадцать суток ехали до Ачинска.

Что́ поддерживать может людей в этом отчаянном пути? Та надежда, которую приносит не вера, а ненависть: «Скоро *им* конец! В этом году будет война, и осенью обратно поедем».

---

[*] Эти конвоиры — как и что понимали в своих действиях? Марию Сумберг ссылал сибирский солдат с реки Чулым. Вскоре он демобилизовался, приехал домой — и там увидел её и осклабился вполне радостно и душевно: «Тётя! Вы — меня помните?..»

Никому благополучному ни в западном, ни в восточном мире не понять, не разделить, может быть и не простить этого тогдашнего настроения за решётками. Я писал уже, что и мы так верили, и мы так жаждали в те годы — в 49-м, в 50-м. В те годы всхлестнулась неправедность этого строя, этих двадцатипятилетних сроков, этих повторных возвратов на Архипелаг — до некоей высшей взрывной точки, уже до явности нетерпимой, уже охранниками не защитимой. (Да скажем общо: если режим безнравственен, — свободен подданный от всяких обязательств перед ним.) Какую же искалеченную жизнь надо устроить, чтобы тысячи тысяч в камерах, в воронках и в вагонах взмолились об истребительной атомной войне как о единственном выходе?!..

А не плакал — никто. Ненависть сушит слёзы.

Ещё вот о чём думали в дороге эстонцы: как встретит их сибирский народ? В 40-м году сибиряки обдирали присланных прибалтов, выжимали с них вещи, за шубу давали полведра картошки. (Да ведь по тогдашней нашей раздетости прибалты действительно выглядели буржуями...)

Сейчас, в 49-м, наговорено было в Сибири, что везут к ним отъявленное кулачество. Но замученным и ободранным вываливали это кулачество из вагонов. На санитарном осмотре русские сёстры удивлялись, как эти женщины худы и обтрёпаны, и тряпки чистой нет у них для ребёнка. Приехавших разослали по обезлюдевшим колхозам, — и там, от начальства таясь, носили им сибирские колхозницы, чем были богаты: кто по пол-литра молочка, кто лепёшек свекольных или из очень дурной муки.

И вот теперь — эстонки плакали.

Но ещё был, разумеется, комсомольский актив. Эти так и приняли к сердцу, что вот приехало фашистское отребье («вас всех потопить!» — восклицали они), и ещё работать не хотят, неблагодарные, для той страны, которая освободила их от буржуазного рабства. Эти комсомольцы стали надзирателями над ссыльными, над их работою. И ещё были предупреждены: по первому выстрелу организовывать облаву.

На станции Ачинск произошла весёлая путаница: начальство Бирилюсского района *купило у конвоя* 10 вагонов ссыльных, полтысячи человек, для своих колхозов на реке Чулым и проворно перекинуло их на 150 километров к северу от Ачинска. А назначены они были (но не знали, конечно, об этом) Саралинскому рудоуправлению в Хакасию. Те ждали свой *контингент*, а контингент был вытрясен в колхозы, получившие в прошлом году по 200 граммов зерна на трудодень. К этой весне не оставалось у них ни хлеба, ни картошки, и стоял над сёлами вой от мычавших коров, коровы как дикие кидались на полусгнившую солому. Итак, совсем не по злобности и не по зажиму ссыльных выдал колхоз новоприбывшим по одному килограмму муки на человека в неделю — это был вполне достойный аванс, почти равный всему будущему заработку! Ахнули эстонцы после своей Эстонии... (Правда, в посёлке Полевой близ них стояли большие амбары, полные зерна: оно накоплялось там год за годом из-за того, что не управлялись вывозить. Но тот хлеб был уже государственный, он уже за колхозом не числился. Мёр народ кругом, но хлеба из тех амбаров ему не выдавали: он был государственный. Председатель колхоза Пашков как-то выдал самовольно по пять килограммов на каждого ещё живого колхозника — и за то получил лагерный срок. Хлеб тот был государственный, а дела — колхозные, и не в этой книге их обсуждать.)

На этом Чулыме месяца три колотились эстонцы, с изумлением осваивая новый закон: *или воруй, или умирай!* И уж думали, что навечно, — как вдруг выдернули всех и погнали в Саралинский район Хакасии (это хозяева нашли свой контингент). Хакасцев самих там было неприметно, а каждый посёлок — ссыльный, а в каждом посёлке — комендатура. Всюду золотые рудники, и бурение, и силикоз. (Да обширные пространства были не столько Хакасия или Красноярский край, сколько трест Хакзолото или Енисейстрой, и принадлежали они не райсоветам и не райкомам партии, а генералам войск МВД, секретари же райкомов гнулись перед райкомендантами.)

Но ещё не горе было тем, кого посылали просто на рудники. Горе было тем, кого силком зачисляли в «старательские артели». Старатели! — это так заманчиво звучит, слово поблескивает лёгкой золотой пылью. Однако в нашей стране умеют исказить любое земное понятие. В «артели» эти загоняли спецпереселенцев, ибо не смеют возражать. Их посылали на разработку шахт, покинутых государством за невыгодностью. В этих шахтах не было уже никакой охраны труда и постоянно лила вода, как от сильного дождя. Там невозможно было оправдать свой труд и заработать сносно; просто эти умирающие люди посылались вылизывать остатки золота, которые государству было жаль покинуть. Артели подчинялись «старательскому сектору» рудоуправления, которое знало только — спустить план, и никаких других обязанностей. «Свобода» артелей была не от государства, а от государственного законодательства: им не положен был оплачиваемый отпуск, не обязательно воскресенье (как уже полным зэкам), мог быть объявлен «стахановский месячник» безо всяких воскресений. А государственное оставалось: за невыход на работу — суд. Раз в два месяца к ним приезжал нарсуд и многих осуждал к 25 % принудработ, причин всегда хватало. Зарабатывали эти «старатели» в *месяц* 3—4 «золотых» рубля (150—200 сталинских, четверть прожиточного минимума).

На некоторых рудниках под Копьёвом ссыльные получали зарплату не деньгами, а бонами: в самом деле, зачем им общесоюзные деньги, если передвигаться они всё равно не могут, а в рудничной лавке им продадут (завалящее) и за боны?

В этой книге уже развёрнуто было подробное сравнение заключённых с крепостными крестьянами. Вспомним, однако, из истории России, что самым тяжким было крепостное состояние не крестьян, а заводских рабочих. Эти боны для покупки только в рудничной лавке надвигают на нас наплывом алтайские прииски и заводы. Их приписное население в XVIII и XIX веке совершало нарочно преступления, чтобы только попасть на каторгу и вести *более лёгкую* жизнь. На алтайских золотых приисках и в конце прошлого века «рабочие не имели права отказаться от работы даже в воскресенье», платили штрафы (сравни принудработы), и ещё там были лавочки с недоброкачественными продуктами, спаиванием и обвесом. «Эти лавочки, а не плохо поставленная золотодобыча были главным источником доходов» золотопромышленников (Семёнов-Тян-Шанский, «Россия», т. 16), или, читай, — треста.

В 1952 году маленькая хрупкая Хели Сузи не пошла в сильный мороз на работу потому, что у неё не было валенок. За это начальник деревообрабатывающей артели отправил её на 3 месяца на лесоповал — без валенок же. Она же в месяцы перед родами просила дать ей легче работу, не брёвна подтаскивать, ей ответили: не хочешь — увольняйся. А тёмная врачиха на месяц ошиблась в сроках её беременности и отпустила в декретный за два-три дня до родов. Там, в тайге МВД, много не поспоришь.

Но и это всё ещё не было подлинным провалом жизни. Провал жизни узнавали только те спецпереселенцы, кого посылали в колхозы. Спорят некоторые теперь (и не вздорно): вообще, колхоз легче ли лагеря? Ответим: а если колхоз и лагерь — да соединить вместе? Вот это и было положение спецпереселенца в колхозе. От колхоза то, что па́йки нет, — только в посевную дают семисотку хлеба, и то из зерна полусгнившего, с песком, земляного цвета (должно быть, в амбарах полы подметали). От лагеря то, что сажают в КПЗ: пожалуется бригадир на своего ссыльного бригадника в правление, а правление звонит в комендатуру, а комендатура сажает. А уж от кого заработки — концов не сведёшь: за первый год работы в колхозе получила Мария Сумберг на трудодень *по двадцать граммов зерна* (птичка Божья при дороге напрыгает больше) и по 15 сталинских копеек (хрущёвских — полторы). За заработок целого *года* она купила себе... алюминиевый таз.

Так на что́ ж они жили?! А — на посылки из Прибалтики. Ведь народ их сослали — не весь.

А кто ж калмыкам посылки присылал? Крымским татарам?..

Пройдите по могилам, спросите.

Всё тем же ли решением родного прибалтийского Совета Министров или уж сибирской принципиальностью применялось к прибалтийским спецпереселенцам до 1953 года, пока Отца не стало, спецуказание: никаких работ, кроме тяжелых! только кайло, лопата и пила! *Вы здесь должны научиться быть людьми!* И если производство ставило кого выше, комендатура вмешивалась и сама снимала на общие. Даже не разрешали спецпереселенцам копать садовую землю при доме отдыха рудоуправления, — чтоб не оскорбить стахановцев, отдыхающих там. Даже с поста телятницы комендант согнал М. Сумберг: «Вас не на дачу прислали, идите сено метать!» Еле-еле отбил её председатель. (Она спасла ему телят от бруцеллёза. Она полюбила сибирскую скотину, находя её добрее эстонской, и не привыкшие к ласке коровы лизали ей руки.)

Вот понадобилось срочно грузить зерно на баржу — и спецпереселенцы бесплатно и безнаградно работают 36 часов подряд (река Чулым). За эти полтора суток — два перерыва на еду по 20 минут и один раз отдых 3 часа. «Не будете — сошлём дальше на север!» Упал старик под мешком — комсомольцы-надсмотрщики пинают его ногами.

Отметка — еженедельно. До комендатуры — несколько километров? Старухе — 80 лет? Берите лошадь и привозите! — При каждой отметке каждому напоминается: побег — 20 лет каторжных работ.

Рядом — комната оперуполномоченного. И туда вызывают. Там поманят лучшей работой. И угрозят выслать дочь единственную — за Полярный круг, от семьи отдельно.

А — чего они не могут? На каком чуре когда их рука останавливалась совестью?..

Вот задания: следить за такими-то. Собирать материалы для посадки такого-то.

При входе в избу любого комендантского сержанта все спецпереселенцы, даже пожилые женщины, должны встать и не садиться без разрешения.

Да не понял ли нас читатель так, что спецпереселенцы были лишены гражданских прав?

О нет, нет! Все гражданские права за ними полностью сохранялись. У них не отбирались паспорта. Они не были лишены участия во всеобщем, равном, тайном и прямом голосовании. Этот миг высокий, светлый — из нескольких кандидатов вычеркнуть всех, кроме своего избранника, — за ними был свято сохранён. И подписываться на заём им тоже не было запрещено (вспомним мучения коммуниста Дьякова в лагере, лишённого этой возможности). Когда вольные колхозники, бурча и отбраниваясь, еле давали по 50 рублей, с эстонцев выжимали по 400: «Вы — богатые. Кто не подпишется — не будем посылок передавать. Сошлём ещё дальше на север».

И — сошлют, а почему бы нет?..

О, как томительно! Опять и опять одно и то же. Да ведь кажется, эту часть мы начали с чего-то нового: не лагерь, но ссылка. Да ведь кажется, эту главу мы начали с чего-то свежего: не административные ссыльные, по спецпереселенцы.

А пришло всё к тому ж.

И надо ли, и сколько надо теперь ещё, и ещё, и ещё рассказывать о других, об иных, об инаких ссыльных районах? Не о тех местах? Не о тех годах? Нациях не тех.

А кех же?..

* * *

Впереслойку расселенные, друг другу хорошо видимые, выявляли нации свои черты, образ жизни, вкусы, склонности.

Среди всех отменно трудолюбивы были немцы. Всех безповоротнее они отрубили свою прошлую жизнь (да и что за родина у них была на Волге или на Маныче?) Как когда-то в щедроносные екатерининские наделы, так теперь вросли они в безплодные суровые сталинские, отдались новой ссыльной земле как своей окончательной. Они стали устраиваться не до первой амнистии, не до первой царской милости, а — навсегда. Сосланные в 41-м году наголе́, но рачительные и неутомимые, они не упали духом, а принялись и здесь так же методично, разумно трудиться. Где на земле такая пустыня, которую немцы не могли бы превратить в цветущий край? Не зря говорили в прежней России: немец что верба, куда ни ткни, тут и принялся. На шахтах ли, в МТС, в совхозах не могли начальники нахвалиться немцами — лучших работников у них не было. К 50-м годам у немцев были — среди остальных ссыльных, а часто и местных — самые прочные, просторные и чистые дома; самые крупные свиньи; самые молочные коровы. А дочери их росли завидными невестами не только по достатку родителей, но — среди распущенности прилагерного мира — по чистоте и строгости нравов.

Горячо схватились за работу и греки. Мечты о Кубани они, правда, не оставляли, но и здесь спины не щадили. Жили они поскученнее, чем немцы, но по огородам и по коровам нагнали их быстро. На казахстанских базарчиках лучший творог, и масло, и овощи были у греков.

В Казахстане ещё больше преуспели корейцы — но они были и сосланы раньше, а к 50-м годам уже порядочно раскрепощены: уже не *отмечались*, свободно ездили из области в область и только за пределы республики не могли. Они преуспевали не в достатке дворов и домов (и те и другие были у них неуютны и даже первобытны, пока молодёжь не перешла на европейский лад). Но, очень способные к учению, они быстро заполнили учебные заведения Казахстана (уже в годы войны им не мешали в этом) и стали главным клином образованного слоя республики.

Другие нации, тая мечту возврата, раздваивались в своих намерениях, в своей жизни. Однако в общем подчинились режиму и не доставляли больших забот комендантской власти.

Калмыки — не стояли, вымирали тоскливо. (Впрочем, я их не наблюдал.)

Но была одна нация, которая совсем не поддалась психологии покорности, — не одиночки, не бунтари, а вся нация целиком. Это — чечены.

Мы уже видели, как они относились к лагерным беглецам. Как одни они изо всей джезказганской ссылки пытались поддержать кенгирское восстание.

Я бы сказал, что изо всех спецпереселенцев единственные чечены проявили себя *зэками* по духу. После того как их однажды предательски сдёрнули с места, они уже больше ни во что не верили. Они построили себе сакли — низкие, тёмные, жалкие, такие, что хоть пинком ноги их, кажется, разваливай. И такое же было всё их ссыльное хозяйство — на один этот день, этот месяц, этот год, безо всякого скопа, запаса, дальнего умысла. Они ели, пили, молодые ещё и одевались. Проходили годы — и так же ничего у них не было, как и в начале. Никакие чечены нигде не пытались угодить или понравиться начальству — но всегда горды перед ним и даже открыто враждебны. Презирая законы всеобуча и те школьные государственные науки, они не пускали в школу своих девочек, чтобы не испортить там, да и мальчиков не всех. Женщин своих они не посылали в колхоз. И сами на колхозных полях не горбили. Больше всего они старались устроиться шофёрами: ухаживать за мотором — не унизительно, в постоянном движении автомобиля они находили насыщение своей джигитской страсти, в шофёрских возможностях — своей страсти воровской. Впрочем, эту последнюю страсть они удовлетворяли и непосредственно. Они принесли в мирный честный дремавший Казахстан понятие: «украли», «обчистили». Они могли угнать скот, обворовать дом, а иногда и просто отнять силою. Местных жителей и тех ссыльных, что так легко подчинились начальству, они расценивали почти как ту же породу. Они уважали только бунтарей.

И вот диво — все их боялись. Никто не мог помешать им так жить. И власть, уже тридцать лет владевшая этой страной, не могла их заставить уважать свои законы.

Как же это получилось? Вот случай, в котором, может быть, собралось объяснение. В кок-терекской школе учился при мне в 9-м классе юноша-чечен Абдул Худаев. Он не вызывал тёплых чувств, да и не старался их вызвать, как бы опасался унизиться до того, чтобы быть приятным, а всегда подчёркнуто сух, очень горд да и жесток. Но нельзя было не оценить его ясный отчётливый ум. В математике, в физике он никогда не останавливался на том уровне, что его товарищи, а всегда шёл вглубь и задавал вопросы, идущие от неутомимого поиска сути. Как и все дети поселенцев, он неизбежно охвачен был в школе так называемой *общественностью*, то есть сперва пионерской организацией, потом комсомольской, учкомами, стенгазетами, воспитанием, беседами, — той духовной платой за обучение, которую так нехотя платили чечены.

Жил Абдул со старухой-матерью. Никого из близких родственников у них не уцелело, ещё существовал только старший брат Абдула, давно излатнённый, не первый раз уже в лагере за воровство и убийство, но всякий раз ускоренно выходя оттуда то по амнистии, то по зачётам. Как-то однажды явился он в Кок-Терек, два дня пил без просыпу, повздорил с каким-то местным чеченом, схватил нож и бросился за ним. Дорогу ему загородила посторонняя старая чеченка: она разбросила руки, чтоб он остановился. Если бы он следовал чеченскому закону, он должен был бросить нож и прекратить преследование. Но он был уже не столько чечен, сколько вор, — взмахнул ножом и зарезал неповинную старуху. Тут вступило ему в пьяную голову, что ждёт его по чеченскому закону. Он бросился в МВД, открылся в убийстве, и его охотно посадили в тюрьму.

Он-то спрятался, но остался его младший брат Абдул, его мать и ещё один старый чечен из их рода, дядька Абдулу. Весть об убийстве облетела мгновенно чеченский край Кок-Терека — и все трое оставшихся из рода Худаевых собрались в свой дом, запаслись едой, водой, заложили окно, забили дверь, спрятались, как в крепости. Чечены из рода убитой женщины теперь должны были кому-то из рода Худаевых отомстить. Пока не прольётся кровь Худаевых за их кровь — они не были достойны звания людей.

И началась осада дома Худаевых. Абдул не ходил в школу — весь Кок-Терек и вся школа знали почему. Старшекласснику нашей школы, комсомольцу, отличнику, каждую минуту грозила смерть от ножа — вот, может быть, сейчас, когда по звонку рассаживаются за парты, или сейчас, когда преподаватель литературы толкует о социалистическом гуманизме. Все знали, все помнили об этом, на переменах только об этом разговаривали — и все потупили глаза. Ни партийная, ни комсомольская организация школы, ни завучи, ни директор, ни районо — никто не пошёл спасать Худаева, никто даже не приблизился к его осаждённому дому в гудевшем, как улей, чеченском краю. Да если б только они! — но перед дыханием кровной мести так же трусливо замерли до сих пор такие грозные для нас и райком партии, и райисполком, и МВД с комендатурой и милицией за своими глинобитными стенами. Дохнул варварский дикий старинный закон — и сразу оказалось, что никакой советской власти в Кок-Тереке нет. Не очень-то простиралась её длань и из областного центра Джамбула, ибо за три дня и оттуда не прилетел самолёт с войсками и не поступило ни одной решительной инструкции, кроме приказа оборонять тюрьму наличными силами.

Так выяснилось для чеченов и для всех нас — что́ есть сила на земле и что́ мираж.

И только чеченские старики проявили разум! Они пошли в МВД раз — и просили отдать им старшего

Худаева для расправы. МВД с опаской отказало. Они пришли в МВД второй раз — и просили устроить гласный суд и при них расстрелять Худаева. Тогда, обещали они, кровная месть с Худаевых снимается. Нельзя было придумать более рассудительного компромисса. Но как это — гласный суд? но как это — заведомо обещанная и публичная казнь? Ведь он же — не политический, он — вор, он — социально-близкий. Можно попирать права Пятьдесят Восьмой, но — не многократного убийцы. Запросили *область* — пришёл отказ. «Тогда через час убьют младшего Худаева!» — объясняли старики. Чины МВД пожимали плечами: это не могло их касаться. Преступление, ещё не совершённое, не могло ими рассматриваться.

И всё-таки какое-то веяние XX века коснулось... не МВД, нет, — зачерствелых старых чеченских сердец! Они всё-таки не велели мстителям — мстить! Они послали телеграмму в Алма-Ату. Оттуда спешно приехали ещё какие-то старики, самые уважаемые во всём народе. Собрали совет старейших. Старшего Худаева прокляли и приговорили к смерти, где б на земле он ни встретился чеченскому ножу. Остальных Худаевых вызвали и сказали: «Ходите. Вас не тронут».

И Абдул взял книжки и пошёл в школу. И с лицемерными улыбками встретили его там парторг и комсорг. И на ближайших беседах и уроках ему опять напевали о коммунистическом сознании, не вспоминая досадного инцидента. Ни мускул не вздрагивал на истемневшем лице Абдула. Ещё раз понял он, что́ есть главная сила на земле: к р о в н а я м е с т ь.

Мы, европейцы, у себя в книгах и в школах читаем и произносим только слова презрения к этому дикому закону, к этой безсмысленной жестокой резне. Но резня эта, кажется, не так безсмысленна: она не пресекает горских наций, а укрепляет их. Не так много жертв падает по закону кровной мести — но каким страхом веет на всё окружающее! Помня об этом законе, какой горец решится оскорбить другого *просто так*, как оскорбляем мы друг друга по пьянке, по распущенности, по капризу? И тем более, какой нечечен решится связаться с чеченом — сказать, что он — вор? или что он груб? или что он лезет без очереди? Ведь в ответ может быть не слово, не ругательство, а удар ножа в бок. И даже если ты схватишь нож (но его нет при тебе, цивилизованный), ты не ответишь ударом на удар: ведь падёт под ножом вся твоя семья! Чечены идут по казахской земле с нагловатыми глазами, расталкивая плечами, — и «хозяева страны», и нехозяева — все расступаются почтительно. Кровная месть излучает поле страха — и тем укрепляет маленькую горскую нацию.

«Бей своих, чтоб чужие боялись!» Предки горцев в древнем далеке не могли найти лучшего обруча.

А что предложило им социалистическое государство?

Глава 5
КОНЧИВ СРОК

За восемь лет тюрем и лагерей не слышал я слова доброго о ссылке ни от кого, побывавшего в ней. Но ещё с самых первых следственных и пересыльных тюрем, потому что слишком давят человека шесть каменных сближенных плоскостей камеры, засвечивается тихая арестантская мечта о ссылке, она дрожит, переливается маревом, и вздыхают на тёмных нарах тощие арестантские груди:

— Ах, ссылка! Если бы дали ссылку!

Я не только не минул этой общей участи, но во мне мечта о ссылке укрепилась особенно. На иерусалимском глиняном карьере я слушал петухов из соседней деревни — и мечтал о ссылке. И с крыши Калужской заставы смотрел на слитную чуждую громаду столицы и заклинал: подальше от неё, подальше бы в ссылку! И даже послал я наивное прошение в Верховный Совет: заменить мне 8 лет лагерей на пожизненную ссылку, пусть самую далёкую и глухую. Слон в ответ и не чихнул. (Я не соображал ещё, что пожизненная ссылка никуда от меня не уйдёт, только будет она не *вместо* лагеря, а *после* него.)

В 1952 году из трёхтысячного «российского» лагпункта Экибастуза «освободили» десяток человек. Это очень странно выглядело тогда: Пятьдесят Восьмую — и выводили за ворота! Три года перед тем стоял Экибастуз — и ни одного человека не освобождали, да и срок никому не кончался. А это значит, кончились первые военные десятки у тех немногих, кто дожил.

С нетерпением ждали мы от них писем. Несколько пришло, прямых или косвенных. И узнали мы, что почти всех отвезли из лагеря в ссылку, хотя по приговору никакой ссылки у них не было. Но никого это не удивило! И тюремщикам нашим, и нам было ясно, что дело не в юстиции, не в сроке, не в бумажном оформлении, — дело в том, что нас, однажды названных *врагами*, власть, по праву сильного, будет теперь топтать, давить и душить до самой нашей смерти. И только этот порядок казался и власти, и нам единственно нормальным, так привыкли мы, с этим сжились.

В последние сталинские годы вызывала тревогу не судьба ссыльных, а мнимо *освобождённых*, тех, кого по видимости оставляли за воротами без конвоя, тех, кого по видимости покидало охранительное серое крыло МВД. Ссылка же, которую власть по недоумию считала дополнительным наказанием, была продолжением привычного безответственного существования, той фаталистической основы, на которой так крепок арестант. Ссылка избавляла нас от необходимости самим избирать место жительства — и значит, от тяжёлых сомнений и ошибок. Только то место и было верное, куда ссылали нас. Только в этом единственном месте изо всего Союза не могли попрекнуть нас — зачем приехали. Только здесь мы имели безусловное конечное право на три квадратных аршина земли. А ещё кто выходил из лагеря одиноким, как я, не ожидаемым нигде и никем, — только в ссылке, казалось, мог встретить бы родную душу.

Торопясь арестовывать, освобождать у нас не торопятся. Если б какого-нибудь несчастного демократического грека или социалистического турка задержали бы в тюрьме на один день сверх положенного, — да об этом бы захлёбывалась мировая пресса. А уж я рад был, что после конца срока меня передержали в лагере всего несколько дней и после этого... освободили? нет, после этого взяли на этап. И ещё месяц везли за счёт уже *моего* времени.

Всё же, и под конвоем выходя из лагеря, старались мы выполнить последние тюремные суеверия: ни за что не обернуться на свою последнюю тюрьму (иначе в неё вернёшься), правильно распорядиться своею тюремной ложкой. (Но как правильно? одни говорили: взять с собой, чтоб за ней не возвращаться; другие: швырнуть тюрьме, чтоб тюрьма за тобой не гналась. Моя ложка была мной самим отлита в литейке, я её забрал.)

И замелькали опять Павлодарская, Омская, Новосибирская пересылки. Хотя кончились наши сроки, нас опять обыскивали, отнимали недозволенное, загоняли в тесные набитые камеры, в воронки, в арестантские вагоны, мешали с блатными, и так же рычали на нас конвойные псы, и так же кричали автоматчики: «Не оглядывайся!!»

Но на Омской пересылке добродушный надзиратель, перекликая по делам, спросил нас, пятерых экибастузских: «Какой бог за вас молился?» — «А что? а куда?» — сразу навострились мы, поняв, что место, значит, хорошее. — «Да на юг», — дивился надзиратель.

И действительно, от Новосибирска завернули нас на юг. В тепло едем! Там — рис, там виноград и яблоки. Что это? Неужели ж товарищ Берия не мог нам в Советском Союзе хуже места найти? Неужели такая ссылка бывает? (Про себя я уже внутренне примерял: напишу о ссылке цикл стихов и назову: «Стихи о Прекрасной Ссылке».)

На станции Джамбул нас высаживали из вагон-зака всё с теми же строгостями, вели к грузовику в живом коридоре конвойных и так же на пол сажали в кузове, как будто, пересидевши срок, мы могли потянуться на побег. Было глубоко ночью, ущербная луна, и только она слабо освещала темную аллею, по которой нас везли, но это была именно аллея — и из пирамидальных тополей! Вот так ссылка! Да мы не в Крыму ли? Конец февраля, у нас на Иртыше сейчас лють — а здесь весенний ласковый ветерок.

Привезли в тюрьму — и тюрьма приняла нас без приёмного шмона и без бани. Мягчели проклятые стены! Так с мешками и чемоданами затащились в камеру. Утром корпусной отпер дверь и вздохнул: «Выходи со всеми вещами».

Разжимались чёртовы когти...

Весеннее алое утро охватило нас во дворе. Заря теплила кирпичные тюремные стены. Посреди двора ждал нас грузовик, и в кузове уже сидели двое зэков, присоединяемых к нам. Надо бы дышать, оглядываться, проникаться неповторимостью момента — но никак нельзя было упускать нового знакомства! Один из новеньких — сухонький седой старик со слезящимися светлыми глазами — сидел на своих подмятых вещичках так выпрямленно, торжественно, как царь перед приёмом послов. Можно было подумать, что он или глух, или иностранец и не надеется найти с нами общий язык. Едва влезли в кузов, я решился с ним заговорить — и совсем не дребезжащим голосом на чистом русском языке он представился:

— Владимир Александрович Васильев.

И — проскочила между нами душевная искра! Чует сердце друга и недруга. Это — друг. В тюрьме спеши узнавать людей! — не знаешь, не разлучат ли через минуту. Да, бишь, мы уже не в тюрьме, но всё равно... И, пересиливая шум мотора, я интервьюирую его, не замечая, как грузовик сошёл с тюремного асфальта на уличный булыжник, забывая, что надо не оглянуться на последнюю тюрьму (сколько ж их будет, последних?), не посмотря даже на короткий кусочек *воли*, который мы проезжаем, — и вот уже снова в широком внутреннем дворе областного МВД, откуда выход в город нам опять-таки запрещён.

Владимиру Александровичу в первую минуту можно было дать девяносто лет — так сочетались эти вневременные глаза, острое лицо и хохолок седины. А было ему — семьдесят три. Он оказался одним из давнейших русских инженеров, из крупнейших гидротехников и гидрографов. В «Союзе Русских Инженеров» (а что это такое? я слышу первый раз; а это — сильное общественное создание технической мысли, да все такие у нас погибли) Васильев был видным деятелем, и ещё сейчас с твёрдым удовольствием вспоминает: «Мы отказывались притвориться, что можно вырастить финики на сухих палках».

За то и были разогнаны конечно.

Весь этот край, Семиречье, куда мы приехали сейчас, он исходил пешком и изъездил на лошади ещё полвека назад. Он ещё до Первой Мировой войны рассчитал проекты обводнения Чуйской долины, Нарынского каскада и пробития туннеля сквозь Чу-Илийские горы и ещё до Первой войны стал сам их осуществлять. Шесть «электрических экскаваторов» (все шесть пережили революцию и в 30-е годы представлялись на Чирчикстрое как советская новинка) были выписаны им ещё в 1912 году и уже работали здесь. А теперь, отсидев 15 лет за «вредительство», три последних — в Верхнеуральском изоляторе, он выпросил себе как милость: отбывать ссылку и умереть именно здесь, в Семиречьи, где он всё начинал. (Но и этой милости ему бы ни за что не оказали, если б не помнил его Берия по 20-м годам, когда инженер Васильев делил воды трёх закавказских республик.)

Так вот почему такой углублённый и сфинксоподобный сидел он сегодня на своём мешочке в кузове: у него не только был первый день свободы, но и возврат в страну своей юности, в страну вдохновения. Нет, не так уж коротка человеческая жизнь, если вдоль неё оставишь обелиски.

Совсем недавно дочь В. А. остановилась на Арбате около витрины с газетой «Труд». Залихватский корреспондент, не жалея хорошо оплачиваемых слов, бойко рассказывал о своей поездке по Чуйской долине, обводнённой и вызванной к жизни созидателями-большевиками, о Нарынском каскаде, о мудрой гидротехнике, о счастливых колхозниках. И вдруг — кто ему о том нашептал? — закончил: «но мало кто знает, что все эти преобразования есть исполнение мечты талантливого русского инженера Васильева, не нашедшего сочувствия в старой бюрократической России*. Как жаль, что молодой энтузиаст не дожил до торжества своих благородных идей!» Дорогие газетные строки замутнились, слились, дочь сорвала газету с витрины и понесла под свисток милиционера.

Молодой энтузиаст сидел в это время в сырой камере Верхнеуральского изолятора. Ревматизм или какое-то костное недомогание перегнуло старика в позвоночнике, и он не мог разгибаться. Спасибо, сидел он в камере не один, с ним — некий швед, и вылечил ему спину спортивным массажем.

Шведы не так часто сидят в советских тюрьмах. С одним шведом, вспоминаю, сидел и я. Его звали Эрик...

— ...Арвид Андерсен? — с живостью переспрашивает В. А. (он очень живо и говорит, и движется).

Ну надо же! Так это Арвид его и вылечил массажем! Ну до чего ж, ну до чего ж я тесен! — напоминает нам Архипелаг в напутствие. Вот, значит, куда везли

---

* Ко времени октябрьского переворота Васильев практически возглавил департамент земельных улучшений.

Арвида три года назад — в Уральский изолятор. И что-то не очень вступились за голубчика Атлантический пакт и папа-миллиардер*.

А тем временем нас по одному начинают вызывать в областную комендатуру — это тут же, во дворе облМВД, это — такой полковник, майор и многие лейтенанты, которые заведуют всеми ссыльными Джамбульской области. К полковнику, впрочем, нам ходу нет, майор лишь просматривает наши лица, как газетные заголовки, а *оформляют* нас лейтенанты, красиво пишущие перьями.

Лагерный опыт отчётливо бьёт меня под бок: смотри! в эти короткие минуты решается вся твоя будущая судьба! Не теряй времени! Требуй, настаивай, протестуй! Напрягись, извернись, изобрети что-нибудь, почему ты обязательно должен остаться в областном городе или получить самый близкий и удобный район. (И причина эта есть, только я не знаю о ней: второй год растут во мне раковые метастазы после лагерной незаконченной операции.)

---

* Павел Веселов (Стокгольм), много занимавшийся другими захватами шведских граждан советскими властями, проанализировав рассказы Э. А. Андерсена о себе и отсутствие какого-либо миллиардера Андерсена в Швеции, высказывает предположение: что и по внешнему виду, и по форме названной им фамилии Э. А. скорее норвежец, но по каким-то причинам предпочёл выдавать себя за шведа. Норвежцы, бежав из страны после 1940, и в английской армии служили несравнимо чаще, чем, может быть, одиночные шведы. Э. А. мог иметь английскую родственную связь с какими-то Робертсонами, но родство с генералом Робертсоном придумать, чтобы поднять себе цену перед МГБ. Вероятно, и в Москву он приезжал в составе английской или норвежской делегации, а не шведской (такая, кажется, и не ездила), но был там третьестепенным лицом. Может быть, МГБ предлагало ему стать своим разведчиком, и за этот отказ он получил 20 лет. Отец Эрика мог быть дельцом, но не такого масштаба. Однако Эрик преувеличивал, и даже знакомство своего отца с Громыкой (отчего гебисты и показали его Громыке), — чтобы заинтересовать МГБ выкупом и таким образом дать знать о себе на Запад. (*Примеч. 1975 г.*)

Не-ет, я уже не тот... Я не тот уже, каким начинал срок. Какая-то высшая малоподвижность снизошла на меня, и мне приятно в ней пребывать. Мне приятно не пользоваться суетливым лагерным опытом. Мне отвратительно придумывать сейчас убогий жалкий предлог. Никто из людей ничего не знает наперёд. И самая большая беда может постичь человека в наилучшем месте, и самое большое счастье разыщет его — в наидурном. Да даже узнать, расспросить, какие районы области хорошие, какие плохие, — я не успел, я занят был судьбой старого инженера.

На его деле какая-то охранительная резолюция стоит, потому что ему разрешают выйти пешком своими ногами в город, дойти до облводстроя и спросить себе там работы. А всем остальным нам одно назначение: Кок-Терекский район. Это — кусок пустыни на севере области, начало безжизненной Бет-Пак-Дала, занимающей весь центр Казахстана. Вот тебе и виноград!..

Фамилию каждого из нас кругловато вписывают в бланк, отпечатанный на корявой рыжей бумаге, ставят число, подкладывают нам — распишитесь.

Где это я уже встречал подобное? Ах, это когда мне объявляли постановление ОСО. Тогда тоже вся задача была — взять ручку и расписаться. Только тогда бумага была московская, гладкая. Перо и чернила, впрочем, такие же дрянные.

Итак, что же мне «объявлено сего числа»? Что я, имярек, ссылаюсь *навечно* в такой-то район под гласный надзор районного МГБ и в случае самовольного отъезда за пределы района буду судим по Указу Президиума Верхсовета, предусматривающему наказание 20 (двадцать) лет каторжных работ.

Ну что ж, всё законно. Ничто не удивляет нас.

Годами позже я достану Уголовный кодекс РСФСР и с удовольствием прочту там в статье 35-й: что ссылка назначается на срок от трёх *до десяти* лет, в качестве же дополнительной к заключению может быть только *до пяти* лет. (Это — гордость советских юристов: что, начиная ещё с Уголовного кодекса 1922 года, в советском *праве* нет безсрочных правопоражений и вообще безсрочных репрессий, кроме самой жуткой из них — безсрочного изгнания из пределов СССР. И в этом «важное принципиальное отличие советского права от буржуазного», сборник «От тюрем...».) Так-то так, но, экономя труд МВД, пожалуй, в е ч н у ю-то выписывать проще: не надо следить за концами сроков да морочиться обновлять их.

И ещё в статье 35-й, что ссылка даётся только особым определением с у д а. Ну, хотя бы ОСО? Но даже и не ОСО, а дежурный лейтенант выписывал нам вечную ссылку.

Мы охотно подписываем. В моей голове настойчиво закручивается эпиграмма, немного длинноватая, правда:

> Чтоб сразу, как молот кузнечный
> Обрушить по хрупкой судьбе, —
> Бумажку: я сослан *навечно*
> Под гласный надзор МГБ.
> Я выкружил подпись безпечно.
> Есть Альпы. Базальты. Есть — Млечный,
> Есть звёзды — не те, безупречно
> Сверкающие на тебе.
> Мне лестно быть *вечным*, конечно!
> Но — вечно ли МГБ?

Приходит Владимир Александрович из города, я читаю ему эпиграмму, и мы смеёмся — смеёмся, как дети, как арестанты, как безгрешные люди. У В. А. очень светлый смех — напоминает смех К. И. Страховича. И сходство между ними глубокое: это люди — слишком ушедшие в интеллект, и страдания тела никак не могут разрушить их душевное равновесие.

А между тем и сейчас у него мало весёлого. Сослали его, конечно, не сюда, ошиблись, как полагается. Только из Фрунзе могли назначить его в Чуйскую долину, в места его бывших работ. А здесь водстрой занимается арыками. Самодовольный полуграмотный казах, начальник водстроя, удостоил создателя Чуйской системы ирригации постоять у порога кабинета, позвонил в обком и согласился принять младшим гидротехником, как девчёнку после училища. А во Фрунзе — нельзя: другая республика.

Как одной фразой описать всю русскую историю? Страна задушенных возможностей.

Но всё же потирает руки сеенький: знают его учёные, может быть, перетащат. Расписывается и он, что сослан навечно, а если отлучится — будет отбывать каторгу до 93 лет. Я подношу ему вещи до ворот — до черты, которую запрещено мне переступать. Сейчас он пойдёт снимать у добрых людей угол комнаты и грозится выписать старуху из Москвы. Дети?.. Дети не приедут. Говорят, нельзя бросать московские квартиры. А ещё родственники? Брат есть. Но у брата глубоко несчастная судьба: он историк, не понял октябрьской революции, покинул родину и теперь, бедняга, преподаёт историю Византии в Колумбийском университете. Мы ещё раз смеёмся, жалеем брата и обнимаемся на прощание. Вот промелькнул ещё один замечательный человек и ушёл навсегда.

А нас, остальных, почему-то держат ещё сутки и сутки в маленькой каморке, где на дурном щелястом полу мы спим вплотную, еле вытягивая ноги в длину. Это напоминает мне тот карцер, с которого я начал свой срок восемь лет назад. *Освобождённых*, нас на ночь запирают на замок, предлагая, если мы хотим, взять внутрь парашу. От тюрьмы только то отличие, что эти дни нас уже не кормят бесплатно, мы даём свои деньги, и на них с базара приносят чего-нибудь.

На третьи сутки приходит самый настоящий конвой с карабинами, нам дают расписаться, что мы получили деньги на дорогу и на еду, дорожные деньги тотчас у нас отбирает конвой (якобы — покупать билеты, на самом деле, напугав проводников, провезут нас бесплатно, деньги возьмут себе, это уж их заработок), строят нас колонной по двое с вещами и ведут к вокзалу опять между рядами тополей. Поют птицы, гудит весна, — а ведь только 2 марта! Мы в ватном, жарко, но рады, что на юге. Кому-кому, а невольному человеку круче всего достаётся от морозов.

Целый день везут нас медленным поездом навстречу тому, как мы сюда приехали, потом, от станции Чу, километров десять гонят пешком. Наши мешки и чемоданы заставляют нас славно взопреть, мы клонимся, спотыкаемся, но волочим: каждая тряпочка, вынесенная через лагерную вахту, ещё пригодится нашему нищему телу. А на мне — две телогрейки (одну замотал по инвентаризации) и сверх того — многострадальная фронтовая шинель, истёртая и по фронтовой земле, и по лагерной, — как же теперь её, рыжую, замусоленную, бросить?

День кончается — мы не доехали. Значит, опять ночевать в тюрьме, в Новотроицком. Уж как давно мы свободны, — а всё тюрьма и тюрьма. Камера, голый пол, глазок, оправка, руки назад, кипяток — и только пайки не дают: ведь мы уже *свободные*.

Наутро подгоняют грузовик, приходит за нами тот же конвой, переночевавший без казармы. Ещё 60 километров в глубь степи. Застреваем в мокрых низинках, соскакиваем с грузовика (прежде, зэками, не могли) и толкаем, толкаем его из грязи, чтобы скорей миновало дорожное разнообразие, чтобы скорей приехать в вечную ссылку. А конвой стоит полукругом и охраняет нас.

Мелькают километры степи. Сколько глазу хватает, справа и слева — жёсткая серая несъедобная трава и редко-редко — казахский убогий аул с кущицей деревьев. Наконец впереди, за степной округлостью, показываются вершинки немногих тополей (Кок-Терек — «зелёный тополь»).

Приехали! Грузовик несётся между чеченскими и казахскими саманными мазанками, вздувает облако пыли, привлекает на себя стаю негодующих собак. Сторонятся милые ишаки в маленьких бричках, из одного двора медленно и презрительно на нас оглядывается верблюд. Есть и люди, но глаза наши видят только женщин, этих необыкновенных забытых женщин, вон чернявенькая с порога следит за нашей машиной, приложив ладонь козырьком; вон сразу трое идут в пестрых красных платьях. Все — нерусские. «Ничего, есть ещё для нас невесты!» — бодро кричит мне на ухо сорокалетний капитан дальнего плавания В. И. Василенко, который в Экибастузе гладко прожил заведующим прачечной, а теперь ехал на волю расправлять крылья, искать себе корабля.

Миновав раймаг, чайную, амбулаторию, почту, райисполком, райком под шифером, дом культуры под камышом, — грузовик наш останавливается около дома МВД-МГБ. Все в пыли, мы спрыгиваем, входим в его палисадник и, мало стесняясь центральной улицы, моемся тут до пояса.

Через улицу, прямо против МГБ, стоит одноэтажное, но высокое удивительное здание, четыре дорические колонны всерьёз несут на себе поддельный портик, у подошвы колонн — две ступени, облицованные под гладкий камень, а над всем этим — потемневшая соломенная крыша. Сердце не может не забиться: это — школа! десятилетка. Но не бейся, молчи, несносное: это здание тебя не касается.

Пересекая центральную улицу, туда, в заветные школьные ворота, идёт девушка с завитыми локонами, чистенькая, подобранная в талии жакета, как осочка. Она идёт — и касается ли земли? Она — *учительница*! Она так молода, что не могла ещё кончить института. Значит — семилетка и целый педагогический техникум. Как я завидую ей! Какая бездна между нею и мной, чернорабочим. Мы — разных сословий, и я никогда не осмелился бы провести её под руку.

А между тем новоприбывшими, по очереди *выдёргивая* их к себе в молчаливый кабинет, стал заниматься... кто же бы? Да конечно кум, оперуполномоченный! И в ссылке он есть, и тут он — главное лицо.

Первая встреча очень важна: ведь нам с ним играть в кошки-мышки не месяц, а в е ч н о. Сейчас я переступлю его порог, и мы будем приглядываться друг ко другу исподтишка. Очень молодой казах, он скрывается за замкнутостью и вежливостью, я — за простоватостью. Мы оба понимаем, что наши незначащие фразы вроде — «вот вам лист бумаги», «а какой ручкой я могу писать?», — это уже поединок. Но для меня важно показать, что я даже не догадываюсь об этом. Я просто, видимо, всегда такой, нараспашку, без хитростей. Ну же, бронзовый леший, помечай у себя в мозгу, этот — особого наблюдения не требует, приехал мирно жить, заключение пошло ему на пользу.

Что я должен заполнить? Анкету конечно. И автобиографию. Этим откроется новая папка, вот приготовленная на столе. Потом сюда будут подшиваться доносы на меня, характеристики от должностных лиц. И как только в контурах соскребётся новое *дело* и будет из центра сигнал *сажать* — меня посадят (вот здесь, на заднем дворе, саманная тюрьма) и вмажут новую десятку.

Я подаю начинательные бумаги, опер прочитывает их и накалывает в скоросшиватель.

— А не скажете, где здесь районо? — вдруг спрашиваю я беззаботно-вежливо.

А он вежливо объясняет. Он не вскидывает удивлённо бровей. Отсюда я делаю вывод, что могу идти наниматься, МГБ не возражает. (Конечно, как старый арестант, я не продешевился, не спросил его прямо: а *можно ли* мне работать в системе народного образования?)

— Скажите, а когда я смогу туда пройти без конвоя?

Он пожимает плечами:
— Вообще сегодня, пока к вам тут при... — желательно, чтобы вы не выходили за ворота. Но по служебному вопросу сходить можно.

И вот я и д у! Все ли понимают это великое свободное слово? Я с а м иду! Ни с боков, ни сзади не нависают автоматы. Я оборачиваюсь: никого! Захочу, пойду правой стороною, мимо школьного забора, где в луже копается большая свинья. Захочу, пойду левой стороною, где бродят и роются куры перед самым районо.

Двести метров я прохожу до районо — а спина моя, вечно согнутая, уже чуть-чуть распрямилась, а манеры уже чуть-чуть развязнее. За эти двести метров я перешёл в следующее гражданское сословие.

Я вхожу в старой шерстяной гимнастёрке фронтовых времён, в старых-престарых диагоналевых брюках. А ботинки — лагерные, свинокожие, и еле упрятаны в них торчащие уши портянок.

Сидят два толстых казаха — два инспектора районо, согласно надписям.

— Я хотел бы поступить на работу, в школу, — говорю я с растущей убеждённостью и даже как бы лёгкостью, будто спрашиваю, где у них тут графин с водой.

Они настораживаются. Всё-таки в аул, среди пустыни, не каждые полчаса приходит наниматься новый преподаватель. И хотя Кок-Терекский район обширнее Бельгии, всех лиц с семиклассным образованием здесь знают в лицо.

— А что вы кончили? — довольно чисто по-русски спрашивают меня.

— Физмат университета.

Они даже вздрагивают. Переглядываются. Быстро тараторят по-казахски.

— А... откуда вы приехали?

Как будто неясно, я должен всё им назвать. Какой же дурак приедет сюда наниматься, да ещё в марте месяце?

— Час назад я приехал сюда в ссылку.

Они принимают многознающий вид и один за другим исчезают в кабинете зава. Они ушли — и теперь я вижу на себе взгляд машинистки лет под пятьдесят, русской. Миг — как искра, и мы — земляки: с Архипелага и она! Откуда, *за что*, с какого года? Надежда Николаевна Грекова из казачьей новочеркасской семьи, арестована в 1937, простая машинистка, и всем арсеналом Органов вмято, что состояла в какой-то фантастической террористической организации. Десять лет, а теперь — *повторница*, и — вечная ссылка.

Понижая голос и оглядываясь на притворенную дверь заведующего, она толково информирует меня: две десятилетки, несколько семилеток, район задыхается без математиков, нет ни одного с высшим образованием, а какие такие бывают физики — тут и не видели никогда. Звонок из кабинета. Несмотря на полноту, машинистка вскакивает, бодро бежит — вся служба, и на возврате громко официально вызывает меня.

Красная скатерть на столе. На диване — оба толстых инспектора, очень удобно утонули. В большом кресле под портретом Сталина — заведующий, маленькая гибкая привлекательная казашка с манерами кошки и змеи. Сталин недобро усмехается мне с портрета.

Меня сажают у двери, вдали, как подследственного. Заводят никчемный тягостный разговор, потому особенно долгий, что, пару фраз сказав со мною по-русски, они потом десять минут переговариваются по-казахски, а я сижу как дурак. Меня расспрашивают подробно, где и когда я преподавал, выражают сомнение, не забыл ли я своего предмета или методики. Затем после всяких заминок и вздохов, что нет мест, что математиками и физиками переполнены школы района и даже полставки трудно выкроить, что воспитание молодого человека нашей эпохи — ответственная задача, — они подводят к главному: *за что* я сидел? в чём именно моё преступление? Кошка-змея заранее жмурит лукавые глаза, будто багровый свет моего преступления уже ударяет в её партийное лицо. Я смотрю поверх неё в зловещее лицо сатаны, искалечившего всю мою жизнь. Что́ я могу перед его портретом рассказать о наших с ним отношениях?

Я пугаю этих просветителей, есть такой арестантский приём: о чём они меня спрашивают — это государственная тайна, рассказывать я не имею права. А короче, я хочу знать, принимают они меня на работу или нет.

И опять, и опять они переговариваются по-казахски. Кто такой смелый, что на собственный страх примет на работу государственного преступника? Но выход у них есть: они дают мне писать автобиографию, заполнять анкету в двух экземплярах. Знакомое дело! Бумага всё терпит. Не час ли назад я это уже заполнял? И, заполнив ещё раз, возвращаюсь в МГБ.

С интересом обхожу я их двор, их самодельную внутреннюю тюрьму, смотрю, как, подражая взрослым, и они безо всякой надобности пробили в глинобитном заборе окошко для приёма передач, хотя забор так низок, что и без окошка можно передать корзину. Но без окошка — что ж будет за МГБ? Я брожу по их двору и нахожу, что мне здесь гораздо легче дышится, чем в затхлом районо: оттуда загадочным кажется МГБ и инспектора леденеют. А тут — *родное министерство*. Вот три лба коменданта (два офицера среди них), они откровенно поставлены за нами наблюдать, и мы — их хлеб. Никакой загадки.

Коменданты оказываются покладистыми и разрешают нам провести ночь не в запертой комнате, а во дворе, на сене.

Ночь под открытым небом! Мы забыли, что это значит!.. Всегда замки, всегда решётки, всегда стены и потолок. Куда там спать! Я хожу, хожу и хожу по залитому нежным лунным светом хозяйственному притюремному двору. Отпряженная телега, колодец, водопойное корыто, стожок сена, чёрные тени лошадей под навесом — всё это так мирно, даже старинно, без жестокой печати Органов. Третье марта — а ничуть не похолодало к ночи, тот же почти летний воздух, что днём. Над разбросанным Кок-Тереком ревут ишаки, подолгу, страстно, вновь и вновь, сообщая ишачкам о своей любви, об избытке приливших сил, — и вероятно, ответы ишачек тоже в этом рёве. Я плохо различаю голоса, вот низкие могучие рёвы — может, верблюжьи. Мне кажется, будь у меня голос, и я бы сейчас заревел на луну: я буду здесь дышать! Я буду здесь передвигаться!

Не может быть, чтобы я не пробил этого бумажного занавеса анкет! В эту трубную ночь я чувствую превосходство над трусливыми чиновниками. Преподавать! — снова почувствовать себя человеком! Стремительно войти в класс и огненно обежать ребячьи лица. Палец, протянутый к чертежу, — и все не дышат! Разгадка дополнительного построения — и все вздыхают освобождённо.

Не могу спать! Хожу, хожу, хожу под луной. Поют ишаки! Поют верблюды! И всё поёт во мне: свободен! свободен!

Наконец я ложусь подле товарищей на сено под навесом. В двух шагах от нас стоят лошади у своих яслей и всю ночь мирно жуют сено. И кажется, ничего роднее этого звука нельзя было во всей вселенной придумать для нашей первой полусвободной ночи.

Жуйте, беззлобные! Жуйте, лошадки!..

На следующий день нам разрешают уйти на частные квартиры. По своим средствам я нахожу себе домик-курятник — с единственным подслеповатым окошком и такой низенький, что даже посередине, где крыша поднимается выше всего, я не могу выпрямиться в рост. «Мне б избёнку пониже...» — когда-то в тюрьме писал я мечтательно о ссылке. Но всё-таки мало приятно, что головы нельзя поднять. Зато — отдельный домик! Пол — земляной, на него — лагерную телогрейку, вот и постель! Но тут же ссыльный инженер, преподаватель Бауманского института Александр Климентьевич Зданюкевич, одолжает мне пару дощатых ящиков, на которых я устраиваюсь с комфортом. Керосиновой лампы у меня ещё нет (ничего нет, каждую нужную вещь придётся выбрать и купить, как будто ты на земле впервые), — но я даже не жалею, что нет лампы. Все годы в камерах и бараках резал души казённый свет, а теперь я блаженствую в темноте. И темнота может стать элементом свободы! В темноте и тишине (могло бы радио доноситься из площадного динамика, но третий день оно в Кок-Тереке бездействует) я просто так лежу на ящиках — и наслаждаюсь.

Чего мне ещё хотеть?

Однако утро превосходит все возможные желания! Моя хозяйка, новгородская ссыльная бабушка Чадова, шёпотом, не осмеливаясь вслух, говорит мне:

— Поди-ка там радио послушай. Что-то мне сказали, повторить боюсь.

Действительно, заговорило. Я иду на центральную площадь. Толпа человек в двести, очень много для Кок-Терека, сбилась под пасмурным небом вокруг столба, под громкоговорителем. Среди толпы — много казахов, притом старых. С лысых голов они сняли пышные рыжие шапки из ондатры и держат в руках. Они очень скорбны. Молодые — равнодушнее. У двух-трёх трактористов фуражки не сняты. Не сниму, конечно, и я. Я ещё не разобрал слов диктора (его голос надрывается от драматической игры) — но уже осеняет меня понимание.

Миг, который мы с друзьями призывали ещё во студентах! Миг, о котором молятся все зэки ГУЛАГа (кроме ортодоксов)! Умер, азиатский диктатор! Скорёжился, злодей! О, какое открытое ликование сейчас там у нас, в Особлаге!* А здесь стоят школьные учительницы, русские девушки, и рыдают навзрыд: «Как же мы теперь будем?..» Родимого потеряли... Крикнуть бы им сейчас через площадь: «Так и будете! Отцов ваших не расстреляют! Женихов не посадят! И сами не будете ЧС!»

Хочется вопить перед репродуктором, даже отплясать дикарский танец! Но увы, медлительны реки истории. И лицо моё, ко всему тренированное, принимает гримасу горестного внимания. Пока — притворяться, по-прежнему притворяться.

И всё же великолепно ознаменовано начало моей ссылки!

Минует десяток дней — и в борьбе за портфели и в опаске друг перед другом семибоярщина упраздняет

---

* В Камышлаге зашёл кум (морда пришибеевская) в барак и объявил строго: «Партия с гордостью сообщает о смерти Иосифа Виссарионовича Сталина».

вовсе МГБ! Так правильно я усомнился: в е ч н о л и
МГБ?*

И что ж на земле тогда вечно, кроме несправедливости, неравенства и рабства?..

Глава 6
ССЫЛЬНОЕ БЛАГОДЕНСТВИЕ

1. Гвозди велосипедные — $1/2$ кило
2. Батинка — 5
3. Поддувальник — 2
4. Стаханы — 10
5. Финал ученический — 1
6. Глопус — 1
7. Спичка — 50 пачек
8. Лампа летючий Мыш — 2
9. Зубная пасть — 8 штук
10. Пряник — 34 кило
11. Водка — 156 поллитровок

Это была ведомость инвентаризации и переоценки всех наличных товаров универсального магазина в ауле Айдарлы. Инспекторы и товароведы кок-терекского райпо составили эту ведомость, а я теперь прокручивал на арифмометре и снижал цену, на какой товар на 7,5 процентов, на другой — на полтора. Цены катастрофически снижались, и можно было ожидать, что к новому учебному году и *финал*, и *глопус* будут проданы, гвозди найдут себе места в велосипедах, и только большой завал пряника, вероятно ещё довоенного, клонился к разряду неликвидов. А водка, хоть и подорожай, дольше 1 мая не задержится.

Снижение цен, которое, по сталинскому заводу, прошло под 1 апреля и от которого трудящиеся выиграли сколько-то миллионов рублей (вся выгода была

---

* Правда, через полгода вернут нам КГБ, штаты прежние.

заранее подсчитана и опубликована), — больно ударило по мне.

Уже месяц, проведённый в ссылке, я проедал свои лагерные «хозрасчётные» заработки литейщика — на воле поддерживался лагерными деньгами! — и всё ходил в районо узнавать: когда ж возьмут меня? Но змееватая заведующая перестала меня принимать, два толстых инспектора всё менее находили времени что-то мне буркнуть, а к исходу месяца была мне показана резолюция облоно, что школы Кок-Терекского района полностью укомплектованы математиками и нет никакой возможности найти мне работу.

Тем временем я писал, однако, пьесу (о контрразведке 1945 года)*, не проходя ежедневного утреннего и вечернего обыска и не нуждаясь так часто уничтожать написанное, как прежде. Ничем другим я занят не был, и после лагеря мне понравилось так. Один раз в день я ходил в «Чайную» и там на два рубля съедал горячей похлёбки — той самой, которую тут же отпускали в ведре и для арестантов местной тюрьмы. А хлеб-черняшку продавали в магазине свободно. А картошки я уже купил, и даже — ломоть свиного сала. Сам, на ишаке, привёз я саксаула из зарослей, мог и плиту топить. Счастье моё было очень недалеко от полного, и я так задумывал: не берут на работу — не надо, пока деньги тянутся — буду пьесу писать, в кои веки такая свобода!

Вдруг на улице один из комендантов поманил меня пальцем. Он повёл меня в райпо, в кабинет председателя, как бомба толстого казаха, и сказал со значением:

— Математик.

И что за чудо? Никто не спросил меня, за что я сидел, и не дал заполнять автобиографии и анкеты — тотчас же его секретарша, ссыльная гречанка-девчён-

---

* «Пленники»; на родине впервые напечатана спустя 37 лет, в 1990 г. — *Примеч. ред.*

ка, кинематографически красивая, отстукала одним пальцем на машинке приказ о назначении меня плановиком-экономистом с окладом 450 рублей в месяц. В тот же день и с такой же лёгкостью, без всяких анкетных изучений, были зачислены в райпо ещё двое непристроенных ссыльных: капитан дальнего плавания Василенко и ещё неизвестный мне, очень затаённый Григорий Самойлович Маковоз. Василенко уже носился с проектом углублять реку Чу (её в летние месяцы переходила вброд корова) и налаживать катерами сообщение, просил комендатуру пустить его исследовать русло. Его однокурсник по мореходному училищу, по парусному бригу «Товарищ», капитан Ман в эти дни снаряжал «Обь» в Антарктиду — а Василенко гнали кладовщиком в райпо.

Но не плановиком, не кладовщиком, не счетоводом — все трое мы были брошены на аврал: на переоценку товаров. В ночь с 31 марта на 1 апреля райпо, что ни год, охватывалось агонией, и никогда не хватало и не могло хватить людей. Надо было: все товары учесть (и обнаружить воров-продавцов, но не для отдачи их под суд), переоценить — и с утра уже торговать по новым ценам, очень выгодным для трудящихся. А огромная пустыня нашего района имела железнодорожных путей и шоссе — ноль километров, и в глубинных магазинах эти очень выгодные для трудящихся цены никак не удавалось осуществить раньше 1 мая: сквозной месяц все магазины вообще не торговали, пока в райпо подсчитывались и утверждались ведомости, пока их доставляли на верблюдах. Но в самом-то райцентре хоть предмайскую ж торговлю надо было не срывать!

К нашему приходу в райпо над этим уже сидело человек пятнадцать — штатных и привлечённых. Простыни ведомостей на плохой бумаге лежали на всех столах, и слышалось только щёлканье счётов, на которых опытные бухгалтеры и умножали и делили, да деловое переругивание. Тут же посадили работать и нас. Умножать и делить на бумажке мне сразу надоело, я запросил арифмометр. В райпо не было ни одного, да никто не умл на нём и работать, но кто-то вспомнил, что видел в шкафу районного статуправления какую-то машинку с цифрами, только и там никто на ней не работал. Позвонили, сходили, принесли. Я стал трещать и быстро усеивать колонки, ведущие бухгалтеры — враждебно на меня коситься: не конкурент ли?

Я же крутил и думал про себя: как быстро зэк наглеет, или, выражаясь литературным языком, как быстро растут человеческие потребности. Я недоволен, что меня оторвали от пьесы, слагаемой в тёмной конуре; я недоволен, что меня не взяли в школу; недоволен, что меня *насильно* заставили... что же? ковырять мёрзлую землю? месить ногами саманы в ледяной воде? — нет, меня насильно посадили за чистый стол крутить ручку арифмометра и вписывать цифры в столбец. Да если бы в начале моей лагерной отсидки мне предложили бы эту блаженную работу выполнять весь срок по 12 часов в день безплатно, — я бы ликовал! Но вот мне платят за эту работу 450 рублей, я теперь буду и литр молока брать ежедень, а я нос ворочу — не маловато ли?

Так неделю увязало райпо в переоценке (тут надо было верно определять для каждого товара его группу по общему понижению и ещё группу по удорожанию для деревни), — и всё ни один магазин не мог начать торговать. Тогда жирный председатель, сам первейший бездельник, собрал всех нас в свой торжественный кабинет и сказал:

— Так вот что. Последний вывод медицина, что человек совсем не нужен спать восемь часов. Абсолютно достаточно — четыре часа! Поэтому приказываю: начало работы — семь утра, конец — два часа ночи, перерыв на обед час и на ужин час.

И кажется, никто из нас в этой оглушающей тираде ничего смешного не нашёл, а только жуткое. Все съёжились, молчали и лишь осмелились обсудить, с какого часа лучше ужинный перерыв.

Да, вот она, та судьба ссыльных, о которой меня предупреждали, из таких приказов она и состоит. Все сидящие здесь — ссыльные, они дрожат за место; уволенные, они долго не найдут себе в Кок-Тереке другого. И в конце концов, это же — не лично для директора, это — для страны, это — *надо*. И последний вывод медицины им кажется довольно сносным.

Ах, сейчас бы встать и высмеять этого самодовольного кабана! Раз бы единый отвести душу! Но это была бы чистая «антисоветская агитация» — призыв к срыву важнейшего мероприятия. Так всю жизнь переходишь из состояния в состояние — ученик, студент, гражданин, солдат, заключённый, ссыльный, — и всегда есть веская сила у начальства, а ты должен гнуться и молчать.

Скажи он — до десяти вечера, я бы сидел. Но предлагал он нам — сухой расстрел, мне предлагал: здесь, на воле — и перестать писать! Нет уж, будь ты проклят, и снижение цен вместе с тобой. Лагерь подсказывал мне выход: не говорить против, а молча против делать. Со всеми вместе я покорно выслушал приказ, а в пять вечера встал из-за стола — и ушёл. И вернулся только в девять утра. Коллеги мои уже все сидели, считали или делали вид, что считают. Как на дикого, смотрели на меня. Маковоз, скрытно одобряя мой поступок, но сам так не решаясь, тайно сообщил мне, что вчера вечером над моим пустым столом председатель кричал, что загонит меня в пустыню за сто километров.

Признаюсь, я струхнул, конечно, МВД всё могло сделать. И загнало бы! И за сто километров, только б и видел я тот районный центр! Но я был счастливчик: я попал на Архипелаг после конца войны, то есть самый смертный период миновав; и теперь в ссылку я приехал после смерти Сталина. За месяц что-то и сюда уже доползло, до нашей комендатуры.

Незаметно начиналась новая пора — самое мягкое трёхлетие в истории Архипелага.

Председатель не вызвал меня и сам не пришёл. Проработав день свежим среди засыпающих и врущих, я решился снова в пять вечера уйти. Какой-нибудь конец, только скорее.

Который раз в жизни я замечал, что жертвовать можно многим, но не стержневым. Этой пьесой, выношенной ещё в каторжных строях Особлага, я не пожертвовал — и победил. Неделю все работали ночами — и привыкли, что стол мой пуст. И председатель, встречая меня в коридоре, отводил глаза.

Но не пришлось мне наладить сельской кооперации в Казахстане. В райпо внезапно пришёл молодой завуч школы, казах. До меня он был единственный универсант в Кок-Тереке и очень этим гордился. Однако моё появление не вызвало у него зависти. Хотел ли он укрепить школу перед её первым выпуском или поперчить змеистой заврайоно, но предложил мне: «Несите быстро ваш диплом!» Я сбегал, как мальчик, и принёс. Он положил в карман и уехал в Джамбул на профсоюзную конференцию. Через три дня опять зашёл и положил передо мной выписку из приказа облоно. За той же самой безстыдной подписью, которая в марте удостоверяла, что школы района полностью укомплектованы, я теперь в апреле назначался и математиком, и физиком — в оба выпускных класса, да за три недели до выпускных экзаменов! (Он рисковал, завуч. Не так политически, как, боялся он: не забыл ли я всю математику за годы лагеря. Когда наступил день письменного экзамена по геометрии с тригонометрией, он не дал мне вскрывать конверт при учениках, а в кабинет директора завёл всех преподавателей и стоял за моим плечом, пока я решал. Совпадение ответа привело его, да и остальных математиков, в праздничное состояние. Как легко тут было прослыть Декартом! Я ещё не знал, что каждый год во время экзаменов 7-х классов то и дело звонят из аулов в район: не получается задача, неправильное условие! Эти преподаватели и сами-то кончили лишь по семь классов...)

Говорить ли о моём счастьи — войти в класс и взять мел? Это и было днём моего освобождения, возврата гражданства. Остального, из чего состояла ссылка, я уже больше не замечал.

Когда я был в Экибастузе, нашу колонну часто водили мимо тамошней школы. Как на рай недоступный, я озирался на беготню ребятишек в её дворе, на светлые платья учительниц, а дребезжащий звонок с крылечка ранил меня. Так изныл я от безпросветных тюремных лет, от лагерных *общих*! Таким счастьем вершинным, разрывающим сердце, казалось: вот в этой самой экибастузской безплодной дыре жить ссыльным, вот по этому звонку войти с журналом в класс и с видом таинственным, открывающим необычайное, начать урок. (В той тяге был, конечно, дар учителя, но, наверно, и доля оголодавшей самоценности — контраст после стольких лет рабского унижения и способностей, не нужных никому.)

Но, уставленный в жизнь Архипелага и государства, упустил я самое простое: что за годы войны и послевоенные школа наша — умерла, её больше нет, а остался только корпус надутый, звон пустой. Умерла школа и в столице и в станице. Когда духовная смерть, как газ ядовитый, расползается по стране, — кому ж задохнуться из первых, как не детям, как не школе?

Однако я об этом узнал лишь годами позже, воротясь из страны ссылки в русскую метрополию. А в Кок-Тереке я об этом даже не догадался: мертво было всё направление мракобесия, но ещё живы были, ещё не задохнулись ссыльные дети.

Это были дети особенные. Они вырастали в сознании своего угнетённого положения. На педсоветах и других балабольных совещаниях о них и им говорилось, что они — дети советские, растут для коммунизма и только временно ограничены в праве передвижения, только и всего. Но они-то, каждый, ощущали свой ошейник — и с самого детства, сколько помнили себя. Весь интересный, обильный, клокочущий жизнью мир (по иллюстрированным журналам, по кино) был недоступен для них, и даже мальчикам не предстояло туда попасть (таких в армию не брали). Очень слабая, очень редкая была надежда — получить от комендатуры разрешение ехать в город, там быть допущенным до экзамена, да ещё быть принятым в институт, да ещё благополучно его окончить. Итак, всё, что они могли узнать о вечном объёмном мире, — только здесь они могли получить, эта школа долгие годы была для них — первое и последнее образование. К тому ж, по скудости жизни в пустыне, свободны они были от тех рассеяний и развлечений, которые так портят городскую молодёжь XX века от Нью-Йорка до Алма-Аты. Там, в метрополии, дети уже развыкли учиться, потеряли вкус, учились — как повинность отбывали, чтобы числиться где-то, пока выйдет возраст. А нашим ссыльным детям, если хорошо преподавать, то это было им единственно важное в жизни, это было всё. Учась жадно, они как бы поднимались над своим вторым сортом и сравнивались с детьми сорта первого. Только в одной настоящей учёбе насыщалось их самолюбие.

(Нет, ещё: в выборных школьных должностях; в комсомоле; а с 18 лет — в голосовании, во всеобщих *выборах*. Так хотелось им, бедняжкам, хоть иллюзии равноправия. Многие с гордостью поступали в комсомол, искренне делали политические сообщения на пятиминутках. Одной молоденькой немочке, Виктории Нусс, поступившей в двухлетний учительский институт, я пытался внушить мысль, что положением ссыльного надо не тяготиться, а гордиться. Куда там! Она посмотрела на меня как на безумного. Ну да были и такие, кто в комсомол не спешил, — так их тянули силой: разрешено, а ты не поступаешь — это почему? И в Кок-Тереке некоторые девочки, немки, тайные баптистки, вынуждены были вступать, чтоб семью их не загнали дальше в пустыню. О вы, соблазнители малых сих! — лучше б вам жернов на шею...)

Это всё я говорил о «русских» классах кок-терекской школы (собственно русских там почти не было, а — немцы, греки, корейцы, немного курдов и чеченов, да украинцев из переселенческих семей начала века, да казахов из семей «ответработников» — они детей своих учили по-русски). Большинство же казахских детей составляли классы «казахские». Это были воистину ещё дикари, в большинстве (кто не испорчен чиновностью семей) — очень прямые, искренние, с коренным представлением о хорошем и дурном, до того как успевали его исказить лживым или чванным преподаванием. А почти всё преподавание на казахском языке было расширенным воспроизводством невежества: сперва кое-как тянули на дипломы первое поколение, недоученные разъезжались с большой важностью преподавать подрастающим, а девушкам-казашкам ставили «удовлетворительно», выпускали из школ и педагогических институтов при самом дремучем и полном незнании. И когда этим первобытным детям вдруг засверкивало настоящее учение, они впитывали его не только ушами и глазами, но ртом.

При таком ребячьем восприятии я в Кок-Тереке захлебнулся преподаванием, и три года (а может быть, много бы ещё лет) был счастлив даже им одним. Мне не хватало часов расписания, чтоб исправить и восполнить недоданное им раньше, я назначал им вечерние дополнительные занятия, кружки, полевые занятия, астрономические наблюдения, — и они являлись с такой дружностью и азартом, как не ходили в кино. Мне дали и классное руководство, да ещё в чисто казахском классе, но и оно мне почти нравилось.

Однако всё светлое было ограничено классными дверьми и звонком. В учительской же, в директорской и в районо размазывалась не только обычная всегосударственная тягомотина, но ещё и пригорченная ссыльностью страны. Среди преподавателей были и до меня немцы и административно-ссыльные. Положение всех нас было угнетённое: не упускалось случая напомнить, что мы допущены к преподаванию из милости и всегда можем этой милости лишиться. Ссыльные учителя пуще других (тоже, впрочем, зависимых) трепетали разгневать высоких районных начальников недостаточно высокою оценкой их детей. Трепетали они и разгневать дирекцию недостаточно высокой общей успеваемостью — и завышали оценки, тоже способствуя общеказахстанскому расширенному воспроизводству невежества. Но, кроме того, на ссыльных учителях (и на молодых казахских) лежали повинности и поборы: в каждую зарплату с них удерживали по четвертной, неизвестно в чью пользу; вдруг директор (Берденов) мог объявить, что у его малолетней дочери — день рождения, и преподаватели должны были собирать по 50 рублей на подарок; ещё кроме вызывали то одного, то другого в кабинет директора или заврайоно и требовали дать «взаймы» рублей 300—500. (Ну да впрочем, это были общие черты тамошнего стиля, да и всего строя. С учеников-казахов тоже вынуждали к выпускному вечеру по барану или полбарана — и тогда обезпечивался им аттестат, хоть и при полном незнании; выпускной вечер превращался в большую пьянку районного партактива.) Ещё всё районное начальство где-нибудь училось заочно, а все письменные контрольные работы за них понуждались выполнять учителя нашей школы. (Это передавалось по-байски, через завучей, и рабы-учителя даже не удостаивались увидеть *своих* заочников.)

Не знаю, моя ли твёрдость, основанная на «незаменимости», которая выяснилась сразу, или уже мягчеющая эпоха, да обе они помогли мне не всовывать шею в эти хомуты. Только при справедливых оценках могли у меня ребята учиться охотно, и я ставил их, не считаясь с секретарями райкома. Не платил я и поборов и «взаймы» начальству не давал (змеистая заврайоно имела наглость просить) — довольно того, что каждый май обдирало нас на месячный заработок скудеющее государство (это преимущество вольных, подписку на заём, отнятое в лагере, нам ссылка возвращала). Но на том моя принципиальность и кончалась.

Рядом со мною преподаватель биологии и химии Георгий Степанович Митрович, отбывший на Колыме десятку по КРТД, уже пожилой больной серб, неуёмно боролся за местную справедливость в Кок-Тереке.

Уволенный из райзо, но принятый в школу, он перенёс свои усилия сюда. Да в Кок-Тереке на каждом шагу было беззаконие, осложнённое невежеством, дикарским самодовольством и благодушной связью родов. Беззаконие это было вязко, глухо, непробиваемо, — но Митрович самоотверженно и безкорыстно бился с ним (правда, с Лениным на устах), разоблачал на педсоветах, на районных учительских совещаниях, проваливал на экзаменах незнающих чиновных экстерников и выпускников «за барана», писал жалобы в область, в Алма-Ату и телеграммы на имя Хрущёва (в его защиту собиралось по 70 родительских подписей, а сдавали такую телеграмму в другом районе, у нас бы её не выпустили). Он требовал проверок, инспекторов, приезжали и обращались против него же, он снова писал, его *разбирали* на специальных педсоветах, обвиняли и в антисоветской пропаганде детям (волосок до ареста!), и, так же серьёзно, — в грубом обращении с козами, глодающими пионерские посадки, его исключали, восстанавливали, он добивался компенсации за вынужденный прогул, его переводили в другую школу, он не ехал, снова исключали, — он славно бился! И если б ещё к нему присоединился я, — здорово бы мы их потрепали.

Однако я — нисколько ему не помогал. Я хранил молчание. Уклонялся от решающих голосований (чтоб не быть и против него), ускользал куда-нибудь на кружок, на консультацию. Этим самым партийным экстерникам я не мешал получать тройки: сами власть — пусть обманывают свою же власть. Я таил свою задачу: я писал и писал. Я берёг себя для другой борьбы, позднейшей. Но вопрос стоит шире: права ли? нужна ли была борьба Митровича?

Весь бой его был заведомо безнадёжен, это тесто нельзя было промесить. И даже если бы он полностью победил, — это не могло бы исправить *строя*, всей системы. Только размытое светлое пятнышко чуть померцало бы на ограниченном месте — и затянуло бы его серым. Вся его возможная победа не уравновешивала того нового ареста, который мог быть ему расплатой (только хрущёвское время и спасло Митровича от ареста). Безнадёжен был его бой, однако человечно — возмущение несправедливостью, хоть и до собственной гибели! Борьба его была упёрта в поражение — а безполезной её никак не назовёшь. Если б не так благоразумны были мы все, если б не ныли друг другу: «не поможет, безполезно!», — совсем бы другая была наша страна! А Митрович не был гражданин — он был ссыльный, но блеска его очков боялись районные власти.

Боялись-то боялись, однако наступал светлый день *выборов* — выборов любимой народной власти — и равнялись неуёмный борец Митрович (и чего ж тогда стоила его борьба?), и уклончивый я, и ещё более затаённый, а по виду уступчивейший изо всех Григорий Самойлович Маковоз: все мы, скрывая страдательное отвращение, равно шли на это праздничное издевательство. *Разрешались* выборы почти всем ссыльным, так дёшево они стоили, и даже *лишённые прав* вдруг обнаруживали себя в списках, и их торопили, гнали скорей. У нас в Кок-Тереке не бывало даже кабин для голосования, совсем в стороне стояла одна будка с распахнутыми занавесками, но туда и путь не лежал, неловко было к ней и заворачивать. Выборы состояли в том, чтобы поскорей пронести бюллетени до урны и туда их швырнуть. Если же кто останавливался и внимательно читал фамилии кандидатов, это уже выглядело подозрительным: неужели партийные органы не знают, кого выдвигают, что тут читать?.. Отголосовав, все получали законное право идти выпивать (или зарплату, или аванс всегда выдавали перед выборами). Одетые в лучшие костюмы, все (в том числе ссыльные) торжественно раскланивались на улицах, поздравляя друг друга с каким-то *праздником*...

О, сколько раз ещё помянешь добрым словом лагерь, где не было этих выборов никаких!

Однажды выбрал Кок-Терек народного судью, казаха, — единогласно, разумеется. Как обычно, поздравляли друг друга с праздником. Но через несколько месяцев на этого судью пришло уголовное дело из того района, где он судействовал прежде (тоже выбранный единогласно). Выяснилось, что и у нас он успел уже достаточно нахапать от частных взяткодателей. Увы, пришлось его снять и назначить в Кок-Тереке новые частичные выборы. Кандидат был опять — приезжий, никому не известный казах. И в воскресенье все оделись в лучшие костюмы, проголосовали единогласно с утра, и опять на улицах те же счастливые лица без искорки юмора поздравляли друг друга... *с праздником!*

В каторжном лагере мы надо всем балаганом хоть смеялись открыто, а в ссылке особенно и не поделишься: жизнь у людей — как у вольных, и первое взято от воли самое худшее — скрытность. С Маковозом с одним из немногих я на такие темки поговаривал.

Его прислали к нам из Джезказгана, притом без копейки, его деньги задержались где-то в пути. Однако комендатуру это нисколько не озаботило — его просто сняли с тюремного довольствия и выпустили на улицы Кок-Терека: хоть воруй, хоть умирай. В те дни я ему одолжил десятку — и навсегда заслужил его благодарность, долго он мне всё напоминал, как я его выручил. В нём устойчива была эта черта — памятливость на добро. Но и на зло тоже. (Так помнил он зло Худаеву — тому чеченскому мальчику, едва не ставшему жертвой кровной мести. Всё оборачивается, в этом жизнь мира: уцелевший Худаев вдруг неправо и жестоко расправился с сыном Маковоза.)

При его положении ссыльного и без профессии Маковоз не мог себе найти в Кок-Тереке приличной работы. Лучшее, что ему досталось, — стать школьным лаборантом, и этим он уже очень дорожил. Но должность требовала всем услуживать, никому не дерзить, ни в чём не выказывать себя. Он и не выказывал, он непроницаем был под внешней любезностью, и даже такого простого о нём, почему у него нет к пятидесяти годам профессии, никто не знал. Мы же с ним как-то сближались, ни одного столкновения, а взаимная помощь нередко, да ещё одинаковость лагерных реакций и выражений. И после долгой перетайки я узнал его скрываемую внешнюю и внутреннюю историю. Она поучительна.

До войны он был секретарь райкома партии в Ж*, в войну назначен начальником шифровального отделения дивизии. Всегда он был поставлен высоко, важная персона, и не ведал мелкого человеческого горя. Но в 1942 году как-то случилось, что по вине шифровального отделения один полк их дивизии не получил вовремя приказа на отступление. Надо было исправить, но ещё получилось, что все подчинённые Маковоза куда-то задевались, — и послал генерал его самого туда, на передовую, в уже смыкающиеся вокруг полка клещи: приказать им отступать! спасти их! М. поехал верхом, сокрушённо и боясь погибнуть, по пути же попал так опасно, что дальше решил не ехать и даже не знал, останется ли и тут в живых. Он сознательно остановился — покинул, предал полк, слез с лошади, обнял дерево (или от осколков прятался за ним) и... дал клятву Иегове, что если только останется жив, — будет ревнивым верующим, выполнять точно святой закон. И кончилось «благополучно»: полк погиб или попал в плен, а М. выжил, получил 10 лет лагеря по 58-й, отбыл их — и вот был со мной в Кок-Тереке. И как же непреклонно он выполнял свой обет! — ничего в груди и голове не осталось у него от члена партии. Только обманом могла жена накормить его безчешуйчатой трефной рыбой. По субботам не мог он не приходить на службу, но старался здесь ничего не делать. Дома он сурово выполнял все обряды и молился — по советской неизбежности тайно.

Естественно, что эту историю открыл он мало кому.

А мне она не кажется слишком простой. Просто здесь только одно, с чем больше всего не принято у нас соглашаться: что глубиннейший ствол нашей жизни — религиозное сознание, а не партийно-идеологическое.

Как рассудить? По всем законам уголовным, воинским и законам чести, по законам патриотическим и коммунистическим этот человек был достоин смерти или презрения — ведь целый полк погубил он ради спасения своей жизни, не говоря уже, что в тот момент не хватило ему ненависти к самому страшному врагу евреев, какой только бывал.

А вот по каким-то ещё более высшим законам Маковоз мог воскликнуть: а все ваши войны — не по слабоумию ли высших политиков начинаются? разве Гитлер врезался в Россию не по слабоумию — своему, и Сталина, и Чемберлена? а теперь вы посылаете на смерть *меня*? да разве *вы* меня на свет родили?

Возразят: он (но и все же люди того полка!) должен был заявить это ещё в военкомате, когда на него надевали красивый мундир, а не там, обнимая дерево. Да логически я не берусь его защищать, логически я должен был бы ненавидеть его, или презирать, или испытывать брезгливость от его рукопожатия.

Но ничего такого я к нему не испытывал. Потому ли, что я был не из того полка и не ощутил той обстановки? Или догадываюсь, что судьба того полка должна была зависеть и ещё от сотни причин? Или потому, что никогда не видел Маковоза в надменности, а только поверженным? Ежедневно мы обменивались искренним крепким рукопожатием — и ни разу я не ощутил в том зазорного.

Как только не изогнётся единый человек за жизнь! И каким новым для себя и других. И одного из этих — совсем разных — мы по приказу, по закону, по порыву, по ослеплению готовно и радостно побиваем камнями.

Но если камень — вываливается из твоей руки?.. Но если сам окажешься в глубокой беде — и возникает в тебе новый взгляд. На вину. На виновного. На него и на себя.

В толщине этой книги уже много было высказано прощений. И возражают мне удивлённо и негодующе: где же предел? Не всех же прощать!

А я — и не всех. Я только — павших. Пока возвышается идол на командной своей высоте и с властительной складкою лба безчувственно и самодовольно коверкает наши жизни — дайте мне камень потяжелее! а ну, перехватим бревно вдесятером да шибанём-ка его!

Но как только он сверзился, упал, и от зе́много удара первая бороздка сознания прошла по его лицу, — отведите ваши камни!

Он сам возвращается в человечество.

Не лишите его этого божественного пути.

* * *

После ссылок, описанных выше, нашу кок-терекскую, как и всю южноказахстанскую и киргизскую, следует признать льготной. Поселяли тут в обжитых посёлках, то есть при воде и на почве не самой безплодной (в долине Чу, в Курдайском районе — даже щедро плодородной). Очень многие попадали в города (Джамбул, Чимкент, Таласс, даже Алма-Ату и Фрунзе), и безправие их не отличалось ощутительно от прав остальных горожан. В тех городах недороги были продукты и легко находилась работа, особенно в индустриальных посёлках, при равнодушии местного населения к промышленности, ремёслам и интеллектуальным профессиям. Но и те, кто попадал в сельские местности, не все и не сурово загонялись в колхозы. В нашем Кок-Тереке было 4 тысячи человек, большинство — ссыльных, но в колхоз входили только казахские кварталы. Всем остальным удавалось или устраиваться при МТС, или кем-то числиться, хоть на ничтожной зарплате, — а жили они двадцатью пятью сотками поливного огорода, коровой, свиньями, овечками. Показательно, что группа западных украинцев, жившая у нас (административно-ссыльные после пятилетних лагерных сроков) и тяжело работавшая на саманном строительстве в местной стройконторе, находила свою жизнь на здешней глинистой, сгорающей при редких поливах, но зато безколхозной земле настолько привольнее колхозной жизни на любимой цветущей Украине, что, когда вышло им освобождение, — все они остались тут навсегда.

Ленива была в Кок-Тереке и оперчасть — спасительный частный случай общеказахской лени. Были среди нас кто-то и стукачи, однако мы их не ощущали и от них не страдали.

Но главная причина их бездействия и мягчеющего режима была — наступление хрущёвской эпохи. Ослабевшими от многочленной передачи толчками и колыханиями докатывалась она и до нас.

Сперва — обманно: «ворошиловской» амнистией (так прозвал её Архипелаг, хотя издала её — Семибоярщина). Сталинское издевательство над политическими 7 июля 1945 года было непрочным забытым уроком. Как и в лагерях, в ссылке постоянно цвели шёпотные *параши* об амнистии. Удивительна эта способность тупой веры! — Н. Н. Грекова, например, после 15 лет мытарств, повторница, на саманной стене своей хатёнки держала портрет ясноглазого Ворошилова — и верила, что от него придёт чудо. Что ж, чудо пришло! — именно за подписью Ворошилова посмеялось над нами правительство ещё раз — 27 марта 1953 года.

Собственно, нельзя было сочинить внешнего разумного оправдания, почему именно в марте 1953 года в потрясённой от скорби стране потрясённые от скорби правители должны были выпустить на свободу преступников, — разве только проникнувшись чувством бренности бытия? Похоронив Сталина, искали себе популярности, объяснили же: «в связи с искоренением преступности в нашей стране» (но кто ж тогда *сидит*? тогда и выпускать бы некого!). Однако, находясь по-прежнему в сталинских шорах и рабски думая всё в том же направлении, амнистию дали шпане и бандитам, а Пятьдесят Восьмой — лишь «до пяти лет включительно». Посторонний, по нравам порядочного государства, мог бы подумать, что «до пяти лет» — это три четверти политических пойдёт домой. На самом деле лишь 1—2 процента из нашего брата имели такой детский срок. (Зато саранчой напустили воров на местных жителей, и лишь нескоро и с натугой пересажала милиция амнистированных бандитов опять в тот же загон.)

Интересно отозвалась амнистия в нашей ссылке. Как раз тут и находились давно те, кто успел в своё время отбыть детский пятилетний срок, но не был отпущен домой, а безсудно отправлен в ссылку. В Кок-Тереке были такие одинокие бабки и старики с Украины, из Новгородья — самый мирный и несчастный народ. Они очень оживились после амнистии, ждали отправки домой. Но месяца через два пришло привычно жёсткое разъяснение: поскольку ссылка их (дополнительная, безсудная) дана им не пятилетняя, а *вечная*, то вызвавший эту ссылку их прежний пятилетний судебный срок тут ни при чём и под амнистию они не подпадают... — А Тоня Казачук была вовсе вольная, приехала с Украины к ссыльному мужу, здесь же для единообразия записана ссыльно-поселенкой. По амнистии она кинулась в комендатуру, но ей разумно возразили: ведь у вас же не было 5 лет, как у мужа, у вас вообще срок неопределённый, амнистия к вам не прикасается.

Лопнули бы Дракон, Солон и Юстиниан со своими законодательствами!..

Так никто ничего от амнистии не получил. Но с ходом месяцев, особенно после падения Берии, незаметно, неширокогласно вкрадывались в ссыльную страну истинные смягчения. И отпустили домой тех пятилетников. И стали в близкие институты отпускать ссыльных детей. И на работе перестали тыкать «ты ссыльный!». Всё как-то мягче. Ссыльные стали выдвигаться по служебным должностям.

Стали что-то пустеть столы в комендатуре. «А вот этот комендант — где?» — «А он теперь уже не работает». Сильно редели и сокращались штаты. Мягчело обращение. Святая *отметка* переставала быть столь святой. «Кто до обеда не пришёл — ладно, в следующий раз!» То одной, то другой нации возвращали какие-то права. Свободен стал проезд по району, свободнее — поездка в другую область. Всё гуще шли слухи: «домой отпустят, домой!» И верно, вот отпустили туркменов (ссылка за плен). Вот — курдов. Стали продаваться дома, дрогнула цена на них.

Отпустили и нескольких стариков, административно-ссыльных: где-то там в Москве хлопотали за них, и вот — *реабилитированы*. Волнение простёгивало, жарко мутило ссыльных: неужели и мы стронемся? Неужели и м ы... ?

Смешно. Как будто способен подобреть этот р е ж и м. Уж не верить так не верить научил меня лагерь! Да мне и верить-то не было особой нужды: там, в большой метрополии, у меня не было ни родных, ни близких. А здесь, в ссылке, я испытывал почти счастье. Ну просто никогда я, кажется, так хорошо не жил.

Правда, первый ссыльный год душила меня смертельная болезнь, как бы союзница тюремщиков. И целый год никто в Кок-Тереке не мог даже определить, что за болезнь. Еле держась, я вёл уроки; уже мало спал и плохо ел. Всё написанное прежде в лагере и держимое в памяти, и ещё ссыльное новое пришлось мне записать наскоро и зарыть в землю. (Эту ночь перед отъездом в Ташкент, последнюю ночь 1953 года, хорошо помню: на том и казалась оконченной вся жизнь моя и вся моя литература. Маловато было.)

Однако — отвалилась болезнь. И начались два года моей действительно Прекрасной Ссылки, только тем томительной, той жертвой омрачённой, что я не смел жениться: не было такой женщины, кому я мог бы доверить своё одиночество, своё писание, свои тайники. Но все дни жил я в постоянно блаженном, приподнятом состоянии, никакой несвободы не замечая. В школе я имел столько уроков, сколько хотел, в обе смены, — и постоянное счастье пробирало меня от этих уроков, ни один не утомлял, не был нуден. И каждый день оставался часик для писания — и часик этот не требовал никакой душевной настройки: едва сел, и строчки рвутся из-под пера. А воскресенья, когда не гнали на колхозную свёклу, я писал насквозь — целые воскресенья! Начал я там и роман (через 10 лет арестованный)*, и ещё надолго вперёд хватало мне писать. А печатать меня всё равно будут только после смерти.

Появились деньги — и вот я купил себе отдельный глинобитный домик, заказал крепкий стол для писания, а спал — всё так же на ящиках холостых. Ещё я купил приёмник с короткими волнами, вечерами занавешивал окна, льнул ухом к самому шёлку и сквозь водопады глушения вылавливал запретную нам, желанную информацию и по связи мысли восстанавливал недослышанное.

Очень уж измучила нас брехня за десятилетия, истосковались мы по каждому клочку даже разорванной истины! — а так-то не стоила эта работа потерянного времени: нас, взращенцев Архипелага, инфантильный Запад уже не мог обогатить ни мудростью, ни стойкостью.

Домик мой стоял на самом восточном краю посёлка. За калиткою был — арык, и степь, и каждое утро восход. Стоило венуть ветерку из степи — и лёгкие не могли им надышаться. В сумерки и по ночам, чёрным и лунным, я одиноко расхаживал там и обалдело дышал. Ближе ста метров не было ко мне жилья ни слева, ни справа, ни сзади.

Я вполне смирился, что буду жить здесь, ну если и не «вечно», то по крайней мере лет двадцать (я не верил в наступление общей свободы раньше — и ошибся не много). Я уже никуда как будто и не хотел (хоть и замирало сердце над картой Средней России). Весь мир я ощущал не как внешний, не как манящий, а как прожитый, весь внутри меня, и вся задача оставалась — описывать его.

Я был полон.

Друг Радищева Кутузов писал ему в ссылку: «Горько мне, друг мой, сказать тебе, но... твоё положение имеет

---

* «В круге первом». Роман был изъят КГБ при обыске у знакомых автора в сентябре 1965. На родине впервые напечатан в 1990 г. — *Примеч. ред.*

свои выгоды. Отделён от всех человеков, отчуждён от всех ослепляющих нас предметов, — тем удачнее имеешь ты странствовать... в самом себе; с хладнокровием можешь ты взирать на самого тебя, и следовательно, с меньшим пристрастием будешь судить о вещах, на которые ты прежде глядел сквозь покрывало честолюбия и мирских сует. Может быть многое представится тебе в совершенно новом виде».

Именно так. И, дорожа этой очищенной точкой зрения, я вполне осознанно дорожил своею ссылкой.

А она — всё больше шевелилась и волновалась. Комендатура стала просто ласковая и ещё сокращалась. За побег полагалось уже только 5 лет лагерей — да и того не давали. Одна, другая, третья нация переставала отмечаться, потом получала права уезжать. Тревога радости и надежды подёргивала наш ссыльный покой.

Вдруг совсем негаданно-нежданно подползла ещё одна амнистия — «аденауэровская», сентября 1955 года. Перед тем Аденауэр приезжал в Москву и выговорил у Хрущёва освобождение всех немцев. Никита велел их отпустить, но тут хватились, что несуразица получается: немцев-то отпустили, а их русских подручных держат с двадцатилетними сроками. Но так как это были всё полицаи, да старосты, да власовцы, то публично носиться с этой амнистией тоже не хотелось. Да просто по общему закону нашей информации: о ничтожном — трезвонить, о важном — вкрадчиво. И вот крупнейшая изо всех политических амнистий после Октября была дарована в «никакой» день, 9 сентября, без праздника, напечатана в единственной газете «Известия», и то на внутренней странице, и не сопровождалась ни единым комментарием, ни единой статьёй.

Ну как не заволноваться? Прочёл я: «Об амнистии лиц, сотрудничавших с немцами». Как же так, а мне? Выходит, ко мне не относится: ведь я безвылазно служил в Красной армии. Ну и шут с вами, ещё спокойней. Тут и друг мой Л. З. Копелев написал из Москвы: тряся этой амнистией, он в московской милиции выговорил себе временную прописку. Но вскоре его вызвали: «Вы что же нам шарики вкручиваете? Ведь вы с немцами не сотрудничали?» — «Нет». — «Значит, в Советской армии служили?» — «Да». — «Так в 24 часа чтоб ноги вашей в Москве не было!» Он, конечно, остался, и: «ох, жутковато после десяти вечера, каждый звонок в квартиру — ну, за мной!»

И я радовался: а мне-то как хорошо! Спрятал рукописи (каждый вечер я их прятал) — и сплю как ангел.

Из своей чистой пустыни я воображал кишащую, суетную, тщеславную столицу — и совсем меня туда не тянуло.

А московские друзья настаивали: «Что ты придумал там сидеть?.. Требуй пересмотра дела! Теперь пересматривают!»

Зачем?.. Здесь я мог битый час рассматривать, как муравьи, просверлив дырочку в саманном основании моего дома, без бригадиров, без надзирателей и начальников лагпунктов вереницею носят свои грузы — шелуху от семячек уносят на зимний запас. Вдруг в какое-то утро они не появляются, хотя насыпана перед домом шелуха. Оказывается, это они задолго предугадали, это они *знают*, что сегодня будет дождь, хотя весёлое солнечное небо не говорит об этом. А после дождя ещё тучи черны и густы, а они уже вылезли и работают: они верно знают, что дождя не будет.

Здесь, в моей ссыльной тишине, мне так неоспоримо виделся истинный ход пушкинской жизни: первое счастье — ссылка на юг, второе и высшее — ссылка в Михайловское. И там-то надо было ему жить и жить, никуда не рваться. Какой рок тянул его в Петербург? Какой рок толкал его жениться?..

Однако трудно человеческому сердцу остаться на пути разума. Трудно щепочке не плыть туда, куда льёт вся вода.

Начался XX съезд. О речи Хрущёва мы долго ничего не знали (когда и начали читать её в Кок-Тереке, то от ссыльных тайно, а мы узнавали от Би-Би-Си). Но и в открытой простой газете довольно было мне слов Микояна: «это — первый ленинский съезд» за сколько-то там лет. Я понял, что враг мой Сталин пал, а я, значит, подымаюсь.

И я — написал заявление о пересмотре.

А тут весною стали ссылку снимать со всей Пятьдесят Восьмой.

И, слабый, покинул я свою прозрачную ссылку. И поехал в мутный мир.

Что чувствует бывший зэк, переезжая с востока на запад Волгу, и потом целый день в гремящем поезде по русским перелескам, — не входит в эту главу.

Летом в Москве я позвонил в прокуратуру: как там моя жалоба? Попросили перезвонить — и дружелюбный простецкий голос следователя пригласил меня зайти на Лубянку потолковать. В знаменитом бюро пропусков на Кузнецком Мосту мне велели ждать. Так и подозревая, что чьи-то глаза уже следят за мной, уже изучают моё лицо, я, внутренне напряжённый, внешне принял добродушное усталое выражение и якобы наблюдал за ребёнком, совсем не забавно играющим посреди приёмной. Так и было: мой новый следователь стоял в гражданском и следил за мной! Достаточно убедясь, что я — не раскалённый враг, он подошёл и с большой приятностью повёл меня на Большую Лубянку. Уже по дороге он сокрушался, как исковеркали (кто??) мне жизнь, лишили жены, детей. Но душно-электрические коридоры Лубянки были всё те же, где водили меня обритого, голодного, бессонного, без пуговиц, руки назад. — «Да что ж это за зверь вам такой попался, следователь Езепов? Помню, был такой, его теперь разжаловали». (Наверно, сидит в соседней комнате и бранит моего...)* «Я вот слу-

---

* Потом другой зэк написал мне: к 1950 Езепов был подполковник и начальник отделения. В 1978 из гебистской книжки я узнал, что он — на почётной пенсии, заслуженно отдыхает.

жил в морской контрразведке СМЕРШ, у нас таких не бывало!» (От вас Рюмин вышел. У вас был Левшин, Либин.) Но я простодушно ему киваю: да, конечно. Он даже смеётся над моими остротами 44-го года о Сталине: «Это вы точно заметили!» Всё ему ясно, всё он одобряет, только вот одно его забеспокоило: в «резолюции № 1» вы пишете: «выполнение всех этих задач невозможно без организации». То есть что же: вы хотели создать организацию?

— Да не-ет! — уже заранее обдумал я этот вопрос. — «Организация» не в смысле совокупности людей, а в смысле системы мероприятий, проводимых в государственном же порядке.

— Ах ну да, ах ну да, в этом смысле! — радостно соглашается следователь.

Пронесло.

Он хвалит мои фронтовые рассказы, вшитые в дело как обличительный материал: «В них же ничего антисоветского нет. Хотите — возьмите их, попробуйте напечатать». Но голосом больным, почти предсмертным, я отказываюсь: «Что вы, я давно забыл о литературе. Если я ещё проживу несколько лет, — мечтаю заняться физикой». (Цвет времени! Вот та́к будем теперь с вами играть.)

Не плачь битый, плачь небитый! Хоть что-то должна была дать нам тюрьма. Хоть умение держаться перед ЧКГБ.

Глава 7
ЗЭКИ НА ВОЛЕ

В этой книге была глава «Арест». Нужна ли теперь глава — «Освобождение»?

Ведь из тех, над кем когда-то грянул арест (будем говорить только о Пятьдесят Восьмой), вряд ли пятая часть, ещё хорошо, если восьмая, отведала это «освобождение».

471

И потом — освобождение! — кто ж этого не знает? Это столько описано в мировой литературе, это столько показано в кино: отворите мне темницу, солнечный день, ликующая толпа, объятия родственников.

Но — проклято «освобождение» под безрадостным небом Архипелага, и только ещё хмурей станет небо над тобою на воле. Только растянутостью своей, неторопливостью (теперь куда спешить закону?), как удлинённым хвостом букв, отличается освобождение от молнии ареста. А в остальном освобождение — такой же арест, такой же казнящий переход из состояния в состояние, такой же разламывающий всю грудь твою, весь строй твоей жизни, твоих понятий — и ничего не обещающий взамен.

Если арест — удар мороза по жидкости, то освобождение — робкое оттаивание между двумя морозами.

Между двумя арестами.

Потому что в этой стране за каждым освобождением где-то должен следовать арест.

Между двумя арестами — вот что такое было освобождение все сорок дохрущёвских лет.

Между двумя островами брошенный спасательный круг — побарахтайся от зоны до зоны!..

От звонка до звонка — вот что такое *срок*. От зоны до зоны — вот что такое *освобождение*.

Твой оливково-мутный паспорт, которому так призывал *завидовать* Маяковский, — он изгажен чёрною тушью 39-й паспортной статьи. По ней ни в одном городке не прописывают, ни на одну хорошую работу не принимают. В лагере зато пайку давали, а здесь — нет.

И вместе с тем — обманчивая свобода передвижения...

Не «освобождённые», нет, — *лишённые ссылки*, вот как должны называться несчастные эти люди. Лишённые благодетельной фатальной ссылки, они не могут заставить себя поехать в красноярскую тайгу или в казахскую пустыню, где живёт вокруг много своих, *бывших*! Нет, они едут в гущу замордованной *воли*, там все отшатываются от них, и там они становятся мечеными кандидатами на новую посадку.

Наталья Ивановна Столярова освободилась из Карлага 27 апреля 1945. Уехать сразу нельзя: надо паспорт получать, хлебной карточки — нет, жилья — нет, работу предлагают — дрова заготовлять. Проев несколько рублей, собранных лагерными друзьями, Столярова вернулась к зоне, соврала охране, что идёт за вещами (порядки у них были патриархальные), и — в свой барак! То-то радость! Подруги окружили, принесли с кухни баланды (ох, вкусная!), смеются, слушают о безприютности на воле: нет уж, у нас спокойнее. Поверка. Одна лишняя!.. Дежурный пристыдил, но разрешил до утра 1 мая переночевать в зоне, а с утра — чтобы то́пала!

Столярова в лагере трудилась не разгибалась (она молоденькой приехала из Парижа в Советский Союз, посажена была вскоре, и вот хотелось ей на волю, рассмотреть Родину!). «За хорошую работу» была она освобождена льготно: без точного направления в какую-либо местность. Те, кто имели точное назначение, как-то всё-таки устраивались: не могла их милиция никуда прогнать. Но Столярова со своей справкой о «чистом» освобождении стала гонимой собакой. Милиция не давала прописки нигде. В хорошо знакомых московских семьях поили чаем, но никто не предлагал остаться ночевать. И ночевала она на вокзалах. (И не в том одном беда, что милиция ночью ходит и будит, чтоб не спали, да перед рассветом всех гонят на улицу, чтобы подмести, — а кто из освобождавшихся зэков, чья дорога лежала через крупный вокзал, не помнит своего замирающего сердца при подходе каждого милиционера — как строго он смотрит! Он, конечно, чует в тебе бывшего зэка! Сейчас спросит: «Ваш документ!» Заберёт твою справку об освобождении — и всё, и ты опять зэк. У нас ведь права нет, закона нет, да и человека нет — есть документ. Вот заберёт сейчас справку — и всё... Мы ощущаем — так...) В Луге Столярова хотела устроиться вязальщицей перчаток — да не для трудящихся даже, а для военнопленных немцев, — но не только её не приняли, а ещё начальник при всех срамил: «Хотела пролезть в нашу организацию! Знаем мы их тонкие приёмы! Читали Шейнина». (О, этот жирный Шейнин! — ведь не подавится!)

Круг порочный: на работу не принимают без прописки, а не прописывают без работы. А работы нет — и хлебной карточки нет. Не знали бывшие зэки порядка, что МВД обязано их трудоустраивать. Да кто и знал — тот обратиться боялся: не *посадили* бы...

Находишься по воле — наплачешься вдоволе.

В Ростовском университете, когда я ещё был студентом, странный был такой профессор Н. А. Трифонов — постоянно вобранная в плечи голова, постоянная напряжённость, пугливость, в коридоре его не окликни. Потом-то узнали мы: он уже *посидел* — и каждый оклик в коридоре мог ему быть от оперативников.

А в ростовском мединституте после войны один освободившийся врач, считая свою вторую посадку неизбежной, не стал ждать, покончил с собой. И тот, кто уже отведал лагерей, кто *знает* их, — вполне может так выбрать. Не тяжелей.

Несчастны те, кто освободился *слишком рано*. Авениру Борисову выпало — в 1946 году. Приехал он не в какой-то город большой, а в свой родной посёлок. Все его старые приятели, однокашники, старались не встретиться с ним на улице, не остановиться (а ведь это — недавние безстрашные фронтовики!), если же никак было не обминуть разговора, то изыскивали уклончивые слова и бочком отходили. Никто не спросил его — как он прожил эти годы (хотя ведь, кажется, мы знаем об Архипелаге меньше, чем о Центральной Африке. Поймут ли когда-нибудь потомки дрессированность нашей *воли*!). Но вот один старый друг студенческих лет пригласил его всё-таки вечерком, когда стемнело, к чаю. Как сдружливо! как тепло! Ведь для оттаяния — для него и нужна скрытая теплота. Авенир попросил посмотреть старые фото, друг достал ему альбомы. Друг сам забыл — и удивился, что Авенир вдруг поднялся и ушёл, не дождавшись самовара. А что было Авениру, если увидел он на всех фотографиях своё лицо замазанным чернилами?*

Авенир потом приподнялся — он стал директором детдома. У него росли сироты фронтовиков, и они плакали от обиды, когда дети состоятельных родителей звали их директора «тюремщиком». (У нас ведь и разъяснить некому: тюремщиками скорей были их родители, а Авенир уж тогда тюремником. Никогда не мог бы русский народ в прошлом веке так потерять чувство своего языка!)

А Картель в 1943 году, хотя и по 58-й, был из лагеря сактирован с туберкулёзом лёгких. Паспорт — волчий, ни в одном городе жить нельзя, и работы получить нельзя, медленная смерть — и все оттолкнулись. А тут — военная комиссия, спешат, нужны бойцы. С открытой формой туберкулёза Картель объявил себя здоровым: пропадать так враз, да среди равных. И провоевал почти до конца войны. Только в госпитале досмотрелось око Третьей Части, что этот самоотверженный солдат — враг народа. В 1949 году он был намечен к аресту как повторник, да помогли хорошие люди из военкомата.

В сталинские годы лучшим освобождением было — выйти за ворота лагеря и тут же остаться. Этих на производстве уже знали и брали работать. И энкаведешники, встретясь на улице, смотрели как на проверенного.

Ну, не вполне так. В 1938 Прохоров-Пустовер при освобождении оставался вольнонаёмным инженером Бамлага. Начальник оперчасти Розенблит сказал ему: «Вы освобождены, но помните, что будете ходить по канату. Малейший промах — и вы снова окажетесь зэ-ка. Для этого *даже и суда не потребуется*. Так что — оглядывайтесь и не воображайте, что вы свободный гражданин».

---

* Через 5 лет друг свалил это на жену: она замазала. А ещё через 10 (1961) жена и сама пришла к Авениру в райком профсоюза — просить путёвку в Сочи. Он дал ей. Она рассыпалась в воспоминаниях о прошлой дружбе.

Суровцева около хибарки

Таких оставшихся при лагере благоразумных зэков, добровольно избравших тюрьму как разновидность свободы, и сейчас ещё по всем глухоманям, в каких-нибудь Ныробских или Нарымских районах — сотни тысяч. Им и садиться опять — вроде легче: всё рядом.

Да на Колыме особенного и выбора не было: там ведь народ держали. Освобождаясь, зэк тут же подписывал *добровольное* обязательство: работать в Дальстрое и дальше (разрешение выехать «на материк» было на Колыме ещё трудней получить, чем освобождение). Вот на беду свою кончила срок Н. В. Суровцева. Ещё вчера она работала в детгородке — тепло и сытно, сегодня гонят её на полевые работы, нет другого ничего. Ещё вчера она имела гарантированную койку и пайку — сегодня пайки нет, крыши над головой нет, и бредёт она в развалившийся дом с прогнившими полами (это на Колыме!). Спасибо подругам из детгородка: они ещё долго «подбрасывают» ей на волю пайки. «Гнёт вольного состояния» — вот как назвала она свои новые ощущения. Лишь постепенно утверждается она на ногах и даже становится... домовла-

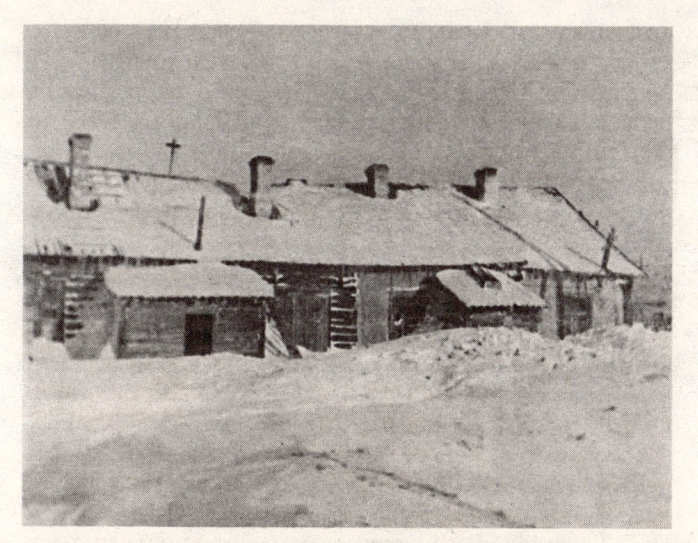

Барак ВГС

делицей! Вот стоит она **(фото слева)** гордо около своей хибарки, которую не всякая бы собака одобрила.

Чтоб не думал читатель, что дело здесь в заклятой Колыме, перенесёмся на Воркуту и посмотрим на типичный барак ВГС (Временное Гражданское Строительство), в котором живут благоустроенные вольные, — ну, из бывших зэков, разумеется.

Так что не самой плохой формой освобождения было и освобождение М. П. Якубовича: под Карагандою переоборудовали тюрьму в инвалидный дом (Тихоновский дом), — и вот в этот инвалидный дом, под надзор и без права выезжать, его и «освободили».

Рудковский, никуда не принятый («пережил не меньше, чем в лагерях»), поехал на кустанайскую целину («там можно было встретить кого угодно»). — И. В. Швед оглох, составляя поезда в Норильске при любой вьюге; потом работал кочегаром по 12 часов в сутки. Но справок-то нет! В собесе пожимают плечами: «представьте свидетелей». Моржи нам свидетели... — И. С. Карпунич отбыл двадцать лет на Колыме, измучен и болен. Но к 60 годам у него нет «двадцати пяти лет работы по найму» — и пенсии нет. Чем дольше сидел человек в лагере, тем он больней, и тем меньше стажа, тем меньше надежды на пенсию[*].

Ведь нет же у нас, как в Англии, «общества помощи бывшим заключённым». Даже и вообразить такую ересь страшно.

Пишут так: «в лагере был один день Ивана Денисовича, а на воле — второй».

Но позвольте! Но кажется же, с тех пор восходило солнце свободы? И простирались руки к обездоленным: *«Это не повторится!»* И даже, кажется, слёзы капали на съездовские трибуны?

Жуков (из Коврова): «Я стал не на ноги, а хоть немного на колени». Но: «Ярлык лагерника висит на нас, и под первое же сокращение попадаем мы». — П. Г. Тихонов: «Реабилитирован, работаю в научно-исследовательском институте, а всё же лагерь как бы продолжается. Те самые олухи, которые были начальниками лагерей», опять в силе над ним. — Г. Ф. Попов: «Что бы ни говорилось, что бы ни писалось, а стоит моим коллегам узнать, что я сидел, и как бы нечаянно отворачиваются».

Нет, силён бес! Отчизна советская такова: чтоб на сажень толкнуть её глубже в тиранию, — довольно только брови нахмурить, только кашлянуть. Чтоб на вершок перетянуть её к свободе, — надо впрячь сто волов и каждого своим батогом донимать: «Понимай, куда тянешь! Понимай, куда тянешь!»

---

[*] Сегодня и бытовикам приходится так же. А. И. Бурлаке в ананьевском райкоме ответили: «У нас не отдел кадров», в прокуратуре: «Этим не занимаемся», в горсовете: «Ждите». Был без работы 5 месяцев (1964). С П. К. Егорова в Новороссийске (1965) сразу же взяли подписку о выезде в 24 часа. Показал в горисполкоме лагерную грамоту «за отличную работу» — посмеялись. Секретарь горкома просто выгнал. Тогда пошёл, дал взятку — и остался в Новороссийске.

А *форма* реабилитации? Старухе Ч-ной приходит грубая повестка: «явиться завтра в милицию к 10 часам утра». Больше ничего! Дочь её бежит с повесткой накануне вечером: «Я боюсь за её жизнь. О чём это? Как мне её подготовить?» — «Не бойтесь, это — *приятная* вещь, реабилитация покойного мужа». (А может быть — полынная? Благодетелям в голову не приходит.)

Если таковы формы нашего милосердия, — догадайтесь о формах нашей жестокости!

Какая была лавина реабилитации! — но и она не расколола каменного лба непогрешимого общества! — ведь лавина падала не туда, куда надо бровь нахмурить, а куда впрягать тысячу волов.

«Реабилитация — это тухта!» — говорят партийные начальники откровенно. «Слишком многих нареабилитировали!»

Вольдемар Зарин (Ростов-на-Дону) отсидел 15 лет и с тех пор ещё 8 лет смирно молчал. А в 1960 решился рассказать сослуживцам, как худо было в лагерях. Так возбудили на него следственное дело, и майор КГБ сказал Зарину: «*Реабилитация — не значит невиновность*, а только: что преступления были невелики. Но *что-то остаётся всегда!*»

А в Риге в том же 1960 дружный служебный коллектив три месяца кряду травил Петропавловского за то, что он скрыл расстрел своего отца... в 1937 году!

И недоумевает Комогор: «Кто ж ходит сегодня в правых и кто в виноватых? Куда деваться, когда мурло вдруг заговорит о равенстве и братстве?»

Маркелов после реабилитации стал ни много ни мало — председатель промстрахсовета, а проще — месткома артели. Так председатель артели не рискует этого народного избранника оставить на минуту одного в своём кабинете. А секретарь партбюро Баев, одновременно «сидящий на кадрах», перехватывает на всякий случай всю месткомовскую переписку Маркелова. «Да не попала ль к вам бумага насчёт перевыборов месткомов?» — «Да было что-то месяц назад». — «Мне ж нужна она!» — «Ну нате читайте, только побыстрей, рабочий день кончается». — «Так она ж адресована мне! Ну, завтра утром вам верну!» — «Что вы, что вы, — это документ». — Вот залезьте в шкуру этого Маркелова, сядьте под такое мурло, под Баева, да чтоб вся ваша зарплата и прописка зависели от этого Баева, — и вдыхайте грудью воздух свободного века.

Учительница Деева уволена «за моральное разложение»: она *уронила престиж учителя*, выйдя замуж за... освободившегося заключённого (которому в лагере преподавала)!

Это уже не при Сталине, это — при Хрущёве.

И одна только реальность ото всего прошлого осталась — *справка*. Небольшой листок, сантиметров 12 на 18. Живому — о реабилитации. Мёртвому — о смерти. Дата смерти — её не проверишь. Место смерти — крупный большой Зет. Диагноз — сто штук пролистай, у всех один, дежурный*. Иногда — фамилии свидетелей (выдуманных).

А свидетели истинные — все молчат.

Мы — молчим.

И откуда же следующим поколениям чтó узнать? Закрыто, забито, зачищено.

«Даже и молодёжь, — жалуется Вербовский, — смотрит на реабилитированных с подозрением и презрением».

Ну, молодёжь-то не вся. Большей части молодёжи просто наплевать — реабилитировали нас или не реабилитировали, *сидит* сейчас двенадцать миллионов или уже не сидит, они тут связи не видят. Лишь бы сами они были на свободе с магнитофонами и лохмокудрыми девушками.

Рыба ведь не борется против рыболовства, она только старается проскочить в ячею́.

---

* Молодая Ч-на попросила простодушную девицу показать ей все сорок карточек из пачки. Во всех сорока одним и тем же почерком было вписано одно и то же заболевание печени... А то и так: «Ваш муж (Александр Петрович Малявко-Высоцкий) умер *до* суда и следствия и поэтому реабилитирован быть не может».

* * *

Как одно и то же широко известное заболевание протекает у разных людей по-разному, так и освобождение, если рассматривать ближе, очень по-разному переживается нами.

И — телесно. Одни положили слишком много напряжения для того, чтобы выжить свой лагерный срок. Они перенесли его как стальные: десять лет не потребляя и доли того, что телу надо, гнулись и работали; полуодетые, камень долбили в мороз — и не простуживались. Но вот — срок окончен, отпало внешнее нечеловеческое давление, расслабло и внутреннее напряжение. И таких людей перепад давлений губит. Гигант Чульпенёв, за 7 лет лесоповала не имевший ни одного насморка, на воле разболелся многими болезнями. — Г. А. Сорокин «после реабилитации неуклонно терял то душевное здоровье, которому завидовали мои лагерные товарищи. Пошли неврозы, психозы...» — Игорь Каминов: «На свободе я ослаб и опустился, и кажется, что на свободе мне тяжелей намного».

Как давно говорилось: в чёрный день перемогусь, в красный сопьюсь. У кого все зубы выпали за один год. Тот — стариком стал сразу. Тот — едва домой добрался, ослаб, сгорел и умер.

А другие — только с освобождения и воспряли. Только тут-то помолодели и расправились. (Я, например, и сейчас ещё выгляжу моложе, чем на своей первой ссыльной фотокарточке.) Вдруг выясняется: да ведь как же *легко* жить на воле! Там, на Архипелаге, совсем другая сила тяжести, там свои ноги тяжелы, как у слона, здесь перебирают, как воробьиные. Всё, что кажется вольняшкам неразрешимо мучительным, мы разрешаем, единожды щёлкнув языком. Ведь у нас какая бодрая мерка: «было хуже!» Было хуже, а значит, сейчас совсем легко. И никак не приедается нам повторять: было хуже! было хуже!

Но ещё определённее прочерчивает новую судьбу человека тот душевный перелом, который испытан им при освобождении. Этот перелом бывает разный очень. Ты только на пороге лагерной вахты начинаешь ощущать, что каторгу-родину покидаешь за плечами. Ты родился духовно здесь, и сокровенная часть души твоей останется здесь навсегда — а ноги плетут куда-то в безгласное безотзывное пространство *воли*.

Выявляются человеческие характеры в лагере — но выявляются ж и при освобождении! Вот как расставалась с Особлагом в 1951 Вера Алексеевна Корнеева, которую мы уже в этой книге встречали: «Закрылись за мной пятиметровые ворота, и я сама себе не поверила, что, выходя на волю, плачу. О чём?.. А такое чувство, будто сердце оторвала от самого дорогого и любимого, от товарищей по несчастью. Закрылись ворота — и всё кончено. Никогда я этих людей не увижу, не получу от них никакой весточки. *Точно на тот свет ушла...*»

На тот свет!.. Освобождение как вид смерти. Разве мы освободились? — мы умерли для какой-то совсем новой загробной жизни. Немного призрачной. Где осторожно нащупываем предметы, стараясь их опознать.

Освобождение на *этот* свет мыслилось ведь не таким. Оно рисовалось нам по пушкинскому варианту: «И братья меч вам отдадут». Но такое счастье суждено редким арестантским поколениям.

А это было — украденное освобождение, не подлинное. И кто чувствовал так — тот с кусочком этой ворованной свободы спешил бежать в одиночество. Ещё в лагере «почти каждый из нас, мои близкие товарищи и я, думали, что если Бог приведёт выйти на свободу живым, то будем жить не в городах и даже не в сёлах, а где-нибудь в лесной глуши. Устроимся на работу лесником, объездчиком, наконец, пастухом и будем подальше от людей, от политики, от всего этого бренного мира» (В. В. Поспелов). Авенир Борисов первое время на воле всё держался от людей в стороне, убегал в природу. «Я готов был обнимать и целовать каждую берёзку, каждый тополь. Шелест опавших листьев (я освободился осенью) казался мне музыкой, и слёзы находили на глаза. Мне было наплевать, что я получал 500 грамм хлеба, — ведь я мог часами слушать тишину да ещё и книги читать. Вся работа казалась на воле лёгкой, простой, сутки летели как часы, жажда жизни была ненасытной. Если есть вообще в мире счастье, то оно обязательно находит каждого зэка в первый год его жизни на свободе!»

Такие люди долго ничего не хотят иметь: они помнят, что имущество легко теряется, как сгорает. Они почти суеверно избегают новых вещей, донашивают старое, досиживают на ломаном. У Тэнно с женой долго мебель была такая: ни сесть, ни опереться ни на что, всё шатается. «Так и живём, — смеялись, — от зоны до зоны». (Купили новую — и он умер.)

Л. Копелев вернулся в 1955 году в Москву и обнаружил: «Трудно с благополучными людьми. Встречаюсь только с теми из бывших друзей, кто хоть как-то неблагополучен».

Да ведь по-человечески только те и интересны, кто отказались лепить карьеру. А кто лепит — скучны ужасно.

Однако люди — разны. И многие ощутили переход на волю совсем иначе (особенно в пору, когда ЧК-ГБ как будто чуть смежало веки): ура! свободен! теперь один зарок: больше не попадаться! теперь — нагонять и нагонять упущенное!

Кто нагоняет в должностях, кто в званиях (учёных или военных), кто в заработках и сберегательной книжке (у нас говорить об этом — тон дурной, но тишком-то — считают...). Кто — в детях. Кто... Валентин М. клялся нам в тюрьме, что на воле будет нагонять по части девиц, и верно: несколько лет подряд он днём — на работе, а вечера, даже будние, — с девицами, и всё новыми; спал по 4—5 часов, осунулся, постарел. Кто нагоняет в еде, в мебели, в одежде (забыто, как обрезались пуговицы, как гибли лучшие вещи в предбанниках). Опять приятнейшим занятием становится — покупать.

И как упрекнуть их, если правда столько упущено? Если вырезано из жизни — столько?

Соответственно двум разным восприятиям *воли* — и два разных отношения к прошлому.

Вот ты пережил страшные годы. Кажется, ты ведь не чёрный убийца, ты не грязный обманщик, — так зачем бы тебе стараться забыть тюрьму и лагерь? Чего тебе стыдиться в них? Не дороже ли считать, что они обогатили тебя? Не вернее ли ими гордиться?

Но столь же многие (и такие не слабые, такие не глупые, от которых совсем не ждёшь) стараются — забыть! Забыть как можно скорей! Забыть всё начисто! Забыть, как его и не было!

Ю. Г. Вендельштейн: «Обычно стараешься не вспоминать, защитная реакция». Пронман: «Честно скажу, видеться с бывшими лагерниками не хотел, чтобы не вспоминать». С. А. Лесовик: «Вернувшись из лагеря, старалась не вспоминать прошлого. И, знаете, почти удалось!» (до повести «Один день»). С. А. Бондарин (мне давно известно, что в 1945 году он сидел в той же лубянской камере передо мною; я берусь ему назвать не только наших сокамерников, но и с кем он сидел *до* нашей камеры, кого я отнюдь не знал никогда, — и получаю в ответ): «А я постарался всех забыть, с кем там сидел». (После этого я ему, конечно, даже не отвечаю.)

Мне понятно, когда старых лагерных знакомств избегают ортодоксы: им надоело лаяться одному против ста, слишком тяжелы воспоминания. Да и вообще — зачем им эта нечистая, неидейная публика? Да какие ж они благонамеренные, если им не забыть, не простить, не вернуться в прежнее состояние? Ведь об этом же и слали они четырежды в год челобитья: верните меня! верните меня! я был хороший и буду хороший!* В чём для них *возврат*? Прежде всего в вос-

---

* С этим они и повалили в столицы в 1956: как из затхлого сундука, принесли воздух 30-х годов и хотели продолжать с того дня, когда их арестовали.

становлении партийной книжечки. Формуляров. Стажа. Заслуг.

> И повеет теплом партбилета
> Над оправданной головой.

А лагерный опыт — это та зараза, от которой надо поскорее отлипнуть. Разве в лагерном опыте, если даже встряхнуть его и промыть, — найдётся хоть одна крупинка благородного металла?

Вот старый ленинградский большевик Васильев. Отсидел две десятки (всякий раз имея ещё и пять намордника). Получил республиканскую персональную пенсию. «Вполне обезпечен. Славлю свою партию и свой народ». (Это замечательно! Ведь только Бога славил так Иов библейский: за язвы, за мор, за голод, за смерти, за унижения — слава Тебе, слава Тебе!) Но не бездельник этот Васильев, не потребитель просто: «состою в комиссии по борьбе с тунеядцами». То есть кропает по мере старческих сил одно из главных беззаконий сегодняшнего дня. Вот это и есть — лицо Благомысла!

Понятно и почему стукачи не желают воспоминаний и встреч: боятся упрёков и разоблачений.

Но у остальных? Не слишком ли это глубокое рабство? Добровольный зарок, чтоб не попасть второй раз? «Забыть, как сон, забыть, забыть видения проклятого лагерного прошлого», — сжимает виски кулаками Настенька Вестеровская, попавшая в тюрьму не как-нибудь, а с огнестрельной раной, убегая. Почему филолог-классик А. Д., по роду занятий своих умственно взвешивающий сцены древней истории, — почему и он велит себе «всё забыть»? Что ж поймёт он тогда во всей человеческой истории?

Евгения Дояренко, рассказывая мне в 1965 году о своей посадке на Лубянку в 1921, ещё до замужества, добавила: «А мужу покойному я про это так и не рассказывала, *забыла*». Забыла?? Самому близкому человеку, с которым жизнь прожила? Так ма́ло нас ещё сажают!!

А может быть, не надо так строго судить? Может быть, в этом — средняя человечность? Ведь о ком-то же составлены пословицы:

Час в добре пробудешь — всё горе забудешь.
Дело-то забывчиво, тело-то заплывчиво.

Заплывчивое тело! — вот что такое человек!..
Мой друг и одноделец Николай Виткевич, с кем общими мальчишескими усилиями мы закатились за решётку, — воспринял всё пережитое как проклятье, как постыдную неудачу глупца. И устремился в науку — наиболее безопасное предприятие, чтобы подняться на ней. В 1959 году, когда Пастернак ещё был жив, но плотно обложен травлей, — я стал говорить ему о Пастернаке. Он отмахнулся: «Что говорить об этих старых галошах! Слушай лучше, как я *борюсь* у себя на кафедре!» (Он всё время с кем-нибудь борется, чтобы возвыситься в должности.) А ведь трибунал оценил его в 10 лет лагерей. Не довольно ли было один раз высечь?..

Вот Р. Ретц. Он сегодня — начальник жилконторы, он ещё и дружинник. Очень важно рассказывает о своей сегодняшней жизни. И хотя старой он не забыл — как забыть 18 лет на Колыме? — о Колыме он рассказывает как-то суше и недоуменно: да действительно ли это всё было? Как это могло быть?.. Старое сошло с него. Он гладок и всем доволен.

Как вор *завязывает*, так забывает и эрзац-политический. И для этих завязавших становится мир снова удобным, нигде не колющим, не жмущим. Как раньше казалось им, что «все сидят», так теперь им кажется — никто не сидит. Осеняет их и прежний приятный смысл Первого мая и Октябрьской годовщины — это уже не те суровые дни, когда нас особенно глумливо обыскивали на холоде и особенно плотно набивали нами камеры лагерной тюрьмы. Да зачем так высоко брать? — если днём на работе главу семьи похвалит начальство — вот за обедом и праздник, вот и торжество.

Только в семье иногда бывший мученик разрешает себе побрюзжать. Только тут он иногда *помнит*, чтоб его больше ласкали и ценили. А выходя за порог, он — *забыл*.

Однако не будем так безпреклонны. Ведь это общечеловеческое свойство: от опыта враждебного вернуться в своё «я», ко многим своим прежним (пусть и не лучшим) чертам и привычкам. В этом остойчивость нашей личности, наших генов. Вероятно, иначе человек тоже не был бы человеком. Тот же Тарас Шевченко, чьи растерянные строки уже были приведены*, через 10 лет пишет обрадованно: «ни одна черта в моём внутреннем образе не изменилась. От всей души благодарю моего всемогущего Создателя, что Он не допустил ужасному опыту коснуться железными когтями моих убеждений».

Но *как* это — *забывают*? Где б научиться?..

«Нет! — пишет М. И. Калинина, — ничто не забывается и ничто в жизни не устраивается. И сама я не рада, что я такая. И на работе можно быть на хорошем счету, и в быту бы всё гладко — но в сердце точит и точит что-то, и безконечная усталость. Я надеюсь, вы не напишете о людях, которые освободились, что они всё забыли и счастливы?»

Раиса Лазутина: «Не надо вспоминать плохого? А если нечего вспомнить хорошего?..»

Тамара Прыткова: «Сидела я двенадцать лет, но с тех пор уже на воле одиннадцать, а *никак не пойму — для чего жить?* И где справедливость?»

Два века Европа толкует о равенстве — а мы все разные до чего ж! Какие разные борозды на наших душах от жизни: одиннадцать лет ничего не забыть — и всё забыть на другой день...

Иван Добряк: «Всё осталось позади, да не всё. Реабилитирован, а покою нет. Редкая неделя, чтобы сон прошёл спокойно, а то всё зона снится. Вскакиваешь в слезах, или будят тебя в испуге».

---

* Часть Третья, глава 19.

Ансу Бернштейну и через одиннадцать лет снятся только лагерные сны. Я тоже лет пять видел себя во сне только заключённым, никогда — вольным, а нет-нет — и сегодня приснится, что я зэк (и во сне нисколько этому не удивляюсь, веду себя по старому опыту). Л. Копелев через 14 лет после освобождения заболел — и сразу же бредит тюрьмой[*].

А уж «каюту» и «палату» никак наш язык не проговорит, всегда — «камера».

Шавирин: «На овчарок и до сих пор не могу смотреть спокойно».

Чульпенёв идёт по лесу, но уже не может просто дышать, наслаждаться: «Смотрю — сосны *хорошие*: сучков мало, порубочных остатков почти не сжигать, это чистые *кубики* пойдут...»

Как забыть, если ты поселяешься в деревне Мильцево, а там едва ли не половина жителей прошла через лагеря, правда за воровство больше. Ты приходишь на рязанский вокзал и видишь три выломанных прута в ограде. Их никто никогда не заделывает, как будто так и надо. Потому что именно против этого места останавливаются арестантские вагоны — и сегодня, и сегодня они останавливаются! — а к пролому подгоняют задом воронок, и зэков перегоняют в эту дырку (так удобней, чтобы зэков не вести через людный перрон). Выписывают тебе путёвку на лекцию (1957) из всесоюзного общества по распространению невежества, и путёвка оказывается в Рязанскую ИТК-2 — женскую колонию при тюрьме. И ты идёшь на вахту, и в волчок выглядывает знакомая фуражка. Вот с гражданином воспитателем ты проходишь по двору тюрьмы, и понурые дурно одетые женщины все первые здороваются с вами заискивающе. Вот ты сидишь в кабинете на-

---

[*] На Западе я получил письмо от Франка Диклера из Бразилии, он пишет, что и там, и уже через 30 лет после освобождения у него всё ещё бывают лагерные кошмары и он всё ещё просится у начальника 3-го отдела (оперчасти) отпустить его из Заполярья.

чальника политчасти, и, пока он тебя тут развлекает, ты знаешь: там сейчас выгоняют из камер, подымают спящих, на индивидуальной кухне котелки вырывают из рук — а ну-ка, лекцию слушать, быстро! И вот согнали их полный зал. И зал сыр, и коридоры сыры, и ещё сырее, наверно, камеры — и несчастные женщины-работяги всю мою лекцию кашляют застарелым, глубоким, гулким, то сухим, то раздирающим кашлем. Одеты они не как женщины, а как карикатуры на женщин, молодые — угловаты, костлявы, как старухи, все измучены и ждут конца моей лекции. Мне стыдно. Как хотел бы я раствориться в дым и исчезнуть. Как хотел бы я вместо этих «достижений науки и техники» крикнуть им: «Женщины! до каких же пор это будет?..» Мой глаз сразу отличает несколько свежих, хорошо одетых, даже в джемперах. Это — придурки. Вот на них остановиться взглядом и, не слушая кашля, можно очень гладко прочесть всю лекцию. Они глаз не спускают, так слушают... Но знаю я, не словам они внемлют, не космос им нужен, а — редко видят мужчин, вот и рассматривают... И я воображаю: сейчас отнимут у меня пропуск и я останусь тут. И эти стены, всего в нескольких метрах от известной мне улицы, от известной троллейбусной остановки, перегородят всю жизнь, они станут не стенами, а годами... Нет, нет, я сейчас уйду! я за сорок копеек доеду в троллейбусе и дома буду вкусно обедать. Но хоть не забыть: они-то здесь все останутся. Вот так же будут кашлять. Годами кашлять.

В годовщины своего ареста я устраиваю себе «день зэка»: отрезаю утром 650 граммов хлеба, кладу два кусочка сахара, наливаю незаваренного кипятка. А на обед прошу сварить мне баланды и черпачок жидкой кашицы. И как быстро я вхожу в старую форму: уже к концу дня собираю в рот крошки, вылизываю миску. Возощущения встают во мне живо!

А ещё вывез и храню свои лоскуты-номера. Да только ли я? Как святыню покажут тебе их — в одном доме, и в другом.

Иду как-то по Новослободской — Бутырская тюрьма! «Приёмная передач». Вхожу. Полно женщин, есть и мужчины. Кто сдаёт передачи, кто разговаривает. Это отсюда, значит, шли нам передачи. Как интересно. С самым невинным видом подхожу читать правила приёма. Но, сметив меня орлиным взглядом, ко мне быстро идёт мордатый старшина. «А вам что, гражданин?» Учуял, что не передача тут, а подвох. Значит, пахну я всё-таки зэком!

А — посетить умерших? Тех, *своих*, где должен был и ты лежать, проколотый штыком? А. Я. Оленёв, уже старичок, поехал в 1965 году. С рюкзаком и палочкой добрался до бывшего сангородка, оттуда — на гору (близ посёлка Керки), где хоронили. Гора полна костей и черепов, и жители сегодня зовут её *костяной*.

В далёком северном городе, где полгода ночь, а полгода день, живёт Галя Венедиктова. Никого у неё в целом мире нет, а то, что «домом» называется, — шумный гадкий угол. И отдых её: с книгой пойти в ресторан, взять вина, то отпить, то покурить, то «погрустить о России». Любимые её друзья — оркестранты и швейцары. «Многие, вернувшись *оттуда*, скрывают прошлое. А я своей биографией горжусь».

То там, то здесь собираются в год раз товарищества бывших зэков, пьют и вспоминают. «И странно, — говорит В. П. Голицын, — что картины прошлого встают далеко не только мрачные и тяжёлые, а многое вспоминается с тёплым хорошим чувством».

Тоже свойство человека. И не худшее.

«А буква у меня в лагере была — Ы, — восхищённо сообщает В. Л. Гинзбург. — А паспорт мне выдали серии ЗК!»

Прочтёшь — и тепло становится. Нет, честное слово, как выделяются среди многих писем — письма бывших зэков. Какая незаурядная жизнестойкость! А при ясности целей — какой бывает напор! В наше время, если получишь письмо совсем без нытья, настоящее оптимистическое, — то только от бывшего зэка. Ко всему на свете привыкшие, ни от чего они не унывают.

Горжусь я принадлежать к могучему этому племени! Мы не были племенем — нас сделали им! Нас так спаяли, как сами мы, в сумерках и разброде воли, где каждый друг друга трусит, никогда не могли бы спаяться. Ортодоксы и стукачи как-то автоматически выключились из нас на воле. Нам не надо сговариваться поддерживать друг друга. Нам не надо уже испытывать друг друга. Мы встречаемся, смотрим в глаза, два слова — и что ж ещё объяснять? Мы готовы к выручке. У нашего брата везде свои ребята. И нас миллионы!

Дала нам решётка новую меру вещей и людей. Сняла с наших глаз ту будничную замазку, которой постоянно залеплены глаза ничем не потрясённого человека. И какие же неожиданные выводы!

Н. Столярова, доброй волей приехавшая в 1934 из Парижа в этот капкан, выхвативший всю середину её жизни, не только не терзается, не проклинает свой приезд, но: «Я была права, когда вопреки своей среде и голосу разума ехала в Россию! Совсем не зная России, я нутром угадала её».

Когда-то горячий, удачливый, нетерпеливый герой Гражданской войны И. С. Карпунич-Бравен не вникал в списки, подносимые начальником Особого Отдела, и не вверху листа, а внизу, не прописными буквами, а строчными, как безделицу, помечал тупым карандашом без точек: *в м* (это значило: Высшая Мера! всем!). Потом были ромбы в петлицах, потом двадцать с половиною лет Колымы, — и вот он живёт средь леса на одиноком хуторе, поливает огород, кормит кур, мастерит в столярке, не подаёт просьбы о реабилитации, матом кроет Ворошилова, сердито пишет в тетрадках свои ответы, ответы и ответы на каждую радиопередачу и каждую газетную статью. Но ещё проходят годы — и хуторной философ со значением выписывает из книги афоризм:

«Мало любить человечество, — надо уметь переносить людей».

А перед смертью — своими словами, да такими, что вздрогнешь, — не мистика ли? не старик ли Толстой:

«Я жил и судил всё по себе. Но теперь я другой человек и уже не сужу по себе».

Удивительный В. П. Тарновский так и остался после срока на Колыме. Он пишет стихи, которые не посылает никому. Размышляя, он вывел:

> А досталась мне эта окраина,
> Осудил на молчание Бог,
> Потому что я видел Каина,
> А убить его — не мог*.

Жаль только: мы умрём все постепенно, не совершив достойного ничего.

* * *

А ещё предстоят на воле бывшим зэкам — встречи. Отцов — с сыновьями. Мужей — с жёнами. И от этих встреч не часто бывает доброе. За десять, за пятнадцать лет без нас не могли сыновья вырасти в лад с нами: иногда просто чужие, иногда и враги. И женщины лишь немногие вознаграждены за верное ожидание мужей: столько прожито порознь, всё сменилось в человеке, только фамилия прежняя. Слишком разный опыт жизни у него и у неё — и снова сойтись им уже невозможно.

Тут — на фильмы и на романы кому-то, а в эту книгу не помещается.

Тут пусть будет один рассказ Марии Кадацкой.

«За первые 10 лет муж написал мне 600 писем. За следующие 10 — одно, и такое, что не хотелось жить. После 19 лет в свой первый отпуск он поехал не к нам, а к родственникам, к нам же с сыном заехал проездом на 4 дня. Поезд, с которым мы его ждали, в этот день был отменён. И после безсонной ночи я лег-

---

* Для справедливости добавлю по́зднее: с Колымы уехал, несчастно женился — и потерян высокий строй души, и не знает, как шею высвободить.

ла отдохнуть. Слышу звонок. Незнакомый голос: „Мне Марию Венедиктовну". Открываю. Входит полный пожилой мужчина в плаще и шляпе. Ничего не говоря, проходит смело. Я спросонья как будто забыла, что ждала мужа. Стоим. „Не узнала?" — „Нет". А сама всё думаю, что это — кто-то из родственников, которых у меня много и с которыми я тоже не виделась много лет. Потом посмотрела на его сжатые губы — вспомнила, что мужа жду! — и потеряла сознание. — Тут пришёл сын, да ещё заболевшим. И вот все трое, не выходя из единственной комнаты, мы четыре дня сидели. И с сыном они были очень сдержанны, и мне с мужем говорить почти не пришлось, разговор был общий. Он рассказывал о своей жизни и ничуть не интересовался, как мы без него. Уезжал опять в Сибирь, в глаза не смотрел при прощании. Я сказала ему, что муж мой погиб в Альпах (он был в Италии, его освободили союзники)».

А бывают другого рода встречи, веселей.

Можно встретить надзирателя или лагерного начальника. Вдруг в тебердинской турбазе узнаёшь в физинструкторе Славе — норильского вертухая. Или в ленинградском «Гастрономе» Миша Бакст видит — лицо знакомое, и тот его заметил. Капитан Гусак, начальник лаготделения, сейчас в гражданском. «Слушай, подожди-подожди! *Где ты у меня сидел?..* А, помню, мы тебя посылки лишили за плохую работу». (Ведь помнит! Но всё это им естественно кажется, будто поставлены они над нами навечно, и только перерыв сейчас небольшой.)

Можно встретить (Бельский) командира части полковника Рудыко, который дал поспешное согласие на твой арест, чтоб только не иметь неприятностей. Тоже в штатском и в боярской шапочке, вид учёного, уважаемый человек.

Можно встретить и следователя — того, который тебя бил или сажал в клопов. Он теперь на хорошей пенсии, как, например, Хват, следователь и убийца великого Вавилова, живёт на улице Горького. Уж избави Бог от этой встречи — ведь удар опять по твоему сердцу, не по его.

А ещё можно встретить твоего доносчика — того, кто посадил тебя, и вот преуспевает. И не карают его небесные молнии. Те, кто возвращаются в родные места, те-то обязательно и видят своих стукачей. «Слушайте, — уговаривает кто погорячее, — подавайте на них в суд! Хотя бы для общественного разоблачения!» (Уж — не больше, уж понимают все...) «Да нет уж... да ладно уж...» — отвечают реабилитированные.

Потому что *этот* суд был бы в ту сторону, куда волами тянуть.

«Пусть их жизнь наказывает!» — отмахивается Авенир Борисов.

Только и остаётся.

Композитор Х. сказал Шостаковичу: «Вот эта дама, Л., член нашего Союза, когда-то посадила меня». — «Напишите заявление, — сгоряча предложил Шостакович, — мы её из Союза исключим!» (Как бы не так!) Х. и руками замахал: «Нет уж, спасибо, меня вот за эту бороду по полу тягали, больше не хочу».

Да уж о возмездии ли речь? Жалуется Г. Полев: «Та сволочь, которая меня посадила, при выходе чуть снова не спрятала — и спрятала бы! — если б я не бросил семью и не уехал из родного города».

Вот это — по-*нашему*! вот это — по-советски!

Что́ же сон, что́ же мираж болотный: прошлое? или настоящее?..

В 1955 году пришёл Эфроимсон к заместителю главного прокурора Салину и принёс ему том уголовных обвинений против Лысенко. Салин сказал: «Мы не компетентны это разбирать, обращайтесь в ЦК».

С каких это пор они стали некомпетентными? Или отчего уж они на тридцать лет раньше не стали такими?

Процветают оба лжесвидетеля, посадившие Чульпенёва в монгольскую яму, — Лозовский и Серёгин. С общим знакомым по части пошёл Чульпенёв к Серёгину в его контору бытового обслуживания при Моссовете. «Знакомьтесь. Наш халхинголец, не помните?» —

«Нет, не помню». — «А Чульпенёва — не помните такого?» — «Нет, не помню, война раскидала». — «А судьбу его не знаете?» — «Понятия не имею». — «Ах, подлец ты, подлец!»

Только и скажешь. В райкоме партии, где Серёгин на учёте: «Не может быть! Он так добросовестно работает».

Добросовестно работает!..

Всё на местах, и все на местах. Погромыхали громы — и ушли почти без дождя.

До того всё на местах, что Ю. А. Крейнович, знаток языков Севера*, вернулся — в тот же институт, и в тот же сектор, с теми же, кто *заложил* его, кто ненавидит его, — с теми же самыми он каждый день шубу снимает и заседает.

Ну как если бы жертвы Освенцима вкупе с бывшими комендантами образовали бы общую галантерейную фирму.

Есть обергруппен-стукачи и в литературном мире. Сколько душ погубили Я. Эльсберг? Лесючевский? Все знают их — и никто не смеет тронуть. Затевали изгнать из Союза писателей — напрасно! Ни тем более — с работы. Ни уж, конечно, из партии.

Когда создавался наш Кодекс (1926), сочтено было, что убийство клеветою в пять раз легче и извинительней, чем убийство ножом. (Да ведь и нельзя ж было предполагать, что при диктатуре пролетариата кто-то воспользуется этим буржуазным средством — клеветой.) По статье 95-й — заведомо ложный донос, показания, соединённые: а) с обвинением в тяжком преступлении; б) с корыстными мотивами; в) с искусственным созданием доказательств обвинения, — караются лишением свободы до... двух лет. А то и — шесть месяцев.

---

* О нём метко сказано: если ранние народовольцы становились знаменитыми языковедами благодаря вольной сылке, то Крейнович сохранился им, несмотря на сталинский лагерь: даже на Колыме он пытался заниматься юкагирским языком.

Либо полные дурачки эту статью составляли, либо очень уж дальновидные.

Я так полагаю, что — дальновидные.

И с тех пор в каждую амнистию (сталинскую 45-го, «ворошиловскую» 53-го) эту статейку не забывали включить, заботились о своём *активе*.

Да ещё ведь и *давность*. Если тебя ложно обвинили (по 58-й), то давности нет. А если *ты* ложно обвинил, то давность, мы тебя обережём.

Дело семьи Анны Чеботар-Ткач всё сляпано из ложных показаний. В 1944 она, её отец и два брата арестованы за якобы политическое и якобы убийство невестки. Все трое мужчин забиты в тюрьме (не сознавались), Анна отбыла десять лет. А невестка оказалась вообще невредима! Но *ещё десять лет* Анна тщетно просила реабилитации! Даже в 1964 прокуратура ответила: «Вы осуждены правильно, и оснований для пересмотра нет». Когда же всё-таки реабилитировали, то неутомимая Скрипникова написала за Анну жалобу: привлечь лжесвидетелей. Прокурор Г. Терехов ответил: невозможно за давностью...

В 20-е годы раскопали, притащили и расстреляли тёмных мужиков, за *сорок* лет перед тем казнивших народовольцев по приговору царского суда. Но те мужики были не свои. А доносчики эти — плоть от плоти.

Вот та *воля*, на которую выпущены бывшие зэки. Есть ли ещё в истории пример, чтобы столько всем известного злодейства было неподсудно, ненаказуемо?

И чего же доброго ждать? Что может вырасти из этого зловония?

Как великолепно оправдалась злодейская затея Архипелага!

ЧАСТЬ СЕДЬМАЯ

Сталина нет

> И не раскаялись они
> в убийствах своих...
> *Апокалипсис, 9:21*

Глава 1
КАК ЭТО ТЕПЕРЬ ЧЕРЕЗ ПЛЕЧО

Конечно, мы не теряли надежды, что *будет* о нас рассказано: ведь рано или поздно рассказывается вся правда обо всём, что было в истории. Но рисовалось, что это придёт очень нескоро, — после смерти большинства из нас. И при обстановке совсем изменившейся. Я сам себя считал летописцем Архипелага, всё писал, писал, а тоже мало рассчитывал увидеть при жизни.

Ход истории всегда поражает нас неожиданностью, и самых прозорливых тоже. Не могли мы предвидеть, как это будет: безо всякой зримой вынуждающей причины всё вздрогнет и начнёт сдвигаться, и немного, и совсем ненадолго бездны жизни как будто приопахнутся — и две-три птички правды успеют вылететь прежде, чем снова надолго захлопнутся створки.

Сколько моих предшественников не дописало, не дохранило, не доползло, не докарабкалось! — а мне это счастье выпало: в раствор железных полотен, перед тем как снова им захлопнуться, — просунуть первую горсточку правды.

И как вещество, объятое антивеществом, — она взорвалась тотчас же!

Она взорвалась и повлекла за собой взрыв писем людских — но этого надо было ждать. Однако и взрыв газетных статей — через скрежет зубовный, через ненависть, через нехоть — взрыв казённых похвал, до оскомины.

Когда бывшие зэки из трубных выкликов всех сразу газет узнали, что вышла какая-то повесть о лагерях и газетчики её наперехлёб хвалят, — решили единодушно: «опять брехня! спроворились и тут соврать». Что наши газеты с их обычной непомерностью вдруг да накинутся хвалить правду, — ведь этого ж всё-таки нельзя было вообразить! Иные не хотели и в руки брать мою повесть.

Когда же стали читать — вырвался как бы общий слитный стон, стон радости — и стон боли. Потекли письма.

Эти письма я храню. Слишком редко наши соотечественники имеют случай высказаться по общественным вопросам, а бывшие зэки — тем более. Уж сколько разуверялись, уж сколько обманывались — а тут поверили, что начинается-таки эра правды, что можно теперь смело говорить и писать!

И обманулись, конечно, в который раз…

«Правда восторжествовала, но поздно!» — писали они.

И даже ещё поздней, потому что нисколько не восторжествовала…

Ну да были и трезвые, кто не подписывался в конце писем («берегу здоровье в оставшиеся дни моей жизни») или сразу, в самый накал газетного хвалебствия, спрашивал: «Удивляюсь, как Волковой дал тебе напечатать эту повесть? Ответь, я волнуюсь, не в БУРе ли ты?..» или: «Как это ещё вас обоих с Твардовским не упрятали?»

А вот так, заел у них капкан, не срабатывал. И что ж пришлось Волковы́м? — тоже браться за перо! тоже письма писать. Или в газеты опровержения. Да они, оказывается, и очень грамотные есть.

Из этого второго потока писем мы узнаём и как их зовут-то, как они сами себя называют. Мы всё слово искали, лагерные хозяева да лагерщики, нет — *практические работники*, вот как! вот словцо золотое! «Чекисты» вроде не точно, ну они — *практические работники*, так они выбрали.

Пишут:

«Иван Денисович — подхалим».

(*В. В. Олейник, Актюбинск*)

«К Шухову не испытываешь ни сострадания, ни уважения».

(*Ю. Матвеев, Москва*)

«Шухов осуждён правильно... *А что́ зэка зэка делать на воле?*»

(*В. И. Силин, Свердловск*)

«Этих людишек с подленькой душёнкой *судили слишком мягко*. Тёмных личностей Отечественной войны... мне не жаль».

(*Е. А. Игнатович, г. Кимовск*)

Шухов — «квалифицированный, изворотливый и безжалостный шакал. Законченный эгоист, живущий только ради брюха».

(*В. Д. Успенский, Москва*)

«Вместо того чтобы нарисовать картину гибели преданнейших людей в 1937 году, автор избрал 1941 год, когда в лагерь в основном попадали шкурники*. В 37-м не было Шуховых**, а шли на смерть угрюмо и молча с думою о том, *кому это нужно?*»***

(*П. А. Панков, Краматорск*)

О лагерных порядках:

«А зачем давать много питания тому, кто не работает? Сила у него остаётся неизрасходованной... С преступным миром ещё слишком мягко обращаются».

(*С. И. Головин, Акмолинск*)

«А насчёт норм питания не следует забывать, что *они не на курорте*. Должны искупить вину только чест-

---

* Ну да, простые безпартийные, военнопленные.
** Ещё сколько!.. Побольше *ваших*!
*** Какая интеллектуальная глубина думы! Кстати, не так уж молча: с непрерывными раскаяниями и просьбами помиловать.

ным трудом. Эта повесть оскорбляет солдат, сержантов и офицеров МВД. Народ — творец истории, но как показан этот народ..? — в виде „попок", „остолопов", „дураков"».

*(старшина Базунов, Оймякон, 55 лет,
состарился на лагерной службе)*

«В лагерях меньше злоупотреблений, чем в каком-либо другом советском учреждении (!!). Утверждаю, что сейчас в лагерях *стало строже*.
Охрана не знала, кто за что сидит»*.

(В. Караханов, Подмосковье)

«Мы, исполнители, — тоже люди, мы тоже шли на геройство: не всегда подстреливали падающих и, таким образом, рисковали своей службой».

(Григ. Трофимович Железняк)**

«Весь день в повести насыщен отрицательным поведением заключённых без показа роли администрации... Но содержание заключённых в лагере *не является причиной периода культа личности*, а связано с исполнением приговора».

(А. И. Григорьев)

«Солженицын так описывает всю работу лагеря, как будто там и партийного руководства не было. А ведь и ранее, как и сейчас, существовали партийные организации и направляли *всю работу согласно совести*».

[Практические работники] «только выполняли, что с них требовали положения, инструкции, приказы. Ведь *эти же люди, что работали тогда, работают и сейчас****,

---

* Мы? — «только выполняли приказ», «мы не знали».
** Железняк и меня самого «помнит»: «прибыл в кандальном этапе, выделялся склочным характером; потом был отправлен в Джезказган и там вместе с Кузнецовым был во главе восстания»...
*** Очень важное свидетельство!

может быть, добавилось процентов десять, и за хорошую работу поощрялись не раз, являются на хорошем счету как работники».

«Горячее негодующее возмущение у всех сотрудников МВД... Просто удивляешься, сколько жёлчи в этом произведении... Он специально настраивает народ на МВД!.. И почему наши Органы разрешают издеваться над работниками МВД?.. *Это нечестно!*»

(Анна Филипповна Захарова, Иркутск. обл., в МВД с 1950, в партии с 1956)

Слушайте, слушайте! *Это нечестно!* — вот крик души. 45 лет терзали туземцев — и это было честно. А повесть напечатали — это нечестно!

«Такой дряни ещё не приходилось переваривать... И это не только моё мнение, много нас таких,

имя нам легион*».

Да короче:
«Повесть Солженицына должна быть немедленно изъята изо всех библиотек и читален».

(А. Кузьмин, Орёл)

Так и сделано постепенно**.
«Эту книгу надо было не печатать, а передать материал в органы КГБ».

(Аноним***, ровесник Октября)*

Да так почти и произошло, угадал ровесничек.
И ещё другой Аноним, уже поэт:

---

* Верно, что легион — верно. Только впопыхах не проверили по Евангелию цитату. Легион-то — бесов...

** А окончательно — секретным приказом Главного Управления по охране Государственных тайн в печати № 10 ДСП от 14.2.1974 — изъять и истребить «Ивана Денисовича», «Матрёнин двор» и другие опубликованные рассказы (подпись *Романов*).

*** На всякий случай тоже прячется: чёрт его знает, куда ещё рванёт ветер!..

> Ты слышишь, Россия,
> На совести нашей
> Единого пятнышка нет!

Опять это «инкогнито проклятое»! Узнать бы — сам ли расстреливал, или только посылал на смерть, или обыкновенный ортодокс, — и вот тебе аноним! Аноним без пятнышка...

И наконец — широкий философский взгляд:

«*История никогда не нуждалась в прошлом* (?), и тем более не нуждается в нём история социалистической культуры».

(А. Кузьмин)

История не нуждается в прошлом! — вот до чего договорились Благомыслы. А в чём же она нуждается? — в будущем, что ли?.. И вот они-то пишут историю...

И что можно сейчас возразить всем им, всем им против их слитного невежества? И как им сейчас можно объяснить?

Ведь истина всегда как бы застенчива, она замолкает от слишком наглого напора лжи.

Долгое отсутствие свободного обмена информацией внутри страны приводит к пропасти непонимания между целыми группами населения, между миллионами — и миллионами.

Мы просто *перестаём быть единым народом*, ибо говорим действительно на разных языках.

* * *

А всё-таки прорыв совершился! Уж как была крепка, как надёжна казалась навек отстроенная стена лжи — а зазияла брешь. Ещё вчера у нас никаких лагерей не было, никакого Архипелага — а сегодня всему народу и всему миру увиделось: лагеря! да ещё фашистские!

Как же быть?? Многолетние мастера выворачивания! изначальные хвалебщики! — да неужели вы это стерпите! Вы — и оробеете? Вы — и поддадитесь?..

Да конечно же нет! Мастера выворачивания первые и хлынули в эту брешь. Они как будто годами только её и ждали, чтобы наполнить её своими серокрылатыми телами и радостным — именно радостным! — хлопаньем крыльев закрыть от изумлённых зрителей собственно Архипелаг.

Их первый крик — мгновенно найденный, инстинктивный — был: *это не повторится*! Слава Партии! — это не повторится!

Ах, умницы, ах, мастера заделки! Ведь если «это не повторится», так уж само собой приразумевается, что *сегодня* этого нет! В будущем — не будет, а сегодня конечно же не существует!

Так ловко хлопали они своими крыльями в бреши — и Архипелаг, едва появившись взорам, уже стал и миражом: его и нет, и не будет, ну, может быть, разве только — был... Так ведь — *культ личности*! (Удобный этот «культ личности»! — выпустил изо рта, и как будто что-то объяснил.) А чтó действительно есть, что осталось, что наполняет брешь и что пребудет вовек — это «Слава Партии!» (Сперва как будто слава за то, что «не повторится», а потом и сразу почти уже как будто слава и за сам Архипелаг, это сливается, не разделишь: ещё и журнала того не достали с пресловутой повестью, но всюду слышим: «Слава Партии!» Ещё не дочитали до того места, как плёткой бьют, но со всех сторон гремит: «Слава Партии!»)

Так херувимы лжи, хранители Стены, прекрасно справились с первым моментом.

Но брешь всё-таки оставалась. И крылья их не могли на том успокоиться.

Второе усилие их было — подменить! Как фокусник, почти не закрывая платочком, меняет курицу на апельсин, так подменить и весь Архипелаг, и вместо того, который в повести показан, представить зрителям уже совсем другой, гораздо более благородный. Сперва попытки эти были осторожны (предполагали, что автор повести близок к трону), и подмену надо было делать, непрерывно хваля мою повесть. Ну, например, рассказывать об Архипелаге «от очевидцев» — о коммунистах в лагере, которые, правда, «не собирали партийных взносов, но проводили ночами тайные партийные собрания (?), обсуждали политические новости... За пение шёпотом „Интернационала" по доносам стукачей гноились в карцерах... Бандеровцы, власовцы издевались над настоящими коммунистами и калечили их заодно (!) с лагерным начальством... Но всего этого Солженицын нам не показал. Что-то в этой страшной жизни он не сумел рассмотреть».

А автор рецензии и в лагере не был, но — рассмотрел. Ну не ловко? Лагеря-то, оказывается, были — не от Советской власти, не от Партии! (Наверно, и суды были — не советские.) В лагерях верховодили-то власовцы и бандеровцы *заодно* с начальством. (Вот тебе раз! А мы Захаровой поверили, что у начальников лагерных — партийные книжки, и были всегда.)

Да ещё не всех в московской газете печатают. Вот наш рязанский вожак писатель Н. Шундик предложил в интервью для АПН, для Запада (да не напечатали, может и АПН — *заодно*?..) ещё такой вариант оценки Архипелага:

«проклятье международному империализму, который спровоцировал все эти лагеря!»

А ведь умно! А ведь здорово. Но не пошло́...

То есть, в общем, лагеря были какие-то иностранные, чужеродные, не наши, то ли берианские, то ли власовские, то ли немецкие, чёрт их знает, а *наши* люди там только сидели и мучились. Да и «наши»-то люди — это не все наши люди, обо всех «наших» газетных столбцов не хватит, «наши» — это только коммунисты!

Вместе с нами протащившись по всему быту Архипелага, читатель может ли теперь увидеть такое место и такое время, когда подходила пора петь «Интернационал» шёпотом? Спотыкаясь после лесоповала — небось не попоёшь? Разве только если целый день ты просидел в каптёрке, там же и петь.

А — *о чём* ночные партийные собрания (опять же — в каптёрке или в санчасти, и уж тогда дневные, зачем же ночью)? Выразить недоверие ЦК? Да вы с ума сошли! Недоверие Берии? Да ни в коем случае, он член Политбюро! Недоверие ГБ? Нельзя, её создал сам Дзержинский! Недоверие нашим советским судам? Это всё равно что недоверие Партии, страшно и сказать. (Ведь ошибка произошла *только с тобой одним* — так что и товарищей надо выбирать поосторожней, они-то осуждены — правильно.)

Простой шофёр А. Г. Загоруйко, не убеждённый порханьем этих крыльев, пишет мне:

«Не все были, как Иван Денисович? А какими же были? Непокорными, что ли? Может быть, в лагерях действовали „отряды сопротивления", возглавляемые коммунистами? А против кого они боролись? Против партии и правительства?»

Да что за крамола! Какие могут быть «отряды сопротивления»?.. А тогда — о чём собрания? О неуплате членских взносов? — так не собирали... Обсуждать политические новости? — зачем же для этого непременно собрания? Сойдись два носа верных (да ещё подумай, кто верен) и — шепотком... Вот только о чём единственном могли быть партийные собрания в лагерях: как *нашим* людям захватить все придурочьи места и уцелеть, а не-наших, не-коммунистов — спихнуть, и пусть сгорают в ледяной топке лесоповала, задыхаются в газовой камере медного рудника!

И больше не придумать ничего делового — о чём бы им толковать.

Так, ещё в 1962 году, ещё моя повесть не дошла до читателя, — наметили линию, как будут дальше подменять Архипелаг. А постепенно, узнавая, что автор совсем не близок к трону, совсем не имеет защиты, что автор — и сам мираж, мастера выворачивания смелели.

Оглянулись они на повесть — да какой ж мы сробели? да что ж мы ей славу пели (по холуйской привычке)? «Человек ему [Солженицыну] не удался... В душу человека... он побоялся заглянуть». Рассмотрелись с героем — да он же «идеальный негерой»! Шухов — он и «одинок», он и «далёк от народа», живёт, ничтожная личность, желудком — и не борется! Вот что больше всего стало возмущать: *почему Шухов не борется?* Свергать ли ему лагерный режим, идти ли куда с оружием — об этом не пишут, а только: почему не борется?? (А уж готов был у меня сценарий о кенгирском восстании, да не смел я свиток развернуть...)

Сами не показав нам ни эрга борьбы, — они требовали её от нас тонно-километрами!

Так и всегда. После рати много храбрых.

«Интересы Шухова, честно говоря, мелки. А самая страшная трагедия культа личности в том, что за колючей проволокой оказались настоящие передовые советские люди, соль нашей земли, подлинные герои времени», которые «тоже были не прочь закосить лишнюю порцию баланды... но доставали её не лакейством». (А — чем? Вот интересно — а как?)

«Солженицын сделал упор на мучительно трудных условиях. Он отошёл от суровой правды жизни». А правда жизни в том, что оставались «закалённые в огне борьбы», «взращённые ленинской партией», которые... что же? боролись? нет, *глубоко верили*, что пройдёт мрачное время произвола».

«Убедительно описаны некоторыми авторами муки недоедания. Но кто может отрицать, что муки мысли во сто крат сильнее голода?» (Особенно если ты его не испытал.)

А в том и муки их мысли: что же будет? как будет? когда нас помилуют? когда ж нас опять призовут руководить?

Так ведь и весь XXII съезд был о том: кому хотели памятник ставить? Погибшим коммунистам. А просто погибшим Иванам? Нет, о них речи не было, их и не жаль. (В том-то и мина была «Ивана Денисовича», что подсунули им простого Ивана.)

Порхали, трепали крыльями в бреши не уставая, уже второй год подряд. А кто мог паутинкой легенды затягивать — затягивал. Вот, например, «Известия» (25.4.1964) взялись поучить нас и как надо было бороться: оказывается, бежать надо было из лагеря! (не знали наши беглецы адреса автора статьи Н. Ермоловича! вот бы у кого и перекрыться!.. Но вообще советик вредный: ведь побег подрывает МВД). Ладно, бежать, а — дальше?

Некий Алексей, повествуют «Известия», но почему-то фамилии его не называют, якобы весной 1944 бежал из Рыбинского лагеря на фронт — и там сразу был *охотно* взят в часть майором-политработником («круто тряхнул головой, отгоняя сомнения»), фамилии майора тоже нет. Да взят не куда-нибудь, а в полковую разведку! да отпущен в поиск! (Ну, кто на фронте был, скажите: майору этому погоны не дороги? партбилет не дорог? В 41-м ещё можно так было рискнуть, но в 44-м — при налаженной отчётности, при СМЕРШе?) Получил герой орден Красного Знамени (а как его по документам провели?), после войны «поспешил уйти в запас».

А второго называют нам полностью: немецкий коммунист Ксавер Шварцмюллер, бежал к нам от Гитлера в 1933, арестован в 1941 как немец (это правдоподобно). Ну, сейчас мы узнаем, как должен бороться в лагере истинный коммунист! Официальное извещение: умер в Чистополе 4.6.1942 (загнулся на первых шагах в лагере, очень правдоподобно, особенно для иностранца), реабилитирован посмертно в 1956. А где же — боролся? А вот что: есть слух, что в 1962 году его якобы видели в Риге (одна баба). *Значит, он бежал!* Кинулись проверять «лагерный акт смерти» (расписку, неровно оборванную) — и представьте: там *отсутствует фотография!* Вы слышите, какая небывальщина: с умершего лагерника (после того, как его штыком прокололи) вдруг не сделана фотография! Да где ж это видано? Ну ясно: он бежал и всё это время боролся! Как боролся? Неизвестно. Против кого? Неизвестно. А сейчас почему не открывается? Непонятно.

Такие басни тачает нам главный правительственный орган.

Такой паутинкой легенд хотят закрыть от нас зинувший Архипелаг!

Из тех же «Известий» вот легенда ещё: в новейшее время сын узнал о посмертной реабилитации отца. И какое же его главное чувство? Может быть, гнев, что отца его укокали ни за что? Нет — радость, облегчение: какое счастье узнать, что отец был невиновен перед Партией!

Выдавливал из себя каждый паутинку, какую может. Одна на одну, одна на одну — а всё-таки бел-свет затягивается, а всё-таки уже не так просматривается Архипелаг.

А пока это всё плели и ткали, пока крыльями в бреши усиленно хлопали, сзади, по той стороне стены, подмащивались лесами и взбирались наверх главные в этом деле каменщики: чтобы немножко писатели, но чтоб и потерпевшие, чтоб и сами в лагере посидели, а то ведь и дураки не поверят, — подмащивались Борис Дьяков, Георгий Шелест, Галина Серебрякова да Алдан-Семёнов.

Ретивости у них не отнять, они на эту брешь ещё с первых дней замахивались, они на неё сразу безо всяких ещё подмостей самоножно прыгали и раствор туда шлёпали, да не доставали.

Серебрякова — та плиту готовую принесла в затычку — закрыть пробоину, и ещё с избытком: принесла роман об ужасах следствия над коммунистами — как глаза вырывали, как ногами топтали. Но объяснили ей, что не подходит камень, не туда, что это новая дырка только будет.

А Шелест, бывший комбриг ВЧК, ещё и прежде предлагал свой рассказик «Самородок» в «Известия», да пока тема была не разрешена — на кой он? Теперь, за 12 дней до пробоины, но уже зная, где она пройдёт, наложили «Известия» шелестовский пластырь. Однако не удержал: пробило, как и не было.

Ещё дымилось в стене — стал подскакивать Дьяков, нашвыривать туда свои «Записки придурка». Да кирпич лакшинской рецензии как раз ему на голову свалился: разоблачили Дьякова, что он в лагере шкуру спасал, больше ничего.

Нет, так не пойдёт. Нет, тут надо основательно. И стали строить леса.

Ушло на это полтора года, перебивались пока газетными статьями, порханьем перепончатых крыльев. А как подмостились и кран подвели — тут кладка пошла вся разом: в июле 1964 — «Повесть о пережитом» Дьякова, «Барельеф на скале» Алдан-Семёнова, в сентябре — «Колымские записи». В том же году в Магадане выскочила и книжечка Вяткина «Человек рождается дважды».

И — всё. И — заложили. И спереди, на месте закладки, совсем другое нарисовали: пальмы, финики, туземцы в купальных костюмах. Архипелаг? Как будто Архипелаг. А подменили? Да, подменили...

Я этих книг уже коснулся, говоря о благонамеренных (Часть Третья, глава 11), и если бы расхождение наше с ними кончалось литературой, не было бы потребности мне на них и отзываться. Но поскольку взялись они оболгать Архипелаг, — должен я пояснить, где именно у них декорация. Хотя читатель, одолевший всю мою вот эту книгу, пожалуй, и сам легко разглядит.

Первая и главная их ложь в том, что на *их* Архипелаге *не сидит народ*, наши Иваны. Порознь или вместе нащупав, но лгут они дружно тем, что делят заключённых на: 1) честных коммунистов (с частным подразделением — беспартийные пламенные коммунисты) и 2) белогвардейцев-власовцев-полицаев-бандеровцев (вали в кучу).

Но все перечисленные вместе составляли в лагере не более 10—15%. А остальные 85% — крестьяне, интеллигенция и рабочие, вся собственно Пятьдесят Восьмая и все безчисленные несчастные «указники» за катушку ниток и за подол колосков — у них не вошли, пропали! А потому пропали, что эти авторы *искренне не заметили* своего страдающего народа! Это быдло для них и не существует, раз, вернувшись с лесоповала, не поёт шёпотом «Интернационал». Глухо упоминает Шелест о сектантках (даже не о сектантах, он их в мужских лагерях не видел!), где-то промелькнул у него один ничтожный вредитель (так и понимаемый как вредитель), один ничтожный бытовик — и всё. И все национальности окраин тоже у них выпали. Уж Дьяков по времени своей сидки мог бы заметить хоть прибалтийцев? Нет, нету! (Они б и западных украинцев скрыли, да уж те слишком активно себя вели.)

Весь туземный спектр выпал у них, только две крайние линии остались! Ну да ведь это для схемы и нужно, без этого схему не построишь.

У Алдан-Семёнова кто в бригаде единственная продажная душа? — единственный там крестьянин — Девяткин. У Шелеста в «Самородке» кто простачок-дурачок? Единственный там крестьянин Голубов. Вот их отношение к народу!

Вторая их ложь в том, что *лагерного труда* у них либо вовсе *нет*, их герои обычно — придурки, освобождённые от настоящего лагерного труда и проводящие дни в каптёрках, или за бухгалтерскими столами, или в санчасти (у Серебряковой — сразу 12 человек в больничной палате, «прозванной коммунистической». Да кто ж это их собрал? Да почему ж одни коммунисты? Да не по блату ли их поместили сюда на отдых?..); либо это какое-то нестрашное, неизмождающее, неубивающее картонное занятие. А ведь десяти-двенадцатичасовой труд — главный вампир. Он и есть полное содержание каждого дня и всех дней Архипелага.

Третья их ложь в том, что у них в лагере *не лязгает* зубами *голод*, не поглощает каждый день десятки пеллагрических и дистрофиков. Никто не роется в помойках. Никто, собственно, не нуждается *думать, как не умереть до конца дня*. («ИТЛ — лагерь облегчённого режима», — небрежно бросает Дьяков. Посидел бы ты при том облегчённом режиме!)

Достаточно этих трёх лжей, чтобы исказить все пропорции Архипелага, — и реальности уже не осталось, истинного трёхмерного пространства уже нет. Теперь, согласно общему мировоззрению авторов и личной их фантазии, можно сочинять, складывать из кубиков, рисовать, вышивать и плести всё что угодно — в этом придуманном мире всё можно. Теперь можно и посвятить долгие страницы описанию высоких размышлений героев (когда кончится произвол? когда нас призовут к руководству?), и как они преданы делу Партии, и как Партия со временем всё исправит. Можно описывать всеобщую радость при подписке на заём (подписаться на заём вместо того, чтобы иметь деньги для ларька). Можно всегда безмолвную тюрьму наполнить разговорами (лубянский парикмахер спешит спросить, коммунист ли Дьяков... Бред). Можно вставлять в арестантские переклички вопросы, которые отвеку не задавались («Партийность?.. Какую должность занимал?..»). Сочинять анекдоты, от которых уже не смех, а понос: зэк подаёт жалобу вольнонаёмному секретарю партбюро на то, что некий вольный оклеветал его, зэка, члена партии! — в какие ослиные уши это надувается?.. (Дьяков). Или: зэк из конвоируемой колонны (благородный Петраков, сподвижник Кирова) заставляет всю колонну свернуть к памятнику Ленина и снять шапки, в том числе и конвоиров! — а автоматы же какой рукой?.. (Алдан-Семёнов).

У Вяткина колымское ворьё на разводе охотно снимает шапки в память Ленина. Абсолютный бред. (А если бы правда — не много б вышло Ленину почёта из того.)

Весь «Самородок» Шелеста — анекдот от начала до конца. Сдавать или не сдавать лагерю найденный самородок? — для этого вопроса нужна прежде всего отчаянная смелость: за неудачу — расстрел! (да и за сам вопрос ведь — расстрел). Вот они сдали — и ещё потребовал генерал устроить их звену обыск. А что было б, если б не сдали?.. Сам же упоминает автор и соседнее «звено латыша», у которого обыск был и на работе, и в бараке. Так не стояла проблема — поддержать ли Родину или не поддержать, а — рискнуть ли четырьмя своими жизнями за этот самородок? Вся ситуация придумана, чтобы дать проявиться их коммунизму и патриотизму. (Другое дело — безконвойные. У Алдан-Семёнова воруют самородки и майор милиции, и замнаркомнефти.)

Но Шелест всё-таки не угадал времени: он слишком грубо, даже с ненавистью говорит о лагерных хозяевах, что совсем недопустимо для ортодокса. А Алдан-Семёнов о явном злодее — начальнике прииска, так и пишет: «он был толковый организатор». Да вся мораль его такая: если начальник — хороший, то в лагере работать весело и жить почти свободно[*]. Так и Вяткин: у него палач Колымы начальник Даль-

---

[*] Такое впечатление, что Алдан-Семёнов знает быт вольных начальников и места те видал, а вот быт заключённых знает плохо, то и дело у него *клюквы*: баптисты у него — «бездельничают», татарин-конвоир подкормил татарина-зэка, и *поэтому* решили зэки, что парень — стукач! Да не могли так решить, ибо конвой однодневен и стукачей не держит.

строя Карп Павлов — то «не знал», то «не понимал» творимых им ужасов, то уже и перевоспитывается.

В нарисованную декорацию пришлось всё-таки этим авторам включить для похожести и детали подлинные. У Алдан-Семёнова: конвоир отбирает себе добытое золото; над отказчиками издеваются, не зная ни права, ни закона; работают при 53 градусах ниже ноля; воры в лагере блаженствуют; пенициллин *зажат* для начальства. — У Дьякова: грубое обращение конвоя; сцена в Тайшете около поезда, когда с зэков не управились номера снять, пассажиры кидали заключённым еду и курево, а конвоиры подхватывали себе; описание предпраздничного обыска.

Но эти штрихи используют авторы, чтобы только была им вера.

А главное у них вот что. Словами рецензий:

«В „Одном дне Ивана Денисовича" лагерная охрана — почти звери. Дьяков показывает, что среди них много таких, кто мучительно думали» (но ничего не придумали).

«Дьяков сохранил суровую правду жизни... Для него бесправие в лагерях это... фон (!), а главное то, что советский человек не склонил головы перед произволом... Дьяков видит и честных чекистов, которые шли на подвиг, да, на подвиг!»

(Этот подвиг — устраивать коммунистов на хорошие места. Впрочем, *подвиг* видят и у заключённого коммуниста Конокотина: он, «оскорблённый безумным обвинением... лишённый свободы... продолжал работать» препаратором! То есть в том подвиг, что не дал повод выгнать себя из санчасти на общие.)[*]

Чем венчается книга Дьякова? «Всё тяжкое ушло» (погибших он не вспоминает), «всё доброе вернулось». «Ничто не зачёркнуто».

У Алдан-Семёнова: «Несмотря на всё — мы не чувствуем обиды». Хвала Партии — это она уничтожила лагеря! (Стихотворный эпилог.)

Да уничтожила ли?.. Не осталось ли чего?.. И потом — *кто их создал*, лагеря?.. Молчат.

А при Берии Советская власть была или нет? Почему она ему не помешала? Как же могло так статься, что у власти стоит народ и народ для народа допустил такую тиранию?

---

[*] *М. Чарный*. Коммунисты остаются коммунистами // Литературная газета, 15 сентября 1964.

Наши авторы ведь не заботились о пайке и не работали, они всё время мыслили высоко, — так ответьте.

Молчат. Глушь...

Вот и всё. Дырка заделана и закрашена (ещё подмазал генерал Горбатов под цвет). И не было дырки в Стене! А сам Архипелаг если и был, то — какой-то призрачный, ненастоящий, маленький, не стоящий внимания.

Что ещё? На всякий случай ещё подмажут журналисты. Вот Мих. Берестинский по поручению неутомимой «Литгазеты» (кроме литературы, она ничего не упустит) съездил на станцию Ерцево. И сам ведь, оказывается, сидел. Но как глубоко он растроган *новыми* хозяевами островов: «Невозможно даже представить себе в сегодняшних исправтрудорганах, в местах заключения, людей, хотя бы отдалённо напоминающих Волкового...»* Теперь это подлинные коммунисты. Суровые, но добрые и справедливые люди. Не надо думать, что это безкрылые ангелы... (Очевидно, такое мнение всё же существует... — *А. С.*) Заборы с колючей проволокой, сторожевые вышки, увы, пока нужны. Но офицеры *с радостью* рассказывают, что всё меньше и меньше поступает „контингента"**. (А чему они радуются — что до пенсии не дотянут, придётся работу менять?)

Ма-аленький такой Архипелажик, карманный. Очень необходимый. Тает, как леденец.

Кончили заделку. Но, наверно, на леса ещё лезли доброхоты с мастерками, с кистями, с вёдрами штукатурки.

И тогда крикнули на них:

— Цыц! Назад! *Вообще не вспоминать!* Вообще — забыть! Никакого Архипелага не было — ни хорошего, ни плохого. Вообще — замолчать!

Так первый ответ был — судорожное порханье.

Второй — основательная закладка пролома.

Третий ответ — забытьё.

Право *воли* знать об Архипелаге вернулось в исходную глухую точку — в 1953 год.

И спокойно снова любой литератор может распускать благонюни о перековке блатных. Или снимать фильм, где служебные собаки сладострастно рвут людей.

Всё делать так, как бы не было ничего, никакого пролома в Стене.

---

* Вспомним А. Захарову: *все те же и остались!*

** *Мих. Берестинский.* Здравствуй, мама // Литературная газета, 5 сентября 1964.

И молодёжь, уставшая от этих поворотов (то в одну сторону говорят, то в другую), машет рукой — никакого «культа», наверно, не было, и никаких ужасов не было, очередная трепотня. И идёт на танцы.

Верно сказано: пока бьют — пота́ и кричи! А после кричать станешь — не поверят.

* * *

Когда Хрущёв, вытирая слезу, давал разрешение на «Ивана Денисовича», он ведь твёрдо уверен был, что это — про сталинские лагеря, что у н е г о — таких нет.

И Твардовский, хлопоча о верховной визе, тоже искренне верил, что это — о прошлом, что это — кануло.

Да Твардовскому простительно: весь публичный столичный мир, окружавший его, тем и жил, что вот — *оттепель*, что вот — *хватать* прекратили, что вот — два очистительных съезда, что вот возвращаются люди из небытия, да много их! За красивым розовым туманом реабилитаций скрылся Архипелаг, стал невидим вовсе.

Но я-то, я! — ведь и я поддался, а мне непростительно. Ведь и я не обманывал Твардовского! Я тоже искренне думал, что принёс рассказ — о прошлом. Уж мой ли язык забыл вкус баланды? — я ведь клялся не забывать. Уж я ли не усвоил природы собаководов? Уж я ли, готовясь в летописцы Архипелага, не осознал, до чего он сроден и нужен государству? О себе, как ни о ком, я уверен был, что надо мною не властен этот закон:

Дело-то забывчиво, тело-то заплывчиво.

Но — заплыл. Но — влип... Но — поверил... Благодушию метрополии поверил. Благополучию своей новой жизни. И рассказам последних друзей, приехавших *оттуда*: мягко стало! режим послабел! выпускают, выпускают! целые зоны закрывают! эмведешников увольняют...

Нет, — прах мы есть! Законам праха подчинены. И никакая мера горя не достаточна нам, чтоб навсегда приучиться чуять боль общую. И пока мы в себе не превзойдём праха — не будет на земле справедливых устройств — ни демократических, ни авторитарных.

Так неожидан оказался мне ещё третий поток писем, от зэков н ы н е ш н и х, хотя он-то и был самый естественный, хотя его-то и должен был я ждать в первой череде.

На измятых бумажках, истирающимся карандашом, потом в конвертах случайных, надписанных уже часто вольняшками и отправленных, значит, *по левой*, — слал мне свои возражения, и даже гнев, — сегодняшний Архипелаг.

Те письма были тоже общий слитный крик. Но крик: «*А мы!!??*»

Ведь газетный шум вокруг повести, изворачиваясь для нужд воли и заграницы, трубился в том смысле, что: «это — было, но никогда не повторится».

И взвыли зэки: как же не повторится, когда мы *сейчас сидим,* и в тех же условиях?!

«Со времён Ивана Денисовича ничего не изменилось», — дружно писали они из разных мест.

«Зэк прочтёт вашу книгу, и ему станет горько и обидно, что всё осталось так же».

«Что изменилось, если остались в силе все законы 25-летнего заключения, выпущенные при Сталине?»

«Кто же сейчас *культ личности*, что опять сидим ни за что?»

«Чёрная мгла закрыла нас — и нас не видят».

«Почему же остались безнаказанны такие, как Волковой?.. Они и сейчас у нас воспитателями».

«Начиная от захудалого надзирателя и кончая начальником управления, все кровно заинтересованы в существовании лагерей. Надзорсостав за любую мелочь фабрикует Постановление; оперы чернят личные дела... Мы, двадцатипятилетники, — булка с маслом, и ею насыщаются те порочные, кто призваны наставлять нас добродетели. Не так ли колонизаторы выдавали индейцев и негров за неполноценных людей? Против нас восстановить общественное мнение ничего не стоит, достаточно написать статью „Человек за решёткой"*... и завтра народ будет митинговать, чтобы нас сожгли в печах».

Верно. Ведь всё верно.

«Ваша позиция — арьергард!» — огорошил меня Ваня Алексеев.

И от всех этих писем я, ходивший для себя в героях, увидел себя виноватым кругом: за десять лет я потерял живое чувство Архипелага.

Для *них*, для сегодняшних зэков, моя книга была — не в книгу, и правда — не в правду, если не будет продолжения, если не будет дальше сказано ещё и о *них*. Чтоб сказано было — и чтоб изменилось! Если слово не о деле и не вызовет дела, — так и на что оно? ночной лай собак на деревне?

(Я рассуждение это хотел бы посвятить нашим модернистам: вот *так* наш народ привык понимать литературу. И не скоро отвыкнет. И надо ли отвыкать?)

---

* *И. Касюков* и *Н. Мончадская*. Человек за решёткой // Советская Россия, 27 августа 1960. Инспирированная правительственными кругами статья, положившая конец недолгой (1955—1960) мягкости Архипелага. Авторы считают, что в лагерях созданы «благотворительные условия», в них «забывают о каре»; что «з/к не хотят знать своих обязанностей», «у администрации куда меньше прав, чем у заключенных» (?). Уверяют, что лагеря — это «безплатный пансионат» (почему-то не взыскивают денег за смену белья, за стрижку, за комнаты свиданий). Возмущены, что в лагерях только 40-часовая неделя и даже будто бы «для заключённых труд не является обязательным» (??). Призывают: «к суровым и трудным условиям», чтобы преступник *боялся* тюрьмы (тяжёлый труд, жёсткие нары без матрасов, запрет вольной одежды), «никаких ларьков с конфетками» и т. д., к отмене досрочного освобождения («а если нарушишь режим — *сиди дальше!*»). И ещё — «чтобы, отбыв срок, заключённый не рассчитывал на милосердие».

И очнулся я. И снова различил всё стоящую, знакомую, прежнюю скальную громаду Архипелага, его серые контуры в вышках.

Состояние советского общества хорошо описывается физическим полем. Все силовые линии этого поля направлены от свободы к тирании. Эти линии очень устойчивы, они врезались, они вкаменились, их почти невозможно взвихрить, сбить, завернуть. Всякий внесённый заряд или масса легко сдуваются в сторону тирании, но к свободе им пробиться — невозможно. Надо запрячь десять тысяч волов.

Теперь-то, после того как книга моя объявлена вредной, напечатание её признано ошибкой («последствия волюнтаризма в литературе»), изымается она уже и из вольных библиотек, — упоминание одного имени Ивана Денисовича или моего стало на Архипелаге непоправимой крамолой. Но тогда-то! тогда — когда Хрущёв жал мне руку и под аплодисменты представлял тем трём сотням, кто считал себя элитой искусства; когда в Москве мне делали «большую прессу» и корреспонденты томились у моего гостиничного номера; когда громко было заявлено, что партия и правительство *поддерживают* такие книги; когда Военная Коллегия Верховного Суда гордилась, что меня реабилитировала (как сейчас, наверно, раскаивается), и юристы-полковники заявляли с её трибуны, что книгу эту в лагерях *должны читать*! — тогда-то немые, безгласные, ненаименованные силы поля невидимо упёрлись — и книга остановилась! *Тогда* остановилась! И в редкий лагерь она попала законно, так, чтоб её брали читать из библиотеки КВЧ. Из библиотек её изъяли. Изымали её из бандеролей, приходивших кому-то с воли. Тайком, под полой, приносили её вольняшки, брали с зэков по 5 рублей, а то будто и по 20 (это — хрущёвскими тяжёлыми рублями! и это — с зэков! но, зная безсовестность прилагерного мира, не удивишься). Зэки проносили её в лагерь через шмон, как нож; днём прятали, а читали по ночам. В каком-то североуральском лагере для долговечности сделали ей металлический переплёт.

Да что говорить о зэках, если и на сам прилагерный мир распространился тот же немой, но всеми принятый запрет. На станции Вис Северной железной дороги *вольная* Мария Асеева написала в «Литгазету» одобрительный отзыв на повесть — и то ли в ящик почтовый бросила, то ли неосторожно оставила на столе, — но через 5 часов

Скульптура Л. Недова

после написания отзыва секретарь парторганизации В. Г. Шишкин обвинял её в политической провокации (и слова-то находят!) — и тут же она была *арестована**.

В Тираспольской ИТК-2 заключённый скульптор Л. Недов в своей придурочной мастерской лепил фигуру заключённого, сперва из пластилина. Начальник режима капитан Солодянкин обнаружил: «Да ты заключённого делаешь? Кто дал тебе право? Это — *контрреволюция!*» Схватил фигурку за ноги, разодрал и на пол швырнул половинки: «Начитался каких-то Иванов Денисовичей!» (Но дальше не растоптал, и Недов половинки спрятал.) По жалобе Солодянкина Недов был вызван к начальнику лагеря Бакаеву, но за это время успел в КВЧ раздобыть несколько газет. «Мы тебя судить будем! Ты настраиваешь людей против советской власти!» — загремел Бакаев. (А понимают, чего сто-

---

* Чем кончилась история — так и не знаю.

ит вид зэка!) «Разрешите сказать, гражданин начальник... Вот Никита Сергеевич говорит... Вот товарищ Ильичёв...» — «Да он с нами как с равными разговаривает!» — ахнул Бакаев. — Лишь через полгода Недов отважился снова достать те половинки, склеил их, отлил в баббите и через вольного отправил фигуру за зону.

Начались по ИТК-2 поиски повести. Был общий генеральный шмон в жилой зоне. Не нашли. Как-то Недов решил им отомстить: с «Гранит не плавится» Тевекеляна устроился вечером, будто от комнаты загородясь (при стукачах ребят просил прикрыть), а чтоб в окно было видно. Быстро стукнули. Вбежали трое надзирателей (а четвёртый извне через окно смотрел, кому он передаст). Овладели! Унесли в надзирательскую, спрятали в сейф. Надзиратель Чижик, руки в боки, с огромной связкой ключей: «Нашли книгу! Ну, теперь тебя посадят!» Но утром офицер посмотрел: «Эх, дураки!.. Верните».

Так читали зэки книгу, «одобренную партией и правительством»!..

* * *

В заявлении советского правительства от декабря 1964 года говорится: «Виновники чудовищных злодеяний ни в коем случае и ни при каких обстоятельствах не должны избежать справедливого возмездия... Ни с чем не сравнимы злодеяния фашистских убийц, стремившихся уничтожить целые народы».

Это — к тому, чтобы в ФРГ не разрешить применять сроков давности по прошествии двадцати лет.

Только вот с а м и х с е б я судить не хочется, хотя бы и «стремились уничтожить целые народы».

У нас много печатается статей о том, как важно наказывать сбежавших западногерманских преступников. Есть просто специалисты по таким статьям: какая моральная подготовка должна была быть проведена нацистами, чтобы массовые убийства показались им естественными и нравственными? Теперь законодатели ищут защиты в том, что не они же исполняли приговоры. А исполнители — в том, что не они же издавали законы.

Как знакомо... Мы только что прочли у наших *практических*: «Содержание заключённых связано с исполнением приговора... Охрана не знала, кто за что сидит».

Так надо было *узнать*, если вы люди! Потому вы и злодеи, что не имели ни гражданского, ни человеческого взгляда на охраняемых людей. А разве не было инструкций и у нацистов? А разве не было у нацистов веры, что они спасают арийскую расу?

Да и наши следователи не запнутся (уже не запинаются) ответить: а зачем же заключённые сами на себя показывали? Надо было, мол, твёрдо стоять, когда мы их пытали! А зачем же доносчики сообщали ложные факты? Ведь мы опирались на них как на свидетельские показания.

Было короткое время — они забезпокоились. Уже упомянутый В. Н. Ильин (бывший ген.-лейтенант МГБ) сказал по поводу Столбунского (следователя генерала Горбатова, тот помянул его): «Ай, ай, как нехорошо! Ведь у него теперь неприятности начались. А человек хорошую пенсию получает». — Да потому кинулась писать и А. Ф. Захарова — взволновалась, что скоро за всех возьмутся; и о капитане Лихошерстове (!), которого «очернил» Дьяков, написала горячо. «Он и сейчас капитан, секретарь парторганизации (!), *трудится* на сельхозе. И, представляете, как ему трудно сейчас *работать*, когда о нём такое пишут! Идёт разговор, что Лихошерстова будут *разбирать и чуть ли не привлекать!** Да за что?! Хорошо, если это только разговор, а не исключена возможность, что и додумаются. Вот уж это произведёт настоящий фурор среди сотрудников МВД. Разбирать за то, что он *выполнял все указания, которые давались сверху*? А теперь он должен отчитываться за тех, кто давал эти указания? Вот это здорово! Стрелочник виноват!»

---

* Она не допускает — «судить», этого и язык не выговорит.

Но переполох быстро кончился. Нет, *отвечать* никому не придётся. *Разбирать* не будут никого.

Может быть, вот штаты немного кое-где сократились, да ведь перетерпеть — и расширятся! А пока гебисты, кто ещё не дослужил до пенсии или кому надо к пенсии добрать, пошли в писатели, в журналисты, в редакторы, в лекторы-антирелигиозники, в идеологические работники, кто — в директоры предприятий. Сменив перчатки, они по-прежнему будут нас вести. Так и надёжнее. (А кто хочет пребывать на пенсии — пусть благоденствует. Например, подполковник в отставке Хурденко. Подполковник, экий чин! — небось батальоном командовал? Нет, в 1938 году начинал с простого вертухая, держал кишку насильственного питания.)

А в архивных управлениях пока, не торопясь, просматривают и уничтожают все лишние документы: расстрельные списки, постановления на ШИЗО и БУРы, материалы лагерных следствий, доносы стукачей, лишние данные о Практических Работниках и конвоирах. Да и в санчасти, и в бухгалтерии — везде найдутся лишние бумаги, лишние следы...

...Мы придём и молча сядем на пиру.
Мы живые были вам не ко двору.
А сегодня мы безмолвны и мертвы,
Но и мёртвых нас ещё боитесь вы!

(Виктория Гольдовская, колымчанка)

Заикнёмся: а что, правда, всё стрелочники да стрелочники? А как — со Службой Движения? А повыше, чем вертухаи, *практические работники* да следователи? Те, кто только указательным пальцем шевелил? Кто только с трибуны несколько слов...

Ещё раз, как это? — «виновники чудовищных злодеяний... ни при каких обстоятельствах... справедливого возмездия... ни с чем не сравнимы... стремившихся уничтожить целые народы...»

Тш-ш-ш! Тш-ш-ш! Потому-то в августе 1965 года с трибуны Идеологического Совещания (закрытого совещания о Направлении наших умов) и было возглашено: *«Пора восстановить полезное и правильное понятие „враг народа"!»*

Глава 2
ПРАВИТЕЛИ МЕНЯЮТСЯ, АРХИПЕЛАГ ОСТАЁТСЯ

Надо думать, Особые лагеря были из любимых детищ позднего сталинского ума. После стольких воспитательных и наказательных исканий наконец родилось это зрелое совершенство: эта однообразная, пронумерованная, сухочленённая организация, психологически уже изъятая из тела матери-Родины, имеющая вход, но не выход, поглощающая только врагов, выдающая только производственные ценности и трупы. Трудно даже себе представить ту авторскую боль, которую испытал бы Дальновидный Зодчий, если бы стал свидетелем банкротства ещё и этой своей великой системы. Она уже при нём сотрясалась, давала вспышки, покрывалась трещинами — но, вероятно, докладов о том не было сделано ему из осторожности. Система Особых лагерей, сперва инертная, малоподвижная, неугрожающая, — быстро испытывала внутренний разогрев и в несколько лет перешла в состояние вулканической лавы. Проживи Корифей ещё год-полтора — и никак не утаить было бы от него этих взрывов, и на его утомлённую старческую мысль легла бы тяжесть ещё нового решения: отказаться от любимой затеи и снова перемешать лагеря или же, напротив, завершить её систематическим перестрелом всех литерных тысяч.

Но, навзрыд оплакиваемый, Мыслитель умер несколько прежде того **(фото на с. 524)**. Умерев же, вскоре с грохотом потащил за собою костенеющей рукой и своего ещё румяного, ещё полного сил и воли сподвиж-

На воркутинской свалке

ника — министра этих самых обширных, запутанных, неразрешимых внутренних дел.

И падение Шефа Архипелага трагически ускорило развал Особых лагерей. (Какая это была историческая непоправимая ошибка! Разве можно было потрошить министра интимных дел! Разве можно было ляпать мазут на небесные погоны?!)

Величайшее открытие лагерной мысли XX века — лоскуты номеров — были поспешно отпороты, заброшены и забыты! Уже от этого Особлаги потеряли свою строгую единообразность. Да что там, если решётки с барачных окон и замки с дверей тоже были сняты, и Особлаги потеряли приятные тюремные особенности, отличавшие их от ИТЛ. (С решётками, наверное, поспешили — но и опаздывать было нельзя, такое время, что надо было отмежеваться!) Как ни жаль — но экибастузский каменный БУР, устоявший против мятежников, теперь сломали и снесли вполне официально...*
Да что там, если внезапно освободили начисто из

---

* И лишили нас возможности открыть там музей.

Особлагов — австрийцев, венгров, поляков, румын, мало считаясь с их чёрными преступлениями, с их 15- и 25-летними сроками и тем самым подрывая в глазах заключённых всю весомость приговоров. И сняты были ограничения переписки, благодаря которым только и чувствовали себя особлаговцы по-настоящему заживо умершими. И даже разрешили свидания! — страшно сказать: свидания!.. (И даже в мятежном Кенгире стали строить для них отдельные маленькие домики.) Ничем не удерживаемый либерализм настолько затопил недавние Особые лагеря, что заключённым разрешили носить причёски (и алюминиевые миски с кухни стали исчезать для переделки на алюминиевые гребешки). И вместо лицевых счетов и вместо особлаговских бон туземцам разрешили держать в руках общегосударственные деньги и рассчитываться ими, как зазонным людям.

Безпечно, безрассудно разрушали ту систему, от которой сами же кормились, — систему, которую плели, вязали и скручивали десятилетиями!

А закоренелые эти преступники — хоть сколько-нибудь смягчились от поблажек? Нет! Напротив! Выявляя свою испорченность и неблагодарность, они усвоили глубоко неверное, обидное и безсмысленное слово «бериевцы» — и теперь всегда, когда что-нибудь им не нравилось, в выкриках честили им и добросовестных конвоиров, и терпеливых надзирателей, и заботливых опекунов своих — лагерное руководство. Это не только было обидно для сердец Практических Работников, но сразу после падения Берии это было даже и опасно, потому что кем-то могло быть принято как исходная точка обвинения.

И поэтому начальник одного из кенгирских лагпунктов (уже очищенного от мятежников и пополненного экибастузцами) вынужден был с трибуны обратиться так: «Ребята! (на эти короткие годы с 1954 до 1956 сочли возможным называть заключённых „ребята"). Вы обижаете надзорсостав и конвой криками „бериевцы"! Я вас прошу это прекратить». На что выступавший маленький В. Г. Власов сказал: «Вы вот за несколько месяцев обиделись. А я от вашей охраны 18 лет, кроме „фашист", ничего не слышу. А нам не обидно?» И обещал майор — пресечь кличку «фашисты». Баш на баш.

После всех этих злоплодных разрушительных реформ можно считать отдельную историю Особлагов законченной 1954 годом и дальше не отличать их от ИТЛ.

Повсюду на развороченном Архипелаге с 1954 по 1956 год установилось льготное время — эра невиданных поблажек, может быть, самое свободное время Архипелага, если не считать бытовых домзаков середины 20-х годов.

Одна инструкция перед другой, один инспектор перед другим выкобенивались, как бы ещё пораздольнее развернуть в лагерях либерализм. Для женщин отменили лесоповал! — да, было признано, что лесоповал для женщин якобы тяжёл (хотя тридцатью непрерывными годами доказано было, что нисколько не тяжёл). — Восстановили условно-досрочное освобождение для отсидевших две трети срока. — Во всех лагерях стали платить деньги, и заключённые хлынули в ларьки, и не было разумных режимных ограничений этих ларьков, да при широкой безконвойности какой ему режим? — он мог на эти деньги и в посёлке покупать. — Во все бараки повели радио, насытили их газетами, стенгазетами, назначили агитаторов по бригадам. Приезжали товарищи лекторы (полковники!) и читали лагерникам на разные темы — даже об искажении истории Алексеем Н. Толстым, но не так просто было руководству собрать аудиторию, палками загонять нельзя, нужны косвенные методы воздействия и убеждения. А собравшиеся гудели о своём и не слушали лекторов. — Разрешили подписывать лагерников на заём, но, кроме благонамеренных, никто не был этим растроган, и воспитателям просто за руку каждого приходилось тянуть к подписному листу, чтобы выдавить из него какую-нибудь десятку (по-хрущёвски —

рубль). По воскресеньям стали устраивать совместные спектакли мужских и женских зон — сюда валили охотно, даже галстуки покупали в ларьках.

Оживлено было многое из золотого фонда Архипелага — та самозабвенность и самодеятельность, которою он жил во времена Великих Каналов. Созданы были «Советы Актива» с секторами учебно-производственным, культурно-массовым, бытовым, как местком, и с главною задачей — бороться за производительность труда и за дисциплину. Воссоздали «товарищеские суды» с правами: выносить порицание, налагать штраф и просить об усилении режима, о неприменении *двух третей*.

Мероприятия эти когда-то хорошо служили Руководству — но то было в лагерях, не прошедших выучку особлаговской резни и мятежей. А теперь очень просто: первого же предсовета (Кенгир) зарезали, второго избили — и никто не хотел идти в Совет Актива. (Кавторанг Бурковский работал в это время в Совете Актива, работал сознательно и принципиально, но с большой осторожностью, всё время получая угрозы ножа, и ходил на собрания бандеровской бригады выслушивать критику своих действий.)

А безжалостные удары либерализма всё подкашивали и подкашивали систему лагерей. Устроены были «лагпункты облегчённого режима» (и в Кенгире был такой!): по сути, в зоне только спать, потому что на работу ходить безконвойно, любым маршрутом и в любое время (все и старались пораньше уйти, попозже вернуться). В воскресенье же третья часть зэков увольнялась в город до обеда, третья часть после обеда и только одна треть оставалась не удостоенной посёлковой прогулки.

Это не значит, что мягкости были уж так повсеместны. Сохранялись же и лагпункты штрафные, вроде «всесоюзного штрафняка» Анзёбы под Братском — всё с тем же кровавым капитаном Мишиным из Озёрлага. Летом 1955 там было около 400 штрафников (в том числе Тэнно). Но и там хозяевами зоны стали не надзиратели, а заключённые.

Пусть читатель поставит себя в положение лагерных руководителей и скажет: можно ли в таких условиях *работать*? и на какой успех можно рассчитывать?

Один офицер МВД, мой спутник по сибирскому поезду в 1962 году, всю эту лагерную эпоху с 1954 описал так: «Полный разгул. Кто не хотел — и на работу не ходил. За свои деньги покупали телевизоры»*. У него остались очень мрачные воспоминания от той короткой недоброй эпохи.

Потому что не может быть добра, если воспитатель стоит перед арестантом как проситель, не имея позади себя ни плётки, ни БУРа, ни шкалы голода.

Но ещё как будто было мало этого всего! — ещё двинули по Архипелагу тараном *зазонного содержания*: арестанты вообще уходят жить за зону, могут обзавестись домами и семьями, зарплата им выплачивается, как вольным, вся (уже не удерживается на зону, на конвой, на лагерную администрацию), а с лагерем у них только та остаётся связь, что раз в две недели они приходят сюда отмечаться.

Это был уже конец!.. Конец света, или конец Архипелага, или того и другого вместе! — а юридические органы ещё восхваляли это зазонное содержание как гуманнейшее новейшее открытие коммунистического строя!**

После этих ударов оставалось, кажется, только распустить лагеря — и всё. Погубить великий Архипелаг, погубить, рассеять и обезкуражить сотни тысяч Практических Работников с их жёнами, детьми и домашним скотом, свести на ничто выслугу их лет, их звания, их безпорочную службу!

---

* Если не работали — откуда деньги? Если на Севере, да ещё в 1955, — откуда телевизоры? Ну да уж я не перебивал, рад был послушать.
** К тому же описанное (вместе с «зачётами» и «условно-досрочным освобождением») ещё Чеховым в «Сахалине»: каторжные из разряда исправляющихся имели право строить дома и вступать в брак.

И кажется, это уже началось: стали приезжать в лагеря какие-то Комиссии Верховного Совета, или, проще, «разгрузочные», и, отстраняя лагерное руководство, заседали в штабном бараке и выписывали ордера на освобождение с такой лёгкостью и безответственностью, будто это были ордера на арест.

Над всем сословием Практических Работников нависла смертельная угроза. Надо было что-то предпринимать! Надо же было *бороться!*

* * *

Всякому важному общественному событию в СССР уготован один из двух жребиев: либо оно будет замолчано, либо оно будет оболгано. Я не могу назвать значительного события в стране, которое избежало бы этой рогатки.

Так и всё существование Архипелага: бо́льшую часть времени оно замалчивалось, когда же что-нибудь о нём писали — то лгали: во времена ли Великих Каналов или о разгрузочных комиссиях 1956 года.

Да с комиссиями этими, даже и без газетного наговора, без внешней необходимости, мы сами способствовали, чтобы сентиментально прилгать тут. Ведь как же не растрогаться: мы привыкли к тому, что даже адвокат нападает на нас, а тут прокурор — и нас защищает! Мы истомились по воле, мы чувствуем — там какая-то новая жизнь начинается, мы это видим и по лагерным изменениям, — и вдруг чудодейственная полновластная комиссия, поговорив с каждым пять-десять минут, вручает ему железнодорожный билет и паспорт (кому-то — и с московской пропиской)! Да что же, кроме хвалы, может вырваться из нашей истощённой, вечно простуженной хрипящей арестантской груди?

Но если чуть приподняться над нашей колотящейся радостью, бегущей упихивать тряпки в дорожный мешок, — *таково* ли должно было быть окончание сталинских злодеяний? Не должна ли была бы эта комиссия выйти перед строем, снять шапки и сказать:

— Братья! Мы присланы Верховным Советом просить у вас прощения. Годами и десятилетиями вы томились тут, не виновные ни в чём, а мы собирались в торжественных залах под хрустальными люстрами и ни разу о вас не вспомнили. Мы покорно утверждали все бесчеловечные указы Людоеда, мы — соучастники его убийств. Примите же наше позднее раскаяние, если можете. Ворота — открыты, и вы — свободны. Вон, на площадке, садятся самолёты с лекарствами, продуктами и тёплой одеждой для вас. В самолётах — врачи.

В обоих случаях — освобождение, да не так оно подано, да не в том его смысл. Разгрузочная комиссия — это аккуратный дворник, который идёт по сталинским блевотинам и тщательно убирает их, только всего. Здесь не закладываются новые нравственные основы общественной жизни.

Я привожу дальше суждение А. Скрипниковой, с которым я вполне согласен. Заключённые поодиночке (опять разобщённые!) вызываются на комиссию в кабинет. Несколько вопросов о сути его судебного дела. Они заданы доброжелательно, вполне любезно, но они клонятся к тому, что *заключённый должен признать свою вину* (не Верховный Совет, а опять-таки несчастный заключённый!). Он должен помолчать, он должен голову склонить, он должен попасть в положение прощённого, а не прощающего! То есть, маня свободой, от него добиваются теперь того, чего раньше не могли вырвать и пытками. Зачем это? Это важно: он должен вернуться на волю робким. А заодно протоколы комиссии представят Истории, что сидели-то в основном виноватые, что уже таких-то зверских беззаконий и не было, как разрисовывают. (Вероятно, и финансовый был расчётец: не будет реабилитации — не будет реабилитационной компенсации*.) *Та-*

---

* Кстати, в начале 1955 года был проект выплачивать за *все* просиженные годы, что было вполне естественно и выплачивалось так в Восточной Европе. Но не столько ж людей и не по столько лет! Подсчитали, ахнули: разорим государство! И перешли к компенсации двухмесячной.

кое истолкование освобождения не взрывало и самой системы лагерей, не создавало помех новым поступлениям (которые не пресекались и в 1956—1957), никаких не получалось обязательств, что их тоже освободят.

А тех, кто перед комиссией по гордости отказывался признать себя виновным? Тех *оставляли сидеть*. Не очень было их и мало. (Женщин, не раскаявшихся в Дубравлаге в 1956 году, собрали и отправили в Кемеровские лагеря.)

Скрипникова рассказывает о таком случае. Одна западная украинка имела 10 лет за мужа-бандеровца, от неё потребовали теперь признать, что сидит за мужа-*бандита*. «Ни, нэ скажу». — «Скажи, на свободу пойдёшь!» — «Ни, нэ скажу. Вин — нэ який нэ бандит, вин — ОУНовец». — «Ну а не хочешь — сиди!» (председатель комиссии — Соловьёв). — Прошло всего несколько дней, и к ней пришёл на свидание едущий с севера муж. У него было 25 лет, он легко признал себя бандитом и помилован. Он не оценил жениной стойкости, а накинулся на нее с упрёками: «Та казала б, шо я — дьявол с хвостом, шо копыта у меня бачила. А яка мини теперь справа с хозяйством та с детьми?»

Напомним, что и Скрипникова отказалась признать себя виновной и осталась ещё три года сидеть.

Так даже эра свободы пришла на Архипелаг в прокурорской мантии.

Но всё же не пуст был переполох Практических Работников: небывалое сочетание звёзд сошлось на небе Архипелага в 1955—1956 годах. Это были его роковые годы и могли бы стать его последние годы!

Если бы люди, облечённые высшей властью и отягчённые полнотой информации о своей стране, ещё могли бы в эти годы оглянуться, и ужаснуться, и зарыдать? Ведь кровавый мешок за спиной, он весь сочится, он пятнает багрово всю спину! Политических распустили — а бытовиков миллионы кто же напёк? Не производственные ли отношения? не *среда* ли? Не мы ли сами?.. Не *вы* ли?

Так к свиньям собачьим надо было отбросить космическую программу! Отложить попечение о морском флоте Сукарно и гвардии Кваме Нкрумы! Хотя бы сесть да затылок почесать: как же нам быть? Почему наши лучшие в мире законы отвергаются миллионами наших граждан? Что заставляет их лезть в это гибельное ярмо, и чем невыносимее ярмо — тем ещё гуще лезут? Да как, чтобы этот поток иссяк? Да может, законы наши — не те, что надо? (А тут бы не обошлось подумать о школе задёрганной, о деревне запущенной и о многом том, что называется просто несправедливостью без всяких классовых категорий.) Да тех, уже попавших, как нам к жизни вернуть? — не дешёвым размахом «ворошиловской» амнистии, а душевным разбором каждого павшего — и дела его, и личности.

Ну, *кончать* Архипелаг — надо или нет? Или он — навеки? Сорок лет он гнил в нашем теле, — хватит?

Нет, оказывается! Нет, не хватит! Мозговые извилины напрягать — лень, а в душе и вовсе ничего не отзванивает. Пусть Архипелаг ещё на сорок лет останется, а мы займёмся Асуанской плотиной и воссоединением арабов!

Историкам, привлечённым к 10-летнему царствованию Никиты Хрущёва, когда вдруг как бы перестали действовать некие физические законы, к которым мы привыкли; когда предметы стали на диво двигаться против сил поля и против сил тяжести, — нельзя будет не поразиться, как много возможностей на короткое время сошлось в этих руках и как возможности эти использовались словно бы в игру, в шутку, а потом покидались безпечно. Удостоенный первой после Сталина силы в нашей истории — уже ослабленной, но ещё огромной силы, — он пользовался ею, как тот крыловский Мишка на поляне, перекатывая чурбан без цели и пользы. Дано ему было втрое и впятеро твёрже и дальше прочертить освобождение страны — он покинул это, как забаву, не понимая своей задачи, покинул для космоса, для кукурузы, для кубинских ракет, берлинских ультиматумов, для преследования Церкви, для разделения обкомов, для борьбы с абстракционистами.

Ничего никогда он не доводил до конца — и меньше всего дело свободы. Нужно было натравить его на интеллигенцию? — ничего не было проще. Нужно было его руками, разгромившими сталинские лагеря, — лагеря же теперь и укрепить? — это было легко достигнуто. И — *когда*?

В 1956 году — году XX съезда — уже были изданы первые ограничительные распоряжения по лагерному режиму! Они продолжены в 1957 году — году прихода Хрущёва к полной безраздельной власти.

Но сословие Практических Работников ещё не было удовлетворено. И, чуя победу, оно шло в контратаку: так жить нельзя! Лагерная система — опора советской власти, а она гибнет!

Главное воздействие, конечно, велось негласно — там где-то за банкетным столом, в салоне самолёта и на лодочной дачной прогулке, но и наружу эти действия иногда прорывались — то выступлением «депутата» Б. И. Самсонова на сессии Верховного Совета (декабрь 1958): заключённые-де живут слишком хорошо, они довольны (!) питанием (а должны быть постоянно недовольны...), с ними слишком хорошо обращаются. (И в «парламенте», не признавшем свою прежнюю вину, никто, конечно, Самсонову не отповедал.) То — сокрушительной газетной статьёю о «человеке за решёткой» (1960).

И, поддавшись этому давлению; ни во что не вникнув; не задумавшись, что не увеличилась же преступность за эти пять лет (а если увеличилась, то надо искать причин в государственной системе); не соотнеся эти новые меры со своею же верой в торжественное наступление коммунизма, не изучив дела в подробностях, не посмотрев своими глазами, — этот проведший «всю жизнь в дороге» царь легко подписал наряд на гвозди, быстро сколотившие эшафот в его прежней форме и прочности.

И всё это произошло *в тот самый* 1961 год, когда Никита сделал ещё один последний лебединый порыв вырвать телегу свободы в облака. Именно в 1961 году — году XXII съезда — был издан указ о смертной казни в лагерях «за террор против исправившихся (то бишь против стукачей) и против надзорсостава» (да его и не было никогда!) и утверждены были пленумом Верховного Суда (июнь 1961) *четыре лагерных режима* — теперь уже не сталинских, а хрущёвских.

Всходя на трибуну съезда для новой атаки против сталинской тюремной тирании, Никита только-только что попустил завинтить и свою системку не хуже. И всё это искренне казалось ему уместимым и согласуемым!..

Лагеря сегодня — это и есть те лагеря, как утвердила их партия перед XXII съездом. С тех пор такими они и стоят.

Не режимом отличаются они от сталинских лагерей, а только составом заключённых: нет многомиллионной Пятьдесят Восьмой. Но так же сидят миллионы, и так же многие — безпомощные жертвы неправосудия: заметены сюда, лишь только б стояла и кормилась система.

Правители меняются. Архипелаг остаётся.

Он потому остаётся, что *этот* государственный режим не мог бы стоять без него. Распустивши Архипелаг, он и сам перестал бы *быть*.

* * *

Не бывает историй безконечных. Всякую историю надо где-то оборвать. По нашим скромным и недостаточным возможностям мы проследили историю Архипелага от алых залпов его рождения до розового тумана реабилитации. На этом славном периоде мягкости и разброда накануне нового хрущёвского ожесточения лагерей и накануне нового Уголовного кодекса сочтём нашу историю оконченной. Найдутся другие историки — те, кто, по несчастью, знают лучше нас лагеря хрущёвские и послехрущёвские.

Да они уже нашлись: это Святослав Караванский и Анатолий Марченко*. И будут ещё всплывать во множестве, ибо скоро, скоро наступит в России эра гласности!

Например, книга Марченко даже притерпевшееся сердце старого лагерника сжимает болью и ужасом. А в описании современного тюремного заключения она даёт нам тюрьму ещё более Нового Типа, чем та, о которой толкуют наши свидетели. Мы узнаём, что Рог, второй рог тюремного заключения (Часть Первая, глава 12), взмыл ещё круче, вкололся в арестантскую шею ещё острей. Сравнением двух зданий Владимирского централа — царского и советского — Марченко вещественно объясняет нам, почему не составляется аналогия с царским периодом русской истории: царское здание сухое и тёплое, советское — сырое и холодное (*в камере мёрзнут уши!* и никогда не снимаются бушлаты), царские окна заложены советскими кирпичами *вчетверо* — да не забудьте намордники!

Однако Марченко описывает только Дубравлаг, куда ныне стянуты политические со всей страны. Ко мне же стёкся материал по лагерям бытовым, из разных мест — и перед авторами писем я в долгу, не должен смолчать. И в долгу вообще перед бытовиками: я мало уделил им во всей толще пройденной книги.

Итак, постараюсь изложить главное, что мне известно о положении в современных лагерях.

Да каких «лагерях»? *Лагерей*-то нет, вот в чём важная новинка хрущёвских лет! От этого кошмарного сталинского наследия мы избавились! Порося перекрестили в карася, и вместо лагерей у нас теперь...

---

* *Св. Караванский.* Ходатайство. Самиздат, 1966.
Анатолий Марченко. Мои показания. Самиздат, 1968.
(В России книга опубликована в 1991 году в изд-ве «Московский рабочий». — *Примеч. ред.*)

колонии (метрополия — колонии, туземцы живут в колониях, так ведь и должно быть?). И стало быть, уже не ГУЛАГ, а ГУИТК (ну да памятливый читатель удержал, что и так он назывался когда-то, всё уже было). Если добавить, что и МВД у нас теперь нет, а только МООП, то признаем, что заложены все основы законности и не о чем шум поднимать*.

Так вот, режимы введены с лета 1961 года такие: *общий — усиленный — строгий — особый* (без «особого» мы никуда с 1922 года...). Выбор режима производится приговаривающим судом «в зависимости от характера и тяжести преступления, а также (якобы) от личности преступника». Но проще и короче: пленумами Верховных судов республик разработаны перечни статей Уголовного кодекса, по которым и видно, кого куда совать. Это — впредь, это — свежеосуждаемых. А то живое население Архипелага, кого хрущёвская предсъездовская реформа застигла на Архипелаге — в «зазонном содержании», безконвойными и на облегчённом режиме? Тех «рассмотрели» местные народные суды по перечням статей (ну может быть, ещё по ходатайствам местных оперов) — и рассовали по четырём режимам**.

Эти метания так легки и веселы на верхней палубе! — вправо руль на девяносто! влево руль на девяносто! — но каковы они грудным клеткам в немом и тёмном трюме? Года 3-4 назад сказали: обзаводитесь семьями, домами, плодитесь и живите — вас уже греет солнце наступающего коммунизма. Ничего плохого вы

---

* Интересно, как, при публичных и неизменных похвалах деятельности этого учреждения, оно с каким-то внутренним поиском никак не может долго оставаться в шкуре одного названия, что-то тяготит его, всё время должно оно переползать в обновлённую шкуру. Так получили мы и МООП. Кажется — совсем ново, правда, очень свежо для слуха? Но ехидный язык непременно обманет и выдаст. Министерство-то получилось *охраны*, то есть *охранка*? Вот рок названий! Куда от них уйти?

** А как учитывалась при этом степень «исправленности» данного преступника? Да никак, чтó мы — электронные машины, что ли! Мы не можем всего учесть!

с тех пор не совершили, вдруг — лай собак, хмурые цепи конвоиров, перекличка по делам, и семья ваша осталась в недостроенном доме, а вас угоняют за какую-то новую проволоку. «Гражданин начальник, а — хорошее поведение?.. Гражданин начальник, а — добросовестный труд?..» Кобелю под хвост ваше хорошее поведение! Кобелю под хвост ваш добросовестный труд!..

Какая, какая ответственная администрация на земле допустит вот такие повороты и прыжки? Разве только в нарождающихся африканских государствах...

Что за мысль руководила реформой 1961 года — истинная, не показная? (Показная — «добиться лучшего исправления».) По-моему, вот какая: лишить заключённого материальной и личной независимости, невыносимой для Практических Работников, поставить его в положение, когда на его желудке отзывалось бы одно движение пальца Практического Работника, — то есть сделать зэка вполне управляемым и подчинённым. Для этого надо было: прекратить массовую безконвойность (естественную жизнь людей, осваивающих дикие места), всех загнать в зону, сделать основное питание недостаточным, пресечь подсобные его средства: заработок и посылки.

А посылка в лагере — это не только пища. Это — всплеск моральный, это — кипучая радость, руки трясутся: ты не забыт, ты не одинок, о тебе думают! Мы в наших каторжных Особлагерях могли получать неограниченное число посылок (их вес — 8 килограммов — был общепочтовым ограничением). Хотя получали их далеко не все и неравномерно, но это неизбежно повышало общий уровень питания в лагере, не было такой смертной борьбы. Теперь введено и ограничение веса посылки — 5 кг — и жестокая шкала: в год не более шести-четырёх-трёх-двух посылок соответственно по режимам. То есть на самом льготном общем режиме человек может получить раз в два месяца пять килограммов, куда входят и упаковка и, может быть, что-то из одежды, — и значит, меньше 2 кг в месяц на *все* виды еды! А при режиме особом — 600 грамм в месяц...*

Да если б их-то давали!.. Но и эти жалкие посылки разрешаются лишь тем, кто отсидел более половины срока. И чтобы не имел никаких «нарушений» (чтобы нравился оперу, воспитателю, надзирателю и надзирателеву поросёнку)! И обязательно 100 % производственного выполнения. И обязательное участие в «общественной жизни» колонии (в тех тощих концертах, о которых пишет Марченко; в тех насильственных спартакиадах, когда человек падает от слабости; или хуже — в подручных надзорсостава).

Поперхнёшься и той посылкой! За этот ящичек, собранный твоими же родственниками, — требуют ещё душу твою!

Читатель, очнитесь! Мы *историю* — кончили, мы историю уже захлопнули. Это — *сейчас*, *сегодня*, когда ломятся наши продуктовые магазины (хотя бы в столице), когда вы искренне отвечаете иностранцам, что наш народ вполне насытился. А наших оступившихся (а часто ни в чём не виноватых, вы же поверили наконец в мощь нашего правосудия!) соотечественников *исправляют голодом* вот так! Им снится — хлеб!

(Ещё заметим, что самодурству лагерных хозяев предела нет, контроля нет! Наивные родственники присылают бандероль — с газетами или с лекарствами. И бандероль засчитывают как посылку! — очень много случаев таких, из разных мест пишут. Начальник режима срабатывает как робот с фотоглазом: штука! А посылку, пришедшую следом, — отправляют назад.)

Зорко следится также, чтоб ни кусочек съедобный не был передан зэку и при свидании! Надзиратели видят свою честь и свой опыт в том, чтоб такого не допустить. Для этого приезжающих *вольных женщин обыскивают, обшаривают перед свиданием!* (Ведь Кон-

---

* Эти и последующие режимные условия в течение 60-х и 70-х годов всё ужесточались. *(Примеч. 1980 г.)*

ституцией же это не запрещено! Ну, не хочет — пусть уезжает не повидавшись.)

Ещё плотней заложен путь приходу денежных поступлений в колонию: сколько бы ни прислано было родственниками, всё это зачисляется на лицевой счёт «до освобождения» (то есть государство безпроцентно берёт у зэка взаймы на 10 и 25 лет). И сколько бы ни заработал зэк — он этих денег тоже не увидит.

Хозрасчёт такой: труд заключённого оплачивается в 70% от соответственной зарплаты вольного (а — почему? разве его изделия пахнут иначе? Если б это было на Западе, это называлось бы эксплуатацией и дискриминацией). Из оставшегося вычитается 50% в пользу колонии (на содержание зоны, Практических Работников и собак). Из следующего остатка вычитается за харчи и обмундирование (можно себе представить, почём идёт баланда с рыбьими головами). И последний остаток зачисляется на лицевой счёт «до освобождения». Использовать же в лагерном ларьке заключённый может в месяц соответственно по режимам: 10—7—5—3 рубля. (Но из Каликáток Рязанской области жалуются, что за всеми вычетами даже этих 5 рублей у людей не осталось — на ларёк не хватило.) А вот сведения из правительственной газеты «Известия» (ещё в льготное время, март 1960, и рубли ещё дутые, сталинские): ленинградская девушка Ирина Папина, которая до нарывов по всем пальцам корчевала пни, стаскивала камни, разгружала вагоны, заготовляла дрова, зарабатывала... 10 рублей в месяц (хрущёвский рубль — один в месяц).

А дальше идёт «режимное оформление» самого ларька, пересечённое с равнодушием торговцев. По выворотному свойству колониального режима (ведь так теперь правильно будет говорить вместо «лагерного»? Языковеды, как быть, если острова сами переименовались в колонии?..) ларёк-льгота превращается в ларёк-наказание, в то слабое место зэка, по которому его бьют. Почти в каждом письме, из колоний сибирских и архангельских, пишут об этом: ларьком наказывают!

ларька лишают за каждый мелкий проступок. Там за опоздание в подъёме на три минуты лишался ларька на три месяца (это называется у зэков «удар по животу»). Там не успел письмо кончить к вечернему обходу — на месяц лишили ларька. Там лишили потому, что «язык не так подвешен». А из устьвымской колонии строгого режима пишут: «что ни день, то серия приказов на лишение ларька — на месяц, на два, на три. Каждый четвёртый человек имеет нарушения. А то бухгалтерия за текущий месяц забыла тебе начислить, пропустила в списке, — уж это пропало». (Другое дело — в карцер сразу не посадили, это и за прошлое не пропадёт.)

Старого зэка, пожалуй, не удивишь. Обычные черты бесправия.

Ещё пишут: «дополнительно два рубля в месяц могут быть выписаны за *трудовые успехи*. Но чтоб их получить, надо совершить на производстве героический поступок».

Вы подумайте только, как высоко ценится труд в нашей стране: за выдающиеся трудовые успехи — два рубля в месяц (и то — с собственного твоего счёта).

Вспоминают и норильскую историю, правда 1957 года, — ещё при блаженной передышке: какие-то неизвестные зэки съели любимую собаку распорядителя кредита Воронина, и за это в наказание семь месяцев (!) весь лагерь «летел без зарплаты».

Очень реально, очень по-островному.

Возразит Историк-Марксист: это анекдотический случай, зачем о нём? А нарушитель, сами сказали, только каждый четвёртый. Значит, веди себя примерно, и даже на строгом режиме тебе обезпечены три рубля в месяц — килограмм сливочного масла почти.

Как бы не так! Вот повезло этому Историку с его «лотереей» (да и статейки писал очень правильные) — не побывал в лагере. Это хорошо, если в ларьке есть хлеб, дешёвые конфеты и маргарин. А то хлеб — 2-3 раза в месяц. А конфеты — только дорогие. Какое там сливочное масло, какой там сахар! — если торговец будет ретив (но он не будет), так есть Руководство — ему *подсказать*. Зубной порошок, паста, щётки, мыло, конверты (да и то не везде, а уж писчую бумагу — нигде, ведь на ней жалобы пишут!), дорогие папиросы — вот ассортимент ларька. Да не забудьте, дорогой читатель, что это — не тот ларёк на воле, который каждое утро открывает свои створки, и вы можете взять сегодня на 20 копеек и завтра на 20 копеек, нет! У нас так: на 2 дня в месяц откроется этот ларёк, ты простой в очереди три часа, да, зайдя (товарищи из коридора торопят), набирай сразу на все свои рубли — потому что их нет у тебя на руках, этих рублей, а сколько в ведомости стоит, столько набирай сразу: бери десять пачек папирос, бери четыре тюбика пасты!

И остаётся бедному зэку н о р м а — его туземная колониальная норма (а колония-то — за Полярным кругом): хлеба — 700 граммов, сахара — 13, жиров — 19, мяса — 50, рыбы — 85. (Да это только цифры! — и мясо и рыба придут такие, что тут же половину отрежут и выбросят). Это — цифры, а в миске их не может быть, не бывает. Баланду свою описывают с Усть-Неры так: «пойло, которое не всякая колхозная скотина будет есть». Из Норильска: «магара и сечка господствуют по сегодняшний день». А ещё есть и стол штрафников: 400 г хлеба и один раз в день горячее.

Правда, на Севере для «занятых на особо тяжёлых работах» выписывают некое дополнительное питание. Но, уже зная острова, знаем мы, как в тот список трудно попасть (не всё тяжёлое есть «особо тяжёлое») и что губит «большая пайка»... Вот Пичугин, «пока был пригоден, намывал по 40 кг золота за сезон, перетаскивал за день на плечах по 700—800 шпал, — но на 13-м году заключения стал инвалидом — и переведен на *униженную* норму питания». Неужели, спрашивает, у такого человека стал меньше размер желудка?

А мы вот как спросим: этот один Пичугин своими сорока килограммами золота — сколько дипломатов содержал? Уж посольство в Непале — всё полностью! А у них там — не униженная норма?

Из разных мест пишут: общий голод, всё впроголодь. «У многих язвы желудка, туберкулёз». Иркутская область: «У молодёжи — туберкулёз, язва желудка». Рязанская область: «Много туберкулёзников».

И уж вовсе запрещается что-либо своё варить или жарить, как это разрешалось в Особлагах. Да и — *из чего?*..

Вот та древняя мера — Голод, — какой достигнута управляемость нынешних туземцев.

А ко всему тому — работа, с нормами увеличенными: ведь с тех пор «производительность» (человеческих мускулов) выросла. Правда, день — 8-часовой. Те же бригады: зэк погоняет зэка. В Каликатках убедили 2-ю группу инвалидов идти на работу, обещая за то применить к ним «двух-третное» освобождение, — и безрукие, безногие кинулись занимать посты 3-й инвалидной группы — а тех погнали на общие.

Но если не хватает всем работы, но если короток рабочий день, но если, увы, не заняты воскресенья, если *труд-чародей* отказывается нам перевоспитать эти отбросы, — то ведь ещё остаётся у нас Чародей — р е ж и м!

Пишут с Оймякона и из Норильска, с режима особого и с режима усиленного: всякие собственные свитеры, душегрейки, тёплые шапки, уж о шубах нечего и говорить — отбираются! (Это 1963 год! 46-й год эры Октября!) «Не дают тёплого белья и не дают ничего тёплого надеть под страхом карцера» (Краслаг, Решёты). «Отобрали всё, кроме нательного белья. Выдали: кителёк х/б, телогрейку, бушлат, шапку-сталинку без меха. Это на Индигирке, в Оймяконском районе, где сактированный день — минус 51°».

Правда же, как забыть? После Голода кто ещё может лучше управить живое существо? Да Холод конечно. Холод.

Особенно хорошо воспитывает *особняк* — особый режим, там, где «ООРы и майоры» по новой лагерной поговорке. (ООР — Особо-Опасный Рецидивист, штамп местного суда[*].) Прежде всего, введено полосатое рубище: шапочка «домиком», брючки и пиджачок — широкополосые, синие с белым, как из матрасного материала. Это придумали наши тюремные мыслители, юристы Нового Общества, — они придумали это на пятом десятилетии Октября! в двух третях XX века! на пороге коммунизма! — одеть загнанных своих преступников в клоунские шкуры. (Изо всех писем видно, что эта полосатость раздосадовала и уязвила сегодняшних двадцатипятилетников.)

Вот ещё об особом режиме: бараки в решётках и на замках; бараки подгнивают, зато построен кирпичный вместительный БУР (хотя, кроме чифиря, в лагере не осталось и нарушений: нет ни скандалов, ни драк, ни даже карт). По зоне — передвижение в строю, да так, чтобы в струночку, иначе не впустят, не отпустят. Если надзиратель выследит в строю курение — бросается своей разжиревшей фигурой на жертву, сбивая с ног, вырывает окурок, тащит в карцер. Если не вывели на работу — не вздумай прилечь отдохнуть: на койку смотри как на выставку и не притрагивайся до отбоя. В июне 1963 поступил приказ выполоть вокруг бараков траву, чтоб и там не лежали. А где трава ещё осталась — дощечка с надписью: лежать запрещается (Иркутская область).

Боже, как знакомо! Где это мы читали? Где это мы совсем недавно слышали о таких лагерях? Да не бериевские ли Особлаги? *Особ — Особ*...

Особый режим под Соликамском: «малейший шумок — в кормушку суют стволы автоматов».

И конечно, везде любой произвол с посадкою в ШИЗО. Поручили Ивакину грузить автомашину плитами (каждая — 128 кг) в одиночку. Он отказался. Получил 7 суток.

В мордовском лагере в 1964 один молодой зэк узнал, что, кажется, в Женеве и, кажется, в 1955 году подписа-

---

[*] Ещё одно сокращение прежних годов всё недосуг привести: что такое ОЛЖИР?! Особый Лагерь Жён Изменников Родины (был и такой).

но соглашение о запрещении принудительного труда в местах заключения, — и отказался от работы! Получил за свой порыв — 6 месяцев одиночки.

Всё это и есть — геноцид, пишет Караванский.

А левые лейбористы возьмутся назвать это иначе? (Боже мой, не цепляйте вы левых лейбористов! Ведь если они останутся нами недовольны -- погибла наша репутация!..)

Но что ж всё мрачно да мрачно? Для справедливости дадим оценить режим молодому Практическому Работнику, выпускнику Тавдинского училища МВД (1962): «Раньше (до 1961) на лекциях по десять надзирателей стояло — не могли справиться. Сейчас — муху слышно, друг другу делают замечания. Боятся, чтоб их не перевели на более строгий режим. *Работать* стало гораздо легче, особенно после Указа (о расстреле). Уже к паре *применили*. А то, бывало, придёт на вахту с ножиком: берите, я гада убил... Как работать?»

Конечно, чище стал воздух. Подтверждает это и учительница колониальной школы: «За хихиканье во время политбесед — лишение досрочного освобождения. Но если ты *актив*, то будь хоть хам из хамов, лишь следи, чтобы другой не бросил окурка, не был в шапке, — и тебе работа легче, и характеристика лучше, и окажут потом помощь в прописке».

Совет Коллектива, Секция Внутреннего Порядка (от Марченко узнаём расшифровку: Сука Вышла Погулять) — это как бы дружинники, у них красная повязка: не проходи мимо нарушений! Помогай надзирателям! А Совет имеет право *ходатайствовать о наказаниях*! У кого «статья трети́тся» (применимы две трети) или «половинится» — непременно надо идти помогать СВП, иначе не получишь «условно-досрочного». У кого «статья глухая» — не идут, им не нужно. И. А. Алексеев пишет: «основная масса предпочитает медленную казнь, но в эти советы и секции не идёт».

А мы уже начинаем воздух ощущать, правда? О б щ е с т в е н н а я д е я т е л ь н о с т ь в лагере! Какие лучшие чувства она воспитывает (холуйство, донос, отталкивание соседа) — вот и светлая лестница, ведущая в небо исправления. Но и как же она скользка!

Вот из Тираспольского ИТК-2 жалуется Олухов (коммунист, директор магазина, сел за злоупотребление): выступил на слёте передовиков производства, кого-то разоблачал, «призывал заблудившихся сынов Родины к добросовестному труду», зал ответил громкими аплодисментами. А когда сел на свою скамейку, к нему подошёл зэк и сказал: «Если бы ты, падло, выступил так 10 лет назад, я б тебя зарезал прямо на трибуне. А сейчас законы мешают, за тебя, суку, расстрел дадут».

Чувствует читатель, как всё диалектически взаимосвязано, единство противоположностей, одно переходит в другое? — с одной стороны, бурная общественная деятельность, с другой — опирается на расстрельный Указ? (А сроки чувствует читатель? «10 лет назад» — и всё там же человек. Прошла эпоха — и нет эпохи, а он всё там же...)

Тот же Олухов рассказывает и о заключённом Исаеве, бывшем майоре (Молдавия, ИТК-4). Исаев был «непримирим к нарушителям режима, выступал на Совете Коллектива против конкретных заключённых», то есть требуя им наказаний и отмены льгот. И что же? «На другую ночь у него пропал яловый военный сапог — один из пары. Он надел ботинки — но на следующую ночь пропал и один ботинок». Вот какие недостойные формы борьбы применяет загнанный классовый враг в наше время!..

Конечно, общественная жизнь — это острое явление и им надо умело руководить. Бывают случаи и совершенно разлагающие заключённых, как, например, с Ваней Алексеевым. — Назначили первое общелагерное собрание на 20 часов. Но и до 22 часов играл оркестр, а собрание не начиналось, хотя офицеры сидели на сцене. Алексеев попросил оркестр «отдохнуть», а начальство — ответить, когда будет собрание. Ответ: не будет. Алексеев: в таком случае мы, арестанты, сами проведём собрание на тему *о жизни и времени*. Арестанты загудели о своём согласии, офицеры сбежали со сцены. Алексеев вышел с тетрадкой на трибуну и начал с культа личности. Но несколько офицеров налетели, отняли трибуну, выворачивали лампочки и сталкивали тех заключённых, которые успели забраться сюда. Надзирателям было приказано арестовать Алексеева, но Алексеев сказал: «Граждане надзиратели, ведь вы комсомольцы. Вы слышали — я говорил правду, на кого ж вы руку поднимаете — на совесть ленинской идеи?» Всё же арестовали бы и совесть идеи, но зэки-кавказцы взяли Алексеева в свой барак и тем на одну ночь спасли от ареста. Потом он отсидел карцер, а после карцера оформили его выступление как антисоветское. Совет Коллектива ходатайствовал перед администрацией об изоляции Алексеева за антисоветскую агитацию. На основании этого ходатайства администрация обратилась в нарсуд — и дали Алексееву 3 года *крытой тюрьмы*.

Для верного направления умов очень важны установленные в нынешних колониях еженедельные п о л и т з а н я т и я. Их проводят начальники отрядов (200-250 человек), офицеры. Избирается каждый раз определённая тема, ну например: гуманизм нашего строя, превосходство нашей системы, успехи социалистической Кубы, пробуждение колониальной Африки. Эти вопросы живо захватывают туземцев и помогают им лучше выполнять колониальный режим и лучше работать. (Конечно, не все понимают правильно. Из Иркутска: «В голодном лагере нам говорят об изобилии в стране продуктов. Говорят о внедрении механизации повсюду, а мы на производстве только и видим кайло, лопату, носилки, да применяем горб».)

На одном политзанятии Ваня Алексеев ещё прежде того собрания учудил так. Попросил слова и сказал: «Вы — офицеры МВД, а мы, заключённые, — преступники времён культа личности, мы с вами — враги народа и теперь должны самоотверженным трудом заслужить прощение советского народа. И я серьёзно предлагаю вам, гражданин майор, взять курс на коммунизм!» Записали ему в дело «нездоровые антисоветские настроения».

Письмо этого Алексеева из УстьВымлага — обширно, бумага истирается и строчки блеклые, 6 часов я его разбирал. И чего там только нет! В частности, такое общее рассуждение: «Кто сейчас сидит в колониях — трущобах рабства? Вытесненная из общества буйная непримиримая прослойка из народа... Блок бюрократов пустил под откос жизни ту буйную молодёжь, которую опасно было вооружать теорией справедливых отношений». «Зэки — вытесненные дети пролетариата, собственность ИТЛ».

Ещё очень важно р а д и о, если его правильно использовать (не музыку, не пьесы про любовь, а воспитательные передачи). Как и всё дозируется по режимам, так и радио: от 2-3 часов для особого режима до полного дня вещания для общего режима*.

А ещё бывают и ш к о л ы (а как же! мы же готовим их к возврату в общество!) Только «всё построено на формальности, это для отвода глаз... Идут туда ребята из-под палки, охоту учиться отбивают БУРом»; ещё «стесняются вольных учительниц, так как одеты в рвань».

А увидеть живую женщину — слишком важное событие для арестанта.

Нечего и говорить, что правильное воспитание и исправление, особенно людей взрослых, особенно если оно длится десятилетиями, может происходить только на основе сталинско-бериевского послевоенного р а з д е л е н и я п о л о в, которое и признано на Архипелаге незыблемым. Взаимовлияние полов как импульс к улучшению и развитию, принятый во всём человеческом роде, не может быть принят на Архипелаге, ибо тогда жизнь туземцев станет «похожею на курорт». И чем ближе мы подходим под светлое зарево коммунизма, залившее уже полнеба, тем настойчивее надо преступников отделять от преступниц и только через

---

* Сбежишь, пожалуй, и на *особый*, в полосатую шкуру!..

эту изоляцию дать им как следует помучиться и исправить их*.

Над всей стройной системой колониального исправления в нашу небезгласную и небесправную эпоху существует надзор общественности, да, **наблюдательные комиссии**, — читатель же не забыл о них? их никто не отменял.

Они составляются «от местных органов». Но практически там, в диких местах, в этих вольных посёлках — кто пойдёт и попадёт в эти комиссии, кроме жён администрации? Это — просто бабский комитет, выполняющий то, что говорят их мужья.

Однако в больших городах эта система изредка может дать и результаты внезапные. Коммунистке Галине Петровне Филипповой райком поручил состоять в наблюдательной комиссии одесской тюрьмы. Она отбивалась: «Мне нет никакого дела до преступников!» — и только партийной дисциплиною её заставили пойти. А там она — увлеклась! Она увидела там людей, да сколько среди них невинных, да сколько среди них раскаявшихся. Она сразу установила порядок разговаривать с заключёнными без администрации (чему администрация очень противилась). Некоторые зэки месяцами смотрели на неё злыми глазами, потом мягчели. Она стала ездить в тюрьму два, три, четыре раза в неделю, оставалась в тюрьме до отбоя, отказывалась от отпуска — уж не рады были те, кто её сюда послал. Кинулась она в инстанции толковать о проблеме 25-летников (в Кодексе такого срока нет, а на людей навешено раньше — и продолжают волочить этот срок), об устройстве на работу освобождающихся, о поселениях.

---

* Сам министр Охраны Тикунов рассказал мне (сейчас будет о нашей встрече) такой случай: на индивидуальном свидании (то есть в закрытом доме, три дня) приехавшая к сыну мать была ему за жену. Сюжет античный — ведь и дочь кормила отца из сосцов. Но господин министр, кривясь от мерзости этих дикарей, нисколько не думал: как это холостому парню не видеть женщины 25 лет.

На верхах встречала или полное недоумение (начальник Управления Мест Заключения РСФСР, генерал, уверял её в 1963 году, что 25-летников вообще в стране не существует, — и самое смешное: он таки, кажется, и *не знал*!) или полную осведомлённость — и тогда озлобленное противодействие. Стали её преследовать и травить в украинском министерстве и по партийной линии. Разогнали и всю комиссию их за письменные ходатайства.

А пусть не мешают хозяевам Архипелага! Пусть не мешают Практическим Работникам! Вы помните, от них самих мы только что узнали: *«эти же люди*, что работали тогда, работают и сейчас, может быть, добавилось процентов десять».

Но вот что, не произошёл ли в них душевный перелом? Не пропитались ли они любовью к несчастным своим подопечным? Да, все газеты и журналы говорят, что — пропитались. Я уж не отбирал специально, но прочли мы (глава 1) в «Литературной газете» о нынешних заботливых лагерщиках на станции Ерцево. А вот опять «Литературная газета» (3.3.1964) даёт высказаться начальнику колонии:

«Воспитателей легко ругать — гораздо труднее им помочь, и уж совсем трудно их найти: живых, образованных, интеллигентных (обязательно интеллигентных), заинтересованных и одарённых людей... Им надо создавать хорошие условия для жизни и работы... Я знаю, как скромен их заработок, как необъятен их рабочий день...»

И как бы гладко нам на этом кончить, на этом и порешить! Ведь жить спокойней, можно отдаться искусству, а ещё безопаснее науке, — да вот письма заклятые, измятые, истёртые, «по левой» посланные из лагерей! И что же пишут, неблагодарные, о тех, кто сердце на них надрывает в необъятный рабочий день?

Ивакин: «Говоришь с воспитателем о своём наболевшем и видишь, что слова твои рикошетят о серое сукно шинели. Невольно хочется спросить: „Простите, как поживает ваша коровка?", у которой в хлеву он проводит больше времени, чем у своих воспитанников» (Краслаг, Решёты).

Л-н: «Те же тупицы надзиратели, начальник режима — типичный Волковой. С надзирателем спорить нельзя, сразу карцер».

К-н: «Отрядные говорят с нами на жаргоне, только и слышно: падло, сука, тварь» (Станция Ерцево, какое совпадение!).

К-й: «Начальник режима — родной брат того Волкового, бьёт, правда, не плетью, а кулаком, смотрит как волк из-под лба... Начальник отряда — бывший опер, который держал у себя вора-осведомителя и платил за каждый донос наркотическими средствами... Все те, кто бил, мучил и казнил, просто переехали из одного лагеря в другой и занимают несколько иные посты» (Иркутская область).

И. Г. Писарев: «У начальников колоний только прямых помощников — шесть. На всех стройках дармоедов разгоняют, вот они и бегут сюда... Все лагерные тупицы... и поныне работают, добивают стаж до пенсии, да и после этого не уходят. Они не похудели. Заключённых они не считали и не считают за людей».

В. И. Д-в: «В Норильске, почтовый ящик 288, нет ни одного „нового": все те же берианцы. Уходящих на пенсию заменяют они же (те, которые были изгнаны в 1956 году)... У них — удвоение стажа, повышенные оклады, продолжительные отпуска, хорошее питание. Идёт им 2 года за год, и они додумываются уходить на пенсию в 35 лет...»

Пичугин: «У нас на участке 12-13 здоровых парней, одетых в дублёные шубы чуть не до пят, шапки меховые, валенки армейские. Почему б им не пойти на шахту, в рудник, на целину и там найти своё призвание, а здесь уступить место более пожилым? Нет, их и цепью с волжского парохода туда не затащишь. Наверно, вот эти трутни так информировали вышестоящие органы, что зэка неисправимы, — ведь если зэка станет меньше, то сократятся их штаты».

И так же по-прежнему зэки сажают картошку на огородах начальства, поливают, ухаживают за скотом, делают мебель в их дома.

Но кто же прав? кому же верить? — в смятеньи воскликнет неподготовленный читатель.

Конечно — газетам! Верьте газетам, читатель. Всегда верьте — нашим газетам.

* * *

Эмведэшники — сила. И они никогда не уступят добром. Уж если в 1956 устояли — постоят ещё, постоят.

Это не только исправтруд-органы. И не только министерство Охраны. Мы уже видели, как охотно поддерживают их и газеты, и депутаты.

Потому что они — костяк. Костяк многого.

Но не только сила у них — у них и аргументы есть. С ними не так легко спорить.

Я — пробовал.

То есть я — никогда не собирался. Но погнали меня вот эти письма — совсем не ожидавшиеся мною письма от современных туземцев. Просили туземцы с надеждой: сказать! защитить! очеловечить!

И — кому ж я скажу? — не считая, что и слушать меня не станут... Была бы свободная печать, опубликовал бы это всё — вот и высказано, вот и давайте обсуждать.

А теперь (январь 1964) тайным и робким просителем я бреду по учрежденческим коридорам, склоняюсь перед окошечками бюро пропусков, ощущаю на себе неодобрительный и подозревающий взгляд дежурных военных. Как чести и снисхождения должен добиваться писатель-публицист, чтобы занятые правительственные люди освободили для него своё ухо на полчаса.

Но и ещё не в этом главная трудность. Главная трудность для меня, как тогда на экибастузском собрании бригадиров: *о чём* им говорить? *каким* языком?

Всё, что я действительно думаю, как оно изложено в этой книге, — и опасно сказать, и совершенно безнадёжно. Это значит — только голову потерять в безгласной кабинетной тиши, не услышанному обществом, неведомо для жаждущих и не сдвинув дело ни на миллиметр.

А тогда как же говорить? Переступая их мраморные назеркаленные пороги, всходя по их ласковым коврам, я должен принять на себя исходные путы, шёлковые нити, продёрнутые мне через язык, через уши, через веки, — и потом это всё пришито к плечам, и к коже спины, и к коже живота. Я должен принять, по меньшей мере:

1. Слава Партии за всё прошлое, настоящее и будущее. (А значит, не может быть неверна общая наказательная политика. Я не смею усумниться в необходимости Архипелага вообще. И не могу утверждать, что «большинство сидит зря».)

2. Высокие чины, с которыми я буду разговаривать, — преданы своему делу, пекутся о заключённых. Нельзя обвинить их в неискренности, в холодности, в неосведомлённости (не могут же они, всей душой занимаясь делом, не знать его!).

Гораздо подозрительнее мотивы *моего* вмешательства: что — я? почему — я, если вовсе не обязан по службе? Нет ли у меня каких-нибудь грязных корыстных целей?.. Зачем я могу вмешиваться, если Партия и без меня всё видит и без меня всё сделает правильно?

Чтоб немножко выглядеть покрепче, я выбираю такой месяц, когда выдвинут на Ленинскую премию, и вот передвигаюсь как пешка со значением: может быть, ещё и в ладьи выйдет.

Верховный Совет СССР. Комиссия законодательных предположений. Оказывается, она уже не первый год занята составлением нового Исправ-Труд-Кодекса, то есть Кодекса всей будущей жизни Архипелага, — вместо Кодекса 1933 года, существовавшего и никогда не существовавшего, как будто и не написанного никогда.

И вот мне устраивают встречу, чтобы я, взращенец Архипелага, мог познакомиться с их мудростью и представить им мишуру своих домыслов.

Их восемь человек. Четверо удивляют своей молодостью: хорошо, если эти мальчики успели ВУЗ кончить, а то и нет. Они так быстро всходят к власти! они так свободно держатся в этом мраморно-паркетном дворце, куда я допущен с большими предосторожностями. Председатель комиссии — Иван Андреевич Бабухин, пожилой, какой-то безпредельный добряк. Кажется, от него бы зависело — он завтра же бы Архипелаг распустил. Но роль его такова: всю нашу беседу сидит в сторонке и молчит. А самые тут едучие — два старичка! — два грибоедовских старичка, тех самых,

Времён очаковских и покоренья Крыма,

вылитые те, закостеневшие на усвоенном когда-то, да я поручиться готов, что с 5 марта 1953 года они даже газет не разворачивали, — настолько уже ничего не могло произойти, влияющего на их взгляды! Один из них — в синем пиджаке, и мне кажется — это какой-то придворный голубой екатерининский мундир, и я даже различаю след от свинченной екатерининской серебряной звезды в полгруди. Оба старичка абсолютно и с порога не одобряют всего меня и моего визита — но решили проявить терпение.

Тогда и тяжело говорить, когда слишком много есть что сказать. А тут ещё всё пришито, и при каждом шевелении чувствую.

Но всё-таки приготовлена у меня главная тирада, и кажется, ничто не должно дёрнуть. Вот я им о чём: откуда это взялось представление (я не допускаю, что — у них), будто лагерю есть опасность стать *курортом*, будто если не населить лагерь голодом и холодом, то там воцарится блаженство? Я прошу их, несмотря на недостаточность личного опыта, представить себе частокол тех лишений и наказаний, который и составляет самое заключение: человек лишён родных мест; он живёт с тем, с кем не хочет; он не живёт с тем, с кем хочет (семья, друзья); он не видит роста своих детей; он лишён привычной обстановки, своего дома, своих вещей, даже часов на руке; потеряно и опозорено его имя; он лишён свободы передвижения; он лишён обычно и работы по специальности; он испытывает постоянное давление на себя чужих, а то и враждебных ему людей — других арестантов, с другим жизненным опытом, взглядами, обычаем; он лишён смягчающего влияния другого пола (не говоря уже о физиологии); и даже медицинское обслуживание у него несравненно ухудшено. Чем это напоминает черноморский санаторий? Почему так боятся «курорта»?

Нет, эта мысль не толкает их во лбы. Они не качнулись в стульях.

Так ещё шире: мы хотим ли вернуть этих людей в общество? Почему тогда мы заставляем их жить в окаянстве? Почему тогда содержание режимов в том, чтобы систематически унижать арестантов и физически изматывать? Какой государственный смысл получения из них инвалидов?

Вот я и выложился. И мне разъясняют мою ошибку: я плохо представляю нынешний *контингент*, я сужу по прежним впечатлениям, я отстал от жизни. (Вот это моё слабое место: я действительно не вижу тех, кто там сейчас сидит.) Для тех изолированных рецидивистов всё, что я перечислил, — это не лишение вовсе. Только и могут их образумить нынешние режимы. (Дёрг, дёрг — это их компетенция, они лучше знают, кто сидит.) А вернуть в общество?.. Да, конечно, да, конечно, — деревянно говорят старички, и слышится: нет конечно, пусть там домирают, так спокойней.

А — *режимы*? Один из очаковских старичков — прокурор, тот в голубом, со звездой на груди, а седые волосы редкими колечками, он и на Суворова немного похож:

— Мы уже начали получать *отдачу* от введения строгих режимов. Вместо двух тысяч убийств в год (здесь это можно сказать) — только несколько десятков.

Важная цифра, я незаметно записываю. Это и будет главная польза посещения, кажется.

Кто сидит! Конечно, чтобы спорить о режимах, надо б и знать, кто сидит. Для этого нужны десятки психологов и юристов, которые бы поехали, безпрепятственно говорили бы с зэками, — а потом можно и поспорить. А мои лагерные корреспонденты как раз этого-то и не пишут: за что они сидят, и товарищи их за что[*]. 1964 год — родственники зэков глотают слёзы ещё в одиночку. Ещё не знает подробностей лагерей московская *воля* («Иван Денисович» — это о «прошлом»), ещё сама она робка, расчленена, ещё нет никакого общественного движения. Глушь — почти прежняя, сталинская.

Общая часть обсуждения закончена, мы переходим к специальной. Да комиссии и без меня всё тут ясно, у них всё уже решено, я им не нужен, а просто любопытно посмотреть.

Посылки? Только по 5 килограммов и та шкала, что сейчас действует. Я предлагаю им хоть удвоить шкалу, да сами посылки сделать по 8 кг: «Ведь они ж голодают! кто ж исправляет голодом?!»

«Как — голодают? — единодушно возмущена комиссия. — Мы были сами, мы видели, что остатки хлеба вывозятся из лагеря машинами!» (то есть надзирательским свиньям).

Что — мне? Вскричать: «Вы лжёте! Этого быть не может!» — а как больно дёрнулся язык, пришитый через плечо к заднему месту. Я не должен нарушать условия: они осведомлены, искренни и заботливы. Показать им письма моих зэков? Это — филькина гра-

---

[*] Ну как вообразить всех этих разнообразных *рецидивистов*! Вот в Тавдинской колонии сидит 87-летний бывший офицер — царский, да наверно, и белый. К 1962 году он отбыл 18 лет второй двадцатки. Окладистая борода, учётчик на производстве рукавиц. Спрашивается: за убеждения молодости — может быть, сорок лет тюрьмы многовато? И сколько таких судеб, непохожих на другие!

мота для них, и потёртые искомканные их бумажки на красной бархатной скатерти будут смешны и ничтожны. Да нельзя их и показывать: запишут их фамилии, и пострадают ребята.

— Но ведь государство ничего не теряет, если будет больше посылок!

— А кто будет пользоваться посылками? — возражают они. — В основном, богатые семьи (здесь это слово употребляют — «богатые», это нужно для реального государственного рассуждения). — Кто наворовал и припрятал на воле. Значит, увеличением посылок мы поставим в невыгодное положение *трудовые семьи*!

Вот режут, вот рвут меня нити! Это — ненарушимое условие: интересы трудовых слоёв — выше всего. Они тут и сидят только для трудовых слоёв.

Я совсем, оказывается, ненаходчив. Я не знаю, что им возражать. Сказать: «Нет, вы меня не убедили!» — ну и наплевать, что́ я у них — начальник, что ли?

— *Ларёк!* — наседаю я. — Где же социалистический принцип оплаты? Заработал — получи!

— Надо накопить фонд освобождения! — отражают они. — Иначе при освобождении он становится иждивенцем государства.

Интересы государства — выше, это пришито, тут я не могу дёргаться. И не могу я ставить вопроса, чтобы зарплату зэков повысили *за счёт государства*.

— Но пусть все воскресенья будут свято-выходными!

— Это оговорено, так и есть.

— Но есть десятки способов испортить воскресенье внутри зоны. Оговорите, чтоб не портили!

— Мы не можем так мелко регламентировать в Кодексе.

Рабочий день — 8 часов. Я вяло выговариваю им что-то о 7-часовом, но внутренне мне самому это кажется нахальством: ведь не 12, не 10, чего ещё надо?

— Переписка — это приобщение заключённого к социалистическому обществу! — (вот как я научился аргументировать). — Не ограничивайте её.

Но не могут они снова пересматривать. Шкала уже есть, не такая жестокая, как была у нас... Показывают мне и шкалу свиданий, в том числе «личных», трёхдневных, — а у нас годами не было никаких, так это вынести можно. Мне даже кажется шкала у них мягкой, я еле сдерживаюсь, чтобы не похвалить её.

Я устал. Всё пришито, ничем не пошевельнёшь. Я тут безполезен. Надо уходить.

Да вообще, из этой светлой праздничной комнаты, из этих кресел, под ручейки их речей лагеря совсем не кажутся ужасными, даже разумными. Вот — хлеб машинами вывозят... Ну не напускать же тех страшных людей на общество? Я вспоминаю рожи блатных паханов... Десять лет не сидемши, как угадать, кто там сейчас сидит? Наш брат политический — вроде отпущен. Нации — отпущены...

Другой из противных старичков хочет знать моё мнение о голодовках, не могу же я не одобрить кормление через кишку, если это — более богатый рацион, чем баланда?*

Я становлюсь на задние лапы и реву им о праве зэка не только на голодовку — единственное средство отстаивания себя, но даже — на голодную смерть.

Мои аргументы производят на них впечатление дикое. А у меня всё пришито: говорить о связи голодовки с общественным мнением страны я же не могу.

Я ухожу усталый и разбитый: я даже поколеблен немного, а они — нисколько. Они сделают всё по-своему, и Верховный Совет утвердит единогласно.

Министр Охраны Общественного Порядка Вадим Степанович Тикунов. Что за фантастичность? Я, жал-

---

* Только от Марченко мы узнаём их новый приём: вливать кипяток, чтобы погубить пищевод.

кий каторжник Щ-232, иду учить министра внутренних дел, как ему содержать Архипелаг?!..

Ещё на подступах к министру все полковники — круглоголовые, белохолёные, но очень подвижные. Из комнаты главного секретаря никакой двери дальше нет. Зато стоит огромный стеклянно-зеркальный шкаф с шёлковыми сборчатыми занавесками позади стёкол, куда могут два всадника въехать, — и это, оказывается, есть тамбур перед кабинетом министра. А в кабинете — просторно сядут двести человек.

Сам министр болезненно полон, челюсть большая, лицо его — трапеция, расширяющаяся к подбородку. Весь разговор он строго-официален, выслушивает меня безо всякого интереса, по обязанности.

А я запускаю ему всю ту же тираду о «курорте». И опять эти общие вопросы, стои́т ли перед нами (им и мною!) общая задача *исправления* зэков? (что я думаю об «исправлении», осталось в Части Четвёртой). И зачем был поворот 1961 года? зачем эти четыре режима? И повторяю ему скучные вещи — всё то, что написано в этой главе: о питании, о ларьке, о посылках, об одежде, о работе, о произволе, о лице Практических Работников. (Самих писем я даже принести не решился, чтоб тут у меня их не хапнули, а — выписал цитаты, скрыв авторов.) Я ему говорю минут сорок или час, что-то очень долго, сам удивляясь, что он меня слушает.

Он попутно перебивает, но для того, чтобы сразу согласиться или сразу отвергнуть. Он не возражает мне сокрушительно. Я ожидал гордую стену, но он мягче гораздо. Он со многим согласен! Он согласен, что деньги на ларёк надо увеличить, и посылок надо больше, и не надо регламентировать состава посылок, как делает Комиссия Предположений (но от него это не зависит, решать это всё будет не министр, а новый Исправ-Труд-Кодекс); он согласен, чтоб жарили-варили из своего (да нет его, своего); чтобы переписка и бандероли вообще были не ограничены (но это большая нагрузка на лагерную цензуру); он и против аракчеевских перегибов с постоянным *строем* (но нетактично в это вмешиваться: дисциплину легко развалить, трудно установить); он согласен, что траву в зоне не надо выпалывать (другое дело — в Дубравлаге около мехмастерских развели, видите ли, огородики, и станочники возились там в перерыв, у каждого по 2-3 квадратных метра под помидорами или огурцами, — велел министр тут же срыть и уничтожить и этим гордится! Я ему: «связь человека с землёй имеет нравственное значение», он мне: «индивидуальные огороды воспитывают частнособственнические инстинкты»). Министр даже содрогается, как это ужасно было: из «зазонного» содержания возвращали в лагерь за проволоку. (Мне неудобно спросить: кем он в это время был и как против этого боролся.) Больше того: министр признаёт, что *содержание зэков сейчас жесточе*, чем было при Иване Денисовиче!

Да мне тогда не в чем его и убеждать! Нам и толковать не о чем. (А ему незачем записывать предложения человека, не занимающего никакого поста.)

Что ж предложить? — распустить весь Архипелаг на безконвойное содержание? — язык не поворачивается, утопия. Да и всякий большой вопрос ни от кого отдельно не зависит, он вьётся змеями между многими учреждениями и ни одному не принадлежит.

Напротив, министр уверенно настаивает: полосатая форма для рецидивистов нужна («да знали б вы, что это за люди!»). А моими упрёками надзорсоставу и конвою он просто обижен: «У вас путаница или особенности восприятия из-за вашей биографии». Он уверяет меня, что никого не загонишь работать в надзорсостав, потому что *кончились льготы*. («Так это — здоровое народное настроение, что *не идут*!» — хотелось бы мне воскликнуть, но за уши, за веки, за язык дёргают предупредительные нити. Впрочем, я упускаю: не идут лишь сержанты и ефрейторы, а офицеров — не отобьёшься.) Приходится пользоваться военнообязанными. Министр солидно указывает мне, что хамят только заключённые, а надзор разговаривает с ними исключительно корректно.

Когда так расходятся письма ничтожных зэков и слова министра, — кому же вера? Ясно, что заключённые лгут.

Да он ссылается и на собственные наблюдения — ведь он-то *бывает* в лагерях, а я — нет. Не хочу ли поехать? — Крюково? Дубравлаг? (Уж из того, что с готовностью он эти два назвал, — ясно, что там приготовлены потёмкинские устройства. И — кем я поеду? Министерским контролёром? Да я тогда и глаз на зэков не подниму... Я отказываюсь...)

Министр, напротив, высказывает, что зэки безчувственны и не откликаются на заботы. Приедешь в Магнитогорскую колонию, спросишь: «Какие жалобы на содержание?» — и так-таки при начальнике ОЛПа хором кричат: «Никаких!» А сами — всегда недовольны.

А вот в чём министр видит «замечательные стороны лагерного исправления»:

— гордость станочника, похваленного начальником лагпункта;

— гордость лагерников, что их работа (кипятильники) пойдёт в героическую Кубу;

— отчёт и перевыборы лагерного Совета Внутреннего Порядка (Сука Вышла Погулять);

— обилие цветов (казённых) в Дубравлаге.

Главное направление его забот: создать свою промышленную базу у всех лагерей. Министр считает, что с развитием интересных работ прекратятся побеги*. (Моё возражение о «человеческой жажде свободы» он даже не понял.)

Я ушёл в усталом убеждении, что *концов — нет*. Что ни на волос я ничего не подвинул, и так же будут тяпать тяпки по траве. Я ушёл подавленным — от разноты человеческого понимания. Ни зэку понять министра, пока он не воцарится в этом кабинете, ни министру — понять зэка, пока он сам не пойдёт за

---

* Тем более, как знаем мы теперь от Марченко, что уже не ловят, а только пристреливают.

проволоку и ему самому не истопчут огородика и взамен свободы не предложат осваивать станок.

Институт изучения причин преступности. Это была интересная беседа с двумя интеллигентными замдирами и несколькими научными работниками. Живые люди, у каждого свои мнения, спорят и друг с другом. Потом один из замдиров В. Н. Кудрявцев, провожая меня по коридору, упрекнул: «Нет, вы всё-таки не учитываете всех точек зрения. Вот Толстой бы учёл...» И вдруг обманом завернул меня: «Зайдёмте познакомимся с нашим директором. Игорь Иванович Карпец».

Это посещение не планировалось. Мы уже всё обговорили, зачем? Ладно, я пошёл поздороваться. Как бы не так! — ещё с тобой ли тут поздороваются! Не поверить, что эти замдиры и завсекторами работают у *этого* начальника, что это он возглавляет тут всю научную работу. (А главного я и не узна́ю: Карпец — вице-президент международной ассоциации *юристов-демократов*!)

Встал навстречу мне враждебно-презрительно (кажется, весь пятиминутный разговор так и прошёл на ногах), — будто я к нему просился-просился, еле добился, ладно. На лице его: сытое благополучие; твёрдость; и брезгливость (это — ко мне). На груди, не жалея хорошего костюма, привинчен большой значок, как орден: меч вертикальный и там, внизу, что-то пронзает, и надпись: МВД. (Это — какой-то очень важный значок. Он показывает, что носитель его имеет особенно давно «чистые руки, горячее сердце, холодную голову».)

— Так о чём там, о чём?.. — морщится он.

Мне совсем он не нужен, но теперь из вежливости я немного повторяю.

— А-а, — как бы дослышивает юрист-демократ, — либерализация? Сюсюкать с зэ-ка́?!

И тут я неожиданно и сразу получаю полные ответы, за которыми бесплодно ходил по мрамору и меж зеркальных стёкол.

Поднять уровень жизни заключённых? Нельзя! Потому что вольные вокруг лагерей тогда будут жить хуже зэка, это недопустимо.

Принимать посылки часто и много? Нельзя! Потому что это будет иметь вредное действие на надзирателей, которые не имеют столичных продуктов.

Упрекать, воспитывать надзорсостав? Нельзя! Мы — держимся за них. Никто не хочет на эту работу идти, а много мы платить не можем, сняли льготы.

Мы лишаем заключённых социалистического принципа заработка? Они сами вычеркнули себя из социалистического общества.

— Но *мы* же хотим их вернуть к жизни!?..

— Вернуть???... — удивлён меченосец. — Лагерь не для этого. Лагерь есть кара!

Кара! — наполняет всю комнату. — *Ка—ра!!*

Каррра!!!

Стоит вертикальный меч — разящий, протыкающий, не вышатнуть!

КА—РА!!

Архипелаг был, Архипелаг остаётся, Архипелаг — будет!

А иначе на ком же выместить просчёты Передового Учения? — что не такими люди растут, как задуманы.

Глава 3
ЗАКОН СЕГОДНЯ

Как уже видел читатель сквозь всю эту книгу, в нашей стране, начиная с самого раннего сталинского времени, не было *политических*. Все миллионные толпы, прогнанные перед вашими глазами, все миллионы Пятьдесят Восьмой были простые уголовники.

А тем более говорливый весёлый Никита Сергеевич на какой трибуне не раскланивался: политических? Нет!! У нас-то — не-ет!

И ведь вот — забывчивость горя, обминчивость той горы, заплывчивость нашей кожи: почти и верилось! Даже старым зэкам. Зримо распустили миллионы зэков — так вроде и не осталось политических, как будто так? Ведь мы — вернулись, и к нам вернулись, и наши вернулись. Наш городской умственный круг как будто восполнился и замкнулся. Ночь переспишь, проснёшься — из дома никого не увели, и знакомые звонят, все на местах. Не то чтобы мы совсем поверили, но приняли так: политические сейчас, ну, в основном, не сидят. Ну, нескольким стам прибалтийцам и сегодня (1968) не дают вернуться к себе в республику. Да вот ещё с крымских татар заклятья не сняли — так наверно скоро... Снаружи, как всегда (как и при Сталине), — гладко, чисто, не видно.

А Никита с трибун не слазит: «К таким явлениям и делам возврата нет и в партии, и в стране» (22 мая 1959, ещё до Новочеркасска). «Теперь все в нашей стране свободно дышат... спокойны за своё настоящее и будущее» (8 марта 1963, уже после Новочеркасска).

Новочеркасск! Из роковых городов России. Как будто мало было ему рубцов Гражданской войны, — посунулся ещё раз под саблю.

Новочеркасск! Целый город, целый городской мятеж так начисто слизнули и скрыли! Мгла всеобщего неведения так густа осталась и при Хрущёве, что не только не узнала о Новочеркасске заграница, не разъяснило нам западное радио, но и устная молва была затоптана вблизи, не разошлась, — и большинство наших сограждан даже по имени не знает такого события: Новочеркасск, 2 июня 1962 года.

Так изложим здесь всё, что нам удалось собрать.

Не преувеличим, сказав, что тут завязался важный узел новейшей русской истории. Обойдя крупную (но с мирным концом) забастовку ивановских ткачей на грани 30-х годов, — новочеркасская вспышка была за сорок лет (после Кронштадта, Тамбова и Западной Сибири) первым народным выступлением, никем не подготовленным, не возглавленным, не придуманным, — криком души, что дальше так жить нельзя!

В пятницу 1 июня было опубликовано по Союзу одно из выношенных любимых хрущёвских постановлений о повышении цен на мясо и масло. А по другому экономическому плану, не связанному с первым, в тот же день на крупном Новочеркасском электровозостроительном заводе (НЭВЗ) также и снизили рабочие расценки — процентов до тридцати. С утра рабочие двух цехов (кузнечного и металлургического), несмотря на всю послушность, привычку, втянутость, не могли заставить себя работать — уж так припекли с обеих сторон! Громкие разговоры их и возбуждение перешли в стихийный митинг. Будничное событие для Запада, необычайное для нас. Ни инженеры, ни главный инженер уговорить рабочих не могли. Пришёл директор завода Курочкин. На вопрос рабочих: «На что теперь будем жить?» — этот сытый выкормыш ответил: «Жрали пирожки с мясом — теперь будете с повидлом!» Едва убежали от растерзания и он, и его свита. (Быть может, ответь он иначе — и угомонилось бы.)

К полудню забастовка охватила весь огромный НЭВЗ. (Послали связных на другие заводы, те мялись, но не поддержали.) Вблизи завода проходит железнодорожная линия Москва — Ростов. Для того ли, чтоб о событиях скорее узнала Москва, для того ли, чтобы помешать подвозу войск и танков, — женщины во множестве сели на рельсы задержать поезд; тут же мужчины стали разбирать рельсы и делать завалы. Размах забастовки — нерядовой, по масштабу всей истории русского рабочего движения. На заводском здании появились лозунги: «Долой Хрущёва!», «Хрущёва — на колбасу!»

К заводу (он стоит вместе со своим посёлком в 3-4 километрах от города за рекой Тузлов) в тех же часах стали стягиваться войска и милиция. На мост через р. Тузлов вышли и стали танки. С вечера и до утра в городе и по мосту запретили всякое движение.

Посёлок не утихал и ночью. За ночь было арестовано и отвезено в здание городской милиции около 30 рабочих — «зачинщиков».

С утра 2 июня бастовали и другие предприятия города (но далеко не все). На НЭВЗе — общий стихийный митинг, решено идти демонстрацией в город и требовать освобождения арестованных рабочих. Шествие (впрочем, поначалу лишь человек около трёхсот, ведь страшно!) с женщинами и детьми, с портретами Ленина и мирными лозунгами прошло мимо танков по мосту, не встретив запрета, и поднялось в город. Здесь оно быстро обрастало любопытствующими, одиночками и мальчишками. Там и сям по городу люди останавливали грузовики и с них ораторствовали. Весь город бурлил. Демонстрация НЭВЗа пошла по главной улице (Московской), часть демонстрантов стала ломиться в запертые двери городского отделения милиции, где предполагали своих арестованных. Оттуда им ответили стрельбой из пистолетов. Дальше улица выводила к памятнику Ленина* и, двумя суженными обходами сквера, — к горкому партии (бывшему атаманскому дворцу, где кончил Каледин). Все улицы были забиты людьми, а здесь, на площади, — наибольшее сгущение. Многие мальчишки взобрались на деревья сквера, чтобы лучше видеть.

А горком партии оказался пуст — городские власти бежали в Ростов**. Внутри — разбитые стёкла, разбросанные по полу бумаги, как при отступлении в Гражданскую войну. Десятка два рабочих, пройдя дворец,

---

* Вместо выкинутого на переплавку клодтовского памятника атаману Платову.

** Первый секретарь ростовского обкома Басов, чьё имя вместе с именем генерала Плиева, командующего Северо-Кавказским военным округом, будет же когда-нибудь надписано над местом массового расстрела, за эти часы приезжал в Новочеркасск и уже бежал, напуганный (даже, говорят, с балкона второго этажа спрыгнул), вернулся в Ростов. Сразу после новочеркасских событий он поехал делегатом на героическую Кубу.

вышли на его длинный балкон и обратились к толпе с безпорядочными речами.

Было около 11 часов утра. Милиции в городе совсем не стало, но всё больше войск. (Картинно, как от первого лёгкого испуга гражданские власти спрятались за армию.) Солдаты заняли почтамт, радиостанцию, банк. К этому времени весь Новочеркасск вкруговую был уже обложен войсками и преграждён был всякий доступ в город или выход из него. (На эту задачу выдвинули и ростовские офицерские училища, часть их оставив для патрулирования по Ростову.) По Московской улице, тем же путём, как прошла демонстрация, туда же, к горкому, медленно поползли танки. На них стали влезать мальчишки и затыкать смотровые щели. Танки дали холостые пушечные выстрелы — и вдоль улицы зазвенели витринные и оконные стёкла. Мальчишки разбежались, танки поползли дальше.

А студенты? Ведь Новочеркасск — студенческий город! Где же студенты?.. Студенты Политехнического и других институтов и нескольких техникумов *были заперты* с утра в общежитиях и институтских зданиях. Сообразительные ректоры! Но скажем: и не очень гражданственные студенты. Наверно, и рады были такой отговорке. Современных западных бунтующих студентов (или наших прежних русских), пожалуй, дверным замком не удержишь.

Внутри горкома возникла какая-то потасовка, ораторов постепенно втягивали внутрь, а на балкон выходили военные, и всё больше. (Не так ли с балкона управления Степлага наблюдали и за кенгирским мятежом?) С маленькой площади близ самого дворца цепь автоматчиков начала теснить толпу назад, к решётке сквера. (Разные свидетели в один голос говорят, что э т и солдаты были — нацмены, кавказцы, свежепривезенные с другого конца военного округа, и ими заменили стоявшую перед тем цепь из местного гарнизона. Но показания разноречат: получила ли перед тем стоявшая цепь солдат приказ стрелять и верно ли, что приказ был не выполнен из-за того, что капитан, принявший его, не скомандовал солдатам, а кончил с собой перед строем[*]. Самоубийство офицера не вызывает сомнения, но не ясны рассказы об обстоятельствах, и никто не знает фамилии этого героя совести.) Толпа пятилась, однако никто не ждал ничего дурного. Неизвестно, кто отдал команду[**], — но эти солдаты подняли автоматы и дали залп поверх голов.

Может быть, генерал Плиев и не собирался сразу расстреливать толпу — да события развились по себе: данный поверх голов залп пришёлся по деревьям сквера и по мальчишкам, которые стали оттуда падать. Толпа взревела — и тут солдаты, по приказу ли, в кровяном ли безумии или в испуге, — стали густо стрелять уже по толпе, притом разрывными пулями. (Кенгир помните? Шестнадцать на вахте?)[***] Толпа в панике бежала, теснясь в обходах сквера, — но стреляли и в спины бегущих. Стреляли до тех пор, пока опустела вся большая площадь за сквером, за ленинским памятником — через бывший Платовский проспект и до Московской улицы. (Один очевидец говорит: впечатление было, что всё завалено трупами. Но, конечно, там и раненых было много.) По разным данным, довольно дружно сходится, что убито было человек 70—80[****]. Солдаты стали искать и задерживать автомашины, автобусы, грузить туда убитых и раненых и отправлять в военный госпиталь, за высокую стену. (Ещё день-два ходили те автобусы с окровавленными сиденьями.)

Так же, как и в Кенгире, была применена в этот день кинофотосъёмка мятежников на улицах.

---

[*] По этой версии солдаты, отказавшиеся стрелять в толпу, сосланы в Якутию.

[**] Известно тем, кто близко был, но тот или убит, или изъят.

[***] 47 убитых только *разрывными пулями* засвидетельствованы достоверно. И уж они-то генералом Плиевым были задуманы.

[****] Несколько меньше, чем перед Зимним дворцом, но ведь 9 января вся разгневанная Россия ежегодно и отмечала, а 2 июня — когда начнём отмечать?

Генерал Плиев

Стрельба прекратилась, испуг прошёл, к площади снова нахлынула толпа, и по ней *снова стреляли*.

Это было от полудня до часу дня.

Вот что видел внимательный свидетель в два часа дня: „На площади перед горкомом стоят штук восемь танков разных типов. Перед ними — цепь солдат. Площадь почти безлюдна, стоят лишь кучки, преимущественно молодёжь, и что-то выкрикивают солдатам. На площади во вмятинах асфальта — лужи крови, не преувеличиваю, до тех пор я не подозревал, что столько крови вообще может быть. Скамьи в сквере перепачканы кровью, кровавые пятна на песчаных дорожках сквера, на побеленных стволах деревьев. Вся площадь исполосована танковыми гусеницами. К стене горкома прислонён красный флаг, который несли демонстранты, на древко сверху наброшена серая кепка, забрызганная бурой кровью. А по фасаду горкома — кумачёвое полотнище, давно висящее там: „Народ и партия — едины!"

Люди ближе подходят к солдатам, стыдят и проклинают их: „Как вы могли?! В кого вы стреляли? В народ стреляли!" Они оправдываются: „Это не мы! Нас только что привезли и поставили. Мы ничего не знали"».

Вот расторопность наших убийц (а говорят — неповоротливые бюрократы): т е х солдат уже успели убрать, а поставить недоумевающих русских. Знает дело генерал Плиев.

Постепенно, часам к пяти-шести, площадь снова наполняется народом. (Храбрые новочеркасцы! По городскому радио всё время: «Граждане, не поддавайтесь на провокацию, расходитесь по домам!» Тут автоматчики стоят, и кровь не смыта — а они снова напирают.) Выкрики, больше — и снова стихийный митинг. Уже известно, что в город прилетело (да наверно —

ещё к первому расстрелу?) шесть высших членов ЦК, в том числе, конечно, Микоян (специалист по будапештским ситуациям), Фрол Козлов, Суслов (остальных называют неточно). Они остановились, как в крепости, в здании КУККС (Курсы усовершенствования кавалерийского командного состава, бывший кадетский корпус). И делегация молодых рабочих НЭВЗа послана к ним рассказать о происшедшем. В толпе гудят: «Пусть Микоян приедет сюда! Пусть сам посмотрит на эту кровь!» Нет, Микоян не приедет. Но вертолёт-дозорщик низко облетает площадь часов около шести, рассматривает. Улетел.

Скоро из КУККСа возвращается делегация рабочих. Это согласовано: солдатская цепь пропускает делегатов, и в сопровождении офицеров их выводят на балкон горкома. Тишина. Делегаты передают толпе, что были у членов ЦК, рассказывали им про эту «кровавую субботу», и *Козлов плакал*, когда услышал, как от первого залпа посыпались дети с деревьев. (Кто знает Фрола Козлова — главу ленинградских партийных воров и жесточайшего сталиниста? — он плакал!..) Члены ЦК пообещали, что расследуют эти события и сурово накажут виновных (ну, так же и в Особлагах нам обещали), а сейчас необходимо всем разойтись по домам, чтобы не устраивать в городе беспорядков.

Но митинг не разошёлся! К вечеру он густел ещё более. Отчаянные новочеркасцы! (Есть слух, что бригада Политбюро в этот вечер приняла решение *выселить всё население города поголовно*! Верю, ничего б тут не было дивного после высылок народов. Не тот же ли Микоян и тогда был около Сталина?)

Около 9 вечера попробовали разогнать народ танками от дворца. Но едва танкисты завели моторы, люди облепили их, закрыли люки, смотровые щели. Танки заглохли. Автоматчики стояли, не пытаясь помочь танкистам.

Ещё через час появились танки и бронетранспортёры с другой стороны площади, а на их броне сверху — прикрытие автоматчиков. (Ведь у нас какой фронтовой опыт! Мы же победили фашистов!) Идя на большой скорости (под свист молодёжи с тротуаров, студенты к вечеру освободились), они очистили проезжую часть Московской улицы и бывшего Платовского проспекта.

Лишь около полуночи автоматчики стали стрелять трассирующими в воздух — и толпа стала расходиться.

(Сила народного волнения! Как быстро ты меняешь государственную обстановку! Накануне — комендантский час и так страшно, а вот весь город гуляет и свистит. И неужели под корою полустолетия так близко это лежит — совсем другой народ, совсем другой воздух?)

3 июня городское радио передало речи Микояна и Козлова. Козлов не плакал. Не обещали уже и искать виновников среди властей. Говорилось, что *события спровоцированы врагами и враги будут сурово наказаны.* (Ведь с площади люди уже разошлись.) Ещё сказал Микоян, что разрывные пули не приняты на вооружение Советской армии, — *следовательно, их применяли враги.*

(Но кто же эти враги?.. На каком парашюте они спустились? Куда они делись? — хоть бы увидеть одного! О, как мы привыкли к дурачению! — «враги», и как будто что-то понятно... Как бесы для Средневековья...)[*]

Тотчас же обогатились магазины сливочным маслом, колбасой и многим другим, чего давно здесь не было, а только в столицах бывает.

Все раненые пропали без вести, никто не вернулся. Напротив, *семьи* раненых и убитых (они же искали

---

[*] Вот новочеркасская учительница (!) в 1968 авторитетно рассказывает в поезде: «Военные не стреляли. Раз только выстрелили в воздух, предупредить. А стреляли диверсанты, разрывными пулями. Откуда взяли? У диверсантов что угодно есть. И в военных и в рабочих они стреляли... А рабочие как обезумели, напали на солдат, били — а те-то при чём? Потом Микоян ходил по улицам, заходил посмотреть, как люди живут. Его женщины клубникой угощали...»

Вот *это* пока только и остаётся в истории.

своих!..) были *высланы в Сибирь*. Также и многие причастные, замеченные, сфотографированные. Прошла серия закрытых судов над участниками демонстрации. Было и два суда «открытых» (входные билеты — парторгам предприятий и аппарату горкома). На одном осудили девятерых мужчин (к расстрелу) и двух женщин (к 15 годам).

Состав горкома остался прежним.

В следующую субботу после «кровавой» радио объявило: «Рабочие электровозостроительного дали обязательство досрочно выполнить семилетний план».

...Если б не был царь слабáк, догадался бы и он 9 января в Петербурге ловить рабочих с хоругвями и лепить им *бандитизм*. И никакого бы революционного движения как не бывало.

Вот и в городе Александрове в 1961, за год до Новочеркасска, милиция забила насмерть задержанного и потом помешала нести его на кладбище мимо своего «отделения». Толпа разъярилась — и сожгла отделение милиции. Тотчас же были аресты. (Сходная история в близкое тому время — и в Муроме.) Как теперь рассматривать арестованных? При Сталине получал 58-ю даже портной, воткнувший иголку в газету. А теперь рассудили умней: разгром милиции не считать политическим актом. Это — будничный бандитизм. Такая была инструкция спущена: «массовые безпорядки» — политикой не считать. (А что ж тогда вообще — политика?)

Вот — и не стало *политических*.

А ещё ведь льётся и тот поток, который никогда не иссякал в СССР. Те преступники, которых никак не коснулась «благодетельная волна, вызванная к жизни...» и т. д. Безперебойный поток за все десятилетия — и «когда нарушались ленинские нормы», и когда соблюдались, а при Хрущёве — так с новым остервенением.

Это — верующие. Кто сопротивлялся новой жестокой волне закрытия церквей. Монахи, которых выбрасывали из монастырей. Упорные сектанты, особенно кто отказывался от военной службы, — уж тут не взыщите, прямая помощь империализму, по нашим мягким временам на первый раз — 5 лет.

Но эти уж — никак не политические, это — «религиозники», их надо же *воспитывать*: увольнять с работы за веру одну; подсылать комсомольцев бить у верующих стёкла; административно обязывать верующих являться на антирелигиозные лекции; автогеном перепиливать церковные двери, тракторными тросами сваливать купола, разгонять старух из пожарной кишки. (Это и есть *диалог*, товарищи французские коммунисты?)

Как заявили почаевским монахам в Совете Депутатов Трудящихся: «Если исполнять советские законы, то коммунизма придётся долго ждать».

И только в крайнем случае, когда *воспитание* не помогает, — ну тогда приходится прибегать к закону.

Но тут-то мы и можем блеснуть алмазным благородством нашего сегодняшнего Закона: мы не судим закрыто, как при Сталине, не судим заочно — а даже полупублично (с присутствием полупублики).

Держу в руках запись: процесс над баптистами в городе Никитовке, Донбасс, январь 1964.

Вот как он происходит. Баптистов, приехавших поприсутствовать, — под предлогом выяснения личности задерживают на трое суток в тюрьме (пока суд пройдёт и напугать). Кинувший подсудимым цветы (вольный гражданин) получил 10 суток. Столько же получил и баптист, ведший запись суда, запись его отобрали (сохранилась другая). Пачку избранных комсомольцев пропустили через боковую дверь прежде остальной публики — чтобы они заняли первые ряды. Во время суда из публики выкрики: «Их всех облить керосином и запалить!» Суд не препятствует этим справедливым крикам. Характерные приёмы суда: показания враждебных соседей; показания перепуганных малолетних: выводят перед судом девочек 9 и 11 лет (лишь бы сейчас провести процесс, а что потом будет с этими девочками — наплевать). Их тетрадки с божественными текстами фигурируют как вещественные доказательства.

Один из подсудимых — Базбей, отец девяти детей, горняк, никогда не получивший от шахткома никакой поддержки именно потому, что он баптист. Но дочь его Нину, восьмиклассницу, запутали, купили (50 рублей от шахткома), обещали впоследствии устроить в институт, и она дала на следствии фантастические показания на отца: что он хотел отравить её прокисшим ситро; что когда верующие скрывались для молитвенных собраний в лес (в посёлке их преследовали), — там у них был «радиопередатчик — высокое дерево, опутанное проволокой». С тех пор Нина стала мучиться от своих ложных показаний, она заболела головой, её поместили в буйную палату психбольницы. Всё же её выводят на суд в надежде на показания. Но она всё отвергает: «Следователь мне сам диктовал, как нужно говорить». Ничего, безстыжий судья утирается и считает последние показания Нины недействительными, а предварительные — действительными. (Вообще, когда показания, выгодные обвинению, разваливаются, — характерный и постоянный выворот суда: пренебречь судебным следствием, опереться на деланное предварительное: «Ну как же так? А в ваших показаниях записано... А на следствии вы показали... Какое ж вы имеете право отказываться?.. За это тоже судят!»)

Судья не слышит никакой сути, никакой истины. Эти баптисты преследуются за то, что не признают проповедников, присланных от атеиста, государственного уполномоченного, а хотят своих (по баптистскому уставу проповедником может быть всякий их брат). Есть установка обкома партии: их осудить, а детей от них оторвать. И это будет выполнено, хотя только что левою рукой Президиум Верховного Совета подписал (2 июля 1962) всемирную конвенцию «о борьбе с дискриминацией в области образования»*. Там пункт: «родители должны иметь возможность обезпечить религи-

---

* Ну да из-за негров американских мы подписали, а то бы зачем она нам?

озное и моральное воспитание детей в соответствии с их собственными убеждениями». Но именно этого мы допустить и не можем! Всякий, кто выступит на суде по сути, проясняя дело, — непременно обрывается, сбивается, запутывается судьёю. Уровень его полемики: «к о г д а же будет конец света, если мы наметили строить коммунизм?»

Из последнего слова молодой девушки Жени Хлопониной: «Вместо того чтобы идти в кино или на танцы, я читала Библию и молилась, — и только за это вы лишаете меня свободы. Да, быть на свободе — большое счастье, но быть свободным от греха — большее. Ленин говорил: только в Турции и в России сохранились такие позорные явления, как преследования за религию. В Турции я не была, не знаю, а в России — как видите». Её обрывают.

Приговор: двоим по 5 лет лагеря, двоим — по 4, многодетному Базбею — 3. Подсудимые встречают приговор *с радостью* и молятся. «Представители с производства» кричат: «Мало! Добавить!» (Керосином поджечь...)

Терпеливые баптисты учли и подсчитали и создали такой «совет родственников узников», который стал издавать рукописные ведомости обо всех преследованиях. Из ведомостей мы узнаём, что с 1961 по июнь 1964 года осуждено 197 баптистов*, среди них 15 женщин. (Все пофамильно перечислены. Подсчитаны и иждивенцы узников, оставшиеся теперь без средств пропитания: 442, из них дошкольного возраста — 341). Большинству дают 5 лет ссылки, но некоторым — 5 лет лагеря строгого режима (только-только что не в полосатой шкуре!), вдобавок ещё и 3-5 лет ссылки. Б. М. Здоровец из Ольшан Харьковской области получил за веру 7 лет строгого режима. Посажен 76-летний Ю. В. Аренд, а Лозовые — всею семьёю (отец, мать, сын). Евгений

---

* Кстати, сто лет назад процесс народников был — «193-х». Шума-то, Боже, переживаний! В учебники вошёл.

М. Сирохин, инвалид Отечественной войны 1-й группы, *слепой на оба глаза*, осуждён в селе Соколово Змиевского района Харьковской области на 3 года лагерей за христианское воспитание своих детей Любы, Нади и Раи, которые отобраны у него решением суда.

Суд над баптистом М. И. Бродовским (город Николаев, 6.10.1966) не гнушается использовать грубо подделанные документы. Подсудимый протестует: «Это не по совести!» Рычат ему в ответ: «Да Закон вас сомнёт, раздавит и уничтожит!»

За—кон. Это вам — не «внесудебная расправа» тех лет, когда ещё «соблюдались нормы».

Недавно стало известно леденящее душу «Ходатайство» Святослава Караванского, переданное из лагеря на волю. Автор имел 25, отсидел 16 (1944—60), освобождён (видимо, по «двум третям»), женился, поступил в университет,— нет! в 1965 пришли к нему снова: собирайся! не досидел 9 лет*.

Где ж ещё возможно это, при каком другом земном Законе, кроме нашего? — навешивали *четвертные* железными хомутами, концы сроков — 70-е годы! Вдруг новый Кодекс (1961): не выше 15 лет. Да юрист-первокурсник и тот понимает, что, стало быть, отменяются те 25-летние сроки! А у нас — не отменяются. Хоть хрипи, хоть головой об стенку бейся — не отменяются. А у нас — даже пожалуйте досиживать!

Таких людей немало. Не попавшие в эпидемию хрущёвских освобождений, наши покинутые однобригадники, однокамерники, встречные на пересылках. Мы их давно забыли в своей восстановленной жизни, а они всё так же потерянно, угрюмо и тупо бродят всё на тех же пятачках вытоптанной земли, всё меж теми же вышками и проволоками. Меняются портреты в газетах, меняются речи с трибун, борются с *культом*,

---

* Но и это не всё — славно работает коммунистическая глотальная машина! — в 1969 за передачу информации из Владимирской тюрьмы он получит новые 10 лет — до полной тридцатки!

потом перестают бороться, — а 25-летники, сталинские крестники, всё сидят...

Холодящие тюремные биографии некоторых приводит Караванский.

О свободолюбивые *левые* мыслители Запада! О левые лейбористы! О передовые американские, германские, французские студенты! Для вас — этого мало всего. Для вас — и вся моя эта книга сойдёт за ничто. Только тогда вы сразу всё поймёте, когда «р-руки назад!» потопаете с а м и на наш Архипелаг.

* * *

Но действительно, политических — теперь несравнимо со сталинским временем: счёт уже не на миллионы и не на сотни тысяч.

Оттого ли, что исправился Закон?

Нет, лишь изменилось (на время) направление корабля. Всё так же вспыхивают юридические эпидемии, облегчая мозговой процесс юридических работников, и даже газеты подсказывают умеющим их читать: стали писать о хулиганстве — знай, повально сажают по хулиганской статье; пишут о воровстве у государства — знай, сажают расхитителей.

Уныло твердят сегодняшние зэки из колоний:

«Найти справедливость бесполезно. В печати одно, а в жизни другое» (В. И. Д.).

«Мне надоело быть изгнанником своего общества и народа. Но где можно добиться правды? Следователю больше веры, чем мне. А что она может знать и понимать — девчёнка 23 лет, разве она может представить, на что обрекает человека?» (В. К.)

«Потому и не пересматривают дел, что им тогда *самим сокращаться*» (Л-н).

«Сталинские методы следствия и правосудия просто перешли из политической области в уголовную, только и всего» (Г. С.).

Вот и усвоим, что сказали эти страдающие люди:
1) пересмотр дел невозможен (ибо рухнет судейское сословие);

2) *как* раньше кромсали по 58-й, *так* теперь кромсают по уголовным (ибо — чем же им питаться? и как же тогда Архипелаг?).

Одним словом: хочет гражданин убрать со света другого гражданина, ему не угодного (но, конечно, не прямо ножом в бок, а по закону). Как это сделать без промаха? Раньше надо было писать донос по 58-10. А сейчас — надо предварительно посоветоваться с *работниками* (следственными, милицейскими, судейскими — а у такого гражданина именно такие дружки всегда есть): чтó модно в этом году? на какую статью невод заведен? по какой требуется судебная выработка? Ту и суй, вместо ножа.

Долгое время бушевала, например, статья об изнасиловании — Никита как-то под горячую руку велел меньше 12 лет не давать. И стали в тысячу молотков во всех местах клепать по двенадцать, чтобы кузнецы без дела не застаивались. А это — статья деликатная, интимная, оцените, она чем-то напоминает 58-10: и там с глазу на глаз, и тут с глазу на глаз; и там не проверишь, и здесь не проверишь, свидетелей избегают — а суду как раз этого и нужно.

Вот вызывают в милицию двух ленинградских женщин (дело Смелова). — Были с мужчинами на вечеринке? — Были. — Половые сношения были? (А о том есть верный донос, установлено.) — Б-были. — Так одно из двух: вы вступали в половой акт добровольно или недобровольно? Если добровольно, рассматриваем вас как проституток, сдайте ленинградские паспорта и в 48 часов из Ленинграда! Если не добровольно, — пишите заявление как потерпевшие по делу об изнасиловании. Женщинам никак не хочется уезжать из Ленинграда! И мужчины получают по 12 лет.

А вот дело М. Я. Потапова, моего сослуживца по школе. Всё началось с квартирной ссоры — с желания соседей расшириться и с того, что жена Потапова, коммунистка, донесла на ещё одних соседей, что те незаконно получают пенсию. И вот — месть! Летом 1962 года Потапов, смирно живущий, ничего не подозревающий, внезапно вызван к следователю

Васюре и больше уже не вернулся. (Учитесь, читатель! В таком правовом государстве, как наше, это может быть и с вами в любой день, поверьте!) Следствие облегчается тем, что Потапов уже отбыл 9 лет по 58-й (да ещё отказался в 40-е годы дать ложное показание на однодельца, что делает его особенно ненавистным следствию). Васюра так откровенно и говорит ему: «Я вас пересажал столько, сколько у меня волос на голове. Жалко, теперь прав старых нет». Прибежала жена выручать мужа, Васюра ей: «Плевать я на тебя хотел, что ты — партийная! Захочу — и тебя посажу!» (Как пишет заместитель генерального прокурора СССР Н. Жогин (Известия, 18.9.1964): «В иных статьях и очерках как-то пытаются принизить труд следователя, сорвать с него ореол романтики. А — зачем?»)

В ноябре 1962 Потапова судят. Он обвиняется в изнасиловании 14-летней цыганки Нади (из их двора) и растлении 5-летней Оли, для чего заманивал их смотреть телевизор. В протоколах следствия от имени 6-летнего Вовы, никогда в жизни не видавшего полового акта, квалифицированно и подробно описывается такой акт «дяди Миши» с Надей, как Вова будто бы наблюдал через недоступно высокое, замороженное, закрытое ёлкой и занавесками окно. (Вот за этот *диктант*, растлевающий малолетнего, — кого судить?) «Изнасилованная» Надя 6 месяцев беременности о том молчала, а как понадобилось дяде Васюре, так и заявила. На суд приходят преподаватели нашей школы — их не пускают в заседание. Но от этого они становятся свидетелями, как в коридоре суда родители подговаривают своих «свидетелей»-детей не сбиться в показаниях! Преподаватели пишут коллективное письмо на имя суда — письмо это имеет только то последствие, что теперь их поодиночке вызывают в райком партии и грозят снять с преподавательской работы *за недоверие к советскому суду*. (А как же? Эти протесты надо обрывать в самом зародыше! А иначе для правосудия не будет и жизни, если общественность посмеет иметь своё мнение о нём.) Тем временем — приговор: 12 лет строгого режима. И всё. И кто знает провинциальную обстановку — чем можно противиться? Ничем. Мы безсильны. Самих с работы снимут. Пусть погибает невинный! Всегда прав суд, и всегда прав райком (а связаны они — телефоном).

И так бы осталось. *Вот так всегда и остаётся.*

Но по стечению обстоятельств в эти самые месяцы печатается моя повесть о давно минувших неправдоподобных страданиях Ивана Денисовича — и райком перестаёт быть для меня кошкой-силой, я вмешиваюсь в это дело, пишу протест в Верховный Суд республики, а главное — вмешиваю корреспондентку «Известий» О. Чайковскую. И начинается *трёхлетний* бой.

Тупая глухая следственно-судебная туша тем и живёт, что она — безгрешна. Эта туша тем и сильна, тем и уверенна, что никогда не пересматривает своих решений, что каждый судейский может рубить, как хочет, — и уверен, что никто его не подправит. Для того существует закрытый сговор: каждая жалоба, в какую бы Перемоскву её ни послали, будет переслана на рассмотрение именно той инстанции, на которую она жалуется. И да не будет никто из судейских (прокурорских и следовательских) порицаем, если он злоупотребил, или дал волю раздражению или личной мести, или ошибся, или сделал не так, — покроем! защитим! стенкою станем! На то мы и Закон.

Как это так: начать следствие и не обвинить? Значит, холостая работа следователя? Как это: нарсуду принять дело и не осудить? Значит, следователя подвести, а нарсуд работает вхолостую? Что значит облсуду пересмотреть решение нарсуда? — значит, повысить процент брака в своей области. Да и просто неприятности своим судебным товарищам, зачем это? Однажды начатое, скажем по доносу, следствие должно быть непременно закончено приговором, который *пересмотреть невозможно*. И тут уж: один другого не подводи! И не подводи райком — делай, как скажут. Зато и они тебя не выдадут.

И что ещё очень важно в современном суде: не магнитофон, не стенографистка — медленнорукая секретарша со скоростями школьницы позапрошлого века выводит там что-то в листах протокола. Этот протокол не оглашается в заседании, его никому нельзя видеть, пока не просмотрит и не утвердит судья. Только то, что судья утвердит, — будет суд, было на суде. А что мы слышали своими ушами, — то дым, того не было.

Чёрнолакированное лицо истины всё время стоит перед умственным взором судьи — это телефонный аппарат в совещательной комнате. Оракул этот — не выдаст, но и делай же, как он говорит.

А мы — добились обжалования, небывалый случай. Потянулось заново переследствие. Прошло 2 года, подросли те несчастные дети, им хочется освободиться от ложных показаний, забыть их, — нет, их снова натаскивают родители и новый следователь: вот та́к будешь говорить, вот так, а то твоей маме плохо будет; если дядю Мишу не осудят, то твою маму осудят.

И вот мы сидим на заседании рязанского облсуда. Адвокат бесправен, как всегда. Судья может отклонить любой его протест, и отклонение не подлежит уже ничьему контролю. Опять использование показаний враждебных соседей. Опять безсовестное использование показаний малолетних (сравните суд над Базбеем). Судья не обращается: «расскажи, как было», не просит: «расскажи правду», а «расскажи, как ты говорила на следствии!» Свидетелей защиты сбивают, путают и угрожают: «А на следствии вы показали... Какое вы имеете право отказываться?»

Судья Авдеева давит своих заседательниц, как львица ягнят. (Кстати, где седобородые старцы-судьи? Изворотливые и хитрые бабы заполняют наши судейские места.) У неё волосы — как грива, твёрдая мужская манера говорить, металлические вибрации, когда она сама содрогается от высокого значения своих слов. Чуть процесс идёт не по её — она злится, *бьёт хвостом*, краснеет от напряжения, прерывает неугодных свидетелей, запугивает наших учителей: «Как вы смели усумниться в советском суде? Как вы могли подумать, что кто-то подучил детей? *Значит*, вы сами воспитываете детей во лжи? А кто был инициатор коллективного письма в суд?» (В стране социализма не допускают самой идеи коллективного действия! — кто? кто? кто?) Прокурору Кривовой (да кто им фамилии выбирает!) даже и делать нечего при такой напористой судьице.

И хотя по процессу все обвинения развалились: Вова ничего в окно видеть не мог; Оля уже ото всего отказывается, никто её не растлевал; все дни, когда могло совершиться преступление, в единственной комнате Потаповых лежала и больная жена, не при ней же муж насиловал соседку-цыганку; и цыганка эта перед тем что-то у них украла; и цыганка эта дома не ночевала, таскалась под всеми заборами ещё до того, несмотря на свои 14 лет; — но не мог ошибиться советский следователь! но не мог ошибиться советский суд! Приговор — 10 лет! Торжествуй, наше судейское сословие! Не дрогните, следователи! Пытайте и дальше!

Это — при корреспонденте «Известий»! Это — при заступничестве Верховного Суда РСФСР! А как с теми, за кого не заступаются?..

И ещё почти год идёт казуистическая борьба — и наконец Верховный Суд постановляет: Потапов ни в чём не виновен, оправдать и освободить. (Три года просидел...) А как с теми, кто развращал и подучивал детей? Ничего, сорвалось так сорвалось. А легло ли хоть пятнышко на львиную грудь Авдеевой? Нет — она высокий народный избранник. А что решено о сталинском истязателе Васюре? На месте, на месте, когти не подстригались.

Стой и процветай, судебное сословие! Мы — для тебя, не ты для нас! Юстиция да будет тебе ворсистым ковриком. Лишь было б тебе хорошо! Давно провозглашено, что на пороге безклассового общества и судебный процесс станет безконфликтным (чтоб отразить внутреннюю безконфликтность общественного порядка): такой процесс, где состав суда, прокурор, защита и даже сам обвиняемый соединённо будут стремиться к общей цели.

Такая проверенная устойчивость правосудия очень облегчает жизнь милиции: она даёт возможность без оглядки применять приём *прицеп*, или «мешок преступлений». Дело в том, что по нерадивости, по нерасторопности, а когда и по трусости местной милиции — одно, другое и третье преступление остаётся нераскрытым. Но для отчётности они непременно должны быть раскрыты (то есть «закрыты»)! Так ждут удобного случая. Вот попадается в участок кто-нибудь податливый, забитый, дураковатый, — и на него нахомучивают все эти нераскрытые дела — это óн их совершил за год, неуловимый разбойник! Кулачным битьём и вымариванием его заставляют во всех преступлениях «признаться», подписать, получить большой срок по сумме преступлений —

и очистить район от пятна. (В Арташате, под Ереваном, совершилось убийство. В 1953 схватили одного наугад, обставили лжесвидетелями, били, дали 25 лет. А в 1962 нашёлся настоящий убийца...)

Общественная жизнь очень оздоровляется благодаря тому, что не остаётся ненаказанного порока. И милицейских следователей премируют.

Очистить район от пятна можно и противоположным способом: сделать так, будто уголовного преступления вообще не было. Старый бывший зэк Иван Емельянович Брыксин, 69 лет, отсидевший свою десятку когда-то (мой приятель по шарашке Марфино), в июле 1978 смертно избит и ограблен двумя молодыми хулиганами в вечернее пустынное время в дачном посёлке Турист. Два часа он лежит на автобусной остановке, его никто не поднимает. Затем привозят в ближайшую терапевтическую больницу в Деденёво. Врач Савельева не может оказать никакой помощи — и не отправляет его в травматологическую больницу; хотя он называет свою фамилию, имя-отчество, возраст, — она не сообщает о раненом по своей врачебной линии, ни даже в милицию, — и так *трое суток*, пока избитый с гематомой, кровоизлиянием в мозг, разбитыми зубами, залитыми глазами лежит не только без медицинской помощи, но даже без ухода санитарки (запила́), на клеёнке, по плечи в моче. Трое суток родные мечутся, ищут его в этом же посёлке и по всей Савёловской дороге — но ведь врач никуда не доложила. Наконец находят и собственными — не больничными — усилиями вызывают из Москвы реанимационный автобус, который доставляет его к нейрохирургу, тот оперирует череп — но не может спасти от внутреннего кровоизлияния. Больной умирает после 9 дней мучений.

Местная икшанская милиция получила заключение судебно-медицинской экспертизы — но не спешит со следствием и тем более не осматривает в больнице одежду убитого, не ищет на ней следов. Да дело в том, что этих местных хулиганов в Деденёве все знают — и все их боятся. И вот та же врач Савельева помогает старшей следовательнице Герасимовой (при допросе жены убитого у неё в кабинете звучит эстрадный концерт) на третьем месяце следствия прийти к выводу: у пострадавшего случился инсульт, он упал и оттого разбился. Итак, арестовывать некого, преступления не было, и район чист.

Мир твоему праху, Иван Емельяныч!

А ещё более оздоровилось общество и ещё более укрепилось правосудие от того года, когда кликнуто было хватать, судить и выселять *тунеядцев*. Это указ тоже в какой-то степени заменил ушедшую гибкую 58-10: обвинение тоже оказалось вкрадчивое, невещественное — и неотразимое. (Сумели же применить его к поэту Иосифу Бродскому.)

Это слово — тунеядец — было ловко извращено при первом же прикосновении к нему. Именно тунеядцы — бездельники с высокой зарплатой, сели за судейские столы, и потекли приговоры нищим работягам и умельникам, колотящимся после рабочего дня подработать ещё что-нибудь. Да с какой злостью — извечною злостью пресыщенных против голодных — накинулись на этих «тунеядцев»! Два безсовестных аджубеевских журналиста («Известия», 23.6.1964) не постыдились заявить: тунеядцев недостаточно далеко от Москвы высылают! разрешают им получать посылки и денежные переводы от родственников! недостаточно строго их содержат! «не заставляют их работать от зари до зари» — буквально так и пишут: *от зари до зари!* Да на заре какого же коммунизма, да по какой же конституции нужна такая барщина?!

Мы перечислили несколько важных потоков, благодаря которым (и при никогда не скудеющем казённом воровстве) постоянно пополняется Архипелаг.

Да не совсем же впустую ходят по улицам и сидят в своих штабах и дробят зубы задержанным — «народные дружинники», эти назначенные милицией ушкуйники или штурмовики, не упомянутые в конституции и не ответственные перед законом.

Пополнения на Архипелаг идут. И хотя общество давно безклассовое, и хотя полнеба в зареве коммунизма, но мы как-то привыкли, что преступления не кончаются, не уменьшаются, да что-то и обещать нам перестали. В 30-е годы верно обещали: вот-вот, ещё несколько лет! А теперь и не обещают.

Закон наш могуч, выворотлив, непохож на всё, называемое на Земле «законом».

Придумали глупые римляне: «закон не имеет обратной силы». А у нас — имеет! Бормочет реакционная старая пословица: «закон назад не пишется». А у нас — пишется! Если вышел новый модный Указ и чешется у Закона применить его к тем, кто арестован прежде, — отчего ж, можно! Так было с валютчиками и взяточниками: присылали с мест, например из Киева, списки в Москву — отметить против фамилий, к кому применить обратную силу (увеличить *катушку* или подвести под *девять граммов*). И — применяли.

А ещё наш Закон — прозревает будущее. Казалось бы, *до* суда неизвестно, каков будет ход заседания и приговор. А смотришь, журнал «Социалистическая законность» напечатает это всё *раньше*, чем состоялся суд. Как догадался? Вот спроси...

«Социалистическая законность» (орган Прокуратуры СССР), январь 1962, № 1. Подписан к печати 27 декабря 1961. На стр. 73, 74 — статья Григорьева (Грузда) «Фашистские палачи». В ней — отчёт о судебном процессе эстонских военных преступников в Тарту. Корреспондент описывает допрос свидетелей; вещественные доказательства, лежащие на судейском столе; допрос подсудимого («цинично ответил убийца»), реакцию слушателей, речь прокурора. И сообщает о смертном приговоре. И всё свершилось *именно так* — но лишь 16 января 1962 (см. «Правду» от 17.1.1962), когда журнал *уже был напечатан и продавался.* (Суд перенесли, а в журнал не сообщили. Журналист получил год принудработ.)

А ещё наш Закон совершенно не помнит греха лжесвидетельства — он вообще его за преступление не считает! Легион лжесвидетелей благоденствует среди нас, шествует к почтенной старости, нежится на золотистом закате своей жизни. Это только наша страна одна во всей истории и во всём мире холит лжесвидетелей!

А ещё наш Закон не наказывает судей-убийц и прокуроров-убийц. Они все почётно служат, долго служат и благородно переходят в старость.

А ещё не откажешь нашему Закону в метаниях, в шараханьях, свойственных всякой трепетной творческой мысли. То шарахается Закон: в один год резко снизить преступность! меньше арестовывать! меньше судить! осуждённых брать на поруки! А потом шарахается: нет изводу злодеям! хватит «порук»! строже режим! крепче сроки! казнить негодяев!

Но несмотря на все удары бури — величественно и плавно движется корабль Закона. Верховные Судьи и Верховные Прокуроры — опытны, и их этими ударами не удивишь. Они проведут свои Пленумы, они разошлют свои Инструкции — и каждый новый безумный курс будет разъяснён как давно желанный, как подготовленный всем нашим историческим развитием, как предсказанный Единственно-Верным Учением.

Ко всем метаньям готов корабль нашего Закона. И если завтра велят опять сажать миллионы за образ мышления, и ссылать целиком народы (снова те же или другие) или мятежные города, и опять навешивать четыре номера, — его могучий корпус почти не дрогнет, его форштевень не погнётся.

И остаётся — державинское, лишь тому до сердца внятное, кто испытал на себе:

Пристрастный суд разбоя злее.

Вот это — осталось. Осталось, как было при Сталине, как было все годы, описанные в этой книге. Много издано и напечатано Основ, Указов, Законов, противоречивых и согласованных, — но не по ним живёт страна, не по ним арестовывают, не по ним судят, не по ним экспертируют. Лишь в тех немногих (процентов 15?) случаях, когда предмет следствия и судоразбирательства не затрагивает ни интереса государства, ни царствующей идеологии, ни личных интересов или покойной жизни какого-либо должностного лица, — в этих случаях судебные разбиратели могут пользоваться такою льготой: никуда не звонить, ни у кого не получать *указаний*, а судить — по сути, добросовестно. Во всех же остальных случаях, подавляющем числе их, уголовных ли, гражданских — тут разницы нет, — не могут не быть затронуты важные интересы председателя колхоза, сельсовета, начальника цеха, директора завода, заведующего ЖЭКом, участкового милиционера, уполномоченного или начальника милиции, главного врача, главного экономиста, начальников управлений и ведомств, спецотделов и отделов кадров, секретарей райкомов и обкомов партии — и выше, и выше! — и во всех этих случаях из одного покойного кабинета в другой звонят, звонят неторопливые, негромкие голоса и дружески *советуют*, поправляют, направляют — *как* надо решить судебное дело маленького человечка, на ком схлестнулись непонятные, неизвестные ему замыслы возвышенных над ним лиц. И маленький доверчивый читатель газет входит в зал суда с колотящейся в груди правотою, с подготовленными разумными аргументами и, волнуясь, выкладывает их перед дремлющими масками судей, не подозревая, что приговор его уже написан, — и нет апелляционных инстанций, и нет сроков и путей исправить зловещее корыстное решение, прожигающее грудь несправедливостью.

А есть — с т е н а. И кирпичи её положены на растворе лжи.

Эту главу мы назвали «Закон сегодня». А верно назвать её: «З а к о н а н е т».

Всё та же коварная скрытность, всё та же мгла неправоты висит в нашем воздухе, висит в городах пуще дыма городских труб.

Вторые полвека высится огромное государство, стянутое стальными обручами, и обручи — есть, а закона — нет.

ПОСЛЕСЛОВИЕ

Эту книгу писать бы не мне одному, а раздать бы главы знающим людям и потом на редакционном совете, друг другу помогая, выправить всю.

Но время тому не пришло. И кому предлагал я взять отдельные главы — не взяли, а заменили рассказом, устным или письменным, в моё распоряжение. Варламу Шаламову предлагал я всю книгу вместе писать — отклонил и он.

А нужна была бы целая контора. Свои объявления в газетах, по радио («откликнитесь!»), своя открытая переписка — так, как было с Брестской крепостью.

Но не только не мог я иметь всего того разворота, а и замысел свой, и письма, и материалы я должен был таить, дробить и сделать всё в глубокой тайне. И даже время работы над ней прикрывать работой будто бы над другими вещами.

Уж я начинал эту книгу, я и бросал её. Никак я не мог понять: нужно или нет, чтоб я один такую написал? И насколько я это выдюжу? Но когда вдобавок к уже собранному скрестились на мне ещё многие арестантские письма со всей страны, — понял я, что раз дано это всё мне, значит, я и должен.

Надо объяснить: *ни одного разу* вся эта книга, вместе все Части её не лежали на одном столе! В самый разгар работы над «Архипелагом», в сентябре 1965 года, меня постиг разгром моего архива и арест романа. Тогда написанные Части «Архипелага» и материалы для других Частей разлетелись в разные стороны и больше не собирались вместе: я боялся рисковать, да ещё при всех собственных именах. Я всё выписывал для памяти, где что проверить, где что убрать, и с этими листиками от одного места к другому ездил. Что ж, вот эта самая судорожность и недоработанность — верный признак нашей гонимой литературы. Уж такой и примите книгу.

Не потому я прекратил работу, что счёл книгу оконченной, а потому, что не осталось больше на неё жизни.

Не только прошу я о снисхождении, но крикнуть хочу: как наступит пора, возможность — соберитесь, друзья уцелевшие, хорошо знающие, да напишите рядом с этой ещё комментарий: что надо — исправьте, где надо — добавьте (только не громоздко, сходного не надо повторять). Вот тогда книга и станет окончательной, помоги вам Бог.

Я удивляюсь, что я и такую-то кончил в сохранности, несколько раз уж думал: не дадут.

Я кончаю её в знаменательный, дважды юбилейный год (и юбилеи-то связанные): 50 лет революции, создавшей Архипелаг, и 100 лет от изобретения колючей проволоки (1867).

Второй-то юбилей небось пропустят...

Апрель 1958 — февраль 1967
Рязань — Укрывище

ЕЩЁ ПОСЛЕ

Я спешил тогда, ожидая, что во взрыве своего письма писательскому съезду если и не погибну, то потеряю свободу писать и доступ к своим рукописям. Но так с письмом обернулось, что не только я не был схвачен, а как бы на граните утвердился. И тогда я понял, что обязан и могу доделать и доправить эту книгу.

Теперь прочли её немногие друзья. Они помогли мне увидеть важные недостатки. Проверить на более широком круге я не смел, а если когда и смогу, то будет для меня поздно.

За этот год, что мог, — я сделал, дотянул. В неполноте пусть меня не винят: конца дополнениям здесь нет, и каждый, чуть-чуть касавшийся или размышлявший, всегда добавит — и даже нечто жемчужное. Но есть законы размера. Размер уже на пределе, и ещё толику этих зернинок сюда втолкать — развалится вся скала.

А вот что выражался я неудачно, где-то повторился или рыхло связал, — за это прошу простить. Ведь спокойный год всё равно не выдался, а последние месяцы опять горела земля и стол. И даже при этой последней редакции я опять *ни разу* не видел всю книгу вместе, не держал на одном столе.

Полный список тех, без кого б эта книга не написалась, не переделалась, не сохранилась, — ещё время не пришло доверить бумаге. Знают сами они. Кланяюсь им.

Май 1968
Рождество-на-Истье

И ЕЩЁ ЧЕРЕЗ ДЕСЯТЬ ЛЕТ

Ныне, в изгнании, всё же выпала мне спокойная доработка этой книги, хоть и после того, как прочёл её мир. Ещё новых два десятка свидетелей из бывших зэков исправили или дополнили меня.

Тут, на Западе, я имел несравненные с прежним возможности использовать печатную литературу, новые иллюстрации. Но книга отказывается принять в себя ещё и всё это. Созданная во тьме СССР толчками и огнём зэческих памятей, она должна остаться на том, на чём выросла.

1979
Вермонт

СОДЕРЖАНИЕ ГЛАВ

Часть Пятая
КАТОРГА

Глава 1. ОБРЕЧЁННЫЕ

Звучание слов «каторга», «каторжане». — Сталинский указ о введении каторги и виселицы. — Победы фронта пригоняли пополнения. — Каторжный лагпункт на 17-й шахте Воркуты. — Сверхрежим. — Сравнить с сахалинской каторгой при Чехове. — Другие такие лагпункты. — Гнев читателей на автора. — Три комсомолки-лётчицы. — Женщины, сходившиеся с оккупантами. — Как сажали мелкоту. — Школьные учителя на оккупированной территории. — Оборот властей с патриотизмом в советско-германскую войну. — Откуда столько предателей? — Определяет ли бытие сознание? — Кем это *допущены ошибки*? — И что считать ошибками. — Почему так многие были рады приходу немцев? — Раскрытие винницких могил. — Больно ли тем, кого мы топчем? — Где же ваше Учение? — Кому не хватало воздуха. — Чета Броневицких. — Как это воспринималось юностью. — И в 30-е годы далеко не все восхищались. — В советской печатной лжи не различить оттенков. — Броневицкий — бургомистр, и что он должен был увидеть. — Ясность понимания у довоенной деревни. — Каковы были к войне народные чувства и как погублены. — Исход населения с разбитым врагом. — Власовцы от отчаяния. — Власовцы от горения сердца. — Что знали эти люди в 1941 году. — Повторить приём самого большевизма. — Паралич и распад коммунистической власти в 1941. — Котлы, котлы. — Майор Кононов и его полк. — «Превратить войну в гражданскую». — Народное движение в Локте Брянском, его программа. — На Дону. — Ленинградские студенты. — От прихода иностранной армии ждали только свержения режима. — А Западу нужна была своя свобода, а не наша. — Наш порыв к освобождению и немецкая колониальная тупость. — Истинное движение низов. — Изменили родине — коммунистические верхи. — В союзе с немцами прежде был Ленин.

Смягчение каторжного режима в 1946—47 по хозяйственным потребностям. — Создание Особых лагерей с 1948 года. — Перечень их. — Отбор в них по статьям. — Нуждаются ли советские в определении каторги?

Глава 2. ВЕТЕРОК РЕВОЛЮЦИИ

Когда теряешь вкус к благам. — Как изменили арестантский воздух двадцатипятилетние сроки. — Начало корейской войны. — Задорный спор с конвоем. — Благословение крестьянки. — Безпугливая девка. — Павел Баранюк и как он бил блатных. — Столкновение с *суками*. — «Мы опять революционеры!» — И оказывается, т а к можно жить в тюрьме? — Володя Гершуни. — Камера-конюшня. — Прибалты. — Отношения с Украиной после 1917. — Кто хочет жить — живите! — Величие нации — в величии поступков. — Какие подробности могут представиться.

Читаем газеты. — Жаждем бури! — Что им оставили хотеть, кроме войны? Дух Особлагов 1950 года. — История Пети Пикалова. — Вольности Куйбышевской пересылки. — «Будет на вас Трумен!» — Омский острог. — «Как дело измены, как совесть тирана...» — Иван Алексеевич Спасский. — Павлодарская тюрьма. — Безымянная павлодарская девушка. — В грузовиках по степи. — Как отцы живут, так дети играют. — Куда это нас везут? — Ночное пыльное марево. — Приехали. — Номера.

Глава 3. ЦЕПИ, ЦЕПИ...

А тут — покорность. — Наручники как орудие пытки. — Система в утяжелении режима. — Как нашивались номера. — Замысел в их использовании. — Объяснительные записки. — Гнёт номеров не состоялся. — Расчёт на полную глухость. — Каторжане в Особлагах. — Сухое бурение меди. — Спасское отделение Степлага. — Когда инвалиды работают пуще здоровых. — Женский инвалидный каменный карьер. — Когда человека кормят, как скот. — Смертность. — Лагерное начальство кончило хорошо. — Умирающая связь с волей. — Арестантские письма в спасской цензурной печке. — Ничего не иметь. — Система обысков. — Номера — лишь техническая помеха. — Женщины, помнящие Апокалипсис. — По номерам наказывает конвой. — Конвой всегда прав. — Крещенское утро под автоматным огнём. — Почему Особлагеря начинались так рабски. — Экибастузский лагерь после одного года. — Карцеры и вывод Гершуни. — Вывод Твердохлеба. — Строим лагерную тюрьму. — Череда побегов.

Глава 4. ПОЧЕМУ ТЕРПЕЛИ?

Закономерность? — А мог ли так зажать царь? — Кадетско-социалистическая трактовка русской истории. — Солдаты-декабристы. — Ответ Пушкина. — Дело Веры Засулич. — Поражающая нас пустота политических тюрем. — Не давили, а дразнили. — Как преследовали Милюкова. — Ссылка Гиммера. — Убийство Максимовского. — Суд над Лопухиным. Неготовность кодекса. — Слабость тюремного режима. — Как преследовали Ульянова-Ленина. — Действительно ли были суровы к эсерам. — Студенческая забастовка 1901 года. — Бурцев о тюрьмах петербургских и европейских. — Леонид Андреев в тюрьме. — Красин, Радек, Семашко, Парвус. — Литературная энциклопедия на «К». — Как преследовали Крыленку. — Губернатор-революционер. — Печать в годы реакции. — Безопасная смелость ялтинского фотографа. — Ссыльный Гоц ведёт подрывную газету. — А как ссылали Шляпникова? — Отец и сын Зурабовы. — Родственники Тухачевского в СССР. — Родственники Троцкого и Ленина в России. — Лев Толстой и политическая свобода. — Когда о казнях открыто печатают. — 8 месяцев столыпинской «военной юстиции» и чем она была вызвана. — Революционеры не имели времени медлить. — Время столыпинское и время сталинское. — Степени сжатия вещества. — «Отрешиться от благодушия». — Что делает общественное мнение. — У нас образованное общество «ни о чём не догадывалось». — Арестантские протесты — и общественное мнение на воле. — Разодранная рубаха Дзержинского. — Знаменитый карийский эпизод. — И примерив его к нам. — Но и как возросли тюремщики. — Помощь побегам в царское время ничего не стоила. — Нижегородская тюрьма по Горькому. — Свидетельство Ратаева о ссылке и тюрьме. — Слабость секретного сыска в столицах, отсутствие в провинции. — Как покушались Сазонов и Каляев. — С царской ссылки не бежал только ленивый. — Побег и возвращение Улановского. — Побег Парвуса. — Наши мятежи и неготовность общества. — Как раз мы и не терпели.

Глава 5. ПОЭЗИЯ ПОД ПЛИТОЙ, ПРАВДА ПОД КАМНЕМ

Кремнистое дно даёт упор. — Пишу поэму. — Приёмы запоминания. — Чётки-ожерелье. — Три провала с текстом. — Бумажный комочек в урагане. — Сочинение пьесы как побег. — Встреча со стихами Шаламова в 1956. — Сколько было нас таких на Архипелаге? — Анатолий Силин, духовный поэт. — Баптисты.

Сознакомление огоньков. — Афганский пленник. — Толстовец, у нас поберегись! — Юрий Венгерский. — Йог Масамед. — Раппопорт бежит за рулоном. — Его трактат о любви. — Страшна не смерть, а подготовка к ней. — Поэты. — Что не опасно читать в Особлаге? — Знакомства вокруг далевского словаря. — Рассказы Василия Власова. — Янош Рожаш. Как он полюбил Россию. — Его письма из Венгрии. — Скольких удушил Левиафан?

Архидьякон Владимир Рудчук. — Георгий Тэнно в КВЧ. — Пётр Кишкин и его шутки. — Песенка Жени Никишина.

Глава 6. УБЕЖДЁННЫЙ БЕГЛЕЦ

Кто такой убеждённый беглец. — Наказания беглецам и за беглецов. — Сутки в тайге — вот и свобода.

Жизнь Георгия Тэнно. — Арест и первичные надежды. — План побега из Лефортовской тюрьмы. — Большой срок освобождает волю беглеца. — Тюремная наблюдательность и тюремные расспросы. — Неудавшийся бутырский мятеж. — Возможности на железнодорожных станциях, в этапах. — Расспросы бывших беглецов. — Теория побегов? — Побеги по случаю и побеги по плану. — Побег Ивана Воробьёва. — Тэнно готовит большой побег. — Готов к смерти — значит, и к побегу. — Последние часы перед побегом.

Глава 7. БЕЛЫЙ КОТЁНОК

Рассказ Георгия Тэнно об их побеге с Колей Жданком.

Глава 8. ПОБЕГИ С МОРАЛЬЮ И ПОБЕГИ С ИНЖЕНЕРИЕЙ

Из Особлагов побега быть не может. — Но именно тут-то самые славные. — Побег Григория Кудлы. — Настроение ссыльных. — Побег Степана* и его худой конец. — Как зарезали Прокопенко. — Неподготовленный побег удач.

Двойная стенка вагона. — Второй побег Батанова. — Подкоп экибастузской режимки. — Быстрая вошка. — Конец. — Назовите такое у революционеров!

Глава 9. СЫНКИ С АВТОМАТАМИ

Охранники-мальчики. — Наша смертная связь. — В их неведении — сила системы. — Как политруки воспитывают их в ненависти. — Безнаказанные застрелы зэков. — Мотивировки стрелков. — Стрельба в колонну зэков разрывными пулями. — Присяга. — Передоверить свою совесть другим? — Защита мальчиков Владиленом Задорным. — Его собственная история. — Система!

Глава 10. КОГДА В ЗОНЕ ПЫЛАЕТ ЗЕМЛЯ

Как скрыты наши восстания. — Ретюнинское восстание в Ош-Курье. — Восстание на 501-й стройке. — Восстание в Нижнем Атуряхе. — Промах Сталина с Особлагами. — Самосознание политических. — Как сделать, чтоб *они от нас* побежали? — Первые убийства стукачей. — На этом звене рвут цепь. — «Умри, у кого нечистая совесть!» — Рубиловка. — Недобритый майор. — Не стали ходить по вызову опера. — Начальство ослепло и оглохло. — Объединение зэков по нациям. — Нехватка бригадиров. — Стукачи бегут в БУР. — Земля зоны запылала! — Начальство подкрашивает движение под «сучью войну». — Что такое «сучья война». — Как это излыгалось в советской прессе. — Указ 1961 года о расстреле за лагерное убийство. — Весь лагерь — на штрафной режим. — Саморазгораживание зон. — Начальственный спектакль подготовки к освобождению. — И арестовывать не даёмся! — Оглянулись — и увидели, кто мы.

Глава 11. ЦЕПИ РВЁМ НА ОЩУПЬ

Новые отношения с начальством — через ров. — Но чего нам требовать? — И какими путями? — Перетасовка экибастузских зон. — Стукачи пытают наших. — Штурм БУРа. — Подавленье огнём и боем. — Каторжное безразличие к судьбе. — Как мы начали забастовку-голодовку. — Три дня Экибастуза. — Гордость Юрия Венгерского. — Мы победили? — Собрание бригадиров. — Расправа. — Я в больнице. — Прощание с Баранюком.

Ещё год в Экибастузе. — Возврат духоты. — Гонка хозрасчёта. — А наших тем временем карали. — Этап стукачей-свидетелей. — Нет, воздух переменился! — Особлаги развёртываются для новых зэков.

Наши ребята в Кенгире. — Как освобождались от наручников. — Пробуждение кенгирцев. — Первый забой стукачей. — Отпор начальства. — Замерло.

Кризис Особлагов в конце жизни Сталина. — Смерть Сталина сдвинула дальше. — «Ворошиловская» амнистия. — Неуверенность эмведешников от падения Берии. — Забастовка в Речлаге летом 1953. — Расправа на 29-й шахте. — Опять развозить мятежников. Архипелаг становится тесен.

Глава 12. СОРОК ДНЕЙ КЕНГИРА

Падение Берии: смутило каторжан, смутило эмведешников. — Стать нужными! — Провокационные застрелы. — Кенгир. 16 раненных разрывными пулями. — Убийство евангелиста. — Забастовка мужских лагпунктов. — Рассосали и в этот раз. — Перебор: присылка блатных.

Новое соотношение Пятьдесят Восьмой и блатных. — Заключён союз. — Новое поведение воров: вежливость к Пятьдесят Восьмой, издевательство над начальством. — Неотвратимость подготовки кенгирского мятежа. — Блатные начинают. — Штурм хоздвора и первая баррикада. — Лагпункты слились! — Первые требования. Самоосмысленье. — Высокая комиссия на всё согласна. — Выход на работу и обманная заделка стен. — Атака безоружных под пулемётами. — Зона освоена, тюрьмы открыты. — Побег восьми тысяч в свободу.

Почему не стреляли и дальше. — Мятеж выбирает лозунги. — Комиссия и её отделы. — Соотношение с потайным центром. — Оборонное укрепление зоны. — Тайны Технического отдела. — Пикеты и пики. — Пуританский воздух мятежа. — Неузнаваемые воры. — Снабжение. — Генералы в зоне. Переговоры. — Роль Капитона Кузнецова. — Малолетки отказываются от свободы. — Служба безопасности, Глеб Слученков. — Благонамеренные против мятежа. — Тюрьма для экскурсий. — Экскурсия на рудник. — Неузнанные волнения там. — Агитационная война по радио. — Воздушные шары, змеи. — Газетные события тех дней. — Сочувствие чеченов. — Проломы для перебежчиков в лагерной стене. — Сытое начальство фотографирует оборону несчастных. — А перебежчиков всё нет. — Атмосфера переплава. — Надежды зэков. — Молодожёны. — Верующие. — Приободренья на митингах. — Томительное нереальное время. — Обман 24 июня. — Подавление на рассвете 25-го. Ракеты, самолёты, танки, автоматчики. — «Трибунал Военных преступлений» и «Правда». — Потери Кенгира сравнительно с 9 января 1905 и Ленским расстрелом. — Расправа над уцелевшими. — И потекла обыденная жизнь. — Памятник Долгорукому.

Часть Шестая
ССЫЛКА

Глава 1. ССЫЛКА ПЕРВЫХ ЛЕТ СВОБОДЫ

История русской ссылки от Алексея Михайловича. — Послабления её к концу XIX века. — Постоянные льготы для политических в сибирской ссылке. — Обветшание ссылки к началу XX века. — Мягкость ссылки именитых и неименитых. — Моральная тяжесть даже мягкой ссылки.

Высылка при борьбе с народными восстаниями в раннесоветское время. — Регулярность политической ссылки с 1922. — Замысел советской власти: повторные круги. — Материальное обеспечение политических в царской ссылке. — Обезпечение уголовных на Сахалине. — Выплата «политам» и обезценение её. — Беззащитность и безсилие советских ссыльных. — Отмирание бывших партий. — Сионисты в 20-е годы. — Социалисты в ссылке, их слабость. — Расчуждённость ссыльных и отчуждённость от населения. — Как социалисты запретили себе побеги. — «Минус». — А Большой Пасьянс неумолим. — Ссылка — загон предназначенных к аресту.

Глава 2. МУЖИЧЬЯ ЧУМА

Незамеченные миллионы. — Как возник этот план? — Удар по крестьянству в 1918. — Начало истребления в 1929. — Постановления января — февраля 1930. — «Кулаки» и «подкулачники», загуляли клички. — «Активисты». Зло не вычёсывается гребнем. — Сплошное выселение сёл. — Кулак-мальчишка Шура Дмитриев. — Мотя-«Эдисончик». — Мельник Лактюнькин. — Кузнец Трифон Твардовский. — Не должно быть домов кирпичных. — Вгон в колхоз. — Великий Перелом хребта.

Картины разорения и раскулачивания. — Чумный воздух ещё годы над деревней. — Тимофей Овчинников, ветеринар и колбасник. — Колбаса на службе ВКП(б). — Зимние обозы с грудными детьми. — Чтобы семя мужицкое погибло. — Картины этапов. — Этап пришёл на место. — Архангельские церкви — пересылки раскулаченных. — Умирающим на улицах не помогать! — Ссылка в никуда. — Выбор мест, где жить нельзя. — Посёлки, обращённые в лагеря. — Посёлки вымершие. — Васюганская трагедия.

Жизнь в спецпосёлках. — Переброска поселенцев в лагеря, разрыв с семьёй. — Постановление о возврате раскулаченным прав. — Предложенья идти на фронт. — Ответ Николая Хлебунова. — Устоянье посёлков, забытых начальством. — Повторное раскулачивание. — Яруевские староверы на Подкаменной Тунгуске. — И другие староверы, расстрел в енисейской воде. — Закрепощенье по браку и детей. — Прикреплённые к шахтам навечно. — Пережившие 20-летье Чумы — те же советские. — На Сталина нет обид! — И он победил государственно.

Глава 3. ССЫЛКА ГУСТЕЕТ

Развитие советской ссылки от 20-х годов к 40-м. — Ссылка-свалка, «освобождение» в ссылку. — Административное различение ссылки и высылки. — Главные поводы ссылки-высылки. — Отструйка от всех потоков. — Расправа над семьёй Кожурина. — Ссылка калек Отечественной войны. — Караганда, 1955. — Енисейск, 1948 и 1952. — Тасеево, 1949. — В чём «освобождение» из лагеря? — «Я для вас теперь товарищ». — Инструкция новоссыльным. — Варианты с женитьбой в разных местах. — «Общие работы» в ссылке. — «В лагере хлеб дают!» — Униженность и бесправие ссыльного. — Когда ссыльный пытается служить честней начальства. — Но самая тяжкая ссылка — в колхоз. — Лучше ли в совхозе? — На далёком отгоне, «тургайский раб». — Не свободна ссылка и от перебросок. — Власть комендантского офицера. — Рост наказания за побег. — Отлучки по недоразумению — тоже побеги. — «Побег» А. И. Богословского. — Оперчекотдел в ссылке. — Карьера Петра Виксне. — Вторая *протяжка* ссыльных. — Разъединённость и молчание. — Где те весёлые группы времён Ульянова?..

Глава 4. ССЫЛКА НАРОДОВ

Колониальные покорения не знали высылки народов. — Сталинский опыт — первый. — Первые «спецпереселенцы» в Мужичью Чуму. — Высылка корейцев с Дальнего Востока в 1937. — Высылка финнов и эстонцев в Карелию, 1940. — Высылка немцев Поволжья в 1941. — Высылка разных наций в годы войны. — Техника изгнания народа. — Торжество единообразия. — Лишь малые трещины в нём. — Куда ссылались нации. — Прореженье прибалтийцев. — Почему начинали с офицеров. — Принципы отбора из нации. — Высылка прибалтийцев и западных украинцев в 1948—1951. — Что ещё было в планах Сталина? — Прибалтийские постановления и категории ссылаемых. — Как повысилась техника высылки. — Эстонцы в этапе. — Моление о войне в те годы. — Теплота встречи сибиряками. — Комсомольский актив. — Как купили 10 вагонов ссыльных на Чулым. — На рудниках Хакасии. «Старатели». — Сравненье с заводскими крепостными. — Спецпереселенцы в колхозе: колхоз и лагерь вместе. — Прибалтам — кайло, лопата! Картинки быта. — «Гражданские права» как ещё одна гиря. — О, как однообразно!..

Немцы, греки, корейцы в казахстанской ссылке. — Непокорные чечены. — Случай с семьёй Худаевых. — Значение кровной мести.

Глава 5. КОНЧИВ СРОК

Тюремная мечта о ссылке. — Подпал и я. — 50-е годы. Преимущество ссыльных перед мнимо освобождёнными. — Тюремные суеверия при освобождении. — Едем на юг! — Ещё одно освобождение. — Владимир Александрович Васильев. — Новый след Эрика Андерсена. — Предположительная версия о нём. — Решающий миг назначения места. — Сознание высшее: не ловчить. — Вечная ссылка, в неувязке даже с советскими законами. — Но — вечно ли МГБ? — Издевательское назначение Васильева. — Наш последний этап. — Ссыльных принимает МГБ. — Иду нанимиматься учителем! — На приёме в районо. — Лунная ночь во дворе МГБ. Начало жизни! — И смерть Тирана.

Глава 6. ССЫЛЬНОЕ БЛАГОДЕНСТВИЕ

Пишу нестеснённо пьесу. — Агония переоценок в райпо. — Мой бунт. — Как меня взяли преподавателем. — Особенность учения для ссыльных детей. — Для казахских. — Угнетённое положение учителей. — Борьба Митровича с администрацией. — Ссыльные участвуют в комедии выборов. — История Григория Маковоза. — Как рассудить? — Где предел прощения?

Льготность некоторых южных ссылок. — Ссылка в Казахстане лучше колхоза на Украине. — «Ворошиловская» амнистия 27 марта 1953. — Как она проявилась в Кок-Тереке. — Смягчение ссылки после Берии. — Я был счастлив. — Очищенная точка зрения. — «Аденауэровская» амнистия 9 сентября 1955. — Не хочу в столицы! — XX съезд и конец ссылки. — Опять на Лубянке. Дело к реабилитации.

Глава 7. ЗЭКИ НА ВОЛЕ

«Освобождение» под небом ГУЛАГа. — Лишённые ссылки. — Как Наталья Столярова попросилась переночевать в лагере. — Всюду гонимые. — Когда твои фотографии замазаны друзьями. — Когда предпочитаешь быструю смерть. — Благоразумные зэки остаются при лагере. — Как они живут. — Чем дольше сидел — тем меньше надежды на пенсию. — «Второй день Ивана Денисовича». — В одну сторону — бровь нахмурить, в другую — впрячь сто волов. — Цена реабилитации. — Справка... — И откуда следующим поколениям узнавать?

Расслабление от свободы. — Воспрятие. — Освобождение как вид смерти. — Побег в одиночество. — Ничего не иметь, от зоны до зоны. — Трудно с благополучными. — Те, кто, напротив, нагоняют упущенное. — Гордиться прошлым — или забыть, забыть? — Как Благомыслы включаются в советскую жизнь. — Забыть — не слишком ли глубокое рабство? — Заплывчивое тело. — Забыть, как вор *завязывает*. — Остойчивость личности? — Но как это з а б ы в а ю т? — Читаю лекцию в женской колонии. — Лагерный голод восстанавливается в один день. — Тяга посещать места, где сидел. — Но мы умеем вспоминать и хорошее. — Всегда безунывные зэки, могучее племя. — Новая мера вещей и людей.

Развыкание, разделение мужа и жены за 10, за 20 лет. — Когда встречаешь на воле своих следователей, своих лагерных хозяев, своих предателей. — Тщетно искать справедливости против лжесвидетелей и негодяев. — Громы прошли без дождя. — Льготы клеветникам по советскому Уголовному кодексу. — Дело Анны Чеботар-Ткач. — Где ещё бывало столько ненаказанного злодейства?

Часть Седьмая
СТАЛИНА НЕТ

Глава 1. КАК ЭТО ТЕПЕРЬ ЧЕРЕЗ ПЛЕЧО

Мы ждали правды после нашей смерти. — Распах короткий и малый. — После «Ивана Денисовича». Неправдоподобный взрыв прессы. — Взрыв писем. — Письма наших врагов. — Пропасть непонимания. Мы перестаём быть единым народом.

Как прикрывали брешь. «Слава Партии!» — Пути подмены Архипелага. — Проклятье международному империализму! — Тайные партийные собрания ортодоксов. — Но против начальства разве допустимо бороться? — Как Благомыслам спастись за счёт других. — «Почему Шухов не боролся?» — Коммунисты или простой Иван? — Басни коммунистической печати. — Басни советских писателей. — Как хороши лагеря сегодня. — Команда: вообще замолчать о лагерях.

Хрущёв и Твардовский верили, что «Иван Денисович» — о прошлом. — Но и я поверил! — Никакая мера горя нам недостаточна. — Письма нынешних зэков. — И снова проступили контуры Архипелага. — Все силовые линии нашего общества — к тирании. — Как читали зэки книгу, «одобренную партией». — И в прилагерном мире тож. — История скульптуры Недова.

Не прощайте фашистских убийц! — а мы не знали, не понимали... — И не следователи виноваты, а сами заключённые. — Короткое время они забеспокоились. — Как гебистам дослужить до пенсии. — Чистка архивов. — Вы боитесь нас и мёртвых! — «Пора восстановить понятие *враг народа*».

Глава 2. ПРАВИТЕЛИ МЕНЯЮТСЯ, АРХИПЕЛАГ ОСТАЁТСЯ

Особлаги — из любимых сталинских детищ. — Их ослабление после смерти Сталина и падения Берии. — Эмведешники просят не называть их бериевцами. — Мероприятия «общественной самодеятельности» — да не та почва. — Зазонное содержание. — Разгрузочные комиссии. — Архипелаг и эмведешники на краю гибели.

Как должно было бы выглядеть подлинное освобождение зэков. — Кто у кого должен просить прощения? — Освобождение ценой признания вины. Эра свободы в прокурорской мантии. — 1955—56 — роковые годы Архипелага. — Не тогда ли было и распустить его? — На что Хрущёв потратил свою власть. — Контратака Практических Работников. — Хрущёв укрепляет лагеря между XX и XXII съездами.

Наша история подошла к концу. — Новые свидетели послехрущёвской эпохи. — Владимирский централ при царе и при советах. — Снова «колонии» и ГУИТК. — Четыре режима. — Кобелю под хвост ваше хорошее поведение! — Цель реформы 1961 года — снова сделать заключённого управляемым. — Поперхнёшься и той посылкой. — Заключённым снится хлеб. — Самодурство лагерных хозяев с посылками, передачами, денежными поступлениями, ларьком. — Норма питания 60-х годов. Голод. — Чародей Режим. — Режим Особый, полосатый. — Как полегчало Практическим Работникам. — «Общественная» (сучья) деятельность в лагерях. — Самобытный Ваня Алексеев. — Политзанятия, радио, школы. — Разделение полов. — Наблюдательные комиссии и опыт Галины Филипповой. — Лагерные «воспитатели» в самотрактовке и в отзывах заключённых. — Верьте газетам.

Я иду в инстанции ходатайствовать об Архипелаге. — Как я связан. — Разговор в комиссии Верховного Совета. — Разговор с министром внутренних дел. — В институте Изучения Причин Преступности. — Откровенные ответы.

Глава 3. ЗАКОН СЕГОДНЯ

Политических и никогда не было, а теперь тем более нет... — Новочеркасский мятеж, 1—2 июня 1962. — Самоубийство офицера. — Расстрел разрывными. — Фазы подавления. — Манёвры Политбюро. — Кары вослед. — Волнения в Александрове и Муроме. — Массовые безпорядки не считать политикой. — «Диалог» с Церковью автогеном и тракторами. — Процесс над баптистами в Никитовке, 1964. — Их подсчёты о преследованиях. — 25-летние сроки, не отменённые вопреки закону. — Досиживают сталинские крестники. — Когда западные левые всё поймут...

Всё та же расправа, только через бытовые статьи. — Дело Смелова. — Дело М. Потапова. — Туша Закона безошибочна. Не бывает оправданий и не бывает пересмотров. — Картинка рязанского облсуда. — Приём «прицеп» на невиновного. — Гибель Ивана Брыксина. — Указ о тунеядцах. — Уже не обещают, что преступления кончатся. — Наш Закон имеет обратную силу. — Отчёт о суде раньше самого суда (Тарту, 1961). — Лжесвидетели благоденствуют. — Ненаказуемы судьи-убийцы и прокуроры-убийцы. — Шараханья Закона. — Закулисные решения дел. — Прожигающая несправедливость. — З а к о н а н е т.

НЕКОТОРЫЕ ТЮРЕМНО-ЛАГЕРНЫЕ ТЕРМИНЫ

актировка — официальная констатация (специальной комиссией), что состояние здоровья данного зэка делает затруднительным дальнейшее отбывание им срока; обычно — канун смерти, полная обречённость

бала́ны — брёвна (при сплавных и транспортных работах)

бациллы — *(блатн.*)* жиры

блатной, блатарь, блатняк, урка — вор, уголовник, ведущий жизнь по воровскому кодексу

б/у — бывший в употреблении (казённое бухгалтерское сокращение)

БУР — барак усиленного режима, внутрилагерная тюрьма

бытовик — осуждённый по уголовной статье, но не принадлежащий к уголовному миру

вагонка — плотницкое устройство для спанья четырёх в два этажа

с вещами — тюремная команда, означающая, что арестант полностью уходит из этой камеры

вкалывать, горбить — работать невпритвор, безсмысленно растрачиваться в казённой работе

Вохра (охра), вохровцы — лагерная полувоенизированная охрана

---

* Пометка *(блатн.)* оставлена лишь при блатных словах, менее перенятых лагерем. Весь остальной лагерный жаргон — тоже от блатных.

под вышкой — в ожидании казни («вышка» — «высшая мера», смертный приговор)

гарантийка — хлебная пайка, гарантированная при отсутствии работы (на пересылках, в этапах, карантинах, иногда в лагерях), обычно от 450 до 650 граммов; обмысливая трудное слово, называли и «карантинкой»

горбушка — лагерная хлебная пайка (не непременно буквально горбушка, скорей: заработанная горбом)

гумозница — ругательная кличка лагерницы-доходячки

ДОПР — дом принудительных работ, один из типов раннесоветских тюрем

доходить (доходяга) — слабеть, опухать, близиться к смерти от плохого питания и тяжёлой работы

дать (врезать) дубаря́ (дуба) — умереть

заблатниться — заделаться блатным

в законе — 1) *(блатн.)* быть в законе — состоять в воровском законе и «законно» не работать; 2) жить в законе *(лаг.)* — о мужчине и женщине, состоять в лагерном браке, при молчаливой снисходительности начальства

закосить — присвоить хитрым способом, утаить от контроля и учёта (порцию еды, предмет одежды, не отработать рабочего дня)

заначка — место упрятки и само действие упрятанья

зачёты — система (бывавшая в лагере лишь иногда), при которой проработанный день засчитывается больше чем за день срока

ИТК — исправительно-трудовая колония

ИТЛ — исправительно-трудовой лагерь

кантоваться, филонить — жить «день до вечера»; отбывая срок, стараться не работать

катушка — полный срок (высший по данной статье или наиболее распространённый в данный период ГУЛАГа)

каэ́ры — «контрреволюционеры», в 20-е годы административное название всех политических, кроме социалистов

КВО — культурно-воспитательный отдел, административная ступень над **КВЧ**

КВЧ — культурно-воспитательная часть, отдел лагерной администрации

комиссовка — периодическая (квартальная, полугодовая) лагерная процедура, когда медицинская комиссия фиксирует степень годности каждого зэка к физическому труду (устанавливая, как правило, завышенную, непосильную)

кондей — см. ШИЗО

кормушка — прорезь в камерной двери с отпадающим как столик заслоном

костыль — *(блатн.)* пайка (особенно тюремная, маленькая), то последнее, что ещё поддерживает гибнущую жизнь

КПЗ — камеры предварительного заключения — мелкая местная тюрьма, при многих ж/д станциях, в портах, в малых населённых пунктах

кум — оперуполномоченный; чекист, следящий за настроением и намерениями заключённых, ведающий осведомительством и лагерными следственными делами

курóчить — *(блатн.)* отнимать еду, одежду, вещи, особенно — полученные в посылке; отбирать ценное

лишенцы, лишенники — лишённые избирательных прав — форма административного утеснения нежелательных социальных элементов в 20-е годы

малина — *(блатн.)* воровской притон

мантулить — *(блатн.)* см. **вкалывать**

мостырка — искусственно созданная видимость болезни или увечья, для того чтобы получить освобождение от работы или льготу

мостырщик — кто учинил себе мостырку

намордник — 1) тюремное наоконное устройство, загораживающее вид из окна; 2) лишение гражданских прав после отбытия тюремно-лагерного срока

наседка — осведомитель, подсаженный в тюремную камеру

общие — основные работы по профилю данного лагеря, где работает большинство зэков и условия наиболее тяжелы

отрицаловка — зэки (большей частью блатные), отказывающиеся выполнять требования лагерной администрации

параша — 1) тюремный камерный сосуд для нечистот; 2) всякая посуда сомнительной чистоты; 3) лагерный слух

паханы — вожди блатных, разных степеней

на подсосе — *(блатн.)* на последних запасах еды (или курева), ища, где разжиться

поли́т — в 20-е годы: политический, признанный в таком качестве советской властью (социалист)

полуцвет, полуцветные, жуковатые — приблатнённые, кто тянется в блатные, перенимает их закон

помпобыт — «помощник по быту», лагерная комендантская должность, придурок в помощь надзору

с понтом, для понта — как если бы; для показа; делая важный вид

ППЧ — планово-производственная часть, отдел лагерной администрации

придурок — заключённый, устроившийся так, чтобы не работать руками (более лёгкая, привилегированная работа)

пропускник — безконвойный заключённый, ходящий на работу по отдельному пропуску

свистеть — рассказывать небылицы

сельхоз — сельскохозяйственная лагерная точка, командировка

си́дор — мешок (особенно — с продуктами)

сосаловка — доходиловка, безнадёжно голодный лагерь

ссучиться — *(блатн.)* стать «сукой»

суки — *(блатн.)* блатные, отступившие от воровского закона, сотрудничающие с лагерным начальством

темнить (темниловка) — делать вид, притворяться, особенно — изображать рабочее состояние

тиска́ть рома́н — *(блатн.)* рассказывать в камере авантюрно-любовную историю

тухта — чего на самом деле нет, особенно — выдуманный объём работ

УИТЛК — управление исправительно-трудовых лагерей и колоний (обычно — на уровне области)

УК — Уголовный кодекс

урка — см. **блатной**

УРЧ — учётно-распределительная часть, отдел лагерной администрации

филонить (филон) — см. **кантоваться**

фитиль — доходяга, сильно ослабший человек, еле на ногах (уже не держится прямо, отсюда сравнение)

фраер — *(блатн.)* всякий, не принадлежащий к блатному миру

на цырлах — одновременно: на цыпочках, стремительно и со всем усердием

чернуху раскидывать — то же, что «темнить», особенно — ложь в рассказе

чифирь — чрезмерно крепкий чай, пьётся как вид наркотика

шестёрка — кого держат для мелких услуг

ШИЗО — штрафной изолятор, лагерный карцер

шмон — обыск

НЕКОТОРЫЕ СОВЕТСКИЕ СОКРАЩЕНИЯ И ВЫРАЖЕНИЯ

бронь — освобождение от воинской службы по роду деятельности или занимаемой должности в тылу (выражение времён 1941—45)

БСЭ — Большая Советская Энциклопедия (несколько раз изымалась и выпускалась заново под влиянием политических изменений)

ВИР — Всесоюзный институт растениеводства

ВКП(б) — Всесоюзная Коммунистическая Партия большевиков (название партии с 1925 по 1952)

ВОКС — Всесоюзное общество культурной связи с заграницей; официальное учреждение, фактически — в руках НКВД-МГБ

всеобуч — всеобщее обязательное обучение; непременное правительственное требование отдавать детей с 7-летнего возраста в государственные школы, не допуская обучения частного или семейного

ВТУЗ — высшее техническое учебное заведение

ВУЗ — высшее учебное заведение

ВЦИК — Всероссийский Центральный Исполнительный Комитет — высший по РСФСР (см.) исполнительный орган иерархии Советов; в 1938 переназван в Верховный Совет РСФСР

выходной — день, свободный от работы; советское просторечие, появившееся в начале 30-х годов, после отмены празднования воскресений

главк — главное управление; подразделение народного комиссариата или, позже, министерства

Губдезертир — губернский отдел по борьбе с дезертирством; грозное большевицкое учреждение времён Гражданской войны, имевшее право неограниченного расстрела без суда

губпрофсовет — губернский совет профессиональных союзов (объединяющий их все)

два просвета — в военных погонах; означают чин от майора до полковника

двадцать шесть — привычное выражение 20-х годов: тиранические бакинские комиссары-коммунисты, расстрелянные эсерами в 1918 под Красноводском при английской оккупации; многократно воспеты в советской литературе; на самом деле история запутана и счёт их спорен

к Духонину — расстрелять, убить; выражение раннесоветских лет; генерал Н. Н. Духонин — возглавлял Верховное Главнокомандование русской армии в момент октябрьского переворота; растерзан отрядом Крыленко на могилёвском вокзале 20 ноября 1917; одна из первых жертв большевицкого террора

ЖЭК — жилищно-эксплуатационная контора, администрация над группой соседних жилых зданий

заём — очередной из государственных ежегодных, всему населению СССР ненавистных займов, по внешности добровольный, но обязательный, примерно 10 % годового заработка; подписка производилась ежегодно в мае

замдир — заместитель директора

зверевский налог — долгие годы советским министром финансов был Зверев (как раз в эпоху жестокого обложения крестьян)

Информбюро — дополнительное (к ТАСС) советское официальное агентство оповещения, вводившееся на годы войны 1941—1945

КЗОТ — Кодекс законов о труде; первый вариант, 1918 года, уже предусматривал всеобщую трудовую повинность населения от 16 лет, принудительное трудоустройство, обязательное выполнение норм

комячейка (партячейка) — коммунистическая ячейка, раннесоветский термин для первичной партийной организации (на производстве, в воинской части или по месту жительства)

красные (и чёрные) доски — доски публичного обозрения, куда заносились, на взгляд начальства, фамилии лучших (и худших) в производстве

кубари, кубики — разговорное наименование знаков отличия среднего командного состава Красной армии до 1942

ликбезник — учащийся группы ликбеза, ликвидации безграмотности

МВТУ — Московское высшее техническое училище

Минлес — министерство лесной промышленности

МИФЛИ — Московский институт истории, философии и литературы, университетского типа; с 1941 влился в Московский университет

МК — Московский комитет партии (коммунистической)

МОПР — Международная Организация Помощи борцам Революции, с 1922 по 1947 год (в просторечии, очевидно для пропагандного прикрытия: Международное Общество Помощи Рабочим); проводила публичные кампании в защиту западных революционеров, собирала средства с населения СССР на интернациональные цели, содержала революционных иммигрантов; фактически — филиал Коминтерна; в советском календаре делила с Парижской Коммуной день 18 марта

МТС — машинно-тракторная станция (с 1928 по 1958); государственная производственная единица, владеющая и оперирующая сельскохозяйственными машинами, контролёры и грабители колхозов, забирали произвольную «натурплату» — по сути, вторые госпоставки

напостовцы-октябристы — от журналов «На посту» (1923—25), «На литературном посту» (1926—32) и «Октябрь» (с 1924) — советские литераторы, наиболее последовательные и резкие в поддержании официальной линии

Наркомздрав — Народный комиссариат (с 1946 — министерство) здравоохранения

Наркомпрод — Народный комиссариат продовольствия, в раннесоветское время ведал насильственным сбором продовольствия в распоряжение государства; имел «продармию» (вооружённых вымогателей)

НКО — Народный комиссариат обороны (как все наркоматы, с 1946 — министерство)

НКЮ — Народный комиссариат юстиции (с 1946 — министерство)

облоно — областной отдел народного образования

ОГИЗ — Объединение государственных издательств

ОРС — Отдел рабочего снабжения, иногда уровнем выше, чем для остального окружающего населения

1 декабря 1934 — убийство Кирова; начало новой лавины арестов и высылок

1 мая, 7 ноября — главнейшие в году советские коммунистические праздники, отмечавшиеся насильственной уличной демонстрацией (прогоном в колоннах) населения

политотдел МТС — в некоторые периоды — при каждой МТС дополнительный партийный орган, жёстко направлявший всю жизнь сельской округи, главный орган террора на селе — с правом вызова войск, арестов, введения военного положения, депортации целых сёл

рабкриновец — служащий системы РКИ (см.)

рабфак — рабочий факультет; учебное заведение, ускоренно (и часто низкокачественно) готовящее лиц «пролетарского» социального положения в высшее учебное заведение

райзо — районный земельный отдел (подразделение районной советской власти)

райисполком — районный исполнительный комитет советов, районная советская власть

районо — районный отдел народного образования

райпо — районное потребительское общество, районное звено потребительской кооперации

рацпредложение — рационализаторское предложение, какое-нибудь производственное усовершенствование (иногда кажущееся), вносимое участниками производства

РКИ — Рабоче-Крестьянская Инспекция (с 1920 по 1934); позже заменена Комиссией Советского Контроля, потом министерством, потом Комитетом Государственного Контроля

РККА — Рабоче-Крестьянская Красная армия (термин 1918—1943), в ходе советско-германской войны перестала называться Красной, но — Советской (без официального переименования)

РКП(б) — Российская коммунистическая партия большевиков — название партии большевиков в раннесоветские годы (1918—1925)

РСДРП — Российская социал-демократическая рабочая партия (1898—1917); некоммунистическая часть социал-демократов сохранила это название на российской территории до 1921, в эмиграции — до 60-х годов

РСФСР — Российская Советская Федеративная Социалистическая Республика, формальное название России в составе СССР с 1923 (а до этого — общее название коммунистического государства)

СКВО — Северо-кавказский военный округ

СНК, совнарком — Совет Народных Комиссаров, большевицкое правительство от момента взятия власти в октябре 1917 до марта 1946, когда переименовано в Совет Министров

спецхран — отдел специального хранения крупных библиотек, где содержатся материалы, запрещённые населению; пользование по пропускам

СТО — Совет Труда и Обороны, при Ленине — верховное учреждение большевиков, затем превратился в межведомственную комиссию (до 1937)

ТАСС — официальное телеграфное агентство Советского Союза

ФЗО — школы фабрично-заводского обучения, созданы указом 2 октября 1940 «О государственных трудовых резервах»; по указу устанавливалась мобилизация до 1 миллиона человек в год молодёжи от 14 до 17 лет (от каждых 100 колхозников 2 человека) для обучения в ремесленных училищах и затем обязательной работы на государственных предприятиях; за побег из такого училища (с плохими условиями еды и жизни) давался срок 6 месяцев лагеря; к 1958 году систему ФЗО прошли 10 000 000 молодых людей

ФЗУ — школы фабрично-заводского ученичества с 1920 по 1959 (когда заменены на профтехучилища); условия — значительно лучше, свободней, чем в ФЗО; пополнялись большей частью добровольным поступлением

ЦАГИ — Центральный аэрогидродинамический институт

ЦИК — Центральный Исполнительный Комитет — формально высший в СССР орган советской иерархии, на самом деле — декоративное учреждение, не используемое для серьёзных решений; с 1937 года переименован в Верховный Совет СССР

ЦК — Центральный Комитет (подразумевается — коммунистической партии); высший партийный орган, обладающий в СССР безраздельной и всесторонней властью

ИМЕННОЙ УКАЗАТЕЛЬ[*]

А. Г. — вербуемый в сексоты — **II**: 344, 345

А. Д. — филолог-классик, бывший з/к — **III**: 485

А. К. — преподавательница литературы в провинциальном институте — **II**: 625

Абакумов Виктор Семёнович (1908—1954, расстрелян) — нач. контрразведки СМЕРШ, министр госбезопасности СССР (1946—51), з/к — **I**: 130, 143, 162, 171, 174, 175, 222, 318, 540, 570. **III**: 328

Абрикосова Анна Ивановна (игумения Екатерина; 1882—1936, умерла в заключении) — глава католической общины в Москве, з/к и ссыльная с 1923 (Екатеринбургский, Тобольский и Ярославский изоляторы, Кострома, Бутырки) — **I**: 55

Абросимов — ленинградский инженер, з/к (строительство заполярной Нивагрэс) — **II**: 383

Августин Блаженный (354—430) — **I**: 379

Авдеева — судья (Рязань, 1964) — **III**: 580, 581

Авербах Ида Леонидовна (1905—1938, расстреляна) — племянница Я. М. Свердлова (*см.*), жена Г. Г. Ягоды (*см.*), пом. прокурора Москвы, автор кн. «От преступления к труду» — **I**: 11. **II**: 22, 67, 104, 105, 106, 111, 113, 115, 143, 295, 296, 400, 409, 417, 456, 561

Авербах Леопольд Леонидович (1903—1937, расстрелян) — племянник Я. М. Свердлова, генеральный секретарь РАПП, один из авторов кн. «Беломорско-Балтийский канал имени Сталина. История строительства» — **II**: 78, 79

Агранов Яков Саулович (1893—1938, расстрелян) — следователь ВЧК, зам. председателя ОГПУ и наркома внутренних дел (1933—37) — **I**: 114, 358, 359. **II**: 322

---

[*] Составители: Н. Г. Левитская и А. А. Шумилин (Москва), помог материалами Н. Н. Сафонов (Москва), дополнительный поиск и редакция: А. Я. Разумов (С.-Петербург).

Адамова-Слиозберг Ольга Львовна (1902—1991) — экономист, з/к и ссыльная (Лубянка, Бутырки, Соловки, Колыма, Караганда; 1936—55), автор мемуаров «Путь» — **I**: 11, 314. **II**: 126, 129, 316, 605. **III**: 376

Адаскин Матвей — з/к, прораб (Экибастуз, 1950-е) — **III**: 255

Аденауэр Конрад (1876—1967) — федеральный канцлер ФРГ (1949—63) — **III**: 468

Аджубей Алексей Иванович (1924—1993) — публицист, главный редактор газет «Комсомольская правда» (1957—59), «Известия» (1959—64), член ЦК КПСС (1961—64) — **III**: 583

Азеф Евно Фишелевич (1869—1918) — агент полиции, член боевой организации эсеров — **III**: 88

Айхенвальд Юлий Исаевич (1872—1928) — литературный критик, в 1922 выслан из Советской России — **I**: 400

Акимов Михаил Григорьевич (1847—1914) — министр юстиции (1905), председатель Государственного совета (1907—14) — **I**: 392

Акимов Николай — офицер, з/к (Новый Иерусалим в Подмосковье, 1945) — **II**: 172, 174, 177

Акоев Пётр — з/к (Кенгир, 1954) — **III**: 321, 334

Аксаков — з/к (Соловки) — **II**: 43

Аксаков Иван Сергеевич (1823—1886) — **II**: 521. **III**: 358

Алалыкин Фёдор Николаевич (1877—1941, умер в заключении) — рабочий-прядильщик, член РСДРП, счетовод на мельнице в Кохме, з/к с 1937 (Ивановская тюрьма, Карлаг) — **I**: 472. **II**: 323

Аланов Николай Андреевич — нач. Юглага (Колыма) — **II**: 128

Алафузо Михаил Иванович (1891—1937, расстрелян) — нач. кафедры Академии Генштаба Красной армии, комкор — **II**: 322

Алданов (Ландау) Марк Александрович (1886—1957) — писатель, историк, с 1919 в эмиграции — **I**: 233

Алдан-Семёнов Андрей Игнатьевич (1908—1985) — писатель, з/к и ссыльный (Кировская тюрьма, Колыма, Джамбул; 1938—55) — **I**: 567. **II**: 315, 334, 335, 337, 409. **III**: 509—513

Александер Тунисский Харолд Руперт Леофрик Джордж (1891—1969) — английский фельдмаршал — **I**: 279

Александр I Павлович (1777—1825) — **I**: 458

Александр II Александрович (1818—1881) — **I**: 149, 161. **II**: 618. **III**: 85, 86, 413

Александр III Александрович (1845—1894) — **I**: 151. **III**: 89

Александров — сотрудник ВОКСа, з/к (1948) — **I**: 143

Александров Василий — военнопленный в Финляндии, вернулся в СССР, з/к-бригадир (Экибастуз, 1950-е) — **I**: 262, 263

Александрова Мария Борисовна — *Свид.*: 12

Алексеев — з/к (Калужская застава в Москве, 1945) — **II**: 550

Алексеев Иван — отец корреспондента А. Солженицына — **II**: 32

Алексеев Иван А. — з/к (УстьВымлаг) — *Свид.*: 12. **III**: 517, 545—547

Алексеев Иван Николаевич — *Свид.*: 12

Алексеенцев — председатель сельпо, з/к с 1948 за несовершённое убийство — **II**: 416

Алексей Михайлович (1629—1676) — **I**: 112, 255, 457. **III**: 355, 399

Алиев — з/к (Воркута, 1938) — **II**: 376

Алкснис Яков Иванович (1897—1938, расстрелян) — нач. ВВС Красной армии, командарм 2-го ранга — **II**: 322

Алымов Сергей Яковлевич (1892—1948) — поэт-песенник, в 1926 вернулся из эмиграции, один из авторов кн. «Беломорско-Балтийский канал имени Сталина. История строительства» — **II**: 71

Альтшуллер Александр (Исаак) Константинович (1903—?) — чекист ПП ОГПУ—УНКВД—УНКГБ Ленинграда (1933—37, 1940—42), арестован в 1956 за фальсификацию следственных дел, освобождён в 1957 — **I**: 467

Анастасий (Грибановский Александр Алексеевич; 1873—1965) — митрополит Русской Зарубежной Православной Церкви — **III**: 132

Андерс Владислав (1892—1970) — военачальник, з/к (1939—41), командовал сформированной в СССР польской армией и польским корпусом Союзнических сил во Второй мировой войне, автор мемуаров «Без последней главы» — **I**: 96. **III**: 157

Андерсен Эрик Арвид — швед, з/к (Куйбышевская пересылка, Верхнеуральский изолятор) — **I**: 542, 568—571. **III**: 435, 436

Андреев — вольный врач (Дорожный ИТЛ, Куранах-Сала) — **II**: 401

Андреев Андрей Андреевич (1895—1971) — член Политбюро ЦК ВКП(б) в 1932—52 — **III**: 373

Андреев Вадим Леонидович (1902—1976) — сын Л. Н. Андреева, после октябрьского переворота 1917 остался с отцом в Финляндии — **III**: 94

Андреев Леонид Николаевич (1871—1919) — писатель — **I**: 471. **III**: 94

Андреев (Хомяков) Геннадий Андреевич (1906—1984) — литератор, з/к (УхтПечлаг, Соловки; 1927—35), после 2-й мировой войны в эмиграции, ред. альманаха «Мосты» — **II**: 67

Андрее́вич Михаил — з/к (Воркута, конец 1930-х) — **II**: 310

Андрейчин Джордж (Георгий Ильич; 1894—1950, расстрелян в Москве) — македонец из Болгарии, работник Профинтерна и Коминтерна, з/к (Воркута), по освобождении зав. отделом информации МИД Болгарии, вновь арестован в 1949 — **II**: 377

Андреюшкин Пахомий Иванович (1865—1887, повешен) — революционер-народник, одноделец А. И. Ульянова (*см.*) — **I**: 151

Андреяшин — солдат батареи А. Солженицына — **I**: 179

Аникин — инженер, офицер, з/к (Экибастуз) — **II**: 398. **III**: 221

Аниконов Юрий Евгеньевич (р. 1933) — школьник из Ленинск-Кузнецка, в 1951 осуждён на 10 лет, доктор физико-математических наук (1977) — **II**: 306

Анисимов — оперуполномоченный (Колыма, прииск Золотистый) — **II**: 128

Аничков Василий Иванович — по сведениям сестры, Наталии Ивановны Аничковой, расстрелян в 1927 — **I**: фото на с. 469

Аничков Игорь Евгеньевич (1891—1978) — филолог, з/к и ссыльный (Соловки, Сыктывкар; 1928—37) — **II**: 43

Аничкова Елизавета Евгеньевна (Евреинова-Аничкова; 1894—1940, расстреляна в Красноярске) — сестра И. Е. Аничкова, переводчик, ссыльная и з/к с 1926 — **I**: фото на с. 469

Аничкова Наталья Мильевна (1896—1975) — филолог, з/к (Унжлаг, Сухобезводное; 1949—55) — ***Свид.***: 12. **II**: 255, 611

Анна Иоанновна (1693—1740) — **I**: 463

Анненкова Юлия — журналист, переводчик, з/к — **II**: 324

Антон — 17-летний немец-военнопленный — **II**: 345, 346

Антонин (Грановский Александр Андреевич; 1865—1927) — митрополит обновленческой церкви, член ЦК Помгола — **I**: 370

Антонов *см.* Артамонов А. В.

Антонов-Саратовский Владимир Павлович (1884—1965) — председатель Комиссии законодательных предложений при Совнаркоме и член Верховного Суда СССР (1923—38), член суда на процессах Шахтинском и Союзного бюро меньшевиков — **I**: 401, 404, 426

Анциферов Николай Павлович (1889—1958) — историк, краевед, з/к (Соловки, БелБалтлаг; 1929—1933), автор мемуаров «Из дум о былом» — **II**: 43

Апетер Иван Андреевич (1890—1938, расстрелян) — чекист, нач. Главного управления исправительно-трудовых учреждений, нач. конвойных войск СССР, нач. Соловецкой тюрьмы в 1937 — **II**: 120, 449, 450, 515

Апфельцвейг — з/к (Кенгир, 1954) — **III**: 334

Ар-в А. М. — корреспондент А. Солженицына — **III**: 395

Аралов — з/к-бригадир (Краслаг) — **II**: 335

Арамович — з/к (Княж-Погост, 1947) — **II**: 579

Арань Янош (1817—1882) — венгерский поэт — **III**: 130

Аренд Ю. В. (1888—?) — баптист, з/к (1962—64) — **III**: 574

Аркадьев Константин Сергеевич (1891—1937, расстрелян) — зав. райземотделом в Александрове, з/к — **I**: 479

Аронштам Лазарь Наумович (1896—1938, расстрелян) — нач. Политуправления ОКДВА (1933—36), армейский комиссар 2-го ранга — **II**: 322

Арсен — з/к-бригадир (Ныроблаг, нач. 1950-х) — **III**: 241

Артамонов А. В. — нач. Байдарлага, ЕнисейЖелДорлага, Красногорлага (*Антонов* в цитируемых записках А. Побожия) — **II**: 516. **III**: 27

Артузов (Фраучи) Артур Христианович (1891—1937, расстрелян) — чекист, контрразведчик — **II**: 322

Архимед (ок. 287—212 до н. э.) — древнегреческий учёный — **III**: 116

Арцишевский — прокурор — **II**: 414

Асатиани Георгий Григорьевич (1889—1970) — певец и преподаватель вокала, з/к и ссыльный с 1925 (Ленинградский ДПЗ, Соловки, Архангельск, Красноярск; в документах и воспоминаниях также *Ассоциани*, *Асатиани-Эристов*) — **II**: 43

Асеева Мария — служащая станции Вис, з/к — **III**: 519

Аскольдов (Алексеев) Сергей Алексеевич (1871—1945) — философ, литературовед, з/к и ссыльный с 1928, в войну на оккупированной территории, эмигрант — **II**: 43

Аспанов — з/к (Экибастуз, 1951) — **III**: 221

Аустрин Рудольф Иванович (1891—1937, расстрелян) — полпред ОГПУ и нач. УНКВД Северного края (1929—37), затем Кировской области — **III**: 381

Ахматова Анна Андреевна (1889—1966) — **I**: 114. **III**: 99

Ахола Рихард — финский красногвардеец, з/к — **I**: 144

Ашенбреннер Юп — баварец, з/к (1954) — **I**: 130

Б. — з/к («Кресты», 1932) — **I**: 463

Б. Григорий — ссыльный (Казань, 1934) — **III**: 365

Б. Ш., **Б. Я. Ш.** — врач, з/к — **II**: 234

Б-в А. — з/к (Адак, Печора; конец 1930-х) — **II**: 378

Бабаев — з/к — **I**: 311

Бабич Александр Павлович (1899—1950, умер в заключении) — почётный полярник, в 1942 приговорён к расстрелу с заменой на 10 лет, в 1944 судим в лагере (Красноярск, Джидинский лагерь) — *Свид.*: 12. **I**: 163, 472. **II**: 210, 211, 286, 366, 367, 621, 622, 630

Бабухин Иван Андреевич — нач. отдела по подготовке и рассмотрению ходатайств о помиловании (1953—59), председатель Комиссии законодательных предположений Верховного Совета СССР (1964) — **III**: 553

Бабушкин Иван Васильевич (1873—1906, расстрелян) — революционер-большевик — **I**: 24

Баев — секретарь партбюро артели — **III**: 479, 480

Бажанов Борис Георгиевич (1900—1982) — партийный работник, в 1928 бежал из СССР, автор кн. «Воспоминания бывшего секретаря Сталина» — **III**: 31

Базбей (Бозбей) Н. М. (р. 1913) — донецкий шахтёр, з/к (в 1964 осуждён как баптист на 3 года) — **III**: 573, 574, 580

Базбей (Бозбей) Нина — дочь Н. М. Бозбея — **III**: 573

Базиченко — з/к (беглец из лагеря Новорудное, 1949) — **III**: 155

Базунов — старшина МВД, автор отклика на «Один день Ивана Денисовича» — **III**: 502

Байрон Джордж Ноэл Гордон (1788—1824) — **II**: 408

Бакаев — нач. ИТК-2 (Тирасполь, 1960-е) — **III**: 519, 520

Бакст Михаил Абрамович (р. 1933) — школьник из Ленинск-Кузнецка, в 1951 осуждён на 10 лет — *Свид.*: 12. **I**: 168. **II**: 306. **III**: 493

Бакунин Михаил Александрович (1814—1876) — **I**: 148

Баландин — работник Кемеровского УМГБ (нач. 1950-х) — **I**: 171

Балицкий Всеволод Аполлонович (1892—1937, расстрелян) — чекист, нарком внутренних дел Украины (1934—37) — **II**: 322

Балыбердин Антон Васильевич (1899—?) — зав. производством Тоншаевского пищекомбината, з/к (Буреполом) — **II**: 373

Бальзак Оноре де (1799—1850) — **I**: 547. **II**: 408

Бандера Степан Андреевич (1908—1959, убит при покушении) — вождь украинского национального движения, эмигрант — **I**: 274

Барабанов Василий Арсентьевич (1900—1964) — нач. Нижне-Амурского, Саратовского, Северо-Печорского, Цимлянского лагерей и строительства 503 (1941—52), полковник — **II**: 529

Баранов Александр Иванович — з/к (Ныроблаг, 1944) — *Свид*.: 12. **II**: 384

Баранович Марина Казимировна (1901—1975) — з/к (Бутырки, 1918), переводчик, друг Б. Л. Пастернака — *Свид*.: 12. **I**: 142

Барановский Янек — з/к (Экибастуз, 1952) — **III**: 280

Баранюк Павел — офицер-фронтовик, з/к (Владимир-Волынский, Экибастуз; 1949—50) — **II**: 156, 579. **III**: 43—45, 78, 109, 288

Баринов — з/к (Новый Иерусалим в Подмосковье, 1945) — **II**: 175, 178, 179

Баринов Алексей Михайлович — лагерный врач, майор (Озёрлаг) — **II**: 340

Баркалов — нач. прииска Золотистый (Колыма) — **II**: 128

Басов Александр Васильевич (1912—1988) — 1-й секретарь Ростовского обкома КПСС (1960—62) — **III**: 565

Батанов — лётчик-курсант, з/к-беглец (Экибастуз) — **III**: 82, 162, 219

Батурин — з/к-помпобыт (Экибастуз, 1950) — **III**: 77

Батый (1208—1255) — **III**: 42

Бахрушин Николай Николаевич (1901—1930, умер в заключении) — з/к с 1928 (Соловки) — **II**: 43

Бахтин Михаил Михайлович (1895—1975) — филолог и философ, з/к и ссыльный (1929—36) — **I**: 70

Бедный Демьян (Придворов Ефим Алексеевич; 1883—1945) — писатель — **I**: 508. **II**: 507

Безродный Вячеслав — з/к (Якутия, Ольчан) — *Свид*.: 12. **II**: 385

Бек Михаил Михайлович — председатель ревтрибунала на Московском церковном процессе 1922, работник Наркомюста — **I**: 371, 373

Беленький — з/к (Унжлаг, Сухобезводное; 1950-е) — **II**: 242

Белинков Аркадий Викторович (1921—1970) — студент-дипломник Литературного института, з/к (Москва, Карлаг; 1944—56), литературовед, с 1968 в эмиграции — *Свид*.: 12. **II**: 181, 306, 469

Белинский Виссарион Григорьевич (1811—1848) — **I**: 211

Беличкин — бывший лагерный работник (Соловки) — **II**: 69

Белобородов Александр Георгиевич (1891—1938, расстрелян) — председатель исполкома Уральского облсовета (1918—19, подписал решение о расстреле царской семьи), зам. наркома и нарком внутренних дел РСФСР (1921—27) — **II**: 323

Белов Алексей — машинист, отец В. А. Белова — **I**: 243

Белов Виктор Алексеевич — «император Михаил», з/к (Лубянка, 1945) — **I**: 244—246. **II**: 152

Белова Пелагея — мать В. А. Белова — **I**: 243

Белозёров Константин Семёнович (1894—1930, расстрелян) — поручик Финляндского полка, командир эскадрона Красной армии, з/к и командир карантинной роты (Соловки, Кемперпункт) — **II**: 31

Белокопыт (убит в нач. 1950-х) — з/к-бригадир (Кенгир) — **III**: 295

Белоусов — з/к, бригадир станочников (Экибастуз, 1952) — **III**: 291

Бельский — мл. лейтенант, з/к — **III**: 493

Беляев — подполковник-интендант, з/к (Котласская пересылка) — **I**: 574

Беляев — ст. оперуполномоченный (Кенгир, 1950—54) — **III**: 65, 154, 214, 304, 312—315, 344, 349

Беляев Александр Иванович — генерал-майор, з/к (Калужская застава в Москве, Потьма) — **II**: 260—263, 265, 266, 273, 275, 278

Бенеш Эдуард (1884—1948) — государственный деятель Чехословакии — **I**: 281

Бенуа Александр Николаевич (1870—1960) — художник, историк искусства, эмигрант — **I**: 284

Бербенёв — солдат батареи А. Солженицына — **I**: 179

Берг Ефрем Соломонович (1875—1937, расстрелян) — член ЦК партии эсеров, з/к и ссыльный неоднократно, подсудимый на процессе эсеров 1922 — **I**: 392

Берденов — директор школы (Кок-Терек, 1953) — **III**: 457

Бердяев Николай Александрович (1874—1948) — философ, в 1922 выслан из Советской России — **I**: 147, 284, 400

Береговая — з/к-бригадир, нач. отряда (Дмитлаг) — **II**: 420

Березина Люба — з/к (Унжлаг, Сухобезводное; 1950-е) — **II**: 242

Березовский — профсоюзный работник, з/к и ссыльный с 1938 — **III**: 400

Беремблюм — з/к, портной — **II**: 214

Берестинский Михаил Исаакович (1905—1968) — драматург, журналист, з/к (1950-е) — **III**: 514

Берзин Эдуард Петрович (1893—1938, расстрелян) — нач. Дальстроя (1931—37) — **II**: 127, 322

Беридзе — з/к — **I**: 335

Берия Лаврентий Павлович (1899—1953, расстрелян) — нарком (министр) внутренних дел СССР (1938—45, 1953), зам. председателя Совнаркома и Совмина СССР (1941—53), куратор «атомного проекта СССР» — **I**: 95, 162, 174, 175, 184, 204, 222, 303, 311. **II**: 135, 177, 337, 394, 516, 518, 529, 530, 534, 640. **III**: 13, 59, 69, 84, 259, 299, 300, 302, 303, 305, 306, 316, 328, 403, 433, 434, 465, 506, 513, 525

Берман Матвей Давыдович (1898—1939, расстрелян) — нач. ГУЛАГа (1932—37), зам. наркома внутренних дел СССР (1936—37) — **II**: 38, 84, 99, 515; фото на с. 82

Бёрнс Роберт (1759—1796) — шотландский поэт — **III**: 352

Бернштам Михаил Семёнович (р. 1940) — с 1976 в эмиграции, демограф и экономист, сотрудник Гуверовского института — *Свид.*: 12

Бернштейн Анс Фрицевич (1909—?) — з/к (Горьковская пересылка, Бурополом) — *Свид.*: 12. **I**: 28, 562, 602. **II**: 211, 254, 372, 580. **III**: 488

Бернштейн Гесель — з/к — **II**: 285

Берри-Ягода — з/к (Соловки) — **II**: 44

Бершадер Исаак — з/к, кладовщик (Калужская застава в Москве, 1945) — **II**: 225, 226, 279

Бершадская Любовь Леонтьевна (р. 1916) — переводчик, танцовщица-педагог, з/к (1946—56, участник Кенгирского восстания), с 1970 в эмиграции, автор мемуаров «Растоптанные жизни» — **III**: 316, 323, 335

Бессонов Юрий Дмитриевич (Безсонов, Георгий; 1891—1970) — ротмистр Черкесского полка, пом. коменданта Зимнего дворца, з/к с 1918 неоднократно, организатор побега в Финляндию, автор мемуаров «Двадцать шесть тюрем и побег с Соловков» — **II**: 58

Бессчастная — жена Г. Бернштейна (*см.*), з/к — **II**: 285

Биге Генрих Иванович (1891—1938, расстрелян) — председатель [член] спецколлегии Ивановского облсуда — **I**: 451

Бильдерлинг Пётр Александрович (1885—1919, расстрелян в Майкопе) — кавалергард, полковник — **II**: 636

Бирон Эрнст Иоганн (1690—1772) — обер-камергер двора Анны Иоанновны — **I**: 112

Бирюков Павел Иванович (1860—1931) — издатель, автор биографии Л. Н. Толстого — **II**: 206

Благинин Клавдий Степанович (1887—1933, расстрелян) — работник КВЖД, таксировщик Госпароходства, з/к — **I**: 133

Бледнов Жора — з/к (арестован в Брюсселе) — **I**: 28

Блок Александр Александрович (1880—1921) — **III**: 126

Блохин Саша — з/к-малолетка — **II**: 432

Блюм Леон (1872—1950) — государственный деятель Франции, социалист — **III**: 25

Блюмкин Яков Григорьевич (1898—1929, расстрелян) — левый эсер, чекист, убийца В. Мирбаха (*см.*), резидент Иностранного отдела ОГПУ — **I**: 398, 399

Блюхер Василий Константинович (1890—1938, расстрелян) — маршал Советского Союза — **I**: 244. **II**: 322, 616

Бобрищев-Пушкин Владимир Михайлович (1852—1932) — защитник на Петроградском церковном процессе 1922 — **I**: 375

Бобровский — нач. Карийской каторги, пом. начальника Нерчинской каторги — **III**: 104

Богдан Фёдор Осипович — крестьянин, в ссылке с 1879 — **I**: 301

Богданов-Березовский Валериан Михайлович (1903—1971) — композитор и музыковед, автор мемуаров «Встречи» — **II**: 99

Богораз Владимир Германович (псевд. Н. А. Тан, Г. В. Тан; 1865—1936) — учёный-этнограф, народник — **III**: 357

Богословский Алексей Иванович (1902—1985) — физиолог, доктор медицинских наук, фронтовик, военнопленный с 1941, бежал в 1944, з/к и ссыльный (1945—56) — **III**: 406

Богров Дмитрий Григорьевич (1888—1911, повешен) — убийца П. А. Столыпина — **III**: 89

Богуш — нач. лагпункта, майор (Сиблаг) — **III**: 72

Бойко — з/к (Ростов-на-Дону, 1920-е) — **I**: 61

Бойков Александр Дмитриевич (р. 1928) — член Московской обл. коллегии адвокатов (1951—65), академик Российской Академии адвокатуры — **I**: 317

Бокий Глеб Иванович (1879—1937, расстрелян) — председатель ПетроЧК (1918), член Коллегии ОГПУ (1923—34) — **I**: 301. **II**: 33, 39

Болтушкин — ст. лейтенант (Кенгир, 1954) — **III**: 326

Бондаренко Павел — бежал из немецкого плена, з/к — **I**: 256

Бондарин Сергей Александрович (1903—1978) — писатель, з/к (1944—52) — **I**: 223. **III**: 484

Бондарь Никифор П. — ст. надзиратель Орловской и Бутырской тюрем (1909—18), з/к — **I**: 134

Бонч-Бруевич Владимир Дмитриевич (1873—1955) — управделами Совнаркома (1917—20) — **I**: 347. **II**: 14

Борисов Авенир Петрович (р. 1912) — учитель, з/к (Воркута), директор детдома — *Свид.*: 12. **II**: 313. **III**: 474, 482, 494

Борман Мартин (1900—1945) — руководитель канцелярии НСДАП, заочно приговорён к смертной казни на Нюрнбергском процессе — **II**: 84

Боровиков Николай — студент, з/к, фельдшер в санчасти (Экибастуз, 1950-е) — **III**: 126

Бородин Аркадий Владимирович (1881—1932) — профессор, сотрудник Библиотеки Академии наук, з/к по «Академическому делу» (Соловки) — **II**: 43

Бородко — з/к (Белоруссия, 1937) — **I**: 156

Борушко Павел, Иван, Степан — братья, приехали из Польши в 1930, з/к — **I**: 93

Борщ — ротмистр царской армии, эмигрант, з/к с 1945 — **I**: 286

Бочаров Иван Матвеевич *см.* Иеракс

Бочков Виктор Михайлович (1900—1981) — нач. Управления охраны ГУЛАГа (1951—55), генерал-лейтенант — **III**: 316, 320, 327, 328

Бош Евгения Богдановна (Готлибовна; 1879—1925, покончила с собой) — революционерка — **II**: 14, 143

Боярский Владимир Ильич (Баерский Владимир Гелярович; 1901—1945, повешен чешскими партизанами) — комдив, полковник Красной армии, после немецкого плена во власовской армии, генерал-майор — **I**: 266, 277

Боярчиков Александр Иванович (1902—1981) — участник Гражданской и 2-й мировой войны, з/к и ссыльный (1932—41, 1949—56), автор кн. «Воспоминания» — **II**: 309

Браз Осип Эммануилович (1873—1936) — художник, з/к с 1924 (Соловки), в эмиграции с 1928 — **II**: 43

Братчиков Андрей Семёнович — з/к — *Свид.*: 12. **II**: 507

Браудер Эрл Рассел (1891—1973) — генеральный секретарь компартии США (1930—44) — **II**: 377

Бреславская Анна (р. 1923) — з/к (Калужская застава в Москве, 1946) — *Свид.*: 12. **II**: 482

Брешко-Брешковский Николай Николаевич (1874—1943) — писатель, с 1919 в эмиграции — **III**: 54

Бродовский М. И. — баптист, осуждённый к высылке (1966) — *Свид.*: 12. **III**: 394, 575

Бродский — нач. Вохры (БелБалтлаг) — **II**: 99

Бродский Иосиф Александрович (1940—1996) — поэт, лауреат Нобелевской премии — **III**: 583

Броневицкий Николай Герасимович — з/к, инженер, при немцах бургомистр Морозовска (Ростовская область) — **III**: 21—27

Бруно Джордано (1548—1600) — **II**: 634

Брыксин Иван Емельянович (1909—1978) — з/к (спецобъект Марфино), зав. электрохимической лабораторией — **III**: 582, 603

Брюхин Василий — з/к (Экибастуз) — **III**: 81, 160, 207, 221

Бубнов — студент, военнопленный, з/к — **I**: 616

Бубнов Андрей Сергеевич (1884—1938, расстрелян) — нарком просвещения РСФСР (1929—37) — **II**: 322

Бугаенко Наталья Ивановна — учительница, з/к (Ростов-на-Дону, 1933) — *Свид.*: 12. **I**: 77

Будда (Сиддхартха Гаутама; 623—544 до н. э.) — **I**: 536. **III**: 242

Будённый Семён Михайлович (1883—1973) — маршал Советского Союза — **I**: 70. **III**: 180

Буковский Константин Иванович (1908—1976) — журналист — **II**: 341

Булгаков Валентин Фёдорович (1886—1966) — секретарь Л. Н. Толстого, автор книг о Толстом, в 1923 выслан из Советской России, вернулся в 1949 — **I**: 400

Булгаков Михаил Афанасьевич (1891—1940) — писатель — **III**: 48

Булгаков Сергей Николаевич (1871—1944) — философ, богослов, в 1922 выслан из Советской России — **I**: 284

Бунин Иван Алексеевич (1870—1953) — **I**: 233, 284

Буняченко Сергей Кузьмич (1902—1946, повешен) — комдив, полковник Красной армии, после немецкого плена во власовской армии, генерал-майор — **I**: 276, 278

Бурковский Борис Васильевич (1912—1985) — участник войны, капитан 2-го ранга, з/к (Бутырки, Экибастуз), нач. музея на крейсере «Аврора» — *Свид.*: 12. **I**: 26. **III**: 58, 82, 527

Бурлака А. И. — бывший з/к, 1964 — **III**: 478

Бурнацев Михаил — военнопленный, бежал из немецкого лагеря, з/к — *Свид.*: 12. **I**: 256

Буров — нач. райотдела НКВД (Колыма, прииск Золотистый) — **II**: 128

Буров — сын раскулаченного, спецпоселенец на Оби — **III**: 389

Бурцев Владимир Львович (1862—1942) — историк, публицист, эмигрант — **I**: 395, 397. **III**: 94, 97

Бурштейн — з/к, нарядчик (Калужская застава в Москве, 1945) — **II**: 279

Буслов — ст. прораб, вольнонаёмный (Калужская застава в Москве, 1945) — **II**: 549—551

Бутаков Авлим — *Свид.*: 12

Бутенко Муся — з/к, медсестра (Унжлаг, Сухобезводное; 1950-е) — **II**: 233

Бухальцев Я. В. — журналист, сотрудник Н. Френкеля (*см.*) — **II**: 139

Бухарин Николай Иванович (1888—1938, расстрелян) — член Политбюро ЦК РКП(б)—ВКП(б) в 1924—29, подсудимый на процессе «Антисоветского правотроцкистского блока» — **I**: 119, 204, 244, 344, 354, 383, 388—391, 394, 432, 436, 438—444, 455

Бухарин Юра *см.* Ларин Ю. Н.

Бухонин — председатель выездной сессии Горьковского облсуда (Бурелолом) — **II**: 372

Быков — нач. Индигирского горнопромышленного управления (Усть-Нера, Якутия) — **II**: 524

Быков М. М. — корреспондент А. Солженицына — *Свид.*: 12. **II**: 38

Быков Павел Дмитриевич — з/к — **II**: 217

Бялик Борис Аронович (1911—1988) — филолог — **I**: 352

В. И. — студент, 1949 — **II**: 612, 613

В. И. Д. — з/к, 1960-е — **III**: 576

В. К. — з/к, 1960-е — **III**: 576

В. Нина — студентка МИФЛИ, з/к (ансамбль Московского УИТЛК) — **II**: 480, 481

Вавилов Н. В. (1909—?) — нач. Управления по надзору за местами заключения Прокуратуры СССР (Кенгир, 1954) — **III**: 316, 320

Вавилов Николай Иванович (1887—1943, умер в Саратовской тюрьме) — биолог, академик АН СССР, президент ВАСХНИЛ (1929—35), з/к с 1940, приговорён к расстрелу в 1941 — **I**: 68, 472. **II**: 305, 617, 621. **III**: 206, 493

Вадбольский Авенир Авенирович (1898—1930, расстрелян в Москве) — офицер царской армии, з/к и ссыльный с 1924 (Бутырки, Соловки, Берёзово) — **II**: 43

Вайнштейн — оперуполномоченный (Экибастуз) — **III**: 204

Вайшнорас Юозас Томович (1911—1971) — профессор из Вильнюса, з/к (Бутырки, Боровичи, СевУраллаг, Степлаг; 1945—55) — *Свид.*: 12

Валентин — киевлянин, з/к (Бутырки) — **I**: 295, 300, 564, 565

Валентинов Н. (Вольский Николай Владиславович; 1879—1964) — публицист, меньшевик, с 1930 в эмиграции — **I**: 492

Вандервельде Эмиль (1866—1938) — государственный деятель Бельгии, социалист — **I**: 389, 390

Ванеев Анатолий Александрович (1872—1899) — студент, участник революционного движения — **I**: 149

Варенцов Иван Николаевич (1896—1927, расстрелян) — профессор ВХУТЕМАСа, з/к — **I**: 61

Васенко Платон Григорьевич (1874—1942?) — историк, профессор, з/к и ссыльный по «Академическому делу» — **II**: 43

Василенко В. И. — капитан дальнего плавания, з/к и ссыльный (Экибастуз, Кок-Терек) — **III**: 441, 450

Василий (Преображенский Вениамин Сергеевич, 1876—1945, умер в ссылке) — епископ Кинешемский, затем Вязниковский, з/к и ссыльный (1921, 1923—25, 1928—32, 1933—38, 1943—45; Кинешма, Коми, Иваново-Вознесенск, Урал, Волголаг, Ярославль, Лубянка, Бутырки, Красноярский край) — **II**: 300, 312

Васильев — з/к — **I**: 167

Васильев — большевик, з/к — **III**: 485

Васильев Владимир Александрович (1880—?) — инженер путей сообщения, гидротехник, профессор МВТУ, з/к и ссыльный — *Свид.*: 12. **III**: 433—435

Васильев Максим Васильевич — *Свид.*: 12

Васильев Павел Николаевич (1910—1937, расстрелян) — поэт — **II**: 171

Васильев-Южин Михаил Иванович (Васильев; 1878—1937, расстрелян) — член Коллегии НКВД РСФСР (1919—21), пом. прокурора Верховного Суда РСФСР (1921—24), зам. председателя Верховного Суда СССР (1924—37), член суда на Шахтинском процессе — **I**: 401. **II**: 39

Васька Кривой — з/к (Ухта) — **II**: 405

Васюра — следователь (Рязань, 1962) — **III**: 578, 581

Ватрацков Л. В. — *Свид.*: 12

Вашкау Гюнтер — з/к, 25-летник с 1949 — **I**: 311

Велиев — з/к, Куйбышевская пересылка — **III**: 43

Величко Александр Фёдорович (1879—1929, расстрелян) — инженер-путеец — **I**: 62, 303

Вельяминов С. В. — *Свид.*: 12

Венгерский Ежи (Юрий) — офицер Армии Крайовой, з/к (1945—54), вернулся в Польшу — **III**: 123, 281

Вендельштейн Юрий Германович (умер в нач. 1960-х) — учёный-химик, з/к с 1930-х, ссыльный учитель в Красноярском крае в нач. 1950-х — *Свид.*: 12. **III**: 484

Венедиктов Дмитрий Николаевич (1891—1937, расстрелян в Тобольске) — ленинградский рабочий, с 1933 в ссылке — **III**: 371

Венедиктова Галина Дмитриевна (р. 1927) — дочь Д. Н. Венедиктова, с 1938 в детдоме, фельдшер детской инфекционной клиники, з/к с 1951 — *Свид.*: 13. **II**: 240, 445, 589. **II**: 757. **III**: 490

Вениамин (Казанский Василий Павлович; 1873—1922, расстрелян) — митрополит Петроградский и Гдовский — **I**: 55, 370, 374—376, 484

Вера — з/к (Лубянка, 1925) — **I**: 487

Вербовский С. Б. — бывший з/к — *Свид.*: 13. **III**: 480

Вергилий Марон Публий (70—19 до н. э.) — **II**: 104

Верещагин Михаил Николаевич (1789—1812) — литератор, переводчик — **I**: 224

Верн Жюль (1828—1905) — **I**: 286. **II**: 460

Веселов Павел Иванович (Боляхов Пётр Иванович; 1911—1980) — советский военнопленный в Финляндии, при репатриации бежал в Швецию, публицист, историк — **III**: 436

Вестеровская Анастасия — бывшая з/к — *Свид.*: 13. **III**: 485

Вийон Франсуа (1431—?) — французский поэт — **II**: 408

Виксне Пётр Яковлевич (1900—1938, расстрелян) — машинист, сослан в Казахстан в 1934, вновь арестован в 1937 — **III**: 407

Виленчик Николай Адамович (1906—?) — служащий в Куйбышеве, з/к с 1937 — **II**: 317

Вильгельм II Гогенцоллерн (1859—1941) — **I**: 382. **III**: 36

Винер Норберт (1894—1964) — американский учёный — **II**: 646

Виноградов Борис Михайлович (1906—1955, умер в заключении) — инженер-путеец, з/к с 1941 — *Свид.*: 13. **II**: 313

Виноградов Владимир Никитич (1882—1964) — терапевт, академик АМН СССР, з/к (1952—53) — **II**: 616

Виноградский Николай Николаевич (1883—?) — выпускник Пажеского корпуса, офицер Преображенского полка, служащий МВД Временного правительства, з/к — **I**: 358

Винокуров Н. М. — *Свид.*: 13

Вираб Вираб Вирабович (1895—1938, расстрелян) — з/к, участник голодовки в УхтПечлаге (Воркута) — **II**: 310

Виткевич Николай Дмитриевич — капитан Красной армии, одноделец А. Солженицына, з/к (1945—54), зав. кафедрой химии в институте — **I**: 150, 152. **III**: 486

Витковский Дмитрий Петрович (1901—1966) — инженер-химик, ссыльный и з/к с 1926 (Енисейск, Соловки, БелБалтлаг, Тулома, Владимирская тюрьма), автор мемуаров «Полжизни» — 9. *Свид.*: 13. **I**: 10, 11, 116, 254. **II**: 80, 98, 151, 305. **III**: 368

Вишневецкий Александр Александрович (1903—1942) — нач. СевВостлага и зам. начальника Дальстроя (1939—40), капитан ГБ, з/к с 1941 (приговорён к расстрелу с заменой на 10 лет и отправкой на фронт) — **II**: 529

Вишневский Всеволод Витальевич (1900—1951) — писатель — **II**: 408

Владимир Александрович (1847—1909) — великий князь, главнокомандующий войсками гвардии и Санкт-Петербургского военного округа до 1905 — **II**: 27

Владимиреску — з/к (Бутырки, 1945) — **I**: 621

Владимиров — фамилия, присвоенная брату Д. В. Каракозова (*см.*) — **III**: 86

Власов Андрей Андреевич (1901—1946, повешен) — генерал-лейтенант Красной армии, после немецкого плена организатор Русской освободительной армии (РОА) — **I**: 237, 258, 264—270, 274—277, 279. **III**: 33, 242

Власов Василий Григорьевич (1902—1986) — зав. Кадыйским райпо, з/к, приговорён к расстрелу с заменой на 20 лет (1937—55) — *Свид.*: 13. **I**: 32, 169, 447—450, 452—456, 476, 477, 479, 481, 482, 574. **II**: 160—162, 256, 521, 598. **III**: 128, 238, 526; фото на с. 161

Власов Игорь Васильевич (р. 1937) — сын В. Г. Власова, офицер — **II**: 611

Власова Зоя Васильевна (1929—1938) — дочь В. Г. Власова — **I**: 456

Вова — 6-летний «свидетель» по делу М. Я. Потапова (*см.*) — **III**: 578, 580

Воейков П. М. — Возможно: Воейков Павел Михайлович (1890—?), з/к с 1925 по «делу лицеистов» (Соловки) — **II**: 43

Войков Пётр Лазаревич (1888—1927, убит при покушении) — комиссар снабжения и член чрезвычайной следственной комиссии Уральского облсовета в 1918, полпред СССР в Польше с 1924 — **I**: 59

Войнилович — з/к (Кенгир) — **III**: 245

Войнино — профсоюзный работник, з/к — **III**: 240

Войно-Ясенецкий Валентин Феликсович (архиепископ Лука; 1877—1961) — хирург, з/к и ссыльный неоднократно (1923—41) — **II**: 301, 302

Войченко Михаил Афанасьевич — бывший з/к — ***Свид.***: 13. **II**: 604

Волков — нач. Химкинского лагеря, майор, 1945 — **II**: 148, 521, 522

Волков Олег Васильевич (1900—1996) — писатель, переводчик, з/к и ссыльный неоднократно (1928—55), автор мемуаров «Погружение во тьму» — ***Свид.***: 13. **II**: 43, 215

Волконская Зинаида Александровна (1789—1862) — княгиня — **I**: 196

Волконская Мария Николаевна (1805—1863) — жена декабриста С. Г. Волконского — **II**: 196

Волкопялов — следователь в Ярославле, уполномоченный по делам церкви в Молдавии — **I**: 166

Володарский В. (Гольдштейн Моисей Маркович; 1891—1918, убит при покушении) — комиссар по делам печати, пропаганды и агитации Петроградской трудовой коммуны — **I**: 391

Володька-Татарин — з/к (этап Владивосток—Сахалин, 1950) — **I**: 595

Волошин Максимилиан Александрович (1877—1932) — поэт — **I**: 51. **II**: 322

Вонлярлярский Владимир Владимирович (1880—?) — командир линкора «Марат», з/к и ссыльный (Соловки, Тверь; 1923—28) — **II**: 43

Воробьёв — нач. режима (Спасск) — **III**: 65, 69

Воробьёв — капитан МВД (Экибастуз) — **III**: 191, 200

Воробьёв Иван Егорович (1923—?) — танкист, з/к с 1949 (Экибастуз; участник восстания в Горлаге, осуждён на 25 лет в 1954) — **III**: 81, 139, 161—163, 207

Воробьёв Иван Яковлевич (1907—1973) — в органах ОГПУ—НКВД с 1931, нач. Отдела правительственной связи в войну, полковник, з/к с 1947 (пом. начальника спецобъекта Марфино) — **I**: 159

Воробьёв Н. М. — инспектор краевого отдела народного образования, з/к с 1936 — **I**: 28

Воронин — из администрации лагеря (Норильск, 1957) — **III**: 540

Воронин (Воронов) — з/к (восстание заключённых на 501-й стройке, 1948) — **III**: 54, 243

Воронов — конструктор, з/к (Буреполом) — **II**: 579

Ворошилов Климент Ефремович (1881—1969) — член Политбюро (Президиума) ЦК ВКП(б)—КПСС в 1926—60 — **I**: 142, 312, 480. **II**: 96, 631. **III**: 464

Воскобойников (Воскобойник) Константин Павлович (1895—1942, убит партизанами) — преподаватель техникума, староста волости и бургомистр Локотского уезда при немцах — **I**: 267. **III**: 34

Востриков Андрей Иванович (1904—1937, расстрелян) — этнограф, сотрудник Института востоковедения АН СССР — **I**: 24. **II**: 620

Врангель Пётр Николаевич (1878—1928) — генерал-лейтенант, командующий Вооруженными силами Юга России в 1920 — **I**: 155, 461

Вуль Леонид Давыдович (1899—1938, расстрелян) — нач. ударной группы по борьбе с бандитизмом Оперода ОГПУ, нач. МУРа, нач. Управления Московской милиции — **I**: 301. **II**: 39

Вундт Вильгельм (1832—1920) — немецкий философ — **III**: 95

Выпирайло — помкомвзвод Вохры — **II**: 467

Вышеславцев Борис Петрович (1877—1954) — философ, в 1922 выслан из Советской России — **I**: 400

Вышинский Андрей Януарьевич (1883—1954) — пом. прокурора и прокурор СССР (1933—39), гос. обвинитель на политических процессах — **I**: 11, 53, 80, 118, 119, 157, 383, 401, 404—406, 412, 421, 444, 570. **II**: 11, 12, 104, 105, 119, 120, 143, 144, 229, 430

Вьюшков — солдат батареи А. Солженицына — **I**: 180

Вяземская — княгиня — **I**: 58

Вяткин Виктор Семёнович (1913—1991) — директор Оротуканского завода горного и обогатительного оборудования (1948—60), автор кн. «Человек рождается дважды» — **II**: 340. **III**: 510, 512

Г. С. — з/к — **III**: 576

Г-в Г. — з/к, Ленинград — **I**: 167

Г-ман Лев, Лёва — студент, з/к — **II**: 465, 466, 482

Гааз Фёдор Петрович (Фридрих Иозеф; 1780—1853) — главный врач московских тюрем — **I**: 222

Габрилович Евгений Иосифович (1899—1993) — писатель, один из авторов кн. «Беломорско-Балтийский канал имени Сталина. История строительства» — **II**: 81

Гаврик — лагерный начальник (Колыма) — **II**: 126, 129

Гаврилов — офицер, з/к (Горьковская пересылка, 1942) — **I**: 563

Гагкаев Михаил Андреевич (1903—1976) — чекист, на Колыме с 1939, нач. Северного горнопромышленного управления Дальстроя (1942—46), подполковник ГБ — **II**: 529

Гаджиев Магомет — з/к (Экибастуз, 1951) — **III**: 221, 228

Галич (Галачьянц) Борис Артемьевич (1913—1967) — журналист — **III**: 259

Гамарник Ян Борисович (1894—1937, покончил с собой) — нач. Политуправления Красной армии — **I**: 438

Гаммеров Борис Исаакович (1923—1946, умер в заключении) — участник войны, студент МГУ, з/к (Бутырки, Красная Пресня, Новый Иерусалим в Подмосковье) — **I**: 249, 622—624. **II**: 165, 168, 171, 181, 182, 189, 191

Гандаль Берта Карловна (1897—?) — з/к (Лефортово, 1925—26); не все рассказы Берты Гандаль подтвердились, *см.* коммент. в кн.: *А. М. Гарасёва.* «Я жила в самой бесчеловечной стране...» (М., 1997) — **I**: 116

Ганнибал Павел Исаакович (1776—1841) — дядя А. С. Пушкина, ссыльный (Сольвычегодск, Соловки; 1826—32) — **II**: 27

Гаранин Степан Николаевич (1898—1950, умер в заключении) — нач. СевВостлага (1937—38), полковник, з/к с 1938 (Сухановская тюрьма, Печорский ИТЛ) — **II**: 127, 128, 515, 647

Гарасёва Анна Михайловна (1902—1994) — медсестра, геолог, з/к и ссыльная (1925—30), автор мемуаров «Я жила в самой бесчеловечной стране...» — ***Свид.***: 13. **I**: 487

Гарасёва Татьяна Михайловна (1901—?) — медсестра, библиотекарь, з/к и ссыльная (1925—29, 1936—47, 1948—54) — ***Свид.***: 13. **II**: 337

Гарин Н. (Михайловский Николай Георгиевич, 1852—1906) — инженер, писатель — **I**: 64

Гарсиа Мануэль — з/к (Бутырки) — **III**: 151

Гартман Владимир Паулинович (1883—1937, расстрелян) — юрист, сотрудник Политического Красного Креста, ссыльный с 1926, консультант Литфонда, з/к — **I**: 59

Гау-Гау (Джойс Уильям, 1906—1946, казнён) — член Британского союза фашистов, в 1939 бежал в Германию, стал ведущим англоязычной передачи на радио «Говорит Германия»; в Британии получил прозвище *Лорд Гау-Гау (Lord Haw-haw)*. В 1945 схвачен британскими войсками, казнён за измену — **I**: 255

Гашидзе (Иозефер-Гашидзе) — вольнонаёмный нач. командировки 63-го км Парандовского тракта (2-е отделение УСЛОНа), в 1929 привлечён к ответственности за издевательство над з/к — **II**: 55

Гвоздев Кузьма Антонович (1882—?) — министр труда во Временном правительстве, работник ВСНХ, з/к (1931—56) — **I**: 428

Геббельс Йозеф (1897—1945, покончил с собой) — министр народного просвещения и пропаганды фашистской Германии — **I**: 426

Геворкьян Сократ Аванесович (1903—1938, расстрелян) — экономист, коммунист-ортодокс, ссыльный и з/к с 1928 неоднократно, один из организаторов голодовки в Ухт-Печлаге (Воркута) — **II**: 310

Гегель Георг Вильгельм Фридрих (1770—1831) — немецкий философ — **I**: 502

Гейнике Николай Александрович (1876—1955) — краевед — **I**: 224

Геккер Анатолий Ильич (1888—1937, расстрелян) — нач. штаба войск ВОХР (1920), нач. отдела внешних сношений Разведупра Красной армии, комкор — **II**: 322

Гельфанд Израиль Лазаревич *см.* Парвус А.

Гендельман Михаил Яковлевич (1881—1938, расстрелян) — член ЦК партии эсеров, з/к и ссыльный с 1920 неоднократно, подсудимый на процессе эсеров 1922 — **I**: 384, 393

Генералов Григорий Ефимович — з/к из Смоленской области — **II**: 286

Генералов Михаил Михайлович — з/к, бригадир авторемонтников (Экибастуз, 1952) — **III**: 277, 291

Генкин — з/к (Кенгир, 1954) — **III**: 334

Гер Р. М. — з/к — *Свид.*: 13. **II**: 318

Герасимов М. — директор обувной фабрики, лагерный работник (Усть-Вымь) — **II**: 531

Герасимова — следователь (Икша в Подмосковье, 1978) — **III**: 583

Гераська — крестьянский парень, з/к — **I**: 466, 479

Герман (ум. 1479) — один из основателей Соловецкого монастыря — **II**: 49, 50

Гернет Михаил Николаевич (1874—1953) — учёный-криминалист — **I**: 320, 492

Геродот (ок. 484—425 до н. э.) — древнегреческий историк — **II**: 466

Герцен Александр Иванович (1812—1870) — писатель, публицист — **II**: 150. **III**: 46, 359

Герценберг Перец Моисеевич (1919—1989) — з/к (1946—54; спецобъект Марфино, лагеря), с 1974 в эмиграции — *Свид.*: 13. **II**: 292, 345, 346

Герцензон Алексей Адольфович (1902—1970) — юрист — **II**: 21

Гершман Морис Давидович (р. 1926) — сын иммигранта из США, детдомовец, з/к (1941—55; соузник А. Солженицына по спецобъекту Марфино), с 1990 в эмиграции, автор кн. «Воспоминания» — **II**: 293

Гершуни Владимир Львович (1930—1994) — племянник Г. А. Гершуни, детдомовец, студент, з/к (1949—55, 1969—74, 1982—87), правозащитник — *Свид.*: 13. **II**: 306. **III**: 44, 45, 77—80, 289

Гершуни Григорий Андреевич (1870—1908) — один из организаторов партии эсеров и её боевой группы, эмигрант — **III**: 92

Гёте Иоганн Вольфганг (1749—1832) — **III**: 95, 131

Гикало Николай Фёдорович (1897—1938, расстрелян) — 1-й секретарь ЦК КП(б) БССР с 1932 — **II**: 323

Гиммер Николай Николаевич *см.* Суханов Н.

Гиммлер Генрих (1900—1945, покончил с собой) — руководитель Тайной государственной полиции фашистской Германии (Гестапо) — **I**: 274

Гинзбург Абрам Моисеевич (1878—1937, расстрелян) — профессор Института народного хозяйства им. Плеханова, консультант ВСНХ, подсудимый на процессе «Союзного бюро меньшевиков», з/к (Верхнеуральский изолятор, Челябинская тюрьма) — **I**: 429

Гинзбург Вениамин Лазаревич — з/к — *Свид.*: 13. **III**: 490

Гинзбург Евгения Семёновна (Евгения Соломоновна; 1904—1977) — преподаватель истории ВКП(б), зав. отделом культуры газеты «Красная Татария», з/к и ссыльная (1937—56), автор мемуаров «Крутой маршрут» — **I**: 11, 117, 504—506, 582. **II**: 129, 324, 325, 332, 597

Гиппиус Зинаида Николаевна (1869—1945) — поэт, с 1920 в эмиграции — **I**: 284

Гиричевский — з/к, время войны — **II**: 289

Гитлер Адольф (1889—1945) — **I**: 54, 73, 77, 104, 254, 259, 265, 268—270, 274, 277, 284, 382, 426, 630. **II**: 364—366, 411, 518, 624. **III**: 16, 18, 25, 26, 28, 35, 36, 48, 157, 266, 382, 409, 413, 462, 508

Гиттис Владимир Михайлович (1881—1938, расстрелян) — полковник царской армии, комкор Красной армии — **II**: 322

Глазнек Изольда Викентьевна *см.* Девольская И. В.

Глазунов (Глазнек) Освальд Фёдорович (1891—1947, погиб в заключении) — актёр, директор и режиссёр театра им. Вахтангова, с 1941 в оккупации, з/к с 1944 — **II**: 481

Глебов Алексей Глебович — *Свид.*: 13

Глезос Манолис (р. 1922) — участник Движения Сопротивления, писатель, эколог — **II**: 632

Глик — инженер-радист, з/к — **II**: 490

Гликин Исидор Моисеевич (1907—1942) — инженер, друг Л. Чуковской, сохранивший в блокадном Ленинграде её повесть «Софья Петровна» — **II**: 618

Глинка Михаил Иванович (1804—1857) — **II**: 477

Глубоковский Борис Александрович (1895—1935, покончил с собой) — артист Камерного театра, з/к и ссыльный с 1924, руководитель Соловецкого театра — **II**: 39, 43

Говорко Николай Каллистратович (1907—?) — геолог, з/к (Вятлаг, Воркулаг; 1941—49) — *Свид.*: 13. **II**: 206, 207, 314

Гоголь Мария Ивановна (р. 1930) — студентка Черновицкого пединститута, з/к с 1949 (Унжлаг, Сухобезводное) — **I**: 131

Гоголь Николай Васильевич (1809—1852) — **I**: 228, 615. **II**: 264. **III**: 130

Годелюк Георгий Г. (расстрелян в 1919) — чекист, одноделец Ф. М. Косырева (*см.*) — **I**: 340—342

Голиков Филипп Иванович (1900—1980) — уполномоченный Совнаркома (Совмина) СССР по делам репатриации (1944—50) — **I**: 253

Голицын Всеволод Петрович — инженер-дорожник, з/к и ссыльный — *Свид.*: 13. **I**: 472. **II**: 327. **III**: 490

Голль Шарль де (1890—1970) — президент Франции (1958—69) — **I**: 540

Головин Сергей Иванович — лагерный работник, автор отклика на «Один день Ивана Денисовича» — **III**: 501

Голодед Николай Матвеевич (1894—1937, погиб в тюрьме) — председатель Совнаркома БССР с 1927 — **II**: 323

Голоулин Сергей Павлович — нач. политотдела (Усть-Нера, Якутия; 1943) — **II**: 524

Гольдман — следователь (1944—46) — **I**: 125, 126, 186, 187

Гольдовская Виктория Юльевна (1912—1974) — инженер, редактор Колымского радиокомитета, з/к (1949—54), поэт — *Свид.*: 13. **III**: 522

Гольцман Евгения Тевьевна (1897—1964) — работник Госкино, з/к с 1936 — **II**: 323

Голядкин Андрей Дмитриевич — художник, з/к с 1941 — *Свид.*: 13. **II**: 473, 474

Голядкина Елена Михайловна — *Свид.*: 13

Голяков Иван Терентьевич (1888—1961) — член Военной Коллегии (1933—38) и председатель Верховного Суда СССР (1938—48) — **I**: 188

Гомер — легендарный поэт — **II**: 7

Гомулка Владислав (1905—1982) — руководитель польских коммунистов (1943—48, 1956—70), з/к (1951—54) — **II**: 341

Гонсалес Валентин (Эль Кампесино, Комиссаров Пётр Антонович; 1904—1983) — генерал республиканской Испании, слушатель Академии им. Фрунзе, з/к и ссыльный (1944—47), бежал из СССР, автор мемуаров «La vie et la mort en URSS (1939—1949)» — **II**: 182

Гонтуар Камилл Леопольдович (1892—1946) — з/к после войны — **II**: 467

Горбатов Александр Васильевич (1891—1973) — военачальник, з/к (1938—41), автор мемуаров «Годы и войны» — **II**: 326, 333, 533, 584. **II**: 514, 521

Гордон Гавриил Осипович (1885—1942, умер в заключении) — историк, профессор МГУ, з/к и ссыльный (Соловки, Углич; 1929—33, 1936—42) — **II**: 43

Горник И. Х. — кишинёвский адвокат, ссыльный (Красноярский край) — **III**: 393

Горшков Василий — десятник на стройках до революции — **II**: 552

Горшков Фёдор Васильевич — сын В. Горшкова, вольнонаёмный десятник (Калужская застава в Москве, 1945) — **II**: 551, 552

Горшунов Владимир Сергеевич — з/к, бесконвойный (лагерный автор, 1940-е) — *Свид.*: 13. **II**: 134, 469

Горький Максим (Пешков Алексей Максимович; 1868—1936) — **I**: 11, 49, 51, 52, 54, 189, 209, 236, 254, 351, 352, 577. **II**: 59—62, 78, 79, 81, 85, 93, 196, 368, 408, 427, 475, 505. **III**: 94, 106, 202, 373

Горяченко П. Г. — метеоролог-полярник (Северная Земля) — **II**: 621, 622

Готье Юрий Владимирович (1873—1943) — историк, з/к и ссыльный (1930—34), академик АН СССР — **I**: 69

Гоц Абрам Рафаилович (1882—1940, умер в Краслаге) — эсер, экономист, з/к и ссыльный неоднократно, в 1922 приговорён к расстрелу с заменой на 5 лет, в 1939 осуждён на 25 лет — **I**: 385, 392. **III**: 97

Гошерон-де-Лафосс Александр Габриэлевич (1888—после 1953) — инженер-экономист, организатор мистического кружка, з/к и ссыльный (Соловки в 1927—31; Карелия, Луга) — **II**: 43

Грабищенко Николай — следователь, Волгоканал — **I**: 163, 171

Грабовский Сергей Александрович (1896—1929, расстрелян) — поручик царской армии, лётчик, ротмистр Белой армии, преподаватель физкультуры в Москве, з/к с 1927 (Соловки) — **II**: 43, 63

Гранкина Надежда Васильевна (1904—1983) — жена репрессированного, з/к (Колыма, 1937—47), автор мемуаров в сб. «Доднесь тяготеет» — **II**: 129

Грановский Антонин *см.* Антонин

Грачёв Михаил — з/к (этап Владивосток—Сахалин, 1950) — **I**: 595

Грекова Надежда Николаевна — казачка из Новочеркасска, машинистка, з/к и ссыльная (Кок-Терек, 1953) — **III**: 443, 464

Грибоедов Александр Сергеевич (1795—1829) — **I**: 148. **III**: 130

Григорович Андрей Юрьевич — зам. начальника Отдела охраны ГУЛАГа, капитан ГБ (Воркута, 1937) — **II**: 373

Григорьев — нач. лагпункта Экспедиционный, лейтенант (Колыма) — **II**: 127

Григорьев — генерал — **III**: 72

Григорьев А. И. — лагерный работник, автор отклика на «Один день Ивана Денисовича» — **III**: 502

Григорьев (Грузд) Г. — автор статьи о суде, опубликованной *до* суда — **III**: 584

Григорьев Григорий Иванович (1906—?) — почвовед, з/к и ссыльный неоднократно (1937—39, 1942, в 1945 осуждён на 10 лет), в войну дважды в немецком плену — *Свид.*: 13. **II**: 602, 603

Григорьев Иосиф Фёдорович (1890—1949, погиб в тюрьме) — геолог, академик АН СССР, арестован в 1949 — **I**: 32

Григорьева Анна Григорьевна — ***Свид.***: 13
Грин — адвокат (Москва, 1918) — **I**: 335, 337
Грин Александр Степанович (Гриневский; 1880—1932) — писатель — **I**: 551. **II**: 466
Гринберг — нач. Буреполомского лагпункта — **II**: 526
Гринвальд Михаил — музыкант, з/к (Ховрино под Москвой) — **II**: 478
Гриневицкий Игнат Иоахимович (1856—1881) — народоволец, убивший Александра II — **I**: 149. **III**: 86
Гродзенский Яков Давыдович (1906—1971) — товарищ В. Т. Шаламова (*см.*), з/к (Воркута, 1935—50), житель Рязани — ***Свид.***: 13. **II**: 605
Громан Владимир Густавович (1874—1940, умер в заключении) — член Президиума Госплана СССР, подсудимый на процессе «Союзного бюро меньшевиков», з/к (Верхнеуральский изолятор, Суздальская тюрьма) — **I**: 67, 428, 434
Громов — лагерный начальник, майор — **II**: 526
Громыко Андрей Андреевич (1909—1989) — 1-й зам. министра (1949—57) и министр иностранных дел СССР (1957—85) — **I**: 569, 570. **III**: 436
Груздев Илья Александрович (1892—1960) — литературовед, критик, корреспондент М. Горького — **II**: 196
Груша — з/к (военные годы) — **II**: 290
Губайдулин — з/к — **I**: 452
Губонин Михаил Ефимович (1907—1971) — архивист, художник — **I**: 371
Гуганава Борис — сотрудник МВД, з/к (Решёты) — **II**: 253
Гугель Михаил Сергеевич (1880—?) — издатель, после 1917 следователь Московского ревтрибунала, осуждён за взятки — **I**: 336
Гудович Дмитрий Александрович (1903—1937, расстрелян) — художник, з/к с 1929 (Соловки, БелБалтлаг, Дмитлаг) — **II**: 43
Гуль Роман Борисович (1896—1986) — писатель, эмигрант, редактор «Нового журнала» (США) — **I**: 173
Гультяев — инженер-технолог, з/к (Экибастуз, 1952) — **III**: 291
Гумилёв Лев Николаевич (1912—1992) — сын Н. Гумилёва и А. Ахматовой, историк, этнолог, з/к (1935, 1938—43, 1949—56) — **II**: 476
Гумилёв Николай Степанович (1886—1921, расстрелян) — **I**: 536. **III**: 85
Гуркина Настя — з/к — **II**: 220

Гурович Яков Самуилович (Гуревич, Гурвич Яков Самойлович; 1870—1936) — защитник митрополита Вениамина на Петроградском церковном процессе, эмигрант, участвовал в защите убийц В. В. Воровского (*см.*) — **I**: 375, 376

Гусак — нач. лаготделения, капитан — **III**: 493

Гусак Густав (1913—1991) — словацкий коммунист, з/к (1951—60), руководитель компартии (1969—87) и президент Чехословакии (1975—89) — **II**: 341

Гучков Александр Иванович (1862—1936) — председатель Государственной думы 3-го созыва, военный и морской министр во Временном правительстве, с 1918 в эмиграции — **III**: 358

Гюго Виктор Мари (1802—1885) — **II**: 408

Д-в В. И. — з/к (Норильск, 1960-е) — **III**: 550

Давиденков Николай Сергеевич (1915—1951, расстрелян) — биолог, после немецкого плена в казачьих частях Вермахта, литератор, выдан в СССР после войны, з/к (1938—39, 1945—51) — **II**: 475, 476

Даль Владимир Иванович (1801—1872) — автор «Толкового словаря живого великорусского языка» — **I**: 115, 307. **II**: 347, 493, 513. **III**: 102, 128

Дан (Гурвич) Фёдор Ильич (1871—1947) — социал-демократ, меньшевик, в 1922 выслан из Советской России — **I**: 429

Данзас Юлия Николаевна (1879—1942) — теолог, фрейлина императрицы, доброволец на 1-й мировой войне, з/к (Иркутская тюрьма, Соловки, БелБалтлаг; 1924—33), в эмиграции с 1934 — **II**: 43

Даниелян Мария Аркадьевна (1901—?) — сотрудник Госплана, историк, з/к и ссыльная с 1937 — **II**: 317

Данилов — следователь, Кишинёв — **I**: 144

Данишевский Карл Христианович (1884—1938, расстрелян) — председатель Реввоентрибунала Республики (1918—19), зам. наркома лесной промышленности СССР (1932—36) — **I**: 323. **II**: 15, 18

Дарвин Чарльз Роберт (1809—1882) — **I**: 89

Дворжак Антонин (1841—1904) — чешский композитор — **II**: 351

Дебюсси Клод (1862—1918) — французский композитор — **I**: 623

Девис (Дэвис) — английский майор, участник выдачи казаков в СССР (Лиенц, 1945) — **I**: 280

Девольская Изольда Викентьевна (1905—1991) — балерина, жена О. Ф. Глазунова (*см.*), з/к в 1944—52 — **II**: 481

Дегтярёв — нач. охраны и участник расстрелов в Соловках — **II**: 63

Дегтярёв Владимир Николаевич (1886—?) — агроном, з/к с 1925 (зав. дендрологическим питомником в Соловках, в 1929 осуждён на 10 лет дополнительно) — **II**: 37

Дедков — з/к (Краслаг) — **II**: 335

Деева А. — учительница — ***Свид.***: 13. **III**: 480

Дейч Лев Григорьевич (1855—1941) — народник, меньшевик, историк — **III**: 108

Декарт Рене (1596—1650) — французский учёный и философ — **I**: 208. **III**: 453

Делианич Ариадна Ивановна (урожд. Степанова; 1909—1981) — дочь контр-адмирала Балтийского флота, с 1920 в эмиграции, з/к в английской зоне оккупации Германии, автор мемуаров «Вольфсберг — 373» — **I**: 281

Дельвиг Игорь Святославович — з/к (Соловки, БелБалтлаг, Дмитлаг) — **II**: 43

Делянов Иван Давидович (1818—1897) — министр народного просвещения с 1882 — **I**: 334

Демидовы — семья уральских промышленников — **II**: 588

Деникин Антон Иванович (1872—1947) — генерал-лейтенант, один из руководителей Белого движения, с 1920 в эмиграции, автор мемуаров «Очерки русской смуты» — **I**: 284, 350, 353, 429, 461. **II**: 105. **III**: 16, 226

Деревянко Андрей Афанасьевич (1903—1976) — нач. СевВостлага (1948—51) и Речлага (1953—54), генерал-майор — **I**: 554. **III**: 300, 301

Державин Гаврила Романович (1743—1816) — поэт — **I**: 315

Детердинг Генри (1866—1939) — генеральный директор нефтяной компании Ройял Датч Шелл — **I**: 65

Деуль Виталий Фёдорович (1927—2003) — художник, з/к — **I**: 616. **II**: 467

Джапаридзе Люция Алексеевна (1906—1988) — дочь бакинского комиссара, зав. отделом райкома партии в Москве, з/к (Колыма, 1936—43) — **II**: 336

Джигурда Анна Яковлевна — ***Свид.***: 13

Джонсон Хьюлетт (1874—1966) — настоятель Кентерберийского собора (1931—63), общественный деятель — **II**: 56

Дзержинский Феликс Эдмундович (1877—1926) — председатель ВЧК—ГПУ—ОГПУ, нарком внутренних дел (1919—23) — **I**: 114, 147, 173, 225, 338, 340, 342, 343, 347, 361,

398, 399, 436, 492, 496. **II**: 19, 22, 23, 518, 519. **III**: 104, 365, 506

Дивнич Евгений Иванович (1907—1966) — эмигрант, член НТС, жил в Германии, вывезен из Югославии в СССР, з/к неоднократно (1946—63) — **I**: 162, 614

Дидоренко Сергей Акимович (1902—?) — нач. Каргопольлага (1941—47) и Вятлага (1947—52), полковник — **II**: 529

Диккенс Чарльз (1812—1870) — **I**: 189

Диклер Франк — иммигрант из Бразилии, з/к — *Свид.*: 13. **II**: 376—378. **III**: 488

Димитрий (Дмитрий Иванович; 1582—1591) — царевич — **III**: 355

Димитров Георгий (1882—1949) — руководитель Коминтерна (1935—43) и компартии Болгарии (с 1948) — **I**: 260, 435. **II**: 334, 615

Диоген Синопский (ок. 400—325 до н. э.) — древнегреческий философ — **II**: 401

Дмитриев — инженер-электрик, з/к (Котласская пересылка, конец 1930-х) — **I**: 574

Дмитриев Александр Фёдорович, Шурка (р. 1912) — из раскулаченных в 1929 (дер. Маслено на Волхове) — **III**: 376

Дмитриев (Плоткин) Дмитрий Матвеевич (1901—1939, расстрелян) — следователь в деле «Союзного бюро меньшевиков», комиссар ГБ 3-го ранга — **I**: 431

Дмитриев Фёдор (ум. 1925) — крестьянин, отец А. Ф. Дмитриева (*см.*) — **III**: 376

Дмитриевский Владимир Иванович (1908—1978) — писатель, з/к (Озёрлаг) — **III**: 111

Добровольский Адольф Юлианович (1886—?) — эсер, член Общества политкаторжан и ссыльнопоселенцев, з/к — **II**: 616, 617

Добровольский Вячеслав — студент, однодельц Б. Гаммерова и Г. Ингала (Бутырки, 1945) — **I**: 623

Добролюбов Николай Александрович (1836—1861) — литературный критик — **II**: 633, 637

Добряк Иван Дмитриевич — з/к (Сталинская область, 1938) — *Свид.*: 13. **I**: 306. **II**: 197. **III**: 487

Доватур Аристид Иванович (1897—1982) — филолог-классик, ссыльный и з/к (1935—47) — **II**: 466, 467

Долган Александр Майкл (1926—1986) — сын американского инженера, с 1940 в правовой школе при посольстве США в Москве, з/к (1943—56), в 1971 вернулся в США — *Свид.*: 13. **I**: 27, 28, 144, 197, 608

Долгих Иван Ильич (1904—1961) — нач. ГУЛАГа (1951—54), генерал-лейтенант (лишён звания в 1956) — **III**: 328

Долгоруков Павел Дмитриевич (1866—1927, расстрелян) — кадет, с 1920 в эмиграции, з/к после перехода границы в СССР — **I**: 303

Домбровский Юрий Осипович (1909—1978) — писатель, ссыльный и з/к (Казахстан, Колыма, Озёрлаг; 1932—55 с небольшими перерывами) — **II**: 203

Донской Дмитрий Дмитриевич (1881—1936, покончил с собой) — врач, член ЦК партии эсеров, в 1922 приговорён к расстрелу с заменой на тюремное заключение, в 1924 сослан в Нарымский край — **I**: 386

Дорошевич Влас Михайлович (1864—1922) — журналист — **III**: 63

Доскаль Николай Семёнович (1898—1938, погиб в тюрьме) — муж Т. М. Гарасёвой (*см.*), инженер-экономист — **I**: 314

Достоевский Фёдор Михайлович (1821—1881) — **I**: 228, 257, 284, 308, 471. **II**: 195, 196, 199, 201, 202, 212, 218, 297, 472, 508, 578, 584, 585, 606, 608, 628. **III**: 53, 54

Дояренко Алексей Григорьевич (1874—1958) — агрофизик, профессор, з/к и ссыльный с 1930 (Суздаль, Киров, Саратов) — **I**: 68

Дояренко Евгения Алексеевна (1902—1966) — дочь А. Г. Дояренко, геоботаник, з/к (Лубянка, 1921) — *Свид.*: 13. **I**: 31, 52, 114. **III**: 485

Дракон (Драконт) — афинский законодатель — **III**: 465

Дроздов — ктитор Одесского кафедрального собора, з/к после войны — **III**: 53, 132

Дубинская — нач. санчасти, ст. лейтенант (Экибастуз, 1950—52) — **III**: 77, 288

Дукельский — лагерный начальник (Бамлаг) — **II**: 520

Дукис Карл Янович (1890—1966) — нач. Лубянской тюрьмы и тюремного отдела ОГПУ — **I**: 487

Дуппор Жан (Иван) Георгиевич (1895—?) — нач. Верхнеуральского изолятора с 1925, з/к с 1938 — **I**: 491

Дурново Пётр Николаевич (1845—1915) — министр внутренних дел (1905—06), член Государственного совета — **I**: 392

«Дуровой» Василий — лагерный работник (Колыма) — **II**: 529

Дуся — з/к, медсестра в больнице Сымского лагпункта под Соликамском — **III**: 129, 130

Дутов Александр Ильич (1879—1921, убит при покушении) — генерал-лейтенант, войсковой атаман Оренбургского казачьего войска и командир Оренбургской армии — **III**: 296

Душечкин Иван — з/к-беглец (Степлаг, Рудник) — **III**: 208, 209

Дыбенко Павел Ефимович (1889—1938, расстрелян) — советский военачальник, командарм 2-го ранга — **II**: 322

Дьяков Борис Александрович (1902—1992) — писатель, з/к (1949—54), автор мемуаров «Повесть о пережитом», «Пережитое» — **II**: 248, 315, 327, 334, 335, 337, 338, 340, 341, 533. **III**: 111, 130, 424, 509—513, 521

Дьячков-Тарасов — участник революции 1905—07 — **III**: 94

Дягилев Сергей Павлович (1872—1929) — театральный и художественный деятель, эмигрант — **I**: 284

Е. Лев Николаевич — инженер-химик, з/к — **II**: 207, 208

Е. Т. — з/к — **II**: 317

Е-в Иван Кузьмич — толстовец, з/к (Рязань, 1919) — **I**: 328, 329. **II**: 16

Евстигнеев Сергей Кузьмич (р. 1911) — нач. Озёрлага (1949—57), полковник, зам. начальника Братскгэсстроя по быту и кадрам (1964—83) — **III**: 306

Евтухович Николай Васильевич — офицер царской армии, военспец Красной армии, полковник — **I**: 230

Евтухович Юрий Николаевич (1917—?) — командир Красной армии, военнопленный, лейтенант немецкой армии, з/к (Лубянка, 1945) — **I**: 229, 230, 233, 235, 236, 239, 242, 250, 251

Евтушенко Евгений Александрович (р. 1933) — поэт — **III**: 306

Егоров — комиссар полка в войну, нач. лагпункта Ревучий (Краслаг, 1947) — **II**: 299, 532

Егоров Николай Михайлович (1884—?) — профессор-путеец, член правления Общества православных приходов, под арестом в 1922 (Петроградский церковный процесс) — **I**: 375

Егоров П. К. — бывший з/к (Новороссийск, 1965) — **III**: 478

Егоров Пётр Валентинович (1871—1933) — журналист, редактор газеты «Русские ведомости», з/к в 1918 — **I**: 334, 335

Егоров Сергей Егорович (1905—1959) — зам. министра внутренних дел и нач. ГУЛАГа (1954—56), генерал-майор — **II**: 322. **III**: 328

Егоршин Василий Кириллович (1891—?) — рабочий из Ленинграда, ссыльный — **III**: 365

Ежов Николай Иванович (1895—1940, расстрелян) — нарком внутренних дел СССР (1936—38), генеральный комиссар ГБ — **I**: 95, 173, 184, 303, 503, 559. **II**: 119, 308, 518, 623. **III**: 328

Езепов Иван Иванович (р. 1912) — следователь, вёл дело А. Солженицына — **I**: 151, 152, 159, 161. **III**: 470

Екатерина II Алексеевна (1729—1796) — **I**: 260, 301, 458. **III**: 85

Елизавета Петровна (1709—1761) — **I**: 457, 458, 465. **III**: 355

Елистратова Любовь Семёновна — *Свид.*: 13

Енукидзе Авель Сафронович (1877—1937, расстрелян) — секретарь ЦИК СССР (1922—35) — **I**: 438. **II**: 323

Ерёмин Н. В. — полярник (Северная Земля) — **II**: 621, 622

Ермилов Владимир Владимирович (1904—1965) — литературный критик — **III**: 340

Ермолов Юрий Константинович (р. 1929) — школьник, з/к с 1943 — *Свид.*: 13. **II**: 434, 436, 444

Ермолович Николай Николаевич (р. 1922) — журналист, сотрудник «Известий» — **III**: 508

Ершихин — бывший лагерный охранник (Соловки) — **II**: 69

Есенин Сергей Александрович (1895—1925) — **I**: 616. **II**: 291, 423

Есенин-Вольпин Александр Сергеевич (р. 1924) — сын С. А. Есенина, математик, з/к и ссыльный (1949—53), правозащитник, с 1972 в эмиграции — *Свид.*: 13

Есенина Татьяна Сергеевна (1918—1992) — дочь С. А. Есенина, журналист, писатель — **II**: 409

Ефимова-Овсиенко — *Свид.*: 13

Ефремов Сергей Александрович (1876—1939, умер в заключении) — украинский деятель, литературовед, з/к по делу «Союза освобождения Украины» (приговорён к расстрелу с заменой на 10 лет) — **I**: 70

Жаров Сергей Алексеевич (1896—1985) — участник Белого движения, с 1920 в эмиграции, руководитель казачьего хора — **I**: 284

Жданов Андрей Александрович (1896—1948) — 1-й секретарь Ленинградского обкома и горкома (1934—44), секретарь ЦК ВКП(б) с 1934 — **I**: 174, 466, 474. **II**: 73

Жданок Николай — з/к-беглец (Экибастуз, 1950) — **III**: 83, 161, 163—167, 170, 175—178, 181—183, 185—188, 191, 195, 204, 225, 230, 231

Жебеленко Николай Петрович — ***Свид.***: 13
Жебрак Антон Романович (1901—1965) — генетик, президент АН БССР (1945—48) — **I**: 612
Железняк Григорий Трофимович — охранник (Экибастуз, 1950-е) — **III**: 502
Железов Фома Фомич — нач. Отдела оперативной техники МГБ СССР, полковник — **I**: 155
Желтов М. — нач. ремстройконторы (Сурск, 1942) — **II**: 643, 644
Желябов Андрей Иванович (1851—1881, повешен) — народоволец-террорист — **I**: 307
Жигур Зельма — жена з/к — **II**: 631
Жлоба Дмитрий Петрович (1887—1938, расстрелян) — начдив и командир конного корпуса в Гражданскую войну, нач. Союзводтреста — **II**: 322
Жогин Николай Венедиктович (1914—2002) — следователь прокуратуры с 1937, прокурор, зам. генерального прокурора СССР (1961—72), директор ВНИИ укрепления законности и правопорядка (1972—79) — **III**: 578
Жук Иустин Петрович (1887—1919, погиб в бою) — анархист-коммунист, приговорён к смертной казни с заменой на бессрочную каторгу, после 1917 красногвардеец — **III**: 89
Жуков — лагерный работник (Колыма) — **II**: 529
Жуков Виктор Иванович — бывший з/к, житель Коврова — ***Свид.***: 13. **II**: 628. **III**: 478
Жуков Георгий Константинович (1896—1974) — маршал Советского Союза — **I**: 265
Жуков Юрий (Георгий) Александрович (1908—1991) — журналист — **II**: 558
Жукова — заседатель на выездной сессии Горьковского облсуда (Буреполом) — **II**: 372
Жуковский Василий Андреевич (1783—1852) — **III**: 360
Журавский Андрей Митрофанович (1892—1969) — математик, профессор Горного института, з/к (1942—52) — **II**: 289
Журин Владимир Дмитриевич (1891—1962) — гидротехник, з/к, нач. проектного отдела Беломорстроя, освобождён досрочно в 1932 — **II**: 88

З. — з/к — **II**: 234
Заболовский Ефим Яковлевич (1898—?) — зам. начальника Управления милиции Северо-Осетинской АССР, в 1939 осуждён на 5 лет — ***Свид.***: 13. **I**: 90

Заборский Алексей Петрович (1898—1966) — полковой комиссар, з/к с 1938 — **II**: 335

Завалишин Дмитрий Иринархович (1804—1892) — декабрист — **I**: 148

Завенягин Авраамий Павлович (1901—1956) — нач. строительства Норильского комбината (1938—41), зам. наркома (министра) внутренних дел СССР (1941—50) — **II**: 267, 515, 647

Загоруйко А. Г. — шофёр, корреспондент А. Солженицына — **III**: 507

Задорный Владилен (1933—1968) — сын репрессированного, солдат внутренних войск (охранник в Ныроблаге, 1951—53), поэт — *Свид.*: 13. **II**: 541, 542. **III**: 237

Залесская Софья Александровна (Фельдт Зося; 1903—1937, расстреляна) — сотрудница Разведупра РККА, политрук — **II**: 580

Залыгин Сергей Павлович (1913—2000) — писатель — **I**: 74

Замятин Евгений Иванович (1884—1937) — писатель, с 1932 в эмиграции — **I**: 64, 229

Заозёров В. И. — член спецколлегии Ивановского облсуда (Кадый, 1937) — **I**: 451

Заозерский Александр Иванович (1874—1941) — историк, з/к с 1929 по «Академическому делу» (приговорён к расстрелу с заменой на 10 лет) — **II**: 43

Заозерский Александр Николаевич (1880—1922, расстрелян) — настоятель храма Параскевы Пятницы в Охотном ряду, один из обвиняемых на Московском церковном процессе — **I**: 371

Зарин В. М. — з/к *Свид.*: 14. **II**: 326

Зарин Владимир Георгиевич (1887—1938, расстрелян) — нач. 4-го отделения УСЛОНа, з/к с 1930, прораб-строитель по гражданским сооружениям (Биробиджан) — **II**: 64, 65

Зарин Вольдемар — бывший з/к (Ростов-на-Дону, 1960) — **III**: 479

Засулич Вера Ивановна (1849—1919) — революционерка — **I**: 307. **III**: 86

Захаров — преподаватель, учитель Г. М. Маленкова (*см.*), з/к — **II**: 327, 337

Захаров Александр — красноармеец, з/к — **II**: 414

Захарова Анна Филипповна — сотрудник МВД—МООП с 1950 — **III**: 503, 506, 514, 521

Заяицкий Сергей Сергеевич (1893—1930) — поэт, переводчик — **I**: 617

Зведре Ольга Юрьевна (1898—1975) — сотрудник латышской секции Коминтерна, з/к и ссыльная (Колыма, 1937—53) — *Свид.*: 14

Зверев Григорий Александрович (1900—1946, повешен) — полковник Красной армии, после немецкого плена во власовской армии, генерал-майор — II: 278

Зданюкевич Александр Климентьевич (1884—?) — инженер, преподаватель МВТУ, ссыльный (Кок-Терек, 1953) — *Свид.*: 14. III: 446

Здоровец Борис М. (р. 1929) — баптист из Ольшан Харьковской области, з/к (1961—71) — III: 574

Зегер Герман (1839—1893) — немецкий химик — II: 498

Зеленков — оперуполномоченный (Колыма, 1937—38) — II: 128

Зеленский Исаак Абрамович (1890—1938, расстрелян) — партийный деятель, подсудимый на процессе «Антисоветского правотроцкистского блока» — I: 149

Зелинский Корнелий Люцианович (1896—1970) — литературовед, один из авторов кн. «Беломорско-Балтийский канал имени Сталина. История строительства» — II: 81

Зельдин — нач. лагпункта, Колыма — II: 126

Зельдович Владимир Борисович — з/к (Владимирская тюрьма, 1950-е) — I: 506

Зенюк — нач. Московского водопровода (1922) — I: 363

Зина — учительница, з/к — II: 475

Зиновьев Григорий Евсеевич (Радомысльский Евсей Аронович; 1883—1936, расстрелян) — председатель Петросовета (1917—26), председатель Исполкома Коминтерна (1919—26), подсудимый на процессе «Антисоветского объединённого троцкистско-зиновьевского центра» — I: 320, 424, 437—440. II: 8, 260, 264, 273, 275, 292, 323, 349, 516, 588

Зиновьев Павел Николаевич — офицер МВД, з/к (Калужская застава в Москве, 1946) — II: 265, 266

Злотник Григорий Ильич (1906—1938, расстрелян) — экономист, ссыльный и з/к (участник голодовки в УхтПечлаге, Воркута) — II: 310

Знаменские, братья: Георгий Иванович (1903—1946) и Серафим Иванович (1906—1942, покончил с собой) — заслуженные мастера спорта — II: 284, 292

Зобунков — *Свид.*: 14

Зозуля — з/к, бригадир (Калужская застава в Москве, 1945) — II: 550

Зосима (ум. 1478) — игумен, один из основателей Соловецкого монастыря — II: 25, 49

Зощенко Михаил Михайлович (1894—1958) — писатель, один из авторов кн. «Беломорско-Балтийский канал имени Сталина. История строительства» — **II**: 81, 85

Зубов Николай Иванович (1895—1980) — врач, з/к и ссыльный (1942—56) — *Свид.*: 14. **II**: 185, 221, 233

Зубова Елена Александровна (1903—1976) — библиограф, жена Н. И. Зубова, з/к и ссыльная (1942—56) — *Свид.*: 14. **II**: 185

Зуев Нил Петрович (1857—1918) — директор Департамента полиции (1909—12) — **III**: 106

Зурабов — сын А. Г. Зурабова, з/к — **III**: 97

Зурабов Аршак Герасимович (1873—1920) — член РСДРП, депутат 2-й Государственной думы — **III**: 97

Зыков Леонид Вонифатьевич, Лёня — инженер, з/к (Лубянка, 1945) — **I**: 211—213, 224, 241, 248. **II**: 280, 281

И. Н. — з/к — **II**: 224

Ибсен Генрик (1828—1906) — **II**: 584

Ивакин Василий Алексеевич — з/к (Краслаг, Решёты; 1960-е) — *Свид.*: 14. **III**: 543, 549

Иван I Калита (ум. 1340) — **I**: 365

Иван IV Грозный (1530—1584) — **I**: 253. **II**: 25. **III**: 85

Иванов — ленинградец, комвзвода, после финского плена з/к — **I**: 255

Иванов — з/к (Воркута, 1930-е) — **II**: 310

Иванов — подполковник МВД — **III**: 394

Иванов Александр Павлович, «антирелигиозная бацилла» (1886—?) — послушник Почаевской лавры, зав. архивным бюро и музеем революции в Новгороде, з/к (Соловки, 1924—28), пропагандист атеизма — **II**: 27, 28

Иванов В. И. — з/к (Ухта) — **I**: 526

Иванов Всеволод Вячеславович (1895—1963) — писатель, один из авторов кн. «Беломорско-Балтийский канал имени Сталина. История строительства» — **II**: 81

Иванов Вячеслав Всеволодович (р. 1929) — филолог, сын Вс. Вяч. Иванова — *Свид.*: 14

Иванов Михаил Дмитриевич — работал на заводе, служил в НКВД (Тамбов, 1941) — **II**: 620

Иванов Олег — подполковник, з/к (Бутырки, Экибастуз; 1950-е) — **I**: 550, 551. **III**: 57, 109

Иванов Сергей Никитич — инженер, эмигрант, участник войны в Испании, один из инициаторов создания русских частей в составе Вермахта — **I**: 267

Иванов-Разумник Разумник Васильевич (1878—1946) — литературовед, з/к и ссыльный с 1919 неоднократно, с 1941 в оккупации, в немецком лагере до 1943, эмигрант, автор мемуаров «Тюрьмы и ссылки» — **I**: 117, 129, 142, 167, 421. **II**: 341. **III**: 93

Иванова Антонина — жена О. Иванова (*см.*), з/к — **I**: 550

Иванова-Иранова Елена Александровна (1883—1937, расстреляна) — эсерка, з/к и ссыльная с 1921, подсудимая на процессе эсеров 1922 — **I**: 386

Ивановский — танцор Большого театра, з/к (Химкинский лагерь) — **II**: 522

Иванченко Андрей Андреевич (1895—1938, расстрелян) — председатель ГПУ Карелии (1929—32), зав. Леноблвнуторгом — **II**: 88

Иванчик — з/к (Краслаг) — **II**: 335

Ивашёв-Мусатов Сергей Михайлович (1900—1992) — художник, з/к (спецобъект Марфино, Степлаг; 1947—56) — *Свид.*: 14. **II**: 604

Ивков — следователь (Архангельск, 1940) — **I**: 134

Игнатович Е. А. — «практический работник» лагеря, корреспондент А. Солженицына — **III**: 501

Игнатовский Владимир Сергеевич (1875—1942, расстрелян) — физик-оптик, член-корреспондент АН СССР, з/к с 1941 — **I**: 309, 367. **II**: 286

Игнатченко — вольнонаемный начальник (СевДвинлаг) — **II**: 254, 524

Игорёк — сын з/к — **II**: 631

Иеракс (Бочаров Иван Матвеевич; 1880—1959) — иеромонах, выслан в 1932, з/к с 1943 — **I**: 32

Изгоев Александр Соломонович (Ланде Арон Соломонович; 1872—1935) — историк, публицист, в 1922 выслан из Советской России — **I**: 400

Измайлов Николай Васильевич (1893—1981) — литературовед, зав. Рукописным отделом Пушкинского Дома, з/к по «Академическому делу» в 1929—1934 — **I**: 70

Измайлович Александра Адольфовна (1879—1941, расстреляна в Орле перед сдачей города немцам) — член боевой организации эсеров, з/к и ссыльная с 1919 неоднократно — **III**: 408

Иисус Христос — **I**: 187, 520, 536, 615. **II**: 362, 442. **III**: 118, 119, 121, 175, 242

Иков Владимир Константинович (1882—1956) — меньшевик, з/к (1930-е) — **I**: 427

Ильин Виктор Николаевич (1904—1990) — в органах ОГПУ—НКВД с 1933, нач. 3-го отдела Секретно-политического управления НКВД СССР, комиссар ГБ, з/к (1943—52), секретарь Союза писателей СССР (1956—77) — **I**: 166, 172

Ильин Иван Александрович (1882—1954) — философ, в 1922 выслан из Советской России — **I**: 400. **II**: 32

Ильин Сергей Николаевич (1899—1991) — следователь, краевед — **I**: 166

Ильичёв Леонид Фёдорович (1906—1990) — секретарь ЦК КПСС (1961—65) — **III**: 520

Инбер Вера Михайловна (1890—1972) — поэт, один из авторов кн. «Беломорско-Балтийский канал имени Сталина. История строительства» (1934) — **III**: 81, 409

Ингал Георгий Борисович (1920—?) — писатель, з/к (Бутырки, Красная Пресня, Новый Иерусалим, 1945; в 1948 Куйбышевским спецлагсудом осуждён на 10 лет дополнительно) — **I**: 623, 624. **II**: 165, 168, 171, 181, 182

Иношин — паровозный машинист, з/к — **I**: 23

Инчик Вера — з/к (Ейск, 1937) — ***Свид***.: 14. **II**: 445

Иов (о. Иоанн; 1635—1720) — духовник Петра I, соловецкий монах — **II**: 51

Иона (Фиргуф Иван Фёдорович; 1866—?) — игумен Саввино-Сторожевского монастыря, з/к (1919—21), игумен Гефсиманского скита Троице-Сергиевой Лавры (1921—29) — **I**: 348

Иоселевич (Иосилевич) Александр Соломонович (1899—1937, расстрелян) — секретарь и член президиума ПетроЧК (1918), нач. отдела Наркомторга СССР, з/к и ссыльный с 1927 неоднократно — **II**: 304

Иоссе (Иосса) Конкордия Николаевна — потомственная дворянка, з/к — **I**: 58, 171, 188

Иохельсон Владимир Ильич (1855—1937) — этнограф, после 1917 в эмиграции — **III**: 357

Ирод I (ок. 73—4 до н. э.) — царь Иудеи — **III**: 382

Исаев — майор, з/к (Тирасполь, 1960-е) — **III**: 545

Исаковский Михаил Васильевич (1900—1973) — поэт — **III**: 138, 139

Истнюк — з/к (Воркута, 1938) — **II**: 376

К. — з/к (Сиблаг) — **II**: 528

К. У. — бывший царский офицер — **II**: 612

К. Александр Кузьмич — бывший з/к, корреспондент А. Солженицына — **II**: 607

К-й — з/к (Иркутская область, 1960-е) — **III**: 550

К-н — з/к (Ерцево, 1960-е) — **III**: 550

Кабалевский Дмитрий Борисович (1904—1987) — композитор — **II**: 118

Каверзнев *см.* Кольбе

Кавешан В. Я. — калужанин, сын з/к — *Свид.*: 14. **II**: 615, 616

Каган Виктор Кусиэлевич (р. 1920) — студент, рядовой ополчения в 1941, инженер, з/к (1945—55), с 1975 в эмиграции — *Свид.*: 14. **I**: 614

Каганович Лазарь Моисеевич (1893—1991) — член Политбюро (Президиума) ЦК ВКП(б)—КПСС в 1930—57 — **I**: 63, 441, 442, 443. **II**: 84, 140, 283

Кадар Янош (1912—1989) — министр внутренних дел Венгрии (1949—50), з/к (1951—54), первый (генеральный) секретарь Венгерской СРП (1957—88) — **II**: 341

Кадацкая Мария Венедиктовна — жена з/к — *Свид.*: 14. **III**: 492

Каденко — матрос, в 1941 интернирован шведскими властями, з/к — *Свид.*: 14. **I**: 102

Казаков Игнатий Николаевич (1891—1938, расстрелян) — врач, директор НИИ обмена веществ и эндокринных расстройств, подсудимый на процессе «Антисоветского правотроцкистского блока» — **I**: 23

Казачук Антонина — ссыльная (Кок-Терек, 1953) — **III**: 465

Казлаускас Ионас Иозас (1885—1951) — з/к (Степлаг, Рудник) — **III**: 295

Кактынь Артур Мартынович (1893—1937, расстрелян) — экономист, зам. председателя Совнаркома Таджикской ССР — **II**: 323

Калашников — оперуполномоченный (Джидинский лагерь, 1944) — **II**: 366

Калганов Александр — бывший чекист (Ташкент, 1930-е) — *Свид.*: 14. **I**: 90

Каледин Алексей Максимович (1861—1918, покончил с собой) — генерал, атаман Донского казачьего войска — **III**: 565

Калигула Гай Юлий Цезарь (12—41) — римский император — **I**: 538

Каликман — з/к (Калужская застава в Москве) — **II**: 215

Калина Ирина Игнатьевна (р. 1928) — дочь погибшего в Минской тюрьме сотрудника Наркоминдела, художник, з/к (Бутырки, Карлаг; 1949—53) — **I**: 578

Калинин Михаил Иванович (1875—1946) — член Политбюро ЦК ВКП(б) с 1926, председатель ВЦИК (1919—36) и

ЦИК (Президиума Верховного Совета) СССР (1922—45) — **I**: 369, 370, 475, 482, 497, 601. **II**: 121, 160, 177, 308

Калинина М. И. — бывшая з/к, корреспондент А. Солженицына — *Свид.*: 14. **II**: 469. **III**: 487

Калинников Иван Андреевич (1874—1937, расстрелян) — выборный ректор МВТУ (1920—22), преподаватель Военно-воздушной академии, работник Госплана СССР, з/к по делу «Промпартии» — **I**: 52, 407, 415, 416, 424

Каллистов Дмитрий Павлович (1904—1973) — историк античности, однодельц Д. С. Лихачёва (Шпалерная, Соловки, БелБалтлаг, Дмитлаг; 1928—34) — *Свид.*: 14. **II**: 55

Калнышевский Пётр Иванович (1691—1803) — последний кошевой Запорожской Сечи, соловецкий узник с 1776 — **II**: 27

Калугин Игорь Дмитриевич (1894—?) — актёр Александринского театра, з/к (Соловки), в 1941 Архангельским облсудом вновь осуждён на 10 лет — **I**: 43

Кальянов Владимир Иванович (1908—2001) — востоковед, возглавил Индо-тибетский кабинет Института востоковедения АН СССР после ареста ведущих учёных — **II**: 620

Калягин — комсорг подразделения 36-й мотодивизии (Монголия, 1941) — **I**: 312

Каляев Иван Платонович (1877—1905, повешен) — эсер-террорист, убил великого князя Сергея Александровича — **III**: 106

Каменев (Розенфельд) Лев Борисович (1883—1936, расстрелян) — соратник В. И. Ленина, советский партийный деятель, подсудимый на процессе «Антисоветского объединённого троцкистско-зиновьевского центра» — **I**: 147, 389—391, 394, 424, 436—440, 493. **III**: 92

Каменева Ольга Давыдовна (1883—1941, расстреляна в Орле перед сдачей города немцам) — сестра Л. Д. Троцкого, жена Л. Б. Каменева, библиотекарь, выслана в 1935, з/к с 1937 — **I**: 436

Каменецкий Матвей Ильич (1906—1938, расстрелян) — з/к и ссыльный с 1929 беспрерывно, участник голодовки в УхтПечлаге (Воркута) — **II**: 310

Каминов Игорь — бывший з/к — *Свид.*: 14. **III**: 481

Каминский Бронислав Владиславович (1899—1944, расстрелян) — инженер, з/к (1937—41), бургомистр Локотского округа при немцах, командир бригады и дивиии СС, участвовал в подавлении Варшавского восстания, осуждён немецким военным трибуналом — **I**: 273

Каминский Юрий Фёдорович — ***Свид.***: 14

Камо (Тер-Петросян Симон Аршакович; 1882—1922) — революционер, один из организаторов денежных «экспроприаций» — **III**: 296

Кампесино *см.* Гонсалес Валентин

Канатчиков Семён Иванович (1879—1940) — председатель Петропомгола и ректор Коммунистического университета в Петрограде, писатель, з/к с 1936 — **I**: 370

Кант Иммануил (1724—1804) — немецкий философ — **III**: 95

Капица Пётр Леонидович (1894—1984) — физик, академик АН СССР — **II**: 463

Каплан Фанни Ефимовна (Ройтблат Фейга Хаимовна; 1887—1918, расстреляна) — эсерка, обвиняемая по делу покушения на В. И. Ленина — **I**: 352, 386. **II**: 14, 507

Капустин — комендант (Джамбул) — **II**: 533

Караванский Святослав Иосифович (р. 1920) — украинский филолог, з/к (1944—60, 1965—77) — **III**: 535, 544, 575, 576

Каракозов Дмитрий Владимирович (1840—1866, повешен) — революционер, стрелял в Александра II — **I**: 307. **III**: 86, 89

Карасик Рувим Михайлович (1893—?) — прокурор и член «тройки» Ивановской области (1937), з/к (1938—40) — **I**: 451, 453

Караханов В. — лагерный охранник, автор отклика на «Один день Ивана Денисовича» — **III**: 502

Каращук Иван Игнатович — главный инженер треста (Экибастуз, 1950-е) — **II**: 553

Карбе Юрий Васильевич (1913—1968) — инженер, з/к (Карлаг, Экибастуз) — ***Свид.***: 14. **I**: 557

Каргер Нестор Константинович (1904—после 1942) — этнограф и лингвист, ссыльный, фронтовик — **I**: 24

Карев — нач. колонии, лейтенант (Вильнюс, после войны) — **II**: 527

Каретников Александр Григорьевич — директор хлопчатобумажной фабрики (1935), осуждён в 1938 — **I**: 314—316

Карклин Отто Янович — член Верховного трибунала ВЦИК, работник Наркомюста — **I**: 379, 460

Карпенко-Карый (Тобилевич Иван Карпович; 1845—1907) — секретарь полиции в Елисаветграде, украинский драматург — **III**: 95

Карпец Игорь Иванович (1921—1993) — директор ВНИИ изучения причин преступности (1960-е), нач. Главного управления угрозыска МВД СССР (1969—79) — **III**: 561

Карпов Евтихий Павлович (1857—1926) — драматург и режиссёр, управляющий труппой Александринского театра — **III**: 96

Карпов Фёдор Фёдорович (1904—1976) — инженер-электрик, з/к после немецкого плена (Бутырки), кандидат технических наук — **I**: 260, 261, 614

Карпунич (Карпунич-Бравен) Иван Семёнович (1901—?) — партизан в Гражданскую войну, комполка 40-й дивизии, бухгалтер, з/к (Колыма) — ***Свид.***: 14. **I**: 14, 28, 133, 134, 143. **II**: 126, 131. **III**: 477, 491

Карсавин Лев Платонович (1882—1952, умер в заключении) — историк и философ, в 1922 выслан из Советской России, преподавал в Литве с 1928, з/к с 1949 (Абезь) — **I**: 400

Карсавина Тамара Платоновна (1885—1978) — сестра Л. П. Карсавина, балерина, с 1918 в эмиграции — **III**: 54

Карташёв Антон Владимирович (1875—1960) — историк церкви, публицист, с 1919 в эмиграции, заочно обвинён по делу «Тактического центра» — **I**: 354

Картель Илья Алексеевич (1911—1990) — журналист, з/к (1937—43), педагог, соавтор сб. мемуаров «Пока дышу — надеюсь» (Кемерово, 1991) — ***Свид.***: 14. **III**: 475

Касаткин Иван Михайлович (1880—1938, расстрелян) — писатель — **III**: 96

Кассо Лев Аристидович (1865—1914) — министр народного просвещения (1910—14) — **I**: 334

Касьянов Александр — ***Свид.***: 14

Касьянов Василий Александрович (1894—?) — участник Ярославского восстания 1918, з/к — **I**: 116

Касюков Игорь Георгиевич (р. 1922) — журналист — **III**: 517

Катаев Валентин Петрович (1897—1986) — писатель, один из авторов кн. «Беломорско-Балтийский канал имени Сталина. История строительства» — **II**: 81

Катанян (Катаньян) Рубен Павлович (1881—1966) — чекист, пом. прокурора РСФСР, ст. помощник прокурора Верховного Суда СССР (прокурор при ОГПУ, прокурор по специальным делам), з/к и ссыльный (1938—48, 1950—55) — **I**: 491

Каупуж Анна Владиславовна (1924—1994) — филолог-полонист из Вильнюса — ***Свид.***: 14

Каутский Карл (1854—1938) — немецкий социал-демократ — **III**: 95

Каховская Ирина Константиновна (1888—1960) — эсерка, з/к и ссыльная неоднократно — **III**: 408

Кашкетин (Скоморовский) Ефим Иосифович (1905—1940, расстрелян) — пом. начальника 3-го отделения 3-го отдела ГУЛАГа, лейтенант ГБ — **II**: 373, 374, 376, 378, 515, 658

Кейтель Вильгельм (1882—1946, повешен) — генерал-фельдмаршал, нач. штаба верховного главнокомандования вооруженными силами Германии, подсудимый на Нюрнбергском процессе — **I**: 269

Кекушев Николай Львович (1898—?) — полярник, з/к (1931, 1948—55), автор мемуаров «Звериада» — ***Свид.***: 14

Келлер Михаил (Герш) Иосифович (1924—1954, расстрелян) — партизан ОУН, з/к с 1944, один из организаторов Кенгирского восстания — **III**: 323, 324, 351

Келли — англичанин, з/к (Владимирская тюрьма) — **II**: 580

Кельвин, лорд (Томсон Уильям; 1824—1907) — английский физик — **II**: 464

Керенский Александр Фёдорович (1881—1970) — политический деятель, эмигрант — **I**: 459. **II**: 410

Кермайер — з/к — **II**: 306

Кёстлер Артур (1905—1983) — английский писатель — **I**: 435, 439

Киви Ингрид (Инги) Александровна (1932—1954) — з/к с 1951 на 25 лет, погибла 26 июня во время Кенгирского восстания — **III**: 349

Кизеветтер Александр Александрович (1866—1933) — историк, в 1922 выслан из Советской России — **I**: 400

Кизилов Пётр Иванович — рабочий вагонного депо, з/к (приговорён к расстрелу в 1959, оправдан) — **II**: 416

Ким Ир Сен (1912—1994) — вождь корейского коммунизма (руководитель Трудовой партии Кореи и КНДР) — **I**: 281

Киплинг Джозеф Редьярд (1865—1936) — английский писатель — **I**: 536

Киреев Юрий Николаевич — тверичанин, з/к (Экибастуз, 1950-е) — **III**: 126

Кириллов Владимир Тимофеевич (1890—1937, расстрелян) — участник революционного движения, поэт — **III**: 95

Киров (Костриков) Сергей Миронович (1886—1934, убит при покушении) — 1-й секретарь Ленинградского обкома и горкома ВКП(б), секретарь ЦК ВКП(б) — **I**: 87, 439, 462. **II**: 96, 302. **III**: 86, 388, 512, 612

Кирпотенко Алексей Алексеевич (1878—?) — инженер, свидетель на процессе «Промпартии» — **I**: 420

Киселёв — сержант НКВД (Калужская застава в Москве, 1945) — **II**: 535

Киула Константин — з/к, автор тюремных стихов (Бутырки, 1945) — ***Свид.***: 14. **I**: 616

Кишкин Николай Михайлович (1864—1930) — врач, кадет, министр Временного правительства, член Всероссийского комитета помощи голодающим, неоднократно арестовывался — **I**: 51, 353

Кишкин Пётр — з/к (Экибастуз, 1950-е) — **II**: 211. **III**: 133—138, 289

Клегель — следователь (Лефортово, 1926) — **I**: 26

Клемпнер Владимир (1913—?) — пианист и композитор, з/к (Бескудниково под Москвой, Бутырки, Колыма) — **I**: 614. **II**: 468, 518

Клодт Александр Георгиевич (1900—1937, расстрелян) — топограф, з/к с 1930 (БелБалтлаг) — **II**: 43

Клюев Николай Алексеевич (1884—1937, расстрелян) — поэт — **I**: 116

Клюхин Сергей Григорьевич (1901—?) — чекист УНКВД Ивановской области (1937—38), зам. начальника Главного транспортного управления НКВД СССР, ст. лейтенант ГБ, з/к с 1939 — **I**: 450, 452, 476

Ключевский Василий Осипович (1841—1911) — историк — **I**: 350. **III**: 88, 299

Ключкин Иосиф Ильич (1897—1966) — нач. СевЖелДорлага (1945—50) и Печорлага (1950—52), полковник — **II**: 408

Кнопмус Юрий Альфредович (1915—1956, расстрелян) — инженер, з/к с 1944 (Горлаг, Степлаг, один из руководителей Кенгирского восстания) — **III**: 322, 323, 351

Княгинин Вячеслав Ильич — ***Свид.***: 14

Князев — коломенский рабочий, ссыльный (Красноярский край, Тасеево) — **III**: 399

Ковальская Елизавета Николаевна (1851—1943) — революционерка-народница — **III**: 104

Ко́вач — венгр, американский коммунист, з/к с 1937 — **II**: 314

Ко́вач Роза — дочь американского коммуниста, детдомовка, з/к — ***Свид.***: 14. **II**: 446

Коверда Борис Софронович (1907—1987) — эмигрант, в 1927 убил П. Л. Войкова (*см.*) — **I**: 59

Коверченко Иван — офицер, з/к (Экибастуз) — **I**: 537—540. **III**: 166

Ковтюх Епифан Иович (1890—1938, расстрелян) — военачальник, комкор — **II**: 322

Ковшаров Иван Михайлович (1878—1922, расстрелян) — юрисконсульт Александро-Невской лавры и член правления Общества православных приходов, обвиняемый на Петроградском церковном процессе — **I**: 377

Коган Лазарь Иосифович (1889—1939, расстрелян) — нач. ГУЛАГа (1930—32), Беломорстроя и строительства канала Москва—Волга, ст. майор ГБ — **I**: 60. **II**: 38, 83, 84, 93, 96, 99, 104, 120, фото на с. 83

Кожевников Иннокентий Серафимович (1879—1931, расстрелян в Москве) — советский военный деятель, з/к с 1926 (нач. трудколонии в Соловках) — **II**: 63

Кожин — з/к-беглец (Степлаг, Новорудное; 1949) — **III**: 155

Кожурин — колхозник из Кировской области, красноармеец в войну, репрессирован — **III**: 395

Козак — инженер-геолог, з/к (1941—43) — **II**: 522

Козак Ольга Петровна — жена геолога, ссыльная — *Свид.*: 14. **II**: 522

Козаков Виктор Сергеевич — *Свид.*: 14

Козин Вадим Алексеевич (1903—1994) — певец, з/к (Колыма, 1944—50) — **II**: 479

Козлов (Фёдоров-Козлов Филипп Фёдорович; 1888—1937, расстрелян) — ленинградский рабочий, эсер-боевик, з/к неоднократно, подсудимый на процессе эсеров 1922 — **I**: 487

Козлов Фрол Романович (1908—1965) — секретарь ЦК КПСС (1960—64) — **III**: 569, 570

Козырев Николай Александрович (1908—1983) — астроном, профессор, з/к (Дмитровск-Орловский, Норильлаг; 1936—45) — *Свид.*: 14. **I**: 504—508

Козьмин Василий — джазист, з/к — **II**: 230

Колесников Иван Степанович (1901—1985) — хирург, член советской спецкомиссии по Катыни, з/к (Спасск, Экибастуз; 1950-е), академик АМН СССР — **III**: 65

Колодезников Степан Петрович (1898—?) — якут, з/к и ссыльный с 1931 — **II**: 555

Колокольнев Иван Кузьмич — *Свид.*: 14

Колосков — сектант, з/к — **I**: 494

Колпаков Алексей Павлович — корреспондент А. Солженицына — *Свид.*: 14. **I**: 112

Колпаков С. — *Свид.*: 14

Колпаков Яков Петрович (1896—1937, расстрелян) — председатель Судогодского райисполкома — **I**: 479

Колупаев — з/к-бригадир (Котласская пересылка, конец 1930-х) — **I**: 574

Колчак Александр Васильевич (1874—1920, расстрелян) — адмирал, один из руководителей Белого движения — **I**: 140, 328, 337, 350. **II**: 409, 412

Кольбе (наст. **Каверзнев**) — тамбовец, з/к (1930-е) — **I**: 98

Кольцов Николай Константинович (1872—1940) — биолог, член-корреспондент АН СССР, академик ВАСХНИЛ — **I**: 354, 357

Комаров — лагерный работник (Колыма) — **II**: 372, 529

Комаровский — з/к. Возможно: Комаровский Владимир Алексеевич (1879—1937, расстрелян), художник, з/к неоднократно, в Соловках его друзья по Сергиеву Посаду — **II**: 43

Комов Валентин И. (1912—?) — из Ефремовского уезда, з/к неоднократно (1930-е, 1946—55, Экибастуз), в войну в Бухенвальде — **II**: 647. **III**: 246

Комогор Леонид Александрович — сын репрессированного, боец-окруженец 2-й Ударной армии, з/к и ссыльный (1942—56), с 1972 в эмиграции — ***Свид.***: 14. **II**: 132. **III**: 479

Кон Феликс Яковлевич (1864—1941) — участник и историк революционного движения — **III**: 357, 359

Кондо (Кондоо) — японский военнопленный, з/к-бригадир (Краслаг, 1947) — **II**: 299

Кондратьев Николай Дмитриевич (1892—1938, расстрелян) — экономист, з/к неоднократно, с 1931 по делу «Трудовой крестьянской партии» — **I**: 68, 354

Конев Николай Васильевич (р. 1933) — школьник из Ленинск-Кузнецка, в 1951 осуждён на 10 лет — **II**: 306

Коненцов — надзиратель (Экибастуз, 1950) — **III**: 77

Коновалов Степан — кубанский казак, з/к — **III**: 221, 228, 230, 232

Конокотин Орест Николаевич (ум. 1956) — депутат Моссовета, з/к (Озёрлаг, работал в санчасти) — **II**: 337, 340. **III**: 513

Кононенко Марк Иванович — з/к (Колыма) — ***Свид.***: 14. **II**: 129

Кононов Иван Никитович (1900—1967, погиб в автомобильной катастрофе) — майор Красной армии, в 1941 перешёл на сторону немцев, генерал-майор, избежал репатриации в СССР — **III**: 32

Коноплёва Лидия Васильевна (1891—1937, расстреляна) — обвиняемая на процессе эсеров 1922 — **I**: 386

Кончиц Андрей Андреевич (1918—2002) — сержант-вычислитель в батарее А. Солженицына — ***Свид.***: 14

Копейкин — житель Юрьевца, з/к — **I**: 503

Копелев Лев Зиновьевич (1912—1997) — филолог, писатель, з/к (1929, 1945—54), автор мемуаров «Утоли моя печали» — *Свид.*: 14. **II**: 618. **III**: 468, 483, 488

Коптяев Виктор Николаевич, Витя — з/к-малолетка — **II**: 444

Корбюзье Шарль Эдуард *см.* Ле Корбюзье Ш. Э.

Корзинкин — з/к — **II**: 382

Корзухин — житель ст. Решёты — **I**: 170

Корк Август Иванович (1887—1937, расстрелян) — подполковник царской армии, нач. Военной академии им. Фрунзе, командарм 2-го ранга, подсудимый по делу «военно-фашистского заговора в Красной армии» — **II**: 322

Коркина — заседатель на выездной сессии Горьковского облсуда (Буреполом) — **II**: 372

Корнеев Иван Алексеевич (1902—?) — библиограф, з/к и ссыльный (Лубянка, Владимирская тюрьма, Казахстан; 1946—56) — *Свид.*: 14. **I**: 171, 504, 505

Корнеева Вера Алексеевна (1906—1999) — сестра И. А. Корнеева, з/к и ссыльная (Карлаг, Казахстан; 1946—54) — *Свид.*: 15. **I**: 125, 126, 186, 187, 299, 516. **III**: 482

Корнейчук Александр Евдокимович (1905—1972) — советский драматург — **III**: 210

Корнилов Лавр Георгиевич (1870—1918, убит в бою) — генерал, один из организаторов Белого движения — **I**: 493

Корнфельд Борис Абрамович (убит в 1952) — хирург, з/к (Экибастуз) — **II**: 591—593. **III**: 288

Королёв Сергей Павлович (1906—1966) — конструктор ракетно-космических систем, з/к (1938—44) — **II**: 463

Короленко Владимир Галактионович (1853—1921) — писатель — **I**: 49, 51, 52, 54, 188, 301, 368, 459, 542. **III**: 110, 373

Короленко Владимир Юлианович (1881—1937, расстрелян) — племянник В. Г. Короленко, юрист, защитник на Шахтинском процессе, з/к с 1930 (Соловки) — **II**: 43

Коротицын — лагерный работник (Каргопольлаг) — **II**: 529

«Коротышка» — надзиратель (Калужская застава в Москве, 1945) — **II**: 271

Косарева Елена Александровна (р. 1931) — дочь генерального секретаря ЦК ВЛКСМ, студентка Сельхозакадемии, з/к и ссыльная (Норильск, 1949—54), журнальный работник — **I**: 109

Косиор Станислав Викентьевич (1889—1939, расстрелян) — член Политбюро ЦК ВКП(б) с 1930, з/к с 1938 — **I**: 438. **II**: 323

Космодемьянская Зоя Анатольевна (1923—1941, повешена немцами) — партизанка — **II**: 447, 578

Косырев Фёдор Михайлович (1888—1919, расстрелян) — разыскивался полицией за ограбления и убийство, после 1917 чекист — **I**: 113, 337—346, 398. **II**: 518

Косых Леонид Ф. — з/к — **III**: 259

Кот Пьер (1895—1977) — французский политический деятель — **II**: 340

Котик Елизавета Львовна (1906—?) — з/к (пересылка в бухте Ванино, 1938) — **I**: 501. **II**: 341

Котляревский Сергей Андреевич (1873—1939, расстрелян) — историк, публицист, депутат 1-й Государственной думы, з/к по делу «Тактического центра» в 1920, консультант при АН СССР, з/к с 1938 — **I**: 354, 356, 359

Котов — прокурор (Лубянка) — **I**: 158

Котович — геолог, з/к — **I**: 92

Коханская Тамара Владимировна (1910—?) — служащая в Экспортлесе (Архангельск), з/к — **I**: 173

Кочаровский Валентин Трифонович (1902—1942, расстрелян) — сотрудник Политического Красного Креста, з/к и ссыльный с 1933 — **I**: 59

Кочерава Кокки — токарь, з/к (Экибастуз, 1952) — **III**: 291, 293

Кочетов Всеволод Анисимович (1912—1973) — писатель — **III**: 340

Кравцов Василий — з/к (этап Владивосток—Сахалин, 1950) — **I**: 595

Кравченко Виктор Андреевич (1905—1966, погиб при невыясненных обстоятельствах) — инженер, капитан Красной армии, сотрудник закупочной комиссии в США, эмигрант, автор кн. «Я выбрал свободу» — **III**: 52

Кравченко Наталья Ивановна — *Свид.*: 15

Крамаренко Г. — з/к — **I**: 200, 210, 222, 246

Красиков Пётр Ананьевич (1870—1939) — главный обвинитель на Петроградском церковном процессе 1922, прокурор Верховного Суда СССР с 1924, зам. председателя Верховного Суда СССР с 1933 — **I**: 375, 376, 484

Красин Леонид Борисович (1870—1926) — советский партийный деятель — **III**: 94, 95, 357

Красницкий Владимир Дмитриевич (1880—1936) — обновленческий священник, глава «Живой церкви» — **I**: 376

Краснов Пётр Николаевич (1869—1947, повешен) — генерал-лейтенант, писатель, в 1918 атаман Войска Донского, с 1920 в эмиграции, руководил формированием казачьих частей Вермахта — **I**: 258, 274, 279. **III**: 242

Краснов-Левитин (Левитин Анатолий Эммануилович; 1915—1991) — обновленческий священник, з/к (1934, 1949—56, 1969, 1971—1973), писатель, с 1974 в эмиграции — **I**: 371

Красуцкая Вера — жена з/к (Ростов-на-Дону) — **II**: 628

Крейнович Ерухим (Юрий) Абрамович (1906—1985) — этнограф, з/к и ссыльный (Колыма, Игарка; 1937—47, 1949—55) — **III**: 495

Крестинский Николай Николаевич (1883—1938, расстрелян) — зам. наркома иностранных дел СССР (1930—37), подсудимый на процессе «Антисоветского правотроцкистского блока» — **I**: 435

Кретов — прокурор, з/к (Бутырки, 1945) — **I**: 615

Кржижановский Глеб Максимилианович (1872—1959) — революционер, советский деятель — **II**: 304. **III**: 96, 408

Кривова — прокурор на процессе М. Я. Потапова (Рязань, 1964) — **III**: 580

Кривошеин Владимир — з/к (Экибастуз, 1951) — **III**: 230

Крижанич Юрий (ок. 1618—1683) — учёный-энциклопедист, писатель — **II**: 150

Кромиади (Санин) Константин Григорьевич (1900—1990) — участник Гражданской войны, эмигрант, нач. личной канцелярии генерала Власова (*см.*) — **I**: 267

Кропоткин Пётр Алексеевич (1842—1921) — учёный, теоретик анархизма — **II**: 303, 304, 615

Крохалёв — з/к (Усть-Нера, Якутия; 1951) — **II**: 419, 420

Круглов Сергей Никифорович (1907—1977) — нарком (министр) внутренних дел СССР (1945—53, 1953—56), генерал-полковник — **I**: 603. **II**: 267. **III**: 328

Кружков Николай Фёдорович (1911—1966) — следователь и нач. отделения следственного отдела УМГБ Ленинградской области (1941—46), нач. УВД Новгородской области, полковник ГБ, в 1956 осуждён за фальсификацию дел и преступные методы ведения следствия, освобождён в 1962 — **I**: 170, 171, 474

Крупская Надежда Константиновна (1869—1939) — жена В. И. Ленина, советский деятель — **II**: 323. **III**: 98

Крутиков — следователь (Буреполом) — **II**: 372

Крутикова Мария Фёдоровна (1901—1949, покончила с собой) — директор ленинградской фабрики «Красная работница» № 1, з/к с 1937 — **I**: 501

Крыков Николай — з/к (Кенгир) — **III**: 155

Крыленко Николай Васильевич (1885—1938, расстрелян) — государственный обвинитель на политических процессах: эсеров, Шахтинском, «Промпартии», «Союзного бюро меньшевиков», нарком юстиции РСФСР с 1931, нарком юстиции СССР с 1936 — **9**; **I**: 11, 19, 116, 134, 330—337, 339, 341—348, 350, 352, 355, 356, 358, 360, 362, 363, 365—367, 374, 375, 382, 384—386, 388, 391—395, 401—405, 407, 409—411, 413—418, 420—423, 426, 430—433, 438, 460. **II**: 22, 294. **III**: 20, 22, 96

Крылов Иван Андреевич (1769—1844) — **II**: 510

Крылов Иван Николаевич — нач. Кадыйского, Курловского и Серёдского райотделений НКВД Ивановской области, мл. лейтенант ГБ (1937—38) — **I**: 447, 448

Кудла Григорий — з/к-беглец (Степлаг, Рудник) — **III**: 139, 174, 177, 208—211

Кудлатый — начальник одной из усть-вымских командировок — **II**: 520, 521, 533

Кудрявцев Владимир Николаевич (р. 1923) — юрист, зам. директора ВНИИ изучения причин преступности (1963—69), академик, советник РАН — **III**: 561

Кудряшёв М. А. — лагерный работник (Колыма) — **II**: 529

Куземко Ю. — автор брошюры «3-й шлюз» (Дмитлаг, 1935) — **II**: 84, 110

Кузнецов — нач. охраны. Возможно: Кузнецов Александр Константинович (1903—1948), в НКГБ—МГБ ведал охраной руководителей партии и правительства, генерал-майор — **I**: 176

Кузнецов Василий Иванович (1894—1964) — генерал-полковник — **I**: 265

Кузнецов Капитон Иванович (1913—?) — подполковник, военнопленный, агроном, з/к с 1948, один из руководителей Кенгирского восстания, приговорён к расстрелу с заменой на 25 лет — **III**: 318, 321, 322, 327, 328, 331, 332, 337, 348, 350, 351, 502

Кузнецов Николай Дмитриевич (1863—1936, умер в ссылке) — профессор церковного права, з/к и ссыльный с 1919 неоднократно, в 1920 приговорён к расстрелу с заменой на 5 лет концлагеря — **I**: 347, 348

Кузнецова К. И. — *Свид.*: 15

Кузьма — крестьянин, сосед семьи Твардовских перед её высылкой — **III**: 379

Кузьма — шофёр, з/к-самоохранник (Ныроблаг, 1952) — **II**: 542

Кузьмин А. — лагерный работник, автор отклика на «Один день Ивана Денисовича» — **III**: 503, 504

Куйбышев Валериан Владимирович (1888—1935) — член Политбюро ЦК ВКП(б) с 1927 — **I**: 365

Кукос Александр Фёдорович — инженер-строитель, з/к, зав. производством (Калужская застава в Москве) — **II**: 279—281

Кун Бела (1886—1938, расстрелян) — революционер, участник расстрелов в Гражданскую войну, член Исполкома Коминтерна с 1921 — **II**: 322

Кунст Александр Адольфович — офицер, з/к и командир роты (Соловки) — **II**: 44

Куприянов Геннадий Николаевич (1905—1979) — 1-й секретарь ЦК КП(б) Карело-Финской ССР (1940—50), генерал-майор, з/к (1950—56) — **I**: 134

Куприянов Сергей Викторович (1871—?) — инженер, председатель НТС хлопчатобумажной промышленности, подсудимый на процессе «Промпартии», главный инженер Шуйского хлопчатобумажного треста, з/к в 1937 — **I**: 420

Курагин — вольнонаёмный начальник (СевДвинлаг) — **II**: 254, 524

Курганов Иван Алексеевич (1895—1980) — экономист, профессор, зав. кафедрой Ленинградского финансово-экономического института (1930-е), эмигрант — **II**: 8

Курилко Александр Алексеевич — (1870—?) — полковник 19-го Сибирского стрелкового полка — **II**: 32

Курилко Игорь Александрович (1893—1930, расстрелян) — сын А. А. Курилко, поручик царской армии, в 1920—23 в органах ВЧК—ГПУ Оренбурга, з/к и командир роты (Соловки, Кемперпункт) — **II**: 31—33, 38, 39, 46, 64, 118, 423, 459

Куриневский (Куреневский) Дмитрий Соломонович (1906—1938, расстрелян) — экономист, ссыльный и з/к с 1928 беспрерывно, участник голодовки в УхтПечлаге (Воркута) — **II**: 310

Курлов Павел Григорьевич (1860—1923) — генерал-лейтенант, товарищ министра внутренних дел и командир Отдельного корпуса жандармов (1906—11), з/к в 1917, в эмиграции с 1918 — **II**: 750

Курочкин Борис Николаевич (1917—?) — директор Новочеркасского электровозостроительного завода (1957—62) — **III**: 564

Курочкин Василий Степанович (1831—1875) — поэт, публицист — **III**: 110

Курский Дмитрий Иванович (1874—1932) — нарком юстиции РСФСР (1918—28), прокурор РСФСР (1922—28) — **I**: 377, 378. **II**: 10, 14

Курчатов Игорь Васильевич (1902—1960) — физик, академик АН СССР — **II**: 394

Кускова Екатерина Дмитриевна (1869—1958) — публицист, жена С. Н. Прокоповича (*см.*), член Всероссийского комитета помощи голодающим, в 1922 выслана из Советской России — **I**: 51

Кустарников Василий — з/к-беглец (Экибастуз, 1951) — **III**: 221

Кутузов Алексей Михайлович (1748—1790) — писатель, переводчик — **III**: 467

Кутяков Иван Семёнович (1897—1938, расстрелян) — комкор — **II**: 322

Кухтиков Алексей Демьянович (1904—1985) — нач. Вятлага (1944—47), Воркутлага (1947—52) и Китойлага (1953—54), полковник — **II**: 532

Кушнарёв — нач. следственного отдела УМГБ Западно-Казахстанской области — **I**: 163

Л. — член Союза композиторов — **III**: 494

Л-н — з/к, автор отклика на «Один день Ивана Денисовича» — **III**: 550, 576

Л-с Янис — латыш, з/к (Пермь, 1946) — **II**: 387, 388

Лавров Пётр Лаврович (1823—1900) — революционер-народник — **III**: 105

Ладыженская Ольга Александровна (1922—2004) — дочь А. И. Ладыженского, математик, академик РАН — *Свид.*: 15

Ладыженский Александр Иванович (1894—1937, расстрелян) — школьный учитель в Кологриве, з/к — **I**: 30

Ладыженский Николай Иванович (1893—?) — брат А. И. Ладыженского, главный инженер завода Ижсталь, з/к с 1933 — **I**: 63, 64

Лазутина Раиса Александровна — бывшая з/к — *Свид.*: 15. **III**: 487

Лактюнькин Прокофий Иванович (1888—?) — мельник в Пителинском районе, з/к (1937—43) — **III**: 376

Лакшин Владимир Яковлевич (1933—1993) — литературный критик — **II**: 249, 338

Ламздорф Григорий Павлович (р. 1913) — в эмиграции с 1920, участник войны в Испании, один из инициаторов создания русских частей в составе Вермахта, майор, после войны инженер — **I**: 267, 276

Ланговой Александр Алексеевич (1896—1964) — комбриг, состоял для особо важных поручений при наркоме обороны, з/к (1940—55) — **II**: 631

Ландау Лев Давидович (1908—1968) — физик, академик АН СССР, з/к (1938—39) — **II**: 463

Лапин Борис Матвеевич (1905—1941) — писатель, один из авторов кн. «Беломорско-Балтийский канал имени Сталина. История строительства» — **II**: 81

Лапшин Иван Иванович (1870—1952) — философ, в 1922 выслан из Советской России — **I**: 400

Ларин Ю. (Лурье Михаил Зальманович; 1882—1932) — публицист, экономист, большевик с 1917, член Президиума ВСНХ — **I**: 340

Ларин Юрий Николаевич, Юра Бухарин (р. 1936) — сын А. М. Лариной и Н. И. Бухарина, художник — **II**: 446

Ларина Анна Михайловна (1914—1996) — дочь Ю. Ларина, жена Н. И. Бухарина (*см.*), автор мемуаров «Незабываемое» — *Свид*.: 15

Ларичев Виктор Алексеевич (1887—1960) — инженер-электрик, член Президиума Госплана, осуждён на процессе «Промпартии», з/к (1930—36) — **I**: 407, 414, 415, 420, 424, 425

Лацис Вилис (1904—1966) — латышский писатель, коммунистический деятель — **II**: 358

Лацис Мартын Иванович (Судрабс Ян Фридрихович; 1888—1938, расстрелян) — член Коллегии ВЧК в 1918, председатель Всеукраинской ЧК (1919—21), директор Института народного хозяйства им. Плеханова — **I**: 11, 48, 119, 320, 327, 331, 338, 460. **II**: 322

Лебедев — комиссар 36-й мотодивизии (Монголия, 1941) — **I**: 313

Лебедев — металлург, профессор, з/к (Бутырки, 1945) — **I**: 253, 254

Лебедев — радист, з/к (Ховрино под Москвой, конец 1940-х) — **II**: 459

Левашов Владимир Петрович — з/к, Соловки — **II**: 43

Левин Арон — студент механического техникума, з/к — **II**: 306

Левин Лев Григорьевич (1870—1938, расстрелян) — доктор медицинских наук, консультант Лечебно-санитарного управления Кремля, подсудимый на процессе «Антисоветского правотроцкистского блока» — **II**: 616

Левин Меер Овсеевич — *Свид.*: 15

Левина Ревекка Сауловна (1899—1964) — экономист-аграрник, член-корреспондент АН СССР, з/к и ссыльная (1948—55) — **I**: 118

Левитан Юрий Борисович (1914—1983) — диктор Всесоюзного радио — **I**: 93. **III**: 24

Левитин Анатолий Эммануилович *см.* Краснов-Левитин

Левитская Надежда Григорьевна (р. 1925) — студентка Латвийского университета, з/к (Унжлаг, 1951—55) — *Свид.*: 15. **I**. 28

Левитский Иван Григорьевич, Ваня (1927—1995) — брат Н. Г. Левитской, студент Ленинградского института инженеров железнодорожного транспорта, з/к (Норильск, 1950—55) — **I**: 30

Левкович Антонина Михайловна — автор статьи в «Известиях» (1964) — **II**: 533

Левшин Анатолий — следователь (Лефортово, 1948) — **III**: 143, 144, 148, 149, 471

Лейбовиц Сэмюэль Симон (1893—1978) — американский юрист — **II**: 145

Лейбович — зам. директора леспромхоза (Сухобузимский район, 1953) — **III**: 399

Лейно Юрьё (1897—1961) — финский коммунист, министр внутренних дел Финляндии (1945—48) — **III**: 416

Лейст — следователь Московского ревтрибунала, з/к (дело о взятках, 1918) — **I**: 336

Ле Корбюзье Шарль Эдуар (1887—1965) — французский архитектор — **I**: 615

Лелюшенко Дмитрий Данилович (1901—1987) — советский военачальник — **I**: 265

Ленин (Ульянов) Владимир Ильич (1870—1924) — **I**: 24, 44, 45, 47, 49, 50, 63, 83, 91, 93, 152, 207, 208, 317, 330, 334, 343, 344, 350—352, 354, 364, 377, 378, 386, 389, 399, 400, 460, 463, 492, 502, 513, 570, 594. **II**: 7—9, 14, 78, 104, 143, 284, 292, 320, 323, 334, 336, 375, 378, 408, 423, 434, 521, 533, 563, 615. **III**: 30, 47, 89, 91, 95, 98, 362, 458, 512, 565

Лёнька — сотоварищ Ф. М. Косырева (*см.*) — **I**: 338

Леонов Леонид Максимович (1899—1994) — писатель — **II**: 409, 615

Леонова Татьяна Михайловна (урожд. Сабашникова; 1903—1979) — дочь издателя М. В. Сабашникова, жена Л. М. Леонова — **II**: 615

Лепешинский Пантелеймон Николаевич (1868—1944) — революционер, публицист, директор Музея революции в Москве (1935—36) — **III**: 362

Лермонтов Михаил Юрьевич (1814—1841) — **I**: 177, 188. **III**: 85, 130, 131

Лесков Николай Семёнович (1831—1895) — писатель — **II**: 481

Лесовик Светлана Александровна — бывшая з/к — *Свид.*: 15. **III**: 484

Лесючевский Николай Васильевич (1908—1978) — литературный критик, директор издательства «Советский писатель» (1930-е) — **III**: 495

Лехтонен Айно Константиновна, Аня (1904—?) — з/к (Ортау) — **II**: 233

Лёша (дядя Лёша) — надзиратель («Кресты») — **I**: 470

Лёшка Карноухий — з/к (Экибастуз) — **II**: 403

Лещева Зоя — детдомовка с 10 лет, з/к с 14 лет — **II**: 447, 448

Либеров Александр Васильевич (1887—1942, умер в Сиблаге) — подсудимый на процессе эсеров 1922, з/к и ссыльный неоднократно — **I**: 392

Либерт — чекист, з/к, одноделец Ф. М. Косырева (*см.*) — **I**: 337, 340, 341

Либин — следователь, капитан СМЕРШа ВМФ — **I**: 159. **III**: 471

Либкнехт Карл (1871—1919) — немецкий коммунист — **I**: 389

Либкнехт Теодор (1870—1948) — немецкий социалист — **I**: 389

Лида — з/к-малолетка (Чингирлауский район Кустанайской области, 1948) — **II**: 432

Лида — западная украинка, з/к (убита охраной в Кенгире) — **III**: 236, 303

Лиленков И. — *Свид.*: 15

Липай И. Ф. — крестьянин, з/к — *Свид.*: 15. **II**: 254, 291, 292, 400

Липшиц Самуил Адольфович (1904—?) — инженер, з/к (Спасский лагерь, Красноярская пересылка), после 1979 в эмиграции — *Свид.*: 15. **III**: 402

Лисов — уполномоченный МГБ (Владикавказ, 1950) — **II**: 638

Лифшиц (убит в 1953) — член реввоенсовета в Гражданскую войну, з/к (Кенгир) — **III**: 296

Лихачёв Дмитрий Сергеевич (1906—1999) — литературовед, з/к (Шпалерная, Соловки, БелБалтлаг; 1928—1932), академик РАН, автор кн. «Воспоминания» — *Свид.*: 15. **I**: 70. **II**: 43, 257, 487

Лихошерстов — капитан МВД (Сиблаг) — **III**: 521

Лобанов — *Свид.*: 15

Логовиненко — лагерный работник (Колыма) — **II**: 529

Лозина-Лозинский Владимир Константинович (1885—1937, расстрелян) — священник, з/к и ссыльный с 1925 (Соловки, Новгород, психиатрическая больница) — **II**: 43

Лозовский — военфельдшер (Монголия, 1941) — **I**: 313. **III**: 494

Лозовский А. (Дридзо Соломон Абрамович; 1878—1952, расстрелян) — зам. наркома (министра) иностранных дел СССР (1939—46), з/к с 1949 — **I**: 244

Лозовые — семья баптистов, осуждены в 1961 — **III**: 574

Локкарт Роберт Гамильтон Брюс (1887—1970) — английский дипломат — **I**: 331

Ломага Пётр — нач. лагеря (Колыма, прииск Дебин; 1951) — **II**: 384

Ломов (Оппоков) Георгий Ипполитович (1888—1937, расстрелян) — большевик, нарком юстиции (1917), член бюро Комиссии советского контроля при Совнаркоме СССР — **II**: 323

Ломоносов Михаил Васильевич (1711—1765) — **I**: 211

Лонгинов — прокурор на Московском церковном процессе 1922 — **I**: 371

Лондон Джэк (1876—1916) — американский писатель — **II**: 621, 622

Лопухин Алексей Александрович (1864—1928) — директор Департамента полиции (1902—05), после 1917 в эмиграции — **III**: 88

Лордкипанидзе — з/к в мемуарах Р. В. Иванова-Разумника (*см.*) **I**: 129

Лорх Александр Георгиевич (1889—1980) — селекционер, з/к — **I**: 75

Лосев (расстрелян в 1920) — нач. особого отдела 5-й армии в Гражданскую войну — **II**: 634—636, 638

Лосский Николай Онуфриевич (1870—1965) — философ, в 1922 выслан из Советской России — **I**: 284, 400

Лощилин Степан Васильевич (1908—?) — рабочий, з/к с 1937 (Волголаг, Ульяновская тюрьма, колония; 1937—41, 1945) — *Свид.*: 15. **I**: 587, 592. **II**: 228, 254, 284, 640—645

Лука — евангелист — **II**: 322

Лука, епископ *см.* Войно-Ясенецкий В. Ф.

Лукин Михаил Фёдорович (1892—1970) — советский военачальник, военнопленный (1941—45) — **I**: 270

Лукьянов В. В. — ***Свид.***: 15

Луначарский Анатолий Васильевич (1875—1933) — партийный деятель, нарком просвещения (1917—29) — **I**: 207, 282, 368, 391

Лунин — отставной полковник, сотрудник Осоавиахима, з/к (Бутырки, 1946) — ***Свид.***: 15. **I**: 549

Лунин — прокурор на Московском церковном процессе 1922 — **I**: 371

Лунин Александр — лейтенант в войну, председатель колхоза, з/к-самоохранник (Ныроблаг, нач. 1950-х) — **II**: 542

Лунин Михаил Сергеевич (1787—1845) — декабрист — **I**: 148

Лурье М. — з/к (Колыма, Оротукан; 1938) — **I**: 163

Лучинский Николай Фёдорович (1860—?) — редактор дореволюционного журн. «Тюремный вестник» — **II**: 585

Лысенко Трофим Денисович (1898—1976) — агроном, президент ВАСХНИЛ (1938—56, 1961—62) — **I**: 75, 612. **III**: 494

Люба — з/к-малолетка (Кривощёковский лагпункт) — **II**: 437

Любавский Матвей Кузьмич (1860—1936) — историк, академик АН СССР, з/к и ссыльный с 1930 по «Академическому делу» — **I**: 69

Любов Константин Алексеевич (1886—1942, расстрелян) — инженер Ленинградского института точной механики и оптики, з/к с 1941 — **I**: 309

Людендорф Эрих (1865—1937) — немецкий генерал — **I**: 382

Ляля — жительница Харбина, з/к — **II**: 236

М. — лейтенант-снайпер, з/к (Калужская застава в Москве) — **II**: 225

М. Н. — чертёжница, з/к — **II**: 226

М. Валентин — з/к после войны — **III**: 483

Магеран — комендант (Экибастуз, 1950) — **III**: 76

Магомет *см.* Мухаммед

Майоров Илья Андреевич (1891—1941, расстрелян в Орле перед сдачей города немцам) — член ЦК партии эсеров, з/к и ссыльный с 1918 неоднократно, муж М. А. Спиридоновой (*см.*) — **III**: 408

Майский Иван Михайлович (1884—1975) — дипломат, академик АН СССР — **I**: 53

Майслер Михаил Моисеевич (1903—1942) — политэмигрант из Польши, зам. директора ЛенДетгиза, з/к (1938—39) — **II**: 618

Макаренко Антон Семёнович (1888—1939) — педагог, писатель — **I**: 527. **II**: 408

Макаров — нач. корпуса тюрьмы (Иваново, 1937) — **I**: 478

Макаров Николай Павлович (1887—1980) — экономист-аграрник, профессор, работник Наркомзема РСФСР, з/к с 1930 по делу «Трудовой крестьянской партии» — **I**: 207

Макаров-Землянский — член Рабоче-крестьянской инспекции. Возможно: Макаров-Землянский Александр Васильевич, работник Московского коммунхоза, 1920-е — **I**: 363

Макдональд Джеймс Рамсей (1866—1937) — премьер-министр Великобритании (1924, 1929—31) — **II**: 276, 277. **III**: 28

Макеев Алексей Филиппович (1913—1979) — учитель, майор, з/к с 1941 (трижды осуждён, участник Кенгирского восстания) — *Свид.*: 15. **III**: 319, 321, 323, 328, 332, 333, 335, 343, 403

Маковоз Григорий Самойлович — секретарь райкома, з/к с 1942, ссыльный (Кок-Терек, 1951) — *Свид.*: 15. **III**: 450, 452, 459, 460, 462

Макотинский Михаил Яковлевич (1888—1965) — врач, эсер, большевик-ортодокс, з/к и ссыльный неоднократно (при Советской власти в 1931—56) — **I**: 497

Максим — азербайджанец, з/к (Куйбышевская пересылка, 1945) — **III**: 44

Максименко — нач. лаготделения, майор (Экибастуз, 1950) — **III**: 80, 82, 231, 251, 265

Максимов — ветлужец, красноармеец, з/к после войны — **II**: 285

Максимовский Александр Михайлович (1861—1907, убит при покушении) — нач. Главного тюремного управления с 1906 — **III**: 88

Максимыч — сотоварищ Ф. М. Косырева (*см.*) — **I**: 338

Маленков Георгий Максимилианович (1902—1988) — член Политбюро ЦК ВКП(б)—КПСС, председатель Совета министров СССР (1953—55) — **II**: 327, 337. **III**: 344

Малинин — танцор ансамбля песни и пляски Красной армии, з/к (Ховрино под Москвой, 1945) — **II**: 530

Малиновский Роман Вацлавович (1876—1918, расстрелян) — большевик, агент полиции, депутат Государственной думы — **I**: 343

Мало́й (убит конвоем в 1951) — з/к, Экибастуз — **III**: 73

Малышкин Василий Фёдорович (1896—1946, повешен) — нач. штаба корпуса, з/к (1938—39), генерал-майор Крас-

ной армии, после немецкого плена во власовской армии — **I**: 237
- **Мальбродский** Эдвард — з/к, участник побега в группе Ю. Д. Бессонова (*см.*) — **II**: 58
- **Мальков** Павел Дмитриевич (1887—1965) — комендант Смольного (1917) и Московского Кремля (1918—20) — **II**: 507
- **Мальсагов** Созерко Артаганович (1893—1976) — ингуш, офицер Белой армии, з/к с 1923, участник побега в группе Ю. Д. Бессонова (*см.*), автор мемуаров «Адские острова» — **II**: 58
- **Мальцев** Михаил Митрофанович (1904—1982) — нач. Воркутлага (1943—46), генерал-майор — **II**: 532
- **Малявко-Высоцкая** Нина Константиновна — *Свид.*: 15
- **Малявко-Высоцкий** Александр Петрович (1884—1941, умер в тюрьме) — инженер, Ростов-на-Дону — **III**: 19, 480
- **Мамулов** Георгий Соломонович — нач. лагеря, полковник (Ховрино под Москвой) — **II**: 135, 136, 478, 529, 530. **III**: 37
- **Ман** Иван Александрович (1903—1982) — капитан дальнего плавания, почётный полярник — **III**: 450
- **Мандельштам** Надежда Яковлевна (1899—1980) — жена О. Э. Мандельштама, мемуарист — **II**: 611, 614. **III**: 369
- **Мандельштам** Осип Эмильевич (1891—1938, умер в заключении) — **I**: 398
- **Манн** Томас (1875—1955) — немецкий писатель — **III**: 131
- **Маннергейм** Карл Густав (1867—1951) — генерал-майор царской армии, маршал Финляндии, президент Финляндии (1944—46) — **II**: 365
- **Мао Цзэ-дун** (1893—1976) — **I**: 281, 424
- **Мариупольский** — сотоварищ Ф. М. Косырева (*см.*) — **I**: 338
- **Мариюшкин** Алексей Лазаревич (1877—1946, умер в заключении) — полковник царской армии, с 1920 в эмиграции, з/к с 1944, депортирован в СССР из Югославии — **I**: 286
- **Маркелов** Даниил Ильич — з/к, после реабилитации председатель месткома артели — *Свид.*: 15. **III**: 479, 480
- **Маркин** Василий Степанович (1910—?) — агроном Тулунской селекционной станции в Приангарье, з/к и ссыльный (Колыма, 1938—1950-е) — **II**: 620
- **Маркос** (Вафиадис Маркос, 1906—1992) — генерал, с 1947 командующий повстанческой армией в Греции — **I**: 111
- **Маркосян** — з/к (Кенгир, 1954) — **III**: 332

Маркс Карл (1818—1883) — **I**: 91, 152, 254, 337, 441, 502, 526, 570, 623. **II**: 7, 12, 75, 141, 153, 292, 293, 637. **III**: 92, 95, 389

Мартинсон — з/к — **II**: 369, 440

Мартиросов — з/к-беглец (Экибастуз, 1950) — **III**: 161

Мартов Л. (Цедербаум Юлий Осипович; 1873—1923) — революционер, меньшевик, с 1920 в эмиграции — **I**: 429. **III**: 92, 363

Мартыновский — студент, организатор противокоммунистического отряда (Луга, 1941) — **III**: 32

Мартынюк Павло Романович — *Свид.*: 15

Маруся — надзирательница Архангельской тюрьмы, 1937 — **I**: 496

Марченко Анатолий Тихонович (1938—1986, умер после голодовки в заключении) — правозащитник, з/к и ссыльный неоднократно — **II**: 384. **III**: 535, 538, 544, 557, 560

Маршак Самуил Яковлевич (1887—1964) — поэт, переводчик — **III**: 352

Маршалл Джордж Кэтлетт (1880—1959) — американский генерал — **II**: 272

Марья — встречная Г. Тэнно (*см.*) при побеге — **III**: 193

Масамед — психолог, з/к (Экибастуз, 1950-е) — **III**: 123

Масарик Ян (1886—1948, погиб при невыясненных обстоятельствах) — деятель Чехословакии, член правительства в изгнании, министр иностранных дел — **I**: 281

Масленников Иван Иванович (1900—1954) — зам. министра внутренних дел СССР (1953—54), генерал армии — **III**: 300

Маслов Владимир Николаевич — инженер, з/к (Беломорстрой, освобождён в 1932, награждён в 1933) — **II**: 92

Масюков Василий Павлович (1836—1902) — подполковник жандармского управления на Карийских приисках — **III**: 104

Матвеев Дмитрий Михайлович (1907—?) — нач. Дальлага (1952—54), член комиссии по Степному, Песчаному и Дальнему особлагам в 1953, подполковник — **III**: 526, 533

Матвеев Ю. — автор отклика на «Один день Ивана Денисовича» — **III**: 501

Матвеева С. П. — жена з/к (арестован муж и три брата) — *Свид.*: 15. **I**: 92

Матронина Ольга Петровна — инженер, з/к, зав. производством (Новый Иерусалим в Подмосковье, 1945) — **II**: 177—179, 187, 191, 192

Матфей — евангелист — **II**: 170, 322

Матюшин — художник, з/к (Калужская застава в Москве, 1945) — **II**: 183

Махлапу — эстонка, з/к (погибла во время Кенгирского восстания) — **III**: 349

Махоткин Василий Михайлович (1904—1974) — полярный лётчик, имя пилота Махоткина присвоили в 30-х годах острову в Карском море, у побережья острова Таймыр, з/к (Норильлаг, Красноярская пересылка; 1941—51) — **I**: 609

Махровская Герда Альфредовна (1898—?) — подсудимая на процессе Главтопа (1921), з/к и ссыльная — **I**: 115

Мачеховский (Мачаховский) — нач. режима, лейтенант (Экибастуз) — **III**: 78, 114, 204, 227, 228, 257, 271

Маяковский Владимир Владимирович (1893—1930, покончил с собой) — **I**: 59, 60, 85. **II**: 291, 368, 409. **III**: 472

Меандров Михаил Алексеевич (1894—1946, повешен) — полковник Красной армии, после немецкого плена во власовской армии, генерал-майор — **I**: 277, 278

Мёбес Григорий Оттонович (1868—1934) — преподаватель, оккультист, з/к с 1926 — **II**: 43

Медведев — автослесарь, з/к, одноделец В. А. Белова (*см.*) — **I**: 620

Медведев — нач. лагпункта, капитан (УстьВымлаг) — **II**: 527

Медвежонок — ст. лейтенант интендантской службы (Кенгир, 1954) — **III**: 317, 318

Межова Изабелла Адольфовна — дочь А. Ю. Добровольского (*см.*) — *Свид.*: 15. **II**: 617

Мейер Александр Александрович (1875—1939) — философ, з/к и ссыльный по делу кружка «Воскресение» (Соловки, Дмитлаг, Калязин) — **II**: 43

Мейер Даниэль — западный социалист, 1967 — **III**: 366

Мейерхольд Всеволод Эмильевич (1874—1940, расстрелян) — режиссёр — **III**: 371

Мейке Виктор Александрович (ум. 1992) — ссыльный финн-ингерманландец, химик — *Свид.*: 15. **III**: 411

Мейке Ирина Емельяновна (1924—2007) — врач-онколог, жена В. А. Мейке — *Свид.*: 15

Мейстер Георгий Карлович (1873—1938, расстрелян) — биолог, генетик, вице-президент ВАСХНИЛ — **II**: 617

Мекк фон Николай Карлович (1863—1929, расстрелян) — инженер-путеец — **I**: 62, 63, 303, 403

Мельгунов Сергей Петрович (1879—1956) — историк, в 1922 выслан из Советской России — **I**: 150, 356, 358, 359, 400

Мельников — председатель кустарной артели, з/к — **I**: 466

Мендель Ирма Марковна (1898—1927, расстреляна) — венгерская коммунистка, в СССР с 1925 — **I**: 26

Менжинский Вячеслав Рудольфович (1874—1934) — председатель ОГПУ с 1926 — **I**: 52, 338

Меншиков Александр Данилович (1673—1729) — сосланный в Сибирь сподвижник Петра I — **I**: 537. **III**: 360

Мережков — офицер, з/к, лето 1945 — **I**: 529

Мережковский Дмитрий Сергеевич (1866—1941) — писатель, эмигрант — **I**: 229, 284

Мерецков Кирилл Афанасьевич (1897—1968) — военачальник, з/к, маршал Советского Союза — **I**: 265

Меринов — лагерный работник (Колыма) — **II**: 529

Меркулова Татьяна — нач. 13-го лагпункта Унжлага — **II**: 526

Метёлкин Василий Фёдорович — пожарник, Ярославль — **II**: 628

Метёлкина (урожд. Семёнова) Анна Яковлевна — жена В. Ф. Метёлкина — **II**: 628

Метлин — сержант батареи А. Солженицына — **I**: 179

Меттер Израиль Моисеевич (1909—1996) — писатель — **II**: 515

Мефодий — монах Соловецкого монастыря, 1920-е — **II**: 29, 49

Механошин Константин Александрович (1889—1938, расстрелян) — член Реввоенсовета Республики, нач. политуправления войск ВОХР, директор ВНИИ рыбного хозяйства и океанографии — **II**: 320

Мещерская-Гревс Елена Исаакиевна (1892—1957) — жена А. П. Мещерского — **I**: 339—341

Мещерский Алексей Павлович (1867—1938) — инженер-заводчик, з/к, в эмиграции с 1918 — **I**: 339, 342

Миков Николай Меркурьевич (1907—?) — маркшейдер, з/к и ссыльный (Воркута, 1942—56) — **I**: 92

Миколайчик Станислав (1901—1966) — премьер-министр польского правительства в изгнании (1943—44) — **I**: 105, 281

Микоян Анастас Иванович (1895—1978) — член Политбюро ЦК ВКП(б)—КПСС в 1935—66 — **III**: 469, 569, 570

Милль Джон Стюарт (1806—1873) — английский философ — **III**: 95

Милюков Евгений — з/к, токарь (Экибастуз, 1952) — **III**: 291

Милюков Павел Николаевич (1859—1943) — историк, министр Временного правительства, эмигрант — **I**: 65. **III**: 87, 88

Милючихин Валентин Егорович — з/к, бригадир (Усть-Нера, Якутия) — *Свид*.: 15. **II**: 420

Мин Георгий Александрович (1855—1906, убит при покушении) — командир лейб-гвардии Семёновского полка, руководитель подавления московского восстания 1905 — **I**: 392

Минаев Г. — бывший з/к (1962) — **I**: 586. **II**: 417

Минаков — нач. лагпункта (УстьВымлаг) — **II**: 527

Мирбах Вильгельм (1871—1918, убит при покушении) — германский посол в Москве — **I**: 398

Миров-Корона — Абрамов (Миров-Абрамов) Александр Лазаревич (1895—1937, расстрелян), нач. Разведотдела Коминтерна, пом. начальника Разведупра РККА — **I**: 91

Мирович Василий Яковлевич (1740—1764, повешен) — подпоручик Смоленского полка — **I**: 458

Мироненко — следователь (Джидинский лагерь, 1944) — **I**: 163. **II**: 366

Миронов — нач. лагерного участка, лейтенант (Калужская застава в Москве, 1945) — **II**: 259, 482

Митрович Георгий Степанович — серб, з/к и ссыльный (Колыма, Кок-Терек) — *Свид*.: 15. **I**: 117. **II**: 371, 372. **III**: 397—399, 401, 457—459

Михаил, «император» *см.* Белов В. А.

Михайлевич Анна Автономовна (р. 1925) — украинка, з/к, участница Кенгирского восстания — **III**: 316

Михайлов Михайло (Михаил Николаевич; р. 1934) — из семьи русских эмигрантов, писатель, неоднократно арестовывался в Югославии, с 1978 в США — **II**: 7

Михайлов Николай Александрович (1906—1982) — 1-й секретарь ЦК ВЛКСМ (1938—52) — **I**: 244, 246

Михайлович Дража (1893—1946, казнён) — сербский генерал во время 2-й мировой войны — **I**: 276

Михайловский Иван Петрович (1877—1929, покончил с собой) — физиолог — **II**: 301

Михайловский Николай Константинович (1842—1904) — публицист, народник — **III**: 107

Мишин — нач. лагпункта (Озёрлаг, Анзёба) — **III**: 65, 69, 527

Мова — хранил в 1925 список бывших губернских юридических работников — 1925 — **I**: 58

Модель Моисей Иосифович (1889—1965) — следователь, нач. издательства «Красная Звезда», з/к (Воркута, 1938) — **II**: 376

Моисеевайте — з/к (Унжлаг, 1950) — **II**: 600, 604

Мокроусов Борис Андреевич (1909—1968) — композитор-песенник — **III**: 138, 139

Молотов (Скрябин) Вячеслав Михайлович (1890—1986) — член Политбюро ЦК ВКП(б) в 1926—52 — **I**: 76, 192, 442, 443. **II**: 98, 337, 556. **III**: 206

Молчановы — кузнецы, у которых учился отец А. Т. Твардовского — **III**: 377

Монгольфье, братья: Жозеф Мишель (1740—1810) и Жак Этьенн (1745—1799) — изобретатели воздушного шара — **III**: 339

Мончадская Наталья Ильинична — журналист — **III**: 517

Монюшко Станислав (1819—1872) — польский композитор — **II**: 351

Моор Карл (1853—1932) — швейцарский социал-демократ — **II**: 304, 408

Мор Томас (1478—1535) — английский мыслитель, утопист — **II**: 557

«Мороз» — з/к, староста (Воркута, 1937—38) — **II**: 374

Мороз (Иосем) Яков Моисеевич (1898—1940, расстрелян) — чекист с 1918, нач. УхтПечлага (1931—38), з/к — **II**: 133

Морозов — лётчик, нач. отдела УСВИТЛа (СевВостлаг, 1946) — **II**: 531

Морозов Николай Александрович (1854—1946) — революционер, народник — **II**: 609

Морозов Павлик (Павел Трофимович; 1918—1932, убит) — школьник, советский «пионер-герой» — **II**: 344, 624

Морозов Савва Тимофеевич (1862—1905) — промышленник — **I**: 416

Моршинин — нач. контрразведки в Риге, полковник МГБ, 1948 — **III**: 142

«Москва» — кличка з/к (Воркута, 1938) — **II**: 311

Мотя, тётя Мотя — банщица в Вологодской тюрьме — **I**: 560

«Мотя-Эдисончик» — девочка-ссыльная, з/к с 1936 — **III**: 376

Муншин — оперуполномоченный, з/к — **I**: 172

Муравлёв Фёдор Иванович — вольнонаёмный десятник и председатель месткома (Калужская застава в Москве, 1945) — **II**: 548, 549

Муравьёв (Фокс) — красный партизан в Гражданскую войну, з/к — **I**: 71. **II**: 293

Муралевич Вячеслав Степанович (1881—1942) — педагог, сотрудник Зоологического музея Московского университета, в 1920 осуждён по делу «Тактического центра», в 1933 сослан в Казахстан — **I**: 354

Муромцев Владимир Сергеевич (1892—1937, расстрелян) — сын председателя 1-й Государственный думы С. А. Муромцева, з/к (Соловки), юрисконсульт в Калинине — **II**: 43

Мутьянов — инженер, з/к (Экибастуз) — **III**: 81, 160, 173, 221, 223, 228, 230

Мюллер Вильгельм (1794—1827) — немецкий поэт — **I**: 509

Мякотин Венедикт Александрович (1867—1937) — историк, заочно обвинён по делу «Тактического центра», в 1922 выслан из Советской России — **I**: 353, 400

Н. — бухгалтер Кадыйского райпо, 1937 — **I**: 448, 454

Н. — з/к, машинистка — **II**: 251

Н. В. — з/к, Карагандинское отделение Степлага — **II**: 241

Н. У. — з/к, брат К. У. (*см.*) — **II**: 612

Набоков Владимир Владимирович (1899—1977) — писатель, эмигрант — **I**: 233, 284

Наврузов (Лёшка Цыган) — з/к (Экибастуз, 1950) — **III**: 163

Нагель Ирина Анатольевна — з/к, машинистка адмчасти (совхоз Ухта) — *Свид*.: 15. **II**: 405

Нагибина Нина Ивановна — нач. санчасти (Кенгир, 1954) — **III**: 349

Нагорный — лагерный начальник. Возможно: М. И. Нагорный, пом. начальника по лагерной работе Главного управления лагерей горно-металлургической промышленности НКВД СССР — **II**: 524

Надежда, Надя — лжесвидетельница (Рязань, 1960-е) — **III**: 578

Надеждин Николай Иванович (1804—1856) — критик, журналист — **III**: 360

Назаренко — чекист, сообщник Ф. М. Косырева (*см.*) — **I**: 388

Найдёнов Николай — старший опергруппы (Карлаг, 1936) — **II**: 391

Наполеон I Бонапарт (1769—1821) — **I**: 23, 293, 412. **II**: 169, 475, 477, 516

Напольная — з/к, крановщица (Калужская застава в Москве, 1945) — **II**: 229, 279

Нароков (Марченко) Николай Владимирович (1887—1969) — писатель, с 1944 в эмиграции, автор кн. «Мнимые величины» — **I**: 471. **II**: 320

Наседкин Алексей Алексеевич (1897—1940, расстрелян) — чекист, следователь по делу «Союзного бюро меньшевиков», нарком внутренних дел БССР, з/к — **I**: 430

Натансон Марк Андреевич (1850/51—1919) — революционный народник, эсер — **I**: 334

Нахамкис *см.* Стеклов (Нахамкис)

Невежин — нач. лагерного участка, мл. лейтенант (Калужская застава в Москве, 1945) — **II**: 258, 525

Невский — командир Вохры (УстьВымлаг) — **II**: 538

Невский Владимир Иванович (Кривобоков Феодосий Иванович; 1876—1937, расстрелян) — партийный активист, историк, директор Библиотеки им. Ленина (1924—35) — **II**: 323

Невский Николай Александрович (1892—1937, расстрелян) — востоковед, филолог, профессор Ленинградского университета — **I**: 24

Недов Леонид Иванович (1924—2007) — солдат, скульптор, з/к (Тирасполь, ИТК-2) — ***Свид.***: 15. **II**: 364, 468. **III**: 519, 520; фото на с. 519

Некрасов Виктор Платонович (1911—1987) — писатель, с 1974 в эмиграции — **II**: 409

Некрасов Николай Алексеевич — ***Свид.***: 15

Некрасов Николай Алексеевич (1821—1877) — поэт — **I**: 78. **II**: 481. **III**: 66, 130

Некрасов Николай Виссарионович (1879—1940, расстрелян) — инженер, кадет, министр Временного правительства, з/к (Соловки, БелБалтлаг), работник Волгостроя — **II**: 43

Немцов Иван — з/к, Дмитлаг — **II**: 109

Нерон (37—68) — **I**: 231. **II**: 467

Неру Джавахарлал (1889—1964) — премьер-министр Индии — **III**: 25

Нестеровский — учитель английского языка, з/к — **II**: 290

Никитин (умер в лагере) — баптистский пресвитер, з/к — **II**: 613

Никитин Вячеслав — ***Свид.***: 15

Никитин Иван Иванович — ***Свид.***: 15

Никитина Елена — секретарь Киевского комитета комсомола, з/к, бригадир — **II**: 336

Никитина Ксения Ивановна — вдова пресвитера Никитина (*см.*) — ***Свид.***: 15. **II**: 616

Никитченко Иона Тимофеевич (1895—1967) — член Военной коллегии Верховного Суда СССР (председатель на выездных сессиях), член Нюрнбергского трибунала, генерал-майор юстиции, с 1955 в отставке — **II**: 431

Никишин Евгений — з/к, солагерник А. Солженицына (Экибастуз, 1950-е) — **III**: 133, 138

Никишов Иван Фёдорович (1894—1958) — нач. Дальстроя (1939—48), генерал-лейтенант ГБ — **II**: 479, 529

Никляс Анна — ***Свид.***: 15
Никовский Андрей Васильевич (1885—1942, умер в заключении) — филолог, министр иностранных дел Украины (1920), з/к по делу «Союза освобождения Украины» — **I**: 70
Николаевский Тадик — з/к (Воркута, 1938) — **II**: 376
Николай I Павлович (1796—1855) — **I**: 148. **III**: 85
Николай II Александрович (1868—1918) — **III**: 25, 87
Никольский Борис Владимирович (1870—1920, расстрелян) — юрист, поэт, литературный критик, обвинитель на суде — **I**: 328
Никулин (Ольконицкий) Лев Вениаминович (1891—1967) — писатель, один из авторов кн. «Беломорско-Балтийский канал имени Сталина. История строительства» — **II**: 81
Нкрума Кваме (1909—1972) — первый президент Республики Гана — **III**: 532
Новгородов — надзиратель — **III**: 69
Новгородцева Клавдия Тимофеевна (1876—1960) — жена Я. М. Свердлова (*см.*), в 1918—20 пом. секретаря, зав. Секретариатом ЦК РКП(б) — **II**: 80
Новиков — пермский рабочий, з/к (1937—38) — **I**: 92
Новико́в Николай Иванович (1744—1818) — просветитель, публицист — **I**: 301
Новицкий Юрий Петрович (1882—1922, расстрелян) — профессор права, подсудимый на Петроградском церковном процессе — **I**: 376
Новорусский Михаил Васильевич (1861—1925) — одноделец А. Ульянова (*см.*), отбывал заключение в Шлиссельбургской крепости до 1905 — **I**: 59, 506
Ногин Виктор Павлович (1878—1924) — член ЦК РСДРП с 1907 — **III**: 369
Ногтев Александр Петрович (1893—1947) — матрос Балтийского флота, чекист с 1921, нач. УСЛОНа (1923—24, 1929—30), управляющий трестом Мосгортоп с 1932, з/к (1938—45) — **I**: 488, 489. **II**: 30, 31, 54, 64
Нугис Эльмар (1903—1954) — редактор эстонского сельскохозяйственного журнала, з/к с 1945 — **II**: 404
Нусс Виктория — немка, ссыльная (Кок-Терек, 1950-е) — **III**: 455
Ньютон Исаак (1643—1727) — **II**: 460

О-ва А. — з/к (Лубянка, Лефортово) — **I**: 123
Оболенский Евгений Петрович (1796—1865) — декабрист — **I**: 148

Овидий (43 до н. э. — ок. 18 н. э.) — **III**: 360

Овсянников — уполномоченный ГПУ — **II**: 291

Овсянников Виктор Васильевич (р. 1923) — командир взвода в батарее А. Солженицына — **I**: 185, 186

Овчинников Тимофей Павлович (1886—1939) — раскулаченный, з/к и ссыльный — **III**: 380, 381

Огурцов — з/к-бригадир (УстьВымлаг, 1938—39) — **II**: 216

Озеров Иван Христофорович (1869—1942) — профессор финансового права, з/к (Соловки, 1931—33) — **II**: 43

Окороков Василий *см.* Штеккер Роберт

Оксман Юлиан Григорьевич (1894—1970) — литературовед, з/к и ссыльный (Колыма, Саратов; 1936—56) — **II**: 626

Окуневская Татьяна Кирилловна (1914—2002) — актриса, з/к (1948—54) — **II**: 479

Олейник В. В. — автор отклика на «Один день Ивана Денисовича» — **III**: 500

Оленёв Александр Яковлевич (1902—?) — колхозник из Нижегородского края, з/к с 1935 — *Свид.*: 15. **I**: 590, 599. **III**: 490

Олешка — сын з/к, дошкольник — **II**: 631

Олицкая Екатерина Львовна (1899—1974) — эсерка, з/к и ссыльная с 1924 неоднократно, автор кн. «Мои воспоминания» — *Свид.*: 15. **I**: 33, 487, 494, 497, 501. **II**: 227, 297, 324

Олицкий Дмитрий Львович (1905—1937, расстрелян) — брат Е. Л. Олицкой, студент, з/к и ссыльный с 1924, муж Н. В. Суровцевой (*см.*) — **I**: 66

Олухов Пётр Алексеевич — директор магазина, з/к (Тирасполь, 1960-е) — *Свид.*: 15. **III**: 545

Ольга, Оля — жена Н. Найдёнова (*см.*) — **II**: 391

Ольденборгер Владимир Васильевич (1863—1921, покончил с собой) — главный инженер Московского водопровода — **I**: 361—365, 401, 418

Ольминский (**Александров**) Михаил Степанович (1863—1933) — участник революционного движения, большевик, публицист — **I**: 521. **II**: 590. **III**: 86

Олюшкин Кирилл Максимович (1907—?) — нач. политотдела Степлага, полковник — **III**: 348

Оля — фигурировала в деле М. Я. Потапова (*см.*) — **III**: 578

Ончул Степан Григорьевич — определён вольнонаёмным в лагерь, умер в трудовом батальоне — **II**: 611

Орачевский — преподаватель сапёрного училища, з/к, десятник (Калужская застава в Москве, 1945) — **II**: 273—275, 277, 281, 349, 550

Орджоникидзе Григорий Константинович (1886—1937, покончил с собой) — член Политбюро ЦК ВКП(б), нарком тяжёлой промышленности — **I**: 63, 116, 442. **II**: 232
Орлов Василий Иванович (1912—1938, расстрелян) — з/к (Воркута) — **II**: 310
Орлов Николай Михайлович — изобретатель, з/к — **II**: 464
Орлова Елена Михайловна (1905—?) — з/к с 1938 (Бутырки, Карлаг) — *Свид.*: 15. **II**: 131, 228
Орловский Эрнст Семёнович (1929—2003) — сын расстрелянной, публицист-правозащитник — *Свид.*: 15
Оруэлл Джордж (1903—1950) — английский писатель — **II**: 275, 312, 320
Осадчий Пётр Семёнович (1866—1943) — инженер, профессор, зам. председателя Госплана, общественный обвинитель на Шахтинском процессе, з/к (1930—35) — **I**: 402
Осинцев — оперуполномоченный (Джидинский лагерь, 1944) — **II**: 366
Осман — з/к — **II**: 232
Осмоловский (Савченко) Григорий Фёдорович (1858—1917) — политкаторжанин — **III**: 104
Осоргин Георгий Михайлович (1893—1929, расстрелян) — штабс-ротмистр Конногвардейского полка, лесовод, з/к с 1924 (Соловки) — **II**: 43, 44
Осоргин (Ильин) Михаил Андреевич (1878—1942) — писатель, в 1922 выслан из Советской России — **I**: 400
Острецова Александра Ивановна (в замужестве Белякова; 1914—?) — з/к и ссыльная (Лубянка, Калужская застава, Бурят-Монголия; 1944—56), экономист — *Свид.*: 16. **II**: 222, 482
Охрименко — з/к-смертник (1938) — **I**: 472
Оцеп Матвей Александрович (1884—1958) — адвокат принимал участие в процессе «Промпартии» — **I**: 405. **II**: 263
Очкин Владимир Иванович (1891—?) — зав. отделом научно-исследовательского сектора ВСНХ, подсудимый на процессе «Промпартии», з/к (1930—36) — **I**: 415, 421, 425

П-р — эстонка, з/к (Спасск, 1948) — **III**: 68
П-чина — жена з/к — **II**: 555
Павел — старшина, з/к (этап Владивосток—Сахалин, 1950) — **I**: 595
Павел I Петрович (1754—1801) — **I**: 458. **II**: 86
Павел Андрей — житель Орши, избежавший ареста — **I**: 30
Павлов Борис Александрович — *Свид.*: 16

Павлов Василий — танкист, з/к-десятник (Калужская застава в Москве, 1945) — **II**: 259, 260

Павлов Гелий Владимирович (1931—1992) — саратовский школьник, з/к (Заковск, колония № 2; 1943—49) — *Свид.*: 16. **II**: 444

Павлов Карп Александрович (1895—1957) — директор Дальстроя (1937—39), генерал-полковник — **II**: 127, 529. **III**: 513

Павлова Анна Павловна (Матвеевна) (1881—1931) — балерина — **I**: 284

Пален — теософ, з/к — **I**: 55

Палицын Авраамий (ум. 1626) — монах, писатель, в 1619 удалился на покой в Соловки — **II**: 27, 150

Пальчинская Нина Александровна (урожд. Бобрищева-Пушкина; 1879—1938, расстреляна) — жена П. А. Пальчинского — **I**: 93. **II**: 615

Пальчинский Пётр Акимович (1875—1929, расстрелян) — инженер, учёный, государственный деятель, з/к неоднократно — **I**: 62, 93, 214, 303, 402, 403, 422, 436. **II**: 302—305, 615

Панин Дмитрий Михайлович (1911—1987) — инженер, з/к (1940—53), в эмиграции с 1972, автор книг «Записки Сологдина», «Лубянка — Экибастуз: Лагерные записки» — **I**: 571. **II**: 328. **III**: 280, 282, 290

Панков П. А. — автор отклика на «Один день Ивана Денисовича» — **III**: 501

Папанин Иван Дмитриевич (1894—1986) — полярник, нач. Главсевморпути (1939—46) — **II**: 622

Папина Ирина — ленинградка, з/к (1960-е) — **III**: 539

Парамонов — кузнец, з/к (Архангельск, конец 1930-х — военные годы) — **II**: 114

Парвус Александр (Гельфанд Израиль Лазаревич; 1867—1924) — революционер — **III**: 95, 108

Пасечник (убит конвоем в 1950) — з/к-беглец, Экибастуз — **III**: 162, 166

Паски Джиованни *см.* Спасский И. А.

Пастернак Борис Леонидович (1890—1960) — **I**: 624. **III**: 486

Паулюс Фридрих (1890—1957) — немецкий генерал-фельдмаршал, з/к — **I**: 223

Пашина Елена Анатольевна — из 2-й эмиграции (1943), многолетний сотрудник библиотеки Гуверовского института — *Свид.*: 16

Пашков — председатель колхоза (Бирилюсский район Красноярского края), з/к — **III**: 420

Пеллико Сильвио (1789—1854) — итальянский писатель, карбонарий — **II**: 584, 585

Перегуд Нина Фёдоровна (р. 1924) — тамбовская школьница, з/к (1941—46), библиотекарь — ***Свид.***: 16. **II**: 230, 446, 578

Перегуд Фёдор Иванович (ум. 1965) — отец Н. Ф. Перегуд, рабочий, з/к (1941—47, 1949—56) — **II**: 620

Переломов — з/к, бригадир (Кемерлаг) — **II**: 155

Перель Идель Абрамович (1891—1937, расстрелян) — зав. Свердловским облоно с 1927 — **I**: 92

Пересветов Роман Тимофеевич (1905—1965) — журналист — **I**: 149

Перов — следователь (Лефортово, 1948) — **III**: 148

Перхуров Александр Петрович (1876—1922, расстрелян в Ярославле) — полковник царской армии, предводитель Ярославского восстания 1918, генерал-майор армии Колчака — **I**: 395

Пестель Павел Иванович (1793—1826, повешен) — декабрист — **I**: 148

Петерс Яков Христофорович (1886—1938, расстрелян) — чекист с 1917, член Коллегии ОГПУ (1923—29), нач. охраны Кремля — **I**: 338, 342, 345. **II**: 322

Петёфи Шандор (1823—1849) — венгерский поэт — **III**: 130

Петлюра Симон Васильевич (1876—1926, убит при покушении) — украинский деятель, эмигрант — **III**: 47

Пётр (Зверев Василий Константинович; 1878—1929, умер в заключении) — архиепископ Воронежский и Задонский, ссыльный и з/к с 1922 (Средняя Азия, Воронеж, Соловки) — **II**: 44

Пётр I Алексеевич (1672—1725) — **I**: 46, 72, 112, 439, 457. **II**: 86, 588. **III**: 355, 390

Петров — нач. лагпункта (прииск Золотистый, Колыма) — **II**: 128

Петров Александр Александрович — ***Свид.***: 16

Петровский Григорий Иванович (1878—1958) — нарком внутренних дел РСФСР (1917—19) — **II**: 14, 22

Петропавловский Алексей Николаевич — сын расстрелянного, житель Риги (1960) — ***Свид.***: 16. **III**: 479

Петунин Кирилл Гаврилович (1884—1937, расстрелян) — член правления Центросоюза СССР, подсудимый на процессе «Союзного бюро меньшевиков», з/к (Верхнеуральский изолятор, Челябинская тюрьма) — **I**: 468

Печерский (Павчинский) Эразм Иустинович (1876 — после 1934) — журналист — **I**: 240

Печковский Николай Константинович (1896—1966) — певец, солист Театра оперы и балета им. Кирова (1924—41), в войну в оккупации, з/к (ПечЖелДорлаг, Минлаг, Камышлаг; 1944—54), автор кн. «Воспоминания оперного артиста» — **II**: 479

Пешехонов Алексей Васильевич (1867—1933) — публицист, министр Временного правительства, в 1922 выслан из Советской России, с 1927 советник торгпредства СССР в Латвии — **I**: 400

Пешкова Екатерина Павловна (1876—1965) — жена М. Горького, руководитель Политического Красного Креста — **I**: 59, 77, 241

Пигулевская Нина Викторовна (1894—1970) — востоковед, з/к и ссыльная (Соловки, Архангельск; 1928—34), член-корреспондент АН СССР — **II**: 43

Пикалов Пётр — репатриирован в СССР после войны, з/к — *Свид.*: 16. **III**: 51

Пикассо Пабло (1881—1973) — художник — **I**: 111

Пилат *см.* Понтий Пилат

Пилсудский Юзеф (1867—1935) — премьер-министр Польши (1926—28, 1930) — **III**: 25

Пильняк (Вогау) Борис Андреевич (1894—1938, расстрелян) — писатель — **I**: 229

Пинхасик М. Г. — беженец из немецкой части Польши в СССР, з/к — *Свид.*: 16. **I**: 96

Пинцов Рудольф — з/к — **I**: 143

Писарев Дмитрий Иванович (1840—1868) — публицист — **II**: 584

Писарев И. Г. — з/к, корреспондент А. Солженицына — *Свид.*: 16. **II**: 607. **III**: 126, 550

Пичугин В. — з/к на золотых приисках, корреспондент А. Солженицына — *Свид.*: 16. **III**: 541, 550

Пластар Валентин Петрович — *Свид.*: 16

Платов Матвей Иванович (1781—1818) — войсковой атаман Донского казачьего войска — **III**: 565

Платонов Сергей Фёдорович (1860—1933, умер в ссылке) — историк, з/к с 1930 по «Академическому делу» — **I**: 69

Плеве Вячеслав Константинович (1846—1904, убит при покушении) — министр внутренних дел и шеф жандармов с 1902 — **III**: 106

Плетнёв Дмитрий Дмитриевич (1872—1941, расстрелян в Орле перед сдачей города немцам) — врач, профессор, подсудимый на процессе «Антисоветского правотроцкистского блока» — **I**: 77. **II**: 616

Плеханов Георгий Валентинович (1856—1918) — публицист, социал-демократ — **I**: 57, 209. **III**: 92, 95

Плиев Исса Александрович (1903—1979) — командующий войсками Северо-Кавказского военного округа (1958—68), генерал армии — **III**: 565, 567, 568; фото на с. 568

Победоносцев Константин Петрович (1827—1907) — юрист, обер-прокурор Синода (1880—1905) — **I**: 334

Побожий Александр Алексеевич (1914—1978) — инженер-изыскатель, писатель — **II**: 516, 559

Поваляева Зинаида Яковлевна (р. 1920) — из Ставропольского края, учительница, з/к с 1944 (Воркутлаг) — **II**: 387

Погодин (Стукалов) Николай Фёдорович (1900—1962) — советский драматург — **II**: 99, 408, 426, 427

Подбельский Вадим Николаевич (1887—1920) — революционер, нарком почт и телеграфов с 1918 — **III**: 359

Подбельский Юрий Николаевич (1886—1938, расстрелян) — эсер, экономист, з/к и ссыльный с 1922 неоднократно — **I**: 489

Подварковы — отец и сын, з/к (Спасск) — **II**: 314

Подгайский Николай Романович — следователь Московского ревтрибунала, з/к с 1918 — **I**: 336

Подлесный — нач. лагпункта Кочмес (Воркутлаг) — **II**: 526

Пойсуйшапка — вольнонаёмный работник СевДвинлага — **II**: 254, 524. **III**: 27

Покровский Виктор Петрович (расстрелян в 1918) — актёр — **I**: фото на с. 468

Покровский Михаил Николаевич (1868—1932) — историк-марксист, поддерживал обвинение на процессе эсеров 1922 — **I**: 391

Полев Геннадий Фёдорович — бывший з/к, корреспондент А. Солженицына — *Свид.*: 16. **III**: 494

Полевой-Генкин — з/к, участник голодовки в УхтПечлаге (Воркута) — **II**: 310

Политова Н. Н. — *Свид.*: 16

Полотнянщиков Фёдор — житель Ленинск-Кузнецка — **II**: 307

«**Полундра**» — прозвище надзирателя (Экибастуз, 1950) — **III**: 77

Польский Леонид Николаевич — журналист, з/к — *Свид.*: 16

Поля, тётя Поля — з/к, прачка (Унжлаг) — **II**: 233

Поляков Александр Владимирович (1908—?) — столяр, з/к и ссыльный с 1941 (Тургайская пустыня, Кенгир) — **III**: 404

Поляков Григорий Иванович (1874—1939) — орнитолог, з/к (Соловки, 1927—31) — **II**: 43

Полякова — з/к, нарядчица (Дмитлаг, 1933) — **II**: 420, 421

Пономарёв Владимир, Володька — з/к (Экибастуз, 1952) — **III**: 282, 289

Понтий Пилат — прокуратор Иудеи (26—36) — **I**: 520

Попков — солдат батареи А. Солженицына — **I**: 180

Попков А. — *Свид.*: 16

Попов Благой Семёнович (1902—1968) — болгарский деятель Коминтерна, з/к (Норильлаг, Краслаг, Озёрлаг; 1937—54), по освобождении вернулся на родину — **I**: 260. **II**: 615

Попов Г. Ф. — бывший з/к, корреспондент А. Солженицына — **III**: 478

Попов Е. Ф. — адвокат (Белгород, 1959—60) — **II**: 416

Поспелов В. В. — бывший з/к, корреспондент А. Солженицына — *Свид.*: 16. **III**: 482

Постоева Наталья Ивановна (1905—1989) — ленинградский математик, з/к (в 1942 приговорена к расстрелу с заменой на 10 лет, отбывала срок в Инталаге) — *Свид.*: 16. **I**: 188, 474. **II**: 222

Постышев Павел Петрович (1887—1939, расстрелян) — канд. в члены Политбюро ЦК ВКП(б) с 1934, з/к с 1938 — **I**: 438. **II**: 318

Пося Пётр Никитич — *Свид.*: 16

Потапов — нач. КВЧ, майор (СевЖелДорлаг) — **II**: 477

Потапов Михаил Яковлевич — учитель, сослуживец А. Солженицына по школе в Рязани, з/к (1940-е, 1960-е) — *Свид.*: 16. **II**: 291. **III**: 577, 578, 580, 581

Потапов Сергей — з/к (Владимир, 1948; этап Владивосток — Сахалин, 1950) — *Свид.*: 16. **I**: 142, 595

Потёмкин Николай Фёдорович (1902—1961) — нач. Кемперпункта (1929— нач. 1930-х), нач. ВостЖелДорлага, Буреинлага, СевПечлага, Амгуньлага, Ургаллага, Строительства 505 и Строительства 506 (1938—52), полковник — **II**: 53

Потто Василий Александрович (1836—1911) — военный историк, генерал-лейтенант — **II**: 42

Похилько — следователь (Кемерово, 1951) — **I**: 168

Почтарь Яков Ефимович (1887—1941, расстрелян) — военный врач (Севастополь, 1941) — **II**: 305

Правдин Николай Васильевич (1883—1946) — врач-невропатолог, з/к с 1944 (Калужская застава в Москве) — **II**: 270—272, 275, 280

Преображенский, архиерей *см.* Василий

Пресман Алла (ум. 1954) — жительница Киева, з/к (погибла под танком в Кенгире) — **III**: 349

Приблудин Василий — казак, охранник УСЛОНа, участник побега в группе Ю. Д. Бессонова (*см.*) — **II**: 58

Примаков Виталий Маркович (1897—1937, расстрелян) — комкор, подсудимый по делу «военно-фашистского заговора в Красной армии» — **II**: 322

Присёлков Михаил Дмитриевич (1881—1941) — историк, неоднократно арестовывался, с 1930 з/к и ссыльный по «Академическому делу» (Соловки, 1931—32) — **II**: 43

Пришвин Михаил Михайлович (1873—1954) — писатель — **II**: 24

Прокопенко (убит в побеге, 1951) — з/к, Джезказган — **III**: 215, 216

Прокопович Сергей Николаевич (1871—1955) — экономист, министр Временного правительства, член Всероссийского комитета помощи голодающим, в 1922 выслан из Советской России — **I**: 51

Прокофьев — зам. начальника лагпункта, капитан (Экибастуз, 1950-е) — **III**: 253

Прокофьев Георгий Евгеньевич (1895—1937, расстрелян) — зам. наркома внутренних дел СССР (1934—36) — **II**: 322

Пронман Измаил Маркович — з/к, доктор технических наук — *Свид.*: 16. **II**: 527. **III**: 484

Прохоров — артиллерист, председатель сельсовета под Наро-Фоминском, з/к (кладовщик-инструментальщик, Калужская застава в Москве) — **II**: 262, 265, 269, 273, 275—277, 349, 547

Прохоров-Пустовер — инженер, з/к (БАМлаг, 1930-е) — *Свид.*: 16. **II**: 228, 315, 337. **III**: 475

Пругавин Александр Степанович (1850—1920, умер в заключении) — этнограф, историк церкви, з/к (Красноярская тюрьма) — **I**: 463. **II**: 27

Пруссак Анна Владимировна (1888— после 1954) — историк, з/к по делу католиков (Ленинград, Владимирская тюрьма; 1924—33) — **II**: 98

Прыткова Тамара Александровна — з/к — *Свид.*: 16. **III**: 487

Птицын Пётр Николаевич (1908—?) — бухгалтер совхоза в Старорусском районе, з/к с 1937 — *Свид.*: 16. **II**: 297

Птухин Евгений Саввич (1902—1942, расстрелян) — генерал-лейтенант авиации, Герой Советского Союза — **I**: 99

Пуанкаре Раймон (1860—1934) — президент Франции (1913—20) — **I**: 65, 413. **III**: 25

Пугачёв Емельян Иванович (ок. 1742—1775, казнён четвертованием) — предводитель крестьянского восстания — **I**: 458

Пунин — з/к (Новый Иерусалим в Подмосковье, 1945) — **II**: 188

Пунич Иван Аристаулович — учитель, з/к — *Свид.*: 16. **I**: 92

Пупышев Иван Алексеевич — корреспондент А. Солженицына — *Свид.*: 16. **I**: 123

Пустовер-Прохоров *см.* Прохоров-Пустовер

Путна Витовт Казимирович (1893—1937, расстрелян) — военный атташе в Великобритании, комкор, подсудимый по делу «военно-фашистского заговора в Красной армии» — **II**: 322

Пушкин — судья (Кемерово, 1951) — **II**: 307

Пушкин Александр Сергеевич (1799—1837) — **I**: 214, 239, 282, 390. **II**: 27, 150, 368, 369, 408, 442. **III**: 85, 126, 130, 358, 360

Пьянков Иннокентий Павлович (1855—1911) — революционер-народник, ссыльный — **I**: 301

Пятаков Юрий (Георгий) Леонидович (1890—1937, расстрелян) — революционер, председатель Верховного трибунала в 1922, зам. наркома тежёлой промышленности с 1932, подсудимый на процессе «Параллельного антисоветского троцкистского центра» — **I**: 379, 390—392, 438, 442. **II**: 323

Р. — з/к (Бутырки, Рыбинск) — **I**: 412

Р. Эсфирь — з/к, 1947 — **I**: 167

Радек (Собельсон) Карл Бернгардович (1885—1939, убит в тюрьме) — секретарь Исполкома Коминтерна, подсудимый на процессе «Параллельного антисоветского троцкистского центра» — **I**: 388, 391, 399, 437, 441, 442. **III**: 95

Радищев Александр Николаевич (1749—1802) — **I**: 148, 521. **II**: 521. **III**: 358, 360, 467

Радонский — *Свид.*: 16

Радус-Зенькович Виктор Алексеевич (1877—1967) — революционер, советский партийный деятель и публицист — **II**: 21

Разин Степан Тимофеевич (ок. 1630—1671, казнён четвертованием) — предводитель крестьянского восстания — **I**: 612

Райков Леонид Леонидович (1908— до 1996) — москвич, инженер-конструктор, з/к (Экибастуз, 1952) — **III**: 291

Рак (Ракк) Анна — революционерка, в 1906 эмигрировала — **III**: 94

Рак Сёмен (ум. 1954) — з/к, погиб в Кенгире — **III**: 349

Раковская Елена — дочь расстрелянного в 1941 Х. Г. Раковского, з/к с 1948 — **I**: 109

Раковский Сергей Дмитриевич (1899—1962) — нач. геологоразведочных работ в Индигирском горнопромышленном управлении (Усть-Нера, Якутия; 1943) — **II**: 524

Ралов Р. — з/к — **I**: 146

Рамзин Леонид Константинович (1887—1948) — директор Теплотехнического института, подсудимый на процессе «Промпартии», лауреат Сталинской премии 1943 — **I**: 405, 413—416, 421—425, 428

Рапопорт Яков Давыдович (1898—1962) — зам. начальника Беломорстроя, нач. строительства каналов им. Москвы и Волго-Донского, Рыбинской и Угличской ГЭС, генерал-майор — **II**: 83, 99, фото на с. 82

Раппопорт Арнольд Львович (1908—?) — инженер, з/к и ссыльный (Архангельская тюрьма, Воркута, Экибастуз) — *Свид.*: 16. **I**: 299, 496, 497. **II**: 370, 401, 532. **III**: 124, 125

Раскольников (Ильин) Фёдор Фёдорович (1892—1939, погиб при невыясненных обстоятельствах) — революционер, советский дипломат, невозвращенец — **I**: 493

Распутин (Новых) Григорий Ефимович (1869—1916, убит) — **I**: 346

Рассел Бертран (1872—1970) — английский философ, общественный деятель — **I**: 554. **II**: 56, 58

Ратаев Леонид Александрович (1857—1917) — зав. заграничной агентурой Департамента полиции (1902—05) — **III**: 106

Ратнер (Элькинд) Евгения Моисеевна (1885—1931) — член ЦК партии эсеров, подсудимая на процессе 1922, з/к и ссыльная — **I**: 392

Рафаильский — сотоварищ Ф. М. Косырева (*см.*) — **I**: 338

Рахманинов Сергей Васильевич (1873—1943) — композитор, с 1917 в эмиграции — **I**: 284

Рачковский Пётр Иванович (1853—1911) — зав. заграничной агентурой Департамента полиции (1885—1902) — **I**: 392

Редькин — математик, з/к (Экибастуз) — **III**: 122, 161

Резерфорд Эрнест (1871—1937) — английский физик — **II**: 609

Резников Яков Моисеевич — лагерный работник (Колыма) — **II**: 529

Рейли Сидней (Розенблюм Зигмунд Георгиевич; 1894—1925, расстрелян) — английский разведчик, арестован при переходе финляндско-советской границы — **I**: 144

Рейхтман Вельвел (р. 1933) — школьник из Ленинск-Кузнецка, в 1951 осуждён на 10 лет — **II**: 306

Репетто Викентий (Винченцо) Петрович — итальянец, преподаватель пения в Петербурге — **II**: 522

Репин Илья Ефимович (1844—1930) — **II**: 573. **III**: 210

Репина — жена арестованного полковника, з/к (Бутырки, 1950) — **I**: 550

Репнина Варвара Николаевна (1808—1891) — писательница — **II**: 503

Ретц Роланд Вильгельмович (Васильевич) (1915—?) — строгальщик, студент Текстильного института, з/к с 1935, освобождён из СевВостлага в 1946, в ссылке нач. жилконторы — *Свид.*: 16. **II**: 129. **III**: 400, 486

Ретюнин Марк Андреевич (1908—1942, покончил с собой) — з/к с 1929 за участие в ограблении банка, вольнонаёмный с 1939, один из руководителей восстания 1942 в УхтПечлаге — **III**: 242

Реунов Владимир, Володя — старшина, з/к (этап Владивосток—Сахалин, 1950) — **I**: 595. **II**: 290

Реут С. — *Свид.*: 16

Реформатский Михаил Александрович (1887—1938, расстрелян в Орле) — агроном — **I**: фото на с. 468

Риббентроп Иоахим (1893—1946, повешен) — министр иностранных дел фашистской Германии, подсудимый на Нюрнбергском процессе — **III**: 35

Рималис — следовательница, 1930-е — **I**: 125

Риман Николай Карлович (1864—1917) — полковник лейб-гвардии Семёновского полка — **I**: 392

Римский-Корсаков Николай Андреевич (1844—1908) — композитор — **III**: 312

Ришелье Арман Жан дю Плесси (1585—1642) — **I**: 146

Робертсон Брайан Хьюберт (1896—1974) — английский генерал, верховный комиссар британской зоны оккупации в Германии (1949—50) — **I**: 569. **III**: 436

Рогинский Григорий Константинович (1895—1959) — помощник Н. В. Крыленко (*см.*) на процессах: Шахтинском, «Промпартии», «Союзного бюро меньшевиков», зам. прокурора СССР А. Я. Вышинского (*см.*), з/к с 1939, осуждён в 1941 на 15 лет — **I**: 426

Родионов — инженер-гидротехник, профессор, з/к — **II**: 305

Родичев — з/к — **II**: 219

Рожанский Дмитрий Аполлинариевич (1882—1936) — физик, з/к в 1930—31 (отказался голосовать на собрании за смертную казнь по делу «Промпартии»), член-корреспондент АН СССР — **I**: 66, 67. **II**: 618

Рожанский Иван Дмитриевич (1913—1994) — сын Д. А. Рожанского, инженер, историк техники — **II**: 618

Рожаш Янош (р. 1926) — венгр, военнопленный, з/к (Экибастуз, 1944—53), вернулся на родину, лауреат Золотой медали Венгерской академии искусств 2003 за мемуары — ***Свид.***: 16. **I**: 299. **III**: 128, 130

Розенберг Вилл — латыш, з/к (Кенгир, 1954) — **III**: 305

Розенблит — нач. оперчасти БАМлага, 1938 — **III**: 475

Розенфельд Курт (1877—1943) — немецкий социалист — **I**: 389, 390

Ройтман Давид Л. — з/к (Воркута, 1938) — **II**: 376

Рокоссовский Константин Константинович (1896—1968) — военачальник, з/к (1937—40), маршал Советского Союза — **I**: 265, 475

Роллан Ромен (1866—1944) — французский писатель — **III**: 50

Ром Яков Моисеевич (1889—1957) — геолог, коммунист с 1919, з/к (1949—54) — **II**: 335

Романов Александр Дмитриевич (1905—?) — инженер-электрик, з/к с 1938 — ***Свид.***: 16. **I**: 316

Романов Василий Фёдорович — 2-й секретарь Кадыйского райкома ВКП(б), затем председатель райисполкома (1930-е) — **I**: 446, 447

Романов Михаил Александрович (1878—1918, убит чекистами) — великий князь — **I**: 243

Романов Пантелеймон Сергеевич (1884—1938) — писатель — **I**: 229

Романовы — боярский род, царская династия — **I**: 293, 503

Ромашкин Пётр Семёнович (1915—1975) — юрист — **I**: 311

Роммель Эрвин (1891—1944, покончил с собой) — немецкий генерал-фельдмаршал — **I**: 101

Ронжин Николай — з/к, бригадир (Бурепалом) — **II**: 372

Ростовы — новая фамилия родственников М. Н. Тухачевского — **III**: 98

Роттенберг — чекист, з/к, одноделец Ф. М. Косырева (*см.*) — **I**: 337, 340, 341

Рочев Степан Игнатьевич — ***Свид.***: 16

Рубайло Александр Трофимович (1901—1985) — з/к, учитель-словесник — ***Свид.***: 16. **II**: 599

Рубин Исаак Ильич (1886—1937, расстрелян) — преподаватель, зав. кабинетом политэкономии института Маркса и Энгельса, подсудимый на процессе «Союзного бюро меньшевиков», з/к и ссыльный (Верхнеуральский изолятор, Актюбинск) — **I**: 430

Рубин Пётр Петрович (1896—?) — з/к (Верхнеуральский изолятор, 1928) — **I**: 491

Руденко Роман Андреевич (1907—1981) — генеральный прокурор СССР с 1953 — **III**: 300

Рудзутак Ян Эрнестович (1887—1938, расстрелян) — канд. в члены Политбюро ЦК ВКП(б), з/к с 1937 — **I**: 438. **II**: 323

Рудина Виктория Александровна — *Свид.*: 16

Рудинский (Петров) В. — *Свид.*: 16

Рудковский С. М. — бывший з/к — *Свид.*: 16. **III**: 477

Руднев — *Свид.*: 16

Рудчук Владимир Николаевич — протодьякон, з/к (Экибастуз, 1950-е) — **III**: 132, 133, 256

Рудыко — полковник, командир части, где служил до ареста Бельский (*см.*) — **III**: 493

Рузвельт Франклин Делано (1882—1945) — президент США (1933—45) — **I**: 227, 278, 280, 570, 622

Румянцева Юлия — заключённая немецкого лагеря — **I**: 150

Русланова Лидия Андреевна (1900—1973) — певица, з/к (1948—53) — **II**: 479

Русов — районный прокурор (Кадый, 1930-е) — **I**: 169, 447

Рутченко — лейтенант Красной армии, организатор противокоммунистического отряда под Порховом в сентябре 1941 — **III**: 32

Рущинский Максим Васильевич (1893—?) — геолог, з/к (1920-е) — **II**: 72

Рыбакова Вера Владимировна (1900—?) — студентка, з/к и ссыльная с 1924 неоднократно (Суздальский, Челябинский и Верхнеуральский изоляторы, Нарымский край, Амурлаг) — **I**: 33

Рыжков Валентин — з/к-беглец (Экибастуз, 1951) — **III**: 221, 229, 230

Рыков Алексей Иванович (1881—1938, расстрелян) — член Политбюро ЦК РКП(б)—ВКП(б) в 1922—29, подсудимый на процессе «Антисоветского правотроцкистского блока» — **I**: 437, 442. **II**: 70

Рылеев Кондратий Фёдорович (1795—1826, повешен) — поэт, декабрист — **I**: 148

Рысаков Николай Иванович (1861—1881, повешен) — террорист-народоволец — **I**: 149

Рюмин Михаил Дмитриевич (1913—1954, расстрелян) — ст. следователь Следственной части по особо важным делам МГБ СССР (1947—51), зам. министра ГБ СССР (1951—52), з/к — **I**: 143, 144, 174, 175, 197, 318. **III**: 471

Рюрик, Рюрики — Рюриковичи, династия — **I**: 83, 246, 461

Рябинин Н. И. — з/к (время войны) — *Свид*.: 17. **II**: 290

Рябинин Фрол — з/к, расконвоированный — **II**: 360, 361

Рябоконь Галина Осиповна — раскулаченная, ссыльная — **III**: 387

Рябушинский Павел Павлович (1871—1924) — промышленник, политический деятель, с 1920 в эмиграции — **I**: 65

Рязанов Николай Павлович (1908—?) — зам. начальника Степлага по оперработе и режиму, подполковник (Кенгир, 1954) — **III**: 348

С. — з/к — **I**: 112

С. Тимофей — з/к, зав. лагерной столовой (Экибастуз, 1950-е) — **III**: 247

С-ва П. — ссыльная (Казань, 1934) — **III**: 365

Сабашников Сергей Михайлович (1898—1952, расстрелян) — сын издателя М. В. Сабашникова, з/к с 1943 (Заярск, Тайшет, Находка) — **II**: 615

Сабашникова Татьяна Михайловна *см*. Леонова Т. М.

Саблин Юрий Владимирович (1897—1937, расстрелян) — комдив — **II**: 322

Сабо — венгр, участник Гражданской войны, з/к (1937) — **II**: 314

Саботажников — ст. лейтенант милиции (1950-е) — **III**: 197

Сабуров Павел Михайлович (1899—?) — зав. Кадыйским райфо, в 1937 приговорён к расстрелу с заменой на 10 лет — **I**: 447, 455, 477

Савва Звенигородский (ум. 1406) — основатель и настоятель Сторожевского монастыря — **I**: 348

Савватий (ум. 1435) — один из основателей Соловецкого монастыря — **II**: 25, 27, 49

о. **Савелий** — з/к (лагпункт Самарка, 1946) — **II**: 585

Савельева — врач (Деденёво в Подмосковье, 1978) — **III**: 582

Савинков Борис Викторович (1879—1925, погиб в тюрьме) — деятель партии эсеров, писатель — **I**: 334, 395—399. **III**: 87, 93

Саенко Георгий Несторович (1902—1939, покончил с собой в заключении) — капитан ГБ, зам. начальника УНКВД Омской области, арестован в 1939 — **I**: 172

Сазонов Матвей — з/к, участник побега в группе Ю. Д. Бессонова (*см.*), эмигрант — **II**: 58

Сазонов *см.* Созонов

Сакуренко — офицер, з/к (восстание заключённых на 501-й стройке, 1948) — **III**: 243

Салин Дмитрий Евграфович (1903—1961) — с 1954 зам. генерального прокурора и нач. отдела по спецделам Прокуратуры СССР — **III**: 494

Салопаев Николай, Колька — з/к (Экибастуз, 1950-е) — **II**: 403. **III**: 161

Салтычиха (Салтыкова Дарья Николаевна; 1730—1801) — помещица-изуверка — **I**: 224, 463. **II**: 232, 234

Самарин Александр Дмитриевич (1869—1932) — предводитель московского дворянства, обер-прокурор Синода, один из подсудимых по «делу церковников» 1920, з/к и ссыльный неоднократно — **I**: 346—348

Самсон — монах Соловецкого монастыря, литейщик, 1920-е — **II**: 29

Самсонов Александр Васильевич (1859—1914, покончил с собой) — генерал, командующий армией — **I**: 265

Самсонов Борис Иванович (р. 1912) — рабочий завода сельскохозяйственного оборудования, депутат Верховного Совета СССР (1958) — **III**: 533

Самулёв — нач. особого отдела 36-й мотодивизии (Монголия, 1941) — **I**: 128

Самутин — лейтенант МВД (Ныроблаг) — **II**: 538. **III**: 234, 241

Самшель — лагерный охранник, з/к — **II**: 540

Самшель Нина — дочь лагерного охранника, корреспондент А. Солженицына — *Свид.*: 17. **II**: 540

Сандомирская Лотта Борисовна (1882—1941) — руководитель Харьковского отделения Политического Красного Креста, з/к — **I**: 59

Санин — морской офицер, з/к, 1945 — **I**: 529, 531

Сантер Максимилиан де, Макс — русско-французского происхождения, солдат и партизан во 2-ю мировую, «репатриирован» в СССР, з/к (1945—56), с 1958 вне СССР, автор мемуаров «Советские послевоенные концлагери и их обитатели» — **I**: 537

Сартр Жан Поль (1905—1980) — французский писатель — **I**: 111. **III**: 340, 350

Сауер Иоханнес (1904—?) — нарком местной и пищевой промышленности Эстонской ССР (1940—41), з/к (Кенгир) — **III**: 296

Саунин — землемер, з/к — **I**: 94

Сахаров Игорь Константинович (1902—1977) — сын генерал-лейтенанта К. В. Сахарова, эмигрант, участник войны в Испании, один из инициаторов создания русских частей в составе Вермахта, полковник власовской армии — **I**: 267, 276

Сачкова Екатерина Фёдоровна (1925—?) — из Краснодарского края, з/к (Норильлаг, сельхозколония; 1945—56) — *Свид.*: 17. **II**: 230

Свердлов Андрей Яковлевич (1911—1969) — сын Я. М. Свердлова, комсомольский пропагандист, чекист (1938—51), з/к (1935, 1938, 1951—53), канд. исторических наук — **II**: 79

Свердлов Яков Михайлович (1885—1919) — революционер, председатель ВЦИК — **I**: 331. **II**: 80

Светличный — лагерный работник (Норильск) — **II**: 529

Свечин Александр Андреевич (1878—1938, расстрелян) — военный историк, генерал-майор (1916), комдив, преподаватель Военной Академии Генштаба Красной армии, неоднократно арестовывался — **I**: фото на с. 469

Свирская Элла, Элочка — з/к — **II**: 284

Сговио Иосиф (ум. 1948) — коммунист, иммигрант из США, з/к с 1937 — **II**: 425

Сговио Томас Иосифович (1916—1997) — художник, сын иммигранта из США, з/к и ссыльный (Колыма, Красноярский край; 1938—54), вернулся в США, автор мемуаров «My Dear America!» — *Свид.*: 17. **II**: 127, 208, 425, 426, 524

Седельников Тимофей Иванович (1876—1930) — депутат 1-й Государственной Думы, с 1918 большевик, работал в Рабкрине, подсудимый по делу о самоубийстве инженера В. В. Ольденборгера — **I**: 362, 364—366

Седин Иван Корнеевич (1906—1972) — нарком нефтяной промышленности СССР (1940—44) — **I**: 245, 246

Седова Наталья Ивановна (1882—1962) — вторая жена Л. Д. Троцкого (*см.*) — **III**: 98

Седова Светлана Борисовна — «дочь изменника родины» с шести лет, *Свид.*: 17. **II**: 446

Селиванов Дмитрий Фёдорович (1855—1932) — математик, профессор Петроградского университета, в 1922 выслан из Советской России — **I**: 400

Сельвинский Илья (Карл) Львович (1899—1968) — писатель — **II**: 409

Семашко Николай Александрович (1874—1949) — революционер, врач, нарком здравоохранения РСФСР (1918—30) — **III**: 95

Семёнов — генерал. Возможно: Семёнов Иван Павлович (1905—1972), 1-й зам. начальника Дальстроя (1947—49), генерал-майор — **III**: 244

Семёнов Владимир Николаевич, Вовочка — сын Н. Я. Семёнова (*см.*) — **II**: 629

Семёнов (Васильев) Григорий Иванович (1891—1937, расстрелян) — эсер-боевик, большевик с 1921, подсудимый на процессе эсеров 1922, чекист, сотрудник Разведупра Красной армии, бригадный комиссар — **I**: 386

Семёнов Николай Андреевич — инженер-электротехник, военнопленный, з/к — *Свид.*: 17. **I**: 260, 261, 614

Семёнов Николай Яковлевич — житель Любима, з/к — *Свид.*: 17. **II**: 628

Семёнов-Тян-Шанский Пётр Петрович (1827—1914) — географ, статистик — **III**: 356, 422

Семёнова Мария Ильинична — мать Н. Я. Семёнова (*см.*) — **II**: 628

Сенин — ст. надзиратель (Калужская застава в Москве, 1945) — **II**: 349, 350, 353, 355, 536

Сенченко — оперуполномоченный, время войны — **I**: 169, 180

Серафимович Александр Серафимович (1863—1949) — писатель — **I**: 590

Сервантес Сааведра Мигель де (1547—1616) — **II**: 472

Сергеев Н. (1888—?) — рабочий, эсер-боевик, убийца В. Володарского (*см.*) — **I**: 386

Сергей — железнодорожник из Куйбышева, з/к (Новорудное, Джезказган) — **III**: 157

Сергиенко Тамара Сергеевна — переводчик в лагере немецких военнопленных — *Свид.*: 17. **II**: 526

Сергий (Шеин Василий Павлович; 1870—1922, расстрелян) — архимандрит, депутат 4-й Государственной думы, обвиняемый на Петроградском церковном процессе — **I**: 376

Сергий Радонежский (ок. 1321—1391) — основатель и игумен Троице-Сергиева монастыря — **I**: 350

Сердюкова Анна Адриановна (1860—?) — учительница, осуждена по делу 1 марта 1887 — **III**: 89

Серебрякова Галина Иосифовна (1905—1980) — жена Г. Я. Сокольникова (*см.*), писательница, з/к и ссыльная (1936—56) — **II**: 315, 334, 337, 338, 407. **III**: 509, 511

Серёгин Виктор Андреевич — комиссар подразделения 36-й мотодивизии (Монголия, 1941) — **I**: 313. **III**: 494, 495

Серов Иван Александрович (1905—1990) — 1-й зам. наркома (министра) внутренних дел СССР (1941—54), председатель КГБ (1954—58) — **I**: 166

Сиваков — нач. следственного отдела УМГБ (Орджоникидзе, 1952) — **I**: 116

Сиверкин — капитан МВД (Ныроблаг) — **II**: 531

Сиверс Александр Александрович (1894—1929, расстрелян) — з/к с 1925 по «делу лицеистов» (Соловки) — **II**: 43

Сигачёв Сергей Петрович (р. 1947) — историк — **II**: 574

Сигида Надежда Константиновна (1862—1889, покончила с собой) — народница, с 1887 на каторге — **III**: 104

Сидоренко — оперативник, мл. лейтенант (совхоз Ухта) — **II**: 405

Сидоренко Александр, Саша — разведчик, военнопленный, з/к, зав. каптёркой (Кенгир, 1950-е) — **II**: 253

Сидоров — следователь, полковник (Лефортово, после войны) — **I**: 134

Сизых Любовь Илларионовна — невестка Н. С. Хрущёва (*см.*), з/к (1942—54) — **I**: 176

Сикорский Владислав (1881—1943) — премьер-министр польского правительства в изгнании и верховный главнокомандующий польскими вооруженными силами с 1939 — **I**: 96. **II**: 131, 133

Силин Анатолий Васильевич — детдомовец, военнопленный, з/к, духовный поэт (Экибастуз, 1950-е) — **III**: 117, 119, 120

Силин В. И. — автор отклика на «Один день Ивана Денисовича» — **III**: 501

Симонян Кирилл Семёнович (1918—1977) — школьный товарищ А. Солженицына, хирург — **I**: 152

Синебрюхов Фёдор Александрович — з/к и ссыльный (Череповец, Калужская застава в Москве; 1937—47) — *Свид.*: 17. **I**: 306. **II**: 156, 548, 549

Сипягина Людмила Алексеевна — *Свид.*: 17

Сирохин Евгений М. — инвалид Отечественной войны 1-й группы, баптист, з/к (Харьковская область, 1961) — **III**: 575

Сирохины, сёстры: Любовь (р. 1949), Надежда (р. 1952) и Раиса (р. 1954) — дочери Е. М. Сирохина — **III**: 575

Скачинский Александр Сергеевич (Кузиков-Скачинский) — з/к, писатель, эмигрант, составитель «Словаря блатного жаргона в СССР» — *Свид.*: 17. **II**: 386

Скворцов — з/к (Локчимлаг, Усть-Вымь) — **II**: 368

Скирюс Ромуальдас Прано (р. 1924) — литовец, з/к (Сев-Двинлаг, 1945—46) — **I**: 118

Скоропадский Павел Петрович (1873—1945) — генерал-лейтенант, гетман Украины, с 1919 в эмиграции — **III**: 47

Скорохватов — следователь МГБ (Кемерово, 1950-е) — **I**: 171

Скрипникова Анна Петровна (1896—1974) — преподаватель, з/к в 1920—59 неоднократно (Соловки, БелБалтлаг, Сиблаг, Дубравлаг, Владимирская тюрьма), автор неопубликованной кн. «Соловки» — *Свид.*: 17. **I**: 26, 52, 61, 116, 506, 521. **II**: 65, 97, 297, 312, 579, 633, 636—640. **III**: 380, 496, 530, 531

Скрыпник Николай Алексеевич (1872—1933, покончил с собой) — революционер, член Коллегии ВЧК (1918), нарком просвещения Украинской ССР (1927—33) — **I**: 438

Скуратов-Бельский Григорий Лукьянович, Малюта Скуратов (ум. 1573) — глава опричного террора — **I**: 184. **II**: 47

Слава — з/к-малолетка из Киева, после войны — **II**: 438

Слава — лагерный охранник, позднее физинструктор — **III**: 493

Слесарев — нач. политотдела 36-й мотодивизии (Монголия, 1941) — **I**: 313

Слиозберг Ольга Львовна *см.* Адамова-Слиозберг О. Л.

Слобода Алексей, Лёша — з/к, бригадир (штрафной лагпункт Краслага Ревучий) — **II**: 407

Слободянюк — з/к-беглец (Новорудное близ Джезказгана, 1949) — **III**: 155

Слученков Энгельс (Глеб) Иванович (1924—1956, расстрелян) — после немецкого плена подпоручик власовской армии, з/к с 1945, один из руководителей Кенгирского восстания — **III**: 319, 323, 328, 331—334, 343, 346, 350, 351

Смелов Геннадий — з/к (Ленинград, 1960) — **I**: 498. **III**: 577

Смелов Павел Георгиевич — *Свид.*: 17

Смешко — нач. лагпункта (Карлаг, Ортау; 1944) — **II**: 531

Смирнов — обвинитель на Петроградском церковном процессе 1922 — **I**: 376

Смирнов — нач. режима ПечЖелДорлага — **II**: 529

Смирнов Иван Никитич (1881—1936, расстрелян) — революционер, деятель РКП(б)—ВКП(б), з/к с 1933, подсудимый на процессе «Антисоветского объединённого троцкистско-зиновьевского центра» — **I**: 437, 438, 497. **II**: 308

Смирнов Фёдор Иванович (1903—1937, расстрелян) — 1-й секретарь Кадыйского райкома ВКП(б) — **I**: 446—448, 452, 453, 455, 477

Смирнова — жительница Костромы, убита Ф. М. Косыревым (*см.*) — **I**: 342

Смотрицкий Павел Фомич (1876—1934, умер в заключении) — художник, з/к с 1928 по делу кружка «Воскресение» (Соловки, БелБалтлаг) — **II**: 43

Смрковский Йозеф (1911—1974) — чехословацкий коммунист, з/к в 1951—55, один из деятелей «Пражской весны» 1968 — **I**: 276

Смушкевич Яков Владимирович (1902—1941, расстрелян) — генерал-лейтенант авиации, дважды Герой Советского Союза — **I**: 99

Снегирёв Владимир Николаевич — з/к — *Свид.*: 17. **II**: 444

Созонов (Сазонов) Егор Сергеевич (1879—1910, покончил с собой), эсер, убийца министра внутренних дел П. К. Плеве — **III**: 106

Соковиков — оперуполномоченный (Озёрлаг) — **II**: 341

Сокол — следователь П. Чульпенёва (*см.*) — **I**: 132

Соколов — нач. тюрьмы в Ленинграде во время войны — **I**: 474

Соколов — нач. оперотдела (Джидинский лагерь, 1944) — **II**: 366

Соколов — оперуполномоченный кавполка во время войны — **II**: 393

Сокольников (Бриллиант) Григорий Яковлевич (1888—1939, убит в тюрьме) — революционер, нарком финансов СССР в 1923—26, подсудимый на процессе «Параллельного антисоветского троцкистского центра» — **I**: 441

Сократ (470/469—399 до н. э.) — **I**: 184

Соловьёв — лейтенант, з/к (Буреполом) — **II**: 538

Соловьёв — председатель одной из комиссий по амнистии (середина 1950-х) — **III**: 531

Соловьёв — чекист, з/к, одноделец Ф. М. Косырева (*см.*) — **I**: 337, 340—342

Соловьёв Александр Александрович (1910—?) — агроном — **II**: 620

Соловьёв Александр Константинович (1846—1879, повешен) — революционер-народник, покушавшийся на Александра II — **III**: 86

Соловьёв Владимир Сергеевич (1853—1900) — религиозный философ, поэт — **I**: 55. **II**: 190

Соловьёв Леонид Васильевич (1906—1962) — писатель — **I**: 209

Солодянкин — нач. режима, капитан (Тирасполь, ИТК-2, 1960-е) — **III**: 519

Соломин Илья Матвеевич (р. 1923) — сержант батареи А. Солженицына, з/к (Колыма; 1947—52), инженер, с 1987 в эмиграции — *Свид.*: 17

Соломон (965—928 до н. э.) — **I**: 307

Соломонов — бухгалтер лагеря (Калужская застава в Москве, 1945) — **II**: 279

Солон (между 640 и 635 — ок. 559 до н. э.) — **III**: 465

Сольц Арон Александрович (1872—1945) — член Верховного Суда РСФСР и СССР, куратор Беломорстроя, член ЦКК ВКП(б) в 1920—34, работал в Прокуратуре СССР — **II**: 59, 63, 99, 451; фото на с. 59

Сорокин — зам. начальника Кадыйского райотдела НКВД, 1937 — **I**: 448

Сорокин — комендант поселка ссыльнопоселенцев Парча (Северный Урал) — **III**: 383

Сорокин Геннадий Александрович — студент Челябинского пединститута, з/к с 1946 — *Свид.*: 17. **II**: 291, 384. **III**: 481

Сосиков — оперуполномоченный (Джидинский лагерь, 1944) — **II**: 366

Софроницкий Владимир Владимирович (1901—1961) — пианист — **II**: 286

Спасский Иван Алексеевич, Паски Джиованни — участник Гражданской войны, эмигрант, майор итальянской армии, з/к с 1942 (Лубянка, лагерь в Харькове, Экибастуз) — **III**: 54, 80

Спиридонов — член Иваново-Вознесенского совета рабочих депутатов, з/к. Возможно: Спиридонов Андрей Николаевич, ивановский рабочий — **II**: 323

Спиридонова Мария Александровна (1884—1941, расстреляна в Орле перед сдачей города немцам) — деятель партии эсеров, з/к и ссыльная с 1918 неоднократно — **II**: 322. **III**: 93, 408

Ставров Василий Иванович (1895—1937, умер в тюрьме) — зав. Кадыйским райзо, з/к — **I**: 446, 447, 451

Стадников — нач. лагпункта, капитан (Степлаг) — **II**: 523

Сталевская — жительница Челябинской области, 1960-е — **II**: 511

Сталин (Джугашвили) Иосиф Виссарионович (1879—1953) — **I**: 31, 42, 66—68, 73, 77, 81, 82, 86—88, 91, 93, 94, 107—109, 111, 120, 121, 146, 153, 155, 164, 174, 176, 183, 208, 209, 232, 233, 236, 250, 252, 253, 258—260, 265, 268—270, 276, 277, 280—284, 292, 300, 305, 317, 394, 395, 401, 404, 413, 418, 426, 431, 432, 434, 437—440, 442, 443, 445, 452, 453, 463, 466, 499, 502, 503, 519, 527, 534, 567, 570, 600, 624. **II**: 63, 71, 77—79, 86, 87, 91—93, 96, 98, 99, 102, 108, 119, 133, 138, 139, 183—185, 282—286, 291, 308, 314, 318—322, 326, 327, 333, 334, 337, 343, 346, 394, 407, 408, 411, 412, 423, 425, 428, 430, 434, 448, 457, 484, 485, 533, 557, 561, 562, 566, 581, 595, 615, 616, 618, 623, 630, 638—640. **III**: 5, 7, 9, 13, 17, 18, 24, 26, 28, 30—32, 37, 50, 59, 69, 84, 86, 92, 99, 102, 111, 129, 131, 157, 212, 213, 235, 244, 261, 298, 299, 304, 359, 363, 367, 369, 372, 390, 391, 407, 409, 415, 444, 447, 452, 462, 464, 470, 471, 480, 516, 532, 563, 569, 571, 572, 585

Станиславов — уполномоченный кооператива Интегралсоюз (1930—32) — **III**: 386

Станиславский (Алексеев) Константин Сергеевич (1863—1938) — режиссёр — **I**: 414

Старосельский Владимир Александрович (1860—1916) — и. о. губернатора Кутаисской губернии (1905—06), в эмиграции с 1908 — **III**: 96

Старостины, братья: Александр Петрович (1903—1981), Андрей Петрович (1906—1987), Николай Петрович (1902—1996), Пётр Петрович (1909—1993) — спортсмены, з/к в 1942—54 — **II**: 292

Статников Анатолий Матусович — вольный нач. санотдела лагеря, онколог, канд. медицинских наук — ***Свид.***: 17. **II**: 212

Стеенберг Свен *см.* Steenberg Sven

Стеклов (Нахамкис) Юрий Михайлович (1873—1941, расстрелян в Орле перед сдачей города немцам) — партийный активист, журналист — **II**: 323

Стельмах — чекист — **I**: 116, 319

Стемпковский Виктор Иванович (1859—?) — земский деятель Воронежской губернии, депутат Государственной думы, подсудимый по делу «Тактического центра» (1920) — **I**: 354

Стендаль (Бейль Анри-Мари; 1783—1842) — **II**: 281

Степан ** — з/к-беглец (Джезказган, 1951) — **III**: 154, 211—214

Степовой Александр Филиппович — солдат внутренних войск, з/к — *Свид.*: 17. **II**: 346

Степун Фёдор Августович (1884—1965) — философ, в 1922 выслан из Советской России — **I**: 400

Столбунский — Стовбунский Яков Ильич, следователь НКВД (*Столбунский* в воспоминаниях генерала А. В. Горбатова) — **III**: 521

Столыпин Пётр Аркадьевич (1862—1911, убит при покушении), министр внутренних дел и председатель Совета министров с 1906 — **I**: 334, 513. **III**: 89, 99, 358

Стольберг Анна — жительница Ростова — **II**: 628

Столяров И. В. — ссыльный (Бухара, 1930) — **III**: 189, 197, 367

Столярова Наталья Ивановна (1912—1984) — дочь революционеров-эмигрантов, с 1934 в СССР, з/к (1937—54), помощница А. Солженицына — *Свид.*: 17. **I**: 147. **II**: 232, 541. **III**: 473, 491

Стотик Александр Михайлович (1920—1987) — разведчик в войну, з/к и ссыльный до 1956 (Красная Пресня в Москве, Степлаг, Красноярский край), переводчик в издательстве — *Свид.*: 17. **III**: 127, 403

Страхович Елена Викторовна (урожд. Гаген-Торн; 1905—1996) — жена К. И. Страховича — *Свид.*: 17. **I**: 170

Страхович Константин Иванович (1904—1968) — учёный в области аэрогидродинамики, профессор Ленинградского политехнического института, з/к и ссыльный в 1941—55 (в 1942 приговорён к расстрелу с заменой на 15 лет) — *Свид.*: 17. **I**: 170, 309, 467, 471, 473, 474. **II**: 381, 464. **III**: 438

Стружинский — эсер, з/к — **I**: 487, 524

Струтинская Елена — з/к — *Свид.*: 17. **I**: 127

Стучка Пётр Иванович (1865—1932) — нарком юстиции в 1917—18, председатель Верховного Суда РСФСР с 1923, председатель Загранбюро ЦК КП Латвии — **II**: 142, 144

Суворин Алексей Сергеевич (1834—1912) — издатель, журналист — **III**: 96

Суворов — з/к (Бутырки, Красноярская пересылка; после войны) — **I**: 609

Суворов Александр Васильевич (1730—1800) — **I**: 143. **III**: 554

Судрабс Ян Фридрихович *см.* Лацис М. И.

Сузи Арно (1928—1993) — сын А. Ю. Сузи, студент, ссыльный (Хакасия, 1949—58), экономист, доцент Тартуского университета — *Свид.*: 17

Сузи Арнольд Юханович (1896—1968) — адвокат, министр просвещения в эстонском правительстве (1944), з/к и ссыльный (Лубянка, Сиблаг, Хакасия; 1944—60) — *Свид.*: 17. **I**: 216, 219, 226, 227, 230, 239, 243, 310, 515, 529. **II**: 439, 474, 475, 583

Сузи Хели (р. 1929) — дочь А. Ю. Сузи, студентка, ссыльная (Хакасия, 1949—58), окончила Тартуский университет, преподаватель немецкого языка в Музакадемии — *Свид.*: 17. **III**: 422

Сукарно (1901—1970) — президент Индонезии (1945—67) — **III**: 532

Сулейманов — лагерный врач — **II**: 211

Сумберг Мария (1901—?) — ссыльная из Тарту (Здвинский район Новосибирской области, Сталинск; 1949—58) — *Свид.*: 17. **III**: 418, 422, 423

Супрун Лидия Кондратьевна (1904—1954) — учительница из Прикарпатья, з/к с 1944, член Комиссии заключённых во время Кенгирского восстания, ранена и умерла 26 июня — **III**: 323, 350

Суриков Василий Иванович (1848—1916) — художник — **I**: 537, 583

Сурков Алексей Александрович (1899—1983) — поэт, 1-й секретарь Союза писателей СССР (1953—59) — **III**: 340

Суровцева Надежда Витальевна (1896—1985) — переводчик, преподаватель Харьковского университета, з/к и ссыльная (1927—56), автор кн. «Спогади» (фрагмент на рус. яз. в сб. «Доднесь тяготеет») — *Свид.*: 17. **I**: 64, 501, 506. **II**: 59, 129, 221, 628. **III**: 476; фото на с. 476

Сусалов Рафаил Израилевич — *Свид.*: 17

Суслов Михаил Андреевич (1902—1982) — член Политбюро ЦК КПСС, партийный идеолог — **III**: 569

Суханов Н. (Гиммер Николай Николаевич; 1882—1940, расстрелян) — эсер, социал-демократ, публицист, подсудимый на процессе «Союзного бюро меньшевиков», з/к и ссыльный (Верхнеуральский изолятор, Тобольск) — **I**: 67. **III**: 88

Сухов Александр Петрович (1887 — ок. 1940) — психолог, профессор Пединститута им. Герцена, з/к и ссыльный с 1928 по делу кружка «Воскресение» (Соловки, 1929—31) — **II**: 43

Сухомлина Татьяна Ивановна (Лещенко-Сухомлина; 1903—1998) — вернулась из эмиграции, з/к, певица и переводчик, автор мемуаров «Долгое будущее» — *Свид.*: 17

Сучков Федот Федотович (1915—1991) — скульптор, поэт, з/к и ссыльный (1942—55) — ***Свид.***: 17. **II**: 223

Сущихин Сергей Фёдорович — ***Свид.***: 17

Сысоев Александр (убит охраной в 1954) — евангелист, з/к, Кенгир — **III**: 304

Т. — бухгалтер райпо (Кадый, 1937) — **I**: 448

Табатеров Илья Данилович — музыкант из Рязани, з/к (БелБалтлаг, Березники; 1930-е) — ***Свид.***: 17. **I**: 115, 142. **II**: 94, 107, 534

Таганцев Владимир Николаевич (1889—1921, расстрелян) — сын Н. С. Таганцева, профессор Петроградского университета, з/к — **I**: 359

Таганцев Николай Степанович (1843—1923) — юрист, сенатор, член Государственного совета — **I**: 458, 459

Талалаевский Матвей Аронович (1908—1978) — поэт, з/к (1951—54) — **III**: 334, 335

Тан-Богораз *см.* Богораз В. Г.

Танев Васил Константинов (1897—1941, погиб в бою) — болгарский коммунист, соратник Г. Димитрова — **I**: 260. **II**: 615

Тараканов — нач. корпуса тюрьмы (Иваново, 1937) — **I**: 478

Тарантин Анатолий Михайлович (р. 1933) — школьник из Ленинск-Кузнецка, в 1951 осуждён на 10 лет — **II**: 306

Тарасюк Сергей Артемьевич (1899—1948) — нач. Усольлага (1944—48), полковник ГБ — **II**: 529

Ташкевич Георгий Матвеевич — бывший з/к — ***Свид.***: 17. **II**: 583

Тарле Евгений Викторович (1875—1955) — историк, академик АН СССР, з/к и ссыльный по «Академическому делу» (1930—32) — **I**: 69

Тарновский В. П. — з/к (Колыма) — ***Свид.***: 17. **III**: 492

Татарин — надзиратель, Экибастуз, 1950-е — **III**: 113, 114

Таубе Сергей Михайлович (1894—1937, расстрелян) — штабс-капитан Преображенского полка, инженер, з/к неоднократно, с 1929 по делу кружка «Воскресение» (Соловки, БелБалтлаг, Дмитлаг) — **II**: 43

Твардовский Александр Трифонович (1910—1971) — поэт, редактор журнала «Новый мир» — **I**: 503. **III**: 115, 377, 500, 515

Твардовский Гордей Васильевич — дед А. Т. Твардовского — **III**: 377

Твардовский Константин Трифонович (1908—2002) — брат А. Т. Твардовского, селекционер, ссыльный — *Свид.*: 17. **III**: 37, 383

Твардовский Трифон Гордеевич (1881—1949) — отец А. Т. Твардовского, кузнец, раскулаченный, ссыльный — **III**: 377

Твердохлеб (Твердохлебов) — механик, з/к, Экибастуз — **III**: 78

Тевекелян Варткес Арутюнович (1902—1969) — писатель, автор романа о чекистах «Гранит не плавится» — **III**: 520

Тейтельбаум Моисей Исаевич (1876—?) — работник Наркомата торговли СССР, подсудимый на процессе «Союзного бюро меньшевиков», з/к (Верхнеуральский изолятор) — **I**: 430

Тендряков Владимир Фёдорович (1923—1984) — писатель — **II**: 409

Терентьева Л. Я. — *Свид.*: 17

Терехов Геннадий Афанасьевич (1909—?) — член Коллегии Прокуратуры СССР с 1959, ст. помощник генерального прокурора СССР — **III**: 496

Терехов Дмитрий Павлович (1920—1980) — зам. председателя Военной коллегии Верховного Суда СССР, зам. главного военного прокурора (1954—58), генерал-майор юстиции, — **I**: 175, 187

Тетёрка Макар Васильевич (1853—1883) — народоволец, готовивший покушение на Александра II — **III**: 86

Тииф Отто (1889—1976) — эстонский политический деятель, член Национального комитета (1944), з/к и ссыльный (1944—55) — **I**: 227

Тикунов Вадим Степанович (1921—1980) — зам. председателя КГБ (1959—61), министр Охраны общественного порядка РСФСР (1962—66), 1-й зам. председателя Комиссии по выезду за границу при ЦК КПСС (1967—69) — **III**: 548, 557

Тимофеев-Ресовский Николай Владимирович (1900—1981) — биолог, работал в Германии (1925—45), з/к (Лубянка, Бутырки, лагпункт Карлага Самарка, спецобъект Сунгуль; 1945—51) — *Свид.*: 17. **I**: 166, 220, 515, 516, 610—613, 615. **II**: 585, 586

Тито (Броз Тито) Иосип (1892—1980) — глава компартии Югославии с 1940, президент Югославии с 1953 — **I**: 260, 284

Титов — лагерный работник (Колыма) — **II**: 529

Тихомиров Лев Александрович (1852—1923) — революционер-народник, публицист — **II**: 584

Тихон (Белавин Василий Иванович; 1865—1925) — Патриарх Московский и всея Руси с 1917, неоднократно под домашним арестом, з/к (1922—23) — **I**: 55, 346, 349, 368, 371, 372, 374. **II**: 301, 322

Тихонов Александр Николаевич (1880—1956) — писатель, один из авторов кн. «Беломорско-Балтийский канал имени Сталина. История строительства» — **II**: 81

Тихонов Николай Семёнович (1896—1979) — поэт — **III**: 209

Тихонов Павел Гаврилович (р. 1908) — математик, з/к (Карлаг, Экибастуз) — *Свид.*: 18. **III**: 478

Ткач — помначрежима, старшина (Экибастуз, 1952) — **II**: 536, 537. **III**: 27

Ткаченко Иван Максимович (1910—1955) — нач. стройки атомной промышленности, генерал-лейтенант ГБ — **II**: 394

Тодорский Александр Иванович (1894—1965) — нач. Военно-воздушной академии и Управления военно-учебных заведений Красной армии (1936—38), комкор, з/к (1938—54) — **II**: 334, 335, 337, 341

Токарская Валентина Георгиевна (1906—1996) — актриса Московского мюзик-холла и Театра сатиры, в плену и в оккупации в войну, з/к (1945—49) — **II**: 479

Токмаков Мстислав Владимирович (ум. 1983) — ротмистр гусарского полка, с 1920 в эмиграции — *Свид.*: 18

Толстая Александра Львовна (1884—1979) — дочь Л. Н. Толстого, з/к по делу «Тактического центра» (1920—21), директор музея Толстого в Москве, с 1931 в эмиграции — **I**: 356

Толстой Алексей Николаевич (1882—1945) — писатель, один из авторов кн. «Беломорско-Балтийский канал имени Сталина. История строительства» — **II**: 81, 99, 615. **III**: 526

Толстой Лев Николаевич (1828—1910) — **I**: 164, 165, 188, 211, 214, 236, 253, 328, 356, 400, 459, 617, 623, 624. **II**: 206, 300, 466, 596. **III**: 85, 86, 98, 99, 101, 122, 131, 357, 491, 561

Томашевичи — новая фамилия родственников М. Н. Тухачевского — **III**: 98

Томский (Ефремов) Михаил Павлович (1880—1936, покончил с собой) — член Политбюро ЦК РКП(б)—ВКП(б) в 1922—30, зав. ОГИЗом (1932—36) — **I**: 438, 442

Топилин Всеволод Владимирович (1908—1970) — пианист, участник ополчения, военнопленный, в Германии жил у Н. В. Тимофеева-Ресовского (*см.*), з/к (Игарка, Озёрлаг; 1945—55), преподаватель Киевской консерватории с 1962 — **II**: 479, 480

Топникова Надежда Николаевна — дочь Н. Я. Семёнова (*см.*) — **II**: 629

Травкин Захар Георгиевич (1904—1973) — командир 68-й Севско-Речицкой отдельной пушечной артиллерийской бригады, в которой служил А. Солженицын, генерал-майор — **I**: 37, 38

Трейвиш Сергей Иосифович — работник треста Иртышуголь — **II**: 603

Трепов Фёдор Фёдорович (1809—1889) — градоначальник Петербурга (1873—78) — **III**: 86

Третьяков — бывший лагерный надзиратель (Соловки) — **II**: 69

Третюхин Владимир — армейский старшина, з/к (этап Владивосток—Сахалин, 1950) — **I**: 595. **II**: 290

Трифонов Николай Александрович (1891—1958) — инженер-металлург, з/к, зав. кафедрой химического факультета Ростовского университета (1939—45) — **III**: 474

Тронько Игорь (р. 1918) — сын эмигрантов, з/к — **I**: 289

Трофимов Владимир — з/к, активный участник подпольного сопротивления (Экибастуз, 1952) — ***Свид.***: 18. **III**: 280

Троцкий (Бронштейн) Лев Давидович (1879—1940, убит при покушении) — **I**: 320, 323, 324, 354, 386, 389, 390, 394, 399, 437, 460, 463, 493, 624. **II**: 70, 140, 287, 290. **III**: 90, 98

Трубецкой Сергей Петрович (1790—1860) — декабрист — **I**: 148. **II**: 358

Трумэн Гарри, Трумен (1884—1972) — президент США (1945—53) — **III**: 52

Трутнев — прокурор (Кемерово, 1951) — **I**: 171. **II**: 307

Трухин Фёдор Иванович (1896—1946, повешен) — генерал-майор Красной армии, после немецкого плена во власовской армии — **I**: 277

Трушин — эсер — **I**: 513

Трушляков Виктор — морской пехотинец, военнопленный, з/к (спецобъект Марфино, 1947) — **II**: 459, 460

Тумаренко — з/к (Экибастуз, 1950-е) — **III**: 134, 139

Тумаркин — вольнонаёмный десятник (Калужская застава в Москве, 1945) — **II**: 550

Тур, братья (псевд.): Тубельский Леонид Давидович (1905—1961) и Рыжей Пётр Львович (1908—1978) — писатели, соавторы Л. Шейнина (*см.*) — **I**: 40

Тургенев Иван Сергеевич (1818—1883) — **I**: 78. **II**: 481, 521. **III**: 15, 358

Тусэ Х. С. — з/к — *Свид.*: 18. **I**: 112

Тухачевский Михаил Николаевич (1893—1937, расстрелян) — военачальник, руководил подавлением Кронштадтского и Тамбовского восстаний, маршал Советского Союза, подсудимый по делу «военно-фашистского заговора в Красной армии» — **I**: 51. **II**: 322, 588, 616. **III**: 98, 361

Тучинская (в замуж. Софроницкая) Ирина Ивановна (р. 1920) — невестка В. В. Софроницкого, з/к (1948—54), научный сотрудник музея Скрябина — **II**: 286

Тхоржевский Сергей Сергеевич (р. 1927) — школьник, з/к и ссыльный (ленинградские тюрьмы, Воркута; 1944—52), писатель, автор мемуаров «Открыть окно» — *Свид.*: 18

Тынянов Юрий Николаевич (1894—1943) — писатель — **I**: 623. **II**: 171

Тыркова Ариадна Владимировна (Тыркова-Вильямс; 1869—1962) — член ЦК партии кадетов, с 1918 в эмиграции, писательница — **III**: 93

Тэнно Георгий Павлович (1911—1967) — морской офицер, переводчик, спортсмен, з/к (Лефортово, Лубянка, Бутырки, Степлаг; 1948—56) — *Свид.*: 18. **I**: 299. **II**: 624. **III**: 83, 114, 133, 134, 139—145, 148—157, 159, 161—168, 170, 201, 206—208, 225, 228, 230, 232, 294, 307, 483, 527; фото на с. 141

Тэсс Татьяна Николаевна (1906—1983) — журналистка — **II**: 151

Тютчев Фёдор Иванович (1803—1873) — **II**: 634

У. — прибалтиец, з/к — **II**: 358—362

Уборевич Иероним Петрович (1896—1937, расстрелян) — командующий войсками Белорусского военного округа, командарм 1-го ранга, подсудимый по делу «военно-фашистского заговора в Красной армии» — **II**: 322

Уборевич (Уборевич-Боровская) Владимира Иеронимовна (р. 1924) — дочь И. П. Уборевича, детдомовка, з/к и ссыльная (Лубянка, Воркута; 1944—56), инженер — **II**: 222

Узков — нач. оперчекистского отдела (Воркута, 1937) — **II**: 311

Улановская Надежда Марковна (1903—1986) — жена А. П. Улановского, преподаватель английского языка, з/к (Лубянка, Лефортово, Воркута, Мордовия; 1948—55), автор мемуаров «История одной семьи» — *Свид.*: 18

Улановский Александр Петрович (Алексей Петрович, Израиль Хайкелевич; 1891—1971) — анархист, советский разведчик, з/к (1949—56) — ***Свид.***: 18. **III**: 107, 363

Улащик Ольга Николаевна — ***Свид.***: 18

Ульбрихт Вальтер (1893—1973) — деятель компартии Германии и Коминтерна, руководитель СЕПГ (1950—71) и председатель Госсовета ГДР — **II**: 334

Ульрих Василий Васильевич (1889—1951, умер в заключении) — чекист с 1918, председатель Военной коллегии Верховного Суда СССР (1926—48), председатель на процессах «Антисоветского объединённого троцкистско-зиновьевского центра», «Параллельного антисоветского троцкистского центра», «Антисоветского правотроцкистского блока», з/к с 1950 — **I**: 310, 316, 396, 397

Ульянов Александр Ильич (1866—1887, повешен) — брат В. И. Ленина (*см.*), участник подготовки покушения на Александра II — **I**: 47, 59, 151. **II**: 306

Ульянова (Елизарова) Анна Ильинична (1864—1935) — сестра В. И. Ленина (*см.*), партийная активистка — **III**: 89

Ульяновы — семья У. Ильи Николаевича (1831—1886) и Марии Александровны (урожд. Бланк; 1835—1916) — **III**: 98

Универ Иван Иванович (1902—1937, расстрелян) — председатель Кадыйского райисполкома — **I**: 447, 448, 451, 452, 455, 456

Уншлихт Иосиф Станиславович (1879—1938, расстрелян) — зам. председателя ВЧК—ГПУ (1921—23), секретарь Союзного Совета ЦИК СССР — **II**: 323

Урицкий Моисей Соломонович (1873—1918, убит при покушении) — революционер, председатель ПетроЧК — **I**: 338

Урусов Сергей Дмитриевич (1862—1937) — товарищ министра внутренних дел (1905—06, март—июнь 1917), работник Госбанка СССР — **II**: 410

Усма — врач — **II**: 444

Усова Елена Ивановна — з/к — **III**: 72

Успенская Анна И. (1896—1919, расстреляна) — сотрудник Московской ЧК — **I**: 339, 344, 345

Успенский Владимир Дмитриевич — автор отклика на «Один день Ивана Денисовича» — **III**: 501

Успенский Дмитрий Владимирович (1907—1989) — нач. воспитательно-просветительного отдела, участник расстрелов и нач. 4-го отделения УСЛОНа, зам. начальника и нач. БелБалтлага, Дмитлага, НижнеАмурлага, Сороклага, СевПечлага, Карагандастроя, Переваллага, Южлага,

Сахалинлага (1928—52), подполковник — **II**: 63, 64, 91; фото на с. 91

Успенский Сергей Васильевич (1854—1930) — протоиерей, старший благочинный Москвы, з/к (1919—20, 1922—23) — **I**: 346

Утёсов Леонид Осипович (1895—1982) — эстрадный певец — **II**: 408

Уткина Мария, тётя Маня — з/к (Княж-Погост) — **II**: 524

Ушакова Вера — эмигрантка, жена Н. С. Давиденкова (*см.*) — **II**: 476

Ф. — з/к (Лубянка) — **I**: 608

Ф. И. В. — житель Красногорска (Московская область), з/к — **I**: 123

Ф-в Н. — машинист, з/к — **II**: 393

Фадеев Ю. И. — *Свид.*: 18

Файтелевич — з/к-смертник («Кресты», 1932) — **I**: 466

Фалеев Николай Иванович — преподаватель законоведения и комедийный драматург до революции, сотрудник редакционно-издательского отдела ВЦИК — **I**: 321. **III**: 99

Фаликс Татьяна Моисеевна (урожд. Соколик; 1902—?) — педагог, ссыльная и з/к с 1925 неоднократно — *Свид.*: 18. **II**: 604

Фастенко Анатолий Ильич (1884—?) — социал-демократ, с 1907 в эмиграции, вернулся в Россию в 1917, з/к (Лубянка, Соликамск, 1945—49) — **I**: 204—209, 216, 219, 220, 230, 236, 240, 241, 243, 246. **III**: 107

Фёдор Иванович (Феодор Иоаннович; 1557—1598) — **I**: 246

Фёдоров — следователь (ст. Решёты) — **I**: 170

Фёдоров Иван Николаевич (1910—?) — нач. 3-го лаготделения Степлага, подполковник (Кенгир, 1954) — **III**: 294

Фёдоров Михаил Михайлович (1886—1946) — экономист, общественный деятель, эмигрант — **I**: 353

Фёдоров Николай Фёдорович (1828—1903) — философ — **II**: 618

Фёдоров Сергей Степанович (1896—?) — инженер-артиллерист, морской офицер, преподаватель артиллерийской школы Балтийского флота (1923—24), з/к — **II**: 286

Фёдорова Зоя Алексеевна (1911—1981, погибла при невыясненных обстоятельствах) — актриса, з/к (1946—55) — **II**: 479

Федотов Александр Александрович (1864—?) — инженер-текстильщик, профессор Института народного хозяйства, подсудимый на процессе «Промпартии» — **I**: 403, 405, 408—410, 416, 418, 419, 421, 424

Фельдман — з/к-смертник («Кресты», 1932) — **I**: 466

Фельдман Владимир Дмитриевич (1894—1938, расстрелян) — особоуполномоченный при Коллегии ОГПУ (1924—34), особоуполномоченный НКВД СССР (1934—37), ст. майор ГБ — **II**: 39, 322

Феоктист — монах (Соловки, 1667) — **II**: 26

Фетисов — гитарист ансамбля песни и пляски Красной армии, з/к (Ховрино под Москвой, 1945) — **II**: 530

Фигнер Вера Николаевна (1852—1942) — революционерка, писательница — **I**: 483, 484

Филимонов Михаил Васильевич (1901—?) — пом. начальника подотдела охраны по политчасти (Соловки, 1929), нач. культурно-воспитательного отдела Дмитлага, пом. начальника Амурлага; нач. Прикаспийского, Сталинградского, Восточного, Ангарского, Озёрного и Баженовского лагерей (1940—51), подполковник — **II**: 526

Филипп (Колычев Фёдор Степанович; 1507—1569) — митрополит (1566—68) — **II**: 25

Филиппова Галина Петровна — член наблюдательной комиссии Одесской тюрьмы (1963) — ***Свид.***: 18. **III**: 548

Филоненко Максимилиан Максимилианович (1886—1960) — морской инженер, комиссар при ставке Л. Г. Корнилова в 1917, эмигрант — **I**: 382

Финн (Финн-Хальфин) Константин Яковлевич (1904—1975) — писатель, один из авторов кн. «Беломорско-Балтийский канал имени Сталина. История строительства» — **II**: 81

Фиргуф Иван Фёдорович *см.* Иона

Фирин (Пупко) Семён Григорьевич (1896—1937, расстрелян) — нач. БелБалтлага, Дмитлага и зам. начальника ГУЛАГа — **II**: 78, 79, 93, 99, 104; фото на с. 79, 91

Фицтум фон Экстедт Михаил Николаевич (1882—1937, расстрелян) — правовед, з/к и ссыльный по «делу лицеистов» с 1925 (Соловки, Красноярск) — **II**: 43

Флоренский Павел Александрович (1882—1937, расстрелян) — священник, философ, учёный, з/к с 1933 (Бамлаг, Соловки) — **II**: 43, 618, 646

Флоря Фёдор Филаретович (1881—1958) — священник, з/к с 1931 и после войны, благочинный Одессы во время оккупации — **I**: 591. **III**: 21

Фогт Оскар (1870—1959) — немецкий невролог — **I**: 612

Фонвизин Денис Иванович (1744—1792) — **II**: 150
Формаков Арсений Иванович (1900—1983) — после революции в Латвии, учитель, поэт, прозаик, з/к и ссыльный (Краслаг, Тайшет, Омск; 1940—47, 49—53) — *Свид.*: 18. **II**: 134
Фостер Уильям (1881—1961) — деятель Коминтерна, руководитель компартии США — **II**: 377
Франк Семён Людвигович (1877—1950) — философ, в 1922 выслан из Советской России — **I**: 284
Франко Баамонде Франсиско (1892—1975) — глава Испанского государства (1939—75) — **I**: 284. **II**: 124, 182. **III**: 25
Френкель Нафталий Аронович (1883—1960) — коммерсант и сотрудник ГПУ, з/к (1923—27), нач. производственного отдела ГУЛАГа (1930—31), нач. работ и пом. начальника Беломорстроя (1931—33), нач. БАМлага, зам. начальника ГУЛАГа, нач. ГУЛжелдорстроя (1934—47) — **II**: 47, 49, 74—78, 91, 93, 99, 137—140, 153, 198, 267, 515, 567; фото на с. 78, 91
Фридман Григорий — публицист — **II**: 56
Фролов Василий Аксентьич — прилагерный работник — **II**: 546
Фрунзе Михаил Васильевич (1885—1925) — советский военачальник, нарком по военным и морским делам — **II**: 278, 539
Фурфанский Т. Е. — *Свид.*: 18
Фустер Хулиан — испанец, хирург, з/к с 1947 (Степлаг, Кенгир) — **II**: 522. **III**: 313

X. — композитор, бывший з/к — **III**: 494
X-цев — историк, з/к — **II**: 294
Хайдаров Михаил — з/к-беглец (1950-е) — **III**: 139, 157, 158
Хайдеггер Мартин (1889—1976) — немецкий философ — **I**: 111
Хайкин — следователь (1927) — **I**: 116
Халтурин Степан Николаевич (1856—1882, повешен) — народоволец-террорист — **III**: 86
Хаммурапи — царь Вавилонии в 1792—50 до н. э. — **I**: 83
Хауке Максимилиан — немецкий коммунист — **I**: 54
Хафизов Хафиз — з/к-беглец (Экибастуз, 1950-е) — **III**: 139, 166
Хацревин Захар Львович (1903—1941) — писатель, один из авторов кн. «Беломорско-Балтийский канал имени Сталина. История строительства» — **II**: 81
Хват Александр Григорьевич (1907—?) — комсомольский работник, следователь, нач. следственной части НКВД СССР, нач. отдела «Т» МГБ СССР — **III**: 206, 493

Хейлик — председатель спецколлегии суда Азово-Черноморского края, Майкоп, 1937 — **I**: 314

Хищук Алексей Архипович — директор треста (Экибастуз, 1950-е) — **II**: 553

Хлебунов Николай Николаевич (1908—?) — з/к (УстьВымлаг, Экибастуз) — ***Свид.***: 18. **III**: 278, 388, 389

Хлодовский Всеволод Владимирович (ум. 2002) — из Белой эмиграции, кадет (г. Белая Церковь, Югославия), з/к с 1946 (Казахстан), по освобождении уехал в Австрию, автор неопубликованных мемуаров — ***Свид.***: 18

Хлопонина Евгения Н. (р. 1938) — санитарка в Макеевке (Донбасс), осуждена в 1964 как баптистка — **III**: 574

Ходкевич Татьяна — з/к — **I**: 56

Хоменко В. Н. — бывший есаул, з/к (Иваново, 1937) — **I**: 480

Хоминский Станислав Фаддеевич (1807—1886) — вологодский губернатор (1861—78) — **III**: 105

Храбровицкий Александр Вениаминович (1912—1989) — краевед, литературовед — ***Свид.***: 18

Хренников Сергей Александрович (1872—1929, умер в тюрьме) — директор Сормовских заводов (1914—18), член Промышленной секции Госплана, председатель НТС металлопромышленности, з/к — **I**: 403, 422, 434, 436

Христос *см.* Иисус Христос

Хрусталёв Николай Иустинович (1884—1935) — инженер, з/к, главный инженер Беломорстроя (освобождён в 1932, награждён в 1933) — **II**: 93

Хрусталёв Петр Алексеевич (Носарь Георгий Степанович; 1879—1919, расстрелян) — председатель Петербургского совета рабочих депутатов в 1905 — **I**: 460

Хрущёв Никита Сергеевич (1894—1971) — 1-й секретарь ЦК КПСС (1953—64) — **I**: 176, 187, 244, 248, 317, 355, 559. **II**: 84, 329. **III**: 49, 372, 392, 458, 468, 469, 480, 515, 518, 532, 533, 563, 564, 571

Хрущёва (Ровнева) Лидия Николаевна (1878—?) — сотрудник Политического Красного Креста, з/к по делу «Тактического центра» — **I**: 176

Худаев — брат А. Худаева — **III**: 427—429

Худаев Абдул — спецпереселенец, школьник в Кок-Тереке — **III**: 427—429, 460

Худаевы — чеченская семья спецпереселенцев — **III**: 427—429

Хурденко — подполковник МВД в отставке — **III**: 522

Ц. — з/к — **II**: 443

Царапкин Сергей Романович (1892—1960) — биолог, в 1926—45 работал в Германии, з/к (Лубянка, Бутырки, лагпункт Карлага Самарка, спецобъект Сунгуль) — **I**: 610, 612, 613, 616, 617

Цветков Николай Васильевич (1862—?) — протоиерей Покровской церкви на Варварке, з/к по «делу церковников» (1920) — **I**: 346

Цветкова Елизавета Георгиевна (1900—?) — пропагандист на Октябрьской ж. д., з/к и ссыльная (Ленинград, Казань, Суздаль, Соловки, Колыма; 1936—56) — **II**: 316, 317

Цезарь Гай Юлий (102—44 до н. э.) — **II**: 466

Цейтлин — литературовед, з/к, Соловки — **II**: 43

Цетлин Ефим Викторович (1898—1937, расстрелян) — один из основателей комсомола, секретарь Н. И. Бухарина (*см.*), зав. бюро техобслуживания Уралмаша с 1934 — **I**: 440

Цеткин Клара (1857—1933) — немецкая коммунистка, деятель Коминтерна — **I**: 391

Цивилько Адольф Мечеславович (1906—?) — рабочий-слесарь, кочегар на пароходе, з/к и ссыльный неоднократно (Ленинград, Казахстан; 1937—50-е) — ***Свид.***: 18. **I**: 163. **III**: 400, 401, 407

Циолковский Константин Эдуардович (1857—1935) — изобретатель и учёный — **II**: 460

Цуканов — нач. спецобъекта Марфино, подполковник МВД — **II**: 531

Ч-н — з/к — **I**: 309
Ч-на — жена з/к — **III**: 480
Ч-на — дочь з/к — **III**: 480
Чавдаров Д. Г. — з/к (Красноярск, Норильлаг) — ***Свид.***: 18. **I**: 314, 474. **II**: 418

Чавчавадзе Ольга Ивановна — жена з/к (Тбилиси, 1938) — ***Свид.***: 18. **I**: 88. **II**: 631

Чадова — хозяйка дома, где жил А. Солженицын, Кок-Терек, 1953. Возможно: Чадова Мария Николаевна (1889—?) — з/к и ссыльная (1937—1950-е) — **III**: 447

Чайковская Ольга Георгиевна (р. 1917) — публицист, историк, писатель — **II**: 579

Чайковский Николай Васильевич (1850—1926) — революционер-народник, в Гражданскую войну глава антикоммунистического правительства на Севере России; с 1919 в эмиграции — **II**: 30

Чайковский Пётр Ильич (1840—1893) — **III**: 65

Чан Кай-ши (1887—1975) — глава гоминьдановской администрации в Китае, с 1949 на о. Тайвань — **I**: 264

Чангули Фёдор И. — пом. начальника отдела мест заключения Ивановского УНКВД, пом. начальника Краслага (1937—38), з/к — **I**: 481

Чаплыгин Сергей Алексеевич (1869—1942) — учёный в области аэродинамики, директор Высших женских курсов до 1918, академик АН СССР — **II**: 633

Чарновский Николай Францевич (1868—1936, расстрелян) — инженер, профессор МВТУ, председатель НТС металлообрабатывающей промышленности, подсудимый на процессе «Промпартии», з/к и ссыльный — **I**: 405, 409, 413, 415—417

Чарный Маркус Борисович (1901—1976) — писатель, литературный критик — **III**: 513

Чаянов Александр Васильевич (1888—1937, расстрелян) — экономист-аграрник, писатель, з/к по делу «Трудовой крестьянской партии» — **I**: 68

Чеботар-Ткач Анна — з/к с 1944 — **III**: 496

Чеботарёв Александр Михайлович — председатель исполкома (Соловки, 1970-е) — **II**: 69

Чеботарёв Виктор Сергеевич — слесарь, сын С. А. и Е. П. Чеботарёвых — **II**: 394

Чеботарёв Геннадий Сергеевич — сын С. А. и Е. П. Чеботарёвых — **II**: 394

Чеботарёв Сергей Андреевич (1897—?) — служащий КВЖД, з/к (1933—1950-е с перерывами; после побега под фамилией Чупин) — *Свид.*: 18. **I**: 127, 132, 133 494—496. **II**: 210, 390—394, 446

Чеботарёва Елена Прокофьевна — жена С. А. Чеботарёва, з/к — **II**: 228

Чемберлен Невилл (1869—1940) — премьер-министр Великобритании (1937—40) — **III**: 462

Чепига — зам. начальника Воркутлага, майор — **II**: 529

Чернов Виктор Михайлович (1873—1952) — один из организаторов партии эсеров, министр земледелия Временного правительства, председатель Учредительного собрания, с 1920 в эмиграции — **II**: 289

Черногоров — з/к-бригадир (Экибастуз, 1952) — **III**: 286

Чёрный — ст. лейтенант МВД (Ныроблаг) — **II**: 538

Черчилль Уинстон Леонард Спенсер (1874—1965) — премьер-министр Великобритании (1940—45, 1951—55) — **I**: 227, 276, 278, 280, 570. **III**: 31

Четвериков Борис Дмитриевич (1896—1981) — писатель, з/к и ссыльный (1945—56), автор мемуаров «Всего бывало на веку» — **III**: 111

Четверухин Серафим Ильич (1911—1983) — инженер-картограф, з/к и ссыльный (1936—57) — *Свид*.: 18. **I**: 23

Чехов Антон Павлович (1860—1904) — **I**: 130, 188, 228, 362, 477, 596. **II**: 56, 199, 201, 266, 379, 504—506, 520, 599, 606, 608, 628. **III**: 9—11, 39, 66, 356—358, 363, 528

Чеховский Владимир Моисеевич (1876—1937, расстрелян), председатель Совета министров Украины (1918—19), организатор Украинской автокефальной церкви, з/к по делу «Союза освобождения Украины» с 1930 — **I**: 70

Чечев Александр Александрович (1899—1964) — зам. министра внутренних дел Литовской ССР, нач. Степлага (1948—54), полковник — **II**: 217, 529. **III**: 66, 67, 69, 294, 295, 306, 344

Чжан Цзо-линь (1876—1928) — политический деятель Китая — **III**: 28

Чижевский Александр Леонидович (1897—1964) — учёный, основоположник гелиобиологии, з/к и ссыльный (Ивдельлаг, Карлаг, Степлаг, Караганда; 1942—58) — **II**: 463. **III**: 67

Чижик — надзиратель (Тирасполь, ИТК-2, 1960-е) — **III**: 520

Чингиз-хан (Чингисхан; ок. 1155—1227) — **III**: 386

Чмиль Евдокия, тётя Дуся — з/к (после войны) — **II**: 602

Чубарь Влас Яковлевич (1891—1939, расстрелян) — член Политбюро ЦК ВКП(б) с 1935, з/к с 1938 — **I**: 438

Чудаков — инженер-химик, з/к с 1948 — **II**: 288

Чудновский Самуил Гдальевич (1889—1937, расстрелян) — председатель Иркутской ЧК в 1920, руководил расстрелом А. В. Колчака, председатель Леноблсуда с 1935 — **II**: 322

Чуковская Лидия Корнеевна (1907—1996) — писатель — **II**: 476, 618

Чульпенёв Павел Васильевич — лейтенант, з/к с 1941 (Монголия) — *Свид*.: 18. **I**: 129, 132, 312, 313. **II**: 249, 250, 532, 600, 624. **III**: 481, 488, 494, 495

Чупин Автоном Васильевич — машинист — **II**: 390—394

Шавирин Ф. В. — рабочий, з/к (Колыма) — *Свид*.: 18. **II**: 292. **III**: 488

Шавров Вадим Михайлович (р. 1924) — участник 2-й мировой войны, студент, з/к (1948—54), соавтор кн. «Очерки по истории русской церковной смуты» — **I**: 371

Шагинян Мариэтта Сергеевна (1888—1982) — писатель — **II**: 151, 625
Шаламов Варлам Тихонович (1907—1982) — писатель, з/к и ссыльный (1929—32, 1937—56) — 9. *Свид.*: 18. **I**: 11, 117. **II**: 6, 129, 155, 196, 199, 203, 209, 210, 213, 487, 596, 597, 601. **III**: 116, 258, 587. **Послесл.**: 587
Шаляпин Фёдор Иванович (1873—1938) — певец, с 1922 в эмиграции — **I**: 284
Шапиро Михаил Лазаревич (1906—1938, расстрелян) — рабочий-слесарь, ссыльный, з/к с 1929, участник голодовки в УхтПечлаге (Воркута) — **II**: 310
Шапошников Борис Михайлович (1882—1945) — военачальник, маршал Советского Союза — **II**: 322
Шаталов Василий Архипович (р. 1916) — крестьянин-спецпереселенец — *Свид.*: 18
Шахновская Софья Васильевна (1898—?) — ст. научный сотрудник Института экономики АН СССР, з/к и ссыльная (1940—55) — **III**: 323
Шаховская — з/к, Соловки — **II**: 43
Шварцмюллер Франц-Ксавер (1910—1942, умер в заключении) — немецкий коммунист, с 1933 в СССР под именем Франца Губера, з/к с 1941 — **III**: 508
Швед Иван Васильевич (1904—?) — почтовый работник, з/к с 1942 (Мариинский лагерь, Норильск) — *Свид.*: 18. **II**: 401. **III**: 477
Шверник Николай Михайлович (1888—1970) — руководитель ВЦСПС (1930—44, 1953—56), председатель спецприсутствия Верховного Суда на процессе «Союзного бюро меньшевиков» — **I**: 426, 432
Шевцов Сергей Порфирьевич (1858—1930) — народник, сотрудник Ленинградского отделения Политического Красного Креста (1926) — **I**: 59
Шевченко Тарас Григорьевич (1814—1861) — **II**: 503. **III**: 131, 487
Шеин Сергей Дмитриевич (1880—?) — инженер-химик, член Промышленной секции Госплана, общественный обвинитель на Шахтинском процессе, з/к — **I**: 402
Шейнин Лев Романович (1906—1967) — следователь по особо важным делам Прокуратуры СССР, писатель, з/к (1951—53) — **I**: 40. **II**: 411, 427. **III**: 474
Шекспир Уильям (1564—1616) — **I**: 189, 341
Шелгунов Александр Васильевич — *Свид.*: 18
Шелест Георгий Иванович (Малых Егор Иванович; 1903—1965) — участник Гражданской войны, писатель, з/к

и ссыльный (1938—54; Колыма, Средняя Азия) — **II**: 334—337, 340. **III**: 509—512

Шендрик — техник-машиностроитель, з/к — **I**: 572, 573

Шер Василий Владимирович (1883—1940, умер в заключении) — член правления Госбанка СССР, подсудимый на процессе «Союзного бюро меньшевиков», з/к и ссыльный (Верхнеуральский изолятор) — **I**: 430

Шеремета Ирина — з/к (Унжлаг, 1952) — **II**: 458

Шереметева — з/к, Соловки — **II**: 43

Шерешевский Николай Адольфович (1885—1961) — эндокринолог, доктор медицины, свидетель на процессе «Антисоветского правотроцкистского блока», з/к по «делу врачей» (1952) — **II**: 616

Шестакова Анастасия Фёдоровна (1904—?) — юрист, один из авторов кн. «От тюрем к воспитательным учреждениям», корреспондент газеты «Правда» (1940-е) — **II**: 123

Шефнер Виктор Викентьевич — *Свид.*: 18

Шехтер Борис Семёнович (1900—1961) — композитор — **II**: 118

Шешковский Степан Иванович (1727—1794) — секретарь Тайной канцелярии (1757—62), обер-секретарь Тайной экспедиции (с 1762) — **I**: 148

Шийрон Август Петрович (1891—1937, расстрелян) — чекист с 1918, зам. начальника УНКВД Северного края, зам. наркома внутренних дел БССР — **III**: 381

Шикин — майор МГБ (спецобъект Марфино) — **II**: 345, 346

Шиллер Иоганн Фридрих (1759—1805) — немецкий поэт, драматург — **I**: 189. **III**: 95

Шимонаев — бывший лагерный надзиратель (Соловки) — **II**: 69

Шиповальников Виктор Георгиевич, мальчик Витя, о. Виктор (1915—2007) — сержант Красной армии, священник (Одесса, Кишинёв; 1943—45), з/к (Печора, 1945—47), протоиерей Троицкой церкви (ст. Удельная в Подмосковье) — *Свид.*: 18. **I**: 144, 185, 591. **II**: 404. **III**: 384

Шипчинский Дмитрий Валерианович (1903—1930, расстрелян) — сын метеоролога, этнограф, з/к с 1926 (Соловки) — **II**: 39, 63, 67

Ширвиндт Евсей Густавович (1891—1958) — нач. Главного управления местами заключения (и войск конвойной стражи) НКВД РСФСР (1922—32), ст. помощник прокурора СССР (1933—38), з/к и ссыльный (1938—54) — **II**: 19

Ширинская-Шихматова Павла Андреевна (1890—?) — сестра милосердия, монахиня общины «Отрада и Утешение» (с. Добрыниха в Подмосковье), з/к с 1930 (Соловки) — **II**: 43

Широкова Екатерина Павловна (1916—1995) — техник-строитель, з/к с 1937 (Ярославская тюрьма, Магадан) — **II**: 324

Шитарев — бухгалтер госпиталя, з/к после войны — **II**: 220

Шитов Николай Иванович (1903—1940) — следователь Ленинградского УНКВД (1937) — **I**: 167

Шишкин В. Г. — парторг (ст. Вис Северной ж. д., 1960-е) — **III**: 519

Шклиник — нач. отдела главного механика в лагере (Ховрино под Москвой, во время войны) — **II**: 136

Шкловский Виктор Борисович (1893—1984) — писатель, один из авторов кн. «Беломорско-Балтийский канал имени Сталина. История строительства» — **II**: 81

Шкуркин — майор МГБ — **I**: 171

Шкуро Андрей Григорьевич (1887—1947, повешен) — генерал-лейтенант, с 1920 в эмиграции, участвовал в формировании казачьих частей Вермахта — **I**: 279

Шляпников Александр Гаврилович (1885—1937, расстрелян) — лидер «рабочей оппозиции» в РКП(б), член Президиума Госплана СССР, з/к с 1935 — **I**: 438. **III**: 97

Шмидт Пётр Петрович (1867—1906, расстрелян) — лейтенант Черноморского флота, руководитель восстания на крейсере «Очаков» — **I**: 624

Шоколов — председатель сельсовета (Московская область, 1932) — **III**: 381

Шолохов Михаил Александрович (1905—1984) — **I**: 256, 257. **II**: 209

Шопенгауэр Артур (1788—1860) — **III**: 95

Шостакович Дмитрий Дмитриевич (1906—1975) — **II**: 118, 409. **III**: 54, 494

Шпаков Владимир — капитан, з/к (этап Владивосток—Сахалин, 1950) — **I**: 595

Шрёдингер Эрвин (1887—1961) — австрийский физик-теоретик — **I**: 612

Шрюбель Артур — чекист — **I**: 398

Штауффенберг Клаус Шенк фон (1907—1944, расстрелян) — полковник Вермахта, организатор покушения на А. Гитлера — **I**: 265

Штеккер Роберт (урожд. Окороков Василий) — инженер, з/к с 1941 — **I**: 98

Штернберг Лев Яковлевич (1861—1927) — ссыльный народник, этнограф, член-корреспондент АН СССР — **III**: 357

Штрик-Штрикфельдт Вилфрид Карлович (1897—1977) — переводчик при власовской армии, автор кн. «Против Сталина и Гитлера: Генерал Власов и Русское Освободительное Движение» — **I**: 267

Штробиндер Александр (расстрелян в 1918) — студент — **I**: фото на с. 468

Шуберт Франц (1797—1828) — **I**: 610, 617

Шубин Иван Степанович (1886—1942, умер в заключении) — рабочий ткацкой фабрики, председатель совета рабочих депутатов и боевой дружины в Иваново-Вознесенске, в 1907 осуждён на вечную каторгу, в 1937 зам. председателя Ивановского облсуда, з/к с 1938 — **I**: 451. **II**: 323

Шувалов Павел Павлович (1858—1905, убит при покушении) — московский градоначальник — **I**: 392

Шульгин Василий Витальевич (1878—1976) — политический деятель, депутат Государственной думы, участник Белого движения, эмигрант, з/к (1944—56) — **I**: 286

Шульман — нач. спецотдела (Бурепалом) — **II**: 527

Шульц — з/к (Берлин, этап Москва—Куйбышев; 1948—49) — **I**: 311, 519

Шундик Николай Елисеевич (1920—1995) — писатель, секретарь Рязанского отделения Союза писателей (1960-е) — **III**: 506

Шура — з/к (Лубянка, 1925) — **I**: 487

Щастный Алексей Михайлович (1881—1918, расстрелян) — командующий Балтийским флотом с марта 1918 — **I**: 331, 460

Щебетин Дмитрий Яковлевич (1905—?) — воентехник, з/к (Горьковская пересылка, 1942) — **I**: 563

Щербаков Александр Сергеевич (1901—1945) — секретарь ЦК ВКП(б), нач. Главного политуправления Красной армии, нач. Совинформбюро — **I**: 174, 245, 246

Щербаков Валерий Ф. — *Свид.*: 18

Щербатской Фёдор Ипполитович (1866—1942) — востоковед, академик АН СССР — **II**: 620

Эджубова Магдалина — з/к (1920-е) — **I**: 64

Эйдеман Роберт Петрович (1895—1937, расстрелян) — комкор, подсудимый по делу «военно-фашистского заговора в Красной армии» — **II**: 322

Эйхе Роберт Индрикович (1890—1940, расстрелян) — канд. в члены Политбюро ЦК ВКП(б) с 1935, нарком земледелия СССР с 1937, з/к с 1938 — **II**: 336

Эйхман Карл Адольф (1906—1962, повешен) — офицер СС, руководитель подотдела по делам евреев Главного имперского управления безопасности фашистской Германии — **I**: 448. **II**: 84

Эйхманс Фёдор Иванович (1897—1938, расстрелян) — зам. начальника, нач. УСЛОНа (1924—29), нач. ГУЛАГа (1930), зам. начальника 9-го отдела ГУГБ НКВД — **I**: 488—490. **II**: 53, 64, 74, 84

Эль Кампесино *см.* Гонсалес Валентин

Эльсберг Яков Ефимович (1902—1976) — литературный критик — **III**: 495

Эми — немецкая коммунистка, з/к — **II**: 580

Энгельс Фридрих (1820—1895) — **I**: 152, 502, 570. **II**: 137, 141, 292

Энсельд — з/к (Соловки, 1920-е) — **II**: 289

Эпикур (341—270 до н. э.) — античный философ — **I**: 613

Эпштейн Фаина Ефимовна (1900—?) — экономист, з/к с 1936, осуждена повторно в 1949 — **II**: 290. **III**: 349

Эпштейн Юлиус (1901—1975) — американский журналист, писатель — **I**: 105

Эренбург Илья Григорьевич (1891—1967) — писатель, публицист — **I**: 155, 398. **II**: 291, 466, 619. **III**: 106, 209

Этингер Яков Гилярневич (1887—1951, умер в тюрьме) — доктор медицины, профессор, з/к с 1950 — **I**: 174

Эфроимсон Владимир Павлович (1908—1989) — генетик, участник войны, з/к (1932—35, 1949—55) — ***Свид.***: 18. **III**: 494

Юденич Надежда Афанасьевна (1907—?) — домохозяйка, з/к (Пермь, март—декабрь 1938) — **I**: 93

Юденич Николай Николаевич (1862—1933) — генерал от инфантерии, руководитель Белого движения на Северо-Западе России, с 1920 в эмиграции — **I**: 227, 355

Юдина Мария Вениаминовна (1899—1970) — пианист, педагог — ***Свид.***: 18

Южаков — житель Перми, з/к — **I**: 92

Юнг Павел Густавович — ***Свид.***: 18

Юрий Долгорукий (1090-е—1157) — князь суздальский и великий князь киевский — **III**: 340

Юровский Леонид Наумович (1884—1938, расстрелян) — экономист, профессор, нач. валютного управления Наркомфина СССР, з/к и ссыльный по делу «Трудовой крестьянской партии» (1930—36, 1937—38) — **I**: 68

Юстиниан I (482 или 483—565) — византийский император — **III**: 465

Ягода Генрих Григорьевич (1891—1938, расстрелян) — зам. председателя ГПУ—ОГПУ (1923—34), нарком внутренних дел СССР (1934—36), подсудимый на процессе «Антисоветского правотроцкистского блока» — **I**: 52, 114, 173, 189, 338, 402, 403, 437, 442, 461, 464, 491. **II**: 44, 63, 83, 84, 93, 95, 96, 99, 518, 588. **III**: 328; фото на с. 83

Ядзик — шофёр из армии Андерса, з/к (Экибастуз) — **III**: 157, 158

Якир Иона Эммануилович (1896—1937, расстрелян) — командующий войсками Киевского военного округа, командарм 1-го ранга, подсудимый по делу «военно-фашистского заговора в Красной армии» — **II**: 322

Яковенко — следователь (Белгород, 1958) — **II**: 416

Яковенко Василий Мефодьевич (1905—?) — з/к и ссыльный с 1937 (Воркута) — **II**: 605

Яковлев — лагерный оперуполномоченный — **II**: 341

Яковлев — лейтенант МВД, Экибастуз — **III**: 201

Яковченко Никита Илларионович (1892—?) — председатель трибунала на Петроградском церковном процессе 1922, управляющий Издательством АН СССР (1930—33), председатель суда Азово-Черноморского края (1935—37), з/к (в 1940 осуждён на 8 лет) — **I**: 375

Якубович Григорий Андрианович (1880—1926) — полковник Генерального штаба, член Военной комиссии Временного комитета Государственной думы и пом. военного министра в 1917, генерал-майор, эмигрант — **I**: 428

Якубович Михаил Петрович (1891—1980) — зам. начальника сектора снабжения Наркомторга СССР, подсудимый на процессе «Союзного бюро меньшевиков», з/к и ссыльный (Верхнеуральский изолятор, Унжлаг, Караганда; 1930—1953) — *Свид.*: 18. **I**: 67, 398, 427—434, 444. **III**: 477

Якубович Пётр Филиппович (1860—1911) — народоволец, писатель — **I**: 517, 521, 578, 592. **II**: 75, 195, 199, 201, 410, 513, 578, 598, 606, 609, 626. **III**: 356, 357

Якулов Яков Богданович (1875—?) — присяжный поверенный, член коллегии защитников в советское время — **I**: 336, 340, 342

Якушева Зоя — з/к — **II**: 231

Якшевич (Якшявичюс) Александр Иванович (1886—?) — член ЦК компартии Литвы, зав. Главлитом БССР, завуч школы в Минске, з/к с 1936 — **II**: 320

Яновский Владимир Константинович (1876—1966) — художник — **III**: 97

Янченко — хирург, з/к (Экибастуз) — **III**: 286, 287

Яримовская Слава — з/к (Кенгир) — **III**: 338

Ярославский Александр Борисович (1896—1930, расстрелян) — поэт, з/к (Соловки) — **II**: 47

Ярошенко Николай Александрович (1846—1898) — художник — **I**: 513

Ясевич Константин Константинович — полковник царской армии, эмигрант, з/к — **I**: 288, 289, 614

Ясенский Бруно (Виктор Яковлевич; 1901—1938, расстрелян) — писатель, один из авторов кн. «Беломорско-Балтийский канал имени Сталина. История строительства» — **II**: 81

Яшка — з/к-нарядчик (Джезказган) — **II**: 599

Pawel Ernst (1920—1994) — американский писатель — **II**: 115

Runes Dagobert David (1902—1982) — американский философ, искусствовед — **II**: 84

Steenberg Sven (Стеенберг, Штеенберг Свен; р. 1905) — переводчик во власовской армии, немецкий писатель, автор кн. о генерале Власове — **I**: 237

Steinberg Isaac Nachman (Штейнберг Исаак Захарович; 1888—1957) — эсер, с 1923 в эмиграции, автор кн. о М. Спиридоновой — **III**: 408

Thorwald Jürgen (Bongartz Heinz; Торвальд Юрген; 1916—2006) — немецкий писатель, историк — **I**: 237

ОТ РЕДАКТОРА

Обширный обзор системы советских лагерей А. И. Солженицын задумал и начал писать весной 1958 года, ещё до «Ивана Денисовича» (1959). Тогда же он назвал будущую книгу — «Архипелаг ГУЛАГ». Была составлена возможная схема изложения, принят принцип последовательных глав о тюремной системе, о следствии, судах, этапах, исправительно-трудовых лагерях, о каторге, ссылке и душевных изменениях заключённых за арестантские годы. Некоторые главы были тогда же написаны, однако автор отложил работу, поняв, что для охвата такой темы недостаточно опыта его собственного и его лагерных друзей.

Сразу после публикации «Одного дня Ивана Денисовича» (Новый мир, 1962, № 11) автор был захлёстнут многосотенным потоком писем от бывших заключённых или от их уцелевших семей, где горячо, иногда подробно и объёмно излагались личные истории и наблюдения. В течение 1963—64 годов Солженицын обрабатывал письма и встречался с зэками, выслушивая их рассказы. Летом 1964 в Эстонии он составил полный и окончательный план «Архипелага» из 7 частей, и все новые пополняющие материалы ложились уже в эту конструкцию.

С осени 1964 Солженицын начал писать «Архипелаг» в Солотче под Рязанью, работа продолжалась до сентября 1965, когда КГБ захватил часть авторского архива, и все готовые главы и заготовки к «Архипелагу» были тотчас увезены друзьями-зэками в надёжное «Укрывище». Туда, на эстонский хутор под Тарту, писатель тайно уезжал работать две зимы подряд (1965-66 и 1966-67), так что к весне 1967 были написаны первые шесть Частей. Зимой 1967-68 доработка продолжалась, в мае 1968 была сделана и отпечатана окончательная редакция книги, которой предстояло теперь ожидать публикации, намечавшейся автором сначала на 1971, потом на 1975 год. Однако в августе 1973 при трагических обстоятельствах Госбезопасность обнаружила в одном из хранений промежуточный вариант «Архипелага» — и тем подтолкнула его немедленную публикацию.

А. И. Солженицын писал «Архипелаг ГУЛАГ» в 1958—1967 годах в условиях, когда не только оставались строго засекречены все официальные документы о системе политических репрессий и лагерей принудительного труда в СССР с 1918 года, но и сам факт многолетней работы над этой темой он должен был тщательно скрывать.

«Архипелаг ГУЛАГ», том первый — увидел свет 28 декабря 1973 года в старейшем эмигрантском издательстве YMCA—PRESS, в Париже. Книгу открывали слова автора (которые ни в одном последующем издании не воспроизводились):

«Со стеснением в сердце я годами воздерживался от печатания этой уже готовой книги: долг перед ещё живыми перевешивал долг перед умершими. Но теперь, когда госбезопасность всё равно взяла эту книгу, мне ничего не остаётся, как немедленно публиковать её.

А. Солженицын
Сентябрь 1973».

12 февраля 1974 года, через полтора месяца после выхода первого тома, А. И. Солженицын был арестован и выслан из СССР. В 1974 году издательство YMCA—PRESS выпустило второй том, в 1975 — третий.

Первое издание «Архипелага ГУЛАГа» на русском языке соответствовало последней на тот момент редакции 1968 года, дополненной уточнениями, сделанными автором в 1969, 1972 и 1973 годах. Текст заканчивался двумя авторскими послесловиями (от февраля 1967 и мая 1968), объяснявшими историю и обстоятельства создания книги. И в предисловии, и в послесловиях автор благодарил свидетелей, вынесших свой опыт из недр Архипелага, а также друзей и помощников, однако не приводил их имён, ввиду очевидной для них опасности: «Полный список тех, без кого б эта книга не написалась, не переделалась, не сохранилась, — ещё время не пришло доверить бумаге. Знают сами они. Кланяюсь им».

«Архипелаг ГУЛАГ» переведен на европейские и азиатские языки и опубликован на всех континентах, в четырёх десятках стран. Авторские права и гонорары за все мировые издания А. И. Солженицын передал учреждённому им в первый же год изгнания «Русскому Общественному Фонду помощи преследуемым и их семьям». С тех пор Фонд помог многим тысячам людей, населявших советский Архипелаг ГУЛАГ, а после роспуска политического ГУЛАГа продолжает помогать бывшим политзаключённым.

Как «Один день Ивана Денисовича» в начале шестидесятых на родине вызвал поток писем и личных рассказов, многие из которых вошли в ткань «Архипелага», так и сам «Архипелаг» породил много новых свидетельств; вместе с прежде недоступными ему печатными материалами, они побудили автора к некоторым добавлениям и доработке.

Новая редакция увидела свет в 1980 году, в составе Собрания сочинений А. И. Солженицына (Собр. соч.: В 20 т. Вермонт; Париж, YMCA—PRESS. Т. 5—7). Автор добавил третье послесловие («И ещё через десять лет», 1979) и подробное «Содержание глав». Издание было снабжено двумя небольшими словарями («тюремно-лагерных терминов» и «советских сокращений и выражений»).

Когда публикация «Архипелага ГУЛАГа» на родине стала возможна, она началась репринтным воспроизведением «вермонтского» издания (М.: Сов. пис.; Новый мир, 1989) — и в 1990-х годах в России все последующие десять изданий печатались по тому же тексту.

Существенно обновлённое издание «Архипелага ГУЛАГа» вышло в 2007 году в издательстве У-Фактория (Екатеринбург). Впервые был опубликован полный перечень свидетелей, давших материал для этой книги. В тексте раскрыты инициалы: заменены полными именами и фамилиями — всюду, где они были известны автору. Добавлено несколько позднейших примечаний. Упорядочены сноски и приведены к единообразию советские сокращения в названиях лагерей. Также впервые издание было сопровождено Именным указателем всех упомянутых в «Архипелаге» лиц — как исторических фигур, так и рядовых заключённых. Этот объёмный труд был выполнен Н. Г. Левитской и А. А. Шумилиным при участии Н. Н. Сафонова. Дополнительный поиск сведений и редактирование Указателя взял на себя историк, старший научный сотрудник Российской Национальной Библиотеки А. Я. Разумов. Последующие отечественные издания воспроизводили вышеописанное.

При подготовке настоящего издания внесены все поправки, новые сведения и дополнения к Именному указателю, собранные нами к сему времени.

Наталия Солженицына
Москва, 2010

ОГЛАВЛЕНИЕ

Часть Пятая
КАТОРГА

Глава 1. Обречённые 7
Глава 2. Ветерок революции 39
Глава 3. Цепи, цепи... 59
Глава 4. Почему терпели? 83
Глава 5. Поэзия под плитой, правда под камнем . . 109
Глава 6. Убеждённый беглец 139
Глава 7. Белый котёнок (Рассказ Георгия Тэнно) . . 168
Глава 8. Побеги с моралью и побеги с инженерией 206
Глава 9. Сынки с автоматами 232
Глава 10. Когда в зоне пылает земля 241
Глава 11. Цепи рвём на ощупь 264
Глава 12. Сорок дней Кенгира 302

Часть Шестая
ССЫЛКА

Глава 1. Ссылка первых лет свободы 355
Глава 2. Мужичья чума 371
Глава 3. Ссылка густеет 392
Глава 4. Ссылка народов 408
Глава 5. Кончив срок 430
Глава 6. Ссыльное благоденствие 448
Глава 7. Зэки на воле 471

Часть Седьмая
СТАЛИНА НЕТ

Глава 1. Как это теперь через плечо 499
Глава 2. Правители меняются, Архипелаг остаётся . 523
Глава 3. Закон сегодня 562

Послесловие 587
Ещё после 589
И ещё через десять лет 590

Содержание глав 591

Некоторые тюремно-лагерные термины 605
Некоторые советские сокращения и выражения . . 610
Именной указатель 616
От редактора 726

Солженицын А.

С 60 Архипелаг ГУЛАГ. 1918–1956 : Опыт художественного исследования. Ч. V–VII / Александр Солженицын ; под ред. Н. Д. Солженицыной. — СПб. : Азбука, Азбука-Аттикус, 2017. — 736 с. : ил. — (Азбука-классика).

ISBN 978-5-389-02352-9 (ч. V–VII)
ISBN 978-5-389-02354-3 (комплект)

Александр Солженицын — выдающийся русский писатель XX века, классик отечественной литературы, лауреат Нобелевской премии («За нравственную силу, с которой он продолжил традиции великой русской литературы», 1970).

В настоящем издании представлен «Архипелаг ГУЛАГ» — всемирно известная документально-художественная эпопея о репрессиях в годы Советской власти.

«...Книга — о крови, о поте, о слезах, о страданиях, о безнадежности, а ее закрываешь с ощущением силы и света. Она показывает: человек во всех обстоятельствах может остаться человеком. Дает ощущение, что наш народ не кончился, мы прошли нижнюю точку, мы прошли катарсис. Исправлять жизнь будет трудно, но возможно» (Н. Д. Солженицына).

В настоящий том вошли части V—VII.

УДК 821.161.1
ББК 84(2Рос-Рус)6-44

Литературно-художественное издание

АЛЕКСАНДР ИСАЕВИЧ СОЛЖЕНИЦЫН

АРХИПЕЛАГ ГУЛАГ
1918–1956
Опыт художественного исследования
Части V–VII

Художественный редактор Валерий Гореликов
Технический редактор Татьяна Раткевич
Компьютерная верстка Александра Савастени
Корректор Станислава Кучепатова

Главный редактор Александр Жикаренцев

Знак информационной продукции
(Федеральный закон № 436-ФЗ от 29.12.2010 г.): 16+

Подписано в печать 11.05.2017. Формат издания 75 × 100 $^1/_{32}$.
Печать офсетная. Тираж 3000 экз. Усл. печ. л. 32,43. Заказ № 1109/17.

ООО «Издательская Группа „Азбука-Аттикус"» —
обладатель товарного знака АЗБУКА®
119334, г. Москва, 5-й Донской проезд, д. 15, стр. 4

Филиал ООО «Издательская Группа „Азбука-Аттикус"»
в Санкт-Петербурге
191123, г. Санкт-Петербург, Воскресенская наб., д. 12, лит. А

ЧП «Издательство „Махаон-Украина"»
04073, г. Киев, Московский пр., д. 6 (2-й этаж)

Отпечатано в соответствии с предоставленными материалами
в ООО «ИПК Парето-Принт».
170546, Тверская область, Промышленная зона Боровлево-1,
комплекс № 3А.
www.pareto-print.ru

YAKB641008R

Издательская Группа «Азбука-Аттикус»

В состав Издательской Группы «Азбука-Аттикус» входят известнейшие российские издательства: «Азбука», «Махаон», «Иностранка», «КоЛибри». Наши книги — это русская и зарубежная классика, современная отечественная и переводная художественная литература, детективы, фэнтези, фантастика, non-fiction, художественные и развивающие книги для детей, иллюстрированные энциклопедии по всем отраслям знаний, историко-биографические издания. Узнать подробнее о наших сериях и новинках вы можете на сайте Издательской Группы «Азбука-Аттикус»

http://www.atticus-group.ru/

Здесь же вы можете прочесть отрывки из новых книг, узнать о различных мероприятиях и акциях, а также заказать наши книги через интернет-магазины.

ПО ВОПРОСАМ РАСПРОСТРАНЕНИЯ ОБРАЩАЙТЕСЬ:

В Москве:
ООО «Издательская Группа „Азбука-Аттикус"»
Тел.: (495) 933-76-01,
факс: (495) 933-76-19
e-mail: sales@atticus-group.ru;
info@azbooka-m.ru

В Санкт-Петербурге:
Филиал ООО
«Издательская Группа „Азбука-Аттикус"»
Тел.: (812) 327-04-55,
факс: (812) 327-01-60
e-mail: trade@azbooka.spb.ru

В Киеве:
ЧП «Издательство „Махаон-Украина"»
Тел./факс: (044) 490-99-01.
e-mail: sale@machaon.kiev.ua

Информация о новинках и планах на сайтах:
www.azbooka.ru,
www.atticus-group.ru

Информация по вопросам приема рукописей
и творческого сотрудничества
размещена по адресу:
www.azbooka.ru/new_authors

ISBN 978-5-389-02352-9